Dictionnaire
de
droit privé

et
Lexiques bilingues

Centre de recherche en droit privé & comparé du Québec

Quebec Research Centre of Private & Comparative Law

1990-1991

Centre de recherche en droit privé & comparé du Québec

Quebec Research Centre of Private & Comparative Law
Université McGill
3647, rue Peel
Montréal, Québec
H3A 1X1

Dictionnaire
de
droit privé
et
Lexiques bilingues

Deuxième édition
revue et augmentée

Comité de rédaction

Paul-A. CRÉPEAU, président, Pierre MARTINEAU, Albert MAYRAND, Lucie LAGUË, secrétaire.

Comité conjoint (Lexiques bilingues)

John E.C. BRIERLEY, président, Paul-A. CRÉPEAU, Peter P.C. HAANAPPEL, Robert P. KOURI, Lucie LAGUË, Pierre MARTINEAU, Albert MAYRAND, Nicholas KASIRER, secrétaire.

CENTRE DE RECHERCHE EN DROIT PRIVÉ
ET COMPARÉ DU QUÉBEC

C.P. 180 Cowansville (Québec) Canada J2K 3H6
Tél.: (514) 263-1086 Fax: (514) 263-9256

Données de catalogage avant publication (Canada)

Vedette principale au titre:

Dictionnaire de droit privé et lexiques bilingues

2e éd. rev. et augm. –

Publ. en collab. avec: Centre de recherche en droit privé et comparé du Québec.

Publ. aussi en anglais sous le titre: Private law dictionary and bilingual lexicons.

Publ. antérieurement sous le titre: Dictionnaire de droit privé. Montréal: Centre de recherche en droit privé et comparé du Québec, 1985.

Comprend des références bibliographiques.

ISBN 2-89073-777-2

1. Droit civil – Québec (Province) – Dictionnaires. 2. Français (Langue) – Dictionnaires anglais. 3. Droit civil – Québec (Province) – Dictionnaires anglais. 4. Anglais (Langue) – Dictionnaires français. I. Crépeau, Paul-A. (Paul-André), 1926- . II. Centre de recherche en droit privé et comparé du Québec.

KEQ132.D52 1991 346.714'003 C91-096820-9

Direction générale
Paul-André Crépeau

Direction de la recherche
Pierre Deschamps

Direction technique et administrative
Alice Archambault-Robaczewska

ISBN: 2-89073-777-2
Bibliothèque nationale du Québec
Bibliothèque nationale du Canada
3e trimestre 1991

COLLABORATEURS

DEUXIÈME ÉDITION
(1986-1991)

Rédaction
Membres permanents
Paul-A. CRÉPEAU, Wainwright Professor of Civil Law, Université McGill; Pierre MARTINEAU, professeur émérite, Faculté de droit, Université de Montréal; Albert MAYRAND, conseiller juridique du cabinet Leduc et LeBel; Lucie LAGUË, avocate, chercheure, Centre de recherche en droit privé et comparé du Québec

Membres *ad hoc*
Peter P.C. HAANAPPEL, professeur de droit, Université McGill; Ethel GROFFIER, professeure de droit, Université McGill; Amédée MONET, juge à la Cour d'appel du Québec

Comité conjoint
John E.C. BRIERLEY, Sir William Macdonald Professor of Law, Université McGill; Paul-A. CRÉPEAU, Wainwright Professor of Civil Law, Université McGill; Peter P.C. HAANAPPEL, professeur de droit, Université McGill; Nicholas KASIRER, professeur de droit, Université McGill; Robert P. KOURI, professeur de droit, Université de Sherbrooke; Lucie LAGUË, avocate, chercheure, Centre de recherche en droit privé et comparé du Québec; Pierre MARTINEAU, professeur émérite, Faculté de droit, Université de Montréal; Albert MAYRAND, conseiller juridique du cabinet Leduc et LeBel

Révision
France ALLARD, Luisa BIASUTTI, Lucie LAGUË

Coordination
France ALLARD, Lucie LAGUË, Geneviève REEVES

Recherche
Charles ALLEN, Myriam BARON, Guylaine BEAUCHAMP, Luisa BIASUTTI, Denis BOULIANNE, Isabelle BRAULT, Claudette COMTOIS, Eric McDEVITT-DAVID, Marie-Andrée DORAIS, Marcelle FIORENTINI, Ysolde GENDREAU, Gérald GOLDSTEIN, Martine HÉBERT, Gaytri KACHROO, Gisèle LAPRISE, Christiane LAVALLÉE, Ghislaine MONTPETIT, Mario PROVOST, Yolanda RANGEL, Geneviève REEVES, Marie-Claude ROY, Mathieu SAVARIS

Direction technique et administrative
Alice ARCHAMBAULT-ROBACZEWSKA

Conception typographique
Manon BERTHIAUME

Saisie du texte
Manon BERTHIAUME, Liesbeth BUITING, Francine CADIEUX, Carole CARRIÈRE, Marie-Claude de BROUWER, Dimitra KAZIANIS, Warren NEILL, Marie POTHIER, Marisa ROSSI, Lisa SHAW

COLLABORATEURS

PREMIÈRE ÉDITION
(1981-1985)

Rédaction
Paul-A. CRÉPEAU, Wainwright Professor of Civil Law, Université McGill; Antoni DANDONNEAU, avocat et chef du service de conseil juridique, Commission des valeurs mobilières; Jean-Claude GÉMAR, professeur, Département de linguistique et philologie, Université de Montréal; Lucie LAGUË, avocate, chercheure, Centre de recherche en droit privé et comparé du Québec; Ejan MACKAAY, professeur de droit, Université de Montréal; Pierre MARTINEAU, professeur émérite, Faculté de droit, Université de Montréal; Ghislaine PESANT, terminologue, Office de la langue française; Raymond de TREMBLAY, avocat

Révision
Raymond de TREMBLAY, Lucie LAGUË

Coordination
Lucie LAGUË

Recherche
Michelle BEAUCHAMP, Dougall CLARK, Ginette COLLIN, Judith CUMMINGS, Walter ELMORE, Dominique FARIBAULT, Roland-Yves GAGNÉ, Michèle GRANJON-LEGENDRE, William D. HART, Suzy KUCER, Mario LAGACÉ, Pierre LANG, Catherine LAPOINTE, Gisèle LAPRISE, Pierre LAROSE, Patricia LAWSON, Louise LUSSIER, Lois McDONALD, Brigitte MORNEAULT, Pierre NORMANDIN, Ghislain OTIS, Manon POMERLEAU, Yolanda RANGEL, David G. REED, Elayne ROMOFF, Danielle SAINT-AUBIN, Anouk VIOLETTE, Martine WALLIMANN

Consultants
Michael BRIDGE, Germain BRIÈRE, Danielle BRUDER-BURMAN, Madeleine CANTIN CUMYN, Armand de MESTRAL, Léo DUCHARME, Geneviève FARIBAULT, Denis FERLAND, Robert LEBEAU, Julien MACKAY, Nicolas M. MATTE, André MOREL, Yves-Marie MORISSETTE, Jean PINEAU, Luc PLAMONDON

Direction technique et administrative
Alice ARCHAMBAULT-ROBACZEWSKA

Omnis definitio in jure civili periculosa est

En droit civil, toute définition est périlleuse

JAVOLENUS,
Digeste, 50, 17, 202

TABLE DES MATIÈRES

AVERTISSEMENT

Le *Dictionnaire de droit privé et Lexiques bilingues* est publié par éditions cumulatives; l'édition définitive devrait contenir environ 10 000 termes.

Cette deuxième édition, revue et augmentée, contient plus de 4 000 acceptions qui couvrent les généralités du droit et l'ensemble des domaines suivants : le droit des obligations, le droit des biens et des sûretés, la prescription et le droit international privé. Le droit des personnes et des successions, le droit judiciaire privé et le droit commercial sont définis en partie.

Sont absents de cette édition les termes ou acceptions appartenant aux domaines de droit privé autres que ceux qui sont annoncés.

AVANT-PROPOS
(deuxième édition)

L'accueil réservé à la première édition, publiée en 1985, a vivement encouragé les auteurs du projet à poursuivre inlassablement le patient labeur de rédaction des articles du dictionnaire. Et la décision de publier l'ouvrage par tranches cumulatives s'est avérée, croyons-nous, la bonne : elle a permis à de nombreux lecteurs — la première édition, tirée à plus de cinq mille exemplaires est aujourd'hui presque épuisée — de connaître le ou les sens précis des termes juridiques de droit privé d'origine provinciale ou fédérale, tels qu'ils sont utilisés dans le contexte particulier de la communauté juridique canadienne; elle a aussi permis au comité de rédaction de tirer grand profit, d'une part, des critiques qui lui ont été adressées par ses lecteurs et, d'autre part, des judicieuses observations que lui a faites le comité de rédaction anglophone dans l'élaboration parallèle de la version anglaise de droit civil du dictionnaire. On aura, à cet égard, noté que le traitement de nombreux termes, insérés dans la première édition, a subi des modifications le plus souvent de forme, mais parfois même de fond, par suite de ces diverses interventions qui auront contribué à bonifier considérablement la présentation des articles du dictionnaire.

Nous avons pu ainsi saisir toute la perspicacité du juriste romain qui avait lancé l'avertissement placé en épigraphe à la première édition de l'ouvrage « *Omnis definitio in jure civili periculosa est* ».

C'est donc avec joie que nous présentons, aujourd'hui, une deuxième édition cumulative de ce dictionnaire comprenant plus de quatre mille acceptions et portant sur les généralités du droit, sur l'ensemble du droit des obligations, des biens et des sûretés, de la prescription et du droit international privé, de même que sur une partie du droit des personnes et du droit judiciaire privé.

Il nous est également agréable de penser que, contrairement à la première édition, les versions française et anglaise de cette deuxième édition du dictionnaire paraissent simultanément : le lecteur pourra ainsi se rendre compte du soin pris par le Comité de rédaction conjoint afin d'assurer la parfaite concordance des deux versions sur le fond, tout en reconnaissant que chaque version, qui ne saurait être considérée comme une simple traduction de l'autre, comporte, dans l'expression de la pensée, ses traits caractéristiques, ses difficultés particulières et son génie propre.

Puisse le lecteur trouver, dans cet ouvrage, autant de satisfaction et de profit à le consulter que les auteurs ont ressenti de joie et d'enrichissement à le produire; ces derniers souhaitent à nouveau pouvoir compter sur l'indulgence du lecteur et lui réitèrent l'invitation à lui faire part de ses observations dont ils voudront tenir compte dans la prochaine édition de l'ouvrage.

Montréal, le 15 juin 1991 — Le Comité de rédaction

AVANT-PROPOS
(première édition)

Le Centre de recherche en droit privé et comparé du Québec a entrepris, depuis quelques années, un important programme de recherche destiné notamment à assurer la publication d'ouvrages juridiques indispensables dans le domaine du droit privé[1].

Le *Dictionnaire de droit privé* compte parmi ceux-là. En effet, il n'existe pas, à l'heure actuelle, de dictionnaire scientifique de droit privé applicable au Québec, qu'il soit de source provinciale ou fédérale, de sorte que l'on est souvent tenté d'utiliser les ouvrages français, anglais ou américains.

Le recours à des ouvrages étrangers comporte des risques certains. D'abord, même dans les domaines où le droit civil du Québec partage avec le droit français l'héritage de la tradition civiliste, le système juridique québécois présente souvent des particularités suffisamment importantes pour que la simple transposition ne soit pas toujours possible.

Ensuite, certaines matières en droit québécois sont presque complètement autonomes par rapport au droit français (que l'on songe par exemple au droit des compagnies); il en est de même dans le domaine du droit privé d'origine fédérale à l'égard du droit anglo-américain; ainsi, le droit bancaire, le droit cambiaire, le droit de la faillite, le droit fédéral des sociétés. Est donc souvent source de confusion et d'erreur la consultation de dictionnaires étrangers qui sont susceptibles de véhiculer le sens d'un terme dans le cadre d'un régime juridique différent de celui qui prévaut au Québec.

Il s'agissait d'élaborer un dictionnaire qui, pour pallier ces difficultés, parte du système juridique applicable au Québec et définisse les termes en fonction de leur emploi au Québec.

Le *Dictionnaire de droit privé* a été conçu essentiellement comme une oeuvre de collaboration entre juristes et linguistes. La participation des uns et des autres a paru nécessaire au succès de l'entreprise : car s'il revient aux juristes de définir, dans leur acception technique, les termes juridiques, la démarche lexicographique et la normalisation linguistique relèvent ordinairement des linguistes. Cependant, comme dans toute recherche interdisciplinaire, le succès de l'oeuvre suppose que chaque discipline sache comprendre et épouser les préoccupations des autres disciplines. L'originalité du projet résulte, croyons-nous, de cette fructueuse collaboration entre juristes et linguistes.

---

1 Ce programme prévoit, en plus du présent dictionnaire, en versions française et anglaise, la publication d'un lexique juridique bilingue de droit privé, d'une édition critique annuelle des Codes civils, d'une édition historique du Code civil du Bas-Canada avec suppléments cumulatifs et, enfin, d'un traité de droit civil.

Comme il s'agit d'une oeuvre de longue haleine — l'ouvrage, une fois complété, comprendra environ 10 000 termes —, il a paru utile de publier le dictionnaire par versions cumulatives. Cette décision est susceptible de comporter certains avantages non négligeables, dont, à maintes reprises, on nous a dit qu'ils étaient de nature à largement compenser les inconvénients résultant du caractère incomplet de cette première version. D'une part, en effet, la communauté juridique québécoise pourra bénéficier des résultats de la recherche entreprise au fur et à mesure qu'avanceront les travaux; d'autre part, le comité de rédaction pourra tirer grand profit des observations et critiques qui pourront lui être adressées et dont il voudra tenir compte dans les versions ultérieures de l'ouvrage.

Le Centre de recherche en droit privé et comparé du Québec, pour sa part, souhaite vivement que les juristes, qu'ils soient juges, praticiens, rédacteurs législatifs, professeurs ou étudiants, puissent le consulter avec profit, tant pour connaître l'acception précise des termes juridiques que pour vérifier leur utilisation correcte ou trouver l'expression juste.

Ainsi cet ouvrage pourra-t-il favoriser la rigueur de la pensée et la correction de la langue, dont le rôle essentiel a été souligné avec éclat par la Cour suprême du Canada dans la décision relative à la question linguistique du Manitoba[2]. La Cour déclara :

> « C'est par le langage que nous pouvons former des concepts, structurer et ordonner le monde autour de nous. Le langage constitue le pont entre l'isolement et la collectivité, qui permet aux êtres humains de délimiter les droits et obligations qu'ils ont les uns envers les autres, et ainsi, de vivre en société ».

N'est-ce pas aussi, dans un tout autre genre, le vibrant message que nous livre le poète-chanteur Yves Duteil, dans une de ses chansons, *La langue de chez nous* :

> « C'est une langue belle
> À qui sait la défendre
> Elle offre les trésors
> De richesses infinies
> Les mots qui nous manquaient
> Pour pouvoir nous comprendre
> Et la force qu'il faut
> Pour vivre en harmonie »

Montréal, le 17 juin 1985

Paul-A. Crépeau, o.c., c.r.
de la Société royale du Canada
Directeur du Centre

---

2 Dans l'affaire de l'article 55 de la *Loi sur la Cour suprême*, S.R.C. 1970, chap. S-19 et ses modifications, 13 juin 1985, [1985] 1 R.C.S. 721, p. 744.

REMERCIEMENTS
(deuxième édition)

Le Centre veut exprimer sa plus vive gratitude au Secrétariat d'Etat du Canada qui, depuis 1982, en collaboration avec le ministère fédéral de la Justice au sein du Programme d'administration de la Justice dans les deux langues officielles (PAJLO), a bien voulu accorder au projet un appui financier soutenu en vue d'assurer la poursuite des travaux.

Le Centre tient aussi à dire sa reconnaissance au Gouvernement du Québec : Monsieur Claude Ryan, ministre chargé de l'application de la Charte de la langue française, et Madame Lucienne Robillard, ministre de l'Enseignement supérieur et de la recherche scientifique, ont exprimé un vif intérêt pour le projet et ont voulu joindre la parole à l'acte en accordant, depuis 1989, par l'intermédiaire du Secrétariat à la politique linguistique du Québec, une généreuse subvention permettant l'accélération des travaux.

Le Centre désire également remercier la Chambre des notaires du Québec qui, depuis la toute première heure, a exprimé sa volonté ferme et constante de soutenir les projets du Centre liés au rayonnement du droit civil du Québec et qui, en ce qui concerne notamment le *Dictionnaire de droit privé*, assure la participation d'un chercheur à l'équipe de recherche du projet.

Le Centre remercie enfin les autorités de l'Université et de la Faculté de droit de McGill qui acceptent avec empressement de contribuer à la réalisation des projets de recherche du Centre.

Montréal, le 15 juin 1991 — Le directeur du Centre

REMERCIEMENTS
(première édition)

Le Centre de recherche en droit privé et comparé du Québec veut exprimer sa plus vive gratitude au Gouvernement du Québec qui, par l'intermédiaire de l'Office de la langue française, dans le cadre de son Programme de subvention à la recherche linguistique, sociolinguistique et terminologique, a permis, en 1978, de mettre en route les projets de jurilinguistique et, depuis cette date, de poursuivre les travaux grâce à un soutien financier et à la précieuse collaboration de deux linguistes.

Le Centre de recherche veut aussi remercier le Secrétariat d'État qui a bien voulu, depuis 1982, en collaboration avec le ministère fédéral de la Justice et dans le cadre du Programme d'administration de la justice dans les deux langues officielles au Canada, fournir un soutien financier en vue de permettre l'accélération des travaux.

Le Centre de recherche tient également à témoigner sa reconnaissance au Fonds F.C.A.R. (Fondation de chercheurs et aide à la recherche) de lui avoir accordé le statut de centre de recherche, lui permettant ainsi de bénéficier de subventions d'aide à la réalisation de son programme scientifique.

Le Centre de recherche tient, en outre, à remercier Mme Manon Berthiaume qui, avec compétence et dévouement, a assuré la dactylographie du manuscrit.

Le Centre de recherche remercie enfin les autorités de l'Université McGill qui, depuis la première heure, ont accepté avec empressement de soutenir les projets de recherche du Centre.

Montréal, le 17 juin 1985 Le Directeur

PRÉSENTATION DU DICTIONNAIRE

Sommaire

PRÉSENTATION DU DICTIONNAIRE

La deuxième édition, revue et augmentée, du *Dictionnaire de droit privé et Lexiques bilingues* comprend plus de 4 000 termes du vocabulaire de droit privé québécois, tant de source provinciale que fédérale. Les définitions portent sur les généralités du droit et sur l'ensemble du droit des obligations, du droit des biens et des sûretés, de la prescription et du droit international privé. Le droit des personnes et des successions, le droit judiciaire privé et le droit commercial sont définis en partie.

Comme son nom l'indique, l'ouvrage comporte également un double *Lexique français-anglais et anglais-français* qui fournit les équivalents en langue anglaise civiliste correspondants à la nomenclature du *Private Law Dictionary*. Ainsi, le *Dictionnaire* sert la double fonction de préciser le sens d'un terme juridique et de donner son équivalent en langue anglaise.

L'ouvrage est divisé en trois parties. La première partie, le *Dictionnaire* proprement dit, comprend les définitions auxquelles est intégré le *Lexique français-anglais*. Cette partie entend couvrir à la fois les aspects techniques et linguistiques du vocabulaire juridique retenu et faire état du contexte d'utilisation par les divers éléments descriptifs (la langue d'origine, l'étymologie) et fonctionnels (la catégorie grammaticale, le domaine) qu'elle présente. Outre la signification juridique des termes, elle inscrit la forme linguistique dans un système de rapports notionnels (le réseau des renvois) et langagier (les exemples linguistiques et les citations) et sert à la normalisation linguistique (les marques d'usage). Nous y reviendrons lors de l'explication des entrées et de la structure des articles du *Dictionnaire*.

Nous avons préféré attendre que les rectifications de l'orthographe, proposées en France par le Conseil supérieur de la langue française en juin 1990, soient appliquées au Québec avant de les inclure au *Dictionnaire*.

La deuxième partie est formée du *Lexique anglais-français*. L'ajout de ce *Lexique* à l'ouvrage vise, notamment, à permettre au lecteur d'un texte anglais de droit civil de trouver l'équivalent en français, puis d'en vérifier le sens et l'emploi en consultant la définition donnée dans la première partie. Ce *Lexique anglais-français*, comme le *Lexique français-anglais* « intégré » à l'article définitoire, est établi à partir de la nomenclature du *Private Law Dictionary*.

La troisième partie du *Dictionnaire* consiste dans la **Liste des auteurs et ouvrages cités**. Cette liste n'est pas une bibliographie des auteurs et ouvrages consultés lors de la rédaction des définitions, car plusieurs d'entre eux n'y figurent pas; elle vise uniquement à donner la référence bibliographique complète correspondant à la référence abrégée qui accompagne chacune des citations du *Dictionnaire*.

Afin de faciliter la consultation du *Dictionnaire*, il paraît utile d'exposer les règles qui commandent la présentation des entrées et ensuite de s'attarder aux différents éléments qui forment la structure des articles définitoires. On sera ainsi, estimons-nous, davantage en mesure d'apprécier l'esprit dans lequel l'ouvrage a été conçu et réalisé.

I. LES ENTRÉES

La suite des entrées, c'est-à-dire de chacun des mots-vedettes placés en tête de définition, constitue la nomenclature du Dictionnaire. Les entrées composées d'un seul mot sont dites *simples*, celles qui sont composées de plusieurs mots sont dites *complexes*. L'entrée complexe est un mot autonome qui évoque une réalité distincte de celle de ses composantes. Pour faciliter et accélérer la consultation, les entrées sont toutes classées en ordre alphabétique absolu. Cet ordre implique que les traits d'union et les espaces dans les entrées complexes n'ont aucune valeur. Ainsi, NUE-PROPRIÉTÉ vient après NOVER et avant NUL, alors que NU-PROPRIÉTAIRE est classé après NULLITÉ VIRTUELLE. La nomenclature retient non seulement des substantifs ou des locutions nominales, comme c'est l'usage dans les dictionnaires de spécialité, tel le nom HYPOTHÈQUE, mais aussi des termes appartenant à d'autres catégories grammaticales, tel l'adjectif HYPOTHÉCAIRE, l'adverbe HYPOTHÉCAIREMENT et le verbe HYPOTHÉQUER.

Ouvrage de spécialité, le *Dictionnaire* ne comprend pas, en principe, de termes relevant de la langue courante, à moins qu'ils n'aient aussi une acception juridique, comme ACTE et OBLIGATION. Il ne donne pas non plus le sens courant de termes juridiques, sauf pour éviter une confusion possible ou en raison d'un emploi fréquent dans un texte législatif. Dans ces cas, le *Dictionnaire* présente un article définitoire distinct du sens juridique (ex., CAPABLE[1]), ou signale la confusion possible au moyen d'une remarque placée sous le sens juridique (ex., CAPACITÉ).

Il convient de présenter d'abord les caractéristiques générales de l'entrée, de signaler ensuite les traits particuliers à certains types d'entrées.

A. LA PRÉSENTATION DES ENTRÉES

Les entrées sont présentées au singulier, sauf dans les cas où il s'agit d'un pluriel lexicalisé, comme IMPENSES et TENANTS ET ABOUTISSANTS. La forme féminine des adjectifs, des substantifs employés adjectivement et des substantifs désignant des personnes est généralement indiquée au moyen d'un suffixe après le genre masculin. Elle n'est donnée que pour les entrées simples (ex., DÉBITEUR, TRICE). À quelques rares exceptions (LÉGISLATEUR et TIERS), tous les noms de personnes, de titres et de fonctions reçoivent un féminin conforme aux règles de féminisation suivant la terminaison des noms. La plupart des féminins indiqués sont attestés dans les grands dictionnaires généraux de la langue française. Un petit nombre d'entre eux ne se retrouvent pas dans ces ouvrages, mais sont déjà utilisés au Québec (ex., AUTEUR, EURE; INGÉNIEUR, EURE; PROCUREUR, EURE). En les proposant, nous avons voulu rendre compte des réalités linguistiques au Québec.

Les entrées complexes contiennent parfois des parenthèses qui ont une double fonction. Elles indiquent, dans certains cas, la possibilité de deux graphies du terme. Par exemple, dans GESTION D'AFFAIRE(S), le mot *affaire* peut s'écrire avec ou sans le s; IMMEUBLE PAR (LA) DÉTERMINATION DE LA LOI se lit à la fois *immeuble par détermination de la loi* et *immeuble par la détermination de la loi*. Dans d'autres cas, les parenthèses servent à inverser un élément de l'entrée, le plus souvent une préposition, comme dans le cas de PLEIN DROIT (DE) et OFFICE (D'). Pour faciliter la consultation, ces entrées sont également répertoriées dans l'ordre alphabétique de lecture normale à DE PLEIN DROIT et à D'OFFICE.

Par souci de concision et lorsque les deux catégories revêtent le même sens, quelques entrées sont traitées à la fois comme nom et adjectif. Il s'agit de termes qui désignent des personnes, des titres ou des fonctions, tel ADOPTANT, DEMANDEUR, PARENT[1] et PARTAGEANT.

B. LES ENTRÉES DE TYPE PARTICULIER

1. Les entrées de langue étrangère

Étant donné l'emploi fréquent d'expressions latines en droit civil, héritage de la tradition romaniste, la nomenclature contient un certain nombre de termes latins appartenant aux domaines retenus (ex., *IN ABSTRACTO*, *INTUITU PERSONAE*, *JUS AD REM*, *SOLO CONSENSU*). On y trouve aussi quelques termes d'origine anglaise (ex., COMMON LAW, EQUITY). Les entrées de langue étrangère sont identifiables par la mention, entre parenthèses, de la langue d'origine, en l'occurrence (latin) et (anglais). La présentation de ces entrées en italique indique que ces termes sont toujours perçus comme des termes étrangers, alors que le caractère romain marque leur passage dans la langue juridique française (ex., SHÉRIF, COMMON LAW, EQUITY).

2. Les entrées discutables

Le rôle d'un dictionnaire est de rendre compte de la langue en usage dans un temps et un lieu déterminés. Or, la langue juridique québécoise comprend des emplois incorrects en raison du contexte juridique lui-même (coexistence de la common law et du droit civil) et du double contexte de bilinguisme (le droit civil en français et en anglais, la common law en anglais et en français) dans lesquels elle évolue.

L'intérêt de signaler les emplois fautifs (anglicismes, impropriétés et emprunts de la common law) les plus répandus dans le vocabulaire de droit privé utilisé au Québec répond au souci de correction, de préservation et de normalisation de la langue juridique. Ces entrées, dont le renvoi au terme correct est précédé d'un (X) pour rappeler qu'elles sont à éviter, s'accompagnent le plus souvent d'une remarque justificative (ex., DROIT DE PRÉEMPTION[2], POSSESSION ACTUELLE[2]).

3. Les entrées-listes

Certaines entrées ne reçoivent pas de définition, mais sont suivies d'une liste, annoncée par le « V. », de toutes les entrées complexes du *Dictionnaire* qui contiennent le mot placé en entrée. C'est le cas de plusieurs adjectifs et noms qui servent de complément de nom à un des éléments d'une entrée complexe. Ainsi, l'adjectif MÉDIAT renvoie à REPRÉSENTATION MÉDIATE et à VICTIME MÉDIATE, deux entrées complexes définies au *Dictionnaire*. Le nom ADHÉSION est suivi d'un renvoi à CONTRAT D'ADHÉSION, également au *Dictionnaire*. Les entrées-listes regroupent toutes les entrées complexes du *Dictionnaire* formées à partir du mot placé en entrée et permettent de trouver un terme inconnu.

II. LES ARTICLES DÉFINITOIRES

L'ensemble des éléments d'information donnés sous chaque entrée du *Dictionnaire* constitue l'article définitoire. L'élément essentiel est bien évidemment la définition du terme; mais, à celle-ci viennent s'ajouter des éléments accessoires qui la complètent, l'éclairent, la situent ou la prolongent de quelque manière[1].

Avant d'aborder la description de ces éléments, il y a lieu de décrire la présentation typographique du *Dictionnaire*.

Dans la partie lexicographique du *Dictionnaire*, c'est-à-dire dans l'article définitoire, les différents types d'information sont écrits en caractères Times romains et sont regroupés en blocs, séparés par un passage à la ligne et précédés chacun d'une abréviation en lettres grasses annonçant le type d'information qui suivra. Ainsi, les occurrences, qui attestent l'apparition du mot défini dans un texte législatif, sont précédées de l'abréviation « **Occ.** » Il en est de même pour les remarques et tout le réseau des renvois synonymiques, antonymiques, analogiques et normatifs. La présentation en lettres grasses des abréviations facilite, espérons-nous, le repérage de chacun de ces types d'information. Dans cette partie du texte, l'*italique* sert à identifier tout ce qui relève de la forme ou de la fonction linguistique, tels que la catégorie grammaticale, le domaine d'emploi, certaines marques d'usage, les exemples linguistiques, les formes perçues comme étrangères et le passage de l'énonciation à la désignation. Noter que si un texte est déjà en *italique*, la notation d'une fonction linguistique se fera en romain. Ainsi, un terme latin placé en exemple linguistique sera écrit en romain (ex., à **IN ABSTRACTO**, on trouvera l'exemple linguistique *La faute s'apprécie* in abstracto).

La deuxième édition du *Dictionnaire* contient un bloc-lexique qui fournit le ou les équivalents en langue anglaise civiliste du terme défini. Ce bloc est placé à la suite de chaque article définitoire et est annoncé par l'abréviation « **Angl.** », en lettres grasses. Les équivalents anglais sont écrits, non pas en Times comme le reste de l'article définitoire, mais en caractères de type Helvética, pour marquer le passage de la fonction lexicographique de l'ouvrage à sa fonction lexicologique. Dans ce bloc, l'italique signale les mots toujours perçus comme étrangers dans le vocabulaire anglais.

Le schéma qui suit présente les divers éléments susceptibles de figurer sous une entrée :

---

1 Le Comité de rédaction tient ici à dire tout l'intérêt qu'il a tiré, dans la présentation des articles définitoires, de la fréquente consultation de dictionnaires spécialisés ou généraux, tels le Cornu, *Vocabulaire juridique*, Paris, P.U.F., 1987 et (2e éd.) 1990; le Corniot, *Dictionnaire de droit*, 2 vol., Paris, Dalloz, 1966; le Capitant, *Vocabulaire juridique*, Paris, P.U.F., 1936; le Grand Robert, *Le Grand Robert de la langue française*, 2e éd. revue et enrichie par A. Rey, Paris, Le Robert, 1986 et le *Oxford English Dictionary*, Oxford, O.U.P., 1971.

SCHÉMA

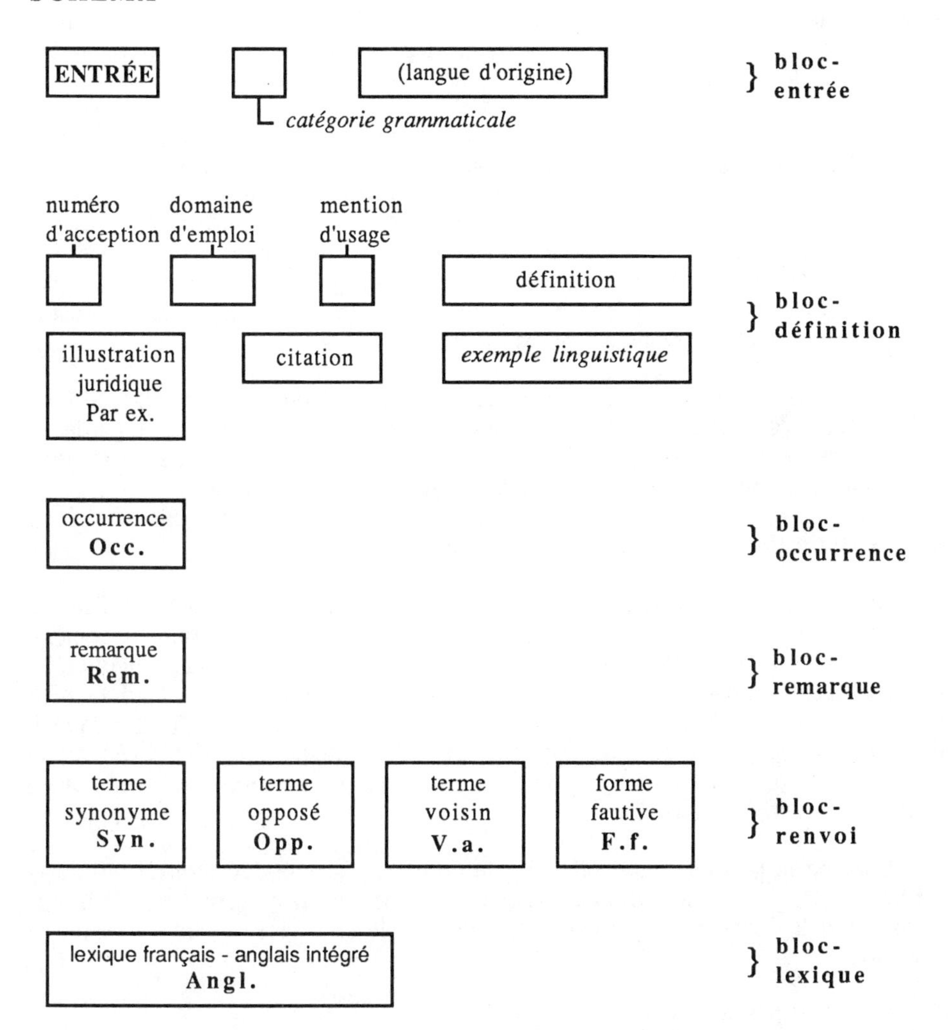

A. LA DÉFINITION

Le rôle de la définition proprement dite est de présenter, au moyen d'une périphrase, les caractères spécifiques essentiels à la compréhension d'un concept juridique donné. La définition est organisée autour d'un mot pilier, le « genre prochain », qui exprime, dans une relation de sens hiérarchisée d'inclusion, la notion la plus proche englobant le terme défini. Ainsi, la définition de CONTRAT commence par « Acte juridique résultant d'un accord de volonté ... ». Celle de CONTRAT PAR TÉLÉPHONE commence par « Contrat entre non-présents dans lequel ... » À ce mot pilier viennent s'ajouter les traits notionnels qui caractérisent le concept et distinguent ce dernier de ses concepts voisins. La définition doit répondre aux critères d'exactitude et d'adéquation; elle doit recouvrir tout le concept et le concept uniquement. Elle est rédigée dans un langage technique et clair, en évitant, dans la mesure du possible, le jargon professionnel du juriste.

Il n'entre pas dans le rôle de la définition de toucher au régime juridique qui gouverne l'application des concepts de notre droit. Cela est réservé aux remarques, lesquelles ont pour fonction, notamment, de dépasser les limites lexicographiques imposées à la définition.

Dans les cas où la définition s'y prête, le lecteur trouvera le nom des intervenants engagés dans l'acte, la situation ou l'opération juridique visée. Ainsi, dans la définition de MANDAT figurent les termes *mandant* et *mandataire*; dans celle du CONTRAT D'ENTREPRISE, les termes *entrepreneur* ou *locateur d'ouvrage* et *maître de l'ouvrage* ou *client*. Des raisons de concision et de clarté s'opposent à une rédaction véritablement non sexiste des définitions. Nous avons eu recours aux noms de personnes génériques (personne, partie, groupe) ou encore au masculin considéré *neutre* ou *générique*, c'est-à-dire qui inclut le féminin, comme dans les exemples précités.

Les termes et les acceptions qui se rattachent à des domaines autres que ceux annoncés dans cette édition sont absents de la nomenclature. Il faut donc se garder de conclure, du seul fait que le terme figure au *Dictionnaire*, à l'exhaustivité de la nomenclature de cette édition, non plus qu'à celle d'un article définitoire.

1. La définition d'un terme polysémique

Un terme, dit *polysémique*, peut avoir plusieurs sens selon le domaine d'emploi auquel il se rattache (ex., DÉCRET) ou, à l'intérieur d'un même domaine, selon le contexte (ex., DOL, OBLIGATION). Normalement classées en allant du général au particulier, les diverses acceptions d'un terme polysémique sont précédées d'un numéro d'ordre chiffré (ex., DOL **1.** (*Obl.*) Manoeuvre... et **2.** (*Obl.*) Fait du débiteur...). Lorsque la distinction de sens est très fine, notamment entre l'acte juridique et l'écrit qui le constate, une lettre vient se substituer au chiffre (ex., ARRÊT^{A} et ARRÊT^{B}, BAIL^{A} et BAIL^{B}) ou s'y ajouter (ex., ACTE$^{2.A}$ et ACTE$^{2.B}$).

Lorsque le polysème apparaît dans le corps de l'article définitoire (définition, remarque et renvois) et dans les *Lexiques*, il est accompagné du numéro d'ordre (placé en exposant) si le contexte ne permet pas de déceler le sens visé ou s'il y a risque de confusion.

2. Les définitions synonymiques

Définition par excellence, la définition synonymique dénote une interchangeabilité parfaite entre les termes ainsi reliés. Cette interchangeabilité est parfois tempérée ou nuancée par une marque d'usage (le sens 2 de GÉRANT est le synonyme *vieilli* de COMMANDITÉ; CONDITION PUREMENT FACULTATIVE est un synonyme propre au Québec (Q) de CONDITION PUREMENT POTESTATIVE), ou encore par une remarque linguistique (SOLIDARITÉ PARFAITE, le synonyme de SOLIDARITÉ, est employé uniquement dans un contexte d'opposition à SOLIDARITÉ IMPARFAITE).

Contrairement à l'idée répandue qu'il existe peu de vrais synonymes en droit, le *Dictionnaire* en répertorie plusieurs, par suite notamment de la richesse du vocabulaire en doctrine et en jurisprudence et de l'abondance de termes complexes qui multiplient les combinaisons d'écriture lorsqu'une ou plusieurs composantes possèdent elles-mêmes un synonyme. Le cas de DOMMAGE MATÉRIEL illustre bien cette dernière situation. Dans cette entrée complexe, *dommage* peut être remplacé par son synonyme *préjudice* et *matériel* par les trois autres qualificatifs *économique*, *patrimonial* et *pécuniaire*. Cela forme huit permutations parfaitement interchangeables, comme l'attestent d'ailleurs les citations à chacun de ces synonymes.

Le choix du synonyme principal — c'est-à-dire de celui sous lequel seront placés la définition, l'illustration juridique, les remarques et le réseau des renvois s'il y a lieu — est fonction de la fréquence d'emploi observée (PRESCRIPTION ACQUISITIVE est plus fréquent qu'USUCAPION), de la synonymie principale décidée à une entrée simple (DOMMAGE FUTUR est préféré à PRÉJUDICE FUTUR puisque DOMMAGE est le synonyme principal), d'une forme linguistique plus juste qu'une autre (CONTRAT ENTRE NON-PRÉSENTS est privilégié par rapport à CONTRAT ENTRE ABSENTS pour éviter l'ambiguïté avec la notion d'absence) et, finalement, de l'arbitraire (GREVÉ et INSTITUÉ, DOMMAGE et PRÉJUDICE).

Par souci de francisation de la langue juridique et malgré une fréquence d'emploi parfois plus grande, les termes latins renvoient toujours à leur synonyme français. En l'absence de terme français consacré pour rendre l'expression latine, l'entrée latine recevra exceptionnellement une définition. C'est le cas, notamment, de *JUS AD REM*, d'*ABUSUS* et d'*USUS*

B. LES ÉLÉMENTS ACCESSOIRES DE LA DÉFINITION

Constituent les éléments accessoires de la définition, la catégorie grammaticale, la langue d'origine, le domaine d'emploi, la marque d'usage, l'illustration juridique, la citation, l'exemple d'emploi linguistique, la source d'occurrence, les remarques et les renvois.

1. La catégorie grammaticale

L'entrée simple est suivie de la mention de sa fonction grammaticale : nom, adjectif, pronom, verbe transitif, intransitif ou pronominal, adverbe (ex., CESSIBLE *adj.*). À moins d'être reliée par un trait d'union et considérée alors comme une entrée simple (ex., NUE-PROPRIÉTÉ, *n.f.*), l'entrée complexe ne reçoit aucune indication grammaticale. Dans le cas des termes d'origine étrangère, toutefois, la catégorie grammaticale est toujours mentionnée, que l'entrée soit simple ou complexe, et correspond à la catégorie et au genre utilisés en français (ex., COMMON LAW *n.f.*, *JUS IN PERSONAM* *loc.nom.m.*).

L'entrée nominale comprend, en outre, l'indication du genre (ex., CAUTION *n.f.*) sauf lorsque le terme, dit *épicène*, présente la même forme dans les deux genres (ex., DESTINATAIRE *n.*).

2. La langue d'origine

La mention de la langue d'origine, placée entre parenthèses à la suite de la catégorie grammaticale, accompagne les emprunts à une autre langue. Il s'agit le plus souvent du latin et parfois de l'anglais. Ex., *LEX REI SITAE* (latin); *RES NULLIUS* (latin); EQUITY (anglais).

3. Le domaine d'emploi

Le domaine d'emploi désigne la branche du droit dans laquelle la notion définie est principalement traitée en doctrine. Le domaine d'emploi se réfère de la sorte au champ d'analyse plutôt qu'au champ d'application de la notion juridique. La définition d'un terme ou d'une de ses acceptions est ainsi précédée de la mention, en abrégée, soit d'un domaine (ex., *Obl.*), soit de deux ou au plus trois domaines d'emploi (ex., *Biens* et *Obl.*). La mention du domaine est omise quand les termes appartiennent à la langue générale du droit privé ou quand le champ d'analyse se rattache à plus de trois domaines.

Les principaux domaines d'emploi utilisés au Dictionnaire sont les obligations (*Obl.*), recouvrant la théorie générale des obligations et les contrats nommés; les biens (*Biens*), traitant de la théorie générale des droits réels principaux; le droit des sûretés (*Sûr.*); le droit international privé (*D. int. pr.*); la prescription (*Prescr.*); le droit des personnes, de la famille et des régimes matrimoniaux (*Pers.*); le droit judiciaire privé (*D. jud.*); le droit des successions (*Succ.*) et le droit commercial (*D. comm.*).

4. La marque d'usage

La marque d'usage, qui précède la définition, renseigne sur l'emploi d'un terme en qualifiant la forme linguistique et non pas la notion désignée. Certes, l'attribution d'une marque d'usage est une entreprise délicate, mais nous avons préféré ne pas y renoncer plutôt que de priver l'utilisateur d'une source d'information souvent utile. Les marques d'usage utilisées sont les suivantes :

(Q) Cette lettre désigne un québécisme, c'est-à-dire un emploi propre au Québec, inconnu de l'ensemble de la communauté juridique française. Cette marque ne porte pas un jugement de valeur, mais constate un usage géographiquement régionalisé par rapport à une norme centrale, en l'occurrence le vocabulaire du droit privé de la France dans les cas où, bien entendu, la France et le Québec partagent les mêmes concepts de tradition civiliste (ex., CONDITION FACULTATIVE, CONDITION SIMPLEMENT FACULTATIVE, REPRISE DE POSSESSION). Le québécisme ne s'applique pas aux termes qui s'inspirent d'une tradition juridique différente de celle de la France, comme en droit judiciaire privé ou en droit commercial.

(X) Le *Dictionnaire* fait oeuvre de normalisation et utilise cette lettre pour signaler un emploi à proscrire, une dénomination à éviter. Il peut s'agir notamment d'un anglicisme de sens ou de forme (calque), auquel cas la lettre (X) est suivie de l'abréviation *Angl.* (ex., CANCELLATION², STATUT², DROIT STATUTAIRE), d'une impropriété, emploi d'un terme dans un sens qu'il n'a pas (ex., DÉTENTEUR³, GARDE CONJOINTE³, MISE EN CAUSE FORCÉE) ou encore d'un barbarisme, déformation d'un mot (ex., RETRAYER). La lettre (X) est généralement suivie d'un renvoi à la forme correcte.

Vieilli Cette mention, écrite en italique, se rapporte à un terme encore compréhensible, mais qui n'est presque plus utilisé en droit québécois. Cette condition d'emploi est généralement une conséquence de l'évolution de la langue qui a remplacé la forme vieillie par un terme plus moderne. C'est notamment le cas de CONTRAT DE VOITURE, remplacé par CONTRAT DE TRANSPORT, de DÉPOUILLEMENT, remplacé par DESSAISISSEMENT, d'ÉQUIPOLLER, remplacé par ÉQUIVALOIR et de SOLIDITÉ, remplacé par SOLIDARITÉ. Nous avons étendu la fonction de la condition vieillie à l'action du législateur qui a abrogé un concept, comme ce fut le cas du douaire, ou qui a remplacé un terme par un autre. Ainsi, le terme AUTORITÉ PARENTALE remplace désormais celui de PUISSANCE PATERNELLE, le terme BAIL PAR TOLÉRANCE remplace celui de BAIL PRÉSUMÉ et l'expression SOCIÉTÉ PAR ACTIONS[2] remplace, en droit fédéral, celle de SOCIÉTÉ COMMERCIALE.

Rare Cette mention, également écrite en italique, s'applique au terme dont on reconnaît la faible fréquence d'emploi par rapport à un autre synonyme usité (ex., CERTIFICAT D'USAGE est moins fréquent que CERTIFICAT DE COUTUME, DETTE ACTIVE est plus rare que CRÉANCE ou DROIT PERSONNEL), ou qui est employé exceptionnellement dans un sens particulier (ex., ATTRIBUTIF).

Néol. Cette abréviation, en italique, de néologisme marque le plus souvent la création récente d'une forme linguistique (ex., ADOPTABLE, PAYÉ, PAYEUR, PRÉEMPTEUR).

5. L'illustration juridique

L'illustration juridique, introduite immédiatement après la définition par la mention abrégée « Par ex. », donne une application juridique de la notion définie. Ainsi, la vente et le bail illustrent le contrat; le patrimoine et le fonds de commerce sont des exemples d'universalité; la servitude d'écoulement des eaux est un cas de servitude naturelle.

6. La citation

Sur le plan linguistique, la citation fournit une mise en contexte de la forme linguistique et informe le lecteur sur l'articulation du discours juridique. Elle place le vocabulaire de droit dans une perspective dynamique.

Sur le plan juridique, la citation contribue à jeter un éclairage plus concret sur la notion définie et confère une grande richesse au *Dictionnaire*. La citation peut reprendre la définition en d'autres mots (ex., CAUSE ILLICITE, CAUTIONNEMENT CONVENTIONNEL, DÉSAVEU DE PATERNITÉ), ou préciser certains des traits notionnels de la définition (ex., COPROPRIÉTÉ, POSSESSION UTILE, REMISE DE DETTE, SERVITUDE CONTINUE). Parfois, elle énonce certaines règles qui gouvernent l'application de la notion (ex., DOMMAGE PRÉVISIBLE et DOMMAGE PRÉVU), critique une distinction doctrinale (ex., DOL INCIDENT, SERVITUDE LÉGALE1), ou encore annonce une classification à l'intérieur de la notion définie (ex., RENONCIATION À LA PRESCRIPTION, SERVITUDE NATURELLE).

Les citations sont tirées de la doctrine et de la jurisprudence. Au total, le *Dictionnaire* contient au-delà de 2 600 citations empruntées à plus de 380 ouvrages et articles de doctrine et à 80 décisions différentes. En tout, quelque 275 auteurs et 40 juges sont cités. Les citations proviennent, dans la mesure du possible, de sources locales, mais il a paru naturel de puiser également aux sources du droit privé français qui partage avec nous l'héritage de la tradition civiliste, notamment dans les cas où une citation judicieuse pouvait éclairer le sens d'un terme. Les citations tirées de la doctrine sont, dans la mesure du possible, régulièrement mises à jour avec la parution de nouvelles éditions.

La référence des citations extraites de la doctrine est présentée en abrégée. Pour connaître la référence bibliographique complète, le lecteur peut se reporter à la **Liste des auteurs et ouvrages cités** placée à la fin de l'ouvrage.

7. L'exemple linguistique

L'exemple linguistique, présenté en italique à la suite de la référence abrégée de la citation, est une suite de mots non figée que nous avons retenue pour représenter un segment type du discours juridique. Tout comme la citation, l'exemple linguistique place le terme défini en contexte, constitue parfois un modèle du bon usage et renseigne surtout sur les tournures propres au style juridique. La spécificité de la langue juridique justifie qu'on s'intéresse aussi, dans un dictionnaire de droit, à l'aspect syntaxique. Ainsi, des exemples constitués par des locutions verbales ou nominales dont les mots charnières sont d'emploi difficile ou incertain peuvent s'avérer utiles (ex., *prendre un décret*, *donner (une) caution*, *passer compromis*).

8. La source d'occurrence

Plus de 2 000 références législatives provenant de quelque 70 lois provinciales et fédérales attestent l'apparition des termes définis dans un texte de loi. Quelques occurrences ont été tirées de la doctrine et de la jurisprudence. Ces constats d'usage, qui servent également de renvois indirects à une source législative illustrant ou appliquant le concept défini, sont annoncés par l'abréviation « **Occ.** », placée à la ligne après le bloc-définition.

Une occurrence qui n'est plus en vigueur est précédée de l'abréviation « anc. » et est suivie des dates d'adoption et d'abrogation de l'article, que la date d'adoption diffère ou non de celle de la loi (ex., anc. art. 1650 C. civ. (1974-1977), anc. art. 1651 C. civ. (1866-1973)). Si la loi elle-même n'est plus en vigueur, l'abréviation « anc. » précède le titre de la loi et les dates d'adoption et d'abrogation s'appliquent alors au texte de loi plutôt qu'à la disposition (ex., art. 954 anc. C. proc. civ. (1897-1965)). Lorsqu'il s'agit d'une loi et d'un article toujours en vigueur, aucune date n'est indiquée, même si l'entrée en vigueur de la disposition est postérieure à celle de la loi.

9. Les remarques

Les remarques sont susceptibles de porter sur un aspect juridique ou sur un aspect linguistique de l'entrée. Sur le plan juridique, la remarque atteint une vocation encyclopédique puisqu'elle permet de s'engager au-delà du sens vers une réalité non linguistique qui amène à connaître et à manier les concepts de droit. Ainsi, la remarque qui précise un trait caractéristique du régime juridique de la notion, ou encore celle qui attire l'attention sur la confusion possible avec des notions voisines. C'est aussi l'endroit où trouver la mention d'une source législative qui traite de la notion considérée sans toutefois employer le terme (ex., la remarque insérée sous le terme ANATOCISME, qui renvoie à l'art. 1078 C. civ.).

La remarque sert, en outre, à véhiculer un contenu linguistique. À cet égard, elle peut attirer l'attention sur une particularité reliée à l'emploi d'un synonyme (ex., SOLIDARITÉ PARFAITE), donner l'origine ou l'explication d'une forme fautive (ex., MISE EN CAUSE FORCÉE, POSSESSION2), ou suggérer un terme qui traduise adéquatement une expression étrangère pour laquelle il n'existe pas d'équivalent français consacré par l'usage (ex., *LEX REI SITAE*, *LEX LOCI ACTUS*).

C'est, enfin, dans la remarque qu'on trouve le traitement étymologique d'un terme. L'étymologie est particulièrement utile dans le cas d'un terme dont le sens actuel est voilé par ses origines lointaines (ex., ANATOCISME, CHIROGRAPHAIRE), ou encore lorsqu'elle vient enrichir son sens actuel (ex., EMPHYTÉOSE) ou lui restituer sa saveur originelle (ex., CRÉANCE). Les indications étymologiques se réduisent au minimum, c'est-à-dire à la forme d'origine, appelée *étymon*, et à sa langue d'appartenance. La traduction de l'étymon est généralement accompagnée de l'évolution sémantique qui sera précédée d'un point virgule si le sens d'origine diffère notablement du sens actuel. Ex., ALÉA : **Rem.** Du latin *alea* : jeu de dés; hasard; RÉSILIATION : **Rem.** Du latin *resilire* : sauter en arrière; renoncer, se dédire.

10. Le réseau des renvois

Le bloc des renvois, placé à la fin de chaque entrée, permet de reconstituer l'immense réseau des liens sémantiques brisé lors du classement alphabétique absolu des entrées. En effet, chaque renvoi exprime une relation de sens entre deux termes définis, relation qui sera de type synonymique, antonymique, analogique ou normatif, selon le cas.

Sur le plan de la présentation matérielle, les types de renvois apparaissent dans l'ordre de cette énumération et sont précédés chacun d'une abréviation écrite en lettres grasses pour faciliter le repérage. En cas de pluralité de termes dans un type de renvoi, le classement respecte l'ordre alphabétique absolu. Ex., à CAUTION JUDICIAIRE, les opposés apparaissent dans l'ordre suivant : **Opp.** caution conventionelle, caution légale. On notera également l'utilisation du symbole « + » pour inviter le lecteur à se reporter au terme qui précède ce symbole, où il trouvera un complément d'information sur l'entrée. Ce mode symbolique de renvoi permet d'éviter les répétitions.

a) Les renvois synonymiques

Le cas des synonymes, c'est-à-dire des formes linguistiques qui recouvrent exactement le même concept juridique, a déjà été évoqué (**II.A.2. Les définitions synonymiques**). Il est question ici de l'organisation matérielle de ces termes dans le *Dictionnaire*. Parmi les termes synonymes, un seul est nécessairement choisi pour recevoir la définition, l'illustration juridique, l'ensemble des remarques et des renvois : c'est le *synonyme principal*. Les autres sont les *synonymes secondaires* et reçoivent un renvoi synonymique au synonyme principal pour tenir lieu de définition. Dans ce cas, l'abréviation « Syn. » est écrite en caractères maigres. Tous les synonymes secondaires sont placés en ordre alphabétique absolu dans le bloc-renvoi du synonyme principal, à la suite de l'abréviation « **Syn.** » (ex., DOMMAGE MORAL).

b) Les renvois d'opposition

Le renvoi d'opposition, signalé par « **Opp.** », réunit des termes dont les notions s'opposent entre elles, soit dans un rapport d'antonymie (ex., CESSIBLE et INCESSIBLE, CONTRACTUEL et EXTRACONTRACTUEL), soit dans un rapport de complémentarité (ex., CONTRAT CIVIL, CONTRAT COMMERCIAL et CONTRAT MIXTE[1]; CRÉANCIER CHIROGRAPHAIRE et CRÉANCIER HYPOTHÉCAIRE) ou de réciprocité (ex., ACHETER et

VENDRE). L'opposition marque ainsi l'appartenance commune à un genre prochain ou hyperonyme.

c) Les renvois analogiques

Annoncé par les initiales « **V.a.** » (Voir aussi), le renvoi analogique indique un rapport logique du type cause à effet (ex., FRAUDE PAULIENNE et ACTION PAULIENNE, DOMMAGE et RESPONSABILITÉ CIVILE), ou partie à tout (ex., CAUTION[1] et CAUTIONNEMENT[1], ACTION[5] et CAPITAL-ACTIONS, CLAUSE LÉONINE et SOCIÉTÉ LÉONINE). Il peut aussi révéler une relation étroite avec un sens voisin, comme dans les cas d'ADJONCTION, MÉLANGE, SPÉCIFICATION. En indiquant des notions apparentées à la même réalité, le renvoi analogique permet alors d'en mieux cerner les nuances et les limites.

À l'occasion, le lecteur pourra remarquer que des termes sont suivis d'un petit « ° », comme c'est le cas du « **V.a.** gouvernement° » à l'entrée ÉTAT. Ce symbole signifie que le mot en question, dont le rapport de sens avec l'entrée est trop important pour l'omettre, ne figure pas dans cette édition et sera ultérieurement défini. Le but est d'éviter une recherche inutile à l'utilisateur qui voudrait consulter la définition de GOUVERNEMENT.

À la façon des entrées-listes, le renvoi analogique de certaines entrées énumère aussi tous les termes complexes définis au *Dictionnaire* qui contiennent le terme placé en entrée (ex., PERSONNE).

d) Les renvois normatifs

Le renvoi normatif, signalé par les initiales « **F.f.** » vise à rappeler, sous l'acception correcte d'un terme, la forme fautive correspondante (ex., COMMON LAW[2], DÉTENTION[1]). Ce type de renvoi est l'inverse de l'entrée discutable qui condamne un emploi et réfère à la forme juste.

III. LES LEXIQUES BILINGUES

Afin de répondre à un besoin réel et permettre la communication entre le français et l'anglais de façon simple, rapide et sûre, un double lexique bilingue est venu s'ajouter au *Dictionnaire de droit privé*.

Élaboré à partir des travaux entrepris pour le *Dictionnaire de droit privé* et le *Private Law Dictionary*, les *Lexiques français-anglais et anglais-français* recherchent la meilleure adéquation entre le mot dans la langue d'arrivée et le concept de la langue de départ. Cette adéquation, parfois nuancée, est vérifiée par l'opération de définition des deux dictionnaires qui peut présenter des cas de divergences acceptées.

Le *Lexique français-anglais* est formé de toutes les entrées du *Dictionnaire de droit privé* dont l'article définitoire se termine par un bloc-lexique précédé de l'abréviation « **Angl.** ». Il se trouve en quelque sorte « intégré » au dictionnaire proprement dit. Pour signaler le passage de la fonction lexicographique à la fonction lexicologique, les équivalents anglais sont en caractères de type Helvética. Ce caractère est repris pour la langue d'arrivée dans le *Lexique anglais-français* qui forme la deuxième partie de l'ouvrage. Ce deuxième lexique consiste en une liste de termes tirés de la nomenclature du *Private Law Dictionary*, ordonnés en classement alphabétique strict et suivis du ou des équivalents français définis au *Dictionnaire de droit privé*, ainsi que de renvois permettant de se reporter à d'autres termes afin d'obtenir une meilleure adéquation entre les deux langues ou de la compléter.

Les signes conventionnels suivants guident l'usager dans la consultation des *Lexiques.*

(>) et (<)

Nous avons emprunté aux mathématiques ces signes qui signifient respectivement plus grand et plus petit. Employés uniquement dans les *Lexiques*, ils ont pour fonction de révéler une adéquation imparfaite entre la terminologie française et anglaise, lorsque le terme de la langue d'arrivée dénote un sens plus large (>) ou plus étroit (<) que celui de la langue de départ. Si l'on compare les définitions d'ARRÊT[A] en français et de son équivalent anglais JUDGMENT[A], on constate que la définition d'ARRÊT est plus limitative que celle de JUDGMENT, car elle ne se dit que d'une juridiction d'appel ou suprême, contrairement au terme anglais qui se dit de toute juridiction. Aussi, à l'entrée ARRÊT du *Lexique français-anglais*, l'équivalent anglais JUDGMENT est suivi du signe (>) pour signifier qu'il a un sens plus large que son correspondant français. Inversement, à l'entrée JUDGMENT[A] du *Lexique anglais-français*, l'équivalent français ARRÊT[A] est accompagné du signe (<).

(X)

Conformément à la politique du *Dictionnaire* de signaler les emplois à proscrire, ce signe accompagne les termes des deux *Lexiques* dont l'emploi est jugé fautif. Une remarque placée aux entrées correspondantes du *Dictionnaire* ou du *Private Law Dictionary* donne les motifs d'un tel jugement.

+

Ce signe exerce ici une fonction différente de celle qu'il a dans le réseau des renvois, c'est-à-dire reporter le lecteur à une autre entrée pour un complément d'information. Dans les *Lexiques*, il arrive que la langue d'arrivée possède plusieurs termes synonymes entre eux comme équivalents du mot consulté dans la langue de départ. Le symbole « + » est alors accolé au synonyme dit *principal*, c'est-à-dire celui où, dans le *Dictionnaire* ou le *Private Law Dictionary* selon le cas, on trouvera la définition plutôt qu'un renvoi synonymique. Le but est d'éviter à la personne qui veut obtenir des précisions sur le sens ou l'emploi de l'équivalent fourni par un des *Lexiques* de consulter plusieurs entrées avant de trouver celle qui possède tout le traitement définitoire. Ex., à l'entrée CAUTION VOLONTAIRE, le « + », qui accompagne conventional surety dans le bloc-lexique, indique que la définition, au *Private Law Dictionary*, est à ce terme et non à voluntary surety.

(*)

Ce signe, particulier au lexique anglais-français, indique que le terme ne possède pas de formule ou de terme équivalent dans la langue d'arrivée, qu'il a un sens non juridique ou qu'il ne peut se traduire que par une périphrase.

TABLE DES SIGNES, ABRÉVIATIONS ET CONVENTIONS

mot^{2}	Le chiffre en exposant renvoie à l'acception visée d'un terme polysémique.
+	Dans le réseau des renvois d'un article définitoire, le + invite le lecteur à se reporter au terme marqué de ce signe pour y trouver un complément d'information. Dans les *Lexiques anglais-français et français-anglais*, il suit le synonyme principal, c'est-à-dire celui des équivalents, synonymes entre eux, qui reçoit la définition au *Dictionnaire de droit privé* ou au *Private Law Dictionary*.
°	Le zéro informe le lecteur que le mot qui précède n'est pas au *Dictionnaire*.
(>) et (<)	Employés dans les *Lexiques* uniquement, ces signes accompagnent les équivalents de la langue d'arrivée. Ils signifient que le mot qui les précède a un sens plus large (>) ou plus étroit (<) que le terme de la langue de départ.
(*)	Employé dans le *Lexique anglais-français* uniquement, ce signe indique que le terme ne possède pas de formule ou de terme équivalent dans la langue d'arrivée, qu'il a un sens non juridique ou qu'il ne peut se traduire que par une périphrase.
(X)	Cette marque d'usage signale un terme à proscrire. Elle précède le renvoi à la forme juste dans le *Dictionnaire* et suit la forme fautive dans les *Lexiques français-anglais et anglais-français.*
[ ]	Les crochets signalent un ajout dans le texte d'une citation ou encadrent l'année d'un recueil de jurisprudence.
[...]	Les points de suspension entre crochets signalent une coupure dans le texte d'une citation. Les points de suspension sans crochets sont ceux de l'auteur cité.
absol.	absolument, à propos d'un verbe qui se construit sans le complément attendu.
adj.	adjectif
adj.m.	adjectif masculin
adv.	adverbe
al.	alinéa
anc.	ancien, s'applique à une loi ou à un article de loi qui n'est plus en vigueur.
Angl.	Placée avant le renvoi à la forme correcte, cette abréviation signale un anglicisme à proscrire.
Angl.	Placée à la fin de l'article définitoire, cette abréviation annonce le ou les équivalents anglais, écrits en caractères de type Helvética, et forme, avec l'entrée, le *Lexique français-anglais intégré.*
art.	article
(*Ass.*)	Droit des assurances
(*Biens*)	Droit des biens

c.	contre
Ch.	Chambre
chap.	chapitre
Chr.	Chronique
coll.	annonce la collection Que sais-je?
D.	décret
(*D. adm.*)	Droit administratif
(*D. comm.*)	Droit commercial
(*D. const.*)	Droit constitutionnel
(*D. int. pr.*)	Droit international privé
(*D. int. public*)	Droit international public
(*D. jud.*)	Droit judiciaire privé
(*D. mar.*)	Droit maritime
(*D. mun.*)	Droit muncipal
Doc.	document
Doctr.	doctrine
(*D. rom.*)	Droit romain
éd.	édition
e.g.	*exempli gratia*, signifie par exemple.
(*Enr.*)	Droit de l'enregistrement
et s.	et suivant(s)
f.	féminin
fasc.	fascicule
F.f.	Renvoi normatif qui indique, au terme correct, la forme fautive employée dans le même sens.
(*Hist.*)	Histoire du droit
invar.	invariable
j.	juge
Jur.	Jurisprudence
loc.adj.	locution adjectivale
loc.adv.	locution adverbiale
loc.nom.	locution nominale
loc.prép.	locution prépositive
loc.verb.	locution verbale
loc.verb.tr.	locution verbale transitive
L.	Livre
m.	masculin
mod.	modifié
n.	nom
Néol.	néologisme
n.e.v.	non en vigueur
n°	numéro
(*Obl.*)	Droit des obligations
Occ.	Occurrence de source législative, doctrinale ou jurisxprudentielle
Opp.	Renvoi d'opposition antonymique, de complémentarité ou de réciprocité.
p.	page(s)
par.	paragraphe
Par ex.	Par exemple. Cette abréviation annonce une illustration juridique.
part.	partie
(*Pers.*)	Droit des personnes, de la famille et des régimes matrimoniaux

pl.	pluriel
p.p.	participe passé
p.p.adj.	participe passé pris adjectivement
(*Prescr.*)	Droit de la prescription
(*Preuve*)	Droit de la preuve
pron.	pronom
(Q)	Québécisme : ce signe désigne un emploi propre au Québec et inconnu de l'ensemble de la communauté juridique française, dans les cas où le Québec partage avec la France les mêmes concepts de droit privé.
r.	règlement
rac.	racine
Rare	S'applique au terme peu fréquent ou employé exceptionnellement dans un sens particulier.
Rem.	Annonce des remarques d'ordre juridique, linguistique ou étymologique.
R.U.	Royaume-Uni
spéc.	spécialement
(*Succ.*)	Droit des successions
Suppl.	Supplément
(*Sûr.*)	Droit des sûretés
Syn.	Renvoi de type synonymique. Quand l'abréviation n'est pas en gras, le renvoi tient lieu de définition.
t.	tome
(*Trav.*)	Droit du travail
v.	verbe
V.	Voir. Il constitue le traitement d'une entrée-liste qui renvoie aux entrées complexes formées du mot placé en entrée; au *Lexique anglais-français*, il constitue un renvoi à un terme qui complète l'adéquation entre les deux langues.
V.a.	Voir aussi. Le renvoi analogique établit une relation logique de sens du type cause à effet ou partie à tout, ou indique une relation étroite avec un sens voisin.
Vict.	Victoria
Vieilli	Signale un terme encore compréhensible, mais qui n'est presque plus utilisé. En général, la forme vieillie est remplacée par un terme plus moderne, soit par l'évolution de la langue, soit par l'action du législateur.
v.intr.	verbe intransitif
v.pronom.	verbe pronominal
v.tr.	verbe transitif
v.tr.ind.	verbe transitif indirect
v°	*Verbo* : abréviation qui signifie voir au mot indiqué.
vol.	volume

TABLE DES ABRÉVIATIONS JURIDIQUES

B.R.	Rapports judiciaires du Québec, Banc de la Reine ou du Roi (jusqu'en 1969)
C.A.	Recueils de jurisprudence du Québec, Cour d'appel (depuis 1970)
Cass. civ.	Cour de cassation, chambre civile
Cass. com.	Cour de cassation, chambre commerciale
C. civ.	Code civil du Bas Canada
C. civ. fr.	Code civil des Français
C. civ. Q.	Code civil du Québec
C. com. fr.	Code de commerce français
C. cr.	Code criminel
C. de D.	Cahiers de droit
C.P. du N.	Cours de perfectionnement du Notariat
C. proc. civ.	Code de procédure civile
C. proc. civ. fr.	Code de procédure civile des Français
C. proc. civ. nouv.	Nouveau Code de procédure civile des Français
C.S.	Rapports judiciaires du Québec, recueils de jurisprudence du Québec, Cour supérieure
C.S.C.	Cour suprême du Canada
D.	Recueil Dalloz Sirey
Gaz. Pal.	Gazette du Palais
G.O.Q.	Gazette officielle du Québec
J.C.P.	Juris-classeur périodique
Juris-Cl. Proc. civ.	Juris-classeur de procédure civile
L.C.	Lois du Canada
L.Q.	Lois du Québec
L.R.C. (1985)	Lois révisées du Canada (1985)
L.R.Q.	Lois refondues du Québec (édition à feuilles mobiles)
McGill L.J.	McGill Law Journal (à partir de 1978, le titre est bilingue)
Projet de loi 125	Projet de loi 125 sur le *Code civil du Québec*, présenté le 18 décembre 1990
R.A.Q.E.C.D.	Revue de l'Association québecoise pour l'étude comparative du droit
R.C.	Revue critique de droit international privé
R.C.A.D.I.	Recueil des cours de l'Académie de droit international de la Haye
R.C.S.	Recueils d'arrêts de la Cour suprême du Canada
R.D.	Répertoire de droit de la Chambre des Notaires du Québec
R.D. McGill	Revue de droit de McGill (titre bilingue à partir de 1978)
R.D.J.	Revue de droit judiciaire
R. du B.	Revue du Barreau
R. du B. Can.	Revue du Barreau canadien

R. du D.	Revue du droit
R. du N.	Revue du Notariat
R.D.U.S.	Revue de droit de l'Université de Sherbrooke
Rép. droit civ.	Répertoire de droit civil
Rép. droit com.	Répertoire de droit commercial
Rép. droit int.	Répertoire de droit international
Rép. proc. civ.	Répertoire de procédure civile
Rev. int. dr. comp.	Revue internationale de droit comparé
Rev. trim. dr. civ.	Revue trimestrielle de droit civil
R.G.D.	Revue générale de droit
R.J.T.	Revue juridique Thémis
R.P.	Rapports de pratique du Québec
R.R.Q.	Règlements refondus du Québec
S.C.	Statuts du Canada
S.R.C.	Statuts révisés du Canada

A

ABANDON *n.m.*

Acte abdicatif portant notamment sur un droit réel, sur la possession d'un bien ou sur une prétention juridique. « Même si le bénéficiaire de l'abandon est identifiable, l'acte présente un caractère unilatéral » (Stoufflet, *Rép. droit civ.*, v° Abandon, n° 2).
Occ. Art. 2161*h*, 2668 C. civ.; art. 540 C. proc. civ.
Rem. En principe, l'abandon ne peut porter sur le droit de propriété d'un immeuble, ce droit réel étant un droit perpétuel qui ne s'éteint pas par le non-usage; exceptionnellement, le législateur prévoit l'abandon du droit de propriété à l'intention d'un bénéficiaire déterminé, ce qui constitue en réalité un transfert[1]. Par ex., l'abandon d'un immeuble asservi au profit du propriétaire du fonds dominant (art. 555 C. civ.) et l'abandon du droit de mitoyenneté (art. 513 C. civ.). En matière mobilière, l'abandon est toujours admis, par ex., un objet jeté.
V.a. déguerpissement[1], renonciation.
Angl. abandonment(>).

ABANDONNÉ, ÉE *adj.*

(*Biens*) V. chose abandonnée.

ABANDONNER *v.tr.*

Effectuer un abandon.
Occ. Art. 798, 1541 C. civ.
V.a. abdiquer, renoncer.
Angl. abandon[1](>).

ABDICATIF, IVE *adj.*

Relatif à l'abdication.
Opp. attributif[1], constitutif, déclaratif, translatif. **V.a.** acte abdicatif, effet abdicatif.
Angl. abdicative.

ABDICATION *n.f.*

Syn. acte abdicatif. « [...] l'abdication du droit d'invoquer la prescription a seulement pour résultat de consolider le droit du propriétaire et de priver le tiers qui usucapait d'un droit qu'il avait acquis de se prévaloir de la prescription » (Raynaud, *Rev. trim. dr. civ.* 1936, 763, p. 784).
Angl. abdication, abdicative act, act of renunciation, renunciation[1+].

ABDIQUER *v.tr.*

Accomplir un acte abdicatif.
Occ. Art. 898 C. civ.
V.a. abandonner, renoncer.
Angl. renounce.

AB INITIO *loc.adv.* (latin)

Dès l'origine, depuis le début. « Quand un contrat est nul *ab initio*, je ne vois pas comment on peut avoir recours à une de ses clauses pour justifier l'omission qui le rend nul. La clause elle-même est nulle *ab initio* » (*Zurich Cie d'assurance* c. *Rossignol*, [1984] C.A. 264, p. 267, j. M. Nichols).
Rem. Le terme s'emploie principalement à propos de la nullité d'un acte juridique, qui, lorsqu'elle est prononcée, emporte rétroactivité et anéantit l'acte à compter du jour même de sa formation.
Angl. *ab initio*.

AB INTESTAT *loc.adj.* et *loc.adv.* (latin)

(*Succ.*) Venant d'une personne décédée sans testament, d'un intestat.
Rem. Du latin *ab intestato*, de *ab* (de) et *intestatus* (qui n'a pas testé). Curieusement, la formule joint la préposition latine *ab* avec le mot français *intestat*. La plupart des auteurs traitent la locution comme si elle était entièrement latine. Rigoureusement, il serait plus exact d'écrire « succession *ab* intestat » ou encore de franciser et de parler de la « succession d'un intestat ».
V.a. héritier *ab intestat*, succession *ab intestat*.
Angl. *ab intestat*(>), abintestate(>)+, intestate(>).

ABONNÉ, ÉE *n.*

(*Obl.*) Personne qui souscrit un abonnement. « L'abonnement [...] soulève [...] des questions dont la solution est indécise : notamment celle de savoir si le montant du prix d'abonnement reste acquis dans le cas où, par force majeure, la fourniture n'est pas faite à l'abonné » (Ripert et Roblot, *Droit commercial*, t. 2, n° 2520, p. 566).
Angl. subscriber.

ABONNEMENT *n.m.*

(*Obl.*) Contrat par lequel une partie, *l'abonné*, moyennant un prix payable globalement ou par versements, s'assure auprès d'un fournisseur une prestation périodique ou renouvelée portant sur des biens ou des services. Par ex., abonnement à un journal, abonnement de transport. « La vente par abonnement comporte en général une réduction du prix qui serait demandé pour les fournitures séparées [...] » (Ripert et Roblot, *Droit commercial*, t. 2, n° 2520, p. 566).
Rem. L'abonnement peut accompagner divers contrats, tels la vente, le louage de choses ou de services.
Angl. subscription.

ABONNER *v.tr.*

(*Obl.*) Souscrire un abonnement pour autrui.
Rem. Ce verbe s'emploie aussi à la forme pronominale : *s'abonner*. Il signifie alors souscrire un abonnement pour soi.
Angl. subscribe.

ABORNEMENT *n.m.*

(*Biens*) Opération matérielle consistant à placer des bornes pour indiquer la ligne séparative entre deux fonds contigus. « L'arpenteur-géomètre, lors de l'opération d'abornement consentie par les parties ou ordonnée par le tribunal, doit poser une ou plusieurs bornes [...] » (*Loi sur les arpenteurs-géomètres*, L.R.Q., chap. A-23, art. 51 par. 1).
V.a. bornage.
Angl. boundary operation.

ABORNER *v.tr.*

(*Biens*) Faire l'abornement. « Délimiter deux héritages, c'est déterminer leur ligne séparative; les aborner, c'est indiquer cette ligne par des marques visibles, matérielles et permanentes » (Lord, *Termes et bornes*, n° 48, p. 26).
V.a. borner.
Angl. set boundaries.

ABOUTISSANTS *n.m.pl.*

(*Biens*) V. tenants et aboutissants.
Rem. Ce terme ne s'emploie que dans l'expression *tenants et aboutissants*.

ABRÉGÉ, ÉE *p.p.adj.*

V. prescription abrégée.

ABROGATION *n.f.*

Anéantissement total ou partiel d'une loi ou d'un règlement par l'effet d'une disposition nouvelle. « Ce mécanisme [abrogation] reposera essentiellement sur la volonté du législateur : celui qui crée la loi est seul compétent pour en supprimer les effets; à cet égard, après certaines hésitations, on a

refusé d'admettre que la désuétude d'une loi, son manque d'utilisation et d'application pouvait équivaloir à une abrogation » (Azard et Bisson, *Droit civil*, t. 1, n° 39, p. 49).
Angl. abrogation+, repeal.

ABROGATION EXPRESSE

Abrogation prévue explicitement par la nouvelle disposition. « [...] dans l'abrogation expresse, laquelle se rencontre de plus en plus souvent dans les lois modernes, l'auteur de la loi met à néant les textes qui produisaient des effets inverses à ceux du nouveau texte, en désignant clairement les textes ainsi supprimés [...] » (Azard et Bisson, *Droit civil*, t. 1, n° 39, p. 49).
Opp. abrogation tacite.
Angl. express abrogation.

ABROGATION IMPLICITE

Syn. abrogation tacite. « [...] à défaut d'abrogation expresse, *l'abrogation peut être implicite* : Il en est ainsi pour les dispositions de la loi ancienne qui sont incompatibles avec celles de la loi nouvelle » (Cornu, *Introduction*, n° 359, p. 123).
Angl. implicit abrogation, tacit abrogation+.

ABROGATION TACITE

Abrogation résultant de la disposition nouvelle qui vient contredire ou modifier le texte antérieur sans préciser que celui-ci est abrogé. « [...] l'abrogation tacite, au contraire, apparaît tout simplement dans une contradiction évidente entre la loi nouvelle et certains textes antérieurs. Le juge saisi de la question appréciera, sur le contrôle des juridictions supérieures, la compatibilité ou l'incompatibilité des textes confrontés » (Azard et Bisson, *Droit civil*, t. 1, n° 39, p. 49).
Syn. abrogation implicite. **Opp.** abrogation expresse.
Angl. implicit abrogation, tacit abrogation+.

ABSOLU, UE *adj.*

1. Opposable à tous, à propos d'un droit[2].
Opp. relatif[1]. **V.a.** droit absolu[1], *erga omnes*.
Angl. absolute[1].

2. (*Biens*) Illimité, à propos d'un droit réel principal. « Le droit de propriété [...] est absolu en ce sens que c'est le seul droit qui accorde à une personne tous les avantages permis que l'on peut retirer d'un bien » (Cardinal, (1964-1965) 67 *R. du N.* 271, p. 281).
Occ. Art. 406 C. civ.
Opp. relatif[2]. **V.a.** droit absolu[2].
Angl. absolute[2].

3. Non susceptible d'abus, à propos de l'exercice d'un droit[2], d'un pouvoir. « [...] certains droits sont *absolus* (on dit aussi : discrétionnaires, non causés); leur exercice ne peut jamais engager la responsabilité de leur titulaire » (Mazeaud et Chabas, *Leçons*, t. 2, vol. 1, n° 459, p. 471).
Syn. discrétionnaire, non causé. **Opp.** relatif[3]. **V.a.** droit absolu[3+].
Angl. absolute[4+], discretionary.

4. V. compétence absolue, nullité absolue, obligation absolue, ordre public absolu.

5. **F.f.** responsabilité absolue.
Angl. absolute[3].

ABSTENTION *n.f.*

V. faute d'abstention, faute par abstention.

ABUS DE DROIT

(*Obl.*) Comportement fautif dans l'exercice d'un droit, résultant soit de l'intention de nuire, soit d'un excès de préjudice compte tenu de l'avantage que l'on en retire. « [...] l'abus de droit ne se limite pas aux seuls cas où l'on agit avec malice » (*Boisjoli* c. *Goebel*, [1982] C.S. 1, p. 2, j. J. Dugas). *Théorie de l'abus de droit*.
Rem. **1°** On a toujours reconnu le principe que celui qui ne fait qu'exercer son

droit ne saurait encourir de responsabilité civile. *Qui suo jure utitur neminem laedit.* Et pourtant l'idée que l'on doit s'abstenir d'exercer un droit dans le seul but de nuire à autrui était déjà exprimée au Digeste : *Malitiis non est indulgendum.* L'Ancien droit français a appliqué cette dernière règle en diverses circonstances, mais la théorie générale de l'abus de droit n'a été formulée qu'au début du 20e siècle, notamment dans l'ouvrage de Josserand intitulé *De l'esprit des droits et de leur relativité*, datant de 1905. Au début limitée à l'exercice malicieux du droit de propriété, la théorie de l'abus des droits est aujourd'hui admise tant en matière extracontractuelle qu'en matière contractuelle (*Banque nationale du Canada* c. *Houle*, [1990] 3 R.C.S. 122). **2°** On rencontre également les formes *abus des droits* et *abus du droit*.
V.a. droit absolu[3], trouble de voisinage.
Angl. abuse of rights.

ABUS DE JOUISSANCE

(*Biens* et *Obl.*) Usage excessif de la chose d'autrui sur laquelle on a un simple droit de jouissance. Par ex., l'usufruitier qui commet des dégradations sur le fonds ou le laisse dépérir faute d'entretien (art. 480 C. civ.) ou, selon certains, le locataire qui détériore les lieux loués autrement que par suite d'un usage normal. « [...] il y a abus de jouissance toutes les fois que par manquement à ses obligations l'usufruitier nuit aux biens soumis à usufruit et dès lors aux intérêts du nu-propriétaire » (Marty et Raynaud, *Biens*, n° 81, p. 130).
Angl. abuse of enjoyment.

ABUSIF, IVE *adj.*

(*Obl.*) V. clause abusive.

ABUSUS *n.m.* (latin)

(*Biens*) Attribut du droit de propriété qui confère au propriétaire le pouvoir de disposer de la chose, soit matériellement (par ex., la transformation ou la destruction de la chose), soit juridiquement (par ex., l'aliénation ou la constitution d'un droit d'usufruit ou de servitude). « Selon une trilogie classique des romanistes, la propriété devait s'analyser comme *jus utendi, fruendi, abutendi*, elle était le faisceau de trois attributs : *usus, fructus, abusus* » (Carbonnier, *Droit civil*, t. 3, n° 25, p. 114-115).
Rem. On considère traditionnellement que la réunion de l'*usus*, de *fructus* et de l'*abusus* constitue l'essence du droit de propriété.
Syn. *jus abutendi.* **Opp.** *fructus, usus.*
V.a. disposition[1].
Angl. *abusus*+, *jus abutendi.*

À CAUSE DE MORT *loc.adv.*

V. cause de mort (à).

ACCEPTANT, ANTE *n.*

(*Obl.*) Auteur d'une acceptation. « Elle [l'offre] doit contenir tous les éléments essentiels du contrat pour permettre l'adhésion de l'acceptant » (Baudouin, *Obligations*, n° 103, p. 98).
V.a. bénéficiaire d'une promesse, destinataire[1].
Angl. acceptor.

ACCEPTATION *n.f.*

1. (*Obl.*) Assentiment d'une personne à l'offre de contracter qui lui est faite. « Il est nécessaire, [...] pour que l'acceptation permette la formation du contrat, qu'il y ait concordance de l'offre et de l'acceptation [...] » (Pineau et Burman, *Obligations*, n° 45, p. 71). *Acceptation d'une proposition d'assurance* (art. 2476 C. civ.).
Rem. La rencontre de l'offre et de l'acceptation forme le contrat.
Syn. agrément[1]. **V.a.** consentement[1].
Angl. acceptance[1].

2. (*Obl.*) Manifestation unilatérale de volonté par laquelle une personne donne son assentiment à la production de certain effets

de droit. « Parce qu'il est direct, le droit du tiers bénéficiaire prend naissance *à la date même de la stipulation* [pour autrui]. Sans doute cette acquisition immédiate est-elle fragile : le stipulant peut révoquer cette stipulation, tant que le bénéficiaire ne l'a pas acceptée. Mais l'acceptation n'est pas le fait générateur de la créance; elle n'est qu'un moyen de la consolider » (Flour et Aubert, *Obligations*, vol. 1, n° 476, p. 381-382). *Acceptation d'une succession* (art. 647 C. civ.); *acceptation d'une stipulation pour autrui.*
Angl. acceptance[2].

3. (*Obl.*) Syn. réception. « La jurisprudence l'autorise à agir ultérieurement, après l'acceptation, en invoquant la non-conformité, afin de le faire échapper au bref délai de l'action en garantie » (Le Tourneau, dans *Ventes internationales*, 232, n° 83, p. 262). *Acceptation de la chose livrée.*
Angl. acceptance[3], reception+.

ACCEPTATION DE(S) RISQUE(S)

(*Obl.*) Acte[1] par lequel une personne s'expose volontairement à un danger qu'elle connaît. « [...] l'acceptation de risques se limite aux risques réellement consentis par la victime. Ainsi, celui qui monte gratuitement en automobile accepte les risques normaux de ce transport, mais non ceux résultant de l'état défectueux de la voiture, ou des fautes graves du conducteur » (Savatier, *Traité*, t. 2, n° 657, p. 237-238).
Rem. Une personne qui, sans commettre une faute, accepte un risque dont elle est par la suite victime peut réclamer des dommages-intérêts contre le défendeur en faute.
Angl. assumption of risk(s).

ACCEPTATION EXPRESSE

(*Obl.*) Acceptation[1] résultant d'une manifestation explicite de volonté. « L'acceptation *expresse* n'est pas seulement celle qui est exprimée verbalement ou par écrit. C'est, plus généralement, celle qui résulte de tout acte ou de tout geste qui, d'après les usages, ne peuvent avoir été accomplis qu'*en vue* de faire connaître la volonté de leur auteur » (Flour et Aubert, *Obligations*, vol. 1, n° 155, p. 113).
Opp. acceptation tacite.
Angl. express acceptance.

ACCEPTATION TACITE

(*Obl.*) Acceptation[1] se déduisant d'un comportement qui indique la volonté d'accepter. Par ex., l'envoi de la marchandise qui constitue pour le commerçant l'acceptation tacite de la commande reçue. « Peut-on [...] admettre que le silence, le fait de ne pas répondre à une offre, constitue une acceptation tacite de cette offre? *En principe, le silence ne vaut pas acceptation* » (Mazeaud et Chabas, *Leçons*, t. 2, vol. 1, n° 137, p. 125).
Opp. acceptation expresse.
Angl. tacit acceptance.

ACCEPTER *v.tr.*

1. (*Obl.*) Opérer une acceptation[1,2]. « L'acceptation *tacite* suppose un acte d'où l'on peut raisonnablement *induire* la volonté de contracter [...] : un commerçant qui expédie les marchandises qu'on lui a commandées accepte, par là même, l'offre d'achat qu'il avait reçue » (Flour et Aubert, *Obligations*, vol. 1, n° 155, p. 113).
Angl. accept[1].

2. (*Obl.*) Syn. recevoir.
Angl. accept[2], receive+.

ACCESSION *n.f.*

(*Biens*) Incorporation ou réunion d'une chose accessoire à une chose principale. « L'accession est un *mode d'acquisition indépendant du fait de la possession* : le propriétaire du terrain devient propriétaire de tous les ouvrages au fur et à mesure de l'avancement des travaux, qu'il soit ou non possesseur du terrain [...] » (Mazeaud et Chabas, *Leçons*, t. 2, vol. 2, n° 1592, p. 284).

Rem. **1°** L'accession est un des modes d'acquisition de la propriété (art. 583 C. civ.). **2°** On distingue, d'une part, l'accession mobilière et l'accession immobilière et, d'autre part, l'accession naturelle et l'accession artificielle ou industrielle.
V.a. droit d'accession.
Angl. accession.

ACCESSION ARTIFICIELLE

(*Biens*) Accession résultant de l'activité humaine et non des seuls phénomènes de la nature. Par ex., les plantations et les constructions (art. 415 C. civ.). « L'accession est plus souvent artificielle [...] Tout ce qui accessoirement s'incorpore à un héritage, par l'effet du travail de l'homme, devient la propriété du maître du fonds, sans qu'il y ait à se demander par qui ou aux frais de qui le travail a été accompli » (Cardinal, (1964-1965) 67 *R. du N.* 323, p. 329).
Syn. accession industrielle. **Opp.** accession naturelle.
Angl. accession by the act of man+, artificial accession, industrial accession.

ACCESSION IMMOBILIÈRE

(*Biens*) Accession à une chose principale immobilière. « On distingue deux sortes d'accessions immobilières : l'*accession artificielle ou industrielle*, qui résulte de la volonté de l'homme, et l'*accession naturelle* se produisant sans cette intervention. La première présente plus d'intérêt que la seconde » (Mazeaud et Chabas, *Leçons*, t. 2, vol. 2, n° 1590, p. 282).
Rem. La chose accessoire peut être mobilière (art. 416 C. civ.) ou immobilière (art. 423 C. civ.).
Angl. immoveable accession.

ACCESSION INDUSTRIELLE

(*Biens*) Syn. accession artificielle. « L'accession est dite *industrielle* ou *naturelle*, suivant qu'elle a lieu par ou sans le fait de l'homme » (Mignault, *Droit civil*, t. 2, p. 491).
Angl. accession by the act of man+, artificial accession, industrial accession.

ACCESSION MOBILIÈRE

(*Biens*) Accession à une chose principale mobilière. « [...] la simple possession d'un bien meuble à titre de propriétaire fait présumer le juste titre, ce qui revient à dire que tel possesseur sera réputé propriétaire du meuble jusqu'à preuve contraire. Par le jeu de cette présomption, l'accession mobilière n'a presque pas d'application chez-nous : rares sont les cas où un tiers peut prouver qu'il est propriétaire de la chose que le possesseur a unie à la sienne » (Montpetit et Taillefer, dans *Traité*, t. 3, p. 189).
Rem. **1°** La chose accessoire ne peut être que mobilière (art. 429 C. civ.). **2°** L'adjonction, le mélange et la spécification sont des formes d'accession mobilière.
Angl. moveable accession.

ACCESSION NATURELLE

(*Biens*) Accession résultant des seuls phénomènes de la nature et non de l'activité humaine. Par ex., les accroissements qui se forment aux fonds riverains d'un cours d'eau (art. 420 C. civ.). « *L'accession naturelle.* Le Code civil distingue deux sortes d'accessions en envisageant successivement deux droits : le droit d'accession sur ce qui est produit par la chose et le droit d'accession sur ce qui s'unit ou s'incorpore à la chose » (Marty et Raynaud, *Biens*, n° 122, p. 167).
Opp. accession artificielle.
Angl. natural accession.

ACCESSOIRE *adj.*

Qui se rattache à quelque chose sans en être un élément essentiel. « [...] l'accession entendue comme *faisant acquérir au propriétaire d'une chose principale toutes les choses accessoires qui s'unissent à elle*; c'est l'*adjonction,* ou *accession "stricto sensu"* » (Mazeaud et Chabas, *Leçons*, t. 2, vol. 2, n° 1588, p. 282).

Opp. principal. **V.a.** contrat accessoire, droit réel accessoire, intervention accessoire.
Angl. accessory+, collateral.

ACCESSOIRE *n.m.*

(*Biens*) Bien qui, de par son lien de dépendance avec le bien principal, tient de la nature juridique de celui-ci ou est soumis à la même règle légale. « La garantie des vices cachés, comme d'ailleurs la garantie contre l'éviction, constituent, on ne peut en douter, un accessoire de la chose vendue » (*General Motors Products of Canada Ltd* c. *Kravitz*, [1979] 1 R.C.S. 790, p. 809, j. Y. Pratte). *L'accessoire suit le principal.*
Occ. Art. 1499, 1574, 1650 C. civ.
Opp. principal[1]. **V.a.** accession.
Angl. accessory.

ACCIDENT *n.m.*

Événement imprévu causant soit une lésion corporelle, soit un dommage à une chose. « On se ferait, d'ailleurs, une idée inexacte du domaine de la responsabilité civile si l'on s'imaginait qu'il est limité aux accidents » (Mazeaud et Chabas, *Leçons*, t. 2, vol. 1, n° 372, p. 344).
Occ. Art. 1813 C. civ.
Angl. accident.

ACCIDENTEL, ELLE *adj.*

(*Obl.*) V. indivisibilité accidentelle.

ACCIPIENS *n.* (latin)

(*Obl.*) Personne qui reçoit un paiement. « La réception d'une chose non due oblige [...] l'*accipiens* à restitution » (Baudouin, *Obligations*, n° 517, p. 317).
Rem. Équivalent suggéré : *payé.*
Opp. *solvens.*
Angl. *accipiens*+, payee.

ACCOMPLI, IE *adj.*

(*Obl.*) V. condition accomplie, prescription accomplie.

ACCOMPLIR *v.tr.*

(*Obl.*) Syn. exécuter. « Lorsque le débiteur refuse d'exécuter ou néglige de le faire, le créancier qui est en droit de recevoir le paiement doit, avant même de s'adresser au tribunal afin d'obtenir l'exécution forcée, mettre son débiteur "en demeure" d'accomplir sa prestation » (Pineau et Burman, *Obligations*, n° 335, p. 418).
Angl. execute, fulfil, perform+.

ACCOMPLISSEMENT *n.m.*

(*Obl.*) Syn. exécution. *Accomplissement de l'obligation.*
Angl. execution, fulfilment, performance+.

ACCOMPLISSEMENT DE LA CONDITION

(*Obl.*) Syn. réalisation de la condition. « La condition suspensive et la condition résolutoire produisent des effets juridiques fort différents. Il convient dans les deux cas de se placer d'abord avant l'arrivée de la condition et ensuite au moment de l'accomplissement de celle-ci » (Baudouin, *Obligations*, n° 768, p. 465).
Occ. Art. 1082, 1086 C. civ.
V.a. condition accomplie.
Angl. accomplishment of the condition, fulfilment of the condition+, realization of the condition.

ACCOMPLISSEMENT DE LA PRESCRIPTION

(*Prescr.*) Fait de la réalisation d'une prescription; état d'une prescription qui est acquise. « Lorsque la prescription est accomplie, elle rétroagit. Son bénéficiaire est censé propriétaire du bien acquis [...] rétroactivement à compter de son entrée en possession. [...] Cette collation rétroactive du titre de propriétaire exclut, par elle-même, que celui qui a prescrit soit tenu de restituer les fruits qu'il a perçus avant l'accomplissement de la prescription [...] » (Cornu, *Introduction*, n° 1560, p. 494).

V.a. prescription acquise.
Angl. accomplishment of prescription, completion of prescription⁺.

ACCROISSEMENT *n.m.*

(*Biens*) Augmentation naturelle de l'étendue du fonds riverain d'un cours d'eau. « Dans le cas du *relais*, le propriétaire de la rive découverte profite de l'accroissement, sans que le riverain du côté opposé puisse venir réclamer le terrain qu'il a perdu » (Mignault, *Droit civil*, t. 2, p. 509).
Occ. Art. 420 C. civ.
Rem. Lorsque l'accroissement est graduel, on l'appelle *alluvion*; lorsqu'il résulte d'un mouvement subit, on l'appelle *avulsion*.
V.a. lais, relais.
Angl. accretion.

ACHAT *n.m.*

(*Obl.*) Vente, envisagée du côté de l'acheteur. « Les effets de la promesse d'achat sont identiques à ceux [de] la promesse de vente » (Pourcelet, *Vente*, p. 38).
V.a. acquisition[1], promesse d'achat.
Angl. purchase.

ACHETER *v.tr.*

(*Obl.*) Effectuer une vente, du point de vue de l'acheteur. « [...] de même qu'une personne peut promettre de vendre un bien déterminé, quelqu'un peut promettre valablement d'acheter sans que pour autant le propriétaire s'oblige à vendre » (Pourcelet, *Vente*, p. 37). *Promesse d'acheter*.
Occ. Art. 1489 C. civ.
Opp. vendre. **V.a.** promesse d'acheter.
Angl. buy⁺, purchase.

ACHETEUR, EUSE *n.* et *adj.*

(*Obl.*) Partie qui, dans une vente, acquiert la propriété d'un bien moyennant un prix en argent. « [Dans un contrat synallagmatique] chacun des contractants va être à la fois créancier et débiteur : le vendeur d'une chose est créancier du prix et débiteur de la livraison de la chose vendue, alors que l'acheteur est créancier de la livraison de la chose et débiteur du prix [...] » (Pineau et Burman, *Obligations*, n° 25, p. 42).
Occ. Art. 1532, 1706 C. civ.
Opp. vendeur. **V.a.** acquéreur.
Angl. buyer⁺, purchaser.

ACHETEUR À RÉMÉRÉ

(*Obl.*) Acheteur qui, dans un contrat de vente, accorde au vendeur la faculté de réméré. « Nous croyons que le vendeur à réméré demeure propriétaire de la chose vendue sous une condition suspensive, et que l'acheteur à réméré le devient sous une condition résolutoire » (Faribault, dans *Traité*, t. 11, n° 394, p. 365).
Opp. vendeur à réméré. **V.a.** vente à réméré.
Angl. buyer subject to right of redemption⁺, purchaser subject to right of redemption.

ACOMPTE *n.m.*

(*Obl.*) Somme versée par avance en paiement partiel du prix. Par ex., l'acheteur verse, au moment du contrat, un acompte sur le prix et paiera le solde par la suite. « La distinction entre les arrhes et les acomptes est, en pratique, délicate, car les parties dénomment souvent arrhes les acomptes [...] Sous les termes employés, le juge, interprétant le contrat, doit rechercher l'intention des parties » (Mazeaud et Chabas, *Leçons*, t. 3, vol. 2, 1e part., n° 806, p. 88).
Rem. Contrairement aux arrhes au sens de l'art. 1477 C. civ., l'acompte versé lors de la formation d'un contrat ne comporte pas une faculté de dédit.
F.f. dépôt[4].
Angl. deposit[4]⁺, payment on account.

A CONTRARIO *loc.adv.* (latin)

Au contraire. « On utilisait tantôt l'argument d'analogie (*a pari*) [...] tantôt l'argu-

ment *a contrario*, plus dangereux, donnant à une espèce que l'on estime en opposition avec celle résolue par la loi, la solution contraire à celle adoptée par le texte; ce dernier argument n'est sûr que lorsqu'il conduit à appliquer la règle générale à laquelle déroge le texte ainsi invoqué *a contrario* » (Mazeaud et Chabas, *Leçons*, t. 1, vol. 1, n° 101, p. 140).
Opp. *a fortiori, a pari*. **V.a.** raisonnement *a contrario*.
Angl. *a contrario*.

ACQUÉREUR, ÉRESSE *n.* et *adj.*

(*Biens*) Personne qui fait une acquisition[1]. « Lorsque le propriétaire d'un meuble cède successivement celui-ci à deux personnes différentes, c'est celle qui a été mise en possession de la chose la première qui en devient propriétaire, même si son titre est de date postérieure à celui de l'autre acquéreur, à condition, cependant, que cette possession soit de bonne foi [...] » (Pineau et Burman, *Obligations*, n° 157, p. 219-220).
Occ. Art. 1506 C. civ.
V.a. aliénataire+, ayant cause, coacquéreur.
Angl. acquirer.

ACQUÉREUR À TITRE PARTICULIER

Syn. ayant cause à titre particulier.
Occ. Art. 741 C. civ.
Angl. acquirer by particular title, assignee by particular title, particular successor, successor by particular title+.

ACQUÉREUR SUBSÉQUENT

(*Biens* et *Obl.*) (X) V. sous-acquéreur.
Rem. Ce terme, qui se trouvait déjà à l'art. 2173 C. civ., a été repris récemment, sans doute sous l'influence de l'anglais *subsequent acquirer, subsequent purchaser*, à l'art. 1639 C. civ., de même qu'à l'art. 53 de la *Loi sur la protection du consommateur* (L.R.Q., chap. P-40.1).
Angl. sub-acquirer, subsequent acquirer+, subsequent purchaser(<)+.

ACQUÉRIR *v.tr.*

1. (*Biens* et *Obl.*) Faire l'acquisition[1] d'un bien. « [...] *de deux acquéreurs successifs d'un même meuble, est préféré non celui qui a acquis le premier, mais celui qui, le premier, s'est mis en possession, à la condition qu'il soit de bonne foi* » (Mazeaud et Chabas, *Leçons*, t. 2, vol. 2, n° 1621, p. 310).
Occ. Art. 766, 2203 C. civ.
Angl. acquire[1].

2. Obtenir. *Acquérir force de loi; acquérir force de chose jugée*.
Angl. acquire[2].

ACQUIESCEMENT À JUGEMENT

(*D. jud.*) Acte[2] par lequel une personne se soumet à la décision judiciaire rendue.
Occ. Art. 501 par. 3 C. proc. civ.
Rem. **1°** L'acquiescement à jugement emporte renonciation aux voies de recours. **2°** Voir l'art. 288 C. civ.
Angl. acquiescence to a judgment.

ACQUIESCEMENT À LA DEMANDE

(*D. jud.*) Acte[2] par lequel une personne se soumet à la demande en justice formée contre elle. « Le principe général est [...] que l'acquiescement à la demande peut être fait dans toute espèce d'action. Mais le législateur a prévu quelques exceptions à cette liberté. Ainsi dans les cas de séparation de corps, de nullité de mariage, de divorce ou de filiation, il ne pourra pas y avoir jugement sur acquiescement, l'ordre public se devant d'éviter la collusion possible entre les parties » (Anctil, *Commentaires*, t. 2, p. 8-9).
Occ. Art. 12 par. *i*, titre précédant l'art. 457 C. proc. civ.
Rem. **1°** L'acquiescement emporte la reconnaissance totale ou partielle des prétentions de l'autre partie. **2°** Voir les art. 457 à 461 C. proc. civ.
F.f. confession de jugement.
Angl. acquiescence in a demand+, confession of judgment.

ACQUIS, ISE *adj.*

V. domicile acquis, droit acquis, prescription acquise.

ACQUISITIF, IVE *adj.*

V. prescription acquisitive.

ACQUISITION *n.f.*

1. (*Biens* et *Obl.*) Fait, pour une personne, de devenir propriétaire d'une chose ou titulaire d'un droit. Par ex., l'art. 583 C. civ. énumère les modes d'acquisition du droit de propriété. « [...] la prescription permet l'acquisition non seulement du droit de propriété mais, aussi, de certains autres droits réels [...] » (Martineau, *Prescription*, n° 7, p. 13).
Rem. Dans l'usage courant, on emploie le terme *acquisition d'un bien* pour désigner l'acquisition de la propriété. On acquiert un actif ou un patrimoine, mais non un passif seulement.
V.a. abandon, aliénation, capacité d'acquisition, cession, disposition[1], incapacité d'acquisition, mutation, renonciation, sous-acquisition.
Angl. acquisition[1].

2. Obtention. *Acquisition de la possession.*
V.a. domicile d'acquisition.
Angl. acquisition[2].

ACQUIT *n.m.*

(*Obl.*) Syn. reçu[1].
Angl. receipt[1].

ACQUIT (POUR) *loc.adv.*

(*Obl.*) Formule figurant sur un écrit par laquelle le créancier reconnaît avoir reçu paiement de sa créance.
Angl. paid.

ACQUITTEMENT *n.m.*

(*Obl.*) Syn. paiement. *Acquittement d'une dette* (art. 953*a* par. 3 C. civ.), *acquittement d'une obligation* (art. 363 C. civ.).
Angl. payment.

ACQUITTER *v.tr.*

(*Obl.*) Syn. payer. « Le paiement en espèces peut être incommode lorsqu'il s'agit d'acquitter une dette importante. C'est pourquoi les parties au paiement peuvent valablement convenir d'un autre procédé, comme l'émission d'une lettre de change ou d'un chèque [...] » (Marty, Raynaud et Jestaz, *Obligations*, t. 2, n° 206, p. 186). *Acquitter une dette.*
Rem. Ce verbe s'emploie aussi à la forme pronominale : *s'acquitter d'une obligation.*
Angl. acquit[1], pay+, settle[1].

ACTE *n.m.*

1. (*Obl.*) Fait[1] d'une personne qui entraîne des conséquences juridiques. « La différence est grande [...] entre une responsabilité édictée pour tous les actes dommageables, et une responsabilité qui ne résulte que des seuls actes dommageables que ne commettrait pas une personne prudente » (Mazeaud et Chabas, *Leçons*, t. 2, vol. 1, n° 448, p. 446). *Acte dommageable, acte illicite.*
Occ. Art. 1041, 1042 C. civ.
Rem. **1°** L'abstention est parfois considérée, en droit, comme un acte. **2°** On emploie, selon le contexte, des expressions telles *accomplir* (art. 2261.1 C. civ.), *commettre*, *faire un acte*, ou simplement, *agir*; l'expression *poser un acte* est un régionalisme québécois et belge. **3°** Du latin *actum*, de *agere* : agir, faire.
Angl. act[1].

2. A. (*Obl.*) Syn. acte juridique. « Le tuteur, agissant pour le mineur, exerce les droits de ce dernier et le représente dans les actes de la vie civile, en se conformant à un certain nombre de formalités prescrites

par la loi aux fins d'entourer l'acte d'un maximum de sécurité » (Baudouin, *Obligations*, n° 247, p. 178).
Occ. Art. 319, 334, 1032 C. civ.
Angl. act[2.A], juridical act[+], juridical fact[3], *negotium*, title[2.A].

2. B. (*Obl.*) Syn. acte instrumentaire. « Parmi les divers écrits, le rôle le plus important en matière de preuve est celui des actes préconstitués. Le terme "acte" est pris dans le sens matériel : il s'agit de la feuille de papier sur laquelle on rédige la convention ou l'acte juridique unilatéral. En ce sens "acte" est nommé aussi "instrument" (*instrumentum*) » (Starck, *Introduction*, n° 392, p. 164).
Occ. Art. 776, 1210, 1221 C. civ.
Angl. act[2.B], *acte*, attesting deed[+], deed[1], *instrumentum*, title[2.B].

3. (X) *Angl.* V. loi[2].
Occ. Art. 10, 17 par. 2 C. civ.
Rem. **1°** L'art. 39 de la *Loi d'interprétation*, L.R.Q., chap. I-16, au même effet que l'art. 10 C. civ., emploie correctement le terme *loi*. **2°** Il n'est pas faux de dire que la loi est un acte : il s'agit même d'un acte juridique par excellence puisqu'elle constitue l'expression de la volonté du législateur. Mais alors le terme *acte* s'entend dans le sens d'acte juridique.
Angl. act[3], legislation[2], statute[+].

ACTE ABDICATIF

Acte juridique par lequel le titulaire d'un droit en provoque l'extinction à son égard. « À côté des actes qui créent, transfèrent ou déclarent des droits, il en est d'autres qui tendent à les éteindre [...] tels que les renonciations, ou, plus largement, les actes abdicatifs » (Verdot et Hébraud, *Rép. droit civ.*, v° Acte, n° 75).
Rem. **1°** L'acte abdicatif est généralement unilatéral; il peut être bilatéral, comme dans la remise de dette. **2°** L'acte abdicatif peut porter sur des droits réels ou personnels, ainsi que sur des moyens de protection ou de défense contre la prétention de tiers, par ex., l'exception, la prescription acquise; il peut encore porter sur une charge publique ou familiale, par ex., la tutelle.
Syn. abdication. **Opp.** acte constitutif, acte déclaratif, acte translatif. **V.a.** abandon, déguerpissement[1], renonciation, résiliation.
Angl. abdication, abdicative act, act of renunciation, renunciation[1+].

ACTE À CAUSE DE MORT

(*Obl.* et *Succ.*) Acte juridique qui a pour objet une transmission de biens et qui ne produit d'effet qu'au décès de son auteur. Par ex., l'assurance sur la vie, la donation à cause de mort (art. 830 C. civ.), le testament.
Opp. acte entre vifs.
Angl. act in contemplation of death[+], act *mortis causa*.

ACTE APPARENT

(*Obl.*) Acte[2] indiquant ostensiblement, dans une opération de simulation, une convention entre les parties qui ne correspond pas à la réalité juridique, celle-ci demeurant cachée. Par ex., une vente qui camoufle une donation. « Toute simulation est un *mensonge*. Celui-ci atteint son degré extrême lorsque la contre-lettre *détruit* entièrement l'acte apparent, qui se trouve ainsi être purement fictif » (Flour et Aubert, *Obligations*, vol. 1, n° 377, p. 315).
Syn. acte ostensible, acte simulé. **Opp.** contre-lettre. **V.a.** acte déguisé, acte fictif, contrat simulé.
Angl. apparent act[+], ostensible act, simulated act.

ACTE À TITRE GRATUIT

(*Obl.*) Acte juridique par lequel une personne, mue par une intention libérale, procure sans contrepartie un avantage à autrui. Par ex., la donation, le legs, la remise de dettes à titre gracieux. « Sur le plan familial, l'acte à titre gratuit est beaucoup plus redoutable

que l'acte à titre onéreux. Le donateur ne reçoit rien en échange des biens aliénés [...] » (Mazeaud et Chabas, *Leçons*, t. 1, vol. 1, n° 261 p. 333).
Rem. La doctrine restreint parfois le sens de ce terme aux libéralités.
Opp. acte à titre onéreux.
Angl. act by gratuitous title.

ACTE À TITRE ONÉREUX

(*Obl.*) Acte juridique par lequel chaque partie retire un avantage en contrepartie de celui qu'elle fournit. Par ex., la vente, le prêt à intérêt. « Dans certains actes, les intéressés recherchent un avantage réciproque [...] Ce sont les *actes à titre onéreux* » (Mazeaud et Chabas, *Leçons*, t. 1, vol. 1, n° 261, p. 333).
Opp. acte à titre gratuit.
Angl. act by onerous title.

ACTE ATTRIBUTIF

(*Obl.*) *Rare.* Acte juridique qui confère un droit à quelqu'un.
Rem. L'acte attributif peut être constitutif ou translatif.
Angl. attributive act.

ACTE AUTHENTIQUE

(*Preuve*) Acte instrumentaire dressé par un officier public suivant les formalités prescrites par la loi. Par ex., l'acte notarié, l'acte de l'état civil. « Il existe deux grandes catégories d'actes authentiques : les actes authentiques d'un caractère public et les actes authentiques d'un caractère privé. Les premiers ont pour objet de constater des faits publics. Ce sont ceux dont parle l'art. 1207 C. civ. Les seconds sont ceux qui donnent aux conventions des particuliers ou aux actes affectant leurs droits un caractère d'authenticité. Il s'agit des actes notariés » (Nadeau et Ducharme, dans *Traité*, t. 9, n° 274, p. 197).
Rem. L'acte authentique fait foi jusqu'à inscription de faux (art. 1211 C. civ.).
Opp. acte sous seing privé.
Angl. authentic act+, authentic deed, authentic document, authentic instrument, authentic writing.

ACTE BILATÉRAL

(*Obl.*) Acte juridique accompli par deux parties qui poursuivent entre elles des intérêts distincts. « La valeur que présente l'acte bilatéral d'être une combinaison d'intérêts opposés fait en même temps sa faiblesse : tout accord est difficile » (Demogue, *Obligations*, vol. 1, t. 1, n° 16 bis, p. 38).
Rem. **1°** Tout acte bilatéral est un contrat, par ex., la vente et la donation. **2°** Ne pas confondre acte bilatéral et contrat bilatéral, appelé généralement *contrat synallagmatique* : celui-ci est une espèce d'acte bilatéral qui produit des obligations réciproques à la charge des parties.
Opp. acte multilatéral, acte unilatéral.
Angl. bilateral act.

ACTE CIVIL

(*Obl.* et *D. comm.*) Acte juridique qui a pour objet de réaliser une opération ne présentant pas un caractère de commercialité. Par ex., le prêt intervenu entre deux non-commerçants, le testament. « L'acte commercial et l'acte civil ne sont pas régis par le même genre de preuve, la preuve testimoniale s'appliquant (sauf exception) aux opérations commerciales, la preuve écrite étant au contraire imposée en matière civile (sauf exception) [...] » (Perrault, *Droit commercial*, t. 1, n° 277, p. 285-286).
Syn. opération civile. **Opp.** acte de commerce, acte mixte. **V.a.** contrat civil.
Angl. civil act+, civil operation.

ACTE COLLECTIF

(*Obl.*) Acte juridique accompli par un groupe de personnes qui poursuivent un intérêt commun.
Rem. **1°** L'acte collectif peut être unilatéral comme l'avis du conseil de famille

(art. 297 C. civ.), bilatéral comme le contrat collectif, ou même multilatéral. **2°** Dans l'usage, le terme *acte collectif* s'entend surtout de l'acte unilatéral collectif.
Angl. collective act.

ACTE COMMERCIAL

(*Obl.* et *D. comm.*) Syn. acte de commerce. « Un acte commercial quant à toutes les parties est entièrement régi par les règles du droit commercial; l'acte mixte, par contre, est tantôt régi par les règles du droit commercial et tantôt régi par les règles du droit civil » (Nadeau et Ducharme, dans *Traité*, t. 9, n° 514, p. 411).
Angl. act of commerce, commercial act+, commercial operation.

ACTE CONSENSUEL

(*Obl.*) Acte juridique qui naît de la seule manifestation de volonté sans aucune formalité.
Opp. acte solennel. **V.a.** consensualisme, contrat consensuel.
Angl. consensual act.

ACTE CONSERVATOIRE

(*Pers.* et *Obl.*) Acte juridique de sauvegarde du patrimoine, nécessaire pour prévenir la perte imminente d'un bien ou la réalisation d'un risque. « [...] l'acte conservatoire doit s'entendre de la *conservation des droits*, non de la conservation matérielle des biens comme par exemple la réparation d'un meuble ou du toit d'une maison » (Starck, *Introduction*, n° 369, p. 151-152).
Occ. Art. 915, 1086 C. civ.; art. 1374 al. 1 C. civ. Q.
Syn. acte de conservation. **Opp.** acte d'aliénation, acte de disposition. **V.a.** acte d'administration.
Angl. act of conservation, conservatory act+.

ACTE CONSTITUTIF

(*Obl.*) Acte juridique dont l'objet est de créer un droit[2] nouveau. « Les actes *constitutifs* sont ceux qui créent un droit nouveau : ainsi le mariage qui crée pour les conjoints l'état de gens mariés; ou le contrat qui fait naître des obligations » (Marty et Raynaud, *Introduction*, n° 153, p. 279). *Acte constitutif d'usufruit, de servitude, d'hypothèque.*
Occ. Art. 463, 464 C. civ.
Rem. **1°** Pour certains auteurs, le terme *acte constitutif* s'applique exclusivement aux actes créateurs de droits réels. **2°** Alors que l'acte translatif transfère un droit existant, l'acte constitutif crée un droit nouveau.
Syn. titre constitutif. **Opp.** acte abdicatif, acte déclaratif, acte translatif. **V.a.** acte attributif, jugement constitutif°.
Angl. constitutive act, constitutive title+.

ACTE D'ADMINISTRATION

(*Biens* et *Obl.*) Acte juridique qui tend à la conservation, à la mise en valeur ou à l'exploitation normale du patrimoine. « L'acte d'*administration* tend à faire fructifier un bien sans en compromettre la valeur en capital, par exemple, la perception de loyers » (Weill et Terré, *Introduction*, n° 316, p. 314-315).
Occ. Art. 1002, 1703 C. civ.
Rem. **1°** L'acte d'administration comprend à la fois l'acte de pure administration, par ex., des réparations locatives, et l'acte d'administration non courante, par ex., la construction d'une maison. **2°** La vente des fruits constitue un acte d'administration, et non un acte de disposition, parce qu'elle n'entame pas la substance du capital.
Opp. acte d'aliénation, acte de disposition.
V.a. acte conservatoire.
Angl. act of administration.

ACTE D'ALIÉNATION

(*Obl.*) Acte[2] qui emporte aliénation. « Le propriétaire peut valablement accomplir, sur

la chose, tous les actes de disposition, même si ce ne sont pas des actes d'aliénation [...] Réciproquement, certains actes d'aliénation ne sont pas des actes de disposition (par exemple une vente de récoltes) » (Cornu, *Introduction*, n° 1023-1024, p. 328).
Occ. Art. 1646, 2101 C. civ.
Rem. Ne pas confondre avec acte de disposition.
Opp. acte conservatoire, acte d'administration.
Angl. act of alienation.

ACTE DÉCLARATIF

(*Obl.*) Acte juridique dont l'objet est de constater ou de préciser un droit préexistant. Par ex., l'aveu, la reconnaissance de dette. « Les actes *déclaratifs* ne font pas naître un droit nouveau; ils agissent sur la base d'un droit préexistant. Ils le reconnaissent (acte récognitif, reconnaissance d'enfant naturel); parfois ils lui donnent une force accrue (jugement, transaction); parfois même ils le transforment : c'est le cas dans le partage qui est l'exemple le plus connu d'acte déclaratif et qui délimite les droits du coïndivisaire en les transformant en un lot divis » (Marty et Raynaud, *Introduction*, n° 153, p. 280).
Rem. Le caractère déclaratif du partage est une fiction de la loi (art. 746 C. civ.).
Opp. acte abdicatif, acte constitutif, acte translatif. **V.a.** jugement déclaratif°.
Angl. declaratory act².

ACTE DE COMMERCE

(*Obl.* et *D. comm.*) Acte juridique à titre onéreux accompli dans un but de spéculation. Par ex., la vente d'un objet mobilier par un commerçant (art. 2260 par. 5 C. civ.). « On répète souvent que l'acte de commerce se caractérise par la circulation, l'entremise et la spéculation. Cependant la jurisprudence et la doctrine ont, depuis longtemps, soit réservé la première place à la spéculation, soit retenu celle-ci comme élément unique. Les décisions récentes viennent consacrer cette dernière tendance » (Antaki, (1978) 19 *C. de D.* 157, p. 173).
Rem. **1°** Une opération peut constituer un acte de commerce alors même que celui qui l'accomplit n'est pas commerçant. **2°** Un acte juridique accompli par un commerçant relativement à son négoce constitue, quant à lui, un acte de commerce. **3°** Il est maintenant admis qu'un immeuble, au même titre qu'un meuble, peut faire l'objet d'un acte de commerce. **4°** Une opération peut être un acte de commerce pour les deux parties ou pour l'une d'elles seulement; dans ce dernier cas, on parle d'*acte mixte*.
Syn. acte commercial, opération commerciale. **Opp.** acte civil, acte mixte.
V.a. commerce², commercialité, contrat commercial.
Angl. act of commerce, commercial act⁺, commercial operation.

ACTE DE COMPARUTION

(*D. jud.*) Écrit qui constate la comparution¹.
Occ. Art. 149, 258, 499 C. proc. civ.
Rem. L'acte de comparution doit être produit au greffe du tribunal, sous peine de se voir opposer l'enregistrement d'un défaut de comparaître (art. 149 al. 2 C. proc. civ.).
Syn. comparution².
Angl. appearance⁴⁺, written appearance.

ACTE DE CONSERVATION

(*Biens* et *Obl.*) Syn. acte conservatoire. « L'acte de *conservation* tend à maintenir le patrimoine dans son état actuel, à ne pas laisser perdre une valeur ou un droit [....] » (Weill et Terré, *Introduction*, n° 316, p. 314).
Angl. act of conservation, conservatory act⁺.

ACTE DE DISPOSITION

(*Biens* et *Obl.*) Acte² qui a pour effet d'entamer ou de compromettre la substance du patrimoine. Par ex., la vente d'un immeuble ou la constitution d'un droit réel. « *Un acte de disposition* engage le capital ou engage l'avenir. L'opération risque d'aboutir à une perte de substance dans le patrimoine de son auteur » (Cornu, *Introduction*, n° 128, p. 52).

Rem. 1° L'acte de disposition ne suppose pas nécessairement une disposition. Ainsi, consentir un bail pour une durée supérieure à neuf ans constitue un acte de disposition, bien que le locateur ne dispose ainsi d'aucun bien. 2° Ne pas confondre avec acte d'aliénation.

Opp. acte conservatoire, acte d'administration.

Angl. act of disposition.

ACTE DÉGUISÉ

(*Obl.*) Acte secret reflétant le véritable accord des parties, masqué par un acte apparent qui en fausse la nature ou les modalités. Par ex., une donation déguisée en vente, une vente portant un prix différent de celui qui figure dans l'acte apparent. « *Acte déguisé* : Les parties ont conclu une convention, mais désirent qu'elle demeure ignorée; pour y parvenir, elles la déguisent sous l'apparence d'un autre contrat » (Mazeaud et Chabas, *Leçons*, t. 2, vol. 1, n° 807, p. 934).

Rem. L'acte déguisé constitue une des formes de la simulation.

V.a. acte fictif, contre-lettre, interposition de personnes.

Angl. concealed act⁺, disguised act.

ACTE DE NOTORIÉTÉ

(*Preuve* et *D. int. pr.*) Écrit dressé par un officier public, faisant état de déclarations de plusieurs personnes qui attestent la croyance publique ou leur connaissance personnelle relativement à certains faits, coutumes ou usages. « Une forme très ancienne et demeurée bien vivante du témoignage écrit est l'*acte de notoriété*. On s'en sert pour constater un point de fait notoire; mais, selon la formule qui est traditionnellement en usage, les comparants déclarent que ce fait notoire est "à leur connaissance personnelle"; il ne s'agit donc pas seulement d'établir la *notoriété* d'un fait, c'est-à-dire la croyance publique à sa réalité » (Ripert et Boulanger, *Traité*, t. 1, n° 784, p. 332). *Donner un acte de notoriété.*

Occ. Art. 31, *Loi sur le Notariat*, L.R.Q., chap. N-2.

Rem. Les actes de notoriété sont utilisés notamment pour établir certaines situations familiales, comme en matière d'adoption, de filiation, de succession, lorsqu'il est impossible de fournir un document officiel.

V.a. certificat de coutume.

Angl. act of notoriety, deed of notoriety⁺.

ACTE DE PROCÉDURE

(*D. jud.*) Acte[2] se rattachant à une instance, et dressé selon les formalités prescrites par la loi[2]. « [...] le mot *procédure* vise l'ensemble des formalités à suivre pour obtenir d'un tribunal la solution d'une difficulté d'ordre juridique. Ces formalités consistent essentiellement dans l'accomplissement d'actes, dits *actes de procédure*, dont la succession constitue l'*instance* » (*Dict. de droit*, t. 2, v° Procédures civiles et commerciales, n° 3).

Occ. Art. 138, 139, 199, 262 C. proc. civ.

F.f. procédure[2].

Angl. act of procedure, procedure[2], proceeding⁺.

ACTE DE PURE ADMINISTRATION

(*Biens* et *Obl.*) Acte d'administration courante. Par ex., réparer un immeuble, percevoir des revenus. « L'émancipé peut, en général, faire seul, et avec autant de solidité que s'il était majeur, tous les actes *de pure administration* » (Mignault, *Droit civil*, t. 2, p. 261).

Occ. Art. 91, 319, 322 C. civ.

Syn. acte de simple administration.
Angl. act of mere administration+, act of simple administration.

ACTE DE PURE FACULTÉ

(*Biens*) Acte matériel, accompli dans l'exercice normal d'un droit, qui ne constitue pas un empiétement sur le fonds d'autrui. « [...] celui qui place une poutre dans toute l'épaisseur d'un mur mitoyen (à quatre pouces près) n'empiète pas sur le droit de son voisin; il ne fait qu'exercer une faculté que la loi lui reconnaît [art. 514 C. civ.]; il s'agit de l'exercice normal de son droit de propriété. C'est un acte de pure faculté qui ne peut être considéré comme un acte de possession conduisant à la prescription » (Martineau, *Prescription*, n° 101, p. 97).
Occ. Art. 2196 C. civ.
V.a. acte de simple tolérance.

ACTE DE SIMPLE ADMINISTRATION

(*Biens* et *Obl.*) Syn. acte de pure administration. « [...] ses pouvoirs [ceux du curateur aux biens de l'absent] se bornent aux actes de simple administration » (*Rapport des Commissaires*, Second Rapport, p. 168).
Rem. Voir l'art. 1340 C. civ. Q.
Angl. act of mere administration+, act of simple administration.

ACTE DE SIMPLE TOLÉRANCE

(*Biens*) Acte matériel exercé sur le fonds d'autrui, que le propriétaire n'empêche pas et qui ne révèle pas chez son auteur une prétention à un droit ni ne constitue une contradiction au droit du propriétaire. « L'*acte de simple tolérance* est celui qu'un propriétaire courtois tolère. Par exemple, laisser un voisin déposer des matériaux à la limite de leurs terrains » (Mazeaud et Chabas, *Leçons*, t. 2, vol. 2, n° 1441, p. 172).
Occ. Art. 2196 C. civ.
Syn. acte de tolérance. **V.a.** acte de pure faculté.
Angl. act of (a) mere sufferance+, act of sufferance.

ACTE DE TOLÉRANCE

(*Biens*) Syn. acte de simple tolérance.
Angl. act of (a) mere sufferance+, act of sufferance.

ACTE ENTRE VIFS

(*Obl.*) Acte juridique dont les effets se produisent du vivant de son ou de ses auteurs. Par ex., la donation entre vifs, la reconnaissance de paternité, la vente.
Opp. acte à cause de mort.
Angl. act *inter vivos*.

ACTE FICTIF

(*Obl.*) Acte apparent destiné à faire croire à l'existence d'une convention alors que, entre les parties, une contre-lettre en détruit entièrement les effets. Par ex., pour éviter une saisie, un débiteur vend en apparence ses biens à un tiers, mais il déclare dans une contre-lettre qu'il en demeure propriétaire. « Lorsque la contre-lettre a seulement pour objet de *modifier* les effets de l'acte apparent, on dit qu'il y a déguisement. Contrairement à ce qui se passe dans le cas d'acte fictif, une situation juridique nouvelle est bien créée; mais elle est différente de celle qui est portée à la connaissance des tiers » (Flour et Aubert, *Obligations*, n° 378, p. 298).
Rem. L'acte fictif constitue une des formes de la simulation.
V.a. acte déguisé, contrat fictif, interposition de personnes.
Angl. fictitious act.

ACTE INDIVIDUEL

(*Obl.*) Acte unilatéral qui est l'oeuvre d'une seule personne. Par ex., le testament, la résiliation unilatérale de contrat.
Rem. Ce type d'acte est généralement désigné sous le nom d'*acte unilatéral*.
Syn. acte unilatéral individuel. **Opp.** acte unilatéral collectif. **V.a.** contrat individuel.
Angl. individual act+, individual unilateral act.

ACTE INSTRUMENTAIRE

(*Obl.*) Écrit dressé pour constater un acte juridique ou un fait juridique. Par ex., les actes de l'état civil, l'acte authentique, le procès-verbal. « [...] il ne faut pas confondre l'acte juridique avec "l'acte instrumentaire" qui est le titre constatant et prouvant l'acte intervenu » (Pineau et Burman, *Obligations*, n° 19, p. 31).
Rem. **1°** Voir les art. 776, 1210, 1221 C. civ. **2°** Le terme *acte* peut désigner à la fois l'acte juridique et sa constatation matérielle. Par ex., le bail, le testament.
Syn. acte[2.B], *instrumentum*, titre[2.B]. **Opp.** acte juridique. **V.a.** demander acte, donner acte, dont acte, prendre acte.
Angl. act[2.B], *acte*, attesting deed+, deed[1], *instrumentum*, title[2.B].

ACTE JURIDIQUE

(*Obl.*) Manifestation d'une ou de plusieurs volontés destinée à produire un effet de droit. Par ex., le contrat, la mise en demeure, le testament. « Lorsqu'une personne accomplit un acte juridique, elle projette sa volonté dans le domaine du droit » (Mazeaud et Chabas, *Leçons*, t. 1, vol. 1, n° 258, p. 330).
Rem. **1°** Voir les art. 319, 334, 1032 C. civ. **2°** Le terme *acte* peut désigner à la fois l'acte juridique et sa constatation matérielle. Par ex., le bail, le testament.
Syn. acte[2.A], fait juridique[3], *negotium*, titre[2.A]. **Opp.** acte instrumentaire, fait juridique[2].
Angl. act[2.A], juridical act+, juridical fact[3], *negotium*, title[2.A].

ACTE MATÉRIEL

Fait[1] d'une personne considéré indépendamment des conséquences juridiques que la loi peut y attacher. « [...] la possession est une situation de fait qui consiste à poser des actes matériels qui correspondent à l'exercice du droit de propriété; le possesseur se comporte comme un propriétaire » (Martineau, *Prescription*, n° 41, p. 41).
V.a. fait matériel[1].
Angl. material fact[1](>).

ACTE MIXTE

(*Obl.*) Acte juridique qui constitue un acte de commerce pour une des parties et un acte civil pour l'autre. Par ex., le prêt par un commerçant à un non-commerçant. « Régime de preuve des actes mixtes. — Lorsqu'un acte est mixte, c'est -à-dire réputé commercial quant à une partie et civil quant à l'autre, on applique la règle de la personnalité des lois selon laquelle chaque partie est régie par la loi qui lui est propre » (Ducharme, *Preuve*, n° 369, p. 158).
Opp. acte civil, acte de commerce.
V.a. contrat mixte[1].
Angl. mixed act.

ACTE MULTILATÉRAL

(*Obl.*) Acte juridique accompli par plus de deux parties qui poursuivent entre elles des intérêts distincts. Par ex., la vente consentie par des copropriétaires.
Rem. **1°** Tout acte multilatéral est un contrat. **2°** Voir acte collectif.
Syn. acte plurilatéral. **Opp.** acte bilatéral, acte unilatéral. **V.a.** contrat.
Angl. multilateral act+, plurilateral act.

ACTE NOTARIÉ

(*Preuve*) Acte authentique reçu par un notaire. « Dans notre monde juridique, l'acte notarié émerge comme une réalité spécifique et originale à laquelle l'État assure, d'une façon constante, la pérennité, l'accessibilité et l'incontestabilité » (Aquin, (1987-88) 90 *R. du N.* 228, p. 277).
Occ. Art. 660, 1208, 1979*b* C. civ.; art. 23, *Loi sur le notariat*, L.R.Q., chap. N-2.
Rem. Pour certains contrats, la forme notariée est obligatoire sous peine de nullité absolue : donation entrevifs sauf les dons

manuels (art. 776 C. civ.), contrat de mariage (art. 472 C. civ. Q.), contrat constitutif d'hypothèque (art. 2040 C. civ.).
V.a. acte sous seing privé.
Angl. notarial act, notarial deed+, notarial instrument.

ACTE OSTENSIBLE

(*Obl.*) Syn. acte apparent. « Derrière l'acte ostensible, l'opération juridique véritable se dissimule dans un acte secret, la contre-lettre qui demeure cachée » (Marty et Raynaud, *Introduction*, n° 172, p. 307).
Angl. apparent act+, ostensible act, simulated act.

ACTE PLURILATÉRAL

(*Obl.*) Syn. acte multilatéral.
Angl. multilateral act+, plurilateral act.

ACTE PRIMORDIAL

(*Preuve*) Acte instrumentaire constatant un droit qui a dû subséquemment être reconnu dans un acte récognitif. « L'acte recognitif est un écrit par lequel les parties reconnaissent l'existence d'un état de droit créé antérieurement et déjà constaté au moyen d'un autre écrit, appelé acte primordial » (Ducharme, *Preuve*, n° 193, p. 96).
Syn. titre primordial.
Angl. original act, original deed, original title, primordial act, primordial deed, primordial title+.

ACTE RÉCOGNITIF

(*Preuve*) Acte instrumentaire dressé dans le but de reconnaître un droit créé antérieurement et déjà constaté dans un acte précédent, appelé *acte primordial.* « L'acte récognitif fait preuve complète de l'acte antérieur s'il en relate la substance » (Nadeau et Ducharme, dans *Traité*, t. 9, n° 418, p. 316).
Occ. Art. 550, 1213 C. civ.
Rem. L'acte récognitif porte le nom de *titre nouvel* lorsqu'il a pour but d'interrompre une prescription.
Syn. titre récognitif.
Angl. act of recognition+, deed of recognition.

ACTE RÉEL

(*Obl.*) Syn. contre-lettre. « On parle de simulation lorsque l'acte secret est conclu avant l'acte ostensible ou au plus tard en même temps que lui pour le neutraliser ou pour en modifier la teneur [...]. Cet acte ostensible est normalement un acte juridique, par exemple un acte apparent de vente sous lequel se cache en réalité une donation qui est l'acte réel » (Marty et Raynaud, *Obligations*, t. 1, n° 300, p. 311).
Angl. counter-letter+, real act, secret act, true act.

ACTE SECRET

(*Obl.*) Syn. contre-lettre. « L'acte secret détruit complètement l'acte apparent [acte fictif] : les parties ont voulu faire croire à l'existence d'un contrat qui, en réalité, n'a pas été conclu » (Pineau et Burman, *Obligations*, n° 224, p. 311).
Angl. counter-letter+, real act, secret act, true act.

ACTE SIMULÉ

(*Obl.*) Syn. acte apparent. « [...] les parties ne se contentent pas de ne point révéler le contrat; elles font plus : pour assurer le secret de l'acte, elles créent une apparence mensongère, elles passent un acte ostensible, qui est faux; elles trompent toutes les personnes qui auront connaissance de cet acte simulé [...] » (Mazeaud et Chabas, *Leçons*, t. 2, vol. 1, n° 810, p. 936).
Angl. apparent act+, ostensible act, simulated act.

ACTE SOLENNEL

(*Obl.*) Acte juridique dont la validité est subordonnée à l'accomplissement de formes prescrites par la loi. Par ex., le contrat de mariage, le testament. « Le testament est

un acte solennel, sa forme est de son essence même [...] Le testament qui pèche par la forme n'est pas un testament, c'est un simple papier sans valeur et sans conséquence [...] » (Mignault, *Droit civil*, t. 4, p. 265).
Opp. acte consensuel. **V.a.** contrat solennel, formalisme.
Angl. solemn act.

ACTE SOUS SEING PRIVÉ

(*Preuve*) Acte instrumentaire dressé sans l'intervention d'un officier public et signé par le ou les intéressés. Par ex., le testament olographe, le billet promissoire. « Sous le titre général d'"écritures privées", emprunté de Pothier, le Code civil du Québec règle le cas non seulement des *actes sous seing privé*, c'est-à-dire de ceux qui sont revêtus de la signature des parties mais aussi celui des *écrits non signés* mais dont les parties peuvent être les auteurs » (Nadeau et Ducharme, dans *Traité*, t. 9, n° 349, p. 271).
Occ. Art. 776, 1221, 1979*b*, 1979*f* C. civ.
Rem. Le substantif *seing* est un terme vieilli qui signifie signature.
Opp. acte authentique. **V.a.** acte notarié.
Angl. act under private writing, deed under private writing, private writing+.

ACTE TRANSLATIF

(*Obl.*) Acte juridique dont l'objet est de faire passer un droit d'un titulaire à un autre. « Les actes translatifs se bornent à transmettre à un nouveau titulaire un droit déjà existant : telle est la vente qui transfère à une nouvelle personne la propriété d'une chose; de même la cession de créance » (Marty et Raynaud, *Introduction*, n° 153, p. 279).
Rem. **1°** L'acte translatif fait sortir du patrimoine de l'auteur un droit qu'on retrouve dans celui de l'ayant cause. **2°** Alors que l'acte constitutif fait naître un droit nouveau, l'acte translatif transfère un droit existant.
Syn. titre translatif. **Opp.** acte abdicatif, acte constitutif, acte déclaratif.
V.a. acte attributif, contrat translatif.
Angl. translatory act, translatory title+.

ACTE TRANSLATIF DE PROPRIÉTÉ

(*Obl.*) Acte translatif dont l'objet est de faire passer un droit de propriété d'un titulaire à un autre. Par ex., la vente, la dation en paiement.
Syn. juste titre, titre translatif de propriété.
V.a. contrat translatif de propriété.
Angl. lawful title, translatory act of ownership, translatory title of ownership+.

ACTE UNILATÉRAL

(*Obl.*) Acte juridique émanant de la volonté d'une personne ou d'un groupe de personnes qui poursuivent des intérêts communs. Par ex., le testament (art. 831 C. civ.), la confirmation d'un contrat nul (art. 1214 C. civ.), la décision d'une assemblée délibérante, la renonciation à une succession (art. 651 C. civ.). « [...] l'acte unilatéral peut émaner de plusieurs personnes [...]. Le caractère unilatéral signifie seulement que, contrairement au contrat, un tel acte ne réalise jamais "une conciliation des intérêts contradictoires" » (Flour et Aubert, *Obligations*, vol. 1, n° 482, note 4, p. 387).
Rem. **1°** L'acte unilatéral peut être individuel ou collectif. **2°** Ne pas confondre acte unilatéral et contrat unilatéral : celui-ci suppose l'accord de deux volontés, bien qu'une seule des parties soit obligée.
Opp. acte bilatéral, acte multilatéral.
V.a. théorie de l'engagement par volonté unilatérale.
Angl. unilateral act.

ACTE UNILATÉRAL COLLECTIF

(*Obl.*) Acte unilatéral émanant d'un groupe de personnes qui poursuivent un intérêt commun. Par ex., la décision d'une assemblée délibérante.
Rem. Dans l'usage, on emploie plus simplement *acte collectif*.
Opp. acte individuel, contrat collectif.
Angl. collective unilateral act.

ACTE UNILATÉRAL INDIVIDUEL

(*Obl.*) Syn. acte individuel.
Angl. individual act+, individual unilateral act.

ACTE VÉRITABLE

(*Obl.*) Syn. contre-lettre. « La simulation suppose que les parties ont entendu créer une situation apparente contraire à la réalité [...] *L'acte apparent ne doit donc avoir été dans l'esprit des parties qu'un simple paravent destiné à cacher l'acte véritable* » (Mazeaud et Chabas, *Leçons*, t. 2, vol. 1, n° 808, p. 935).
Angl. counter-letter+, real act, secret act, true act.

ACTIF, IVE *adj.*

V. dette active, indivisibilité active, servitude active, solidarité active, sujet actif.

ACTIF *n.m.*

(*Biens*) Ensemble des biens[1] d'une personne, ayant une valeur pécuniaire. « L'obligation représente une valeur pécuniaire qui figure dans les patrimoines du créancier et du débiteur. C'est un élément d'actif pour le créancier et un élément de passif pour le débiteur [...] » (Pineau et Burman, *Obligations*, n° 6, p. 8).
Occ. Art. 884 C. civ.
Rem. 1° L'actif constitue l'une des deux composantes du patrimoine, l'autre étant le passif. 2° Dans la langue juridique, le terme *actif* ne s'emploie pas au pluriel à l'égard d'un seul patrimoine; ainsi, on ne peut dire *les actifs d'une succession, les actifs d'une société commerciale.*
Opp. passif.
Angl. assets.

ACTION *n.f.*

1. (*D. jud.*) Faculté de saisir l'autorité judiciaire en vue d'obtenir la sanction d'un droit. « L'*action* est le droit qu'on a de demander quelque chose en justice [...] » (Pothier, *Oeuvres*, t. 10, n° 241, p. 107).
Occ. Art. 2188 C. civ.
Rem. En droit judiciaire québécois, cet emploi est rare, ce qui s'explique en partie par l'influence de la terminologie anglaise. En effet, le terme anglais *action* s'emploie plutôt au sens de la demande en justice, tandis que l'action au sens de faculté de saisir les tribunaux se rend par *right of action* (art. 2188 C. civ.).
Syn. action en justice[1].
Angl. action[1].

2. (*D. jud.*) Syn. demande. *Défendre à une action; intenter une action* (*à, contre*) *quelqu'un.*
Occ. Art. 152 C. proc. civ.
Rem. L'action est personnelle, réelle ou mixte selon la nature des droits dont elle vise à assurer la sanction; elle est mobilière ou immobilière selon l'objet de ces droits.
Angl. action[2], demand+, direct action[4](x), judicial action, judicial demand, law suit[1], suit[1].

3. (*D. jud.*) Syn. instance.
Occ. Art. 110 C. proc. civ.
Angl. action[3], law suit[2], suit[2]+, trial[2].

4. (*D. jud.*) Demande introduite par un bref d'assignation, par opposition surtout à celle qui est introduite par la voie d'une requête. « [...] la seule conséquence du recours à une action ou à une requête plutôt qu'à une demande d'évocation, dans un cas visé par l'art. 846 *C.p.c.*, c'est que le demandeur n'obtient pas de sursis » (*Vachon* c. *P.G. Québec*, [1979] 1 R.C.S. 555, p. 561, j. L.-P. Pigeon).
Opp. requête.
Angl. action[4].

5. A. (*D. comm.*) Droit[2] de l'associé dans une société par actions[1]. « L'action c'est la part d'intérêt que possède un individu dans une compagnie » (Perrault, *Droit commercial*, t. 2, n° 1046, p. 490).
Occ. Art. 387 C. civ.; art. 143, 144, *Loi sur les compagnies*, L.R.Q., chap. C-38.

V.a. actionnaire, capital-actions, intérêt[2], valeur mobilière°.
Angl. share[1].

5. B. (*D. comm.*) Titre représentant le droit de l'associé dans une société par actions[1]. « La fonction première de la compagnie est la mise en commun de ressources par un certain nombre de personnes. Cette mise en commun s'effectue généralement par des investissements en retour desquels la compagnie émet des actions. [...] Une action c'est un titre [...] qui fait foi du montant de l'investissement et des conditions sous lesquelles il a été fait » (Bohémier et Côté, *Droit commercial*, t. 2, p. 57).
Angl. share[2]+, share certificate.

6. (*Obl.*) V. faute d'action, faute par action.

ACTION CONFESSOIRE

(*Biens* et *D. jud.*) Action pétitoire par laquelle le titulaire d'un droit d'usufruit, d'usage, d'habitation ou de servitude réelle cherche à faire reconnaître l'existence de son droit. « Le titulaire d'une servitude qui entend faire constater en justice son droit contesté exerce une action confessoire qui s'apparente à la revendication et fait partie des actions pétitoires » (Marty et Raynaud, *Biens*, n° 165, p. 222).
Opp. action négatoire.
Angl. confessory action.

ACTION *DE IN REM VERSO* (latin)

(*Obl.* et *D. jud.*) Action[2] par laquelle celui au détriment de qui a eu lieu l'enrichissement sans cause peut répéter ce dont il a été appauvri, jusqu'à concurrence de cet enrichissement. « Traditionnellement, les auteurs sont d'accord pour reconnaître que l'action *de in rem verso* ne peut avoir qu'un caractère subsidiaire [...] » (Baudouin, *Obligations*, n° 556, p. 334).
Syn. action en répétition d'enrichissement sans cause.
Angl. action *de in rem verso*+, action in recovery of unjustified enrichment.

ACTION DIRECTE

1. (*Obl.* et *D. jud.*) Action[2] exercée, en son propre nom, par un créancier contre le débiteur de son débiteur. Par ex., en matière d'assurance de responsabilité civile, le tiers lésé a une action directe contre l'assureur de l'auteur du dommage (art. 2603 C. civ.); en droit de la consommation, le consommateur qui a acheté à un commerçant un bien comportant un vice caché a une action directe contre le fabricant (art. 53, *Loi sur la protection du consommateur*, L.R.Q., chap. P-40.1). « Les actions directes ont [...] un domaine strictement limité; elles n'existent que dans les cas — peu nombreux — où le législateur les a consacrées [...] » (Starck, Roland et Boyer, *Obligations*, t. 2, n° 2324, p. 842).
Rem. Du fait que l'action directe est une action personnelle du créancier contre le tiers, le produit profite exclusivement au créancier qui l'a intentée, au lieu de tomber, comme c'est le cas dans l'action oblique, dans le patrimoine de son débiteur.
Opp. action oblique.
Angl. direct action[1].

2. (*Obl.* et *D. jud.*) Action[2] que le bénéficiaire d'une stipulation pour autrui exerce contre le promettant[2].
Rem. Voir *Hallé* c. *Canadian Indemnity Co.*, [1937] R.C.S. 368.
Angl. direct action[2].

3. (*Obl.* et *D. jud.*) Action[2] que peuvent exercer l'un contre l'autre le représenté et le tiers avec lequel a contracté le représentant. Par ex., en matière de mandat ou de gestion d'affaire.
Rem. Cette action dite *directe* est en réalité la conséquence normale de la représentation (art. 1727 C. civ.).
Angl. direct action[3].

4. (*Obl.* et *D. jud.*) (X) V. demande.
Occ. Art. 2246 C. civ.

Angl. action[2], demand+, direct action[4](x), judicial action, judicial demand, law suit[1], suit[1].

5. (*Obl.* et *D. jud.*) Action[2] que le sous-acquéreur d'un bien intente directement au débiteur primitif ou à un débiteur intermédiaire de la garantie[1] plutôt qu'à son auteur, spécialement en matière de garantie résultant de la vente. « Pour éviter cette cascade de recours, une jurisprudence très ferme admet que le dernier acquéreur, victime du vice, peut à son choix exercer son action contre son vendeur ou contre n'importe lequel des vendeurs antérieurs. On dit qu'il a une "action directe", qui est de nature contractuelle, contre un vendeur avec lequel il n'a cependant pas contracté » (Malinvaud, *Gaz. Pal.* 1973, 2 Doctr. 463, p. 465).

Rem. Tandis que l'action directe, au premier sens, ne peut se fonder que sur un texte législatif prévoyant expressément l'action contre le tiers, l'action directe dont il s'agit ici résulte des règles générales des obligations, notamment de l'art. 1030 C. civ. portant que l'on stipule pour soi et ses ayants cause.

Syn. action directe en garantie.

Angl. direct action[5]+, direct action in warranty.

ACTION DIRECTE EN GARANTIE

(*Obl.* et *D. jud.*) Syn. action directe[5]. « Le principe de l'effet relatif des contrats [...] ne s'oppose pas à la reconnaissance de l'action directe en garantie [...] » (*General Motors Products of Canada Ltd* c. *Kravitz*, [1979] 1 R.C.S. 790, p. 813, j. Y. Pratte).

Angl. direct action[5]+, direct action in warranty.

ACTION EN ANNULATION

(*Obl.* et *D. jud.*) Syn. action en nullité.

Angl. action for annulment, action for cancellation, action in nullity+.

ACTION EN COMPLAINTE

(*Biens* et *D. jud.*) Syn. complainte.

Angl. action on disturbance.

ACTION EN CONTESTATION DE LÉGITIMITÉ

(*Pers.*) Action[2] exercée par toute personne intéressée afin de nier le caractère légitime de la filiation d'un enfant. « L'objet de l'action en contestation de légitimité est de détruire la présomption de légitimité elle-même, sans s'attaquer au lien de filiation unissant l'enfant à sa mère » (Azard et Bisson, *Droit civil*, t. 1, n° 96, p. 148).

Rem. **1°** Voir l'anc. art. 218 C. civ. (1866-1981). **2°** Ce recours a perdu de son importance avec l'introduction du Code civil du Québec qui reconnaît les mêmes droits à tous les enfants « quelles que soient les circonstances de leur naissance » (art. 572 et 594 C. civ. Q.).

Angl. action in contestation of legitimacy.

ACTION EN CONTESTATION DE PATERNITÉ

(*Pers.*) Action[2] exercée par la mère et dirigée contre son mari et son enfant, en vue de repousser la paternité présumée qui pèse sur le mari. « *L'action en contestation de paternité peut être exercée par la mère* [...]. La mère va [...] pouvoir contester la paternité de son mari qui, en vertu de la présomption de l'article 574 C.C.Q., est le père présumé de l'enfant : son action [...] a uniquement pour but de renverser de façon définitive la présomption de paternité qui pèse sur ce mari » (Pineau, *Famille*, n° 276, p. 219).

Syn. contestation de paternité, recours en contestation de paternité. **V.a.** action en contestation d'état, action en désaveu de paternité, action en réclamation d'état.

Angl. action in contestation of paternity+, contestation of paternity.

ACTION EN CONTESTATION D'ÉTAT

(*Pers.*) Action[2] exercée par une personne intéressée et dirigée contre l'enfant, la mère ou le père, en vue de faire écarter la filiation[1] qu'établit soit l'acte de naissance soit la

possession d'état, lorsque ceux-ci ne sont pas conformes. « L'action en contestation d'état a pour but de faire tomber la preuve de la filiation qu'établit soit l'acte de naissance, soit la possession d'état. [...] la contestation est susceptible de porter aussi bien sur la filiation paternelle que sur la filiation maternelle, quelles que soient les circonstances de la naissance de l'enfant » (Pineau, *Famille*, n° 279, p. 221).
Occ. Art. 591 C. civ. Q.
Rem. L'action en contestation d'état est ouverte à toute personne qui y a intérêt (art. 588 C. civ. Q.) : l'enfant ou son tuteur, la prétendue mère ou son mari, le père ou la mère biologique, ou un membre de la famille.
Syn. contestation d'état. **V.a.** action en contestation de paternité, action en désaveu de paternité, action en réclamation d'état.
Angl. action in contestation of status+, contestation of status.

ACTION EN DÉCLARATION DE SIMULATION

(*Obl.* et *D. jud.*) Action[2] par laquelle le cocontractant ou un tiers invoque un contrat tenu caché, afin de ne pas se voir opposer un contrat apparent. « Lorsque l'action en déclaration de simulation est formée par un créancier contre un acte du débiteur qui nuirait à ses droits, s'il était véritable, mais qu'il prétend être purement fictif (aliénation simulée d'un bien à un tiers), la ressemblance est grande entre cette action et l'action paulienne » (Planiol et Ripert, *Traité*, t. 7, n° 971, p. 305).
V.a. simulation.
Angl. action in declaration of simulation.

ACTION EN DÉNONCIATION DE NOUVEL OEUVRE

(*Biens* et *D. jud.*) Action possessoire visant à faire cesser des travaux en cours sur un fonds voisin qui, une fois achevés, pourraient constituer un trouble pour le demandeur. « Cette action [en complainte] fut doublée d'une action en *dénonciation de nouvel oeuvre*, destinée à protéger la possession contre les troubles futurs que pouvaient causer des travaux commencés sur le fonds voisin » (Mazeaud et Chabas, *Leçons*, t. 2, vol. 2, n° 1457, p. 182-183).
Rem. Le Code de procédure civile ne mentionne pas cette action que reconnaissent cependant certains auteurs qui s'appuient sur une jurisprudence du siècle dernier. En droit moderne, on recourt à l'injonction pour atteindre les résultats de cette action.
V.a. complainte.
Angl. action in denunciation of new works+, action in denunciation of *nouvel oeuvre*.

ACTION EN DÉSAVEU

(*Pers.*) Syn. action en désaveu de paternité. « [...] les dispositions relatives à l'action en désaveu ont été rédigées en fonction de ce qu'elle a toujours été : une action ayant pour but de renverser la présomption "*pater is est* ..." qui vise uniquement le mari de la mère, donc l'enfant né pendant le mariage [...] » (Pineau, *Famille*, n° 272, p. 215).
Angl. action in disavowal, action in disavowal of paternity+, disavowal of paternity.

ACTION EN DÉSAVEU DE PATERNITÉ

(*Pers.*) Action[2] exercée par le mari et dirigée contre l'enfant de sa femme et contre sa femme, en vue de repousser la paternité présumée à son égard. « L'action en désaveu de paternité est dirigée contre l'enfant et contre la mère (art. 583 C.C.Q.) : dans le texte ancien (art. 225), la mère vivante devait être "appelée" à la cause; la raison en était qu'elle était la personne la mieux placée pour défendre la "légitimité" de son enfant. On pourrait prétendre aujourd'hui qu'elle est bien placée pour combattre la prétention du mari, et cela dans l'intérêt de l'enfant » (Pineau, *Famille*, n° 278, p.220).
Rem. Voir les art. 581 à 586 C. civ. Q.
Syn. action en désaveu, désaveu de paternité, recours en désaveu. **V.a.** action en

contestation de paternité, action en contestation d'état, action en réclamation d'état.
Angl. action in disavowal, action in disavowal of paternity+, disavowal of paternity.

ACTION EN DOMMAGES-INTÉRÊTS

(*Obl.* et *D. jud.*) Action[2] par laquelle le créancier d'une obligation contractuelle ou légale inexécutée réclame une indemnité en réparation du préjudice subi. « [...] l'action en dommages-intérêts dont la victime est titulaire *se transmet à ses héritiers* comme tous ses autres droits et actions » (Mazeaud et Chabas, *Leçons*, t. 2, vol. 1, n° 607, p. 703).
Rem. Il s'agit d'une exécution par équivalent.
Opp. action en exécution. **V.a.** action en responsabilité.
Angl. action in (for) damages.

ACTION EN EXÉCUTION

(*Obl.* et *D. jud.*) Action[2] par laquelle le créancier d'une obligation contractuelle ou légale inexécutée demande au tribunal d'ordonner l'exécution en nature.
Opp. action en dommages-intérêts.
Angl. action for execution in kind, action for (in) performance in kind, action for specific performance+.

ACTION EN GARANTIE

(*Obl.* et *D. jud.*) Action[2] par laquelle une personne qui est poursuivie ou condamnée se retourne contre un garant. Par ex., l'acheteur d'un bien dont le titre est contesté en justice par un tiers appelle son vendeur en garantie; le contractant qui fait l'objet d'une condamnation par suite d'une faute d'un sous-contractant a contre ce dernier une action en garantie. « Le cas de l'action en garantie [de l'art. 2236 C. civ.] est une des applications du principe que la prescription ne court à l'égard de la créance conditionnelle qu'à compter de l'avènement de la condition. L'éviction est la condition qui donne naissance à l'action en garantie » (Mignault, *Droit civil*, t. 9, p. 463).
Rem. L'action en garantie est dite *principale* ou *incidente*, selon qu'elle est intentée à titre principal, après la condamnation du garanti, ou à titre incident, pour forcer le garant à défendre à l'action intentée contre le garanti.
V.a. garantie[1].
Angl. action in warranty.

ACTION EN GESTION D'AFFAIRE(S)

(*Obl.* et *D. jud.*) Action[2] par laquelle celui qui a géré l'affaire d'un autre, à l'insu de ce dernier, lui demande le remboursement des dépenses qu'il a faites.
Syn. action *negotiorum gestorum.*
Angl. action in management of the affairs of another+, *negotiorum gestorum* action.

ACTION EN INTERRUPTION DE PRESCRIPTION

(*Prescr.* et *D. jud.*) Action[2] par laquelle il est demandé au tribunal de déclarer interrompue la prescription qui court en faveur du possesseur de la chose[1] ou du débiteur, sans toutefois que le demandeur conclue à la restitution de la chose[1] possédée ou au paiement de la dette. Par ex., l'appelé, avant même l'ouverture de la substitution, a le bénéfice de l'action en interruption (art. 2207 C. civ.). « L'appelé n'a droit de recevoir l'immeuble qu'au moment de l'ouverture de la substitution mais il peut dès maintenant empêcher l'accomplissement de la prescription qui lui serait opposable en intentant au possesseur l'action en interruption de prescription » (Martineau, *Prescription*, n° 189, p. 193).
Angl. action in interruption of prescription.

ACTION EN JUSTICE

1. (*D. jud.*) Syn. action[1]. « L'action en justice est un *pouvoir légal* grâce auquel une personne peut saisir une autorité juridictionnelle à l'effet d'obtenir la sanction du droit

dont elle se prétend titulaire » (Solus et Perrot, *Droit judiciaire*, t. 1, n° 94, p. 95).
Angl. action[1].

2. (*D. jud.*) Syn. demande.
Angl. action[2], demand+, direct action[4](x), judicial action, judicial demand, law suit[1], suit[1].

ACTION EN NULLITÉ

(*Obl.* et *D. jud.*) Action[2] par laquelle on demande au tribunal l'annulation d'un acte juridique. « *Seule la personne que la loi a entendu protéger dispose de l'action en nullité relative* [...] » (Mazeaud et Chabas, *Leçons*, t. 2, vol. 1, n° 308, p. 289).
Rem. **1°** Le tribunal rend un jugement d'annulation. **2°** Selon la doctrine classique de la nullité, le tribunal *constate* la nullité en cas de nullité absolue et la *prononce* en cas de nullité relative; aujourd'hui, on reconnaît généralement que le tribunal est appelé, dans les deux cas, à *prononcer* la nullité.
Syn. action en annulation.
Angl. action for annulment, action for cancellation, action in nullity+.

ACTION EN PARTAGE

(*Biens* et *D. jud.*) Action[2] par laquelle il est demandé au tribunal d'opérer le partage lorsque les indivisaires ne peuvent y parvenir à l'amiable. « L'action en partage appartient non seulement à des cohéritiers mais aussi à tous ceux qui sont propriétaires par indivis » (Faribault, dans *Traité*, t. 4, p. 431).
Occ. Art. 694 C. civ.
V.a. partage judiciaire.
Angl. action in partition.

ACTION EN PASSATION DE TITRE

1. (*Obl.* et *D. jud.*) Action en exécution par laquelle le créancier d'une promesse de contrat demande au tribunal, d'abord, d'ordonner au promettant de passer le contrat promis et, ensuite, de dire qu'à défaut, le jugement en tiendra lieu. Par ex., en matière de promesse de vente (art. 1476 C. civ.) « L'action en passation de titre est intentée par le promettant-acheteur ou le promettant-vendeur contre l'autre partie au contrat qui se refuse à signer un acte de vente en bonne et due forme » (Baudouin, *Obligations*, n° 689, p. 412).
Rem. Le jugement qui accueille la demande a un effet constitutif.
Angl. action *en passation de titre*, action in execution of title[1]+, action in passation of title.

2. (*Obl.* et *D. jud.*) Action en exécution par laquelle un contractant, après la conclusion du contrat, demande au tribunal d'ordonner à son cocontractant d'exécuter l'engagement pris par lui de passer un acte constatant le contrat intervenu et de dire qu'à défaut, le jugement en tiendra lieu. « Par ce consentement donné, une vente s'est opérée qui a justifié [le demandeur] d'instituer une action en passation de titre afin de confirmer dans un acte notarié la convention intervenue » (*Zusman* c. *Tremblay*, [1951] R.C.S. 659, p. 671, j. R. Taschereau).
Rem. Le jugement qui accueille la demande à un effet déclaratif.
Angl. action *en passation de titre*, action in execution of title[2]+, action in passation of title.

ACTION EN RÉCLAMATION D'ÉTAT

(*Pers.*) Action[2] exercée par l'enfant, la mère ou le père dans le but d'établir une filiation[1]. « Lorsqu'une filiation établie de façon douteuse a été contestée avec succès ou lorsque aucune filiation n'est encore établie, il y a possibilité de rechercher et de réclamer un état. Il y a donc lieu d'exercer l'action en réclamation d'état et de prouver [...] l'état recherché » (Pineau, *Famille*, n° 281, p. 226).
Occ. Art. 591 C. civ. Q.

Rem. 1° L'enfant peut intenter l'action en réclamation d'état lorsque la filiation n'est pas établie par un titre et une possession d'état conforme (art. 589 C. civ. Q.). 2° Lorsque la filiation est déjà établie, l'action en réclamation d'état ne peut être exercée qu'à la condition d'être jointe à l'action en contestation de l'état ainsi établi (art. 591 C. civ. Q.).
Syn. réclamation d'état. **V.a.** action en contestation de paternité, action en contestation d'état, action en désaveu de paternité.
Angl. action to claim status+, claim of status.

ACTION EN REDDITION DE COMPTE

(*Obl.* et *D. jud.*) Action² par laquelle on demande au tribunal d'abord d'ordonner à celui qui a géré pour autrui de rendre compte de sa gestion, puis de statuer sur le compte. « De cette obligation de rendre compte naît l'action en reddition de compte que celui dont les affaires ont été gérées a contre celui qui les a gérées » (Pothier, *Oeuvres*, t. 10, n° 274, p. 124).
Occ. Art. 2243 C. civ.
Rem. Les parties à cette action sont appelées *oyant* et *rendant*.
Angl. action to account.

ACTION EN RÉINTÉGRANDE

(*Biens* et *D. jud.*) Syn. réintégrande. « [...] l'action en réintégrande demeure, malgré ses caractères très particuliers, une *action possessoire*. Aussi, comme les autres actions possessoires [...] ne joue-t-elle qu'*en matière immobilière* et doit-elle être *exercée dans l'année du trouble* » (Mazeaud et Chabas, *Leçons*, t. 2, vol. 2, n° 1467, p. 190).
Angl. action for repossession.

ACTION EN RÉPARATION

(*Obl.* et *D. jud.*) Syn. action en responsabilité.
Angl. action in civil liability, action in civil responsibility, action in liability+, action in reparation, action in responsibility.

ACTION EN RÉPÉTITION DE L'INDU

(*Obl.* et *D. jud.*) Action² par laquelle le *solvens* demande la restitution de ce qu'il a payé indûment. « Parce qu'elle a sa source dans le simple fait du paiement indu, non dans le contrat en exécution duquel le paiement aurait été effectué, l'action en répétition de l'indu se prescrit par 30 ans, quand bien même l'action née de ce contrat se prescrirait par un délai plus court » (Mazeaud et Chabas, *Leçons*, t. 2, vol. 1, n° 666-2, p. 810).
Syn. *condictio indebiti*. **V.a.** paiement de l'indu, répétition de l'indu.
Angl. action in recovery of a thing not due+, action in restitution³, *condictio indebiti*.

ACTION EN RÉPÉTITION D'ENRICHISSEMENT SANS CAUSE

(*Obl.* et *D. jud.*) Syn. action *de in rem verso*.
Angl. action *de in rem verso*+, action in recovery of unjustified enrichment.

ACTION EN RESCISION

(*Obl.* et *D. jud.*) Action² par laquelle un contractant demande la rescision du contrat. « [...] aujourd'hui, on désigne généralement par rescision la seule nullité relative pour lésion, dite *rescision pour lésion*. L'action en rescision pour lésion suit les règles de l'action en nullité relative » (Mazeaud et Chabas, *Leçons*, t. 2, vol. 1, n° 294, p. 280).
Occ. Art. 2258 C. civ.
F.f. action en restitution².
Angl. action in rescission+, action in restitution²(x).

ACTION EN RÉSILIATION

(*Obl.* et *D. jud.*) Action² par laquelle un contractant demande la résiliation du con-

trat. « Le locataire possède une action en résiliation lorsqu'il est expulsé à la suite d'un trouble de droit par un tiers » (Faribault, dans *Traité*, t. 12, p. 215).
Occ. Art. 1633 C. civ.
Angl. action in resiliation.

ACTION EN RÉSOLUTION

(*Obl.* et *D. jud.*) Action[2] par laquelle un contractant demande la résolution du contrat. « [...] celle-ci [la résolution] n'opère [...] pas de plein droit [...] Ce principe se comprend aisément si l'on considère que, d'une part, l'action en résolution est une application particulière de la responsabilité contractuelle et que, d'autre part, on ne peut se faire justice à soi-même » (Pineau et Burman, *Obligations*, n° 315, p. 402).
Syn. action résolutoire.
Angl. action in resolution+, resolutive action, resolutory action.

ACTION EN RESPONSABILITÉ

(*Obl.* et *D. jud.*) Action[2] par laquelle celui qui subit un préjudice découlant de l'inexécution d'une obligation en demande réparation. « Le *préjudice* est *social* et ouvre *une action sociale* dès qu'il atteint le patrimoine matériel ou moral du groupement doté de personnalité [...] C'est la personne morale elle-même qui est directement lésée. C'est elle qui dispose de l'action en responsabilité [...] » (Mazeaud et Chabas, *Leçons*, t. 2, vol. 1, n° 610, p. 708-709).
Rem. **1°** L'action en responsabilité est une action en exécution ou une action en dommages-intérêts, selon que l'on demande la réparation en nature ou par équivalent. **2°** Selon la source de l'obligation dont la sanction est demandée, l'action en responsabilité est dite *contractuelle*, *extra-contractuelle*, *délictuelle* ou *quasi délictuelle*.
Syn. action en réparation, action en responsabilité civile.
Angl. action in civil liability, action in civil responsibility, action in liability+, action in reparation, action in responsibility.

ACTION EN RESPONSABILITÉ CIVILE

(*Obl.* et *D. jud.*) Syn. action en responsabilité. « Le but principal de l'action en responsabilité civile est de permettre à la victime d'obtenir une juste compensation pour le préjudice qu'elle a subi » (Baudouin, *Responsabilité*, n° 186, p. 112).
Angl. action in civil liability, action in civil responsibility, action in liability+, action in reparation, action in responsibility.

ACTION EN RESTITUTION

1. (*Obl.* et *D. jud.*) Action[2] par laquelle une personne demande au défendeur qu'il lui rende ce qu'il a reçu d'elle ou ce qu'il lui a injustement pris. « [L']obligation de restitution créée par le contrat se prescrit par trente ans. Au bout de ce temps, le propriétaire de la chose ne peut plus intenter une action en restitution fondée sur le contrat; sa créance est éteinte » (Martineau, *Prescription*, n° 252, p. 258).
Angl. action in restitution[1].

2. (*Obl.* et *D. jud.*) (X) V. action en rescision.
Occ. Art. 2258 C. civ.
Rem. Le terme *action en rescision* doit être préféré puisque la restitution n'est qu'une conséquence de la rescision.
Angl. action in rescission+, action in restitution[2](x).

ACTION EN REVENDICATION

(*Biens* et *D. jud.*) Syn. revendication[1]. « L'action qui sanctionne le droit de propriété, est *l'action en revendication* [...] » (Mazeaud et Chabas, *Leçons*, t. 2, vol. 2, n° 1627, p. 318).
Angl. action in revendication, revendication[1]+.

ACTION EN RÉVOCATION

(*Obl.* et *D. jud.*) Action[2] par laquelle l'auteur d'un acte juridique, en matière de

libéralité et de mandat, en demande la révocation.
Rem. Ne pas confondre avec l'action révocatoire prévue à l'art. 1032 C. civ.
Angl. action in revocation.

ACTION ESTIMATOIRE

(*Obl.* et *D. jud.*) Action en diminution de prix qu'exerce l'acheteur à la suite de la découverte d'un vice caché. « [...] l'acheteur auquel est due la garantie d'un vice caché [...] dispose ainsi de l'*option* [...] entre l'action rédhibitoire et l'action estimatoire. [...] L'*action estimatoire* [...] laisse la chose à l'acheteur; celui-ci demande seulement une *diminution du prix* [...] » (Mazeaud et Chabas, *Leçons*, t. 3, vol. 2, n° 987, p. 309).
Rem. Cette action est prévue à l'art. 1526 C. civ.
Syn. action *quanti minoris*. **Opp.** action rédhibitoire.
Angl. estimatory action+, *quanti minoris* action.

ACTION HYPOTHÉCAIRE

(*Biens* et *D. jud.*) Action réelle par laquelle le créancier hypothécaire impayé demande que le possesseur soit condamné à délaisser le bien hypothéqué pour qu'il soit vendu en justice, à moins qu'il ne préfère payer la créance. « Le but, et aussi le principal effet de l'action hypothécaire, c'est de forcer le tiers détenteur d'un immeuble à le délaisser en justice, afin qu'il soit vendu » (Mignault, *Droit civil*, t. 9, p. 164).
Occ. Art. 2058, 2061 C. civ.
Angl. hypothecary action.

ACTION IMMOBILIÈRE

(*D. jud.*) Action² tendant à la sanction d'un droit immobilier. Par ex., l'action pétitoire. « Il est donc excessif d'assimiler actions personnelles et mobilières d'une part, et actions réelles et immobilières d'autre part » (Couchez, *Procédure civile*, n° 168, p. 113).
Occ. Art. 320 C. civ.
Rem. La catégorie des actions immobilières comprend surtout des actions réelles et quelques rares actions personnelles.
Opp. action mobilière.
Angl. immoveable action.

ACTION INDIRECTE

(*Obl.* et *D. jud.*) Syn. action oblique.
Angl. indirect action, oblique action+, subrogatory action²(x).

ACTION MIXTE

(*D. jud.*) Action² tendant à assurer la sanction simultanée d'un droit réel et d'un droit personnel, provenant de la même situation juridique. Par ex., l'action hypothécaire dirigée contre le débiteur, le créancier possédant à la fois un droit réel sur l'immeuble et une créance contre son débiteur. « À cause de la nature personnelle de l'un des droits qu'elle sanctionne, l'action mixte ne s'exerce que "*in personam*" » (Savoie et Taschereau, *Procédure civile*, t. 1, n° 110, p. 73).
Occ. Art. 75 C. proc. civ.
Opp. action personnelle, action réelle.
Angl. mixed action.

ACTION MOBILIÈRE

(*D. jud.*) Action² tendant à assurer la sanction d'un droit mobilier. « En procédure civile, lorsque l'objet de l'action n'est pas un immeuble, on conclut qu'il s'agit d'une action mobilière car tout ce qui n'est pas immeuble est considéré comme meuble » (Savoie et Taschereau, *Procédure civile*, t. 1, n° 113, p. 73).
Rem. La catégorie des actions mobilières comprend aussi bien des actions personnelles (par ex., l'action en dommages-intérêts) que des actions réelles (par ex., l'action en revendication d'un meuble).
Opp. action immobilière.
Angl. moveable action.

ACTIONNAIRE *n.*

(*D. comm.*) Titulaire d'une ou de plusieurs actions[5]. « [...] l'actionnaire a des droits personnels contre la compagnie et non pas un droit de propriété dans les biens de la compagnie » (Smith, *Droit commercial*, vol. 2, p. 453).
Occ. Art. 1890 C. civ.; art. 123.90, 123.91, *Loi sur les compagnies*, L.R.Q., chap. C-38.
Angl. shareholder+, stockholder.

ACTION NÉGATOIRE

(*Biens* et *D. jud.*) Action pétitoire dont jouit le titulaire d'un droit réel immobilier contre celui qui s'attribue un droit sur cet immeuble, spécialement un droit de servitude. « L'action négatoire permet aussi au propriétaire du fonds servant qui prétend que le titulaire de la servitude exerce abusivement son droit de servitude de faire condamner le défendeur à s'en tenir à un exercice de la servitude conformément à son titre » (Martineau, *Biens*, p. 162).
Opp. action confessoire.
Angl. negatory action.

ACTION *NEGOTIORUM GESTORUM* (latin)

(*Obl.* et *D. jud.*) Syn. action en gestion d'affaire.
Angl. action in management of the affairs of another+, *negotiorum gestorum* action.

ACTIONNER *v.tr.*

(*D. jud.*) Poursuivre en justice. « Le responsable refuse d'exécuter volontairement son obligation de réparation. La victime est alors contrainte de recourir à l'exécution forcée; sa seule ressource est d'actionner le responsable devant les tribunaux » (Mazeaud, *Traité*, t. 2, n° 1861, p. 938).
V.a. ester en justice°.
Angl. sue.

ACTION OBLIQUE

(*Obl.* et *D. jud.*) Action[2] par laquelle un créancier exerce des droits appartenant à son débiteur insolvable, qui demeure inactif, à l'exception des droits attachés exclusivement à la personne de ce débiteur. Par ex., il poursuit en paiement le débiteur de son débiteur. « Il n'y a pas lieu à l'action oblique lorsque le débiteur a refusé de laisser entrer dans son patrimoine un bien qui n'en faisait pas partie : le refus de s'enrichir ne donne pas ouverture à cette action de l'article 1032 » (Martineau, *Prescription*, n° 227, p. 231).
Rem. Le demandeur n'agit pas pour son compte personnel : il agit au nom et du chef de son débiteur (art. 1031 C. civ.).
Syn. action indirecte. **Opp.** action directe[1]. **F.f.** action subrogatoire[2].
Angl. indirect action, oblique action+, subrogatory action[2](x).

ACTION PAULIENNE

(*Obl.* et *D. jud.*) Action[2] par laquelle un créancier demande au tribunal de déclarer inopposables à son égard les actes préjudiciables que son débiteur insolvable a accomplis en fraude de ses droits. « Pour l'action paulienne, il faut que l'acte attaqué ait fait sortir du patrimoine du débiteur un bien qui en faisait partie; il doit avoir appauvrissement réel du débiteur » (Martineau, *Prescription*, n° 227, p. 231).
Rem. **1°** Le demandeur agit alors en son nom propre (art. 1032 C. civ.). **2°** Aux art. 1033, 1038, 1039 et 1040 C. civ., le législateur utilise à tort le terme *nullité* plutôt que celui d'*inopposabilité*. Il n'est donc pas surprenant de trouver parfois cette terminologie en jurisprudence. **3°** Cette action doit son nom au préteur Paul, à qui la tradition en attribue la paternité.
Syn. action révocatoire. **V.a.** fraude paulienne.
Angl. Paulian action+, revocatory action.

ACTION PERSONNELLE

(*D. jud.*) Action[2] tendant à assurer la sanction d'un droit personnel. Par ex., l'action en dommages-intérêts. « [...] la

jurisprudence traite les actions relatives à l'*état des personnes* comme des actions personnelles, ce qui est tout à fait contestable mais qui s'explique par le fait que la classification envisagée ne tient compte que des actions patrimoniales et non pas des actions extrapatrimoniales » (Couchez, *Procédure civile*, n° 166, p. 112).
Occ. Art. 75 C. proc. civ.
Rem. L'action personnelle peut être mobilière ou immobilière, selon que le droit personnel invoqué porte sur un meuble ou sur un immeuble.
Opp. action mixte, action réelle.
Angl. personal action.

ACTION PERSONNELLE IMMOBILIÈRE

(*D. jud.*) Action personnelle tendant à assurer la sanction d'un droit immobilier. « Les actions personnelles immobilières sont rares dans notre droit. En effet, le simple accord des volontés des parties opérant, en principe, le transfert de la propriété, on est presque toujours, lorsqu'il s'agit d'immeubles, en présence de droits réels et par conséquent d'actions réelles » (Savoie et Taschereau, *Procédure civile*, t. 1 n° 116, p. 75).
Opp. action personnelle mobilière.
Angl. immoveable personal action.

ACTION PERSONNELLE MOBILIÈRE

(*D. jud.*) Action personnelle tendant à assurer la sanction d'un droit mobilier. « [...] les actions personnelles mobilières sont très nombreuses étant donné d'une part le nombre illimité de droits personnels et d'autre part la convention par laquelle on considère tout ce qui n'est pas immeuble comme meuble » (Savoie et Taschereau, *Procédure civile*, t. 1, n° 116, p. 75).
Opp. action personnelle immobilière.
Angl. moveable personal action.

ACTION PÉTITOIRE

(*Biens* et *D. jud.*) Action[2] permettant au titulaire d'un droit réel immobilier, en particulier le droit de propriété, de faire reconnaître son droit. Par ex., l'action en revendication immobilière, l'action confessoire, l'action négatoire. « Les actions pétitoires sanctionnent le droit réel lui-même et spécialement le droit de propriété » (Marty et Raynaud, *Biens*, n° 217, p. 274).
Occ. Art. 771 C. proc. civ.
Syn. pétitoire. **V.a.** action confessoire, action négatoire, action possessoire, revendication[1].
Angl. petitory action.

ACTION POSSESSOIRE

(*Biens* et *D. jud.*) Action[2] permettant au possesseur d'un droit réel immobilier, qu'il soit ou non titulaire du droit qu'il exerce de fait, soit de faire cesser le trouble apporté à sa possession, soit d'obtenir la remise en possession lorsqu'il a été dépossédé. « *Les actions possessoires ne portent que sur le fait de la possession du droit réel, qu'il s'agisse de propriété, d'usufruit, de servitude* [...] » (Mazeaud et Chabas, *Leçons*, t. 2, vol. 2, n° 1458, p. 184).
Rem. Dans le premier cas, on parle de *complainte*; dans le second, de *réintégrande* (art. 770 C. proc. civ.). L'existence, au Québec, d'un troisième type d'action possessoire, l'action en dénonciation de nouvel oeuvre+, est douteuse.
Syn. possessoire. **V.a.** action pétitoire.
Angl. possessory action.

ACTION *QUANTI MINORIS* (latin)

(*Obl.* et *D. jud.*) Syn. action estimatoire. « Cette action [action estimatoire] n'est que la reproduction de l'action *quanti minoris* du Droit romain. La chose ayant diminué de valeur par suite de la découverte du vice, l'acheteur réclame la restitution d'une portion du prix correspondant à cette diminution de

valeur » (Planiol et Ripert, *Traité*, t. 10, n° 135, p. 154).
Rem. Ne pas confondre l'action *quanti minoris*, fondée sur un vice caché, avec une action en diminution de prix ayant un autre fondement, par ex., une contenance moindre que celle qu'indique le contrat (art. 1501 C. civ.). Cependant on applique parfois ce terme à une action en diminution de prix fondée non pas sur les vices cachés, mais sur le dol incident.
Angl. estimatory action+, *quanti minoris* action.

ACTION RÉDHIBITOIRE

(*Obl.* et *D. jud.*) Action[2] par laquelle l'acheteur d'un bien demande la résolution de la vente, à la suite de la découverte d'un vice caché. « L'acheteur qui a droit à garantie à raison des défauts cachés de la chose vendue a [...] deux actions : 1° l'action *rédhibitoire*, 2° l'action *quanti minoris*. Il peut choisir l'une ou l'autre » (Mignault, *Droit civil*, t. 7, p. 110).
Occ. Art. 1530 C. civ.
Rem. Outre la résolution de la vente, l'acheteur peut demander, le cas échéant, des dommages-intérêts.
Opp. action estimatoire. **V.a.** rédhibitoire, vice caché.
Angl. redhibitory action.

ACTION RÉELLE

(*D. jud.*) Action[2] tendant à assurer la sanction d'un droit réel ou la sanction de la possession d'un droit réel immobilier. Par ex., l'action en revendication. « [...] l'action réelle s'attache aux biens et peut donc être intentée à l'encontre de toute personne en possession des biens : elle s'exerce "*in rem*", et suit les biens en quelques mains qu'ils se trouvent » (Savoie et Taschereau, *Procédure civile*, t. 1, n° 110, p. 73).
Occ. Art. 73 C. proc. civ.
Opp. action mixte, action personnelle.
Angl. real action.

ACTION RÉELLE IMMOBILIÈRE

(*D. jud.*) Action réelle tendant à assurer la sanction d'un droit immobilier.
Occ. Art. 116 C. proc. civ.
Opp. action réelle mobilière.
Angl. immoveable real action.

ACTION RÉELLE MOBILIÈRE

(*D. jud.*) Action réelle tendant à assurer la sanction d'un droit mobilier. « [...] le vendeur d'une chose non payée qui décide de revendiquer celle-ci exerce une action réelle mobilière » (Savoie et Taschereau, *Procédure civile*, t. 1, n° 117, p. 76).
Occ. Titre précédant l'art. 565 C. proc. civ.
Opp. action réelle immobilière.
Angl. moveable real action.

ACTION RÉSOLUTOIRE

(*Obl.* et *D. jud.*) Syn. action en résolution. « L'action résolutoire a pour but de permettre au créancier dans un contrat synallagmatique de mettre fin à l'engagement lorsque son cocontractant fait défaut d'exécuter ses obligations » (Baudouin, *Obligations*, n° 442, p. 282).
Angl. action in resolution+, resolutive action, resolutory action.

ACTION RÉVOCATOIRE

(*Obl.* et *D. jud.*) Syn. action paulienne. « [En droit romain,] l'action paulienne aboutissait indirectement à la restitution de la chose, donc à la révocation de l'acte frauduleux, d'où son nom d'*action révocatoire* » (Mazeaud et Chabas, *Leçons*, t. 2, vol. 1, n° 981, p. 1070).
Rem. **1°** Ne pas confondre avec l'action en révocation. **2°** Voir l'art. 1032 C. civ.
Angl. Paulian action+, revocatory action.

ACTION SUBROGATOIRE

1. (*Obl.*) Action[2] qui résulte de la subrogation et permet au subrogé de faire valoir contre le débiteur dont il a acquitté la dette les droits du créancier subrogeant. « [...] le recours fondé sur la subrogation, s'il exclut les avantages que comporte l'action personnelle, fait, en revanche, bénéficier la caution des sûretés dont la créance payée pouvait être assortie. En raison du cumul fréquent de garanties personnelles et réelles au profit du créancier, cet avantage de l'action subrogatoire est souvent déterminant pour le choix de l'action fondant le recours » (Weill, *Sûretés*, n° 35, p. 40).
Rem. L'action subrogatoire s'oppose à l'action personnelle que le subrogé peut, en outre, avoir contre ce débiteur, par ex., dans le cas du cautionnement.
Angl. subrogatory action[1].

2. (*Obl.* et *D. jud.*) (X) V. action oblique. « La dénomination d'action subrogatoire qu'on donne parfois à l'action oblique est à éviter dans la mesure où elle risque d'entraîner une confusion avec la subrogation, dont les conditions et les effets sont entièrement différents [...] » (Tancelin, *Obligations*, n° 646, p. 381).
Angl. indirect action, oblique action+, subrogatory action[2](x).

ACTUEL, ELLE *adj.*

V. dommage actuel, droit actuel, possesseur actuel, possession actuelle, préjudice actuel, tradition actuelle, valeur actuelle.

ADAGE *n.m.*

Syn. maxime juridique. « S'il fut jamais un cas où l'antique adage doit recevoir application, c'est bien dans la présente cause : "*Dura lex*", disent les requérants; "*sed lex*", doit répondre la Cour » (*Nissan Automobiles Co. (Canada)* c. *Pelletier*, [1976] 1 C.S. 296, p. 326, j. J. Deschênes).
Angl. adage, brocard, juridical maxim, legal maxim+.

ADÉQUAT, ATE *adj.*

V. causalité adéquate, cause adéquate, théorie de la causalité adéquate.

ADHÉSION *n.f.*

(*Obl.*) V. contrat d'adhésion.

AD HOC *loc.adv.* (latin)

Pour cela, pour cette fin particulière. « [...] la donation faite au mineur peut être acceptée par un tuteur *ad hoc* [...] » (Mignault, *Droit civil*, t. 2, p. 176).
Angl. *ad hoc*.

ADJONCTION *n.f.*

(*Biens*) Réunion de deux choses mobilières, appartenant à des propriétaires différents, qui, bien que formant un seul tout, demeurent distinctes et séparables. Par ex., un tableau et son cadre; un diamant enchassé dans sa monture. « [...] dans l'adjonction, le maître de la chose accessoire perd son droit de propriété au bénéfice du maître de la chose principale, lequel devient propriétaire du tout [art. 430 C. civ.]. L'article 432 pose une exception à cette règle » (Montpetit et Taillefer, dans *Traité*, t. 3, p. 194).
Rem. **1°** L'adjonction constitue une forme d'accession mobilière. **2°** Voir les art. 429 à 433 C. civ.
V.a. mélange, spécification.
Angl. adjunction.

ADMINISTRATIF, IVE *adj.*

V. droit administratif, servitude administrative.

ADMINISTRATION *n.f.*

(*Biens* et *Obl.*) V. acte d'administration.
Angl. administration.

ADOPTABILITÉ *n.f.*

(*Pers.*) *Néol.* Qualité d'une personne qui peut être adoptée.

Rem. Ce terme, propre au Québec, a été introduit en 1981 dans le Code civil du Québec à propos de la déclaration d'adoptabilité.
Angl. eligibility for adoption.

ADOPTABLE *adj.*

(*Pers.*) *Néol.* Qui peut être adopté. *Enfant adoptable.*
Occ. Art. 611, 613, 614 C. civ. Q.
V.a. adoptabilité+.
Angl. adoptable, eligible for adoption+.

ADOPTANT, ANTE *n.* et *adj.*

(*Pers.*) Personne qui adopte une autre personne. « [...] on veut que cette famille fictive qu'est la famille adoptive, revête une apparence de réalité. C'est pourquoi, il convient qu'existe entre l'adoptant et l'adopté une différence d'âge telle que l'adoptant pourrait être réellement l'auteur de l'adopté » (Pineau, *Famille*, n° 295, p. 238).
Occ. Art. 599 C. civ. Q.
Rem. L'adoptant doit être majeur; il peut seul, ou avec une autre personne, présenter une demande d'adoption (art. 598 C. civ. Q.).
Opp. adopté. **V.a.** parent adoptif.
Angl. adopter.

ADOPTÉ, ÉE *n.*

(*Pers.*) Personne qui est adoptée. « Il importe de ne pas oublier que l'adoption ne peut se faire que dans l'intérêt de l'enfant; il n'est donc pas surprenant que l'on doive obtenir le consentement de l'adopté dans la mesure où celui-ci, ayant dépassé le stade de l'enfance, est en mesure de dire s'il est favorable ou non à l'adoption qu'une famille nouvelle lui propose » (Pineau, *Famille*, n° 299, p. 242).
Occ. Art. 627, 629 C. civ. Q.
Rem. En règle générale, l'adopté doit être un enfant mineur; exceptionnellement, l'art. 597 C. civ. Q. permet l'adoption d'une personne majeure.
Opp. adoptant. **V.a.** enfant adopté.
Angl. adopted person+, adoptee.

ADOPTÉ, ÉE *p.p.adj.*

(*Pers.*) Qui est adopté.
Angl. adopted.

ADOPTER *v.tr.*

(*Pers.*) Procéder à une adoption.
Occ. Art. 597, 598 C. civ. Q.
Angl. adopt.

ADOPTIF, IVE *adj.*

(*Pers.*) Qui résulte d'une adoption. *Mère adoptive.*
V.a. enfant adoptif, famille adoptive, filiation adoptive, parent adoptif.
Angl. adoptive.

ADOPTION *n.f.*

(*Pers.*) Création d'un lien de filiation[1] entre deux personnes, l'*adoptant* et l'*adopté*. « L'adoption, après la filiation par le sang, constitue le deuxième mode de filiation proposé par le législateur québécois » (Pilon, *Législation*, n° 13, p. 80). *Prononcer l'adoption, faire l'objet d'une adoption; une demande d'adoption; un jugement d'adoption.*
Occ. Art. 1220 C. civ.; art 595, 601 C. civ. Q.
Rem. **1°** L'adoption est conférée par jugement à la demande de l'adoptant. **2°** L'adoption crée une filiation qui se substitue à la filiation d'origine de l'adopté (art. 627 C. civ. Q.); elle entraîne les mêmes droits et obligations que la filiation par le sang (art. 628 C. civ. Q.), par ex., le droit alimentaire réciproque, la successibilité.
V.a. famille adoptive, filiation adoptive, ordonnance de placement+.
Angl. adoption.

AD PROBATIONEM *loc.adv.* (latin)

Se dit d'une formalité requise pour la preuve d'un acte. « [...] il est parfois difficile de savoir si la loi, qui réglemente tel ou tel contrat, exige un écrit *ad solemnitatem*, ou seulement *ad probationem*. [...] *dans le doute, l'écrit n'est exigé que pour la preuve* » (Mazeaud et Chabas, *Leçons*, t. 2, vol. 1, n° 72, p. 65).
V.a. *ad solemnitatem*, formalité *ad probationem*.
Angl. *ad probationem*.

AD REM *loc.adj.* (latin)

V. *jus ad rem*.
Angl. *ad rem*.

AD SOLEMNITATEM *loc.adv.* (latin)

Se dit d'une formalité requise pour la validité même d'un acte. « [...] à côté des formalités requises pour la validité du contrat, *ad solemnitatem*, existent des formalités requises pour la preuve du contrat, *ad probationem* : la rédaction d'un écrit constatant le contrat » (Mazeaud et Chabas, *Leçons*, t. 2, vol. 1, n° 72, p. 65).
Syn. *ad validitatem*. **V.a.** *ad probationem*, formalité *ad solemnitatem*.
Angl. *ad solemnitatem*+, *ad validitatem*.

ADULTÉRIN, INE *adj.*

(*Pers.*) V. enfant adultérin, filiation adultérine.

AD VALIDITATEM *loc.adv.* (latin)

Syn. *ad solemnitatem*.
Angl. *ad solemnitatem*+, *ad validitatem*.

AFFAIRE *n.f.*

V. gestion d'affaire, maître de l'affaire.
Angl. affairs.

AFFECTATION *n.f.*

(*Biens*) Indication de la fin à laquelle un bien doit servir. Par ex., donation ou legs d'une somme d'argent destinée à constituer des bourses d'études. « La fiducie demeure, dans sa création, une *donation*, ou un *testament* mais il vient s'y surajouter une affectation [...] Cette affectation peut [...] être [...] ou bien une affectation charitable [...] ou bien une affectation au bien-être de particuliers [...] » (Faribault, *Fiducie*, n° 109, p. 140).
Angl. affectation+, assignment[2].

AFFECTER *v.tr.*

(*Biens*) Déterminer l'affectation d'un bien.
Angl. affect.

AFFIANT, ANTE *n.*

(*D. jud.*) (X) *Angl.* V. déclarant.
Angl. affiant(<)+, deponent+.

AFFIDAVIT *n.m.* (latin)

(*D. jud.*) Déclaration écrite faite sous la foi du serment par laquelle son auteur, appelé *déclarant*, atteste la véracité de faits dont il a une connaissance personnelle. « La jurisprudence a déjà eu l'occasion de déclarer nul un affidavit reçu par une personne non spécialement mandatée à cette fin » (Ducharme, (1972) 32 *R. du B.* 47, p. 48).
Occ. Art. 2103 C. civ.; art. 4 par. *h*, 91 C. proc. civ.
Rem. **1°** Le terme est emprunté à la procédure anglaise par le Code de procédure civile. En France, le nouveau Code de procédure civile emploie le terme *attestation* (art. 202); celle-ci, toutefois, n'est pas faite sous serment. **2°** Selon la règle générale, l'affirmation solennelle tient lieu de serment dans les cas où elle est autorisée. **3°** En droit français, le terme *affidavit* ne s'emploie qu'en matière fiscale, pour désigner une déclaration sans serment, faite par un étranger porteur de valeurs mobilières en

vue d'être affranchi de l'impôt qui frappe ces valeurs parce qu'elles sont soumises à un impôt dans son pays d'origine. 4° Du latin médiéval *affirmare*, dérivé de *adfirmare* : affirmer, donner comme sûr et certain.
Angl. affidavit.

AFFINITÉ *n.f.*

(*Pers.*) Syn. alliance. « L'alliance (ou affinité) est le rapport de droit qui existe entre l'un des époux et les parents de l'autre : gendre et beau-père, beaux-frères, belles-soeurs, etc. » (Carbonnier, *Droit civil*, t. 2, n° 143, p. 484).
Angl. affinity, alliance+.

AFFIRMATION *n.f.*

(*D. jud.*) Attestation de la sincérité d'un compte, c'est-à-dire de son exactitude.
Occ. Art. 534 C. proc. civ.
Rem. À l'art. 534 C. proc. civ., la version anglaise rend ce terme par *verifying*, erreur qui se trouvait déjà dans le texte correspondant du Code de 1867, l'art. 525. Le sens précis de ce terme semble avoir été oublié, d'autant que l'art. 533 porte que le compte doit être « appuyé de l'affidavit », là où l'art. 522 du Code de 1867 disait qu'il devait être « affirmé sous serment ». L'art. 539 C. proc. civ. emploie également la périphrase « attester la sincérité par affidavit ».
V.a. reddition de compte.
Angl. affirmation.

A FORTIORI *loc.adv.* (latin)

À plus forte raison. « Si l'appelante avait la faculté de se soumettre à la compétence des tribunaux de Montréal en y faisant élection de domicile conformément à l'article 85 C. C., *a fortiori* elle pouvait s'y soumettre par stipulation expresse du contrat et en ne soulevant pas l'exception déclinatoire en temps opportun après avoir comparu » (*Victoria Transport Ltd* c. *Alimport*, [1975] C.A. 415, p. 421, j. A. Mayrand).
Opp. *a contrario*, *a pari*. **V.a.** raisonnement *a fortiori*.
Angl. *a fortiori*.

AGRÉER *v.tr.*

(*Obl.*) Donner un agrément. « Il se peut [...] que le pollicitant (l'offrant), se soit réservé d'agréer l'acceptant. Cette réserve est tacite pour tous les contrats dans lesquels la considération de la personne est déterminante (les contrats conclus *intuitu personae*) » (Le Tourneau, *Responsabilité*, n° 188, p. 71).

AGRÉMENT *n.m.*

1. (*Obl.*) Syn. acceptation[1]. « La contre-proposition n'est [...] rien d'autre qu'une *offre nouvelle*, émanant du destinataire initial, et soumise à l'agrément de l'offrant initial » (Flour et Aubert, *Obligations*, vol. 1, n° 154, p. 110).
V.a. vente au gré de l'acheteur.
Angl. acceptance[1].

2. (*Obl.*) Syn. consentement[3]. Par ex., un locataire sous-loue avec l'agrément du locateur (art. 1619 C. civ.).
V.a. clause d'agrément.
Angl. consent[3].

3. (*Obl.*) Approbation, accord. « [...] lorsque l'auteur de la proposition a déclaré que le contrat ne serait formé qu'après qu'il ait donné son agrément à l'acceptant, sa manifestation de volonté n'est pas une offre » (Flour et Aubert, *Obligations*, vol. 1, n° 142, p. 101).
V.a. faculté d'agrément, réserve d'agrément.

4. (*Biens*) Caractère de ce qui est voluptuaire. « Les *impenses voluptuaires* qui ont un caractère de luxe ou de pur agrément et satisfont surtout le goût personnel de celui qui les a engagées, ne donnent pas lieu à indemnité » (Marty et Raynaud, *Biens*, n° 230, p. 284).
V.a. améliorations d'agrément, impenses d'agrément, impenses de pur agrément.

5. (*Obl.*) V. préjudice d'agrément.

AGRESSIF, IVE *adj.*

V. intervention agressive.

ALÉA *n.m.*

1. (*Obl.*) Événement incertain, hasard. Par ex., dans un contrat aléatoire, l'aléa est la chance de gain ou de perte. « Effectivement, l'aléa ne peut pas exister pour une seule des parties : le contrat comportant des prestations réciproques, ce qui est gain pour l'un est perte pour l'autre, et réciproquement [...] » (Weill et Terré, *Obligations*, n° 40, note 41, p. 42).
Rem. Du latin *alea* : jeu de dés; hasard.
Angl. contingency[1].

2. (*Obl.*) Facteur d'incertitude dans la réalisation du résultat visé par une activité. « Lorsque l'exécution de l'obligation comporte une grande part de risque, le débiteur ne peut promettre, ne peut garantir un résultat [...] Cette grande part d'aléa expliquerait que ces obligations ne sont que de "moyens" » (Starck, Roland et Boyer, *Obligations*, t. 2, n° 978, p. 342).
Rem. Certains ont proposé l'aléa, ainsi entendu, comme critère de distinction entre les obligations de moyens et les obligations de résultat.
Angl. contingency[2].

ALÉAS DE LA VIE

(*Obl.*) Événements qui risquent d'affecter la durée de vie ou la capacité de gain d'une personne. « La règle maintenant appliquée par la jurisprudence est à l'effet que l'abattement pour aléas de la vie ne doit plus être automatique. La règle est, au contraire, d'accorder l'indemnité complète et entière, telle qu'elle est atteinte par le calcul actuariel » (Baudouin, *Responsabilité*, n° 250, p. 138).
Rem. Dans le calcul de l'indemnité à la victime et dans le but d'éviter une surindemnisation, les tribunaux avaient l'habitude d'amputer d'un certain pourcentage la somme calculée par référence aux tables actuarielles pour tenir compte de ces aléas de la vie. Le bien-fondé de cette pratique est remis en question (voir *Lignes aériennes Canadien Pacifique Ltée* c. *Gendron*, [1983] C.A. 596).
Angl. contingencies of life.

ALÉATOIRE *adj.*

(*Obl.*) V. contrat aléatoire, vente aléatoire.

ALIÉNABILITÉ *n.f.*

(*Biens* et *Obl.*) Qualité d'un bien susceptible d'aliénation.
Opp. inaliénabilité.
Angl. alienability.

ALIÉNABLE *adj.*

(*Biens* et *Obl.*) Susceptible d'aliénation.
Opp. inaliénable. **V.a.** cessible, disponible, transmissible.
Angl. alienable.

ALIÉNATAIRE *n.*

(*Biens* et *Obl.*) Personne en faveur de qui se fait une aliénation.
Rem. On emploie plutôt *acquéreur*, même si ce terme a une extension plus vaste.
Angl. alienee.

ALIÉNATEUR, TRICE *n.* et *adj.*

(*Biens* et *Obl.*) Personne qui transfère par aliénation. « Le transfert des risques à l'acquéreur devenu propriétaire est conforme à l'équité; mais l'équité commande également que *l'acquéreur ne supporte pas les risques lorsqu'il a mis l'aliénateur en demeure de livrer* » (Mazeaud et Chabas, *Leçons*, t. 2, vol. 1, n° 1121, p. 1175).
V.a. donateur, vendeur.
Angl. alienator.

ALIÉNATION *n.f.*

(*Biens* et *Obl.*) Transfert[1] entre vifs d'un bien, spécialement du droit de propriété. « [Le tuteur] peut agir seul dans certains cas [...] alors que dans d'autres [...] la loi [l'oblige] à respecter certaines formalités et surtout à demander une autorisation judiciaire après avis favorable du conseil de famille (hypothèque, emprunt, aliénation immobilière) » (Baudouin, *Obligations*, n° 202, p. 152).
Rem. **1°** On distingue l'aliénation à titre onéreux (vente, échange, apport en propriété) et l'aliénation à titre gratuit (donation). **2°** Celui qui aliène s'appelle l'*aliénateur*; quant au bénéficiaire, on l'appelle parfois l'*aliénataire*. Pour désigner les parties, on tend à employer d'autres termes, plus ou moins spécifiques comme *vendeur* et *acheteur*. **3°** Du point de vue du bénéficiaire, l'aliénation constitue une acquisition. **4°** Quand on veut couvrir aussi la mutation à cause de mort, on emploie plutôt les termes *disposition* ou *transmission*. **5°** On distingue habituellement l'aliénation, acte translatif de propriété, et la constitution d'un droit réel, simple démembrement de la propriété; néanmoins, certains auteurs opposent l'aliénation totale, qui emporte transmission du droit de propriété, et l'aliénation partielle, qui n'opère qu'un démembrement de la propriété. **6°** Du latin *alienare* : rendre autre (rac. *alienus* : autre, étranger); détacher, vendre.
V.a. acquisition[1], acte d'aliénation, cession, contrat d'aliénation, disposition[1], mutation.
Angl. alienation.

ALIÉNER *v.tr.*

(*Biens* et *Obl.*) Transférer par aliénation. « S'il concède seulement un droit de jouissance sur sa chose, il démembre sa propriété [...] Si, au contraire, il transmet la totalité de son droit, il aliène la chose [...] » (Weill, Terré et Simler, *Biens*, n° 113, p. 114).
Occ. Art. 358, 2186 C. civ.
Angl. alienate.

ALLIANCE *n.f.*

(*Pers.*) Lien juridique qui unit un époux aux parents[1] de son conjoint. « On considère les deux époux comme ne faisant plus qu'un, de telle sorte que toute la parenté de chacun des deux devient, par l'effet du mariage, commune à l'autre à titre d'alliance » (Ripert et Boulanger, *Traité*, t. 1, n° 457, p. 210).
Occ. Art. 125 C. civ.
Rem. **1°** Certains auteurs étendent le sens d'*alliance* en l'appliquant, en outre, au lien qui existe entre les époux. **2°** L'union de fait ne crée pas un lien d'alliance. **3 °** Les parents[1] et alliés d'un époux ne deviennent pas les parents[1] et alliés de l'autre.
Syn. affinité. **V.a.** parenté.
Angl. affinity, alliance[+].

ALLIANCE ADOPTIVE

(*Pers.*) Alliance existant entre un époux et la famille adoptive de son conjoint.
Opp. alliance légitime, alliance naturelle.
Angl. adoptive alliance.

ALLIANCE LÉGITIME

(*Pers.*) *Vieilli.* Alliance existant entre un époux et la famille légitime de son conjoint.
Opp. alliance adoptive, alliance naturelle.
Angl. legitimate alliance.

ALLIANCE NATURELLE

(*Pers.*) Alliance existant entre un époux et la famille naturelle de son conjoint. « Chaque époux devient donc l'allié des parents légitimes, naturels et adoptifs de son conjoint. En ce sens on peut parler d'*alliance légitime, d'alliance naturelle et d'alliance adoptive* » (*Rép. droit civ.*, v° Parenté-alliance, n° 68).
Rem. Voir l'art. 125 C. civ.
Opp. alliance adoptive, alliance légitime.
Angl. natural alliance.

ALLIÉ, ÉE *n.* et *adj.*

(*Pers.*) Personne unie à une autre par alliance.
Occ. Art. 125, 273, 327 C. civ.
Rem. L'expression *parents par alliance* est incorrecte car elle constitue une contradiction dans les termes, tout au plus peut-on parler des *membres de la famille par alliance*.
Angl. allied.

ALLUVION *n.f.*

(*Biens*) Accroissement insensible et imperceptible qui s'opère progressivement sur un fonds riverain d'un cours d'eau. « L'alluvion profite dans tous les cas au propriétaire riverain [...] » (Mignault, *Droit civil*, t. 2, p. 510).
Occ. Art. 420 C. civ.
Rem. L'alluvion peut résulter du fait que l'eau apporte au fonds des dépôts de terre, de sable ou d'autres matières ou du fait qu'elle se retire graduellement de la rive.
Opp. avulsion. **V.a.** atterrissement, lais, relais.
Angl. alluvion.

ALTERNATIF, IVE *adj.*

(*Obl.*) V. garde alternative, obligation alternative.

ALTERNÉ, ÉE *p.p.adj.*

V. garde alternée.

AMÉLIORATIONS *n.f.pl.*

(*Biens*) Travaux ou dépenses effectués en vue de conserver une chose, d'en augmenter la valeur ou de l'embellir. « Le possesseur de bonne foi ayant une indemnité à réclamer, ne doit pas être forcé d'abandonner ses améliorations avant qu'elles aient été payées, car alors il courrait le risque de perdre sa créance. Pour cette raison, la loi lui permet de conserver le fonds jusqu'au remboursement [...] » (Mignault, *Droit civil*, t. 2, p. 503).
Occ. Art. 417, 1515 C. civ.
Rem. L'art. 417 C. civ. distingue les améliorations nécessaires et les améliorations utiles. La doctrine et la jurisprudence reconnaissent, en outre, les améliorations voluptuaires ou d'agrément.
V.a. impenses.
Angl. improvements.

AMÉLIORATIONS D'AGRÉMENT

(*Biens*) Syn. améliorations voluptuaires.
Angl. sumptuary improvements, voluptuary improvements+.

AMÉLIORATIONS NÉCESSAIRES

(*Biens*) Améliorations indispensables à la conservation de la chose. Par ex., la réfection d'un mur qui menace de s'écrouler. « Le législateur a cru qu'il était équitable de forcer le propriétaire de rembourser aux tiers de bonne ou de mauvaise foi le coût des améliorations nécessaires c'est-à-dire celles qu'il eût été obligé de faire lui-même [...] » (Mignault, *Droit civil*, t. 2, p. 498).
Occ. Art. 417 C. civ.
Opp. améliorations utiles, améliorations voluptuaires.
Angl. necessary improvements.

AMÉLIORATIONS SOMPTUAIRES

(*Biens*) (X) V. améliorations voluptuaires.
Angl. sumptuary improvements, voluptuary improvements+.

AMÉLIORATIONS UTILES

(*Biens*) Améliorations qui, sans être indispensables à la conservation de la chose, ont pour effet d'en augmenter la valeur. Par ex., l'addition d'un étage à une maison. « La raison de l'indemnité que l'on accorde au possesseur de bonne foi pour les améliora-

tions utiles qu'il a faites au fonds, est toute d'équité. Le possesseur croyait être propriétaire, il a bâti sous l'empire de cette croyance erronée mais sincère » (Mignault, *Droit civil*, t. 2, p. 498-499).
Occ. Art. 1515 C. civ.
Opp. améliorations nécessaires, améliorations voluptuaires. **V.a.** plus-value.
Angl. useful improvements.

AMÉLIORATIONS VOLUPTUAIRES

(*Biens*) Améliorations qui n'augmentent pas la valeur de la chose, mais ne font que satisfaire les goûts personnels de leur auteur.
Syn. améliorations d'agrément. **Opp.** améliorations nécessaires, améliorations utiles. **F.f.** améliorations somptuaires.
Angl. sumptuary improvements, voluptuary improvements+.

AMEUBLIR *v.tr.*

(*Biens*) Opérer l'ameublissement. « À moins d'expression nette à l'effet contraire, seront ameublis les seuls immeubles désignés, dans le cas d'ameublissement déterminé, et, dans le cas d'ameublissement indéterminé, les seuls immeubles que possèdent les époux au moment du mariage » (Comtois, *Communauté de biens*, n° 252, p. 241).
Occ. Anc. art. 1392, 1395 C. civ. (1866-1981).
V.a. mobiliser.
Angl. mobilize[2].

AMEUBLISSEMENT *n.m.*

(*Biens*) Mobilisation par voie d'une clause d'ameublissement. « L'ameublissement est déterminé quand il a pour objet un ou des immeubles individualisés. Ces immeubles sont assimilés à des biens mobiliers et seront portés à l'actif de la communauté [...] Au contraire, l'ameublissement sera indéterminé quand il a pour objet les immeubles d'un époux en général, lesquels sont mis en communauté jusqu'à concurrence d'une certaine somme » (Comtois, *Communauté de biens*, n° 251, p. 241).
Occ. Anc. art. 1391 C. civ. (1866-1981) et anc. art. 1394 C. civ. (1970-1981).
V.a. immobilisation.
Angl. mobilization[2].

AMIABLE (À L') *loc.adv.*

De gré à gré, par entente entre les parties, plutôt que par la voie contentieuse. Par ex., la résiliation à l'amiable d'un bail. « Le droit qui appartient à tout héritier majeur de consentir à un partage à l'amiable est un droit absolu, et ses créanciers ne peuvent s'opposer à ce qu'il l'exerce » (Faribault, dans *Traité*, t. 4, p. 410).
V.a. résiliation amiable.
Angl. amicable.

ANATOCISME *n.m.*

(*Obl.*) Intégration au capital des intérêts échus d'une dette de sorte que le capital ainsi augmenté produise à son tour des intérêts. « [...] l'anatocisme ou capitalisation des intérêts n'est légal qu'à l'égard de certaines dettes spécifiquement prévues par la loi ou la convention » (Baudouin, *Obligations*, n° 726, p. 439).
Rem. **1°** Voir l'art. 1078 C. civ. **2°** Du latin *anatocismus* : intérêt composé; du grec *ana* : à nouveau, et *tokos* : intérêt.
V.a. convention d'anatocisme, intérêt composé.
Angl. anatocism.

ANCIEN DROIT

1. (*Hist.*) Période de l'histoire du droit français allant de ses origines jusqu'à la Révolution de 1789. « La *multiplicité des sources*, leur *fractionnement géographique* restent [...] la caractéristique de l'ancien droit malgré les éléments unificateurs qu'étaient le droit canonique et la législation royale et dans une certaine mesure le

droit romain et la coutume de Paris » (Starck, *Introduction*, n° 89, p. 39).
Rem. L'ancien droit fut abrogé de façon expresse, au moment de la codification de 1804, par la loi du 30 ventôse, an XII (21 mars 1804), « dans les matières qui sont l'objet desdites lois composant le présent Code ».
Angl. *ancien droit*[1] +, old French law, prerevolutionary law.

2. (*Hist.*) Droit privé en vigueur depuis les débuts de la Nouvelle France jusqu'à la codification de 1866. « [...] notre code n'est que l'expression, plus ou moins *modernisée* [...] de l'ancien droit civil du Bas-Canada » (Mignault, *Droit civil*, t. 1, p. 53).
Rem. La codification de 1866 n'a pas voulu, comme en France, faire table rase du passé. L'ancien droit ne fut abrogé que si le Code contenait une disposition qui avait expressément ou implicitement cet effet, ou s'il contenait une disposition expresse sur le sujet particulier de telles lois (art. 2712 C. civ.).
V.a. Coutume de Paris.
Angl. *ancien droit*[2] +, pre-codification law.

ANIMO ET FACTO *loc.adv.* (latin)

(*Pers.*) D'intention et de fait. « Le problème [de la détermination du domicile matrimonial] ne se présente vraiment que lorsque les époux avaient un domicile différent au moment du mariage, ou lorsque, ayant le même domicile, ils en ont adopté un autre *animo et facto* immédiatement après la cérémonie » (Castel, *Droit int. privé*, p. 578).
V.a. *animus.*
Angl. *animo et facto.*

ANIMO SOLO *loc.adv.* (latin)

D'intention seulement. « [...] une personne ne peut, à la vérité, établir son domicile dans un lieu qu'*animo et facto*, en s'y établissant une demeure : mais le domicile une fois établi dans un lieu, peut s'y retenir *animo solo* » (Pothier, *Oeuvres*, t. 1, n° 9, p. 3).
Rem. On écrit indifféremment *animo solo* ou *solo animo*.
V.a. possession *animo solo.*
Angl. *animo solo.*

ANIMUS *n.m.* (latin)

(*Obl.*) Élément intentionnel pris en considération dans certaines situations juridiques en vue d'en préciser la nature. « Il ne suffit pas, pour être possesseur, d'avoir le *corpus*; *l'emprise matérielle* ne confère pas, à elle seule, la possession. Un chauffeur n'a pas la possession de l'automobile que son maître lui confie; pas davantage le promeneur qui traverse occasionnellement un terrain, ou le campeur qui y plante sa tente pour une nuit. Que leur manque-t-il? *un élément intentionnel, l'animus* » (Mazeaud et Chabas, *Leçons*, t. 2, vol. 2, n° 1422, p. 159).
Rem. Ce terme est notamment employé en matière de domicile, de donation, de novation et de possession.
Opp. *corpus.*
Angl. *animus.*

ANIMUS DOMINI *loc.nom.m.* (latin)

(*Biens*) Intention du possesseur d'être titulaire du droit qu'il exerce de fait. « L'"*animus*" [...] est l'intention, chez celui qui possède, d'agir pour son propre compte. Aussi l'appelle-t-on "*animus domini*" [...] » (Planiol et Ripert, *Traité*, t. 3, n° 146, p. 161-162).
Rem. 1° Littéralement, l'*animus domini* est la volonté d'être propriétaire; toutefois, puisque la possession peut porter sur des droits réels principaux autres que la propriété, la définition doit être élargie. 2° La réunion du *corpus* et de l'*animus domini* constitue la possession[1].
Angl. *animus domini.*

ANIMUS DONANDI *loc.nom.m.* (latin)

Syn. intention libérale. « [...] la donation *entre vifs* [...] est un transfert de valeurs de

patrimoine à patrimoine, l'enrichissement qu'une personne procure à autrui en s'appauvrissant, mais sublimé par l'*animus donandi* » (Carbonnier, *Droit civil*, t. 4, n° 8, p. 44).
Angl. *animus donandi*, liberal intention+.

ANIMUS NOVANDI *loc.nom.m.* (latin)

Syn. intention novatoire. « Pour qu'il y ait novation, le consentement doit [...] porter sur le lien entre l'extinction de l'obligation ancienne et la création de l'obligation nouvelle : [les parties] doivent éteindre une obligation *pour* en créer une autre. C'est ce que l'on appelle l'*animus novandi* » (Mazeaud et Chabas, *Leçons*, t. 2, vol. 1, n° 1213, p. 1249).
Angl. *animus novandi*, novatory intention+.

ANNUITÉ *n.f.*

(*Obl.*) Paiement annuel comprenant le remboursement d'une partie du capital et les intérêts.
V.a. mensualité, paiement périodique.
Angl. annuity².

ANNULABILITÉ *n.f.*

(*Obl.*) Caractère d'un acte juridique atteint de nullité relative. « La doctrine et la jurisprudence québécoises connaissent la division bipartite qui consiste à distinguer la nullité absolue de la nullité relative, la nullité de l'annulabilité, et s'en tiennent de très près à la doctrine classique » (Pineau et Burman, *Obligations*, n° 130, p. 189).
Angl. annulability.

ANNULABLE *adj.*

(*Obl.*) Susceptible d'annulation. « [...] le tribunal ne peut prononcer la nullité d'un contrat annulable que lorsque la partie qui peut s'en prévaloir l'a expressément demandée dans ses conclusions » (Pineau et Burman, *Obligations*, n° 130, p. 190). *Clause annulable* (art. 1664.9 C. civ.), *donation annulable* (art. 803 C. civ.), *obligation annulable* (art. 1214 C. civ.).
Angl. annullable+, voidable(x).

ANNULATION *n.f.*

(*Obl.*) Anéantissement rétroactif par le tribunal d'un acte juridique entaché de nullité. Par ex., annulation d'un contrat pour vice de consentement. « [...] l'existence d'un vice dans la formation du contrat donnait à la personne protégée un "droit de critique" à l'égard de cet acte, qui consistait en la possibilité pour elle de demander l'annulation de cet acte [...] » (Pineau et Burman, *Obligations*, n° 141, p. 203).
V.a. action en nullité, résiliation, résolution. **F.f.** cancellation².
Angl. annulment+, avoidance(x).

ANNULER *v.tr.*

(*Obl.*) Prononcer l'annulation. « Un acheteur d'immeuble qui tient son droit d'un vendeur dont le titre est affecté d'un vice *apparent* est exposé à l'éviction si le titre du vendeur est annulé » (Tancelin, *Obligations*, n° 198, p. 115). *Annuler un contrat* (art. 997 C. civ.), *annuler une renonciation* (art. 484 C. civ.).
Occ. Art. 1000 C. civ.
V.a. invalider.
Angl. annul+, avoid(x), void(x).

ANTÉRIORITÉ *n.f.*

V. cession d'antériorité.

ANTICHRÈSE *n.f.*

1. (*Sûr.*) Nantissement¹ portant sur un immeuble. « Dans l'*ancien droit*, l'antichrèse fut pratiquée au Moyen Age sous le nom de *mort-gage*; mais elle se heurta à la

prohibition canonique du prêt à intérêt. On modifia alors l'institution : les revenus de l'immeuble furent imputés, non plus sur les intérêts, mais sur le capital de la créance, c'est le *vif-gage* » (Mazeaud et Chabas, *Leçons*, t. 3, vol. 1, n° 94, p. 119).
Occ. Art. 2072 C. civ. fr.
Rem. **1°** Voir l'art. 1967 C. civ. **2°** Du latin *antichresis* (usage d'une chose pour une autre), du grec *anti* : contre, et *khrêsis* : usage.
Opp. gage[1].
Angl. antichresis[1].

2. (*Sûr.*) Nantissement[2] portant sur un immeuble. « [...] l'usufruitier comme le propriétaire peuvent consentir l'antichrèse, mais dans le cas de l'usufruitier, l'antichrèse — qui n'est qu'une cession de la jouissance — prend fin avec l'usufruit » (Mignault, *Droit civil*, t. 8, p. 398). *Constituer en antichrèse; remettre, tenir en antichrèse.*
Rem. L'antichrèse donne au créancier antichrésiste le droit de percevoir les fruits jusqu'au parfait paiement de la dette.
Opp. droit de gage.
Angl. antichresis[2].

ANTICHRÉSISTE *n.* et *adj.*

(*Sûr.*) Syn. créancier antichrésiste. « [...] alors que le gage donne au créancier un droit de privilège [...] il n'en est pas de même de l'antichrèse. Ce contrat, [bien] qu'il confère à l'antichrésiste un droit de rétention, ne lui donne pas un privilège sur le prix de vente de l'immeuble » (Mignault, *Droit civil*, t. 8, p. 398).
Angl. pledgee(>).

ANTICIPATION *n.f.*

V. meuble par anticipation, mobilisation par anticipation, paiement par anticipation.
Angl. anticipation.

ANTICIPÉ, ÉE *p.p.adj.*

V. mobilisation anticipée, paiement anticipé.

A PARI *loc.adv.* (latin)

Pour la même raison.
Opp. *a contrario*, *a fortiori*. **V.a.** raisonnement *a pari*.
Angl. *a pari*.

À PERPÉTUELLE DEMEURE *loc.adv.*

V. perpétuelle demeure (à).

APPARENCE *n.f.*

1. (*Obl.*) Caractère ostensible, aisément perceptible de la réalité.
Angl. appearance[1].

2. (*Obl.*) Aspect extérieur laissant croire à l'existence d'une situation ou qualité juridique non conforme à la réalité. « *La simulation est une manifestation de la théorie de l'apparence.* Les tiers ont le droit de rechercher la réalité sous l'apparence [...] Mais ils ont le droit également [...] d'invoquer l'apparence, d'imposer aux parties les conséquences d'un acte qu'elles n'ont pas voulu passer » (Mazeaud et Chabas, *Leçons*, t. 2, vol. 1, n° 829, p. 946). *Théorie de l'apparence.*
V.a. simulation.
Angl. appearance[2].

APPARENCE DE DROIT

(*D. jud.*) Caractère vraisemblable d'un droit, résultant d'une preuve *prima facie* suffisamment convaincante pour qu'une demande présentée à un stade préliminaire de la procédure soit accueillie, sans que, pour autant, ce droit soit tenu pour avéré définitivement.
Occ. Art. 23, *Loi sur le recours collectif*, L.R.Q., chap. R-2.1.
Rem. **1°** Actuellement, la notion d'apparence de droit n'est employée que dans quelques cas précis, tels l'injonction interlocutoire (art. 752 C. proc. civ.) et le recours collectif (art. 1003 C. proc. civ.; art. 23, *Loi sur le recours collectif*). **2°** Les tribunaux

ajoutent parfois le qualificatif *sérieuse* à la notion d'apparence de droit (*Pérusse* c. *Commissaires d'écoles de St-Léonard de Port-Maurice*, [1970] C.A. 324, p. 329).
V.a. droit apparent.
Angl. appearance of right+, colour of right.

APPARENT, ENTE *adj.*

1. (*Obl.*) Qui est ostensible, facilement perceptible.
Occ. Art. 548, 1523 C. civ.
V.a. défaut apparent, servitude apparente, vice apparent.
Angl. apparent[1].

2. (*Obl.*) Qui présente un aspect extérieur laissant croire à l'existence d'une situation ou d'une qualité juridique non conforme à la réalité.
V.a. acte apparent, droit apparent, mandat apparent.
Angl. apparent[2].

APPEL *n.m.*

(*D. jud.*) Voie de recours à un tribunal d'un degré supérieur en vue de faire réviser une décision judiciaire. « L'appel a un effet dévolutif et un effet suspensif : la contestation est déférée à un tribunal hiérarchiquement supérieur et l'exécution du jugement attaqué est suspendue » (Anctil, *Commentaires*, t. 2, p. 84). *Interjeter appel, susceptible d'appel.*
Occ. Art. 491, 509 C. proc. civ.; titre précédant l'art. 75, *Loi sur les poursuites sommaires*, L.R.Q., chap. P-15.
Rem. Lorsqu'il est autorisé, l'appel peut être restreint à des questions de fait ou de droit.
V.a. jugement dont appel, jugement frappé d'appel.
Angl. appeal.

APPELÉ, ÉE *n.*

(*Succ.*) Personne à qui, dans le cadre d'une substitution, doivent être remis les biens d'abord reçus à titre de propriétaire, par donation ou testament, par une autre personne, le *grevé*. « [...] on nomme **appelé** celui qui a droit de recueillir postérieurement, parce qu'il est appelé à bénéficier plus tard de la charge imposée au premier bénéficiaire » (Brière, *Donations, substitutions et fiducies*, n° 327, p. 221). *L'appelé en substitution, l'appelé à la substitution.*
Occ. Art. 927, 929, 956, 962, 2207 C. civ.
Syn. substitué. **Opp.** grevé.
Angl. substitute.

APPELER EN CAUSE *loc.verb.*

(*D. jud.*) Syn. mettre en cause. « Il existe des cas où le défendeur a le droit à un délai pour appeler en cause, tel le droit de l'héritier ou représentant légal du débiteur assigné pour la totalité d'une dette indivisible [...] » (*Churchill Falls (Labrador) Corp.* c. *Affiliated FM Insurance Co.*, [1980] C.S. 757, p. 759, j. C. Benoît).
Occ. Art. 168 C. proc. civ.
Angl. implead.

APPELER EN GARANTIE *loc.verb.*

(*D. jud.*) Faire intervenir un tiers dans un procès par la voie de l'appel en garantie. « Rien ne défend à un défendeur d'appeler en garantie son codéfendeur poursuivi solidairement » (*McGraw Edison of Canada Ltd* c. *Magasins St-Joseph Balmoral Inc.*, [1975] C.A. 872, j. A. Mayrand).
V.a. mettre en cause.
Angl. call in warranty.

APPORT (EN SOCIÉTÉ)

(*Obl.*) Ce que chaque associé met dans la société. « Ce n'est pas la remise de l'apport en tant que telle qui entraîne la formation de la société, mais la simple promesse ou l'engagement des associés d'effectuer cette remise » (Bohémier et Côté, *Droit commercial*, t. 2, p. 17).
Occ. Art. 1839, 1873 C. civ.

Syn. mise commune, mise sociale.
V.a. capital-actions, patrimoine social, société[1+].
Angl. contribution (to the partnership).

APPRÉHENSION *n.f.*

(*Biens*) Syn. occupation. « Les choses abandonnées par leur propriétaire n'appartiennent à personne. Le premier occupant en devient propriétaire par voie d'appréhension » (Martineau, *Biens*, p. 63).
Occ. Art. 583, 933 C. civ.
Rem. Du latin *apprehensio* : action de saisir (matériellement).
Angl. occupancy, occupation[+], prehension.

APPRENTI, IE *n.*

(*Obl.*) Personne physique placée sous la surveillance d'un artisan pour apprendre un métier manuel. « L'artisan est responsable de l'apprenti durant les heures d'apprentissage, alors qu'il l'a sous sa surveillance. En dehors des périodes d'apprentissage, il cesse d'en être responsable » (Nadeau et Nadeau, *Responsabilité*, n° 386, p. 374).
Occ. Art. 1054 al. 5, 2006 al. 2 C. civ.
V.a. artisan.
Angl. apprentice.

APPROVISIONNEMENT *n.m.*

V. clause d'approvisionnement.
Angl. supply.

A QUO *loc.adv.* (latin)

V. jugement *a quo*.
Angl. *a quo*.

ARBITRAGE *n.m.*

1. (*Obl.* et *D. jud.*) Mode de règlement d'un litige qui consiste à le soumettre à un ou à plusieurs particuliers, nommés *arbitres*. « Si les parties entendent que leurs différends soient réglés par arbitrage, il leur est loisible de stipuler une clause claire, inconditionnelle et obligeant à l'arbitrage [...] » (*Québec Combustion Inc.* c. *Fidelity Insurance Co. of Canada*, [1980] C.S. 803, p. 810, j. C. Benoît).
V.a. clause compromissoire, compromis, convention d'arbitrage.
Angl. arbitration[1].

2. (*Obl.* et *D. jud.*) Ensemble de l'opération d'arbitrage[1].
Occ. Titre précédant l'art. 940 C. proc. civ.
Angl. arbitration[2].

ARBITRER *v.tr.*

(*D. jud.*) Régler un litige soumis à l'arbitrage.
Angl. arbitrate[2].

ARCHITECTE *n.*

(*Obl.* et *Sûr.*) Personne autorisée par la loi à exercer la profession d'architecte. « [...] le métier de constructeur est séparé de la profession d'architecte; la construction, de la partie intellectuelle; l'architecte conçoit la forme d'une construction, en trace les plans, en fait les devis et en surveille l'exécution; l'entrepreneur exécute » (Giroux, *Privilège ouvrier*, n° 55, p. 69).
Occ. Art. 1688, 1689, 2013, 2013*f* C. civ.; art. 1 par. c, *Loi sur les architectes*, L.R.Q., chap. A-21.
V.a. ingénieur, privilège de l'architecte.
Angl. architect.

ARGENT *n.m.*

V. prêt d'argent.
Angl. money.

ARRÉRAGER (S') *v.intr.* et *pronom.*

(*Obl.*) Demeurer dû après l'échéance, à propos des redevances résultant d'une rente ou d'une pension. *Les versements d'une rente s'arréragent.*

Rem. 1° Traditionnellement, on appliquait, en principe, l'adage *les aliments ne s'arréragent point*. Voir maintenant les art. 643 et 644 C. civ. Q. en vigueur depuis 1981. 2° À l'origine, le verbe s'employait à la forme intransitive non pronominale comme dans la maxime *les aliments n'arréragent pas*.

ARRÉRAGES *n.m.pl.*

1. (*Obl.*) Redevance périodique d'une rente[1] ou d'une pension. « Le paiement périodique des arrérages est la principale obligation du débirentier » (Roch et Paré, dans *Traité*, t. 13, p. 519). *Servir des arrérages.*
Occ. Art. 1907 C. civ.
V.a. intérêt[1], rente[2].
Angl. arrears[1].

2. (*Obl.*) (X) V. arriéré.
Occ. Art. 580 C. civ.; art. 644 C. civ. Q.
Angl. arrears[2].

ARRÊT *n.m.*

A. Décision de justice d'une cour d'appel ou de la juridiction suprême d'un État. *Rendre un arrêt; Recueil des arrêts de la Cour Suprême du Canada.*
Occ. Art. 3, *Règles de procédure de la Cour d'appel en matière civile.*
V.a. jugement.
Angl. judgment[A](>).

B. Écrit exprimant cette décision.
Angl. judgment[B](>).

ARRÊT DE PRINCIPE

Arrêt ayant le caractère d'une décision de principe. « La jurisprudence québécoise [...] a peu à peu construit la doctrine de l'enrichissement sans cause. C'est toutefois un arrêt de principe de la Cour suprême ([1977] 2 R.C.S. 67) qui est venu formellement reconnaître les conditions de son exercice » (Baudouin, *Obligations*, n° 536, p. 325).
Angl. fundamental decision(>), leading case(>)[+].

ARRÊT DE RÈGLEMENT

(*Hist.*) Décision solennelle que prenaient en France, sous l'ancien régime, les cours souveraines et notamment les parlements, et, au Québec sous le régime français, le Conseil souverain, puis le Conseil supérieur de Québec.
Rem. L'arrêt de règlement avait force de loi et pouvait être rendu hors de tout procès.
Angl. *arrêt de règlement.*

ARRÊT D'ESPÈCE

Arrêt ayant le caractère d'une décision d'espèce.
Angl. *ad hoc* decision(>).

ARRÊTÉ EN CONSEIL

Syn. décret[1].
Rem. Au Québec, le terme *arrêté en conseil*, traduction apparente d'*order in council*, a été remplacé en 1980 par celui de *décret*; au fédéral, il est toujours en usage.
Angl. decree[1+], order in council.

ARRÊTÉ MINISTÉRIEL

Acte[2] par lequel un ministre règle une matière dans l'exercice d'un pouvoir que lui confère une loi. « L'*arrêté ministériel* [...] constitue le pendant, au niveau d'un ministre, de l'arrêté en conseil ou du décret gouvernemental. Ce ne sont pas toutes les décisions prises par un ministre dans le cadre d'un pouvoir prévu par une loi qui portent cette désignation, mais surtout les décisions officielles de portée générale » (Dussault et Borgeat, *Droit administratif*, t. 1, p. 417).
Rem. La plupart des arrêtés ministériels n'ont qu'une portée individuelle, mais certains ont une portée générale qui les rapproche d'un règlement.

V.a. décret[1].
Angl. ministerial decree.

ARRÊT EN MAINS TIERCES

(*D.jud.*) Saisie-arrêt pratiquée avant le jugement.
Occ. Art. 943 anc. C. proc. civ. (1897-1965).
Rem. L'arrêt en mains tierces était opposé à l'arrêt simple dans le Code de procédure civile antérieur à 1965. Aujourd'hui, cette mesure conservatoire entre dans les saisies avant jugement.
Angl. attachment by garnishment.

ARRÊT SIMPLE

(*D. jud.*) Saisie avant jugement de biens meubles qui se trouvent entre les mains du débiteur.
Occ. Art. 932 anc. C. proc. civ. (1897-1965).
Rem. L'arrêt simple était opposé à l'arrêt en mains tierces dans le Code de procédure civile antérieur à 1965. Aujourd'hui, cette mesure conservatoire, prévue à l'art. 733 C. proc. civ., entre dans les saisies avant jugement.
Angl. simple attachment.

ARRHES *n.f.pl.*

(*Obl.*) Somme d'argent versée par une partie à l'autre lors de la conclusion d'un contrat en exécution d'une obligation résultant d'une clause de stipulation ou d'une convention d'arrhes. Par ex., le promettant-acheteur verse des arrhes au propriétaire du bien qui fait l'objet de la promesse d'achat. « Les arrhes, n'étant qu'un moyen de dédit, peuvent être considérées comme une espèce de clause pénale [...] » (Faribault, dans *Traité*, t. 11, n° 107, p. 104). *Stipuler des arrhes.*
Occ. Art. 1235 par. 4, 1477 C. civ.
Rem. **1°** À l'art. 1235 par. 4 C. civ., le terme *arrhes* est employé au sens d'acompte. Il importe de ne pas confondre ces deux termes dans l'application de l'art. 1477 C. civ. **2°** Du latin *arra* : gage.
V.a. dédit[2], stipulation d'arrhes+.
Angl. earnest.

ARRIÉRÉ, ÉE *adj.*

(*Obl.*) Se dit d'une dette dont l'échéance est passée.
Angl. arrears (in).

ARRIÉRÉ *n.m.*

(*Obl.*) Dette dont l'échéance est passée.
Occ. Art. 1658.20 C. civ.
F.f. arrérages[2].
Angl. arrears[2].

ARRIÉRER *v.tr.*

(*Obl.*) Retarder un paiement. *Arriérer un paiement.*
Rem. La forme pronominale *s'arriérer* signifie demeurer en retard, prendre du retard, à propos de paiements échus.

ARRIVÉE DE LA CONDITION

(*Obl.*) Syn. réalisation de la condition. « [...] l'arrivée de la condition suspensive a pour conséquence que l'obligation est censée avoir toujours été pure et simple [...] » (Mazeaud et Chabas, *Leçons*, t. 2, vol. 1, n° 1038, p. 1105).
Angl. accomplishment of the condition, fulfilment of the condition+, realization of the condition.

ARRIVÉE DU TERME

(*Obl.*) Syn. échéance[2]. « Puisque l'existence d'un terme n'a pour effet que de suspendre ou retarder l'exécution d'une obligation, cela signifie que l'obligation existe bel et bien avant l'arrivée du terme [...] » (Pineau et Burman, *Obligations*, n° 270, p. 358).
Angl. arrival of the term, expiration[2]+, expiration of the term.

ARTIFICIEL, IELLE *adj.*

(*Obl.*) V. indivisibilité artificielle.

ARTISAN, ANE *n.*

(*Obl.*) Personne physique qui exerce par elle-même et pour son compte un métier manuel. Par ex., le charpentier, le plombier, l'électricien. « [...] il faut, conformément à la tradition, distinguer entre le commerçant et l'artisan qui ne l'est pas. L'application de cette distinction peut s'avérer toutefois fort délicate. Perrault définit l'artisan comme "celui qui exerce un métier manuel où l'habileté domine ". Ce serait, par exemple, le cordonnier ou l'artiste potier qui travaille seul. Mais, si ces dernières personnes exploitaient plutôt une entreprise, ouvraient boutique, engageaient des employés, se procuraient de l'outillage ou encore achetaient des matières pour les revendre, elles deviendraient alors des commerçants » (Bohémier et Côté, *Droit commercial*, t. 1, p. 37).
Occ. Art. 434, 1005, 1054 al. 5 C. civ.
Rem. De l'italien *artigiano*, de *arte* : art.
V.a. apprenti.
Angl. artisan+, mechanic.

ASCENDANT, ANTE *adj.*

(*Pers.*) Qui se rapporte à un ascendant. *Ligne directe ascendante.*
Opp. descendant.
Angl. ascending.

ASCENDANT, ANTE *n.*

(*Pers.*) Auteur[2] d'une personne. Par ex., père, mère, grand-parent. « En vertu de l'article 633 C.C.Q., "les parents en ligne directe se doivent des aliments" : il y a donc une obligation alimentaire entre ascendants et descendants sans limitation de degré » (Pineau, *Famille*, n° 315, p. 263).
Occ. Art. 629 C. civ.; art. 607 C. civ. Q.
Rem. **1°** Dans le but d'établir des ordres d'héritiers, la loi distingue entre les ascendants au premier degré, dits *privilégiés* (père et mère), et les ascendants à un degré plus éloigné, notamment le grand-père, l'arrière grand-père. **2°** Chaque personne possède une ligne ascendante paternelle et une ligne ascendante maternelle.
Opp. descendant. **V.a.** collatéral°, filiation[2], parent[2].
Angl. ascendant.

ASSERVIR *v.tr.*

V. fonds asservi.

ASSIETTE *n.f.*

(*Biens*) Bien sur lequel s'exerce un droit. « [...] il [celui qui a un droit de servitude] aurait le droit, dans le cas où l'assiette primitive de la servitude deviendrait [...] trop gênante [...] d'en obtenir le changement [...] » (Mignault, *Droit civil*, t. 3, p. 168). *Assiette de l'hypothèque, assiette du privilège, assiette de la servitude.*
Rem. Du latin *sedere* : être assis.
V.a. assignation[2].
Angl. *assiette*+, site[1](<)+, *situs*(<).

ASSIGNATION *n.f.*

1. (*D. jud.*) Ordre donné à une personne de comparaître en justice pour défendre à une action, pour apporter son témoignage ou pour autrement participer à une instance. « [...] l'assignation qui saisissait le tribunal et provoquait la naissance du lien d'instance entre les plaideurs [...] » (Vincent et Guinchard, *Procédure civile*, n° 598, p. 557-558).
Occ. Art. 2076 C. civ.; art. 217, 282, 406 C. proc. civ.
Rem. **1°** Lorsqu'il s'agit d'introduire une action, l'assignation est faite au moyen d'un bref d'assignation, accompagné le plus souvent d'une déclaration exposant l'objet de la demande et les moyens sur lesquels elle est fondée. **2°** En droit français, l'assignation correspond à l'ensemble formé par le bref d'assignation et la déclaration. Cependant, il reste cette différence

que le bref constitue un ordre donné au nom du Souverain, alors qu'en droit français l'assignation est simplement un acte de procédure émanant du demandeur.
V.a. bref de *subpoena*.
Angl. summons.

2. (*Biens*) Détermination de l'assiette d'une servitude. « [...] le propriétaire du fonds servant est justifié à demander le changement de l'assiette du passage lorsque l'assignation première est devenue trop onéreuse pour lui ou présente des inconvénients graves [...] » (Pourcelet, (1965-1966) 68 *R. du N.* 250, p. 259-260).
Occ. Art. 557 C. civ.
Angl. assignment[3].

ASSIGNATION EN DÉCLARATION DE JUGEMENT COMMUN

(*D. jud.*) Mise en cause[1] visant à étendre au tiers mis en cause l'autorité du jugement à intervenir sur la demande principale. Par ex., la mise en cause de l'assureur lors d'une demande en déclaration de décès (art. 71 C. civ.). « L'intervention forcée, qu'il s'agisse de la mise en cause ou de l'assignation en déclaration de jugement commun, suppose l'arrêt de l'instance pour un certain temps » (Anctil, *Commentaires*, t. 1, p. 288).
Rem. L'art. 216 C. proc. civ., qui traite de la mise en cause, ne fait pas la distinction entre l'assignation en déclaration du jugement commun et la mise en cause aux fins de condamnation qu'établit le nouveau Code de procédure civile de France. Malgré cette absence de fondement dans les textes, la jurisprudence et la doctrine utilisent à l'occasion cette notion, en l'empruntant au droit français.
Opp. mise en cause aux fins de condamnation.
Angl. summons in declaration of common judgment.

ASSIGNATION PRIMITIVE

(*Biens*) Assignation[2] qui a lieu lors de la création d'une servitude. « [Le Code] permet [...] au propriétaire du fonds servant d'offrir au propriétaire du fonds dominant un *déplacement de l'assiette de la servitude* et cette offre ne peut être refusée si deux conditions sont remplies : d'une part, l'assignation primitive est devenue plus onéreuse au propriétaire du fonds servant ou l'empêche de faire des réparations avantageuses, d'autre part, on peut offrir au propriétaire du fonds dominant "un endroit aussi commode pour l'exercice de ses droits" » (Marty et Raynaud, *Biens*, n° 160, p. 215).
Occ. Art. 557 C. civ.
Angl. original site.

ASSOCIÉ, ÉE *n.*

(*Obl.*) Partie à un contrat de société; membre d'une société[2]. « La société résulte essentiellement de la convention des associés [...] Pour tout ce qui regarde les affaires internes de la société et les relations des associés entre eux, la convention est donc la première source de droit et les dispositions du Code civil ne jouent qu'un rôle supplétif, à l'exception de la règle portant sur le partage des profits » (Bohémier et Côté, *Droit commercial*, t. 2, p. 31).
Occ. Art. 1830, 1831, 1839 C. civ.
Syn. sociétaire.
Angl. partner.

ASSOCIÉ ACTIF

(*Obl.* et *D. comm.*) Syn. associé ordinaire. « [...] eu égard à la responsabilité conjointe et solidaire des dettes sociales, il n'y a pas à distinguer entre les associés actifs et les associés en participation » (Mignault, *Droit civil*, t. 8, p. 231).
Angl. active partner, ordinary partner+.

ASSOCIÉ DE NOM

(*Obl.* et *D. comm.*) Syn. associé nominal. « L'associé nominal ou l'associé de nom est celui qui prête son nom à la société, sans faire partie de cette société. Les tiers de bonne foi peuvent recourir contre lui comme

s'il était réellement associé » (Mignault, *Droit civil*, t. 8, p. 232).
Angl. nominal partner.

ASSOCIÉ EN PARTICIPATION

(*Obl.* et *D. comm.*) Associé, dans une société en nom collectif, dont le nom n'apparaît pas à la déclaration de société requise par la loi. « Le code envisage [...] le cas des associés en participation ou inconnus [...] Leur participation est ignorée des tiers, mais attendu qu'ils participent dans les profits, il n'est que juste qu'ils participent dans les dettes » (Roch et Paré, dans *Traité*, t. 13, p. 429).
Occ. Art. 1868, 1900 par. 5 C. civ.
Syn. associé inconnu. **Opp.** associé nominal, associé ordinaire⁺.
Angl. dormant partner⁺, silent partner, sleeping partner, unknown partner.

ASSOCIÉ INCONNU

(*Obl.* et *D. comm.*) Syn. associé en participation. « Les "associés en participation", ou "associés inconnus", sont ceux qui participent à l'entreprise mais n'ont pas voulu rendre publique cette participation; ils sont néanmoins soumis aux mêmes obligations que les associés ordinaires » (Bohémier et Côté, *Droit commercial*, t. 2, p. 22).
Occ. Art. 1868, 1900 par. 5 C. civ.
Angl. dormant partner⁺, silent partner, sleeping partner, unknown partner.

ASSOCIÉ NOMINAL

(*Obl.* et *D. comm.*) Personne qui se représente comme associée d'une société en nom collectif ou qui, en prêtant son nom à la société ou, de toute autre façon, donne cause suffisante de croire qu'elle est associée alors qu'elle ne l'est pas réellement. « L'associé nominal, induisant les tiers à croire qu'en contractant avec cette société, ils peuvent compter sur son crédit, doit répondre vis-à-vis de ces tiers des engagements que ces tiers ont contracté sous l'empire de cette croyance » (Perrault, *Droit commercial*, t. 2, n° 1006, p. 460).
Occ. Art. 1869 C. civ.
Syn. associé de nom. **Opp.** associé en participation, associé ordinaire.
Angl. nominal partner.

ASSOCIÉ ORDINAIRE

(*Obl.* et *D. comm.*) Associé, dans une société en nom collectif, dont le nom apparaît à la déclaration de société requise par la loi. « [Les] articles 1868 et 1869 C. c. [...] édictent la responsabilité conjointe et solidaire non seulement entre les associés ordinaires mais aussi entre les associés en participation ou qui sont demeurés inconnus des tiers, entre les associés nominaux et enfin, entre ceux qui donnent raison de croire qu'ils sont associés » (Smith, *Droit commercial*, vol. 1, p. 178).
Occ. Art. 1868 C. civ.
Rem. Voir l'art. 1834 C. civ.; art. 14, *Loi sur les déclarations des compagnies et sociétés*, L.R.Q., chap. D-1.
Syn. associé actif. **Opp.** associé en participation, associé nominal.
Angl. active partner, ordinary partner⁺.

ASSUJETTIR *v.tr.*

V. fonds assujetti.

À TERME *loc.adv.*

V. terme (à).

ATTERRISSEMENT *n.m.*

(*Biens*) Dépôt de terre qui s'est formé dans un cours d'eau. « Les atterrissements se forment tantôt sur la rive d'un fleuve ou d'une rivière, tantôt dans le sein même du fleuve ou de la rivière. Les premiers s'appellent *alluvions*; les seconds, *îles* ou *îlots* » (Mignault, *Droit civil*, t. 2, p. 509).
Occ. Art. 420 C. civ.
Rem. L'atterrissement qui rejoint la rive est un accroissement.

V.a. alluvion, avulsion, lais, relais.
Angl. deposit of earth.

ATTRIBUER *v.tr.*

Faire l'attribution[1].
Angl. allocate, allot, attribute⁺.

ATTRIBUTAIRE *n.*

Personne qui bénéfice d'une attribution[1].
Occ. Mayrand, *Successions*, n° 329, p. 289.
Angl. allottee.

ATTRIBUTIF, IVE *adj.*

1. (*Obl.*) *Rare.* Qui confère un droit à quelqu'un. « Le partage n'est, dans notre droit, que déclaratif et jamais attributif, il ne saurait donc être invoqué comme titre translatif » (Rodys, dans *Traité*, t. 15, p. 280).
Opp. abdicatif, constitutif, déclaratif, translatif. **V.a.** acte attributif.
Angl. attributive.

2. V. clause attributive de compétence, clause attributive de juridiction.

ATTRIBUTION *n.f.*

1. Fait, dans un partage, de conférer en propriété à un indivisaire une part de la masse à partager.
Angl. allocation, allotment, attribution⁺.

2. V. compétence d'attribution, incompétence d'attribution.

ATTRIBUTION PRÉFÉRENTIELLE

Attribution[1], sur demande d'un indivisaire à qui la loi confère cette faculté, de certains biens particuliers de la masse partageable, à charge de soulte s'il y a lieu.
Occ. Mayrand, *Successions*, n° 329, p. 289.
Angl. preferential allocation, preferential allotment, preferential attribution⁺.

AU COMPTANT *loc.adj.* ou *adv.*

V. comptant (au).

AUTEUR, EURE *n.*

(*Obl.*) Personne de qui une autre, l'*ayant cause*, tient un droit ou une obligation. Par ex., le vendeur d'un bien est l'auteur de l'acheteur qui est l'ayant cause de celui-là. « La notion d'ayant cause suppose une transmission de droit : l'acquéreur d'un droit est l'*ayant cause* de celui qui le lui a transmis; celui qui a transmis le droit est l'*auteur* de celui qui l'a acquis » (Carbonnier, *Droit civil*, t. 4, n° 59, p. 240).
Rem. Du latin *auctor* : celui qui fait croître (rac. *augere* : augmenter).
Opp. ayant cause.
Angl. author⁺, predecessor in title.

AUTHENTIQUE *adj.*

(*Preuve*) V. acte authentique.

AUTONOMIE *n.f.*

V. loi d'autonomie.

AUTORITÉ PARENTALE

(*Pers.*) Ensemble des droits[2] et devoirs qu'ont les père et mère à l'égard de leur enfant[1] jusqu'à sa majorité ou son émancipation. « La puissance paternelle du C.C., à la différence de la *patria potestas* romaine, était un état temporaire; et il en est de même de l'autorité parentale : liée au besoin de protection qu'a l'enfant, elle cesse lorsqu'il est parvenu à un âge suffisant de maturité » (Carbonnier, *Droit civil*, t. 2, n° 162, p. 552). *L'autorité parentale déléguée; le titulaire de l'autorité parentale; déchéance de l'autorité parentale.*
Occ. Art. 648, 649, 654, 655 C. civ. Q.
Rem. **1°** L'autorité parentale remplace l'ancienne notion de la puissance paternelle. **2°** L'autorité parentale est une institution d'ordre public; on ne peut s'y soustraire ou

y déroger par convention. Toutefois, on peut la perdre totalement ou partiellement par suite d'une adoption (art. 627 C. civ. Q.) ou d'un jugement de déchéance (art. 654 C. civ. Q.). **3°** Au Québec, l'autorité parentale ne s'exerce que sur la personne de l'enfant; en France, elle s'exerce et sur la personne et sur les biens de l'enfant. **4°** Les principaux attributs de l'autorité parentale sont la garde[1], la surveillance, l'entretien et l'éducation (art. 647 C. civ. Q.).
V.a. puissance paternelle, tutelle.
Angl. parental authority.

AUTRUI *pron.*

Une autre personne.
Occ. Art. 19, 487, 773, 1053, 1516, 2195 C. civ.; art. 8, *Charte des droits et libertés de la personne*, L.R.Q., chap. C-12.
Rem. **1°** En matière contractuelle, autrui est soit un tiers complètement étranger à une relation contractuelle, soit un tiers bénéficiaire d'une stipulation pour autrui. **2°** En matière délictuelle et quasi délictuelle, autrui est la personne qui subit un dommage, soit comme victime initiale, soit comme victime par ricochet.
V.a. fait d'autrui, promesse pour autrui, responsabilité du fait d'autrui, stipulation pour autrui, tiers.
Angl. another.

AVANT-CONTRAT *n.m.*

(*Obl.*) Syn. promesse de contrat. « Pour qu'il y ait [...] avant-contrat, il faut supposer que le destinataire de l'offre [...] accepte une sorte d'avant-proposition de l'offrant consistant essentiellement à maintenir cette offre ouverte pendant le délai fixé » (Baudouin, *Obligations*, n° 488, p. 303-304).
Angl. pre-contract, promise to contract+.

AVÈNEMENT DU TERME

(*Obl.*) Syn. échéance[2]. « L'expression "terme incertain" est équivoque car elle pourrait laisser entendre que l'avènement du terme peut être incertain » (Marty, Raynaud et Jestaz, *Obligations*, t. 2, n° 48, p. 46).
Angl. arrival of the term, expiration[2]+, expiration of the term.

AVIS DE CONGÉ

(*Obl.*) Syn. congé. « On désigne sous le nom d'avis de congé l'avertissement par lequel l'une des parties avertit l'autre qu'elle entend mettre fin à un bail dont la durée n'a pas été fixée » (Faribault, dans *Traité*, t. 12, p. 255).
Angl. notice(>)+, notification(>).

AVOCAT, ATE *n.*

Juriste, membre d'un barreau[2], dont la fonction consiste, notamment, à donner des avis d'ordre juridique, à négocier des contrats, à rédiger certains actes juridiques et à représenter ses clients devant les tribunaux ou organismes gouvernementaux. *Avocat-stagiaire, cabinet d'avocat.*
Occ. Art. 1732, 1733, 1734 C. civ.; art. 62 C. proc. civ.; art. 1, *Loi sur le Barreau*, L.R.Q., chap. B-1; art. 32, *Code des professions*, L.R.Q., chap. C-26; art. 22 et 23, *Loi sur la Cour Suprême*, L.R.C. 1985, chap. S-26.
Rem. **1°** Au Québec, la profession d'avocat — qui n'existait pas sous le régime français — remonte à l'établissement du régime anglais. Jusqu'en 1785, il était possible de cumuler les fonctions d'avocat et de notaire. **2°** Les avocats appartiennent à une corporation professionnelle, appelée *Barreau du Québec*. **3°** Dans les lois québécoises, le terme *avocat* est habituellement traduit par *advocate*; par ailleurs, dans la *Loi sur la Cour Suprême*, ainsi que dans ses règles de procédure, on y trouve plusieurs équivalents : *advocate, attorney, barrister, lawyer*. **4°** Du latin *advocatus* : appelé auprès de.
V.a. conseiller en loi, notaire, ordre des avocats, procureur.
Angl. advocate.

AVULSION *n.f.*

(*Biens*) Partie considérable et reconnaissable de terrain arrachée par l'effet des eaux ou d'un éboulement et transportée sur le fonds voisin, y constituant un accroissement subit. « À l'alluvion, le Code civil oppose *l'avulsion*, qui est une partie importante et reconnaissable d'une rive arrachée par le courant. L'avulsion n'appartient au propriétaire de la rive sur laquelle elle échoue que s'il en a pris possession, et si son ancien propriétaire ne l'a pas réclamée dans l'année (art. 559 C. civ.) [art. 423 C. civ.] » (Mazeaud et Chabas, *Leçons*, t. 2, vol. 2, n° 1608, p. 294).
Rem. Du latin *avulsio* : arrachement.
Opp. alluvion. **V.a.** atterrissement.
Angl. avulsion.

AYANT CAUSE *n.*

(*Obl.*) Personne qui tient un droit ou une obligation d'une autre dénommée *auteur*. « [...] l'ayant cause a l'avantage ou la charge d'actes réalisés en la personne d'autrui parce qu'il succède à autrui » (Planiol et Ripert, *Traité*, t. 6, n° 328, p. 418).
Occ. Art. 480, 2131 C. civ.
Rem. **1°** On distingue l'ayant cause universel, l'ayant cause à titre universel et l'ayant cause à titre particulier. **2°** Le pluriel s'écrit *ayants cause*.
Syn. ayant droit, successeur. **Opp.** auteur. **V.a.** acquéreur, cessionnaire, héritier, transmission+.
Angl. successor.

AYANT CAUSE À TITRE PARTICULIER

(*Obl.*) Ayant cause qui acquiert de son auteur un bien déterminé. Par ex., l'acheteur, le donataire, l'échangiste, le légataire à titre particulier (art. 873 C. civ.). « [...] l'ayant cause à titre particulier n'est pas affecté par les contrats de son auteur; il ne saurait ni bénéficier ni souffrir de créances ou d'obligations même contractées à propos du bien transmis » (Larouche, *Obligations*, n° 188, p. 219).
Rem. L'ayant cause à titre particulier reçoit un droit soit entre vifs, soit à cause de mort. Il ne continue pas la personne de son auteur.
Syn. acquéreur à titre particulier, ayant cause particulier, ayant droit à titre particulier, successeur à titre particulier.
Opp. ayant cause à titre universel, ayant cause universel. **V.a.** légataire à titre particulier, transmission à titre particulier, usufruitier à titre particulier.
Angl. acquirer by particular title, assignee by particular title, particular successor, successor by particular title+.

AYANT CAUSE À TITRE UNIVERSEL

(*Obl.*) Ayant cause qui est appelé à recueillir une quote-part du patrimoine de son auteur, une universalité ou une quote-part d'une universalité de ce patrimoine. « Recueillant l'actif, les ayants cause à titre universel bénéficient de tous les droits qui résultent des conventions passées par leur auteur; en outre, comme ils sont tenus du passif, ils doivent assumer tous les engagements résultant de ces conventions » (Weill et Terré, *Obligations*, n° 507, p. 529).
Rem. **1°** L'ayant cause à titre universel continue la personne de son auteur. Il recueille une fraction des biens de la succession de celui-ci; il est tenu, dans la même proportion, de ses dettes. **2°** Le légataire à titre universel (art. 873 C. civ.) est un ayant cause à titre universel. **3°** Souvent, les auteurs ne font qu'une catégorie comprenant en même temps l'ayant cause universel et l'ayant cause à titre universel et la désignent du nom d'*ayant cause à titre universel*. **4°** L'ayant cause à titre universel est parfois appelé *héritier* ou *représentant légal* (art. 1028, 1030 C. civ.).
Syn. ayant droit à titre universel, successeur à titre universel. **Opp.** ayant cause à titre particulier, ayant cause universel.

V.a. légataire à titre universel, transmission à titre universel, usufruitier à titre universel. **F.f.** représentant légal[2].
Angl. assignee by general title, legal representative[2], successor by general title+.

AYANT CAUSE PARTICULIER

(*Obl.*) Syn. ayant cause à titre particulier. « *L'ayant cause particulier ne saurait bénéficier ni souffrir d'obligations étrangères au droit qui lui a été transmis* » (Mazeaud et Chabas, *Leçons*, t. 2, vol. 1, n° 752, p. 881).
Angl. acquirer by particular title, assignee by particular title, particular successor, successor by particular title+.

AYANT CAUSE UNIVERSEL

(*Obl.*) Ayant cause qui est appelé à recueillir la totalité du patrimoine de son auteur. « [...] les contrats conclus par le défunt ... avant qu'il ne décède se trouvent dans son patrimoine lors de son décès et, par voie de conséquence, dans le patrimoine de l'ayant cause universel, son successeur » (Pineau et Burman, *Obligations*, n° 204, p. 285).
Rem. **1°** L'ayant cause universel continue la personne de son auteur et recueille l'actif et le passif du patrimoine de celui-ci. Il succède donc aux créances et aux dettes du défunt. **2°** L'héritier légal et le légataire universel (art. 873 C. civ.) sont des ayants cause universels. **3°** L'ayant cause universel reçoit parfois le nom d'*héritier* ou de *représentant légal* (art. 1028, 1030 C. civ.).
Syn. ayant droit universel, successeur universel. **Opp.** ayant cause à titre particulier, ayant cause à titre universel. **V.a.** légataire universel, transmission universelle, usufruitier universel. **F.f.** représentant légal[2].
Angl. assignee by universal title, legal representative[2], successor by universal title, universal successor+.

AYANT DROIT *n.*

(*Obl.*) Syn. ayant cause. « La transmission de droit qu'implique la notion d'ayant droit résulte, tantôt de la loi [...] tantôt d'un acte juridique [...] » (Decottignies, *Rép. droit civ.*, v° Ayant cause, n° 1).
Occ. Art. 441*n* C. civ.
Rem. Le pluriel s'écrit *ayants droit.*
Angl. successor.

AYANT DROIT À TITRE PARTICULIER

(*Obl.*) Syn. ayant cause à titre particulier.
Occ. Art. 441*n* C. civ.
Opp. ayant droit à titre universel, ayant droit universel.
Angl. acquirer by particular title, assignee by particular title, particular successor, successor by particular title+.

AYANT DROIT À TITRE UNIVERSEL

(*Obl.*) Syn. ayant cause à titre universel.
Occ. Art. 441*n* C. civ.
Opp. ayant droit à titre particulier, ayant droit universel.
Angl. assignee by general title, legal representative[2], successor by general title+.

AYANT DROIT UNIVERSEL

(*Obl.*) Syn. ayant cause universel. « Cette disposition nouvelle [art. 73, L. V, *Projet de Code civil*] inspirée des articles 1028 et 1030 C.C. confirme le principe admis, selon lequel les ayants droit universels et à titre universel sont liés par les contrats faits par leur auteur, parce qu'ils continuent la personnalité juridique de celui-ci, à la différence des ayants droit à titre particulier » (O.R.C.C., *Commentaires*, t. 2, p. 624).
Opp. ayant droit à titre particulier, ayant droit à titre universel.
Angl. assignee by universal title, legal representative[2], successor by universal title, universal successor+.

B

BAIL *n.m.*

A. (*Obl.*) Contrat par lequel une personne, le *locateur* ou *bailleur*, consent, moyennant une rémunération appelée *loyer*, à procurer à une autre, le *locataire* ou *preneur*, la jouissance d'une chose pendant un certain temps. « Le mot *bail* vient du verbe *bailler*, qui est un vieux mot de la langue, ayant un sens vague, pour dire "donner, laisser". Il s'employait aussi bien à propos d'actes d'aliénation définitive (bail à rente, bail à cens, etc.) que pour de simples locations temporaires. Depuis la Révolution, il s'est restreint dans l'usage au louage proprement dit et ne s'emploie plus pour des actes translatifs de propriété [...] » (Ripert et Boulanger, *Traité*, t. 3, n° 1650, note 1, p. 546). *Donner à bail, prendre à bail.*
Occ. Art. 1607 C. civ.
Rem. Pour les meubles, on emploie plutôt le terme *contrat de location.*
Syn. contrat de bail, contrat de location, location, louage de choses. **V.a.** cession de bail, crédit-bail, preneur à bail.
Angl. contract of lease and hire, hire, lease[A+], lease of things.

B. (*Obl.*) Écrit constatant ce contrat. « Le bail est-il en forme authentique, en principe tout le loyer échu et à échoir est privilégié » (Mignault, *Droit civil*, t. 9, p. 45).
Occ. Art. 1651.3, 2005 C. civ.
Angl. lease[B].

BAIL À CONSTRUCTION

(*Biens*) Bail par lequel le locateur d'un immeuble permet au locataire d'y élever des constructions dont ce dernier, en vertu du droit de superficie résultant du bail, sera propriétaire. « La plupart du temps, par le bail à construction, le locateur cherche à faire un investissement et le locataire, soit à obtenir le droit d'utiliser un terrain pour la construction projetée, soit à financer une construction » (Jobin, *Louage*, n° 26, p. 87).
Rem. Ce terme, qui n'apparaît pas dans les textes législatifs actuels, est employé aux art. 1154 et 1155 C. civ. Q. (L.Q. 1987, chap. 18, art. 1 n.e.v.), repris aux art. 1111 et 1112 du Projet de loi 125.
Angl. construction lease.

BAIL À RENTE

(*Obl.*) Contrat par lequel une personne, le *bailleur*, cède à une autre, le *preneur*, la propriété d'un immeuble moyennant une rente que l'acquéreur s'oblige de lui payer. « De nos jours, [...] bien que le code l'ait conservé [...] le bail à rente est à peu près inconnu dans la pratique » (Mignault, *Droit civil*, t. 7, p. 211).
Occ. Art. 1593 C. civ.
V.a. rente foncière.
Angl. alienation for rent.

BAIL ÉCRIT

(*Obl.*) Bail[A] constaté dans un écrit. « *Bail écrit et bail verbal.* Lorsque le contrat de bail a été constaté *dans un écrit*, c'est cet écrit qui servira d'instrument de preuve » (Mazeaud et Chabas, *Leçons*, t. 3, vol. 2, 2e part., n° 1101, p. 429).

Occ. Art. 1651.1 C. civ.
Syn. location écrite. **Opp.** bail verbal.
Angl. written lease.

BAIL EMPHYTÉOTIQUE

(*Biens*) Bail de longue durée — entre neuf et quatre-vingt-dix-neuf ans — par lequel le preneur ou emphytéote acquiert un droit réel immobilier, l'*emphytéose*, moyennant le paiement d'une redevance annuelle, appelée *rente emphytéotique* ou *canon*^{2}, et l'engagement de faire des améliorations. « Le bail emphytéotique [...] est essentiellement temporaire. Les parties, en le constituant, ne peuvent pas stipuler qu'il pourra se renouveler automatiquement » (Martineau, *Biens*, p. 170).
Occ. Art. 567 C. civ.
Rem. Le bail emphytéotique emporte aliénation, en ce sens que le preneur jouit, pendant la durée de l'emphytéose, de tous les droits d'un propriétaire (art. 569 C. civ.). Il ne peut toutefois pas, contrairement au propriétaire, détruire ou détériorer l'objet de son droit, puisqu'il doit le remettre à la fin de l'emphytéose (art. 578 C. civ.).
Syn. emphytéose^{1}, louage emphytéotique.
V.a. rente emphytéotique.
Angl. contract of emphyteusis, contract of emphyteutic lease, emphyteusis^{1}, emphyteutic lease^{+}.

BAIL IMMOBILIER

(*Obl.*) Bail relatif à un immeuble.
Occ. Titre précédant l'art. 1634 C. civ.
Opp. bail mobilier.
Angl. lease of an immoveable.

BAILLER À EMPHYTÉOSE *loc.verb.*

(*Biens*) Donner à bail emphytéotique.
Occ. Art. 571 C. civ.

BAILLEUR, ERESSE *n.*

(*Obl.*) Syn. locateur^{1}. « Le bail [...] a pour objet non pas de transférer un droit réel au preneur [...] mais d'obliger le bailleur à le *faire jouir* de la chose » (Mignault, *Droit civil*, t. 7, p. 233).
Rem. Bien que d'un usage peu fréquent au Québec, ce terme s'emploie en matière de baux d'immeubles. Le Code civil l'utilise exclusivement à propos du bail emphytéotique (art. 573 C. civ.).
Opp. preneur.
Angl. emphyteutic lessor(<)$^{+}$, landlord(<)$^{+}$, lessor^{1+}.

BAILLEUR PRINCIPAL

(*Obl.*) Syn. locateur principal. « Dans les rapports entre locataire principal et sous-locataire, les droits et les obligations des parties sont ceux résultant d'un contrat de bail : le bailleur principal est tenu d'assurer au preneur la jouissance des lieux; le sous-locataire est débiteur du loyer [...] » (Planiol et Ripert, *Traité*, t. 10, n° 558, p. 782-783).
Angl. original lessor, principal lessor^{+}.

BAIL MOBILIER

(*Obl.*) Bail relatif à un meuble.
Opp. bail immobilier.
Angl. lease of a moveable.

BAIL PAR TACITE RECONDUCTION

(*Obl.*) Bail immobilier renouvelé par tacite reconduction.
Rem. Voir l'art. 1641 C. civ.
Angl. lease by tacit renewal.

BAIL PAR TOLÉRANCE

(*Obl.*) Bail que la loi présume lorsqu'une personne occupe un immeuble avec la permission au moins tacite du propriétaire, sans qu'aucune convention n'ait été conclue entre eux. « Dans le cas du bail par tolérance, l'occupation fait présumer le bail obligeant ainsi le locataire à subir la contrepartie qui est le loyer correspondant à la valeur locative » (*Zieba* c. *Beauchemin*, [1980] C.S. 1104, p. 1106, j. G. Turmel).

Occ. Art. 1233 par. 3 C. civ.
Rem. Voir l'art. 1634 C. civ.
Syn. bail présumé.
Angl. lease by sufferance+, presumed lease.

BAIL PRÉSUMÉ

(*Obl.*) *Vieilli.* Syn. bail par tolérance. « Le bail présumé dont il est question à [l'ancien] article 1608 C. c. [art. 1634 C. civ.] se forme par le seul effet de la loi. Il ne se présume que dans le cas de l'occupation de biens fonds » (Faribault, dans *Traité,* t. 12, p. 63).
Occ. Anc. art. 1657 C. civ. (1957-1973).
Rem. L'expression n'est plus en usage.
Angl. lease by sufferance+, presumed lease.

BAIL PRIMITIF

(*Obl.*) Syn. bail principal. « En cas de cession de bail [...] le cessionnaire est tenu d'exécuter les obligations du bail primitif [...] » (Planiol et Ripert, *Traité,* t. 10, n° 558, p. 783).
Angl. original lease, principal lease+.

BAIL PRINCIPAL

(*Obl.*) Bail d'une chose, par opposition à sa sous-location par le locataire principal. « [...] les obligations des parties sont celles fixées par la sous-location et peuvent différer des obligations contenues dans le bail principal [...] » (Planiol et Ripert, *Traité,* t. 10, n° 558, p. 783).
Rem. Ce terme ne se rencontre que dans le contexte de la sous-location; le locateur et le locataire sont alors généralement qualifiés de *principaux* ou encore de *primitifs.*
Syn. bail primitif.
Angl. original lease, principal lease+.

BAIL VERBAL

(*Obl.*) Bail[A] qui n'est pas constaté par écrit. « Lorsqu'un bail verbal a été admis par les parties au contrat, son existence ne peut être mise en doute par un tiers, sauf s'il allègue fraude ou collusion » (Faribault, dans *Traité,* t. 12, p. 63).
Occ. Art. 1651.1 C. civ.
Syn. location verbale. **Opp.** bail écrit.
Angl. oral lease, verbal lease+.

BARREAU *n.m.*

1. Profession d'avocat. *École du barreau; se destiner au barreau, être admis au barreau.*
Rem. Cette appellation vient du fait que, dans les salles d'audience, l'enceinte où plaident les avocats est traditionnellement clôturée par une barrière.
V.a. notariat[1].
Angl. Bar[1].

2. Corps professionnel formé de l'ensemble des avocats d'un territoire donné. Par ex., le Barreau du Québec, le Barreau de Montréal. « L'incertitude des lois, les tâtonnements d'une profession naissante, le caractère des juges insuffisamment préparés à leur tâche, voilà autant de causes des conflits qui marquèrent l'avènement du barreau au pays » (Nantel, (1946) 6 *R. du B.* 97, p. 101).
Occ. Art. 1056*b*, 1732 C. civ; art. 1 par. a, *Loi sur le Barreau,* L.R.Q., chap. B-1.
Rem. **1°** Au Québec, le barreau constitue une corporation professionnelle appelée *Barreau du Québec.* **2°** Le Barreau du Québec est régi par le *Code des professions* (L.R.Q., chap. C-26) et par la *Loi sur le Barreau* (L.R.Q., chap. B-1). **3°** Le Barreau du Québec est divisé en sections regroupant l'ensemble des avocats exerçant dans un territoire donné (art. 5, *Loi sur le Barreau,* L.R.Q., chap. B-1). **4°** Chaque avocat est obligatoirement rattaché à une section; il peut cependant plaider devant toute juridiction québécoise, de même que devant la Cour fédérale et la Cour suprême du Canada. **5°** Au Québec, le barreau inclut également les conseillers en loi. **6°** Le Barreau est présidé par le bâtonnier.

Syn. ordre des avocats. **V.a.** chambre des notaires.
Angl. Bar[2]+, Order of advocates.

BÂTIMENT *n.m.*

(*Biens*) Construction immobilière servant à mettre des personnes, des animaux ou des choses à l'abri. « [...] le critère de l'immobilisation par nature est satisfait quand un ouvrage [...] adhère à un immeuble par nature, fonds de terre ou bâtiment, et qu'il acquiert par là une assiette fixe » (*Cablevision* c. *Sous-ministre du revenu du Québec*, [1978] 2 R.C.S. 64, p. 73, j. J. Beetz).
Occ. Art. 376 C. civ.
Rem. La jurisprudence a considérablement étendu la notion de bâtiment pour y inclure toute structure incorporée au sol, tels les ponts, les canalisations souterraines, les antennes, les réseaux d'éclairage électrique et les réseaux de diffusion par câble (voir *Cablevision* c. *Sous-ministre du revenu du Québec*, [1978] 2 R.C.S. 64).
Syn. bâtisse. **V.a.** édifice, ouvrage[2], responsabilité du fait des bâtiments.
Angl. building.

BÂTISSE *n.f.*

(*Biens*) Syn. bâtiment.
Occ. Art. 1683 C. civ.
Angl. building.

BÂTONNIER, IÈRE *n.*

Président du barreau[2]. Par ex., le bâtonnier du Québec. « [...] là où l'ancienne loi ne donnait au bâtonnier de la province qu'une préséance d'honneur, la refonte reconnaît au bâtonnier du Québec son véritable rôle de chef de l'Ordre, d'où découle normalement un droit de surveillance générale sur les affaires du Barreau » (Deschênes, (1968) 28 *R. du B.* 417, p. 432).
Occ. Art. 11, 12, *Loi sur le Barreau*, L.R.Q., chap. B-1.
Rem. **1°** Le Barreau du Québec, de même que chacune de ses sections, est présidé par un bâtonnier. **2°** Le bâtonnier a pour mission, notamment, de représenter l'ordre des avocats, de présider les principales instances du Barreau, de surveiller ses activités et de concilier les différends d'ordre professionnel entre ses membres. **3°** L'avocat ayant occupé la fonction de bâtonnier du Québec conserve son titre tant qu'il reste membre du Barreau. **4°** De *bâton*. Au Moyen Âge, le bâtonnier portait, lors des processions, la bannière de Saint-Nicolas qui était alors le patron de la confrérie des avocats.
Angl. batonnier.

BÉNÉFICE DE CESSION D'ACTIONS

(*Obl.* et *Sûr.*) Syn. bénéfice de subrogation. « *Le bénéfice de cession d'actions appartient à toute caution, personnelle ou réelle, même à une caution solidaire*, car toute caution est en droit de compter sur sa subrogation dans les droits du créancier pour exercer son recours contre le débiteur principal [...] » (Mazeaud et Chabas, *Leçons*, t. 3, vol. 1, n° 40, p. 40).
Angl. benefit of subrogation.

BÉNÉFICE DE DISCUSSION

(*Obl.* et *Sûr.*) Droit[2] que la loi accorde à la caution ou au tiers-détenteur d'exiger du créancier qui les poursuit qu'il procède d'abord à la saisie et à la vente des biens du débiteur principal. « À l'échéance de la dette, le créancier n'est pas obligé de poursuivre d'abord le débiteur principal [...]. Il a le droit de s'adresser directement à la caution. Mais la loi permet à celle-ci d'arrêter le poursuivant en lui opposant le *bénéfice de discussion*, et, par là, de le contraindre à s'adresser d'abord au débiteur [...] » (Weill, *Sûretés*, n° 26, p. 32).
Occ. Art. 1941 C. civ.
Rem. **1°** Voir les art. 1941 à 1944 C. civ. **2°** L'exercice du bénéfice de discussion suspend la procédure engagée contre la caution ou le tiers-détenteur; celle-ci reprend son cours si la vente des biens du débiteur ne suffit pas à éteindre la dette.

Syn. droit de discussion. **V.a.** bien litigieux[2], exception de discussion.
Angl. benefit of discussion+, right of discussion.

BÉNÉFICE DE DIVISION

(*Obl.* et *Sûr.*) Droit[2] que la loi accorde à celle de plusieurs cautions qui est poursuivie pour la totalité de la dette d'exiger que le créancier divise son action et réduise sa poursuite contre elle, à concurrence de sa part de la dette. « Il n'importe pas d'ailleurs à quelle époque les cautions se sont engagées; une personne, qui était seule caution lors de son engagement, pourra exiger le bénéfice de division si d'autres personnes sont venues cautionner la même dette et le même débiteur » (Mignault, *Droit civil*, t. 8, p. 357).
Occ. Art. 1946, 2585 C. civ.
Rem. L'art. 1107 C. civ. précise que le bénéfice de division n'est pas reconnu au débiteur solidaire.
Angl. benefit of division.

BÉNÉFICE DE SUBROGATION

(*Obl.* et *Sûr.*) Droit[2] que la loi accorde à la caution ou au tiers détenteur de faire rejeter l'action du créancier qui, par son fait, a rendu impossible la subrogation dans ses droits et recours. « La libération de la caution ne joue pas de plein droit : la loi dit seulement qu'elle peut demander sa décharge. C'est alors à elle de prouver l'existence des conditions du bénéfice de subrogation » (Planiol et Ripert, *Traité*, t. 11, n° 1562, p. 1009).
Rem. Voir les art. 1156, 1959, 2070, 2071 C. civ.
Syn. bénéfice de cession d'actions.
V.a. exception de subrogation, subrogation personnelle.
Angl. benefit of subrogation.

BÉNÉFICIAIRE *n.*

V. tiers bénéficiaire.
Angl. beneficiary.

BÉNÉFICIAIRE D'UNE PROMESSE

(*Obl.*) Personne à qui une promesse est faite. « [...] l'auteur d'une promesse unilatérale de contrat est engagé envers le bénéficiaire de la promesse » (Mazeaud et Chabas, *Leçons*, t. 2, vol. 1, n° 135-2, p. 122).
Opp. promettant[1]. **V.a.** destinataire[1].
Angl. beneficiary of a promise, promisee+.

BIEN *n.m.*

1. (*Biens*) Syn. droit patrimonial. « Nous avons quelque scrupule à parler encore de *biens corporels*. [...] en réalité, tous les biens s'analysent [...] en des *droits*, donc en une notion incorporelle » (Savatier, *Rev. trim. dr. civ.* 1958 1, n° 1, p. 2).
Occ. Art. 374 C. civ.
Rem. Traditionnellement, les auteurs enseignaient que les biens se composent de choses — objets matériels — et de droits. La doctrine contemporaine estime que le droit objectif s'intéresse non aux choses en elles-mêmes, mais plutôt au droit de propriété qui porte sur elles. Désormais, les biens sont analysés comme des droits uniquement.
V.a. patrimoine, universalité.
Angl. incorporeal property, incorporeal thing, patrimonial right+, property[1].

2. (*Biens*) Chose[1] susceptible d'appropriation. « C'est par un raccourci, par une élision, que, dans un patrimoine, on compte comme des biens une maison ou un bijou, car le patrimoine ne comprend à l'analyse, que des biens incorporels, des droits » (Savatier, *Rev. trim. dr. civ.* 1958 1, n° 1, p. 2).
Occ. Art. 401 C. civ.
Syn. bien corporel, chose corporelle.
V.a. tutelle aux biens.
Angl. corporeal property, corporeal thing, property[2]+.

BIEN À VENIR

(*Biens*) Bien[1] pris en considération par rapport à un patrimoine à un moment où il

n'en fait pas encore partie. Par ex., les futurs époux peuvent disposer dans un contrat de mariage de leurs biens à venir. « Le patrimoine apparaît, en somme, comme une enveloppe ouverte. Il se caractérise par sa vocation à recevoir les biens futurs, lesquels viennent se fondre dans cet ensemble, tandis que d'autres biens (aliénés ou perdus) peuvent en être sortis : le patrimoine est l'ensemble des biens présents et à venir d'une personne [...] » (Cornu, *Introduction*, n° 55, p. 30). *Biens présents et à venir.*
Occ. Art. 819, 1980 C. civ.
Rem. **1°** Ne pas confondre avec chose future. **2°** Ce terme s'emploie généralement au pluriel.
Syn. bien futur. **Opp.** bien présent.
Angl. future property.

BIEN CONSOMPTIBLE

(*Biens*) Bien[2] qui est détruit ou aliéné par le premier usage qui en est fait.
Syn. chose consomptible. **Opp.** bien non consomptible. **V.a.** chose de genre.
Angl. consumable property+, consumable thing.

BIEN CORPOREL

(*Biens*) Syn. bien[2]. « Les biens corporels sont des choses qui peuvent être touchées [...] qui tombent sous les sens, c'est-à-dire les choses envisagées comme objets de droit [...] » (Weill, Terré et Simler, *Biens*, note 2, p. 3).
Occ. Art. 374 C. civ.
Opp. bien incorporel.
Angl. corporeal property, corporeal thing, property[2]+.

BIENFAISANCE *n.f.*

(*Obl.*) V. contrat de bienfaisance.

BIEN-FONDÉ *n.m.*

(*D. jud.*) Conformité au droit[1], à propos d'une prétention. « L'action est le droit, pour l'auteur d'une prétention, d'être entendu sur le fond de celle-ci afin que le juge la dise bien ou mal fondée. Pour l'adversaire, l'action est le droit de discuter le bien-fondé de cette prétention » (art. 30 C. proc. civ. fr.).
Occ. Art. 962 par. *d* C. proc. civ.
Syn. mérite[2].
Angl. merit[2].

BIEN-FONDS *n.m.*

(*Biens*) Syn. fonds.
Occ. Art. 389 C. civ.
Angl. land+, realty(x).

BIEN FONGIBLE

(*Biens*) Syn. chose de genre. « On divise par ailleurs les biens en biens fongibles et non fongibles, les premiers étant interchangeables, tels l'argent, le vin, le blé, les marchandises en général parce qu'elles ne sont déterminées que dans leur genre [...] » (Baudouin, *Droit civil*, p. 350).
Opp. bien non fongible.
Angl. fungible, fungible thing, generic thing+, indeterminate thing.

BIEN FUTUR

(*Biens*) Syn. bien à venir. « [...] la donation de biens futurs est la donation qui porte sur les biens que le donateur laissera à son décès ou la donation dont l'effet, dans l'intention du donateur, dépend de l'acquisition que ce dernier sera libre de faire d'un bien » (Bohémier, (1964-1965) 67 *R. du N.* 229, 285, p. 287).
Occ. Anc. art. 1257 C. civ. (1866-1981).
Angl. future property.

BIEN INCORPOREL

(*Biens*) Syn. droit patrimonial. « Les *droits* sont des biens incorporels, lors même qu'ils porteraient sur des biens corporels » (Carbonnier, *Droit civil*, t. 3, n° 18, p. 83-84).
Occ. Art. 374 C. civ.

Rem. Les biens incorporels comprennent également les actions en justice.
Opp. bien corporel.
Angl. incorporeal property, incorporeal thing, patrimonial right+, property[1].

BIEN LITIGIEUX

1. Bien qui fait l'objet d'un litige.
Angl. litigious property[1].

2. (*Obl.* et *Sûr.*) Bien dont la saisie est impossible, inutile ou aléatoire. « La notion de "biens litigieux" ne doit pas être comprise seulement dans le sens [...] de biens faisant actuellement l'objet d'un litige. [O]n s'accorde à considérer comme litigieux tout bien dont la réalisation serait inutile [...] ou seulement aléatoire ou difficile [...] » (Weill, *Sûretés*, n° 28, note 1, p. 34).
Occ. Art. 1943 C. civ.
Rem. **1°** La saisie est impossible dans le cas des biens insaisissables. Elle est aléatoire dans le cas de biens dont le droit de propriété est contesté ou susceptible de l'être par action en nullité ou en résolution. Elle est inutile dans le cas de biens grevés au profit de tiers, d'hypothèques ou de privilèges de rang préférable. **2°** L'expression se rencontre au Code civil à propos des conditions d'exercice du bénéfice de discussion.
Angl. litigious property[2].

BIEN MEUBLE

(*Biens*) Syn. meuble[1]. « Un bien meuble ne devient pas immeuble par nature du seul fait qu'il soit indispensable à la destination du bâtiment où il est installé [...] » (*Saint-Laurent (Cité de)* c. *Commission hydro-électrique de Québec*, [1978] 2 R.C.S. 529, p. 543, j. Y. Pratte).
Occ. Art. 397 C. civ.
Angl. moveable[1]+, moveable effect, moveable object, moveable thing.

BIEN NON CONSOMPTIBLE

(*Biens*) Bien[2] qui ne peut être détruit ou aliéné par l'usage qui en est fait. « Aux biens consomptibles s'opposent ceux dont on peut se servir sans les détruire, ni les aliéner (un véhicule, une maison). Ces biens sont dits non consomptibles (bien qu'ils soient exposés à l'usure progressive des choses et même si ce sont, sous un autre rapport, des biens de consommation [...]) » (Cornu, *Introduction*, n° 942, p. 302).
Syn. chose non consomptible. **Opp.** bien consomptible.
Angl. non-consumable property+, non-consumable thing.

BIEN NON FONGIBLE

(*Biens*) Syn. chose certaine et déterminée. « Les biens non fongibles sont ceux que l'on considère dans leur individualité et qui ne sauraient, partant, être remplacés les uns par les autres » (Carbonnier, *Droit civil*, t. 3, n° 20, p. 88).
Opp. bien fongible.
Angl. certain and determinate thing, certain specific thing, individualized thing, non-fungible property, non-fungible thing, thing certain and determinate+.

BIEN PRÉSENT

(*Biens*) Bien[1] considéré en tant qu'élément actuel du patrimoine. « [...] le patrimoine d'une personne comprend non seulement la totalité des droits qu'elle possède à un moment donné (ses *biens présents*), mais l'ensemble de ses *biens à venir* » (Cornu, *Introduction*, n° 55, p. 30). *Biens présents et à venir.*
Occ. Art. 1980 C. civ.
Rem. **1°** L'ensemble des biens présents constitue l'actif du patrimoine. **2°** Le terme s'emploie généralement au pluriel.
Opp. bien à venir.
Angl. present property.

BIEN SANS MAÎTRE

(*Biens*) Bien meuble susceptible d'appropriation, qui n'a pas de propriétaire actuel. « L'État devient propriétaire de certains biens

sans maître par l'effet d'un *droit régalien* étranger aux règles de l'acquisition des droits réels par l'effet de la possession » (Mazeaud et Chabas, *Leçons*, t. 2, vol. 2, n° 1586-2, p. 275).
Occ. Art. 401 C. civ.
Rem. **1°** On distingue, parmi les biens sans maître, ceux qui n'ont jamais eu de propriétaire, par ex., le gibier, et ceux que leur propriétaire a abandonnés. **2°** On s'approprie un bien sans maître par l'occupation.
Syn. bien vacant, chose sans maître, chose vacante, *res nullius*. **V.a.** chose abandonnée, chose commune, épave.
Angl. *res nullius*⁺, thing without an owner.

BIEN VACANT

(*Biens*) Syn. bien sans maître. « Les biens vacants et sans maître [signifient] les biens dont le propriétaire est ignoré et qui sont réputés n'appartenir à personne » (Demolombe, *Cours*, vol. 9, n° 458 bis, A).
Occ. Art. 347.3, 401 C. civ.
Angl. *res nullius*⁺, thing without an owner.

BILATÉRAL, ALE *adj.*

(*Obl.*) V. acte bilatéral, contrat bilatéral, promesse bilatérale de contrat, résiliation bilatérale.

BILLET *n.m.*

(*D. comm.*) Effet de commerce par lequel une personne, le *souscripteur*, s'engage à payer, sur demande ou à une date déterminée ou déterminable, une somme d'argent à une autre personne, le *bénéficiaire*, ou à l'ordre de celle-ci, ou au *porteur*. « À première vue, on note deux différences essentielles entre, d'une part, la lettre de change et le chèque et, d'autre part, le billet. Dans le premier cas, au moment de la création de l'effet de commerce, il y a trois parties contractantes et le document renferme un ordre de payer; dans le second cas, il n'y a que deux parties contractantes et l'effet comporte une promesse de payer. Malgré ces différences capitales, il existe néanmoins une grande similitude entre la lettre de change (ou le chèque) et le billet » (Bohémier et Côté, *Droit commercial*, t. 2, p. 220).
Occ. Art. 1573, 1834*b* C. civ.; art. 176, 177, 180, *Loi sur les lettres de change*, L.R.C. 1985, chap. B-4.
Syn. billet à ordre. **V.a.** chèque, lettre de change. **F.f.** billet promissoire.
Angl. note, promissory note⁺.

BILLET À ORDRE

(*D. comm.*) Syn. billet. « [...] le billet [...] peut être payable à une personne désignée ou à son ordre ou au porteur. [...] Il est, par conséquent, inexact d'intituler les arts. 176 à 187 de [la *Loi sur les lettres de change*] "billets à ordre", ces articles régissant aussi bien les billets au porteur [...] que les billets à ordre » (Perrault, *Droit commercial*, t. 3, n° 799, p. 1064).
Occ. Anc. art. 176, 178, *Loi sur les lettres de change*, S.R.C. 1970, chap. B-5.
Rem. L'expression ne se retrouve plus dans ce sens dans les *Lois révisées du Canada* de 1985.
Angl. note, promissory note⁺.

BILLET PROMISSOIRE

(*D. comm.*) (X) *Angl.* V. billet.
Occ. Art. 2190, 2260 C. civ.
Rem. Cette expression est un calque de l'anglais *promissory note*.
Angl. note, promissory note⁺.

BLANC-SEING *n.m.*

Signature apposée par une personne au bas d'une feuille blanche qu'elle remet à une autre personne en lui confiant le soin d'y inscrire les termes de l'opération convenue entre elles. « La signature peut être donnée d'avance : elle constitue alors un blanc seing parce que le papier qui porte la signature reste en blanc jusqu'à ce que l'écrit qu'il

doit contenir soit rédigé. [...] C'est [...] une marque de grande confiance et souvent une grande imprudence que de donner un blanc seing » (Planiol et Ripert, *Traité*, t. 7, n° 1459, p. 897).
Rem. **1°** Par extension, on donne le nom de *blanc-seing* au document même sur lequel cette signature est apposée. **2°** Du germanique *blank* : non écrit, et du latin *signum* : signe, signature. **3°** La forme *blanc seing*, sans trait d'union, est vieillie. **4°** Au pluriel, on écrit des *blancs-seings*.
Angl. *blanc-seing*, signature in blank+.

BON DOL

(*Obl.*) Fait pour une partie à un contrat d'exagérer quelque peu les qualités ou la valeur de la chose qu'elle offre. « Certaines manoeuvres ne seront pas considérées comme dolosives lorsqu'elles sont, à tort ou à raison, acceptées par les usages [...] Ce genre de dol est toléré par les usages : on l'appelle *dolus bonus* (le bon dol) par opposition au *dolus malus* (le mauvais dol) » (Starck, Roland et Boyer, *Obligations*, t. 2, n° 438, p. 152).
Rem. Contrairement au dol[1], le bon dol n'est pas une cause de nullité du contrat (voir *Lortie* c. *Bouchard*, [1952] 1 R.C.S. 508).
Syn. *dolus bonus.*
Angl. *dolus bonus.*

BONNE FOI

1. Loyauté, spécialement dans la conclusion et l'exécution des contrats. « Il n'y a aucune espèce de convention, où il ne soit sous-entendu que l'un doit à l'autre la bonne foi, avec tous les effets que l'équité peut y demander, tant en la manière de s'exprimer dans la convention, que pour l'exécution de ce qui est convenu, et de toutes les suites » (Domat, *Lois civiles*, p. 26).
Opp. mauvaise foi[1].
Angl. good faith[1].

2. Croyance erronée qu'on agit conformément au droit[1]. Par ex., la bonne foi du possesseur en ce qui concerne les améliorations qu'il a faites sur le fonds d'autrui (art. 417 C. civ.); la bonne foi d'un conjoint qui ignore la cause de nullité de son mariage (art. 432 C. civ. Q.). « La raison de l'indemnité que l'on accorde au possesseur de bonne foi pour les améliorations utiles qu'il a faites au fonds, est toute d'équité » (Mignault, *Droit civil*, t. 2, p. 498).
Occ. Art. 1027, 2202 C. civ.
Opp. mauvaise foi[2]. **V.a.** possession de bonne foi.
Angl. good faith[2].

BONNES MŒURS

Ensemble de règles morales qui, jugées essentielles à la sauvegarde des institutions d'une société, s'imposent dans les relations juridiques. « [...] la notion de *bonnes mœurs* [...] exprime l'aspect moral de l'ordre public, c'est-à-dire les règles morales dont l'intérêt de la société impose le respect aux volontés individuelles » (Ghestin, *Contrat*, n° 93, p. 86).
Occ. Art. 13, 760, 831, 990, 1062, 2610 C. civ.
Rem. **1°** Les bonnes mœurs se présentent sous la forme d'un concept à contenu variable, donc susceptible de se modifier dans le temps et dans l'espace. **2°** Les bonnes mœurs constituent un aspect de l'ordre public; elles s'en distinguent, toutefois, par la spécifité de leur objet : assurer la moralité des actes juridiques, et par leur sanction : les actes juridiques jugés immoraux dans leur objet ou dans leur cause sont, en principe, nuls de nullité absolue et ne peuvent donner lieu à la restitution des prestations accomplies. **3°** Les bonnes mœurs s'expriment souvent par voie de maximes, par ex. *fraus omnia corrumpit* (la fraude corrompt tout).
V.a. ordre public.
Angl. good morals.

BON PÈRE DE FAMILLE

(*Obl.*) Syn. personne raisonnable. « [...] il convient de rappeler que "le bon père de

famille" n'est pas l'homme qui prévoit toujours tous les obstacles susceptibles de se dresser entre lui et l'accomplissement de son devoir, et qui ne manque jamais d'être en état de les vaincre; c'est celui dont la prudence est à la mesure de la probabilité et de la gravité des risques normalement prévisibles et qui, pour empêcher que ceux-ci ne se réalisent, prend les mesures qu'il est raisonnable d'adopter dans les circonstances, eu égard aux difficultés que leur adoption peut présenter et à l'importance de l'intérêt qu'il a à sauvegarder » (*Ouellette Motors Sales* c. *Standard Tobacco*, [1960] B.R. 367, p. 370, j. G. Pratte).
Occ. Art. 1064 C. civ.
Angl. *bon père de famille*, *bonus pater familias*, prudent administrator(<)[+], reasonable person[+].

BONUS PATER FAMILIAS

loc.nom.m. (latin)

(*Obl.*) Syn. personne raisonnable. « Aucun partisan de l'appréciation in abstracto n'a songé à ne tenir aucun compte des éléments concrets. Que signifierait un type de comparaison, purement abstrait : *bonus pater familias*, homme prudent, homme normal, homme avisé? Pour juger la conduite d'un médecin ou d'un automobiliste, c'est à la conduite d'un autre médecin ou d'un autre automobiliste qu'il faut nécessairement la comparer » (Mazeaud et Chabas, *Leçons*, t. 2, vol. 1, n° 449, p. 447).
Angl. *bon père de famille*, *bonus pater familias*, prudent administrator(<)[+], reasonable person[+].

BORNAGE *n.m.*

(*Biens*) Opération juridique qui a pour objet de fixer la ligne séparative de deux fonds contigus. « Le bornage comprend deux phases : fixer la ligne séparative de deux héritages et l'établir au moyen de signes fixes » (Turgeon, (1937-1938) 40 *R. du N.* 433, p. 434).
Occ. Art. 504 C. civ.; art. 762, 765, 769 C. proc. civ.
Rem. Le bornage peut être amiable ou judiciaire.
V.a. abornement, borne.
Angl. determination of boundaries.

BORNE *n.f.*

(*Biens*) Signe matériel servant à indiquer la ligne séparative de fonds contigus. « [...] l'un des critères qui peuvent nous guider dans la recherche des justes bornes d'un héritage [...] est de s'en rapporter à la situation des lieux, à l'organisation que les voisins ont donnée à leur héritage respectif, aux marques externes matérielles qu'on relève, surtout lorsque cet état de choses subsiste de façon ininterrompue depuis un temps immémorial, sans ignorer, à l'occasion, l'intervention de la prescription » (*Jacques* c. *Dallaire*, [1962] B.R. 235, p. 237, j. B. Bissonnette). *Poser des bornes.*
Occ. Art. 762 C. proc. civ.
Syn. pierre-borne, témoin. **V.a.** abornement, bornage.
Angl. boundary-marker[+], boundary-stone.

BORNER *v.tr.*

(*Biens*) Faire le bornage.
V.a. aborner.
Angl. determine boundaries.

BREF *n.m.*

(*D. jud.*) Acte de procédure, délivré sous l'autorité du tribunal, comportant un ordre donné au nom du souverain. « [...] en l'absence de dispositions expresses permettant que l'instance ne débute par un autre acte de procédure que le bref, celui-ci est nécessaire et constitue une exigence essentielle à la recevabilité de l'action » (Barakett, Beausoleil, Ferland et Reid, *Droit judiciaire I*, t. 1, p. 175). *Délivrer un bref.*
Occ. Art. 111, 280 C. proc. civ.
Rem. **1°** Ce terme a été adopté dans la procédure comme équivalent du terme anglais *writ*; c'était lui donner un sens différent de celui qu'il a pu posséder dans l'ancien droit[2],

où il fut employé au sens de document officiel, notamment dans l'expression *lettres de bref*, désignant des lettres de chancellerie qu'il fallait obtenir pour intenter une action. **2°** En procédure civile, les brefs servent soit à convoquer parties (bref d'assignation) ou témoins (bref de *subpoena*) devant le tribunal, soit à mettre en oeuvre des mesures d'exécution. **3°** Sous l'influence de l'anglais *to issue a writ,* on dit souvent *émettre un bref*; la tournure correcte, que l'on trouve dans le Code de procédure civile, par exemple à l'art. 112, est *délivrer un bref.* **4°** Du latin *breve* : liste abrégée.
V.a. déclaration[2].
Angl. writ.

BREF D'ASSIGNATION

(*D. jud.*) Bref par lequel le défendeur est cité à comparaître devant le tribunal. « En pratique, sauf de très rares exceptions (lorsque, par exemple, l'exposé des motifs est très bref), on joint toujours une déclaration au bref d'assignation » (Barakett, Beausoleil, Ferland et Reid, *Droit judiciaire I*, t. 1, p. 176).
Occ. Art. 110 C. proc. civ.
Rem. **1°** Ce terme fut adopté, en procédure civile, comme équivalent du terme anglais *writ of summons.* En France, le nouveau Code de procédure civile emploie le terme *assignation* (art. 55). **2°** Le bref d'assignation est ordinairement l'acte introductif d'instance; parfois, c'est la requête qui constitue l'acte introductif d'instance.
Syn. bref introductif d'instance.
V.a. déclaration[1].
Angl. writ of summons.

BREF *DE BONIS* (latin)

(*D. jud.*) Syn. bref de saisie-exécution mobilière.
Rem. Le terme provient d'une abréviation de bref *fieri facias de bonis.*
Opp. bref *de terris.*
Angl. writ *de bonis*, writ of *fieri facias de bonis*, writ of seizure of moveable property⁺.

BREF DE POSSESSION

(*D. jud.*) Bref d'exécution ordonnant à un officier de justice d'expulser le détenteur[1] d'un immeuble ou d'enlever un bien meuble à son détenteur[1] en vue de le remettre à celui dont le droit a été reconnu en justice. « Pour exécuter un jugement en matière réelle, il faut plutôt un véritable bref de possession en vertu duquel l'officier exécutant a le droit de prendre possession du bien, non pas pour le vendre, mais pour le remettre à celui dont les droits ont été reconnus par le jugement » (Lauzon, *Exécution*, p. 93).
Rem. **1°** Les quelques articles consacrés au sujet (art. 565 à 567 C. proc. civ.) n'emploient pas le terme, mais on le trouvait à l'art. 610 anc. C. proc. civ. (1897-1965). **2°** Depuis la réforme de 1965, ce bref s'emploie tant pour les meubles que pour les immeubles. Avant cette réforme, il ne s'employait qu'en matière immobilière.
V.a. bref d'expulsion.
Angl. writ of possession.

BREF DE SAISIE-ARRÊT

(*D. jud.*) Bref d'exécution ordonnant une saisie-arrêt.
Occ. Art. 625 C. proc. civ.
Angl. writ of seizure by garnishment.

BREF DE SAISIE-EXÉCUTION IMMOBILIÈRE

(*D. jud.*) Bref ordonnant une saisie-exécution immobilière.
Rem. À l'art. 660, le Code de procédure civile l'appelle *bref de saisie immobilière*, mais les art. 663 et 666 emploient le terme générique *bref d'exécution.*
Syn. bref de saisie immobilière, bref *de terris*, bref *fieri facias de terris.* **Opp.** bref de saisie-exécution mobilière.
Angl. writ *de terris*, writ of *fieri facias de terris*, writ of seizure of immoveable property⁺, writ of seizure of immoveables.

BREF DE SAISIE-EXÉCUTION MOBILIÈRE

(*D. jud.*) Bref ordonnant une saisie-exécution mobilière.
Occ. Art. 580 C. proc. civ.
Syn. bref *de bonis*, bref *fieri facias de bonis*. **Opp.** bref de saisie-exécution immobilière.
Angl. writ *de bonis*, writ of *fieri facias de bonis*, writ of seizure of moveable property⁺.

BREF DE SAISIE IMMOBILIÈRE

(*D. jud.*) Syn. bref de saisie-exécution immobilière.
Rem. On trouve ce terme à l'art. 660 C. proc. civ.; par contre, les art. 663 et 666 emploient le terme générique *bref d'exécution*.
Angl. writ *de terris*, writ of *fieri facias de terris*, writ of seizure of immoveable property⁺, writ of seizure of immoveables.

BREF DE *SUBPOENA* (latin)

(*D. jud.*) Bref par lequel il est ordonné à une personne de témoigner en justice ou de participer autrement à l'établissement de la preuve. « La personne qu'une partie désire soumettre à un examen peut être assignée aux frais de cette partie par bref de subpoena pour qu'elle se soumette à un examen médical » (Barakett, Beausoleil, Ferland et Reid, *Droit judiciaire I*, t. 2, p. 319).
Occ. Art. 280, 399 C. proc. civ.
Rem. **1°** L'expression latine, qui signifie « sous peine de ... », constituait les premiers mots de cet acte de procédure. **2°** Jusqu'à la réforme récente de la procédure française, la citation des témoins se faisait par un acte appelé *assignation*, terme qui remonte à l'ancienne procédure (Pothier, *Oeuvres*, t. 10, n° 176, p. 81). Dans le nouveau Code français de procédure civile, la citation des témoins s'appelle *convocation*, l'assignation étant réservée à l'acte d'huissier qui est introductif d'instance.
Syn. *subpoena*. **V.a.** assignation[1].
Angl. *subpoena*, writ of *subpoena*⁺.

BREF DE *SUBPOENA DUCES TECUM* (latin)

(*D. jud.*) Bref de *subpoena* donnant ordre au témoin de produire un document ou un objet quelconque. « S'il s'agit d'un objet et non d'un document ou d'un écrit [...], il faudra présenter une requête avant de faire signifier le bref de *subpoena duces tecum* » (Anctil, *Commentaires*, vol. 1, p. 459-460).
Rem. Le Code de procédure civile n'emploie pas ce terme; à l'art. 397, il parle simplement d'*assignation*, en précisant le but de celle-ci.
Syn. *duces tecum*, *subpoena duces tecum*.
Angl. *duces tecum*, *subpoena duces tecum*, writ of *subpoena duces tecum*⁺.

BREF *DE TERRIS* (latin)

(*D. jud.*) Syn. bref de saisie-exécution immobilière.
Rem. Le terme provient d'une abréviation de bref *fieri facias de terris*.
Opp. bref *de bonis*.
Angl. writ *de terris*, writ of *fieri facias de terris*, writ of seizure of immoveable property⁺, writ of seizure of immoveables.

BREF DE *VENDITIONI EXPONAS* (latin)

(*D. jud.*) Bref ordonnant la vente des biens saisis, délivré dans le cas de la perte ou de la destruction du bref en vertu duquel a été pratiquée la saisie.
Rem. **1°** Voir l'art. 556 C. proc. civ. **2°** L'expression latine signifie « mets en vente ».
Angl. writ of *venditioni exponas*.

BREF D'EXÉCUTION

(*D. jud.*) Bref ordonnant à un officier de justice de procéder à une mesure d'exécution forcée. « Les seules personnes habilitées à exécuter un bref d'exécution sont l'huissier ou le shérif ou l'un de ses officiers

(qui peuvent être des huissiers) [...] » (Lauzon, *Exécution*, p. 81).
Occ. Art. 573, 691 C. proc. civ.
Rem. Les brefs d'exécution comprennent les brefs de saisie-exécution, les brefs de saisie-arrêt et les brefs de possession.
Angl. writ of execution.

BREF D'EXPULSION

(*D. jud.*) Bref de possession en matière immobilière.
Occ. Art. 565 C. proc. civ.
Angl. writ of expulsion.

BREF *FIERI FACIAS DE BONIS* (latin)

(*D. jud.*) Syn. bref de saisie-exécution mobilière.
Rem. L'expression latine signifie « procède à la saisie des meubles ».
Opp. bref *fieri facias de terris.*
Angl. writ *de bonis*, writ of *fieri facias de bonis*, writ of seizure of moveable property+.

BREF *FIERI FACIAS DE TERRIS* (latin)

(*D. jud.*) Syn. bref de saisie-exécution immobilière.
Rem. L'expression latine signifie « procède à la saisie des immeubles ».
Opp. bref *fieri facias de bonis.*
Angl. writ *de terris*, writ of *fieri facias de terris*, writ of seizure of immoveable property+, writ of seizure of immoveables.

BREF INTRODUCTIF D'INSTANCE

(*D. jud.*) Syn. bref d'assignation.
Occ. Art. 406 C. proc. civ.
Angl. writ of summons.

BROCARD *n.m.*

Syn. maxime juridique. « La théorie des obligations constitue la branche du droit la plus stable. De nos jours encore, l'utilisation directe des matériaux romains n'y est pas exceptionnelle non plus que l'appel explicite à des adages ou brocards de l'ancienne France » (Dupichot, *Obligations*, p. 8).
Rem. **1°** De tous les termes utilisés comme synonymes de maxime juridique, seul *brocard* exprime toujours une maxime du droit. Il n'est donc pas nécessaire de le faire suivre du qualificatif *juridique*. **2°** Du latin médiéval *brocardus* par altération de *Burchardus*, nom latinisé de Burckard, évêque de Worms, qui fit, au XIe siècle, une compilation de textes canoniques.
Angl. adage, brocard, juridical maxim, legal maxim+.

C

CACHÉ, ÉE *adj.*

V. défaut caché, vice caché.

CADASTRAL, ALE *adj.*

(*Biens*) Relatif au cadastre. « Le plan cadastral montre et identifie par un numéro la configuration du morcellement superficiel d'un territoire » (Bélanger, (1980-1981) 83 *R. du N.* 517, p. 545). *Désignation cadastrale, numéro cadastral.*
Angl. cadastral.

CADASTRE *n.m.*

(*Biens*) Ensemble de documents servant à identifier et à localiser les immeubles situés sur le territoire de chacune des divisions d'enregistrement du Québec en leur donnant une numérotation officielle. « Le cadastre n'est pas fait pour renseigner les gens sur la contenance des immeubles, mais pour donner à chaque immeuble un numéro. La contenance ne figure au livre de renvoi que comme moyen de faire reconnaître ou identifier le lot » (*Carbonneau* c. *Godbout*, [1921] 31 B.R. 69, p. 77, j. J. M. Tellier).
Occ. Art. 2166, 2174*a* C. civ.
Rem. **1°** Le cadastre se compose d'un plan et d'un livre de renvoi. **2°** Voir la *Loi sur le cadastre*, L.R.Q., chap. C-1. **3°** De l'italien *catastico*; du bas grec *katastikhon* : liste, de *kata* : de haut en bas, et de *stikos* : ligne.
V.a. plan.
Angl. cadastre.

CADUC, UQUE *adj.*

(*Obl.*) Frappé de caducité. « [...] l'offre dure jusqu'à ce qu'elle soit retirée, à moins qu'elle ne soit auparavant devenue caduque » (Pineau et Burman, *Obligations*, n° 40, p. 58). *Legs caduc, offre caduque.*

CADUCITÉ *n.f.*

(*Obl.*) État d'un acte juridique valablement formé qu'un événement postérieur vient priver d'effet. Par ex., le divorce peut entraîner la caducité des donations consenties par contrat de mariage. « Révocation et caducité ont un caractère commun : celui d'enlever après coup sa valeur à un testament ou à un legs qui était régulier lorsqu'il a été fait » (Brière, *Libéralités*, n° 398, p. 212).
Occ. Art. 964 C. civ.
Rem. **1°** Ce terme s'emploie également à propos d'une offre, qui est considérée par certains auteurs comme un fait juridique et non comme un acte juridique, lorsqu'elle devient inefficace, par exemple à la suite de son retrait ou du décès de l'offrant. **2°** Du latin *caducus*, de *cadere* : tomber.
V.a. invalidité, nullité, péremption.
Angl. lapse.

CANCELLATION *n.f.*

1. *Vieilli.* Suppression en tout ou en partie d'un acte instrumentaire par des ratures faites à la main.
Rem. Ce terme était en usage dans la pratique notariale au siècle dernier.
Angl. cancellation[2].

2. (X) *Angl.* V. annulation, résiliation, résolution, révocation.
Rem. Sous l'influence de l'anglais, ce terme recouvre différentes formes d'anéantissement d'un acte juridique.
Angl. cancellation[1].

CANON *n.m.*

1. Règle de droit canonique, en particulier du Code de droit canonique. « Quand la vie de l'Église eut pris plus de développements, on tint fréquemment des synodes, dans lesquels on porta des *décrets* ou *canons*, qui déterminaient, selon les besoins, la discipline ecclésiastique » (Cance, *Droit canonique*, t. 1, n° 9 p. 14).
Rem. 1° On emploie également ce terme pour désigner les articles du Code de droit canonique. 2° Du grec *kanôn* : règle.
Syn. décret[5]. **V.a.** droit canon.
Angl. canon[1]+, decree[3].

2. (*Biens*) Syn. rente emphytéotique.
Angl. canon[2], emphyteutic rent+.

CANONIQUE *adj.*

V. droit canonique.

CAPABLE *adj.*

1. (*Pers.*) Au sens commun, qui est apte, habile. « [...]le second élément [de la faute] figure [...] dans l'article 1053 C.c., qui vise "toute personne capable de discerner le bien du mal" » (Tancelin, *Obligations*, n° 422, p. 253).
Occ. Art. 1053 C. civ.
Opp. incapable[1].
Angl. capable[1].

2. (*Pers.*) Qui a la capacité civile. « La capacité est la règle, c'est-à-dire qu'en principe toutes les personnes sont capables et qu'il faut une disposition légale expresse pour leur retirer la capacité » (Tancelin, *Obligations*, n° 63, p. 40).
Occ. Art. 324, 985 C. civ.
Syn. habile[1]. **Opp.** incapable[2].
Angl. capable[2].

CAPACITÉ *n.f.*

(*Pers.*) Syn. capacité juridique. « La capacité est une aptitude juridique [...] à exercer une activité juridique » (Tancelin, *Obligations*, n° 63, p. 40). *État et capacité des personnes.*
Rem. Ne pas confondre avec le sens ordinaire : aptitude, compétence, habileté, pouvoir.
Opp. incapacité.
Angl. capacity, juridical capacity, legal capacity+.

CAPACITÉ CIVILE

(*Pers.*) Capacité juridique dans le domaine des droits civils[5]. « [...] la capacité civile [...] est susceptible de diverses restrictions relatives soit à la jouissance ou à l'exercice seulement de certains droits civils, soit à la faculté de contracter et de s'obliger » (Aubry et Rau, *Droit civil*, t. 1, n° 192, p. 358).
Occ. Art. 1755 par. 4 C. civ.
Rem. La capacité civile comprend la capacité de jouissance et la capacité d'exercice.
Syn. habilité. **Opp.** capacité politique.
Angl. civil capacity.

CAPACITÉ D'ACQUISITION

(*Pers.*) Syn. capacité de jouissance. « La capacité d'acquisition, aussi nommée capacité de jouissance, c'est l'aptitude même pour une personne à devenir sujet de droit » (Cardinal, (1956-1957) 59 *R. du N.* 489).
Opp. incapacité d'acquisition.
Angl. capacity to acquire, capacity to enjoy+.

CAPACITÉ DE JOUISSANCE

(*Pers.*) Aptitude à être titulaire de droits. « La capacité de jouissance se confond avec

la personnalité en ce sens que tout être capable de posséder des droits et d'être soumis à des obligations est une personne » (Aubry et Rau, *Droit civil*, t. 1, n° 193, p. 359).
Syn. capacité d'acquisition. **Opp.** capacité d'exercice, incapacité de jouissance. **V.a.** capacité civile.
Angl. capacity to acquire, capacity to enjoy⁺.

CAPACITÉ D'EXERCICE

(*Pers.*) Aptitude à exercer les droits dont on est titulaire. « Elle [la capacité d'exercice] suppose que l'individu doté d'une telle capacité a la personnalité juridique. Mais la réciproque n'est pas vraie. Aptitude à devenir sujet de droit, la personnalité juridique est attribuée abstraction faite de la capacité d'exercice » (Cornu, *Introduction*, n° 474, p. 188).
Opp. capacité de jouissance, incapacité d'exercice. **V.a.** capacité civile.
Angl. capacity to exercise.

CAPACITÉ JURIDIQUE

(*Pers.*) Aptitude à être titulaire de droits et à les exercer. « La capacité juridique est un élément fondamental du droit des personnes. Elle se définit comme *l'aptitude à devenir titulaire de droits ou d'obligations et à les exercer*» (Cornu, *Introduction*, n° 473, p. 162).
Rem. La capacité juridique est politique ou civile.
Syn. capacité, capacité légale. **Opp.** incapacité juridique.
Angl. capacity, juridical capacity, legal capacity⁺.

CAPACITÉ LÉGALE

(*Pers.*) Syn. capacité juridique.
Occ. Art. 984, 1002, 1181, 1919 C. civ.
Opp. incapacité légale.
Angl. capacity, juridical capacity, legal capacity⁺.

CAPACITÉ POLITIQUE

Capacité juridique dans le domaine des droits politiques. « [...] on distingue la capacité politique et la capacité civile, selon qu'il s'agit de la jouissance et de l'exercice des droits politiques ou des droits civils » (Aubry et Rau, *Droit civil*, t. 1, n° 191, p. 358).
Opp. capacité civile.
Angl. political capacity.

CAPITAL *n.m.*

1. Ensemble des biens d'une personne, par opposition aux revenus qu'ils produisent.
Occ. Art. 947 al. 3 C. civ.
Angl. capital[1].

2. Somme d'argent due, par opposition aux intérêts que cette somme peut produire. « [...] le paiement d'une dette qui comporte, avec le capital, des *intérêts* ou arrérages, s'impute nécessairement, sauf accord du créancier, *d'abord sur les intérêts ou arrérages* [...] » (Mazeaud et Chabas, *Leçons*, t. 2, vol. 1, n° 888, p. 1000).
Occ. Art. 1159, 1975 C. civ.
Syn. principal[2]. **Opp.** intérêt[1].
Angl. capital[2+], capital sum, principal[2].

CAPITAL-ACTIONS *n.m.*

(*D. comm.*) Montant total des apports qu'une société par actions[1] est autorisée à recevoir. « Dès sa naissance, la compagnie possède un capital-actions décrit dans ses documents constitutifs. Toutefois, ce capital-actions n'a aucune valeur sur le plan économique tant que les mises de fonds n'ont pas été faites et que des actions n'ont pas été émises en retour » (Bohémier et Côté, *Droit commercial*, t. 2, p. 57).
Occ. Art. 123.12 par. 4, *Loi sur les compagnies*, L.R.Q., chap. C-38.
Rem. L'apport n'est pas nécessairement en argent; il peut consister en prestation de services ou en fourniture de biens (art. 13 par. 5, 45, *Loi sur les compagnies*, L.R.Q., chap. C-38; art. 25 par. 4, *Loi sur les sociétés par actions*, L.R.C. 1985, chap. C-44).

Syn. capital social. **V.a.** action[5].
Angl. capital stock, share capital+.

CAPITAL SOCIAL

(*D. comm.*) Syn. capital-actions. « [...] les compagnies [...] possèdent un capital social, divisé en actions » (Perrault, *Droit commercial*, t. 2, n° 1045, p. 490).
Angl. capital stock, share capital+.

CAS D'ESPÈCE

Situation de fait ou de droit singulière qui ne se prête pas d'emblée à l'application de la règle générale.
Rem. Ne pas confondre avec décision d'espèce.
Angl. *cas d'espèce.*

CAS FORTUIT

1. (*Obl.*) Événement qui présente les éléments d'imprévisibilité, d'irrésistibilité, ainsi que, selon certains, d'extériorité, et qui rend l'exécution de l'obligation absolument impossible. « [...] il apparaît superflu de distinguer le cas fortuit de la force majeure; dans le langage juridique moderne, les deux expressions sont synonymes, du moins si on les analyse au niveau des effets : ces événements n'entraînent aucune différence de régime » (Jacoby, (1972) 32 *R. du B.* 121, p. 121-122).
Occ. Art. 1072 C. civ.
Rem. **1°** Ces éléments excluent toute possibilité de faute de la part du débiteur de l'obligation ou de l'auteur du dommage. **2°** Le cas fortuit constitue, en principe, une cause d'extinction de l'obligation (art. 1200 C. civ.).
Syn. force majeure[1]. **V.a.** cause étrangère+, état de nécessité[1], fait du prince, impossibilité d'exécution, théorie des risques.
Angl. *force majeure*[1], fortuitous event[1]+, superior force[1].

2. (*Obl.*) Syn. force majeure[2].
Angl. *force majeure*[2], fortuitous event[2], superior force[2]+.

CASUEL, ELLE *adj.*

Qui est dû au hasard, accidentel. *Événement casuel.*
Occ. Art. 1004 C. civ.
V.a. condition casuelle.
Angl. casual.

CATÉGORIE DE RATTACHEMENT

(*D. int. pr.*) Catégorie de matières ou de règles juridiques auxquelles s'applique une ou plusieurs règles de conflit de lois. Par ex., le statut personnel (état et capacité d'une personne) est régi par la loi du domicile; les actes juridiques, par la loi d'autonomie s'il s'agit du fond, par la loi du lieu de l'acte s'il s'agit de la forme; la procédure est régie par la loi du for. « Les catégories de rattachement [...] correspondent aux grandes catégories de notre droit civil interne » (Loussouarn et Bourel, *Droit int. privé*, n° 10, p. 9).
Opp. facteur de rattachement. **V.a.** localisation, qualification.
Angl. connecting category.

CAUSA CAUSANS *loc.nom.f.* (latin)

(*Obl.*) Syn. cause déterminante. « Il est aussi à peu près clair que la jurisprudence met de côté la théorie de l'équivalence des conditions lorsqu'elle rejette une condition *sine qua non*, pour retenir une *nova causa interveniens*, qui devient la *causa causans* » (Pineau et Ouellette, *Responsabilité*, p. 178).
Angl. *causa causans*, determining cause+.

CAUSAL, ALE *adj.*

(*Obl.*) V. faute causale, responsabilité causale.

CAUSALITÉ *n.f.*

(*Obl.*) Syn. lien de causalité. « La faute de la victime peut permettre au gardien de la chose de s'exonérer partiellement ou totalement de sa faute prouvée comme de

sa faute présumée. La question en est une de causalité : ou bien la cause du dommage est unique et se trouve tout entière dans le comportement de la victime; alors le gardien est totalement exonéré quand même il aurait commis une faute car celle-ci n'aurait pas contribué au dommage; ou bien le dommage a deux causes, la faute de la victime et celle du gardien; alors il y a partage de responsabilité » (*Hamel* c. *Chartré*, [1976] 2 R.C.S. 680, p. 687, j. J. Beetz).
Angl. causality, causal relation, causation⁺.

CAUSALITÉ ADÉQUATE

(*Obl.*) Causalité qui relie la cause adéquate au dommage. « [...] il y a causalité, "causalité adéquate", lorsqu'une condition est de nature, *dans le cours habituel des choses et selon l'expérience de la vie*, à produire l'effet qui s'est réalisé » (Le Tourneau, *Responsabilité*, n° 633, p. 208).
Opp. équivalence des conditions. **V.a.** cause adéquate, théorie de la causalité adéquate⁺.
Angl. adequate causation.

CAUSALITÉ JURIDIQUE

(*Obl.*) Syn. lien de causalité. « [...] la jurisprudence distingue la cause au sens juridique, cause déterminante [...] et la cause au sens littéral plus large, cause matérielle ou physique du dommage [...] La causalité juridique est donc une notion plus étroite que la causalité au sens commun » (Tancelin, *Obligations*, n° 592, p. 355-356).
Angl. causality, causal relation, causation⁺.

CAUSALITÉ MATÉRIELLE

(*Obl.*) Causalité qui, abstraction faite de toute idée de faute, relie la chose ou le fait au dommage. « Il est patent qu'on mélange deux conceptions de la causalité très différentes : Notion d'antécédent nécessaire et jugement sur la conduite. Dans le premier cas il s'agit d'une simple constatation des faits; dans le second d'un jugement de valeur [...] J'ai proposé d'appeler la causalité, sous son premier aspect, *causalité matérielle* [...] » (Esmein, D.1964, Chr. 205, p. 206).
Rem. Dans un régime de responsabilité fondée sur la faute, la causalité matérielle n'est pas source de responsabilité. Cependant, elle crée parfois une présomption de faute, par ex., la responsabilité des parents pour le dommage causé par le fait de leur enfant mineur. Exceptionnellement, la loi en fait une source de responsabilité sans faute, ainsi, la responsabilité de la Régie de l'assurance automobile pour le dommage corporel causé par une automobile (art. 3, *Loi sur l'assurance automobile*, L.R.Q., chap. A-25).
Opp. causalité morale. **V.a.** cause matérielle, théorie de l'équivalence des conditions.
Angl. material causation.

CAUSALITÉ MORALE

(*Obl.*) Causalité qui relie la conduite fautive d'une personne au dommage. « Il n'est [...] guère d'auteurs qui reconnaissent que la détermination des dommages dont on est responsable n'est pas une pure question de causalité, mais est aussi une question d'imputabilité. On peut sans doute dénommer cette dernière une *causalité morale* » (Planiol et Ripert, *Traité*, t. 6, n° 541-1, p. 739).
Opp. causalité matérielle.
Angl. moral causation.

CAUSALITÉ PARTIELLE

(*Obl.*) Causalité entre le fait d'une personne ou d'une chose et le dommage subi, sans toutefois que ce fait ait été le seul à causer le dommage. « [...] il semble *a priori* naturel de tenir compte de cette pluralité de causes pour permettre un partage des responsabilités, l'auteur de chacune ayant la possibilité d'invoquer les autres pour faire diminuer sa part. C'est ce que B. Starck a appelé "l'équation causalité partielle = responsabilité partielle" » (Viney, *Responsabilité*, n° 405, p. 479).

V.a. théorie de la causalité partielle.
Angl. partial causation.

CAUSA PROXIMA *loc.nom.f.* (latin)

(*Obl.*) Syn. cause immédiate. « [...] souvent les tribunaux utilisent des expressions qui ne recouvrent pas véritablement la notion théorique correspondante. Il est fréquent, par exemple, de trouver l'expression *causa proxima* ou cause prochaine employée, non dans son sens propre véritable, mais dans celui de cause directe ou *causa causans* » (Baudouin, *Responsabilité*, n° 352, p. 192).
V.a. théorie de la *causa proxima*.
Angl. *causa proxima*, immediate cause, proximate cause+.

CAUSA SINE QUA NON
loc.nom.f. (latin)

(*Obl.*) Syn. condition *sine qua non*. « [...] la jurisprudence distingue la cause au sens juridique, cause déterminante, efficiente, *causa causans*, et la cause au sens littéral plus large, cause matérielle ou physique du dommage parfois appelée *causa sine qua non* et le plus souvent dénommée de façon approximative par le terme occasion » (Tancelin, *Obligations*, n° 592, p. 355-356).
Angl. *causa sine qua non*, cause *sine qua non*, condition *sine qua non*+.

CAUSE *n.f.*

1. A. (*Obl.*) Raison objective de l'engagement du débiteur. « Domat, quand il a précisé la cause, a passé sous silence, au moins dans les actes à titre onéreux, les mobiles qui ont déterminé le contractant, pour ne retenir et n'exiger que la cause de l'obligation, la cause abstraite [...] Mais il exige impérieusement cette cause comme un élément essentiel de formation du contrat » (Mazeaud et Chabas, *Leçons*, t. 2, vol. 1, n° 260, p. 247).
Rem. **1°** C'est en ce sens que la doctrine emploie l'expression *cause de l'obligation* par opposition à *cause du contrat* (art. 984 C. civ.). **2°** La cause d'une obligation est toujours la même pour une catégorie donnée d'actes juridiques. Ainsi, dans un contrat synallagmatique, la cause de l'obligation de l'un est la prestation de l'autre. Par ex., dans le contrat de louage, l'obligation qu'a le locateur de procurer la jouissance paisible de la chose a pour cause le loyer que le locataire s'est engagé à verser.
Occ. Art. 969 C. civ.
Syn. considération[1]. **V.a.** enrichissement sans cause.
Angl. cause[1.A]+, consideration[1].

1. B. (*Obl.*) Raison subjective, motif personnel pour lequel une partie a accompli un acte juridique. « La cause subjective est l'arme dont se sert la jurisprudence pour contrôler la licéité et la moralité du contrat, en annulant tout engagement dont le but ou les effets sont immoraux ou illégaux » (Baudouin, *Obligations*, n° 291, p. 203).
Occ. Art. 969 C. civ.
Rem. C'est en ce sens que la doctrine emploie *cause du contrat* par opposition à *cause de l'obligation.* Au contraire de la cause de l'obligation, la cause du contrat peut varier d'un contractant à l'autre.
Syn. considération[1], mobile.
Angl. cause[1.B]+, consideration[1], motive.

2. (*Obl.*) Fait générateur d'un dommage. « Parmi tous les événements qui concourent à la réalisation d'un dommage, qui en sont les conditions, tous ne sont pas "sa cause" au point de vue de la responsabilité : tous n'obligent pas leur auteur à réparation » (Mazeaud, *Traité*, t. 2, n° 1441, p. 530).
V.a. lien de causalité.
Angl. cause[2].

3. (*D. jud.*) Affaire soumise à un tribunal, généralement en matière contentieuse.
V.a. appeler en cause, instance, mise en cause, procès.
Angl. case.

CAUSE ADÉQUATE

(*Obl.*) Cause[2] qui, dans le cours normal des choses, devait produire le dommage.

« [...] la cause adéquate est la cause qui, *normalement*, entraîne toujours un dommage de l'espèce considérée, par opposition aux causes qui n'entraînent un tel dommage que par suite de circonstances extraordinaires » (Carbonnier, *Droit civil*, t. 4, n° 92, p. 389).
V.a. causalité adéquate, théorie de la causalité adéquate+.
Angl. adequate cause.

CAUSE DE MORT (À) *loc.adv.*

(*Obl.* et *Succ.*) En raison de la mort d'une personne.
Syn. *mortis causa*. **Opp.** entre vifs. **V.a.** acte à cause de mort.
Angl. contemplation of death (in)+, *mortis causa*.

CAUSE DÉTERMINANTE

(*Obl.*) Cause[2] qui a produit un dommage d'une manière suffisamment directe et immédiate pour que la responsabilité de son auteur en soit engagée. « Nos cours n'admettent pas une simple condition *sine qua non* dans la causalité du dommage [...]; elles jugent que bien qu'une cause *sine qua non* puisse être une condition du dommage, elle n'en est pas la cause déterminante (*causa causans*), directe ou efficiente » (Nadeau et Nadeau, *Responsabilité*, n° 654, p. 608-609).
Syn. *causa causans*, cause efficiente, cause génératrice. **V.a.** cause adéquate, condition *sine qua non*.
Angl. *causa causans*, determining cause+.

CAUSE EFFICIENTE

(*Obl.*) Syn. cause déterminante. « [...] la multiplication des termes comme cause efficiente, cause nécessaire, cause prochaine, cause décisive, cause déterminante, cause certaine, immédiate, lointaine, légale, etc., est un obstacle sérieux à un regroupement de tendances jurisprudentielles, puisqu'il faut aller au-delà de la terminologie utilisée pour retrouver la réalité [...] » (Baudouin, *Responsabilité*, n° 352, p. 192).
Angl. *causa causans*, determining cause+.

CAUSE ÉTRANGÈRE

(*Obl.*) Fait externe non imputable au débiteur de l'obligation inexécutée ou à l'auteur du préjudice, qui est à l'origine de l'événement dommageable.
Rem. On distingue généralement trois types de cause étrangère : la faute de la victime, le fait d'un tiers, le cas fortuit ou la force majeure. Pour certains, en droit québécois comme en droit français, la cause étrangère est un des éléments constitutifs du cas fortuit[1].
Angl. external cause.

CAUSE FAUSSE

(*Obl.*) Cause[1] à l'existence de laquelle une personne croit erronément. « Le code français [art. 1131] parle de la cause *fausse*, que notre article [989 C. civ.] ne mentionne pas, et les codificateurs ne s'expliquent pas sur cette omission » (Mignault, *Droit civil*, t. 5, p. 200, note a).
Syn. fausse cause. **V.a.** cause illicite, cause immorale.
Angl. false cause.

CAUSE GÉNÉRATRICE

(*Obl.*) Syn. cause déterminante. « C'est un principe incontesté que la responsabilité civile, contractuelle ou délictuelle, suppose un lien de cause à effet entre le préjudice et le fait dommageable. Ce dernier doit avoir été, selon une expression classique mais tautologique, la "cause génératrice" du dommage, sa cause efficiente » (Le Tourneau, *Responsabilité*, n° 623, p. 203).
Angl. *causa causans*, determining cause+.

CAUSE ILLÉGALE

(*Obl.*) Syn. cause illicite. « La cause illégale est celle qui contrevient soit à une

disposition expresse de la loi, soit à la notion générale d'ordre public, qui comprend celle des bonnes mœurs » (Tancelin, *Obligations*, n° 177, p. 101).
Angl. illegal cause, illicit cause+, illicit consideration, unlawful cause, unlawful consideration.

CAUSE ILLICITE

(*Obl.*) Cause[1] non conforme à la loi[1], à l'ordre public ou aux bonnes mœurs.
Rem. L'illicéité de la cause peut entraîner la nullité du contrat ou de l'obligation.
Syn. cause illégale, considération illégale.
Opp. cause licite. **V.a.** cause fausse, cause immorale+.
Angl. illegal cause, illicit cause+, illicit consideration, unlawful cause, unlawful consideration.

CAUSE IMMÉDIATE

(*Obl.*) Cause[2] qui précède immédiatement et déclenche le dommage. « La théorie de causalité adéquate a été développée [...] en partant de la théorie de la *causa proxima* mise de l'avant par Ortmann, en Allemagne, ou Francis Bacon, en Angleterre, selon lequel "ce serait pour le droit une tâche infinie, de juger les causes des causes et les actions des unes sur les autres. Aussi se contente-t-il de la cause immédiate et en juge-t-il les actions par cette dernière, sans remonter à un degré plus élevé" » (Pineau et Ouellette, *Responsabilité*, p. 177).
Syn. *causa proxima*. **V.a.** théorie de la causalité immédiate.
Angl. *causa proxima*, immediate cause, proximate cause+.

CAUSE IMMORALE

(*Obl.*) Cause[1] non conforme aux bonnes mœurs. « Le texte [art. 1133 C. civ. fr.] assimile [...] la cause immorale à la cause illicite pour faire de la moralité comme de la licéité de la cause une condition de validité du contrat » (Marty et Raynaud, *Obligations*, t. 1, n° 211, p. 214).
Rem. La plupart des auteurs font de la cause immorale un élément de la définition de la cause illicite entendue dans un sens large. D'autres, par contre, les dissocient et donnent deux définitions distinctes; la cause illicite est alors entendue dans un sens strict : celle qui n'est pas conforme à une disposition de la loi ou à l'ordre public.
V.a. cause fausse.
Angl. immoral cause.

CAUSE INTERRUPTIVE

(*Prescr.*) Événement qui interrompt la prescription.
Occ. Art. 2266 C. civ.
Angl. cause of interruption.

CAUSE LICITE

(*Obl.*) Cause[1] conforme à la loi[1], à l'ordre public et aux bonnes mœurs. « [...] un contrat ne sera valable que s'il a une cause licite, c'est-à-dire si le but visé par les parties est conforme aux prescriptions légales impératives et d'ordre public » (Tancelin, *Obligations*, n° 168, p. 96).
Opp. cause illicite.
Angl. lawful cause, lawful consideration, licit cause+, licit consideration.

CAUSE MATÉRIELLE

(*Obl.*) Cause[2] qui, abstraction faite de toute idée de faute, a généré le dommage. « [...] la jurisprudence distingue la cause au sens juridique, cause déterminante, efficiente, *causa causans*, et la cause au sens littéral plus large, cause matérielle ou physique du dommage [...] » (Tancelin, *Obligations*, n° 592, p. 355-356).
Rem. La cause matérielle est toujours une condition *sine qua non*.
Syn. cause physique. **V.a.** causalité matérielle, responsabilité objective.
Angl. material cause+, physical cause.

CAUSE PHYSIQUE

(*Obl.*) Syn. cause matérielle. « Or, que l'on donne au mot cause le sens juridique de cause déterminante ou de *causa causans* ou son sens littéral plus large; dans le présent cas l'automobile n'a pas été la cause matérielle ou physique du dommage [...] » (*Ouellette* c. *Laveault*, [1973] C.A. 734, p. 737, j. J. Turgeon).
Angl. material cause+, physical cause.

CAUSE *SINE QUA NON* (latin)

(*Obl.*) Syn. condition *sine qua non.* « [...] pour qu'une faute soit cause du dommage, suffit-il qu'elle se situe dans cette suite d'événements qui sont tous une cause *sine qua non*, ou bien faut-il qu'elle ait avec le dommage un rapport plus étroit? » (Pineau et Ouellette, *Responsabilité*, p. 176).
Angl. *causa sine qua non*, cause *sine qua non*, condition *sine qua non*+.

CAUTION *n.f.*

1. (*Obl.* et *Sûr.*) Personne qui s'engage envers le créancier à remplir l'obligation du débiteur principal si celui-ci ne l'exécute pas. « Si la prescription est interrompue à l'égard du débiteur principal, cette interruption vaudra contre la caution » (Nadeau, (1939-1940) 42 *R. du N.* 435, p. 449). *Donner (une) caution, fournir (une) caution* (art. 525 C. proc. civ.); *se porter caution, se rendre caution* (art. 1945 C. civ.).
Occ. Art. 1929 C. civ.
Rem. **1°** Les expressions *donner* et *fournir caution* signifient le fait par le débiteur de désigner une personne qui consente à se porter caution de son obligation. **2°** Du latin *cautio* (rac. *cavere* : prendre garde) : précaution.
Syn. fidéjusseur. **V.a.** cautionnement[1], cofidéjusseur.
Angl. guarantor[1], surety+.

2. (*Obl.* et *Sûr.*) Syn. cautionnement[2].
Angl. collateral, security[2]+.

CAUTION CONVENTIONNELLE

(*Obl.* et *Sûr.*) Caution[1] fournie en exécution d'une convention entre le créancier et le débiteur principal. « [...] lorsque, par une convention, il est stipulé que l'une des parties donnera caution à l'autre, le créancier de cette obligation peut obtenir un jugement ordonnant au débiteur de fournir ce cautionnement, mais la caution donnée en exécution de ce jugement sera une caution conventionnelle et non pas une caution judiciaire » (Mignault, *Droit civil*, t. 8, p. 389).
Syn. caution volontaire. **Opp.** caution judiciaire, caution légale. **V.a.** cautionnement conventionnel.
Angl. conventional surety+, voluntary surety.

CAUTION JUDICIAIRE

(*Obl.* et *Sûr.*) Caution[1] fournie en exécution d'un jugement. « *Caution judiciaire.* — Le *juge* peut imposer, dans certains cas prévus par la loi, à l'une des parties l'obligation de donner une caution, par exemple quand il ordonne l'exécution provisoire d'un jugement (C. pr. civ. nouv., art. 517 [art. 547 C. proc. civ.]) [...] » (Weill, *Sûretés*, n° 8, p. 11).
Occ. Art. 1964, 1965 C. civ.
Opp. caution conventionnelle, caution légale. **V.a.** cautionnement judiciaire.
Angl. judicial surety.

CAUTION JURATOIRE

(*Obl.* et *Sûr.*) Engagement sous serment de remplir son obligation. Par ex., l'engagement sous serment par lequel l'usufruitier qui n'est pas en mesure de fournir caution, s'oblige à conserver et à rendre les biens meubles, qui sont nécessaires pour son usage et dont le juge lui accorde la possession.
Occ. Art. 466 C. civ.
Angl. juratory security, security of one's oath+.

CAUTION LÉGALE

(*Obl.* et *Sûr.*) Caution[1] fournie en exécution d'une obligation imposée par un texte de loi. Par ex., en vertu de l'art. 464 C. civ., l'usufruitier est tenu de fournir caution au nu-propriétaire. « [...] dans les cas où une caution légale est requise, il est indifférent qu'un jugement ordonne à la partie d'accomplir l'obligation que lui impose la loi, car le cautionnement demeurera toujours un cautionnement légal » (Mignault, *Droit civil*, t. 8, p. 389).
Occ. Titre précédant l'art. 1962 C. civ.
Opp. caution conventionnelle, caution judiciaire. **V.a.** cautionnement légal.
Angl. legal surety.

CAUTIONNEMENT *n.m.*

1. (*Obl.* et *Sûr.*) Acte juridique par lequel une personne, la *caution*[1], s'engage envers un créancier à remplir l'obligation du débiteur principal si celui-ci ne l'exécute pas. « Une caution peut avoir des motifs légitimes de ne pas révéler le cautionnement à ses héritiers. La paix des familles est parfois à ce prix » (*Banque nationale du Canada* c. *Soucisse*, [1981] 2 R.C.S. 339, p. 358, j. J. Beetz). *Fournir un cautionnement* (art. 497 C. proc. civ.).
Occ. Art. 1929 C. civ.
Angl. suretyship.

2. (*Obl.* et *Sûr.*) Somme d'argent ou valeurs déposées en vue de garantir des créances éventuelles.
Occ. Art. 13, *Loi sur la faillite*, L.R.C. (1985), chap. B-3.
Syn. caution[2].
Angl. collateral, security[2+].

CAUTIONNEMENT À EXÉCUTION INSTANTANÉE

(*Obl.* et *Sûr.*) Cautionnement[1] qui garantit une dette existante ou individualisée.
Opp. cautionnement à exécution successive.
Angl. suretyship of immediate performance[+], suretyship of instantaneous performance.

CAUTIONNEMENT À EXÉCUTION SUCCESSIVE

(*Obl.* et *Sûr.*) Cautionnement[1] qui garantit les dettes à venir du débiteur.
Rem. Ce type de cautionnement garantit ordinairement des ouvertures de crédit ou des soldes de compte bancaire, évitant ainsi aux parties de renouveler l'engagement chaque fois qu'il y a fluctuation du compte (*Banque nationale du Canada c. Soucisse*, [1981] 2 R.C.S. 339).
Syn. cautionnement continu, cautionnement successif. **Opp.** cautionnement à exécution instantanée.
Angl. continuous suretyship, successive suretyship, suretyship of successive performance[+].

CAUTIONNEMENT CONTINU

(*Obl.* et *Sûr.*) Syn. cautionnement à exécution successive.
Angl. continuous suretyship, successive suretyship, suretyship of successive performance[+].

CAUTIONNEMENT CONVENTIONNEL

(*Obl.* et *Sûr.*) Cautionnement[1] qui résulte de la volonté des parties. « Le cautionnement a le plus souvent pour origine une convention librement conclue entre les parties : le débiteur s'est antérieurement engagé à fournir une caution, le créancier faisant de l'engagement de celle-ci la condition *sine qua non* du crédit qu'il consent à son débiteur; on dit dans ce cas qu' il y a *cautionnement volontaire* ou *conventionnel* » (Weill, *Sûretés*, n° 8, p. 11).
Occ. Art. 1930 C. civ.
Syn. cautionnement volontaire. **Opp.** cautionnement judiciaire, cautionnement légal. **V.a.** caution conventionnelle.

Angl. contract of suretyship, conventional suretyship+, voluntary suretyship.

CAUTIONNEMENT INDÉFINI

(*Obl.* et *Sûr.*) Cautionnement[1] qui s'étend à tous les accessoires de la dette, même aux frais de la poursuite dirigée par le créancier contre le débiteur, et à tous ceux postérieurs à la dénonciation qui en est faite à la caution.
Occ. Art. 1936 C. civ.
Angl. indefinite suretyship.

CAUTIONNEMENT JUDICIAIRE

(*Obl.* et *Sûr.*) Cautionnement[1] ordonné par jugement. « [...] on appelle cautionnement légal (ou judiciaire) celui qui est conclu pour satisfaire à une prescription de la loi (ou du juge) » (Marty, Raynaud et Jestaz, *Sûretés*, n° 568, p. 369).
Occ. Art. 1930 C. civ.
Opp. cautionnement conventionnel, cautionnement légal. **V.a.** caution judiciaire.
Angl. judicial suretyship.

CAUTIONNEMENT LÉGAL

(*Obl.* et *Sûr.*) Cautionnement[1] requis par la loi. « [...] dans les cas où une caution légale est requise, il est indifférent qu'un jugement ordonne à la partie d'accomplir l'obligation que lui impose la loi, car le cautionnement demeurera toujours un cautionnement légal » (Mignault, *Droit civil*, t. 8, p. 389).
Occ. Art. 1930 C. civ.
Opp. cautionnement conventionnel, cautionnement judiciaire. **V.a.** caution légale.
Angl. legal suretyship.

CAUTIONNEMENT SOLIDAIRE

(*Obl.* et *Sûr.*) Cautionnement[1] par lequel une personne est engagée solidairement comme caution[1] du débiteur principal. « On sait que le cautionnement volontaire est presque toujours, dans la pratique, un cautionnement solidaire » (Mazeaud et Chabas, *Leçons*, t. 3, vol. 1, n° 51-4, p. 60).
Rem. **1°** Pour la plupart des auteurs, la caution solidaire est, vis-à-vis du créancier, dans la position d'un débiteur solidaire et, vis-à-vis du débiteur principal, dans celle d'une simple caution. **2°** Ce terme s'emploie aussi, très rarement, au sens d'un cautionnement par lequel plusieurs cautions s'engagent solidairement entre elles, mais non avec le débiteur principal : les cautions solidaires ont alors le bénéfice de discussion, mais non celui de division.
Angl. solidary suretyship.

CAUTIONNEMENT SUCCESSIF

(*Obl.* et *Sûr.*) Syn. cautionnement à exécution successive.
Angl. continuous suretyship, successive suretyship, suretyship of successive performance+.

CAUTIONNEMENT VOLONTAIRE

(*Obl.* et *Sûr.*) Syn. cautionnement conventionnel. « En cas de cautionnement volontaire, l'engagement de la caution peut être limité; la caution peut, par exemple, ne garantir qu'une partie de la dette » (Mazeaud et Chabas, *Leçons*, t. 3, vol. 1, n° 51-4, p. 60).
V.a. caution volontaire.
Angl. contract of suretyship, conventional suretyship+, voluntary suretyship.

CAUTION PERSONNELLE

(*Obl.* et *Sûr.*) Caution[1] qui répond sur son patrimoine tout entier de l'exécution de l'obligation par le débiteur principal.
Opp. caution réelle.
Angl. personal surety.

CAUTION RÉELLE

(*Obl.* et *Sûr.*) Caution[1] qui constitue sur un ou plusieurs de ses biens une sûreté réelle

en garantie de la dette d'autrui.
Rem. L'engagement de la caution réelle se limite aux biens — meubles ou immeubles — donnés en garantie, par opposition à celui de la caution personnelle qui s'étend à tout le patrimoine.
Opp. caution personnelle.
Angl. real surety.

CAUTION SIMPLE

(*Obl.* et *Sûr.*) Caution[1], par opposition à caution solidaire.
Angl. simple surety.

CAUTION SOLIDAIRE

(*Obl.* et *Sûr.*) Caution[1] qui souscrit un cautionnement solidaire.
Opp. caution simple.
Angl. solidary surety.

CAUTION VOLONTAIRE

(*Obl.* et *Sûr.*) Syn. caution conventionnelle. « Le créancier peut obtenir de la caution volontaire, quand il traite avec elle, qu'elle renonce aux bénéfices que la loi lui confère (bénéfice de discussion, de division [...]) » (Mazeaud et Chabas, *Leçons*, t. 3, vol. 1, n° 51-4, p. 60).
V.a. cautionnement volontaire.
Angl. conventional surety+, voluntary surety.

CÉDANT, ANTE *n.*

(*Obl.*) Personne qui transmet par cession, spécialement à propos d'une créance.
Occ. Art. 1192, 2558 C. civ.
Opp. cessionnaire.
Angl. assignor.

CÉDÉ, ÉE *n.*

(*Obl.*) Syn. débiteur cédé.
V.a. cession.
Angl. assigned debtor.

CÉDER *v.tr.*

(*Biens* et *Obl.*) Transmettre par voie de cession.
Syn. transporter[2].
Angl. assign+, cede.

CEDENDARUM ACTIONUM *loc.nom.* (latin)

V. exception *cedendarum actionum.*
Angl. *cedendarum actionum.*

CERTAIN, AINE *adj.*

V. chose certaine et déterminée, corps certain, corps certain et déterminé, créance certaine, dette certaine, dommage certain, préjudice certain, terme certain.

CERTIFICAT DE COUTUME

(*Preuve* et *D. int. pr.*) Écrit émanant d'un expert qui atteste la teneur d'un droit étranger. « Le certificat de coutume est une attestation écrite sur la teneur d'un droit étranger, produite en vue d'un litige déterminé » (David, *Rép. droit int.*, v° Certificat de coutume, n° 2). *Délivrer un certificat de coutume.*
Rem. Au Québec, la preuve de la loi étrangère se fait plutôt par témoignage d'un expert.
Syn. certificat d'usage. **V.a.** acte de notoriété.
Angl. certificate of foreign law.

CERTIFICAT D'USAGE

(*Preuve* et *D. int. pr.*) *Rare.* Syn. certificat de coutume.
Angl. certificate of foreign law.

CERTIFICATEUR DE CAUTION

(*Obl.* et *Sûr.*) Personne qui s'engage à remplir l'obligation de la caution si celle-ci ne l'exécute pas. « [...] on peut [...] cautionner la caution, c'est-à-dire [...]

certifier sa solvabilité, et celui qui contracte cet engagement se nomme certificateur de caution. Il s'oblige à payer la dette si la caution ne la paie pas, et la caution principale joue à son égard le rôle du débiteur principal vis-à-vis de sa caution » (Roch et Paré, dans *Traité*, t. 13, p. 602-603).
Rem. Voir les art. 1934 al. 2, 1965 C. civ.
Angl. guarantor of the surety.

CESSIBILITÉ *n.f.*

(*Biens* et *Obl.*) Qualité d'un droit susceptible de cession.
Opp. incessibilité.
Angl. assignability.

CESSIBLE *adj.*

(*Biens* et *Obl.*) Susceptible de cession. « *En principe, les créances sont cessibles* au même titre que les autres éléments du patrimoine » (Mazeaud et Chabas, *Leçons*, t. 2, vol. 1, n° 1258, p. 1277).
Opp. incessible. **V.a.** aliénable, disponible, transmissible.
Angl. assignable.

CESSION *n.f.*

(*Obl.*) Transfert[1] entre vifs d'un droit, à titre onéreux ou à titre gratuit, spécialement à propos d'une créance. « Parce que la vente du droit de propriété est, de toutes les ventes, la plus courante, l'usage s'est établi de lui réserver la dénomination de "*vente*" et de désigner par le mot "*cession*" la vente d'un autre droit » (Mazeaud et Chabas, *Leçons*, t. 3, vol. 2, 1e part., n° 753, p. 10).
Occ. Art. 290 C. civ.
Rem. **1°** Le terme *cession* s'emploie aussi, surtout en doctrine, à propos d'une dette ou d'un contrat. **2°** Les parties à la cession s'appellent le *cédant*, le *cessionnaire* et, éventuellement, le *débiteur cédé* ou le *créancier cédé*.
Syn. transport[3]. **V.a.** acquisition[1], aliénation, disposition[1], mutation, transmission.
F.f. transfert[2.A].
Angl. assignment[1+], cession, conveyance[3], transfer[2.A].

CESSION D'ANTÉRIORITÉ

(*Sûr.*) Syn. cession de priorité. « L'efficacité de la cession d'antériorité dépend de l'existence et de l'étendue à la fois de l'hypothèque du cédant et de celle du cessionnaire » (Marty, Raynaud et Jestaz, *Sûretés*, n° 379, p. 232).
Angl. assignment of preference[+], assignment of priority, assignment of rank.

CESSION DE BAIL

(*Obl.*) Contrat par lequel, d'une part, le locataire, avec le consentement du locateur, cède à un tiers les droits que lui confère le bail et par lequel, d'autre part, le tiers assume, à l'égard du locateur, les obligations de locataire. « La cession de bail constitue une cession de contrat. Ce contrat innomé obéit cependant aux règles de la cession de créance quand elles sont pertinentes et aux règles générales du droit des obligations » (Jobin, *Louage*, n° 35, p. 119).
Occ. Art. 1619, 1655 C. civ.
Rem. **1°** Contrairement au sous-locataire, le locataire cessionnaire a un rapport de droit direct avec le locateur. **2°** Le locataire cédant n'est libéré de ses obligations à l'égard du locateur qu'avec l'accord exprès de ce dernier : la cession de bail constitue alors une véritable cession de contrat. **3°** Le terme *cession de bail* est employé dans le Code civil et dans la pratique uniquement en cas de changement de locataire. Néanmoins, en cas de changement de locateur, par ex. à la suite de l'aliénation de la chose louée, le Code prévoit, dans certaines circonstances, que, à l'égard du locataire, l'acquéreur — nouveau locateur — assume les droits et obligations de son auteur (art. 1646, 1647, 1657.1 C. civ.). En outre, l'ancien locateur — auteur —, sauf convention contraire entre lui et le locataire, n'est pas pour autant libéré de ses obligations envers

ce dernier. **4°** On notera que l'art. 1663.5 C. civ. prévoit une cession légale de bail et l'art. 457 C. civ. Q., une cession judiciaire.
V.a. sous-location.
Angl. assignment of lease.

CESSION DE CONTRAT

(*Obl.*) Cession par laquelle le cédant, partie à un contrat, transfère au cessionnaire les droits et obligations issus de ce contrat. Par ex., la cession d'une assurance de personnes (art. 2558 C. civ.). « La distinction établie traditionnellement entre la transmissibilité de principe des droits et l'intransmissibilité des obligations est artificielle en regard de la notion de cession de contrat » (Tancelin, *Obligations*, n° 287, p. 169).
Rem. **1°** La cession de contrat s'analyse comme une cession de dette jointe à une cession de créance. **2°** Dans la pratique, on appelle parfois *cession de contrat* ce qui n'est qu'une cession de créance.
Angl. assignment of contract.

CESSION DE CRÉANCE

(*Obl.*) Cession par laquelle le créancier cédant transmet au cessionnaire son droit contre le débiteur cédé. « La cession de créance met en jeu trois personnes entre lesquelles des rapports de droit vont naître. À la base de l'institution se situe une convention entre le cédant et le cessionnaire qui a pour but d'engendrer une transmission d'obligation à l'égard du débiteur cédé. Il y a changement de créancier, mais l'obligation originelle demeure entière [...] » (Pourcelet, *Vente*, p. 214).
Rem. Le terme *cession de créance* s'entend habituellement d'une vente; d'ailleurs, le Code civil parle de la *vente des créances* (art. 1570). Le Code civil emploie également *transport de créance* (art. 1578), terme retenu par le Code civil français (art. 1689).
Syn. cession-transport, transport-cession, transport de créance.
Angl. assignment of creance+, transfer of creance, transfer of debt.

CESSION DE DETTE

(*Obl.*) Cession par laquelle le débiteur cédant transmet au cessionnaire sa dette à l'égard du créancier cédé. « [...] il n'y a pas, dans notre système juridique, de cession de dette, acte juridique par lequel le débiteur transmettrait à un cessionnaire l'obligation qu'il a assumée [...] Toutefois certains procédés permettent aux intéressés de réaliser, dans une certaine mesure, une opération se rapprochant de la cession de dette » (Weill et Terré, *Obligations*, n° 979, p. 955).
Rem. **1°** La cession n'opère pas libération du débiteur cédant, à moins que le créancier n'y consente expressément. **2°** Du point de vue du cessionnaire, l'opération s'appelle *reprise de dette*.
Syn. transport de dette.
Angl. assignment of debt.

CESSION DE DROITS LITIGIEUX

(*Obl.*) Cession d'un droit, le plus souvent une créance, dont l'existence ou l'étendue donne lieu ou risque de donner lieu à une contestation en justice.
Rem. Comme dans le cas de la cession de créance, le terme s'entend habituellement d'une vente : d'ailleurs, le Code civil parle de *vente de droits litigieux* (art. 1582).
V.a. créance litigieuse, retrait litigieux.
Angl. assignment of litigious rights.

CESSION DE PRIORITÉ

(*Sûr.*) Acte juridique par lequel un créancier privilégié ou hypothécaire cède son rang à un créancier privilégié ou hypothécaire de rang inférieur dont il prend la place. « La cession de priorité a pour objet une interversion de rang entre le créancier cédant et le créancier cessionnaire. Cette cession se fait jusqu'à concurrence des créances respectives mais sans nuire aux créanciers intermédiaires (art. 2048 C. c.) » (Ciotola, *Sûretés*, p. 392).
Rem. **1°** Voir l'art. 2048 C. civ. **2°** La cession de priorité peut être expresse ou

tacite. **3°** Bien que l'art. 2048 C. civ. ne traite que de l'hypothèque, on tient que la cession de priorité peut aussi avoir lieu en matière de privilèges.
Syn. cession d'antériorité, cession de rang.
V.a. cession de priorité d'hypothèque.
Angl. assignment of preference+, assignment of priority, assignment of rank.

CESSION DE PRIORITÉ D'HYPOTHÈQUE

(*Sûr.*) Cession de priorité par laquelle un créancier hypothécaire cède son rang à un créancier hypothécaire de rang inférieur dont il prend la place. « La cession de priorité d'hypothèque [...] ne peut avoir lieu qu'en faveur d'un autre créancier hypothécaire. L'article 2048 [C. civ.] l'indique bien. On est en présence de deux créanciers qui transigent sur leur rang, ce qui suppose qu'ils en ont un » (Payette, (1976) *C.P. du N.* 137, n° 53, p. 153).
Syn. cession du rang hypothécaire.
Angl. assignment of hypothecary rank.

CESSION DE RANG

(*Sûr.*) Syn. cession de priorité. « L'hypothèque confère le droit d'être préféré sur le prix de l'immeuble et la cession de rang dont parle l'article 2048 [C. civ.] a trait à ce droit de préférence attaché à l'hypothèque. Céder son rang c'est permettre à un autre de passer avant soi; céder la préférence c'est donc permettre à un autre d'être payé par préférence à soi-même en cas de collocation » (Payette, (1976) *C.P. du N.* 137, n° 6, p.142).
Occ. Art. 2048 C. civ.
Angl. assignment of preference+, assignment of priority, assignment of rank.

CESSION DE(S) DROITS HÉRÉDITAIRES

(*Obl.* et *Succ.*) Syn. cession de droits successifs. « Le patrimoine d'une *personne physique* est également cessible après la mort de cette personne; c'est la *cession des droits héréditaires*, ou cession de droits successifs [...] » (Mazeaud et Chabas, *Leçons*, t. 3, vol. 2, 1e part., n° 839, p. 120).
Angl. assignment of inheritance, assignment of rights of inheritance, assignment of rights of succession+.

CESSION DE(S) DROITS SUCCESSIFS

(*Obl.* et *Succ.*) Cession par laquelle un héritier, légal ou testamentaire, transfère à un cohéritier ou à un tiers les droits qu'il a sur le patrimoine du défunt. « La cession de droits successifs, portant sur l'universalité du patrimoine ou une quote-part indivise de cette universalité, transmet au cessionnaire l'*actif* de la succession dans sa totalité ou une quote-part de sa totalité [...] Acquérant le patrimoine du défunt ou une quote-part indivise de celui-ci, le cessionnaire est tenu du *passif* de la succession dans sa totalité ou une quote-part de sa totalité » (Mazeaud et Chabas, *Leçons*, t. 3, vol. 2, 1e part., n° 839, p. 120).
Rem. **1°** Comme dans le cas de la cession de créance et celui de la cession de droits litigieux, le terme s'entend habituellement d'une vente; d'ailleurs, le Code civil parle de *vente des droits successifs* (titre précédant l'art. 1579 C. civ.). **2°** Par la cession, l'héritier transmet les droits et les charges qui résultent pour lui de l'ouverture de la succession, mais il ne transmet pas sa qualité d'héritier qui est personnelle et incessible. **3°** La cession de droits successifs ne peut avoir lieu que si la succession est ouverte; autrement elle constituerait un pacte sur succession future prohibé par les art. 658 et 1061 C. civ. **4°** La cession consentie par un cohéritier à un tiers étranger à la succession accorde aux cohéritiers du cédant la faculté d'exercer le retrait successoral (art. 710 C. civ.).
Syn. cession de droits héréditaires, cession d'hérédité. **V.a.** vente de droits successifs.
Angl. assignment of inheritance, assignment of rights of inheritance, assignment of rights of succession+.

CESSION D'HÉRÉDITÉ

(*Obl.* et *Succ.*) Syn. cession de droits successifs. « La cession d'hérédité produit tous les effets d'une vente des droits héréditaires qui passent du cédant au cessionnaire; mais elle n'a pas pour effet de faire perdre au cédant la qualité d'héritier : *semel heres, semper heres* » (Planiol et Ripert, *Traité*, t. 10, n° 358, p. 455).
Angl. assignment of inheritance, assignment of rights of inheritance, assignment of rights of succession⁺.

CESSION DU RANG HYPOTHÉCAIRE

(*Sûr.*) Syn. cession de priorité d'hypothèque. « *Cession du rang hypothécaire.* C'est journellement qu'interviennent des conventions par lesquelles un créancier hypothécaire cède le rang dont il bénéficie au profit d'un autre créancier hypothécaire » (Dagot, *Sûretés*, p. 493).
Angl. assignment of hypothecary rank.

CESSIONNAIRE *n.*

(*Obl.*) Personne en faveur de qui se fait une cession, spécialement à propos d'une créance.
Occ. Art. 1192 C. civ.
Opp. cédant. **V.a.** acquéreur.
Angl. assignee.

CESSION-TRANSPORT *n.f.*

(*Obl.*) Syn. cession de créance.
Angl. assignment of creance⁺, transfer of creance, transfer of debt.

CHAMBRE DES NOTAIRES

Corps professionnel formé de l'ensemble des notaires d'un territoire donné. Par ex., la Chambre des notaires du Québec. « Seule, la Chambre des notaires [...] prononce les sanctions d'ordre disciplinaire, indépendamment des dommages-intérêts qui peuvent résulter d'un acte illicite du notaire et nécessitant l'intervention des tribunaux » (Baudouin, (1964-1965) 67 *R. du N.* 167, p. 180).
Occ. Art. 71, *Loi sur le Notariat*, L.R.Q., chap. N-2.
Rem. **1°** Au Québec, la chambre des notaires constitue une corporation professionnelle appelée *Chambre des Notaires du Québec*, *Ordre des notaires du Québec* ou *Corporation professionnelle des notaires du Québec*. **2°** La Chambre des notaires du Québec est régie par le *Code des professions* (L.R.Q., chap. C-26) et la *Loi sur le Notariat* (L.R.Q., chap. N-2).
Syn. notariat[2], ordre des notaires. **V.a.** barreau[2].
Angl. board of notaries, chamber of notaries(x), *chambre des notaires*⁺, notariate[2], order of notaries, *ordre des notaires*.

CHARGE *n.f.*

1. (*Biens* et *Obl.*) Syn. obligation[3]. « Le passif du patrimoine comprend toutes les dettes et, plus généralement, *toutes les charges* qui pèsent sur la personne » (Flour et Aubert, *Obligations*, vol. 1, n° 29, p. 19).
Occ. Art. 607 C. civ.
Angl. charge[1], debt[1], liability[3], obligation[3]⁺.

2. Obligation[1] que la loi ou une convention attache à une qualité ou à un état. Par ex., les charges du mariage (art. 445 C. civ. Q.), les charges découlant de la copropriété (art. 441*k* C. civ.). « Les grosses réparations sont des *charges extraordinaires* ou *de propriété*. L'usufruitier n'est pas tenu de les faire, *elles demeurent à la charge du propriétaire* » (Mignault, *Droit civil*, t. 2, p. 601).
Syn. condition[3].
Angl. charge[2].

3. (*Biens*) Limitation du droit de propriété d'un immeuble, corrélative à un droit réel, telle l'hypothèque ou la servitude. Par extension, limitation, soit corrélative à certains droits personnels (par ex., droits du locataire, faculté de réméré), soit imposée par la loi dans l'intérêt public (art. 1508

C. civ.), notamment par un règlement de zonage, ou encore celle qui provient de l'enregistrement d'une déclaration de résidence familiale (art. 453 C. civ. Q.). *Exempt de toute charge* (art. 1547 C. civ.), *libre de toute charge* (art. 949 C. civ.).
Occ. Art. 499 C. civ.
Syn. charge réelle.
Angl. charge[3]+, encumbrance, incumbrance, real charge.

4. (*Obl.* et *Succ.*) Obligation imposée par le disposant au bénéficiaire de la libéralité. *Donation avec charge.*
Occ. Art. 816 C. civ.
Angl. charge[4].

5. Fonction à caractère public. Par ex., le curateur, l'exécuteur testamentaire, le liquidateur, le tuteur.
Occ. Art. 763 C. civ.
Angl. charge[5].

6. (*Succ.*) Dette qui naît à la suite du décès d'une personne. « [...] "les charges" [...] c'est-à-dire les dettes posthumes de la succession, telles que les frais funéraires, les frais du règlement de la succession, les legs des sommes d'argent qu'un héritier ou légataire est obligé de payer à un légataire particulier, les frais de deuil de la femme du *de cujus* » (Mayrand, *Successions*, n° 372, p. 333).
Occ. Art. 697, 874, 878 C. civ.
Rem. Cette acception se retrouve principalement dans l'expression *charges et dettes*, dans laquelle le mot *dettes* désigne celles qu'avait le *de cujus* au moment de son décès et le mot *charges*, celles qui naissent à la suite de son décès.
Angl. charge[6].

CHARGE FLOTTANTE

(*Biens* et *Sûr.*) Charge[3] établie, à titre de sûreté, sur l'ensemble des biens présents et à venir du débiteur et qui se cristallise au moment du défaut d'exécution.
Occ. Payette, dans *Meredith Memorial Lectures*, (1976-1977) 43.
Rem. La charge flottante tire son origine de la *floating charge* des pays de common law. Contrairement aux sûretés réelles traditionnelles du droit civil, la charge flottante porte non seulement sur les biens présents, mais aussi sur les biens à venir du débiteur, tout en laissant à celui-ci le droit d'en disposer. Au moment de la cristallisation, l'assiette de la charge se fixe et le bénéficiaire peut dès lors exercer ses pouvoirs. La charge flottante est établie par acte de fiducie; ses effets résultent à la fois des dispositions de l'acte, du Code civil et de la *Loi sur les pouvoirs spéciaux des corporations* (L.R.Q., chap. P-16).
Syn. charge générale. **V.a.** hypothèque flottante.
Angl. floating charge.

CHARGE GÉNÉRALE

(*Biens* et *Sûr.*) Syn. charge flottante.
Occ. *Sous-ministre du revenu du Québec* c. *Total Rental Equipment Inc.*, [1979] C.S. 840.
Angl. floating charge.

CHARGE PERSONNELLE

Charge[3] attachée à la personne du titulaire et qui ne passe pas à ses ayants cause. Par ex., la tutelle.
Occ. Art. 266 C. civ.
Angl. personal charge+, personal office.

CHARGE RÉELLE

(*Biens*) Syn. charge[3].
Occ. Anc. art. 1304 C. civ. (1866-1981).
Angl. charge[3]+, encumbrance, incumbrance, real charge.

CHARGEUR, EURE *n.*

(*Obl.*) Syn. expéditeur. « Il y a dans le contrat de transport deux parties contractantes : l'*expéditeur* (*ou chargeur*) et le *transporteur* (ou *voiturier*) » (*Dict. de droit*, t. 1, v° Contrat de transport, n° 7).

Occ. Art. 2410, 2420, 2707 C. civ.
Rem. Le terme est surtout employé en matière de transport de marchandises par eau.
Angl. consignor, freighter, sender, shipper⁺.

CHEF *n.*

V. juge en chef.

CHÈQUE *n.m.*

(*D. comm.*) Lettre de change tirée sur une banque et payable à demande. « Comme dans la lettre de change, [le] chèque comprend un ordre de payer; il est donné par le tireur [...], adressé à la banque tirée et mande à cette dernière de payer le preneur [...] » (Bohémier et Côté, *Droit commercial*, t. 2, p. 219).
Occ. Art. 1665.1, 1834*b* C. civ.; art. 165, *Loi sur les lettres de change*, L.R.C. 1985, chap. B-4.
Rem. En vertu de l'art. 164 de la *Loi sur les lettres de change* (L.R.C. 1985, chap. B-4), « "banque" s'entend notamment des membres de l'Association canadienne des paiements créée par la *Loi sur l'Association canadienne des paiements* [L.R.C. 1985, chap. C-21], ainsi que des sociétés coopératives de crédit définies par cette loi et affiliées à une centrale — toujours au sens de cette loi — qui est elle-même membre de cette association ».
V.a. billet, effet de commerce.
Angl. cheque.

CHIROGRAPHAIRE *adj.*

(*Sûr.*) V. créance chirographaire, créancier chirographaire. « [Les créanciers chirographaires] n'ont, en général, qu'un billet écrit de la main du débiteur, ce qui explique le terme "chirographaire" qui vient du grec : *kheir* (main), *graphein* (écrit) » (Starck, *Introduction*, n° 184, p. 81).

CHOSE *n.f.*

1. (*Biens*) Objet matériel. « [...] même les choses matérielles (les biens corporels), le droit ne les considère pas tant d'après leurs caractères physiques que d'après leur utilisation pour les besoins des hommes — non pas tant *naturaliter* que *commercialiter* [...] » (Carbonnier, *Droit civil*, t. 3, n° 16, p. 75).
Occ. Art. 585, 2268 C. civ.
V.a. bien², contrat de transport de choses, fait autonome de la chose, fait de la chose, louage de choses, responsabilité du fait des choses, risque de la chose.
Angl. thing¹.

2. (*Obl.*) Syn. prestation.
Occ. Art. 1093, 1139 C. civ.
Angl. prestation⁺, thing².

CHOSE ABANDONNÉE

(*Biens*) Chose¹ à la propriété de laquelle son titulaire a renoncé. Par ex., les objets ménagers qui ont été jetés. « La première personne qui s'empare d'une chose abandonnée (*res derelicta*), en devient propriétaire par l'*occupation* » (Mazeaud et Chabas, *Leçons*, t. 1, vol. 1, n° 213, p. 282).
Rem. Les épaves et les trésors ne sont pas considérés comme des choses abandonnées, leur propriétaire n'ayant pas eu l'intention de s'en dessaisir.
Syn. *res derelicta*. **V.a.** bien sans maître, épave.
Angl. abandoned thing⁺, *res derelicta*.

CHOSE CERTAINE ET DÉTERMINÉE

(*Biens*) Chose¹ désignée individuellement. « Tout le monde est d'accord sur le sens des mots "chose certaine et déterminée" : c'est une chose dont l'identité est connue » (*Cohen* c. *Bonnier*, (1924) 36 B.R. 1, p. 8, j. C.-E. Dorion).
Occ. Art. 1025 C. civ.
Syn. bien non fongible, chose individualisée, chose non fongible, corps certain et déterminé. **Opp.** chose de genre.

Angl. certain and determinate thing, certain specific thing, individualized thing, non-fungible property, non-fungible thing, thing certain and determinate+.

CHOSE COMMUNE

(*Biens*) Chose[1] non susceptible d'appropriation privée et dont l'utilisation est commune à tous. Par ex., l'air, la lumière, la mer. « L'occupation peut s'appliquer même aux *choses communes* (*res communes*). Sans doute l'atmosphère, l'eau courante ou l'eau de la mer restent dans leur ensemble des choses communes; mais une appropriation partielle est possible : ainsi en cas de puisage de l'eau, de compression ou de liquéfaction de l'air » (Marty et Raynaud, *Biens*, n° 415, p. 517).
Rem. Voir l'art. 585 C. civ.
Syn. *res communis*. **V.a.** bien sans maître.
Angl. *res communis*, thing in common+.

CHOSE CONSOMPTIBLE

(*Biens*) Syn. bien consomptible. « [...] les choses "consomptibles" ne sont pas seulement les choses "comestibles", ce sont encore des choses comme l'essence ou le charbon, ou les cigarettes » (Starck, *Introduction*, n° 285, p. 119).
Opp. chose non consomptible.
Angl. consumable property+, consumable thing.

CHOSE CORPORELLE

(*Biens*) Syn. bien[2]. « [...] la nature physique des choses corporelles, leur caractère de fixité ou de mobilité, obligent à les soumettre sur certains points à des règles différentes, et celles-ci ne sauraient être étendues qu'aux seuls droits qui portent sur les choses corporelles : les droits réels » (Mazeaud et Chabas, *Leçons*, t. 1, vol. 1, n° 184, p. 250).
Opp. chose incorporelle.
Angl. corporeal property, corporeal thing, property[2]+.

CHOSE DANS LE COMMERCE

(*Biens* et *Obl.*) Chose susceptible de faire l'objet d'un acte juridique à caractère patrimonial. « *Chose dans le commerce.* La chose doit être dans le commerce [...] Il s'agit du commerce juridique au sens large et non de l'activité des professions commerciales. Cela veut dire que la chose doit être de nature patrimoniale ou avoir une valeur économique et ne pas être frappée d'inaliénabilité » (Tancelin, *Obligations*, n° 163.2, p. 90).
Rem. Voir l'art. 1059 C. civ.
Opp. chose hors commerce.
Angl. object of commerce.

CHOSE DE GENRE

(*Biens*) Chose[1] qui n'est déterminée que par son espèce, de sorte que les objets appartenant à cette catégorie sont interchangeables. « [...] le débiteur d'un corps certain est libéré par la perte fortuite de la chose due [...] alors que le débiteur de choses de genre ne le serait pas [...] » (Robinot, *Rép. droit. civ.*, v° Biens, n° 9). *Les choses de genre ne périssent pas.*
Rem. À l'art. 1026, le Code civil désigne la chose de genre comme étant incertaine ou indéterminée. Elle devient certaine et déterminée par l'individualisation.
Syn. bien fongible, chose fongible. **Opp.** chose certaine et déterminée. **V.a.** bien consomptible.
Angl. fungible, fungible thing, generic thing+, indeterminate thing.

CHOSE FONGIBLE

(*Biens*) Syn. chose de genre. « [...] on peut trouver des choses fongibles, c'est-à-dire ayant même valeur libératoire, qui ne soient pas consomptibles » (Planiol et Ripert, *Traité*, t. 3, n° 60, p. 64).
Rem. Voir l'art. 1474 C. civ.
Opp. chose non fongible.
Angl. fungible, fungible thing, generic thing+, indeterminate thing.

CHOSE FUTURE

(*Biens*) Chose[2] qui n'est pas encore venue à l'existence. Par ex., la récolte de l'année suivante, les loyers d'un immeuble en construction. « L'obligation qui a pour objet une chose future n'est, en réalité, qu'une obligation conditionnelle. Son existence est soumise à la condition que cette chose future existera plus tard. Si cette condition ne se réalise pas, l'obligation est nulle *ab initio*, à raison de l'effet rétroactif de la condition » (Faribault, dans *Traité*, t. 7-bis, n° 288, p. 198).
Occ. Art. 1061 C. civ.
Rem. Ne pas confondre avec bien à venir.
Angl. future thing.

CHOSE HORS (DU) COMMERCE

(*Biens* et *Obl.*) Chose qui n'est pas susceptible de faire l'objet d'un acte juridique à caractère patrimonial. « [...] les choses hors du commerce ne sont pas susceptibles d'appropriation privée [...] Ainsi les *biens du domaine public*, meubles ou immeubles [...] » (Mazeaud et Chabas, *Leçons*, t. 2, vol. 2, n° 1416, p. 157).
Rem. 1° Voir les art. 1486, 2201 C. civ. 2° Les choses hors commerce sont imprescriptibles, insaisissables et, en principe, inaliénables.
Opp. chose dans le commerce.
Angl. object not in commerce.

CHOSE INCORPORELLE

(*Biens*) Syn. droit patrimonial. « [...] la notion de chose ou de bien au sens juridique n'a cessé de se développer et de s'étendre. Limitée à l'origine aux choses corporelles, elle fut appliquée dès le droit romain aux *res incorporales*, et aujourd'hui les choses incorporelles qui font l'objet d'une protection juridique sont d'autant plus nombreuses et importantes que le progrès économique a multiplié les richesses de tous ordres et montré la valeur des biens immatériels » (Planiol et Ripert, *Traité*, t. 3, n° 50, p. 56-57).
Opp. chose corporelle.
Angl. incorporeal property, incorporeal thing, patrimonial right+, property[1].

CHOSE INDIVIDUALISÉE

(*Biens*) Syn. chose certaine et déterminée. « [...] les choses individualisées, non fongibles, donnent naissance à des *dettes de corps certain* (ex. le blé qui se trouve dans tels sacs ou dans tel silo, le vin qui se trouve dans tel chai ou dans telle cave) » (Robinot, *Rép. droit civ.*, v° Biens, n° 8).
Angl. certain and determinate thing, certain specific thing, individualized thing, non-fungible property, non-fungible thing, thing certain and determinate+.

CHOSE NON CONSOMPTIBLE

(*Biens*) Syn. bien non consomptible. « Les choses non consomptibles [...] sont celles dont on peut user de façon plus durable, sans en détruire la substance : le sol, une maison, des meubles meublants, des livres, des vêtements, des voitures, etc. » (Starck, *Introduction*, n° 285, p. 119).
Opp. chose consomptible.
Angl. non-consumable property+, non-consumable thing.

CHOSE NON FONGIBLE

(*Biens*) Syn. chose certaine et déterminée. « [...] les *choses fongibles*, ou *choses de genre*, qui se pèsent, se comptent ou se mesurent et sont, à qualité égale, interchangeables — comme le charbon — alors que les choses non fongibles, dites *corps certains*, sont individualisées et non interchangeables — telle une maison [...] » (Aubert, *Introduction*, n° 193, p. 198).
Rem. Ne pas confondre chose non fongible et chose non consomptible. Les exemplaires d'un livre d'édition courante sont des choses fongibles, mais non consomptibles. À l'inverse, le dernier fût de la cuvée d'un grand cru est une chose consomptible, mais non fongible.

Opp. chose fongible.
Angl. certain and determinate thing, certain specific thing, individualized thing, non-fungible property, non-fungible thing, thing certain and determinate+.

CHOSE SANS MAÎTRE

(*Biens*) Syn. bien sans maître. « L'occupation s'applique aussi aux choses sans maître (*res nullius*). Il s'agit, avec l'eau de pluie qui peut être recueillie, essentiellement du gibier, des poissons, des produits de la mer. Leur acquisition par la chasse ou la pêche n'est pas libre et ces modes d'occupation font l'objet d'une règlementation importante et minutieuse » (Marty et Raynaud, *Biens*, n° 415, p. 518).
Angl. *res nullius*+, thing without an owner.

CHOSE VACANTE

(*Biens*) Syn. bien sans maître.
Angl. *res nullius*+, thing without an owner.

CIRCONSTANCE *n.f.*

V. loi de circonstance.

CIRCONSTANCE DE RATTACHEMENT

(*D. int. pr.*) Syn. facteur de rattachement. « Le contact ainsi choisi, étant une circonstance de la relation en cause et cette "circonstance" permettant de "rattacher" cette relation à un système juridique, on le désigne couramment [...] par l'expression "circonstance de rattachement" » (Francescakis, dans *Encyclopédie*, v° Conflits de lois, n° 154).
Angl. connecting circumstances, connecting criterion, connecting element, connecting factor+, connecting point, element of localization, point of localization.

CIVIL, ILE *adj.*

1. Syn. privé.
Occ. Art. 18, 356 C. civ.
Rem. Du latin *civilis*, de *civis* : citoyen.
V.a. droit civil[1].
Angl. civil[1], private[1]+.

2. Relatif à l'ensemble des règles fondamentales qui forment le droit commun du droit privé[1], par opposition à ses branches spécialisées. « Le terme civil, pris dans sa plus large acception, par opposition à pénal et à administratif, est presque synonyme de privé [...] » (Cornu et Foyer, *Procédure civile*, p. 10). *Juridiction civile.*
Occ. Art. 16, 2494, 2600 C. civ.
V.a. code civil, droit civil[2], faute civile, liberté civile, procédure civile, responsabilité civile.
Angl. civil[2].

3. Qui relève du droit civil[3], par opposition à commercial. « Notre système juridique connaît la dualité du droit privé dont les branches sont le droit civil et le droit commercial » (Lilkoff, (1966) 26 *R. du B.* 534, p. 535).
Occ. Art. 1857, 1863, 2492 C. civ.
Opp. commercial. **V.a.** acte civil, contrat civil, opération civile, société civile.
Angl. civil[3].

4. Relatif à la situation juridique d'une personne en droit privé[1]. « Par opposition à l'*état politique* (constitué par la nationalité et par les droits, ou l'absence des droits, du citoyen), l'*état civil* est, dans un sens large et vague, la situation (*status*) de la personne en droit privé [...] » (Carbonnier, *Droit civil*, t. 1, n° 61, p. 85). *Actes de l'état civil, registres de l'état civil.*
Occ. Art. 39, 290 C. civ.
V.a. état civil.
Angl. civil[4].

5. Qui tire principalement son origine et son inspiration du droit romain. « Par l'ancienneté de ses règles et leur filiation romaine directe, par l'extrême perfection que ses adeptes ont toujours voulu apporter à leurs écrits, le droit civil est le symbole même de la loi écrite, par opposition aux règles juridiques issues de la coutume » (Azard et Bisson, *Droit civil*, t. 1, n° 19, p. 23).

V.a. droit civil[4].
Angl. civil[5].

6. (*Pers.*) Laïc, par opposition à religieux ou ecclésiastique. « Depuis 1968, le Québec connaissait deux régimes distincts de célébration du mariage : le mariage civil et le mariage religieux avec effets civils » (Ouellette, *Famille*, p. 13-14). *Sépulture civile.*
Occ. Art. 66*a* C. civ.
Syn. séculier. **V.a.** droit civil[6], mariage civil.
Angl. civil[6+], secular.

7. (*Pers.*) Créé par la loi[1]. « La loi crée, dans certains cas, des *personnes fictives* ou *civiles* [...]. On les appelle personnes *morales* ou *civiles*, par opposition aux personnes *naturelles* ou *physiques* » (Mignault, *Droit civil*, t. 1, p. 129). *Mort civile.*
V.a. personnalité civile, personne civile.
Angl. civil[7].

8. (*Obl.*) Susceptible d'exécution forcée. « [...] alors que les obligations civiles sont susceptibles d'une exécution forcée, on ne peut pas contraindre le débiteur d'une obligation naturelle à exécuter celle-ci [...] » (Pineau et Burman, *Obligations*, n° 14, p. 17).
V.a. obligation civile.
Angl. civil[8].

9. (*Prescr.*) Qui résulte d'un acte juridique, à propos de l'interruption de la prescription. « *L'interruption civile* résulte d'un acte juridique soit du titulaire du droit, soit du possesseur » (Marty et Raynaud, *Biens*, n° 191, p. 249).
Occ. Art. 2224 C. civ.
Syn. juridique[6]. **V.a.** interruption civile de la prescription.
Angl. civil[9+], legal[10].

10. (*Biens*) Qui consiste en une somme d'argent, à propos de fruits. « La distinction des fruits naturels ou industriels, d'une part, et des fruits civils, d'autre part, est fort importante : car, tandis que les premiers ne s'acquièrent que *par la perception*, les seconds s'acquièrent *jour par jour* » (Mignault, *Droit civil*, t. 2, p. 547).
Occ. Art. 409, 449 C. civ.
V.a. fruit civil.
Angl. civil[10].

11. Syn. juridique[2].
V.a. possession civile.
Angl. civil[11], juridical[2], legal[8+].

12. Qui ne relève pas du pouvoir militaire. *Autorité civile, pouvoir civil, vie civile.*
Angl. civil[12].

13. Se dit d'une guerre entre les citoyens d'un État.
Occ. Art. 2592 C. civ.
Angl. civil[13].

14. (*D.jud.*) *Vieilli.* Se disait de la requête en rétractation d'un jugement non susceptible d'appel ou d'opposition, ou pour lequel ces voies de recours ne constituaient pas un remède utile. « Parce que l'opposition à jugement, la requête civile, la requête en révision, et, dans une certaine mesure, la tierce opposition, visent toutes à faire rétracter le jugement contre lequel elles sont formées, encore que ce soit pour des motifs différents, il a paru normal de prévoir que ces recours soient tous exercés par une procédure identique, la requête en rétractation de jugement » (*Code de procédure civile*, Rapport des Commissaires, p. 95a).
Occ. Art. 1178 anc. C. proc. civ. (1897-1965).
Rem. Voir les art. 482 et s. C. proc. civ.

CLANDESTIN, INE *adj.*

V. mandat clandestin, possession clandestine.

CLANDESTINITÉ *n.f.*

État d'un acte ou d'une situation juridique que l'on cache à ceux qui auraient intérêt à en avoir connaissance. « [...] vice fondé, comme la violence, sur la conduite du possesseur, la clandestinité suppose une

volonté de dissimulation [...] » (Mazeaud et Chabas, *Leçons*, t. 2, vol. 2, n° 1436, p. 170).
Occ. Art. 2198 C. civ.
Angl. clandestinity.

CLAUSE *n.f.*

Disposition[2] particulière d'un acte juridique, spécialement d'un contrat.
Occ. Art. 1018 C. civ.; art. 13, *Charte des droits et libertés de la personne*, L.R.Q., chap. C-12.
Rem. Contrairement à son équivalent anglais *clause*, le terme ne peut s'employer à propos des dispositions de la loi.
Syn. stipulation[1]. **V.a.** condition[2].
Angl. clause[1]+, stipulation[1].

CLAUSE ABUSIVE

(*Obl.*) Clause d'un contrat qui confère à une des parties un avantage excessif. « [...] des clauses abusives se rencontrent aujourd'hui dans la plupart des contrats prérédigés [...] » (Ghestin, *Contrat*, n° 80, p. 72).
Occ. Art. 1433, Projet de loi 125.
Rem. Voir l'art. 1040*c* C. civ. et l'art. 8, *Loi sur la protection du consommateur*, L.R.Q., chap. P-40.1
V.a. clause léonine, lésion, usure.
Angl. abusive clause.

CLAUSE ATTRIBUTIVE DE COMPÉTENCE

(*D. jud.* et *D. int. pr.*) Clause par laquelle les parties à un contrat s'engagent à porter devant un tribunal désigné d'avance un litige qui pourrait s'élever à propos de ce contrat. Par ex., clause par laquelle les parties à un contrat de transport maritime entre Montréal et New York attribuent compétence aux tribunaux anglais. « Pleine valeur devrait être reconnue aux clauses attributives de compétence juridictionnelle, car elles servent les intérêts de la justice » (Castel, *Droit int. privé*, p. 705).
Rem. L'expression *clause attributive de juridiction*, plus ancienne, est couramment utilisée par la doctrine française.
Syn. clause attributive de juridiction.
V.a. clause d'élection de domicile, élection de for°, prorogation de compétence°.
Angl. clause attributing jurisdiction, clause conferring jurisdiction, jurisdictional clause+.

CLAUSE ATTRIBUTIVE DE JURIDICTION

(*D. jud.* et *D. int. pr.*) Syn. clause attributive de compétence. « La prorogation volontaire peut être expressément prévue par les parties dans un écrit, par exemple sous la forme d'une clause attributive de juridiction ou sous celle d'une élection de domicile » (Batiffol et Francescakis, dans *Encyclopédie*, v° Compétence civile et commerciale, n° 32).
Angl. clause attributing jurisdiction, clause conferring jurisdiction, jurisdictional clause+.

CLAUSE COMMINATOIRE

(*Obl.*) Clause d'un acte juridique qui contient la menace d'une sanction en cas d'inexécution d'une obligation. Par ex., une clause pénale.
Angl. comminatory clause.

CLAUSE COMPROMISSOIRE

(*Obl.*) Clause par laquelle les parties à un contrat conviennent, avant toute contestation, de soumettre à l'arbitrage les différends qui pourront s'élever entre elles à propos du contrat. « La validité des clauses compromissoires est maintenant reconnue. Encore faut-il qu'elles soient claires, quant à leur objet, inconditionnelles, obligatoires et non facultatives » (*Black* c. *Standard Chemical Ltd*, [1974] R.P. 375, p. 376, j. M. Archambault).
Occ. Anc. art. 951 C. proc. civ. (1966-1986).

Rem. **1°** En novembre 1986, le législateur a remplacé la clause compromissoire par le terme plus générique *convention d'arbitrage* qui peut être un contrat tant accessoire que principal. **2°** Avant novembre 1986, la clause compromissoire était susceptible de se présenter sous deux formes : la clause compromissoire préjudicielle et la clause compromissoire réelle (*Granby (Ville de)* c. *Désourdy Construction Ltée*, [1973] C.A. 971, p. 987-988). Dans le premier cas, les parties prévoyaient un arbitrage préalable avant de porter le différend devant les tribunaux; la validité d'une telle clause n'a jamais été mise en doute. Dans le second cas, les parties entendaient le soustraire complètement aux tribunaux; après avoir longtemps hésité sur le sens à donner à l'anc. art. 951 C. proc. civ., la jurisprudence s'est fixée en faveur de la validité de cette clause (*Zodiak* c. *Polish People's Republic*, [1983] 1 R.C.S. 529).
Syn. clause d'arbitrage, pacte compromissoire. **V.a.** compromis, convention d'arbitrage.
Angl. arbitration clause, undertaking to arbitrate⁺.

CLAUSE D'AGRÉMENT

(*Obl.*) Clause interdisant à une partie d'accomplir un acte juridique ou un acte matériel sans l'accord préalable de son cocontractant. Par ex., la clause selon laquelle un associé ne peut disposer de sa part sans l'adhésion préalable de ses coassociés. « Il arrrive fréquemment que le vendeur d'un terrain veuille exercer, après la vente, un contrôle sur l'aménagement et l'environnement du lot vendu. À titre d'illustrations, mentionnons quelques clauses d'agrément qui peuvent ainsi se rencontrer dans les actes de vente : [...] *L'acquéreur s'oblige à obtenir au préalable* [...] *du vendeur l'autorisation* [...] *avant de procéder au déboisement de sa propriété ou à tous travaux de nivellement et d'excavation* » (Duplessis, Hétu et Piette, *Environnement*, p. 6).
V.a. clause de préemption, pacte de préférence.
Angl. approval clause.

CLAUSE D'AMEUBLISSEMENT

(*Biens*) Clause d'un contrat de mariage par laquelle les époux qui ont opté pour le régime de la communauté de meubles et acquêts donnent fictivement le caractère mobilier à l'ensemble ou à une partie de leurs immeubles présents ou futurs qui entrent ainsi dans la communauté alors qu'ils devraient, selon la loi, leur rester propres. « À l'instar des clauses de réalisation et de toutes autres clauses dérogeant à la communauté légale, les clauses d'ameublissement sont d'interprétation restrictive » (Comtois, *Communauté de biens*, n° 252, p. 241).
Occ. Anc. art. 1390 C. civ. (1866-1981).
Rem. Les immeubles visés par la clause d'ameublissement sont dits *ameublis*.
V.a. ameublissement.
Angl. clause of mobilization, mobilization clause⁺.

CLAUSE D'APPROVISIONNEMENT

(*Obl.*) Clause d'un contrat par laquelle un des contractants s'engage à ne pas se procurer auprès de tiers les prestations faisant l'objet du contrat. « Le vendeur du fonds [de commerce] avait certaines obligations envers un contractant, par exemple une "clause d"approvisionnement" (obligation d'acheter ses marchandises auprès d'un fournisseur déterminé) » (Starck, Roland et Boyer, *Obligations*, t. 2, n° 1318, p. 459-460).
Rem. Cette clause est une forme de clause d'exclusivité.
V.a. clause de non-concurrence⁺, clause d'exclusivité⁺.
Angl. exclusivity of supply clause.

CLAUSE D'ARBITRAGE

(*Obl.*) Syn. clause compromissoire.
Angl. arbitration clause, undertaking to arbitrate⁺.

CLAUSE D'ÉCHELLE MOBILE

(*Obl.*) Clause monétaire en vertu de laquelle le montant d'une dette est établi, à l'échéance, en fonction des variations de certains éléments de référence, tels la valeur d'un bien ou d'un service ou l'indice du coût de la vie. « [...] les clauses d'*échelle mobile* ou d'indexation [sont celles] d'après lesquelles la somme due à l'échéance représentera la valeur d'une certaine quantité d'une marchandise déterminée ou variera suivant la valeur de certaines marchandises ou certains indices économiques » (Marty et Raynaud, *Obligations* (1962), n° 570, p. 612).
Rem. Voir l'art. 1658.13 C. civ. et les art. 280 et s., *Loi sur les assurances*, L.R.Q., chap. A-32.
Syn. clause d'indexation, clause indexée.
V.a. clause or, clause valeur or, indexation.
Angl. escalator clause, indexation clause, sliding scale clause⁺.

CLAUSE DE DATION EN PAIEMENT

(*Obl.*) Clause d'un contrat par laquelle l'une des parties consent à son cocontractant le transfert de la propriété d'un bien pour le cas où elle ne remplirait pas ses obligations. « Le créancier, ayant le droit d'opter entre réclamer le paiement de sa créance et exécuter la clause de dation en paiement, doit faire connaître son choix au débiteur [...] » (Faribault, dans *Traité*, t. 11, n° 550, p. 525).
Occ. Art. 1646 C.civ.
Rem. **1°** La clause de dation en paiement se rencontre le plus souvent dans un contrat de prêt hypothécaire ou de vente immobilière. **2°** La clause de dation en paiement contenue dans une convention d'hypothèque a une existence propre et constitue une garantie distincte qui n'est pas assujettie à la validité de l'hypothèque. **3°** La mise en oeuvre de la clause de dation en paiement en matière immobilière est sujette à l'avis de soixante jours de l'art. 1040*a* C. civ. **4°** La clause de dation en paiement constitue pour le créancier une acquisition sous condition suspensive et pour le débiteur, une aliénation sous condition résolutoire. Lors de sa réalisation, le créancier, qui se prévaut de la clause, devient propriétaire absolu rétroactivement au jour du contrat (art. 1085 C. civ.). **5°** La clause prévoit généralement que le créancier n'aura pas à restituer les acomptes reçus ni à verser une indemnité pour les améliorations apportées au bien.
Angl. clause of *dation en paiement*, clause of giving in payment, *dation en paiement* clause, giving in payment clause⁺.

CLAUSE DE DÉDIT

(*Obl.*) Clause accordant la faculté de dédit. « On a pu [...] insérer [au contrat] une *clause de dédit*, dont le sens est que chacun des contractants, ou l'un d'entre eux, a le droit de *se dédire* (de reprendre sa parole), de se dégager de l'affaire [...] » (Carbonnier, *Droit civil*, t. 4, n° 51, p. 210).
Syn. stipulation de dédit. **V.a.** stipulation d'arrhes.
Angl. forfeit clause, stipulation as to withdrawal, withdrawal clause⁺.

CLAUSE DE FOURNIR ET FAIRE VALOIR

(*Obl.*) Clause par laquelle les parties à un contrat de cession de créance conviennent d'une garantie de fournir et faire valoir. « *Il est possible* [...] *par une stipulation expresse, de garantir la solvabilité future du débiteur* (solvabilité au moment du paiement [...]); cette clause, dite "de fournir et faire valoir", donne au cédant le rôle voisin de celui d'une caution. Le cédant ne s'engage pourtant pas à payer *la* dette, mais une indemnité de garantie si celle-ci n'est pas payée par le nouveau débiteur » (Mazeaud et Chabas, *Leçons*, t. 2, vol. 1, n° 1275, p. 1293).

V.a. garantie de fournir et faire valoir.
Angl. clause of *fournir et faire valoir*, guarantee of payment clause, warranty of payment clause+.

CLAUSE DE GARANTIE

(*Obl.*) Clause d'un contrat par laquelle les parties définissent la garantie[1] assumée par l'une d'elles. « À côté de la garantie de droit, établie par la loi, il existe une garantie de fait qui résulte de la convention des parties [...] Parfois les clauses de garantie ont pour objet d'accroître la responsabilité du garant [...] Par contre, la pratique fournit des exemples extrêmement nombreux de clauses destinées à restreindre la responsabilité du vendeur, soit que le vendeur ait prétendu s'exonérer de la garantie pour tel fait particulier [...] soit même que le vendeur ait entendu se libérer de toute garantie [...] » (Planiol et Ripert, *Traité*, t. 10, n° 121, p. 130-131).
Occ. Art. 1577 C. civ.
Rem. Voir notamment les art. 1507, 1509 et 1510 C. civ.
V.a. clause de non-garantie, garantie conventionnelle, garantie légale.
Angl. clause of warranty, warranty clause+.

CLAUSE D'ÉLECTION DE DOMICILE

(*Pers.* et *D. jud.*) Clause qui établit le domicile élu d'une partie. « [...] la clause d'élection de domicile s'analyse en une *modification conventionnelle des règles de la compétence territoriale des juridictions* » (Cornu, *Introduction*, n° 696, p. 236).
V.a. clause attributive de compétence.
Angl. election of domicile clause.

CLAUSE DE LIMITATION DE RESPONSABILITÉ

(*Obl.*) Syn. clause limitative de responsabilité.
Angl. clause of limitation of liability, limitation of liability clause+, limited liability clause.

CLAUSE DE NON-CONCURRENCE

(*Obl.*) Clause par laquelle une partie s'interdit d'exercer une activité professionnelle ou commerciale susceptible de faire concurrence à l'autre partie. « [...] selon le droit civil il incombe à celui qui invoque la nullité de la clause de non-concurrence de démontrer son caractère déraisonnable et partant son illégalité pour motif d'ordre public » (*Toulouse* c. *Laiterie St-Georges Ltée*, [1978] C.A. 210, p. 211, j. A. Mayrand).
Rem. La clause de non-concurrence se rencontre principalement dans le contrat de vente d'un fonds de commerce (clause de non-rétablissement) et dans le contrat de travail (notamment, clause de non-réembauchage). La jurisprudence la tient pour contraire à l'ordre public lorsqu'elle comporte des interdictions qui ne sont pas suffisamment limitées dans le champ d'activité, dans le temps et dans l'espace.
V.a. clause d'approvisionnement, clause d'exclusivité, obligation de non-concurrence. **F.f.** clause restrictive de commerce.
Angl. clause in restraint of trade(<)+, covenant in restraint of trade(<)(x), non-competition clause+, restrictive covenant(x).

CLAUSE DE NON-GARANTIE

(*Obl.*) Clause d'un contrat visant à exclure une garantie[1]. « *Les clauses de non-garantie.* Les articles 1509 et 1510 du Code civil reconnaissent la possibilité de vendre sans garantie mais posent certaines règles d'ordre public auxquelles les contractants ne peuvent déroger [...] » (Pourcelet, *Vente*, p. 143).
Syn. stipulation de non-garantie. **V.a.** clause de garantie, garantie conventionnelle, garantie légale.
Angl. clause excluding warranty+, non-warranty clause, stipulation excluding warranty.

CLAUSE DE NON-RÉEMBAUCHAGE

(*Obl.*) Clause de non-concurrence par laquelle un salarié s'engage à ne pas se

mettre au service d'un concurrent après la cessation de son emploi.
Angl. non-employment clause.

CLAUSE DE NON-RESPONSABILITÉ

1. (*Obl.*) Clause par laquelle les parties conviennent à l'avance de supprimer la responsabilité découlant, pour le débiteur, de l'inexécution d'une obligation. « Une jurisprudence fermement établie refuse de donner effet à une clause de non-responsabilité en cas de faute lourde du débiteur [...] » (Tancelin, *Obligations*, n° 788, p. 470).
Syn. clause d'exclusion de responsabilité, clause d'exonération de responsabilité[1], clause élusive de responsabilité, clause exonératoire de responsabilité. **Opp.** clause limitative de responsabilité.
Angl. exemption clause, exoneration clause[1], non-liability clause[1+].

2. (*Obl.*) Clause par laquelle les parties conviennent à l'avance de supprimer ou de limiter la responsabilité découlant, pour le débiteur, de l'inexécution d'une obligation.
Rem. **1°** Cette clause peut porter sur la responsabilité tant extracontractuelle que contractuelle, étant entendu qu'on ne saurait se dégager de la responsabilité résultant d'une faute intentionnelle ou d'une faute lourde. **2°** En ce sens générique, le terme s'entend à la fois des clauses de non-responsabilité[1] et des clauses limitatives de responsabilité.
Syn. clause d'exonération de responsabilité[2].
Angl. exoneration clause[2], exoneration of liability clause, non-liability clause[2+].

CLAUSE DE NON-RÉTABLISSEMENT

(*D. comm.*) Clause de non-concurrence par laquelle le cédant d'un fonds de commerce s'engage vis-à-vis du cessionnaire à ne pas exploiter un commerce similaire.
Angl. non-reestablishment clause.

CLAUSE DE PRÉEMPTION

(*Obl.*) Clause par laquelle le propriétaire d'un bien s'engage envers son cocontractant à le lui offrir en priorité dans le cas où il déciderait de le vendre.
V.a. clause d'agrément, droit de préemption[1], pacte de préférence.
Angl. preemption clause[+], preemptive clause.

CLAUSE DE PREMIER REFUS

(*Obl.*) (X) *Angl.* V. pacte de préférence.
Angl. first refusal agreement[+], first refusal clause, promise of first option.

CLAUSE DE RÉSOLUTION

(*Obl.*) Syn. clause résolutoire[1]. « Les parties peuvent insérer dans le contrat une clause de résolution, soit pour échapper à certaines conditions de la résolution judiciaire, soit pour permettre la résolution dans les cas visés par les articles 1536 et s. C. c. » (Tancelin, *Obligations*, n° 259, p. 153).
Angl. clause of resolution, resolutive clause, resolutory clause[1+].

CLAUSE DE RÉSOLUTION DE PLEIN DROIT

(*Obl.*) Syn. clause résolutoire de plein droit. « [La] clause de résolution de plein droit, tout comme la résolution légale de plein droit de l'article 1544 C.c. ne jouent pas de façon automatique, en ce sens qu'elles sont facultatives pour le créancier : il doit évidemment conserver la possibilité de poursuivre en exécution forcée ou en dommages-intérêts, selon l'article 1065 C.c. s'il le préfère » (Tancelin, *Obligations*, n° 260, p. 153).
Angl. clause of resolution of right, express clause of resolution, express resolutory clause, *pacte commissoire*[1], resolutory clause of right[+], stipulation of resolution upon non-performance[1].

CLAUSE DE RESPONSABILITÉ ATTÉNUÉE

(*Obl.*) Syn. clause limitative de responsabilité. « Les clauses de responsabilité atténuée [...] sont susceptibles de se rencontrer en matière contractuelle et en matière délictuelle » (Mazeaud et Chabas, *Traité*, t. 3, vol. 2, n° 2582, p. 115).
Angl. clause of limitation of liability, limitation of liability clause+, limited liability clause.

CLAUSE DE RESPONSABILITÉ LIMITÉE

(*Obl.*) Syn. clause limitative de responsabilité. « [...] les clauses de non-responsabilité suppriment entièrement l'obligation de réparer; les clauses de responsabilité limitée réduisent cette obligation à la limite fixée » (Mazeaud et Chabas, *Leçons*, t. 2, vol. 1, n° 639, p. 779).
Angl. clause of limitation of liability, limitation of liability clause+, limited liability clause.

CLAUSE DE RÉVISION

(*Obl.*) Clause par laquelle les parties stipulent la révision du contrat dans le cas où surviendraient certaines circonstances. Par ex., clause d'un contrat de construction prévoyant la variation du prix de base suivant les fluctuations du coût des matériaux. « Lorsque les parties contractent pour une longue période et qu'elles veulent se protéger contre les aléas du futur, elles doivent prévoir expressément une clause de révision » (Pineau et Burman, *Obligations*, n° 199, p. 282).
Rem. Voir l'art. 1658.13 C. civ.
V.a. théorie de l'imprévision.
Angl. revision clause+, variation clause.

CLAUSE DE STYLE

1. (*Obl.*) Clause ordinairement insérée dans un acte juridique d'un genre donné et susceptible d'être écartée par le tribunal au motif qu'elle ne traduit pas la volonté des parties. « La clause de style, étant une clause qui a échappé aux prévisions des parties, ne saurait être efficace que si l'on attribue force obligatoire, non pas à leur volonté interne, mais à leur volonté déclarée » (Lecomte, *Rev. trim. dr. civ.* 1935, 305, p. 331).
Angl. *clause de style*.

2. (*Obl.*) Clause ordinairement insérée dans un acte juridique d'un genre donné et susceptible de donner naissance à un usage qui justifiera de la suppléer dans un acte où elle n'apparaît pas. « Une stipulation de non-responsabilité n'est assurément pas une clause de style [...] Elle doit être clairement et expressément stipulée [...] » (*Demers* c. *Garnier*, [1970] C.A. 484, p. 486, j. R. Brossard).
Angl. customary clause.

CLAUSE D'EXCLUSION DE RESPONSABILITÉ

(*Obl.*) Syn. clause de non-responsabilité[1].
Angl. exemption clause, exoneration clause[1], non-liability clause[1]+.

CLAUSE D'EXCLUSIVITÉ

(*Obl.*) Clause d'un contrat par laquelle un des contractants s'oblige à ne pas conclure de conventions de même nature avec d'autres personnes. « On trouve dans la pratique commerciale, des clauses imposant à un acquéreur l'obligation d'acheter une certaine catégorie de marchandises à un producteur déterminé. C'est la *clause d'exclusivité* [...] » (Ripert et Boulanger, *Droit civil*, t. 3, n° 1307, p. 446).
Rem. Une telle clause ne vaut que si son application est suffisamment limitée dans son étendue, dans le temps et dans l'espace.
V.a. clause d'approvisionnement, clause de non-concurrence+.
Angl. exclusivity clause.

CLAUSE D'EXONÉRATION DE RESPONSABILITÉ

1. (*Obl.*) Syn. clause de non-responsabilité[1]. « Le propriétaire poursuivi en responsabilité civile pour le dommage résultant de la ruine de son bâtiment peut s'exonérer [...] en invoquant, lorsqu'il est lié par un contrat au demandeur, une clause valable d'exonération ou de limitation de responsabilité » (Baudouin, dans *Mélanges Baudouin*, p. 16).
Angl. exemption clause, exoneration clause[1], non-liability clause[1]+.

2. (*Obl.*) Syn. clause de non-responsabilité[2]. « La clause d'exonération de responsabilité laisse [...] subsister intacte l'obligation; le débiteur est tenu; mais, s'il n'exécute pas, il ne doit pas réparer le dommage qu'il cause au créancier, ou ne doit le réparer que partiellement » (Mazeaud et Chabas, *Leçons*, t. 2, vol. 1, n° 634, p. 771).
Angl. exoneration clause[2], exoneration of liability clause, non-liability clause[2]+.

CLAUSE D'INDEXATION

(*Obl.*) Syn. clause d'échelle mobile. « Les clauses d'échelle mobile, dénommées également clauses d'indexation "économique", sont celles qui prennent comme indice de référence le cours d'une marchandise [...], d'un groupe de marchandises, ou d'une prestation [...] ou le salaire dans telle branche d'activité [...] ou encore des indices généraux des prix [...] » (Starck, Roland et Boyer, *Obligations*, t. 2, n° 554, p. 198).
Angl. escalator clause, indexation clause, sliding scale clause+.

CLAUSE ÉLUSIVE DE RESPONSABILITÉ

(*Obl.*) Syn. clause de non-responsabilité[1]. « [...] la clause élusive de responsabilité dans un contrat doit être expresse » (Tancelin, *Obligations*, n° 85, p. 48).
Angl. exemption clause, exoneration clause[1], non-liability clause[1]+.

CLAUSE EXONÉRATOIRE DE RESPONSABILITÉ

(*Obl.*) Syn. clause de non-responsabilité[1]. « Les clauses exonératoires de responsabilité portent non sur l'évaluation mais sur le droit aux dommages-intérêts » (Tancelin, *Obligations*, n° 786, p. 469).
Angl. exemption clause, exoneration clause[1], non-liability clause[1]+.

CLAUSE EXPRESSE DE RÉSOLUTION

(*Obl.*) Syn. clause résolutoire de plein droit. « En *principe*, les clauses expresses de résolution sont valables [...] le caractère judiciaire de la résolution n'est pas d'ordre public » (Carbonnier, *Droit civil*, t. 4, n° 80, p. 336).
V.a. clause résolutoire expresse+.
Angl. clause of resolution of right, express clause of resolution, express resolutory clause, *pacte commissoire*[1], resolutory clause of right+, stipulation of resolution upon non-performance[1].

CLAUSE INDEXÉE

(*Obl.*) Syn. clause d'échelle mobile. « [...] la Cour de cassation devait [...] en venir à poser le principe général de la validité des clauses indexées ou d'échelle mobile [...] » (Mazeaud et Chabas, *Leçons*, t. 2, vol. 1, n° 878, p. 986).
Rem. En fait, ce n'est pas la clause qui est indexée, mais plutôt le montant de la dette qui l'est au moyen de la clause.
Angl. escalator clause, indexation clause, sliding scale clause+.

CLAUSE LÉONINE

(*Obl.*) Clause d'un contrat de société visant à exclure un associé du partage des bénéfices.
Rem. **1°** En vertu de l'art. 1831 al. 2 C. civ., la clause léonine entraîne la nullité du contrat de société. **2°** Cette clause constitue

une forme de clause abusive; certains auteurs la considèrent comme synonyme de clause abusive. **3°** Du latin *leoninus* (de *leo* : lion), par allusion à la fable de La Fontaine *La génisse, la chèvre et la brebis en société avec le lion.*
V.a. société léonine.
Angl. leonine clause.

CLAUSE LIMITATIVE DE RESPONSABILITÉ

(*Obl.*) Clause par laquelle les parties conviennent à l'avance de limiter la responsabilité découlant, pour le débiteur, de l'inexécution d'une obligation. « En présence d'une clause limitative de responsabilité, le juge doit évaluer le dommage; il ne peut condamner à la somme stipulée si le dommage est inférieur à ce chiffre » (Starck, Roland et Boyer, *Obligations*, t. 2, n° 1549, p. 539).
Rem. À la différence de la clause pénale, qui fixe forfaitairement le montant de la réparation, la clause limitative ne fait qu'établir un plafond.
Syn. clause de limitation de responsabilité, clause de responsabilité atténuée, clause de responsabilité limitée. **Opp.** clause de non-responsabilité[1].
Angl. clause of limitation of liability, limitation of liability clause+, limited liability clause.

CLAUSE MONÉTAIRE

(*Obl.*) Clause visant à protéger le créancier d'une obligation pécuniaire contre la dépréciation éventuelle de la monnaie. « *Intérêt des clauses monétaires pour le créancier*. — [... Le créancier] y trouve un grand intérêt lorsqu'il est lié par une convention à exécution successive, un bail par exemple, ou lorsqu'il a consenti de longs délais pour le paiement (prêt, vente à terme, etc.) » (Mazeaud et Chabas, *Leçons*, t. 2, vol. 1, n° 872, p. 979).
Rem. Les principales clauses monétaires sont la clause d'échelle mobile, la clause or et la clause valeur or.
Angl. monetary clause.

CLAUSE OR

(*Obl.*) Clause monétaire par laquelle le débiteur s'engage à payer sa dette en remettant au créancier une quantité déterminée d'or. « [...] le Parlement du Canada [art. 7, *Loi sur les clauses-or*, S.R.C. 1970, chap. G-4], pour éviter la spéculation sur le dollar canadien, a formellement et impérativement prohibé l'utilisation de l'or dans les contrats [...]. Ainsi, il est désormais interdit d'inclure dans les contrats privés la clause or qui consiste à utiliser directement l'or à titre de prestation [...] » (Garon et Royer, [1972] 50 *R. du B. Can.* 389, p. 395).
Occ. Art. 2, 4, 5, *Loi sur les clauses-or*, S.R.C. 1970, chap. G-4.
Rem. **1°** L'expression *clause or* est parfois considérée comme un terme générique comprenant la clause or proprement dite et la clause valeur or. **2°** On rencontre *clause or* et *clause-or*.
V.a. clause d'échelle mobile, clause valeur or.
Angl. gold clause[1].

CLAUSE PÉNALE

(*Obl.*) Clause accessoire qui fixe, par avance et forfaitairement, le montant de l'indemnité qui sera due en cas d'inexécution ou de retard dans l'exécution d'une obligation. « [...] la clause pénale apparaît comme un *accessoire*, ce qui explique qu'elle soit entraînée dans la nullité de l'obligation principale, sans réciprocité [...] » (Carbonnier, *Droit civil*, t. 4, n° 78, p. 322).
Occ. Art. 1131 C. civ.
Rem. Le créancier peut, en principe, demander l'exécution de l'obligation principale malgré l'existence de la clause pénale.
V.a. clause limitative de responsabilité, dommages-intérêts conventionnels, forfait.
Angl. penal clause.

CLAUSE RÉSOLUTOIRE

1. (*Obl.*) Clause d'un contrat par laquelle les parties conviennent de sa résolution[1] si

l'une d'elles fait défaut d'exécuter ses obligations. « La résolution du contrat est en principe toujours judiciaire. À moins d'une clause résolutoire expressément stipulée, l'inexécution même fautive des obligations par le débiteur ne met pas automatiquement fin au contrat et n'autorise donc pas le créancier à traiter l'engagement comme résolu de plein droit » (Baudouin, *Obligations*, n° 456, p. 285).
Rem. **1°** En principe, le seul défaut du débiteur de remplir son obligation permet au créancier de demander la résolution du contrat sans qu'il soit besoin que celui-ci contienne une clause à cet effet. Toutefois, dans des cas d'exception, ce recours n'appartient au créancier que si le contrat le lui accorde : ainsi, dans la vente immobilière, le vendeur impayé ne peut demander la résolution de la vente à moins d'une stipulation spéciale à cet effet (art. 1536 C. civ.). **2°** En principe, le créancier doit s'adresser au tribunal pour faire prononcer la résolution; celle-ci n'opère pas de plein droit. Les parties ont la liberté de déroger à cette règle. Une clause par laquelle les parties stipulent simplement la résolution à défaut d'exécution ne serait toutefois pas suffisante. Elles doivent, au contraire, indiquer de façon expresse que la résolution aura lieu de plein droit sans qu'on ait à la faire prononcer par le tribunal : il s'agit alors d'une *clause résolutoire de plein droit*.
Syn. clause de résolution.
Angl. clause of resolution, resolutive clause, resolutory clause[1]+.

2. (*Obl.*) Clause d'un acte juridique, stipulant une condition résolutoire.
Angl. resolutory clause[2].

CLAUSE RÉSOLUTOIRE DE PLEIN DROIT

(*Obl.*) Clause résolutoire[1] aux termes de laquelle l'inexécution d'une obligation résultant d'un contrat entraîne la résolution automatique de celui-ci. « [...] la clause résolutoire de plein droit ne se différencie de la résolution judiciaire que par l'absence de jugement prononçant la résolution » (Pourcelet, (1963-1964) 66 *R. du N.* 285, p. 287).
Rem. **1°** La clause résolutoire de plein droit est facultative pour le créancier qui peut préférer maintenir le contrat et exercer les recours en exécution forcée que lui accorde l'art. 1065 C. civ. **2°** Lorsque le créancier choisit de se prévaloir de la clause et qu'il y a contestation de la part du débiteur, le tribunal en donnant gain de cause au créancier ne *prononce* pas la résolution, mais ne fait que la *constater* : celle-ci résulte du seul défaut du débiteur.
Syn. clause de résolution de plein droit, clause expresse de résolution, clause résolutoire expresse, pacte commissoire[1].
V.a. résolution de plein droit, résolution judiciaire.
Angl. clause of resolution of right, express clause of resolution, express resolutory clause, *pacte commissoire*[1], resolutory clause of right+, stipulation of resolution upon non-performance[1].

CLAUSE RÉSOLUTOIRE EXPRESSE

(*Obl.*) Syn. clause résolutoire de plein droit. « [...] point n'est besoin de s'adresser au tribunal pour faire déclarer la résolution du contrat, lorsque les parties ont prévu une clause résolutoire expresse en cas d'inexécution » (Baudouin, *Obligations*, n° 454, p. 286).
Rem. Le qualificatif *expresse* veut souligner ici le caractère de plein droit de la résolution.
Angl. clause of resolution of right, express clause of resolution, express resolutory clause, *pacte commissoire*[1], resolutory clause of right+, stipulation of resolution upon non-performance[1].

CLAUSE RESTRICTIVE DE COMMERCE

(*Obl.*) (X) *Angl.* V. clause de non-concurrence.

Rem. Il s'agit d'un calque du terme anglais *clause in restraint of trade*.
Angl. clause in restraint of trade(<)[+], covenant in restraint of trade(<)(x), non-competition clause[+], restrictive covenant(x).

CLAUSE VALEUR OR

(*Obl.*) Clause monétaire par laquelle le débiteur s'engage à payer en monnaie ayant cours légal un montant calculé par référence à la valeur de l'or au jour du paiement. « *Clause valeur or.* Le débiteur s'acquittera en billets de banque, mais il devra verser le nombre de billets nécessaire au jour du paiement pour acheter le poids d'or que représentait la somme due au moment où la clause a été stipulée » (Mazeaud et Chabas, *Leçons*, t. 2, vol. 1, n° 873, p. 979).
Rem. **1°** Cette clause est interdite, comme contraire à l'ordre public, par l'art. 7 de la *Loi sur les clauses-or*, S.R.C. 1970, chap. G-4. **2°** On rencontre *clause valeur or* et *clause valeur-or*.
V.a. clause d'échelle mobile, clause or[+].
Angl. gold clause[2].

COACQUÉREUR, ÉRESSE *n.*

(*Biens*) Personne qui fait l'acquisition d'un bien conjointement avec une ou plusieurs autres personnes.
V.a. acquéreur.
Angl. joint acquirer.

COAUTEUR, EURE *n.*

(*Obl.*) Auteur, avec d'autres, du même ayant cause.
Angl. coauthor.

COCONTRACTANT, ANTE *n.* et *adj.*

(*Obl.*) Contractant envisagé par rapport à l'autre ou aux autres parties au même contrat. « La nullité relative ne peut [...] être invoquée que par la seule personne que la loi entend protéger [...] Par contre, le cocontractant en règle générale n'a pas le droit de se prévaloir de la cause de nullité relative ni par voie d'action, ni même par voie d'exception » (Baudouin, *Obligations*, n° 312, p. 215-216).
Angl. cocontracting party.

COCRÉANCIER, IÈRE *n.*

(*Obl.*) Personne qui, avec une ou plusieurs autres, est créancière d'une même dette.
Occ. Art. 1663, Projet de loi 125.
Opp. codébiteur.
Angl. cocreditor.

CODE *n.m.*

1. Ensemble de dispositions législatives fondamentales, destinées à présenter d'une manière systématique et cohérente les diverses matières qui font l'objet d'une branche importante du droit. Par ex., Code civil, Code de procédure civile. « Un code, quelque complet qu'il puisse paraître, n'est pas plutôt achevé, que mille questions inattendues viennent s'offrir au magistrat » (Portalis, dans *Projet*, Discours préliminaire, p. xii).
Rem. Du latin *codex* : tablette; recueil.
V.a. loi.
Angl. code[1].

2. Nom attribué à une loi dont on veut souligner l'importance. Par ex., Code du travail, Code municipal.
Angl. code[2].

CODÉBITEUR, TRICE *n.*

(*Obl.*) Personne qui, avec une ou plusieurs autres, est débitrice d'une même dette. « Le paiement [...] obtenu d'un des codébiteurs de la totalité de la dette éteint celle-ci et libère ainsi tous les autres débiteurs vis-à-vis du créancier » (Baudouin, *Obligations*, n° 795, p. 482).
Occ. Art. 1104 C. civ.
Syn. coobligé. **Opp.** cocréancier.
Angl. codebtor.

CODE CIVIL

Code ayant vocation à régir l'ensemble des matières de droit civil[1]. « Qu'est-ce qu'un Code civil? C'est un corps de lois destinées à diriger et à fixer les relations de sociabilité, de famille et d'intérêt qu'ont entre eux des hommes qui appartiennent à la même cité » (Portalis, dans *Discours, Rapports et Travaux*, Discours de présentation, p. 92).
Rem. Le contenu d'un code civil peut varier selon le pays et selon l'époque. Plusieurs pays se sont inspirés, à cet égard, du Code civil français de 1804, tout en y apportant les modifications jugées opportunes.
Angl. civil code.

CODE CIVIL DU BAS CANADA

Code civil régissant, depuis le 1er août 1866, sur le territoire alors appelé Bas-Canada et, depuis le 1er juillet 1867, province de Québec, l'ensemble des matières de droit civil, à l'exception de celles qui, depuis le 2 avril 1981, sont insérées dans le nouveau Code civil, appelé *Code civil du Québec*. « Les dits commissaires réduiront en un code qui sera appelé le Code Civil du Bas Canada, les dispositions des lois du Bas Canada qui se rapportent aux matières civiles et qui sont d'un caractère général et permanent, soit qu'elles se rattachent aux affaires de commerce ou à des affaires de toute autre nature [...] » (Art. 4, *Acte concernant la Codification des Lois du Bas Canada, qui se rapportent aux matières civiles et à la procédure*, L.C., 1857, chap. 43).
Rem. **1°** Ce Code civil comporte, en plus des trois livres correspondant à ceux du Code civil de France, un livre consacré à des matières commerciales. **2°** Le mot *Bas-Canada*, dans la désignation officielle de ce code, ne prend pas le trait d'union.
Angl. Civil Code of Lower Canada.

CODE CIVIL DU QUÉBEC

Code civil de la province du Québec destiné à remplacer progressivement le *Code civil du Bas Canada*. « *Le Code civil du Québec* apporte, par réforme du droit de la famille, plusieurs modifications au droit des successions » (Castelli, (1984) 25 *C. de D.* 719).
Rem. Institué le 2 avril 1981, ce code est appelé à coexister, pendant la durée de la réforme, avec le *Code civil du Bas Canada*.
Angl. Civil Code of Québec.

CODIFICATEUR, TRICE *n.*

Personne qui codifie. « [...] le rôle des codificateurs de 1866 était essentiellement de codifier le droit en vigueur [...] » (Tancelin, *Obligations* (1975), p. ii).
Rem. En droit français, on parle des *rédacteurs* du Code civil plutôt que des *codificateurs*.
V.a. législateur.
Angl. codifier.

CODIFICATION *n.f.*

Entreprise visant à établir et promulguer un code. « L'objectif de la codification [de 1866] était ainsi placé dans une perspective où la volonté de conservation du droit existant prédominait sur le désir de changement » (Crépeau, dans *Projet*, Préface, p. xxvi).
V.a. droit codifié.
Angl. codification.

CODIFIER *v.tr.*

Faire la codification. « Il [le législateur] doit laisser leur part à la jurisprudence, à la pratique, qui créeront des institutions nouvelles que le législateur de l'avenir saura reconnaître, réglementer et codifier à son tour » (Vanel, *Rép. droit civ.*, v° Code civil, n° 30).
V.a. droit codifié.
Angl. codify.

COÉCHANGISTE ou CO-ÉCHANGISTE *n.*

(*Obl.*) Cocontractant dans un échange. « Chacun des coéchangistes devient *débiteur* de la chose qu'il a promise et *créancier*

de celle qu'il a stipulée » (Mignault, *Droit civil*, t. 7, p. 215).
Syn. copermutant.

COFIDÉJUSSEUR, EURE *n.*

(*Obl.*) Personne qui, avec d'autres, s'est constituée caution[1] d'une même dette.
Occ. Titre précédant l'art. 1955 C. civ.
V.a. fidéjusseur.
Angl. cosurety.

COÏNDIVISAIRE *n.*

(*Biens*) Indivisaire[1] envisagé par rapport à un autre indivisaire dans la même indivision[1].
V.a. cohéritier°, copartageant, copropriétaire.
Angl. undivided co-owner.

COLLECTIF, IVE *adj.*

V. acte collectif, acte unilatéral collectif, contrat collectif, convention collective, décret de convention collective, dommage collectif, faute collective, garde collective, préjudice collectif, recours collectif, responsabilité collective.

COLLUSION *n.f.*

Entente secrète entre deux ou plusieurs personnes dans le but de causer préjudice à autrui ou de tromper la justice. « S'il n'y a qu'un seul offrant [lors d'une vente en justice], il doit être déclaré adjudicataire sauf si le montant offert est nettement insuffisant par rapport à la valeur du bien ou encore s'il y a eu collusion pour limiter le nombre ou le montant des offres » (Anctil, *Commentaires*, t. 2, p. 222).
Occ. Art. 860, 1202*g*, 1219, 1233 par. 6 C. civ.; art. 610.4, 612 C. proc. civ.; art. 11 par. 1, *Loi sur le divorce*, L.R.C. 1985, chap. 3 (2e Suppl.).
V.a. fraude[1].
Angl. collusion.

COMMANDITAIRE *n.*

(*Obl.* et *D. comm.*) Associé qui, dans une société en commandite, n'est tenu des dettes sociales que jusqu'à concurrence de l'apport convenu. « [...] le législateur considère le commanditaire comme un investisseur, non seulement en limitant sa responsabilité, mais aussi en l'écartant de la gestion de la société » (Bohémier et Côté, *Droit commercial*, t. 2, p. 23).
Occ. Art. 1873, 1874, 1875 C. civ.
Opp. commandité.
Angl. special partner.

COMMANDITÉ, ÉE *n.*

(*Obl.* et *D. comm.*) Associé qui, dans une société en commandite, est solidairement tenu des dettes sociales. « Aux termes de l'article 1876 C. c., seuls les commandités sont investis du pouvoir d'administrer et d'obliger la société en commandite » (Smith, *Droit commercial*, vol. 1, p. 184).
Occ. Art. 1872, 1875, 1876 C. civ.
Rem. Avant 1979, le commandité était désigné, au Code civil, sous le nom de *gérant*.
Syn. gérant[2]. **Opp.** commanditaire.
Angl. general partner.

COMMERÇANT, ANTE *n.* et *adj.*

(*D. comm.*) Personne qui fait profession d'accomplir pour son compte des actes de commerce. « *Le commerçant doit agir en son propre nom et pour son propre compte.* Le commerçant est la personne qui prend un risque commercial. C'est pourquoi le salarié, le préposé ou le gérant ne peuvent être considérés comme des commerçants » (Bohémier et Côté, *Droit commercial*, t. 1, p. 33).
Occ. Art. 1005, 1489, 2268 C. civ.
V.a. commerce[2+], commercialité, consommateur, droit commercial.
Angl. merchant, trader[+].

COMMERCE *n.m.*

1. (*Biens* et *Obl.*) Ensemble des activités juridiques relatives aux biens et aux servi-

ces. « Ce terme [commerce] a ici [art. 1059 et 1486 C. civ.] un sens voisin du latin "commercium"; il désigne la possibilité qu'ont certaines choses de servir de matière aux contrats, d'objet à un acte juridique. Sont dans le commerce, au sens des art. 1059 et 1486 C. civ., les choses susceptibles d'appropriation » (Perrault, *Droit commercial*, t. 1, n° 5, p. 18).
Occ. Art. 1059, 1486, 2201 C. civ.
Rem. Le mot *commerce* est ici entendu dans un sens large. La chose dans le commerce peut faire l'objet d'opérations juridiques aussi bien civiles que commerciales.
V.a. chose dans le commerce, chose hors commerce.
Angl. commerce[1].

2. (*D. comm.*) Ensemble des activités, faites dans un but de spéculation, qui contribuent à la production et à la circulation des biens, ainsi qu'à la fourniture de services. « Le mot *commerce*, correspondant ici à l'industrie manufacturière, à l'industrie commerciale, et à celle du transport, englobe les opérations, posées en vue d'un bénéfice, pour la transformation des matières premières, l'échange des objets ouvrés et leur déplacement » (Perrault, *Droit commercial*, t. 1, n° 6, p. 19). *Affaires de commerce, matières de commerce*; *usages du commerce.*
Occ. Art. 323, 1005, 1834 C. civ.
Rem. Le mot *commerce* couvre les activités des institutions financières — banques, sociétés de prêt, compagnies d'assurance —, mais non celles des artisans, des agriculteurs et des membres des professions libérales.
V.a. acte de commerce, commerçant, droit commercial, effet de commerce.
Angl. commerce[2].

COMMERCIAL, ALE *adj.*

(*D. comm.*) Relatif au commerce. « Confrontés à la difficulté de proposer des règles appropriées en matière commerciale tout en étant fidèles à leur mission, les codificateurs ont opté pour une solution de compromis. Mais ils se sont arrêtés à mi-chemin entre la solution française où un code distinct régit le commerce et le droit anglais qui, depuis longtemps, ne fait plus aucune distinction entre ce qui est commercial et ce qui ne l'est pas. Le législateur québécois a prévu, pour les matières commerciales, une série d'exceptions au régime général de droit privé afin de tenir compte des nécessités propres au commerce » (Bohémier et Côté, *Droit commercial*, t. 1, p. 8). *Activité commerciale; matière commerciale.*
Opp. civil[3]. **V.a.** acte de commerce, commercialité, contrat commercial, droit commercial.
Angl. commercial.

COMMERCIALITÉ *n.f.*

(*D. comm.*) Qualité de ce qui est commercial. « [Les codificateurs] laissèrent [...] à l'interprète et aux tribunaux le soin d'arrêter [...] les contours de cette notion de commercialité et celui d'appliquer, à telle ou telle opération, les exceptions posées par la loi en faveur du commerce » (Perrault, *Droit commercial*, t. 1, n° 282, p. 291). *Commercialité d'un contrat; commercialité d'une créance, d'une dette.*
Angl. commerciality.

COMMETTANT, ANTE *n.*

(*Obl.*) Personne qui charge une autre, le *préposé*, d'exécuter sous sa direction et pour son compte un travail déterminé. « [...] le droit de donner des ordres et des instructions sur la manière de remplir les fonctions fonde l'autorité et la subordination, sans lesquelles il n'existe pas de véritable commettant » (Nadeau et Nadeau, *Responsabilité*, n° 409, p. 390).
Occ. Art. 1054 C. civ.
Rem. **1°** Le commettant répond du dommage imputable au préposé que celui-ci a causé dans l'exécution de ses fonctions

(art. 1054 al. 7 C. civ.). **2°** La relation commettant-préposé englobe celle du maître-domestique.
V.a. entrepreneur, lien de préposition, mandant, responsabilité du commettant.
Angl. committent, employer+.

COMMETTANT HABITUEL

(*Obl.*) Commettant qui a ordinairement sous son autorité un préposé, bien qu'il puisse le placer, pour un temps, au service d'un autre commettant. « [...] on sait que l'auteur du dommage est un préposé, mais on se demande s'il est le préposé de son commettant habituel ou d'un commettant occasionnel. Pour répondre à cette question, il faudra déterminer qui avait le pouvoir de donner des ordres au préposé lorsque le dommage est survenu, sur la façon de remplir sa fonction » (Pineau et Ouellette, *Responsabilité*, p. 102).
Opp. commettant occasionnel². **V.a.** préposé habituel.
Angl. habitual employer.

COMMETTANT OCCASIONNEL

1. (*Obl.*) Commettant d'une personne chargée d'une fonction de courte durée. « [...] le propriétaire d'une automobile qui recourt aux services bénévoles d'un parent ou d'un ami, comme conducteur, devient le commettant de celui-ci, si toutefois il lui donne des instructions précises. On dit alors qu'il y a un commettant et un préposé *occasionnels* » (Flour et Aubert, *Obligations*, vol. 2, n° 715, p. 242).
V.a. préposé occasionnel¹.
Angl. occasional employer¹, temporary employer¹+.

2. (*Obl.*) Commettant qui a temporairement sous son autorité le préposé habituel d'un autre commettant. Par ex., est commettant occasionnel pour la durée du bail le locataire d'une machine complexe qui convient d'utiliser les services du préposé du locateur, commettant habituel. « [...] le problème de savoir qui est responsable, en application de l'article 1384, alinéa 5 [art. 1054 dernier al.], du commettant habituel ou du commettant occasionnel, dépend du point de déterminer s'il y a eu transfert du pouvoir de donner des ordres » (Larroumet, *Rép. droit civ.*, v° Responsabilité du fait d'autrui, n° 346).
Opp. commettant habituel. **V.a.** préposé occasionnel².
Angl. occasional employer², temporary employer²+.

COMMINATOIRE *adj.*

Qui énonce la menace d'une sanction au cas d'inexécution d'une obligation ou de contravention à la loi ou à un ordre donné par un juge.
Rem. Du latin médiéval *comminatorius*, dérivé de *comminari* : menacer.
V.a. clause comminatoire.
Angl. comminatory.

COMMISSION *n.f.*

1. (*Obl.*) Rémunération d'un intermédiaire consistant généralement dans un pourcentage d'un montant lié à l'affaire qui lui est confiée. Par ex., la commission d'un agent d'immeuble, d'un courtier d'assurance. « Il existe au profit des courtiers en immeubles un usage en vertu duquel ces derniers doivent être rémunérés au moyen d'une commission [...] » (Roch et Paré, dans *Traité*, t. 13, p. 112). *Percevoir une commission, toucher une commission.*
Occ. Art. 1149, 1569*d*, 1736 C. civ.
V.a. honoraires°, salaire.
Angl. commission¹.

2. V. faute de commission, faute par commission.
Angl. commission².

COMMODANT, ANTE *n.*

(*Obl.*) Personne qui consent un prêt à usage. « Contrat synallagmatique imparfait, le com-

modat engendre [...] pour le commodant une double obligation éventuelle : remboursement des dépenses faites pour la conservation de la chose à la différence des frais d'entretien qui incombent à l'emprunteur, réparation des dommages résultant des vices de la chose prêtée si le commodant en connaissait l'existence » (Ourliac et de Malafosse, *Histoire*, t. 1, n° 231, p. 254-255).
Opp. commodataire. **V.a.** commodat.
Angl. lender(>).

COMMODAT *n.m.*

(*Obl.*) Syn. prêt à usage. « [...] *le commodat porte sur des choses envisagées par les parties comme des corps certains* (choses non fongibles) [...] » (Mazeaud et Chabas, *Leçons*, t. 3, vol. 2, 2e part., n° 1436, p. 890).
Occ. Art. 1762 C. civ.
Angl. *commodatum*, loan for use+.

COMMODATAIRE *n.*

(*Obl.*) Personne qui reçoit une chose dans un prêt à usage. « Les parties fixent l'usage que le commodataire peut faire de la chose prêtée. En l'absence d'indication, on se réfère aux circonstances de fait, telles la nature de la chose ou la profession de l'emprunteur » (Mazeaud et Chabas, *Leçons*, t. 3, vol. 2, 2e part., n° 1442, p. 893).
Opp. commodant. **V.a.** commodat.
Angl. borrower(>).

COMMON LAW *n.f.* (anglais)

1. Ensemble de règles de droit dégagées et appliquées en Angleterre, par les cours de *King's Bench*, de *Common Pleas* et d'*Exchequer*, par opposition au règles d'equity, appliquées par la *Court of Chancery*. « Le droit anglais a eu de la sorte, depuis le XVe siècle, une structure dualiste [...] Il est fait d'une part de la *common law*, constituée *stricto sensu* par les règles qu'ont dégagées les Cours royales de Westminster (Cours de *common law*), et d'autre part de l'*equity* (*rule of equity*), qui consiste dans les remèdes admis et appliqués par une Cour royale particulière, la Cour de la Chancellerie » (David, *Droit anglais*, p. 15).
Rem. **1°** À compter de la conquête de l'Angleterre par les Normands (1066), ce corps de règles a été élaboré progressivement par les Cours royales qui cherchaient à uniformiser le droit, à l'encontre des coutumes locales, sur la base d'une coutume générale applicable dans l'ensemble du royaume. **2°** La dualité de juridiction fut abolie, en Angleterre, par les *Judicature Acts* de 1873-1875; fut alors créée une nouvelle juridiction : la *High Court of Justice* comprenant trois *Divisions* : *Queen's Bench* (*Common law*), *Chancery* (*Equity*) et *Probate* (anciennement *Probate, Divorce* et *Admiralty*). Dans les provinces canadiennes de common law, ces *Divisions* équivalentes furent progressivement intégrées dans un système judiciaire unifié. **3°** Si la fusion des juridictions a été opérée, les deux systèmes de règles demeurent distincts; même si toutes les cours peuvent appliquer tant les règles de common law que celles d'equity, on oppose, encore aujourd'hui, les *equitable remedies*, par ex., le droit à l'injonction, et les *common law remedies*, par ex., le droit à des dommages-intérêts. On reconnaît, toutefois, qu'en cas de conflit entre les règles de common law et celles d'equity, ces dernières doivent prévaloir. **4°** Le terme *common law*, dans la mesure où il concerne le droit anglais, ne comporte pas d'équivalent en langue française. **5°** La tendance actuelle est d'employer le terme *common law* au féminin.
Opp. equity. **F.f.** droit coutumier[3].
Angl. Common law[2].

2. Droit anglais non écrit, de source jurisprudentielle, par opposition aux règles de la *statute law* découlant de sources législatives. « Un corps de *Statute law* est venu [...] à s'opposer au droit jurisprudentiel

traditionnel, constitué par *common law* et *equity*, qui est désigné parfois sous le nom générique de common law (*lato sensu*) » (David, *Grands systèmes*, 5e éd., n° 346, note 1, p. 398).
F.f. droit commun[2].
Angl. common law[3].

3. Système juridique de l'Angleterre et des pays qui ont reçu le droit anglais, par opposition aux autres systèmes juridiques, spécialement ceux qui tirent leur origine du droit romain. « On ne veut pas voir dans la common law un système de droit national; elle est "l'héritage commun des nations de langue anglaise", appelée comme telle à jouer le rôle qu'a joué dans l'Europe continentale le droit romain, jusqu'à l'ère des codifications » (David, *Grands systèmes*, n° 357, p. 401).
Rem. Le Canada est un pays de common law, sauf dans la mesure où le Québec, malgré la cession de la Nouvelle-France à la Couronne britannique par le Traité de Paris de 1763, a pu conserver, aux termes du *Quebec Act* de 1774, son droit d'inspiration française en matière de « *property and civil rights* ». « [...] ce n'est donc qu'en droit privé que le Québec est une province de droit civil [...] » (Brun et Tremblay, *Droit constitutionnel*, p. 31).
V.a. droit civil[4].
Angl. Common law[4].

4. Droit commun[1] dans les systèmes juridiques de common law[3], applicable en l'absence de dispositions législatives dérogatoires. « La règle de l'interprétation stricte des lois dérogatoires au droit commun renvoie à l'opposition *common law* et *statute law*. Historiquement, la *common law* a été le droit commun et la *statute law*, le droit d'exception » (Côté, *Interprétation*, p. 451-452).
Angl. common law[5].

5. Droit séculier de l'Angleterre, par opposition au droit ecclésiastique[1].
Angl. Common law[6].

COMMUN, UNE *adj.*

V. chose commune, droit commun, faute commune, gage commun, partie commune.
Angl. common[2].

COMMUNISTE *n.*

(*Biens*) *Vieilli.* Syn. copropriétaire. « Lorsqu'une même chose ou une même masse de biens appartiennent à plusieurs personnes, les *copropriétaires* ou *indivisaires* (on disait aussi, autrefois, *communistes*) exercent concurremment leur droit de propriété sur la chose » (Mazeaud et Chabas, *Leçons*, t. 2, vol. 2, n° 1307-1, p. 31).
Angl. communist, co-owner+, coproprietor, undivided owner[2].

COMMUTATIF, IVE *adj.*

(*Obl.*) V. contrat commutatif.

COMPAGNIE *n.f.*

(*D. comm.*) Société par actions[1] constituée en vertu de la *Loi sur les compagnies* du Québec. « Les compagnies sont formées par l'intervention de l'État; ce sont donc des créations de la loi, des "personnes légales" qui existent indépendamment des personnes qui en font partie. Les compagnies possèdent pleinement les principaux attributs de la personnalité juridique » (Bohémier et Côté, *Droit commercial*, t. 2, p. 40).
Occ. Art. 297, 387, 1569*b* C. civ.; art. 617, 618 C. proc. civ.; *Loi sur les compagnies*, L.R.Q., chap. C-38.
Rem. **1°** La compagnie constitue une corporation. **2°** Les sociétés par actions formées selon la législation fédérale sont désignées sous le nom de *sociétés par actions* (*Loi sur les sociétés par actions*, L.R.C. 1985, chap. C-44).
Angl. company.

COMPARAÎTRE *v.intr.*

(*D. jud.*) Se présenter en justice selon les formalités prescrites par la loi[2]. « [...] les

dispositions du Code de procédure civile relatives au défaut de comparaître et de plaider et aux jugements rendus par défaut ou *ex parte* ne s'appliquent que lorsque le défendeur est légalement en défaut de comparaître ou de plaider et non lorsqu'il n'a pas été légalement assigné [...] » (*Miller* c. *Leclerc*, [1964] C.S. 499, p. 506, j. J.-R. Beaudoin). *Comparaître en justice, défaut de comparaître; citer à comparaître.*
Occ. Art. 365, 2154 C. civ.; art. 149, 150 C. proc. civ.
Angl. appear.

COMPARUTION *n.f.*

1. (*D. jud.*) Fait de comparaître personnellement ou par l'intermédiaire d'un représentant dûment autorisé. « Sauf s'il s'agit de la compétence *ratione materiae*, tout autre défaut de compétence peut être couvert par la comparution du défendeur et son omission de l'invoquer dans un délai raisonnable [...] » (*Besner* c. *Société Radio-Canada*, [1981] C.S. 821, p. 823, j. J. Dugas).
Occ. Titre précédant l'art. 149, art. 152, 179 C. proc. civ.
Rem. Dans les procès civils, la comparution se fait généralement par écrit, au moyen d'un acte de procédure que l'on nomme *acte de comparution.*
Angl. appearance[3].

2. (*D. jud.*) Syn. acte de comparution. « [...] l'article 149 du *Code de procédure civile* n'impose aucune forme particulière pour la comparution si ce n'est qu'elle doit être produite au greffe et signée de la partie ou de son procureur » (*Société de développement de la Baie James* c. *Ressources du lac Meston*, [1983] C.S. 822, p. 825, j. A. Forget).
Angl. appearance[4+], written appearance.

COMPENSABLE *adj.*

(*Obl.*) Susceptible de compensation. *Dette compensable.*
Occ. Art. 1195 C. civ.
Angl. compensable.

COMPENSATION *n.f.*

1. (*Obl.*) Syn. réparation par équivalent. « Si l'on ne répare pas la douleur morale, on peut au moins lui donner une compensation par une allocation pécuniaire; pour imparfait qu'il soit, ce procédé vaut mieux que rien » (Marty et Raynaud, *Obligations*, t. 1, n° 431, p. 465). *Compensation du préjudice; accorder une indemnité en compensation de la perte subie.*
V.a. indemnisation+.
Angl. compensation[1+], indemnification[1], reparation by equivalence.

2. (*Obl.*) Avantage équivalant à ce que la victime d'un préjudice a subi. « Le principe est simple : la réparation doit comprendre tout le dommage, et le seul dommage. La victime a le droit d'exiger la suppression du dommage ou, si celle-ci est impossible, une compensation égale au préjudice; mais elle ne peut obtenir plus » (Mazeaud et Chabas, *Traité*, t. 3, vol. 1, n° 2332, p. 658).
V.a. indemnité.
Angl. indemnification[2], reparation[2+].

3. (*Obl.*) Extinction des obligations entre personnes mutuellement créancières et débitrices relativement à des objets de même nature, généralement des sommes d'argent. « Les articles 1187 et 1188 C.c. posent quatre conditions relatives à la compensation : réciprocité, exigibilité, liquidité et fongibilité [...] » (Tancelin, *Obligations*, n° 844, p. 496). *Opposer la compensation.*
Occ. Art. 1187 C. civ.
Rem. La compensation éteint les dettes jusqu'à concurrence de la moindre d'entre elles.
Angl. compensation[2+], set-off(x).

COMPENSATION CONVENTIONNELLE

(*Obl.*) Compensation[3] qui résulte de la convention des parties lorsque les conditions de la compensation légale ne sont pas remplies. « [...] les débiteurs-créanciers peuvent déroger aux règles de la compensation légale

et en organiser eux-mêmes le régime : il s'agira, alors, d'une compensation conventionnelle » (Pineau et Burman, *Obligations*, n° 249, p. 340-341).
Rem. Ce type de compensation se rencontre rarement.
Opp. compensation judiciaire, compensation légale.
Angl. conventional compensation.

COMPENSATION JUDICIAIRE

(*Obl.*) Compensation[3] résultant du jugement qui rend liquide une dette. « La compensation judiciaire ne produit d'effets [...] qu'à partir du jugement qui la prononce [...] » (Baudouin, *Obligations*, n° 855, p. 519).
Opp. compensation conventionnelle, compensation légale.
Angl. judicial compensation.

COMPENSATION LÉGALE

(*Obl.*) Compensation[3] qui, par l'effet de la loi, s'opère de plein droit. « La compensation légale [...] s'opère seule [...] sans qu'il soit nécessaire qu'un tribunal la décide ou même que les parties y consentent. Elle constitue donc dans un certain sens un double paiement forcé » (Baudouin, *Obligations*, n° 834, p. 509).
Opp. compensation conventionnelle, compensation judiciaire.
Angl. legal compensation.

COMPENSATOIRE *adj.*

(*Obl.*) Qui compense. « À l'instar de ce qu'on connaît en matière civile délictuelle ou quasi délictuelle, la réparation prendra nécessairement une forme compensatoire, encore que, bien entendu, l'attribution d'une somme d'argent à la victime à titre de dommages ne constitue pas l'unique réparation compensatoire possible » (Morel, (1984) 18 *R.J.T.* 253, p. 259). *Indemnité compensatoire.*
V.a. dommages compensatoires, dommages-intérêts compensatoires, indemnitaire, prestation compensatoire°.
Angl. compensatory.

COMPENSER *v.tr.*

1. (*Obl.*) Effectuer la compensation[1]. « La somme d'argent allouée à la victime vient compenser, en lui en procurant une valeur équivalente, ce qu'elle a perdu et le gain dont elle a été privée — *damnum emergens, lucrum cessans* » (Flour et Aubert, *Obligations*, vol. 2, n° 817, p. 353).
Rem. On compense le préjudice subi par une personne et non une personne pour le préjudice qu'elle a subi.
V.a. réparer.
Angl. compensate[1+], indemnify[1].

2. (*Obl.*) Éteindre par la compensation[3].
Occ. Art. 411 C. civ.
Rem. La forme pronominale est fréquente. *Deux dettes qui se compensent.*
Angl. compensate[2+], set off(x).

COMPÉTENCE *n.f.*

1. Aptitude d'une autorité publique à accomplir certains actes et, spécialement, aptitude d'un tribunal à connaître d'un litige. « La présomption de stabilité du droit a trouvé à s'appliquer d'une manière particulière aux modifications apportées à la compétence des tribunaux [...] » (Côté, *Interprétation*, p. 448). *Avoir compétence.*
Rem. **1°** On distingue, d'une part, la compétence d'attribution (*ratione materiae*) et la compétence territoriale (*ratione personae*) et, d'autre part, la compétence interne et la compétence internationale des tribunaux. **2°** En dehors du droit judiciaire, le terme *compétence* s'emploie couramment en droit administratif, pour désigner les pouvoirs conférés à un organe de l'Administration et, en droit constitutionnel, pour désigner les pouvoirs législatifs attribués à l'État central et aux États membres dans une fédération.

V.a. clause attributive de compétence, juridiction[3], juridiction[4]. **F.f.** juridiction[5].
Angl. competence[1], jurisdiction[1]+.

2. (*D. int. pr.*) Aptitude d'un ordre juridique à régir un litige à caractère international.
Rem. **1°** On distingue la compétence juridictionnelle et la compétence législative. **2°** Au Canada, un litige à caractère interprovincial est assimilé à un litige à caractère international.
Angl. competence[2]+, jurisdiction[4].

COMPÉTENCE ABSOLUE

(*D. jud.*) Syn. compétence d'attribution.
Opp. compétence relative.
Angl. absolute jurisdiction, jurisdiction *ratione materiae*+.

COMPÉTENCE D'ATTRIBUTION

(*D. jud.*) Compétence[1] du tribunal fondée sur le fait que les litiges lui sont attribués en raison de leur matière ou de leur valeur. « Les parties ne peuvent jamais, même d'un commun accord, se soustraire aux normes de la compétence d'attribution car ce ne sont pas uniquement leurs intérêts qui sont alors en cause mais la structure même du pouvoir juridictionnel » (Savoie et Taschereau, *Procédure civile*, t. 1, n° 54, p. 33).
Syn. compétence absolue, compétence *ratione materiae*. **Opp.** compétence territoriale, incompétence d'attribution.
Angl. absolute jurisdiction, jurisdiction *ratione materiae*+.

COMPÉTENCE INTERNATIONALE

(*D. int. pr.*) Compétence[1] des tribunaux d'un ordre juridique à l'égard d'un litige à caractère international. « [...] le Conseil privé a [...] décidé comme la Cour de cassation, que la compétence internationale se détermine par extension des règles de compétence territoriale interne [...] » (*Alimport (Empresa Cubana Importadora de Alimentos)* c. *Victoria Transport Ltd*, [1977] 2 R.C.S. 858, p. 868, j. L.-P. Pigeon).
Rem. La compétence internationale est appelée *compétence juridictionnelle* quand on l'oppose à la compétence législative.
Opp. compétence interne.
Angl. international competence.

COMPÉTENCE INTERNE

(*D. int. pr.*) Compétence[1] des tribunaux d'un ordre juridique à l'égard d'un litige dépourvu de caractère international. « Certaines règles de compétence interne donnent au demandeur une option entre plusieurs tribunaux placés sur un pied d'égalité » (Batiffol et Lagarde, *Droit int. privé*, t. 2, n° 673-1, p. 457).
Opp. compétence internationale.
Angl. domestic competence.

COMPÉTENCE JUDICIAIRE

(*D. int. pr.*) Syn. compétence juridictionnelle.
V.a. règle de compétence judiciaire.
Angl. judicial competence+, jurisdictional competence.

COMPÉTENCE JURIDICTIONNELLE

(*D. int. pr.*) Compétence[2] permettant aux tribunaux d'un ordre juridique de connaître d'un litige. « Pour qu'un jugement étranger puisse être reconnu au Québec il faut tout d'abord que le tribunal étranger ait rempli les conditions de compétence juridictionnelle [...] » (Groffier, *Précis*, n° 300, p. 285).
Syn. compétence judiciaire. **Opp.** compétence législative. **V.a.** compétence internationale, règle de compétence juridictionnelle.
Angl. judicial competence+, jurisdictional competence.

COMPÉTENCE LÉGISLATIVE

(*D. int. pr.*) Compétence[2] permettant à un ordre juridique de fournir la loi applicable

à un litige. « [...] il n'y a pas identité entre les règles de compétence judiciaire qui déterminent la *juridiction* compétente, et les règles de compétence législative qui fixent la *loi* applicable » (Batiffol et Lagarde, *Droit int. privé*, t. 2, n° 668, p. 446).
Opp. compétence juridictionnelle.
Angl. legislative competence.

COMPÉTENCE *RATIONE LOCI* (latin)

(*D. jud.*) Compétence territoriale fondée sur un rattachement de lieu indépendant du domicile ou de la résidence des parties. Par ex., la situation d'un immeuble ou le lieu de formation d'un contrat. « La compétence sera dite *ratione loci* [...] lorsque le litige se localise par la situation de son objet, c'est-à-dire lorsque la compétence se détermine soit par la situation de la chose litigieuse meuble ou immeuble, soit par le lieu de formation ou d'exécution d'un acte juridique litigieux, soit par le lieu de réalisation d'un fait juridique [...] » (Cornu et Foyer, *Procédure civile*, p. 141).
Opp. compétence *ratione personae*[2].
Angl. jurisdiction *ratione loci*.

COMPÉTENCE *RATIONE MATERIAE* (latin)

(*D. jud.*) Syn. compétence d'attribution.
Opp. compétence *ratione personae*[1], incompétence *ratione materiae*.
Angl. absolute jurisdiction, jurisdiction *ratione materiae*+.

COMPÉTENCE *RATIONE PERSONAE* (latin)

1. (*D. jud.*) Syn. compétence territoriale. « La théorie de la compétence se divise en deux parties distinctes : la compétence *ratione materiae* et la compétence *ratione personae* » (Garsonnet et Cézar-Bru, *Traité*, t. 1, n° 464, p. 729).
Opp. compétence *ratione materiae*.
Angl. jurisdiction *ratione personae*[1], jurisdiction *ratione personae vel loci*, relative jurisdiction, territorial jurisdiction+.

2. (*D. jud.*) Compétence territoriale fondée sur le domicile ou la résidence de l'une des parties. « Quand il s'agit de compétence *ratione personae* le défendeur seul peut se plaindre de ce que le demandeur n'a pas observé la règle de l'article 68 C.P.; encore faut-il qu'il le fasse par exception déclinatoire dans le délai de rigueur indiqué à l'article 161 C.P. [...] » (*Victoria Transport Ltd* c. *Alimport*, [1975] C.A. 415, p. 419, j. A. Mayrand).
Opp. compétence *ratione loci*.
Angl. jurisdiction *ratione personae*[2].

COMPÉTENCE *RATIONE PERSONAE VEL LOCI* (latin)

(*D. int. pr.* et *D. jud.*) Syn. compétence territoriale.
Angl. jurisdiction *ratione personae*[1], jurisdiction *ratione personae vel loci*, relative jurisdiction, territorial jurisdiction+.

COMPÉTENCE RELATIVE

(*D. jud.*) Syn. compétence territoriale.
Opp. compétence absolue.
Angl. jurisdiction *ratione personae*[1], jurisdiction *ratione personae vel loci*, relative jurisdiction, territorial jurisdiction+.

COMPÉTENCE TERRITORIALE

(*D. jud.* et *D. int. pr.*) Compétence[1] du tribunal fondée sur le rattachement d'une affaire à un territoire déterminé. « [...] les parties peuvent, d'un commun accord, se soustraire aux règles de la compétence territoriale qui sont édictées généralement pour leur rendre l'accès aux tribunaux plus facile » (Savoie et Taschereau, *Procédure civile*, t. 1, n° 54, p. 33).
Rem. **1°** La compétence territoriale comprend la compétence *ratione personae* (le rattachement de l'affaire est fonction du

domicile ou de la résidence d'une des parties) et la compétence *ratione loci* (le rattachement de l'affaire est indépendant des parties, par ex., le lieu de la situation de la chose litigieuse ou le lieu de formation d'un acte juridique). **2°** Voir les art. 68 et s. C. proc. civ.
Syn. compétence *ratione personae*[1], compétence *ratione personae vel loci*, compétence relative. **Opp.** compétence d'attribution, incompétence territoriale.
Angl. jurisdiction *ratione personae*[1], jurisdiction *ratione personae vel loci*, relative jurisdiction, territorial jurisdiction+.

COMPLAINTE *n.f.*

(*Biens*) Action possessoire visant à faire cesser le trouble apporté à la possession du bien. « La complainte est *l'action possessoire par excellence* » (Mazeaud et Chabas, *Leçons*, t. 2, vol. 2, n° 1463, p. 187).
Occ. Art. 770 C. proc. civ.
Syn. action en complainte. **V.a.** réintégrande.
Angl. action on disturbance.

COMPLEXE *adj.*

(*Obl.*) V. contrat complexe, obligation à modalité complexe, obligation complexe.

COMPORTEMENT *n.m.*

V. garde du comportement.

COMPOSÉ, ÉE *adj.*

V. intérêt composé.

COMPROMETTRE *v.intr.*

(*Obl.* et *D. jud.*) Convenir de soumettre un litige à l'arbitrage.
Occ. Art. 940 C. proc. civ.
Angl. arbitrate[1].

COMPROMIS *n.m.*

(*Obl.* et *D. jud.*) Contrat principal par lequel les parties à un différend né conviennent de le soumettre à l'arbitrage.
Occ. Anc. art. 941 C. proc. civ. (1966-1986).
Rem. **1°** En novembre 1986, le législateur a remplacé le compromis par le terme plus générique *convention d'arbitrage* qui peut être un contrat tant accessoire que principal. **2°** L'expression *passer compromis* signifie soumettre un différend à l'arbitrage.
V.a. clause compromissoire, convention d'arbitrage.
Angl. submission.

COMPROMISSOIRE *adj.*

(*Obl.* et *D. jud.*) V. clause compromissoire, pacte compromissoire.

COMPTABLE *adj.*

Qui est tenu d'une obligation de rendre compte.
Occ. Art. 308 C. civ.; art. 1407 C. civ. Q.
Angl. accountable.

COMPTABLE *n.*

Personne tenue d'une obligation de rendre compte. « Le comptable, après qu'il a donné son compte, peut, en exécution de la sentence qui le condamne à le rendre, présenter requête au commissaire devant qui il le doit rendre, pour qu'il donne assignation [...] au demandeur, à l'effet d'être présent tant à la présentation qu'à l'affirmation de son compte » (Pothier, *Oeuvres*, t. 10, n° 280, p. 125-126).
V.a. rendant.
Angl. accountant.

COMPTANT (AU) *loc.adj.* ou *adv.*

À propos d'un paiement devant s'effectuer sans délai. *Vente au comptant, payer comptant; le paiement se fait comptant.*
Opp. terme (à). **V.a.** paiement au comptant.
Angl. cash (in).

COMPTE *n.m.*

Exposé de la gestion faite pour autrui, qui fait apparaître les recettes, les dépenses et le solde. « Toutes personnes qui ont géré les affaires d'autrui sont obligées d'en rendre compte, soit qu'elles aient eu la qualité pour les gérer, soit qu'elles les aient gérées sans qualité » (Pothier, *Oeuvres*, t. 10, n° 274, p. 123). *Compte de tutelle.*
Occ. Art. 311 C. civ.; art. 537 C. proc. civ.
V.a. reddition de compte.
Angl. account.

COMPTE À L'AMIABLE

(*Obl.*) Compte rendu de gré à gré sans formalités de justice. « [...] il peut arriver que les parties s'entendent sur un compte à l'amiable. Un tel compte accepté par l'oyant, même informe, faux ou incomplet, constitue une "fin de non-recevoir" à une action en reddition de compte [...] » (Lauzon, *Exécution des jugements*, p. 29).
Angl. account by agreement, amicable account⁺.

COMPTE DÉFINITIF

(*Obl.*) Compte rendu au terme de la gestion et qui en récapitule l'ensemble. « Le rendant compte n'est déchargé de son obligation que lorsqu'il existe un compte définitif ou que la prescription est acquise » (*Rép. proc. civ.*, v° Compte (Reddition de), n° 1).
Occ. Art. 310 C. civ.; art. 1404 C. civ. Q.
Opp. compte provisoire.
Angl. definitive account⁺, final account.

COMPTE PROVISOIRE

(*Obl.*) Compte rendu en cours de gestion. « Le compte provisoire est celui qui est rendu alors que l'administration n'est pas terminée et se continue; ce compte [...] est rendu sans formalité de justice [...] » (Anctil, *Commentaires*, t. 2, p. 113).
Opp. compte définitif.
Angl. interim account⁺, provisional account.

CONCUBIN, INE *n.*

(*Pers.*) Syn. conjoint de fait. « [...] la société de fait n'est pas le régime matrimonial des concubins. Toutefois, s'il existe certaines conditions très précises dont on doit faire la preuve irréfutable, le concubin pourra invoquer la société de fait pour demander le partage équitable des biens » (Ouellette, *Famille*, p. 319).
Occ. Art. 1657.2 C. civ.
Angl. concubinary, concubine, *de facto* spouse⁺.

CONCUBINAGE *n.m.*

(*Pers.*) Syn. union de fait. « On parle, assez indifféremment, de *concubinage* (non sans jouer parfois de la ressemblance avec le concubinat romain, sorte de mariage inférieur) ou d'*union libre* (librement rompue, librement conclue). Les deux termes sont synonymes, quoique le premier ait pris un accent plus populaire, le second une tonalité plus relevée » (Carbonnier, *Droit civil*, t. 2, n° 230, p. 323).
V.a. concubin.
Angl. common law marriage(x), concubinage, *de facto* union⁺.

CONCURRENCE (PAR) *loc.adv.*

V. par concurrence.

CONCURRENT, ENTE *adj.*

V. faute concurrente.

CONDAMNATION *n.f.*

V. mise en cause aux fins de condamnation.
Angl. condemnation.

CONDICTIO INDEBITI
loc.nom.f. (latin)

(*Obl.* et *D. jud.*) Syn. action en répétition de l'indu.
Angl. action in recovery of a thing not due⁺, action in restitution[3], *condictio indebiti*.

CONDITION *n.f.*

1. (*Obl.*) Événement futur et de réalisation incertaine dont on fait dépendre soit la naissance, soit l'extinction d'un droit[2] ou d'une obligation[2]. « Le terme et la condition ne concernent pas seulement les obligations et le contrat, ils peuvent affecter tous les droits, notamment les droits réels [...] » (Carbonnier, *Droit civil*, t. 4, n° 61, p. 246). *Une obligation contractée sous telle condition.*
Occ. Art. 1083 C. civ.
Rem. **1°** On distingue la condition résolutoire et la condition suspensive. **2°** Voir *Venne* c. *Québec (C.P.T.A.)*, [1989] 1 R.C.S. 880.
V.a. accomplissement de la condition, arrivée de la condition, défaillance de la condition, droit éventuel[1+], éventualité, modalité de l'obligation, réalisation de la condition, rétroactivité de la condition, terme[1].
Angl. condition[1].

2. (*Obl.*) Élément du contenu d'un acte juridique, spécialement d'un contrat. *Conditions d'un contrat.*
V.a. clause, disposition[2], stipulation[1].
F.f. terme[3].
Angl. condition[2+], term[3].

3. (*Obl.*) Syn. charge[2]. « [...] bien que les parties se servent de l'expression "à condition" [...] il est évident que dans leur esprit "charge" et "condition" signifiaient la même chose [...] » (*Président et syndics de la commune de Berthier* c. *Denis*, (1897) 27 R.C.S. 147, p. 175, j. D. Girouard).
Occ. Art. 441*h*, 784 C. civ.
Angl. charge[2].

4. (*Pers.*) État ou situation, de droit ou de fait, d'une personne. *La condition juridique du mineur; la condition de l'étranger; la condition sociale.*
Occ. Art. 995 C. civ.; art. 10, *Charte des droits et libertés de la personne*, L.R.Q., chap. C-12.
Angl. condition[3], status[1+].

5. Élément nécessaire à l'existence d'un acte, d'un fait ou d'une situation juridiques. « Le mot condition dans son sens commun désigne les éléments qui doivent être réunis pour qu'une chose existe ou qu'un événement se produise » (Tancelin, *Obligations*, n° 328, p. 168). *Condition de validité d'un contrat, d'exercice d'une action; les conditions prescrites, fixées, énoncées par tel article; dans les conditions de tel article, prévues par telle loi.*
V.a. équivalence des conditions, théorie de l'équivalence des conditions.
Angl. condition[4].

CONDITION ACCOMPLIE

(*Obl.*) Condition[1] qui s'est réalisée.
Occ. Art. 1085 C. civ.
Opp. condition défaillie. **V.a.** accomplissement de la condition, condition pendante.
Angl. accomplished condition, fulfilled condition[+].

CONDITION CASUELLE

(*Obl.*) Condition[1] qui dépend uniquement du hasard et, en aucune façon, de la volonté des parties. Par ex., si telle personne meurt avant telle autre.
Opp. condition potestative. **V.a.** condition mixte.
Angl. casual condition.

CONDITION DÉFAILLIE

(*Obl.*) Condition[1] qui ne s'est pas accomplie et dont il est certain qu'elle ne s'accomplira pas.
Occ. Art. 1082 C. civ.
Opp. condition accomplie. **V.a.** condition pendante, défaillance de la condition.
Angl. failed condition.

CONDITION DE FOND

(*Obl.*) Condition[5] relative au contenu, à la substance d'un acte, d'un fait ou d'une situation juridiques. « La nullité d'une façon générale peut être définie comme la *sanc-*

tion juridique qui s'attache au défaut du respect d'une condition de fond ou de forme essentielle à la formation valable du contrat » (Baudouin, *Obligations*, n° 298, p. 209).
Opp. condition de forme. **V.a.** fond.
Angl. substantive condition.

CONDITION DE FORME

(*Obl.*) Condition[5] relative à l'aspect extérieur d'un acte juridique. « L'article 1108 [art. 984 C. civ.] n'énumère que quatre conditions nécessaires pour la validité du contrat : le consentement, la capacité, l'objet et la cause, à l'exclusion de toutes conditions de forme, volontairement passées sous silence » (Mazeaud et Chabas, *Leçons*, t. 2, vol. 1, n° 66, p. 59).
Opp. condition de fond. **V.a.** contrat formaliste, formalisme.
Angl. condition as to form.

CONDITION DE PAIEMENT

(*Obl.*) Syn. modalité de paiement. *Faire des conditions de paiement.*
Angl. condition of payment, modality of payment⁺.

CONDITION FACULTATIVE

(*Obl.*) (Q) Syn. condition potestative. « Le locateur, en vertu de la condition, [a] le droit de refuser son acceptation au renouvellement du bail, pour une raison sérieuse, mais comme il n'a allégué ni prouvé telle raison pour son refus, la condition tient et l'obligation aussi. Il [s'agit] dans l'espèce d'une condition facultative ou potestative » (*Bernard* c. *Paquin*, [1954] B.R. 273, p. 276, j. E. Rinfret).
Rem. « Notre article 1081 dit *facultative*, expression qui peut donner lieu à de l'équivoque, car l'obligation *facultative* se rattache à l'hypothèse de l'obligation *alternative* » (Mignault, *Droit civil*, t. 5, p. 435, note b). Pour cette raison, on préférera le terme *condition potestative*.
Angl. facultative condition, potestative condition⁺.

CONDITION ILLICITE

(*Obl.*) Condition[1] dont la réalisation dépend de l'accomplissement d'un acte contraire à une règle de droit ou à l'ordre public. Par ex., commettre un délit.
Rem. **1°** Pour certains auteurs, la condition illicite comprend aussi la condition immorale. **2°** Le Code civil emploie les expressions *contraire à la loi* (art. 1080) et *contraire aux lois* (art. 760).
V.a. condition impossible.
Angl. illicit condition⁺, unlawful condition.

CONDITION IMMORALE

(*Obl.*) Condition[1] dont la réalisation dépend de l'accomplissement d'un acte contraire aux bonnes mœurs.
Rem. Le Code civil emploie l'expression *condition contraire aux bonnes mœurs* (art. 760, 1080).
V.a. condition illicite⁺, condition impossible.
Angl. immoral condition.

CONDITION IMPOSSIBLE

(*Obl.*) Condition[1] consistant dans un événement qui, sur le plan physique ou sur le plan juridique, ne peut pas se produire. « Si l'événement choisi pour condition est impossible, l'essentielle incertitude manque, puisqu'il est sûr d'avance que cet événement n'arrivera pas » (Carbonnier, *Droit civil*, t. 4, n° 62, p. 253).
Occ. Art. 760 C. civ.
Rem. L'impossibilité est physique lorsqu'elle résulte des règles de la nature; elle peut être absolue (par ex., toucher le ciel du doigt) ou relative dans le cas où la réalisation de l'événement suppose des moyens extraordinaires hors de portée de la personne concernée (par ex., traverser le lac Saint-Jean à la nage). L'impossibilité est

juridique lorsqu'une règle de droit fait obstacle à la réalisation de l'événement (par ex., donation d'un bien à la condition qu'il soit inaliénable à perpétuité). La condition juridiquement impossible rejoint la condition illicite.
V.a. condition illicite, condition immorale.
Angl. impossible condition.

CONDITION MIXTE

(*Obl.*) Condition[1] qui dépend à la fois de la volonté d'un des contractants et de celle d'un tiers. « L'exemple classique de la condition mixte est celui-ci : “Je m'engage à telle chose, si je me marie” » (Pineau et Burman, *Obligations*, n° 281, p. 367).
Rem. La condition mixte est considérée comme une espèce de condition potestative.
V.a. condition casuelle.
Angl. mixed condition.

CONDITION NÉGATIVE

(*Obl.*) Condition[1] qui doit s'accomplir par la non-survenance de l'événement envisagé. Par ex., si telle personne n'est pas nommée à telle fonction.
Rem. Voir l'art. 1083 C. civ.
Opp. condition positive.
Angl. negative condition.

CONDITIONNEL, ELLE *adj.*

(*Obl.*) Qui est assorti d'une condition[1]. *Créancier conditionnel, donation conditionnelle.*
V.a. droit conditionnel, modal, obligation conditionnelle, terme (à), vente conditionnelle.
Angl. conditional.

CONDITION PENDANTE

(*Obl.*) Condition[1] considérée au moment où l'on ignore encore si elle se réalisera ou non.
Occ. Art. 963 C. civ.
Rem. L'incertitude sur le sort de l'obligation liée à une condition pendante prend fin soit par l'accomplissement de la condition, soit par sa défaillance.
V.a. condition accomplie, condition défaillie, *pendente conditione*.
Angl. pending condition.

CONDITION POSITIVE

(*Obl.*) Condition[1] qui doit s'accomplir par la survenance de l'événement envisagé. Par ex., si telle personne est nommée à telle fonction.
Opp. condition négative.
Angl. positive condition.

CONDITION POTESTATIVE

(*Obl.*) Condition[1] qui dépend, au moins en partie, de la volonté de l'un des contractants. « La condition casuelle, dont la réalisation dépend uniquement d'un événement extérieur, s'oppose à la condition potestative dont la réalisation dépend, à un degré quelconque, de la volonté des parties » (Baudouin, *Obligations*, n° 765, p. 463).
Rem. On distingue la condition purement potestative et la condition simplement potestative.
Syn. condition facultative. **Opp.** condition casuelle. **V.a.** condition mixte.
Angl. facultative condition, potestative condition+.

CONDITION PUREMENT FACULTATIVE

(*Obl.*) (Q) Syn. condition purement potestative.
Occ. Art. 1081 C. civ.
Opp. condition simplement facultative.
V.a. condition facultative+.
Angl. purely facultative condition, purely potestative condition+.

CONDITION PUREMENT POTESTATIVE

(*Obl.*) Condition[1] qui dépend uniquement de la volonté de l'une des parties. « La condition purement potestative de la part du débiteur détruit l'idée même d'obligation : il y a contradiction entre : "je m'engage" et "si je veux" » (Starck, Roland et Boyer, *Obligations*, t. 2, n° 1054, p. 368-369).
Rem. **1°** Selon l'art. 1081 C. civ., la condition purement potestative de la part du débiteur entraîne la nullité de l'obligation, ce qui n'est pas le cas de la condition qui dépend de la volonté du créancier. **2°** L'art. 1081 C. civ. parle de *condition potestative*.
Syn. condition purement facultative. **Opp.** condition simplement potestative.
Angl. purely facultative condition, purely potestative condition⁺.

CONDITION RÉSOLUTOIRE

(*Obl.*) Condition[1] dont on fait dépendre l'extinction d'un droit[2] ou d'une obligation[2]. « Lorsque l'obligation est contractée sous condition résolutoire, elle est immédiatement en existence » (Baudouin, *Obligations*, n° 774, p. 468).
Occ. Art. 1088 C. civ.
Rem. L'accomplissement de la condition résolutoire efface rétroactivement et de plein droit l'obligation qui est censée n'avoir jamais existé. Sa défaillance fait que l'obligation devient pure et simple.
Opp. condition suspensive. **V.a.** clause résolutoire[2], terme extinctif.
Angl. resolutive condition, resolutory condition⁺.

CONDITIONS GÉNÉRALES

(*Obl.*) Conditions[2] établies d'avance dans un contrat type. « [...] les "conditions générales" formulées par un contractant privé ne peuvent créer d'obligation que s'il est établi qu'elles ont été acceptées par l'autre contractant [...] Mais c'est déjà le problème du *contrat d'adhésion* [...] » (Carbonnier, *Droit civil*, t. 4, n° 13, p. 69). *Conditions générales de vente, du contrat.*
Opp. conditions particulières.
Angl. general conditions.

CONDITION SIMPLEMENT FACULTATIVE

(*Obl.*) (Q) Syn. condition simplement potestative. « À ces restrictions d'ordre exégétique entourant l'interprétation de l'article 1081 C.c., la jurisprudence et la doctrine ajoutent la distinction entre la condition *purement* facultative et la condition *simplement* facultative. Cette dernière se définit comme la condition supposant à la fois une manifestation de volonté de la part de celui qui s'oblige et l'influence de contingences extérieures » (Tancelin, *Obligations*, n° 334, p. 196).
Rem. On emploie plus généralement l'expression *condition simplement potestative.*
Opp. condition purement facultative.
V.a. condition facultative⁺.
Angl. simply facultative condition, simply potestative condition⁺.

CONDITION SIMPLEMENT POTESTATIVE

(*Obl.*) Condition[1] qui dépend de la volonté de l'un des contractants et aussi de circonstances extérieures échappant à son contrôle. « [...] la condition est *simplement potestative* lorsqu'elle suppose l'accomplissement par une partie d'un acte ou d'un fait dépendant de sa volonté, mais qui ne dépend pas uniquement d'elle, étant nécessairement soumis à des contingences extérieures; par ex., je paierai si vous faites tel voyage » (Marty, Raynaud et Jestaz, *Obligations*, t. 2, n° 72, p. 65).
Rem. La condition simplement potestative, même de la part du débiteur, n'entraîne pas la nullité de l'obligation (voir l'art. 1081 C. civ.).
Syn. condition simplement facultative.

Opp. condition purement potestative.
V.a. condition mixte.
Angl. simply facultative condition, simply potestative condition⁺.

CONDITION *SINE QUA NON* (latin)

(*Obl.*) Condition[5] sans laquelle le dommage ne serait pas survenu. « [...] il serait, de toute évidence, impossible de retenir comme causes *tous* les antécédents nécessaires, toutes les conditions *sine qua non* du dommage : de retenir, par exemple, la responsabilité de l'ami qui, par son bavardage, ou du professeur qui, par la prolongation de son cours, ont retardé la victime et ont ainsi contribué à la placer sur la "trajectoire" de l'activité de l'auteur. Car il y aurait alors *éparpillement* et *dilution* des responsabilités » (Flour et Aubert, *Obligations*, vol. 2, n° 663, p. 181).
Syn. *causa sine qua non*, cause *sine qua non*. **V.a.** cause déterminante, théorie de l'équivalence des conditions.
Angl. *causa sine qua non*, cause *sine qua non*, condition *sine qua non*⁺.

CONDITIONS PARTICULIÈRES

(*Obl.*) Conditions[2] qui dérogent aux conditions générales d'un contrat type. « Théoriquement, rien ne s'oppose à ce que tel client obtienne des "conditions particulières" dérogeant à son profit aux conditions générales [...] Mais, précisément, ce n'est souvent là qu'apparence : si l'entreprise est puissante, elle refuse d'apporter aucun changement à ses conditions préétablies » (Flour et Aubert, *Obligations*, vol. 1, n° 181, p. 129).
Opp. conditions générales.
Angl. special conditions.

CONDITION SUSPENSIVE

(*Obl.*) Condition[1] dont on fait dépendre la naissance d'un droit[2] ou d'une obligation[2]. « Le vendeur qui stipule que le titre de propriété ne passera que si le prix est payé au complet ou si tel événement se produit assume une obligation sous condition suspensive » (Baudouin, *Obligations*, n° 762, p. 462).
Occ. Art. 1087 C. civ.
Rem. L'accomplissement de la condition suspensive a pour effet de consolider l'obligation rétroactivement au jour de la formation de l'acte juridique. Sa défaillance fait que l'obligation est considérée comme n'ayant jamais pris naissance.
Opp. condition résolutoire. **V.a.** droit éventuel[1]⁺, terme suspensif.
Angl. suspensive condition.

CONDOMINIUM *n.m.* (latin)

(*Biens*) Syn. copropriété des immeubles établie par déclaration.
Angl. condominium, co-ownership of immoveables established by declaration⁺.

CONFÉDÉRATION *n.f.*

Association d'États indépendants dans laquelle est créé un organe central auquel les États membres délèguent certains pouvoirs mais conservent leur souveraineté. « La Confédération a une certaine ressemblance avec la fédération sur certains points (comme l'association) mais en diffère substantiellement sur d'autres (la pleine souveraineté des États par comparaison à la souveraineté limitée des États fédérés » (Beaudoin, *Constitution*, p. 70).
Rem. Le Canada constitue une fédération et non une confédération comme le laissent croire certaines expressions telles les *Pères de la confédération*, *jour de la confédération*.
Opp. fédération[1].
Angl. confederation.

CONFESSION DE JUGEMENT

(*D. jud.*) (X) *Angl.* V. acquiescement à la demande.
Angl. acquiescence in a demand⁺, confession of judgment.

CONFESSOIRE *adj.*

(*Biens*) V. action confessoire.

CONFIANCE *n.f.*

V. abus de confiance.

CONFIRMANT, ANTE *n.*

(*Obl.*) Personne qui, pouvant se prévaloir de la nullité relative d'un contrat, en effectue la confirmation. « La confirmation [...] constitue [...] un acte unilatéral, émanant de la seule volonté du "confirmant" » (Flour et Aubert, *Obligations*, vol. 1, n° 339, p. 279).

CONFIRMATION *n.f.*

(*Obl.*) Acte juridique unilatéral par lequel une personne, en renonçant au droit d'invoquer la nullité relative d'un acte antérieur, le valide rétroactivement. « [...] la confirmation tacite ou expresse du contrat est possible à partir de la connaissance acquise de l'erreur » (Baudouin, *Obligations*, n° 151, p. 124).
Occ. Art. 1214 C. civ.
Rem. L'exécution volontaire constitue un mode de confirmation tacite.
Syn. ratification².
Angl. confirmation⁺, ratification².

CONFIRMER *v.tr.*

(*Obl.*) Effectuer une confirmation. « [...] le contrat dont l'existence est menacée par une nullité relative peut être confirmé, puisque la nullité ne protège que les intérêts privés auxquels il est toujours possible de renoncer » (Baudouin, *Obligations*, n° 316, p. 218). *Confirmer un contrat.*
Syn. ratifier².
Angl. confirm⁺, ratify².

CONFLIT DE JURIDICTIONS

(*D. int. pr.*) Conflit résultant de la vocation des tribunaux de plusieurs États à connaître d'un litige comportant un élément d'extranéité. Par ex., le conflit né de la saisine d'un tribunal québécois par une personne domiciliée et blessée en Ontario par un Québécois. « Au cours d'un litige la solution du conflit de juridictions est toujours et nécessairement *préalable* à celle du conflit de lois » (Loussouarn et Bourel, *Droit int. privé*, n° 439, p. 685).
Rem. 1° En droit international privé, la vocation juridictionnelle se fonde sur des facteurs de rattachement, tel le domicile des parties, la situation des biens, le lieu de conclusion d'un acte juridique. 2° Le conflit de juridictions recouvre les problèmes reliés à la compétence internationale du tribunal du for ou d'un tribunal étranger ayant rendu un jugement que l'on cherche à faire reconnaître ou exécuter.
Opp. conflit de lois. **V.a.** règle de conflit de juridictions.
Angl. conflict of jurisdictions.

CONFLIT DE LOIS

(*D. int. pr.*) Conflit résultant de la vocation de plusieurs systèmes juridiques à régir un litige comportant un élément d'extranéité. Par ex., le conflit entre les lois québécoise, ontarienne et new yorkaise à l'occasion d'un litige né d'un contrat passé en Ontario entre un Québécois et un New Yorkais. « On désigne traditionnellement ce système par l'expression [...] de *conflit de lois* parce qu'il détermine le champ d'application au regard du juge saisi des différentes lois concernées par un cas donné à raison des liens de la situation avec différents systèmes juridiques [...] » (Batiffol et Lagarde, *Droit int. privé*, t. 1, n° 3, p. 3).
Rem. 1° L'étude des conflits de lois constitue la matière essentielle du droit international privé. 2° La résolution d'un conflit de lois suppose l'application d'une règle de conflit du for désignant la loi⁴ applicable, soit une loi étrangère, soit la loi interne du for. 3° Le conflit peut opposer des lois⁴ applicables soit simultanément

(conflit de lois dans l'espace), soit successivement (conflit mobile).
Opp. conflit de juridictions. **V.a.** dépeçage, qualification, règle de conflit de lois.
Angl. conflict of laws.

CONFLIT DE RATTACHEMENTS

(*D. int. pr.*) Conflit de systèmes affectant les facteurs de rattachement des règles de conflit de lois des systèmes juridiques en cause. Par ex., le fait que la loi québécoise du domicile d'un Français fasse régir la question de capacité qui l'affecte par la loi du domicile, alors que la loi française la soumet à celle de sa nationalité. « [...] le renvoi est traditionnellement présenté comme un moyen de régler certains conflits de rattachements [...] » (Loussouarn et Bourel, *Droit int. privé*, n° 196 *bis*, p. 259).
Rem. Le conflit de rattachements positif existe lorsque chaque règle de rattachement donne compétence à son propre système. Le conflit de rattachements négatif se présente quand chaque règle de rattachements donne compétence à un autre système.
Angl. conflict of connecting factors.

CONFLIT DE(S) QUALIFICATIONS

(*D. int. pr.*) Conflit résultant du fait que la loi du for et la loi étrangère, éventuellement appelées à régir le fond d'un litige, qualifient son objet de façon divergente. Par ex., le conflit portant sur une question de prescription, lorsque la loi du for y voit un problème de fond, tandis que la loi étrangère, compétente selon la règle de conflit du for, y voit une question de procédure. « Le problème spécifique du droit international privé n'est [...] pas celui de la qualification elle-même, mais celui du *conflit de qualifications* » (Loussouarn et Bourel, *Droit int. privé*, n° 183, p. 279).
Rem. **1°** Pour la majorité de la doctrine, le conflit de qualifications est résolu par l'utilisation des qualifications[2] de la loi du for. **2°** Certains, à tort, nomment ce conflit *problème de qualification* puisque celui-ci consiste en une difficulté rencontrée en tentant d'intégrer une institution étrangère dans une catégorie du for.
V.a. conflit de lois, conflit de systèmes.
Angl. conflict of characterizations.

CONFLIT DE SYSTÈMES

(*D. int. pr.*) Conflit résultant d'une discordance entre le système juridique du for et celui désigné par sa règle de conflit, qui se manifeste soit par des règles matérielles[2] différentes, soit, au plan de la résolution du conflit de lois, par des qualifications ou des rattachements différents. « La notion de conflit de systèmes n'a émergé dans la conscience de la doctrine qu'avec la découverte [...] du phénomène du renvoi [...] » (Francescakis, R.C. 1954.552, p. 563).
Rem. On distingue les conflits positifs et les conflits négatifs. Les conflits positifs apparaissent quand chaque règle de conflit de lois en présence désigne son propre système; les conflits négatifs se produisent lorsque chaque règle de conflit de lois en présence désigne un autre système.
V.a. renvoi.
Angl. conflict of systems.

CONFLIT MOBILE

(*D. int. pr.*) Conflit de lois se produisant lorsqu'une modification du facteur de rattachement soumet successivement une même situation juridique à deux lois différentes entre lesquelles il faut choisir. « Le problème du conflit mobile présuppose donc que la règle de conflit admette la mobilité du facteur de rattachement [...] » (Batiffol et Lagarde, *Droit int. privé*, t. 1, n° 318, p. 371).
Rem. **1°** Les facteurs de rattachement qui peuvent donner lieu à un conflit mobile sont le domicile, la résidence et la présence (d'une personne ou d'une chose) dans une juridiction donnée. **2°** Les tribunaux québécois n'ont pas proposé de solution générale aux conflits mobiles qui font d'ailleurs l'objet de controverses doctrinales nombreuses, mais

s'efforcent de les résoudre cas par cas, dans le cadre de la règle de conflit où ils interviennent.
Angl. *conflit mobile*, transitory conflict+.

CONFUSION *n.f.*

1. (*Biens* et *Obl.*) Réunion sur une même tête de deux qualités incompatibles, entraînant l'extinction d'un droit. Par ex., les qualités de créancier et de débiteur (art. 1198 C. civ.). « La confusion supprime, en principe, la créance et ses accessoires. Cet effet est absolu et définitif lorsque la confusion qui y donne lieu est elle-même définitive, permanente » (Guy, (1971) 2 *R.D.U.S.* 141, p. 152).
Occ. Art. 1138, 1199 C. civ.
Rem. Dans le cas de confusion entre les qualités de nu-propriétaire et d'usufruitier, on parle plutôt de *consolidation*.
Angl. confusion+, consolidation.

2. (*Biens*) Syn. mélange. « Au cas de *mélange* ou de confusion de matières sèches ou liquides appartenant à des maîtres différents, et qui ne peuvent plus être séparées sans inconvénient, la chose ainsi formée devient en général [...] commune aux deux parties [...] » (Aubry et Rau, *Droit civil*, t. 2, n° 221, p. 367).
Angl. admixture.

CONGÉ *n.m.*

(*Obl.*) Acte unilatéral par lequel une partie à un contrat de louage manifeste à l'autre sa volonté d'y mettre fin. « [...] le congé est requis pour mettre fin à tout bail [...] dont la durée n'a pas été déterminée [...] » (Mignault, *Droit civil*, t. 7, p. 348). *Donner congé, recevoir congé, signifier congé; délai de congé.*
Occ. Anc. art. 1609, 1610, 1653, 1657, 1658 C. civ. (1957-1973).
Rem. **1°** La notion de congé se retrouve en matière de bail et de louage d'ouvrage. **2°** Depuis les modifications apportées en 1974 au Titre du louage, le terme *congé* est remplacé par le terme *avis* aux articles de ce titre. **3°** Voir les art. 1630, 1631, 1662.12 et 1668 C. civ.
Syn. avis de congé.
Angl. notice(>)+, notification(>).

CONJOINT, OINTE *adj.*

V. créance conjointe, dette conjointe, garde conjointe, obligation conjointe, responsabilité conjointe.

CONJOINT DE FAIT

(*Pers.*) Personne qui vit en union de fait. « En principe et en droit, les concubins ont le statut de célibataire, donc ils sont propriétaires de leurs biens sans que le conjoint de fait ne puisse avoir quelque prétention que ce soit sur ces biens » (Ouellette, *Famille*, p. 313).
Syn. concubin, époux de fait.
Angl. concubinary, concubine, *de facto* spouse+.

CONJOINTEMENT ET SOLIDAIREMENT *loc.adv.*

(*Obl.*) (X) V. solidairement. « On notera qu'en pratique on emploie fréquemment la clause suivante, dont la rédaction est critiquable : "les débiteurs s'engagent conjointement et solidairement". Expression singulière, puisque "conjointement" veut dire "pour partie", alors que "solidairement" signifie "pour le tout" : c'est donc réunir ensemble des termes qui se contredisent. Mais il ne fait pas de doute que cette expression (qui dénote une connaissance imparfaite du sens des termes employés) a, dans l'intention des parties, le sens d'établir la solidarité : le terme conjointement est employé improprement comme voulant dire : "tous ensemble". Par conséquent "conjointement et solidairement" se traduit par : "tous ensemble et chacun pour le tout" » (Starck, Roland et Boyer, *Obligations*, t. 2, n° 1118, p. 389).

Occ. Art. 1688, 1865 C. civ.
Angl. jointly and severally(x), solidarily⁺.

CONJONCTIF, IVE *adj.*

(*Obl.*) V. obligation conjonctive.

CONJUGAL, ALE *adj.*

V. domicile conjugal.

CONSEIL *n.m.*

V. arrêté en conseil.
Angl. council.

CONSEIL DE FAMILLE

(*Pers.*) Organe consultatif qui a pour rôle de conseiller le tribunal, le tuteur ou le curateur dans certaines décisions concernant la sauvegarde des intérêts d'un incapable. « [...] on peut admettre qu'en fait, sinon en droit, l'opinion du conseil de famille pèse d'un très grand poids dans les décisions à rendre en la matière [désignation du tuteur ou du subrogé-tuteur] » (Azard et Bisson, *Droit civil*, t. 1, n° 149, p. 294). *Convoquer un conseil de famille; l'avis du conseil de famille.*
Occ. Art. 249 C. civ.
Rem. **1°** Le conseil de famille est composé d'au moins cinq personnes, choisies parmi les parents, alliés et amis de l'incapable (art. 251 C. civ.). **2°** Il donne son avis sur le choix du tuteur, du subrogé-tuteur ou du curateur. **3°** Le tribunal tient compte de l'opinion du conseil de famille quand le tuteur doit obtenir une autorisation judiciaire pour accomplir certains types d'actes touchant la personne ou les biens de l'incapable. **4°** Le conseil de famille est remplacé par le conseil de tutelle aux art. 241 et s. C. civ. Q. (L.Q. 1987, chap. 18, art. 1 n.e.v.), repris aux art. 223 et s. du Projet de loi 125.
V.a. curatelle, tutelle.
Angl. family council.

CONSEIL DE LA REINE/DU ROI

1. Titre honorifique conféré, au nom de la Couronne, à un membre du Barreau. « [...] la nomination des conseils du roi est laissée entièrement à la discrétion du gouvernement » (Nantel, (1944) 4 *R. du B.* 17, p. 32).
Occ. Anc. art. 7, *Loi du Barreau*, S.R.Q. 1964, chap. 247.
Rem. **1°** Au Fédéral, le pouvoir de conférer le titre de conseil de la reine est une des prérogatives de la Couronne. Au Québec, ce pouvoir est régi par l'art. 16 de la *Loi sur le Ministère de la Justice* (L.R.Q., chap. M-19). **2°** Selon la loi québécoise, le titre exact est maintenant *conseil en loi de la reine* (ou *du roi*). **3°** De nos jours, au Canada, le titre ne confère que le privilège de porter une toge particulière et d'occuper, à la Cour suprême, un endroit plus près des juges.
Angl. King's counsel[1], Queen's counsel[1]⁺.

2. Personne à qui le titre de conseil de la reine ou du roi est conféré.
Syn. conseiller de la reine/du roi.
Angl. King's counsel[2], Queen's counsel[2]⁺.

CONSEIL JUDICIAIRE

(*Pers.*) *Vieilli.* Personne nommée par le tribunal pour en assister une autre jugée inapte à accomplir certains actes relatifs à ses biens. « Le conseil judiciaire ne représente pas l'incapable, il l'assiste : il n'a donc aucun pouvoir sur la personne du faible d'esprit, il n'administre pas ses biens, il se contente de l'assister pour certains actes (art. 351) » (Pineau, *Famille* (1972), n° 311, p. 245).
Occ. Titre précédant l'anc. art. 349 C. civ. (1866-1990).
Rem. **1°** Depuis la réforme d'avril 1990, le conseil judiciaire est remplacé par le conseiller au majeur (art. 335 C. civ.) **2°** La personne pourvue d'un conseil judiciaire était capable d'accomplir seule tout acte qui ne lui était pas interdit par le jugement

nommant le conseil judiciaire ou par l'anc. art. 351 C. civ. (1866-1990).
V.a. curateur, tuteur.
Angl. judicial adviser.

CONSEILLER DE LA REINE/DU ROI

Syn. conseil de la reine/du roi².
Angl. King's counsel², Queen's counsel²⁺.

CONSEILLER EN LOI

Avocat d'une autre province canadienne ou professeur de droit, inscrit au Barreau du Québec et autorisé, en vertu d'un permis restrictif, à donner des consultations en cette province ou à y rédiger certains actes juridiques. « [...] quelles que soient l'ampleur et les limites de ses activités professionnelles, le conseiller en loi demeure soumis en principe à toutes les dispositions de la loi qui affectent l'avocat [...] » (Deschênes, (1968) 28 *R. du B.* 633, p. 635).
Occ. Art. 55, 56, 60, 128, *Loi sur le Barreau*, L.R.Q., chap. B-1.
Rem. **1°** Cette catégorie de membres du Barreau, dont la création remonte à 1967, ne comprenait à l'origine que des avocats d'une autre province canadienne. Depuis 1975, elle peut aussi comprendre des professeurs de droit qui occupent un poste dans l'une des universités décernant un diplôme reconnu à cette fin par le gouvernement du Québec : les universités québécoises et l'Université d'Ottawa. **2°** Les conseillers en loi, bien que membres du Barreau comme les avocats, ne participent pas aussi pleinement qu'eux à la vie interne de la corporation professionnelle. **3°** Voir les art. 128 et 129 de la *Loi sur le Barreau* (L.R.Q., chap. B-1).
V.a. conseil de la reine.
Angl. solicitor.

CONSEILLER JURIDIQUE

Juriste appartenant à une profession réglementée, dont les activités consistent, notamment, à donner des consultations juridiques et à rédiger certains actes pour autrui. « [...] l'avocat [...] est le conseiller juridique de l'une des parties; il a même le devoir de défendre les intérêts de son client, alors que le notaire instrumentant est le conseiller des deux parties qu'il a l'obligation d'informer de manière égale [...] » (*Rapport de la C.E.A.A.N.*, n° 12.31, p. 166).
Occ. Art. 1 par. e, *Loi sur le Barreau*, L.R.Q., chap. B-1; art. 4 (3), *Loi sur le Notariat*, L.R.Q., chap. N-2.
Rem. Au Québec, les avocats, les conseillers en loi, les notaires et, de façon plus restrictive, les comptables reconnus par la *Loi sur les comptables agréés* (L.R.Q., chap. C-48) ou par le *Code des professions* (L.R.Q., chap.C-26) sont autorisés à remplir les fonctions de conseiller juridique.
Angl. legal adviser, legal counsel⁺.

CONSENSUALISME *n.m.*

(*Obl.*) Principe en vertu duquel la seule expression de la volonté suffit pour produire des effets juridiques, sans qu'il soit nécessaire de recourir à des formes particulières. « Le consensualisme a une valeur supérieure. Il est au point de convergence de la tradition canonique, et du message révolutionnaire, accordés pour exalter le respect de la parole donnée et le pouvoir de la volonté de l'homme » (Cornu, *Introduction*, n° 1073, p. 340).
Opp. formalisme.
Angl. consensualism.

CONSENSUEL, ELLE *adj.*

(*Obl.*) Qui résulte du seul consentement. « [...] les Romains ont connu un droit *formaliste* où, au moins en règle générale, l'on n'était engagé que par l'accomplissement de rites extérieurs. Nous avons un droit *consensuel*, où l'on est tenu par cela seul que l'on a donné sa parole » (Flour et Aubert, *Obligations*, vol. 1, n° 66, p. 44).
Opp. formaliste, réel², solennel. **V.a.** acte consensuel, contrat consensuel.
Angl. consensual.

CONSENTEMENT *n.m.*

1. (*Obl.*) Manifestation de la volonté d'une personne de souscrire à un acte juridique. « En matière de contrats, le terme consentement est pris dans deux sens différents. Dans son sens étymologique (*cum sentire*) il exprime l'accord des volontés des parties sur le contrat projeté [...] Dans une acception plus restreinte [...] il désigne l'acquiescement donné par *chacune* des parties aux conditions du contrat projeté [...] » (Planiol et Ripert, *Traité*, t. 6, n° 94, p. 99). *Consentement libre et éclairé; consentement entaché d'erreur ou de dol.*
Occ. Art. 984, 988 C. civ.
Rem. L'offre exprime le consentement de celui qui propose la conclusion du contrat; l'acceptation, celui du destinataire de l'offre.
V.a. déclaration de volonté, erreur vice du consentement, intégrité du consentement, vice du consentement.
Angl. assent, consent[1]+.

2. (*Obl.*) Accord des volontés des parties à un contrat. « Le consentement est réalisé par la rencontre des volontés des contractants. Il suppose donc que chacune des parties a eu la volonté nécessaire et que ces volontés ont concouru pour former une convention » (Marty et Raynaud, *Obligations*, t. 1, n° 100, p. 92-93).
Occ. Art. 1025, 1472 C. civ.
Angl. consent[2].

3. (*Obl.*) Assentiment donné par une personne à l'acte qu'une autre ne peut accomplir sans cette formalité. Par ex., le consentement du père ou de la mère au mariage d'un mineur.
Occ. Art. 119, 1619 C. civ.; art. 449, 494 C. civ. Q.
Syn. agrément[2].
Angl. consent[3].

CONSENTEMENT ÉCLAIRÉ

(*Obl.*) Consentement[1] donné en connaissance de cause. « [...] le consentement doit être *éclairé*. Comme tout acte volontaire, la décision de contracter est précédée d'une *délibération*, au cours de laquelle l'intéressé, s'étant représenté les avantages et les inconvénients de l'opération envisagée, a jugé que ceux-là l'emportaient sur ceux-ci. Cette délibération peut être faussée par une erreur, soit fortuite, soit provoquée par des manoeuvres frauduleuses du cocontractant » (Flour et Aubert, *Obligations*, vol. 1, n° 188, p. 142).
Rem. La législation relative à la protection du consommateur exige, pour certains contrats, la divulgation d'éléments d'information susceptibles d'éclairer davantage le consentement. On a qualifié d'*informé* le consentement exprimé par une personne qui a pris connaissance de ces renseignements (Baudouin, *Obligations*, n° 225, p. 163).
Opp. consentement vicié. **V.a.** consentement libre, dol[1], erreur, intégrité du consentement.
Angl. enlightened consent.

CONSENTEMENT EXPLICITE

(*Obl.*) Syn. consentement exprès. « Que le consentement du patient soit implicite ou explicite, le médecin doit se garder de lui donner une portée qu'il n'a pas » (Mayrand, *Inviolabilité*, n° 36, p. 45).
Opp. consentement implicite.
Angl. explicit consent, express consent+, express manifestation of intent.

CONSENTEMENT EXPRÈS

(*Obl.*) Consentement[1] exprimé directement au moyen d'une action — écrit, parole, geste — visant à le porter à la connaissance d'autrui. « Étant donnée la nécessité de la volonté pour la formation du rapport contractuel on ne saurait admettre, en théorie, la naissance [...] d'un tel rapport sans le consentement exprès ou tacite des parties » (Planiol et Ripert, *Traité*, t. 6, n° 101, p. 106).
Occ. Art. 988 C. civ.
Syn. consentement explicite, manifestation

de volonté expresse. **Opp.** consentement tacite.
Angl. explicit consent, express consent+, express manifestation of intent.

CONSENTEMENT IMPLICITE

(*Obl.*) Syn. consentement tacite. « Quand un locataire reste dans les lieux loués à la fin du bail sans opposition du bailleur (1641 C.c.), il y a de part et d'autre manifestation d'un consentement implicite à la continuation du contrat de louage » (Tancelin, *Obligations*, n° 84, p. 48).
Occ. Art. 988 C. civ.
Opp. consentement explicite.
Angl. implicit consent, implied consent, tacit consent+, tacit manifestation of intent.

CONSENTEMENT LIBRE

(*Obl.*) Consentement[1] donné de plein gré. « [...] le consentement doit être *libre.* Il ne l'est pas lorsque la décision, au lieu de "sortir" vraiment de la délibération, résulte d'une pression exercée sur l'intéressé, et qui l'a conduit à accepter des conditions désavantageuses — consciemment [...] — afin d'échapper aux menaces qui lui étaient adressées pour le cas où il refuserait de s'engager » (Flour et Aubert, *Obligations*, vol. 1, n° 188 p. 142-143).
Occ. Art. 1395, Projet de loi 125.
Opp. consentement vicié. **V.a.** consentement éclairé, crainte, intégrité du consentement, violence.
Angl. consent freely given.

CONSENTEMENT TACITE

(*Obl.*) Consentement[1] exprimé par un comportement dont on peut déduire la volonté de conclure un acte juridique. « Parfois le consentement tacite est exclu pour la formation de certains contrats à cause de leur gravité pour l'une des parties » (Tancelin, *Obligations*, n° 85, p. 48).
Syn. consentement implicite, manifestation de volonté tacite. **Opp.** consentement exprès.
Angl. implicit consent, implied consent, tacit consent+, tacit manifestation of intent.

CONSENTEMENT VICIÉ

(*Obl.*) Consentement[1] entaché d'un vice. « Si l'une des parties n'a pas décidé en connaissance de cause, ou a subi une pression, son consentement, sans être inexistant, est vicié, et le contrat est annulable [...] » (Carbonnier, *Droit civil*, t. 4, n° 19, p. 91).
Opp. consentement éclairé, consentement libre. **V.a.** intégrité du consentement, vice du consentement.
Angl. vitiated consent.

CONSENTIR *v.tr.*

(*Obl.*) Former, donner un consentement. « [...] on peut poser en principe que, contrairement à l'adage : "qui ne dit mot consent", le simple silence ne saurait en principe avoir de valeur juridique [...] » (Marty et Raynaud, *Obligations*, t. 1, n° 103, p. 96).
Occ. Art. 1665, 1740 par. 1 C. civ.
Angl. assent(<)+, consent+.

CONSERVATION *n.f.*

(*Pers.* et *Obl.*) V. acte de conservation.
Angl. conservation.

CONSERVATOIRE *adj.*

V. acte conservatoire, intervention conservatoire.

CONSIDÉRATION *n.f.*

1. (*Obl.*) Syn. cause[1].
Occ. Art. 989, 990 C. civ.
V.a. erreur sur la considération principale.
Angl. cause[1]+, consideration[1].

2. (*Obl.*) (X) *Angl.* V. contrepartie.
Rem. On ne doit pas confondre la *consideration* de la common law avec le concept

de la cause objective en droit civil.
Angl. compensation³(x), consideration²(x), counterprestation⁺, valuable consideration(x).

CONSIDÉRATION ILLÉGALE

(*Obl.*) Syn. cause illicite.
Occ. Art. 989 C. civ.
Angl. illegal cause, illicit cause⁺, illicit consideration, unlawful cause, unlawful consideration.

CONSIDÉRATION PRINCIPALE

(*Obl.*) Motif principal qui a déterminé une personne à conclure un acte juridique. « [...] la substance se distingue mal à première vue de la considération principale également visée par l'article 992 C.c. Cependant la substance concerne uniquement la chose, objet de la prestation, alors que la considération principale est plus large en ce qu'elle peut viser également la personne du cocontractant par exemple » (Tancelin, *Obligations*, n° 119, p. 66).
Occ. Art. 992 C. civ.
V.a. erreur sur la considération principale.
Angl. principal consideration.

CONSIDÉRATION VALABLE

(*Obl.*) (X) *Angl.* V. contrepartie.
Rem. « [En droit anglais la] remise d'une somme d'argent si modique soit-elle, suffit à constituer une *consideration.* Celle-ci n'a pas à être "adéquate"; elle peut être purement nominale [...] On exige seulement qu'elle soit *valuable*, c'est-à-dire en valeur (et non "valable" comme dans la traduction littérale de l'article 53 de la *Loi sur les lettres de change* [S.R.C., 1970-71-72, chap. B-5] et dans la formule usuelle "pour bonne et valable considération") » (Tancelin, *Obligations*, n° 169, p. 97). À ce sujet, la version révisée de la *Loi sur les lettres de change* (L.R.C. 1985, chap. B-4) a remplacé, à l'art. 52, l'expression *considération valable* par *cause.* Il s'agit de la cause¹·ᴬ, soit, dans un contrat synallagmatique, la contrepartie fournie par l'un des contractants.
V.a. considération²⁺.
Angl. compensation³(x), consideration²(x), counterprestation⁺, valuable consideration(x).

CONSIGNATAIRE *n.*

(*Obl.*) Syn. destinataire². « Lorsqu'il s'agit du transport d'une chose, on nomme destinataire ou consignataire la personne à qui elle est adressée » (Faribault, dans *Traité*, t. 12, p. 296).
Angl. addressee, consignee⁺, receiver.

CONSIGNATION *n.f.*

(*Obl.* et *D. jud.*) Dépôt⁶ effectué par le débiteur d'une somme d'argent ou de valeurs mobilières qui désire payer mais qui en est empêché par le refus du créancier, par son absence du lieu où la dette est payable ou pour d'autres causes semblables. « [...] s'il y a [...] consignation [...], le débiteur est libéré de l'obligation capitale, à compter des offres, et de l'obligation de payer intérêt à compter de la consignation seulement. C'est ainsi, me semble-t-il, que la jurisprudence a interprété les dispositions de l'article 1162 C.C. » (*Sirois* c. *Hovington*, [1969] B.R. 97, p. 113, j. R. Brossard). *Faire une consignation; recevoir en consignation.*
Occ. Art. 1166, 1167 C. civ.
Rem. **1°** En général, la consignation est précédée d'offres réelles au créancier. **2°** La consignation s'effectue au Bureau des dépôts du Québec qui, en vertu des art. 1 et 4 de la *Loi sur les dépôts et consignations* (L.R.Q., chap. D-5), est le ministère des Finances et ses agents. En cours d'instance, elle se fait au greffe du tribunal. **3°** La procédure de consignation est régie par les art. 187 à 191 C. proc. civ., ainsi que par la *Loi sur les dépôts et consignations*, L.R.Q., chap. D-5.

V.a. dépôt judiciaire[1].
Angl. consignment, deposit[7]+.

CONSIGNER *v.tr.*

(*Obl.*) Effectuer une consignation. « [...] pour que le débiteur soit libéré du jour des premières offres, il faut qu'il ait consigné la somme offerte; car ce n'est qu'ainsi qu'il peut donner effet à ses offres » (Mignault, *Droit civil*, t. 5, p. 584).
Occ. Art. 1162 C. civ.; art. 190 C. proc. civ.
Angl. consign, deposit[2]+.

CONSOLIDATION *n.f.*

(*Obl.*) Confusion[1] résultant de la réunion sur une même tête des qualités de nu-propriétaire et d'usufruitier. « Mettent fin à l'usufruit [...] : la consolidation, c'est-à-dire [...] la recomposition de la pleine propriété [...] » (Atias, *Biens*, n° 127, p. 171).
Occ. Art. 479 C. civ.
Angl. confusion(>)+, consolidation(>).

CONSOLIDATION DE DETTES

(*Obl.*) Opération consistant à remplacer plusieurs dettes par une seule. « Une consolidation de dettes [...] opère novation » (Baudouin, *Obligations*, n° 841, p. 479).
Occ. Art. 99, *Loi sur la protection du consommateur*, L.R.Q., chap. P-40.1.
V.a. novation par changement de dettes.
Angl. consolidation of debts.

CONSOMMATEUR, TRICE *n.*

(*Obl.* et *D. comm.*) Personne physique qui se procure d'un commerçant un bien mobilier ou un service à des fins personnelles. « Cette Loi [*Loi sur la protection du consommateur*] fut conçue pour enrayer les abus de certains commerçants qui profitaient de l'ignorance et de la naïveté du consommateur » (*Roy Caisses enregistreuses Ltée* c. *Majianesi, Giovanni*, [1977] C.A. 569, p. 574, j. R. Paré).
Occ. Art. 1(e), 8, 9, *Loi sur la protection du consommateur*, L.R.Q., chap. P-40.1.
Rem. Est consommateur le commerçant qui se procure un bien ou un service pour des fins autres que celles de son commerce.
V.a. commerçant.
Angl. consumer.

CONSOMMATION *n.f.*

V. crédit à la consommation, prêt de consommation.
Angl. consumption.

CONSOMPTIBILITÉ *n.f.*

(*Biens*) Caractère de ce qui est consomptible. « La consomptibilité est [...] une *qualité de fait* de certaines choses, qui les rend impropres à devenir l'objet d'un droit de jouissance temporaire, à l'expiration duquel elles se retrouveraient intactes. Cette qualité s'apprécie en considérant la chose isolément, et sans qu'on ait besoin de la comparer avec aucune autre du même genre, ni même de savoir s'il en existe de semblables » (Planiol et Ripert, *Traité*, t. 3, n° 56, p. 62).
V.a. fongibilité.
Angl. consumptibility.

CONSOMPTIBLE *adj.*

(*Biens*) Qui est détruit ou aliéné par le premier usage qui en est fait, en parlant d'un bien[2]. « Si le droit porte sur une chose consomptible, le tiers détenteur est dans l'impossibilité de la restituer en nature [...] et devient *débiteur d'une chose équivalente* [...] » (Cornu, *Introduction*, n° 943, p. 302).
Rem. **1°** Certaines choses se consomment, au sens matériel du terme, par exemple le combustible, les produits alimentaires. Pour d'autres, la consommation doit s'entendre

en un sens dérivé d'aliénation, comme dans le cas de l'argent ou des titres négociables. **2°** Cette notion ne doit pas être confondue avec celle, voisine, de fongible. Une automobile fabriquée en série est une chose fongible mais non consomptible. Le gâteau d'anniversaire portant la mention « Joyeux anniversaire Jacques » est une chose consomptible mais non fongible. **3°** Le Code civil, aux art. 465, 1143, 1777, exprime cette notion par la tournure *chose qui se consomme par l'usage*. **4°** Du latin *consumptibilis*, de *consumere* : consumer, détruire.

Opp. non consomptible. **V.a.** bien consomptible, fongible.

Angl. consumable.

CONSTITUANT, ANTE *n.* et *adj.*

Personne qui établit un droit. Par ex., le constituant d'un usufruit, d'une rente; le constituant d'une hypothèque, d'un gage. « Le constituant [d'une hypothèque] peut être le débiteur lui-même ou un tiers. Le tiers qui affecte un immeuble à la garantie de la dette d'autrui est appelé caution réelle » (Ciotola, *Sûretés*, p. 287).

Angl. constituant+, grantor(<)+, settlor(<)+.

CONSTITUER *v.tr.*

1. Établir un droit. Par ex., constituer une hypothèque, un usufruit. « [...] on peut imaginer le cas d'un possesseur qui hypothèque un immeuble au profit d'un créancier sans en être effectivement propriétaire. Lors de l'acquisition par prescription, ce nouveau propriétaire voit son titre confirmé rétroactivement et l'hypothèque qu'il a constituée devient valide à compter de la date de son enregistrement » (Ciotola, *Sûretés*, p. 288).

Occ. Art. 889, 1902, 2123 C. civ.

Angl. constitute[1].

2. Créer une personne morale.

Occ. Art. 352, 353 C. civ.

Angl. constitute [2].

CONSTITUTIF, IVE *adj.*

(*Obl.*) Qui a pour objet de créer un droit nouveau. « Les *actes constitutifs* de droits créent une situation juridique nouvelle en modifiant la situation antérieure. La plupart des actes juridiques (vente, testament, etc.) sont constitutifs » (Mazeaud et Chabas, *Leçons*, t. 1, vol. 1, n° 262-2, p. 334).

Opp. abdicatif, attributif[1], déclaratif, translatif. **V.a.** acte constitutif, effet constitutif, titre constitutif.

Angl. constitutive.

CONSTITUTION *n.f.*

1. Action d'établir un droit[2]. Par ex., la constitution d'une hypothèque, d'un usufruit, d'une rente (art. 1901 C. civ.). « L'hypothèque conventionnelle ne peut [...] être constituée que par des actes passés devant notaire [...] Les constitutions d'hypothèques contenues dans d'autres actes [...] seraient dénuées d'efficacité » (Aubry et Rau, *Droit civil*, t. 3, n° 243, p. 311).

Occ. Art. 441*w*, 1747 C. civ.

Angl. constitution[1].

2. Action de créer une personne morale.

Angl. constitution[2].

CONSTITUTION DE RENTE

(*Obl.*) Acte juridique par lequel est créée une rente constituée. « Après avoir dit que la constitution de rente constitue un contrat, l'article 1788 ajoute qu'elle peut aussi se faire par donation ou par testament » (Mignault, *Droit civil*, t. 8, p. 135).

Occ. Art. 1787, 1788 C. civ.

Angl. constitution of rent.

CONSTITUTIONNEL, ELLE *adj.*

V. droit constitutionnel.

CONSTITUT POSSESSOIRE

(*Obl.*) Convention accessoire par laquelle l'aliénateur d'une chose corporelle en

conserve la détention, mais pour le compte de l'acquéreur, notamment, à titre de locataire. « Le vendeur qui conserve la chose vendue, étant convenu qu'il la livrera plus tard, a encore le *corpus*, mais il n'a plus l'*animus* : il n'a plus l'intention de se comporter en propriétaire [...] On dit que le vendeur "se constitue possesseur"; on nomme cette situation "*constitut possessoire*"; il serait plus exact de l'appeler : "constitut détentoire", car le possesseur se constitue non pas possesseur, mais détenteur » (Mazeaud et Chabas, *Leçons*, t. 2, vol. 2, n° 1471, p. 192).
Rem. Le constitut possessoire opère une tradition feinte. Si la délivrance peut ordinairement se faire par constitut possessoire, on notera que le don manuel ne peut se former que par la tradition réelle de la chose, ce qui exclut le constitut possessoire.
Angl. *constitut, constitutum possessorium*+, possessory *constitut.*

CONSTRUCTEUR, TRICE *n.*

(*Obl.*) Entrepreneur qui effectue des travaux de construction sur un immeuble. « Le constructeur de l'article 2013, c'est celui qui assemble des matériaux pour faire un édifice ou l'agrandir; tantôt il fournit le travail seulement, tantôt il fournit la main-d'oeuvre et les matériaux (Art. 1683) [...] » (Giroux, *Privilège ouvrier*, n° 75, p. 84).
Occ. Art. 1666, 1695, 1697*a*, 2013, 2013*f* C. civ.
V.a. privilège du constructeur.
Angl. builder.

CONSTRUCTION *n.f.*

1. (*Obl.*) Fait pour une personne de bâtir.
Occ. Art. 1683 C. civ.
V.a. ouvrage[1], vice de construction.
Angl. construction[1].

2. (*Biens*) Ce qui est bâti par une personne. Par ex., un bâtiment, un puits, une digue, un mur.
Occ. Titre précédant l'art. 532 C. civ.
V.a. bail à construction, édifice, ouvrage[2].
Angl. construction[2]+, structure.

CONSTRUIRE *v.tr.*

(*Obl.*) Faire une construction.
Occ. Art. 1690 C. civ.
Angl. build.

CONTESTATION DE PATERNITÉ

(*Pers.*) Syn. action en contestation de paternité. « Le désaveu, autrefois privilège exclusif du mari, est maintenant ouvert à la femme sous forme de contestation de paternité » (Ouellette, *Famille*, p. 114).
Angl. action in contestation of paternity+, contestation of paternity.

CONTESTATION D'ÉTAT

(*Pers.*) Syn. action en contestation d'état. « Comme le spécifient les articles 589 et 593, 2° al., cette action en réclamation d'état est offerte à l'enfant ou à son tuteur, aux héritiers de l'enfant [...] et aux père et mère de l'enfant; cependant, tout comme pour la contestation d'état, le mari de la mère ne pourra tenter d'établir une filiation en faveur d'un autre homme, puisque cela reviendrait encore une fois à un désaveu déguisé » (Pilon, *Législation*, p. 76).
Occ. Titre précédant l'art. 587 C. civ. Q.
Angl. action in contestation of status+, contestation of status.

CONTINU, UE *adj.*

(*Obl.*) V. cautionnement continu, dommage continu, obligation continue, possession continue, servitude continue.

CONTRACTANT, ANTE *n.* et *adj.*

(*Obl.*) Partie à un contrat. « L'expression du consentement doit en outre représenter aussi la volonté réelle du contractant » (Baudouin, *Obligations*, n° 91, p. 91). *Les parties contractantes.*

Occ. Art. 996, 1477 C. civ.
V.a. cocontractant.
Angl. contracting party.

CONTRACTER *v.tr.*

1. (*Obl.*) Conclure un contrat. *Contracter mariage, contracter une assurance; contracter par-devant notaire; mode de contracter; offre de contracter.*
Occ. Art. 115 C. civ.
Rem. Ce verbe est souvent employé absolument.
Angl. contract[1].

2. (*Obl.*) S'obliger par contrat. *Contracter une dette, une obligation.*
Occ. Art. 1074 C. civ.
Angl. contract[2].

CONTRACTEUR, EURE *n.*

(*Obl.*) (X) *Angl.* V. entrepreneur.
Angl. contractor.

CONTRACTUEL, ELLE *adj.*

(*Obl.*) Qui résulte d'un contrat, qui se rapporte à un contrat. « Le principe de la liberté contractuelle n'est pas affirmé en tant que tel dans le Code civil, mais on doit le déduire de l'article 13, par un raisonnement *a contrario* [...] » (Pineau et Burman, *Obligations*, n° 117, p. 165). *Institution contractuelle.*
Occ. Art. 2600 C. civ.
Syn. conventionnel. **Opp.** extracontractuel, judiciaire[2], légal[3]. **V.a.** délictuel, garantie contractuelle, obligation contractuelle, quasi contractuel, quasi délictuel, représentation contractuelle, responsabilité contractuelle, servitude contractuelle.
Angl. contractual+, conventional.

CONTRA LEGEM *loc.adv.* (latin)

À l'encontre de la loi[1], à propos de l'application d'une coutume ou d'un usage. « Peut-on admettre la force obligatoire de la coutume en dehors d'un renvoi, exprès ou implicite, de la loi? Les objections sont naturellement plus fortes pour la coutume qui prétend aller contre la loi (*contra legem*) que pour celle qui, à côté de la loi (*praeter legem*), se limite à en combler les lacunes » (Carbonnier, *Introduction*, n° 138, p. 223).
Opp. *praeter legem, secundum legem.*
Angl. *contra legem.*

CONTRAT *n.m.*

A. (*Obl.*) Acte juridique résultant d'un accord de volontés, entre deux ou plusieurs personnes, en vue de produire des effets de droit. Par ex., la vente, le mandat. « Il ne faut pas confondre le contrat et le document ou l'écrit qui le constate. Il n'est pas rare qu'un même document contienne plus d'un contrat, soit entre les mêmes parties [...], soit entre l'une des parties et une autre personne [...] » (*Crédit Ford du Canada* c. *Gatien*, [1981] C.A. 638, p. 642, j. A. Mayrand). *Conclure, négocier un contrat; passer contrat.*
Occ. Art. 984, 1022 C. civ.
Rem. Si, dans la tradition civiliste, on distingue généralement le contrat et la convention, en faisant valoir que le contrat est une espèce de convention destinée à créer des effets juridiques, alors qu'elle peut tout autant viser à modifier ou à éteindre des rapports de droit, on s'accorde aujourd'hui à reconnaître que la distinction est dénuée d'intérêt pratique et que les deux termes s'emploient indifféremment. Par ailleurs, alors que, sous l'ancien droit, le contrat n'avait en vue que des rapports d'obligations, il peut désormais être constitutif de droits réels et, notamment, translatif de propriété (art. 1022, 1025 C. civ.). Le contrat est soit un acte bilatéral, soit un acte multilatéral.
Syn. convention, pacte. **V.a.** cession de contrat, délit, exécution du contrat, inexécution du contrat, inopposabilité du contrat, objet du contrat, opposabilité du contrat, promesse de contrat, quasi-contrat, quasi-délit, risque du contrat.
Angl. agreement, contract[A+], pact.

B. Dans la langue courante, écrit destiné à constater cet acte.
Angl. contract[B+], deed[2].

CONTRAT ACCESSOIRE

(*Obl.*) Contrat qui n'existe que par référence à un autre, le *contrat principal*, auquel il se rattache ou dont il assure l'exécution. Par ex., le contrat de mariage, le cautionnement. « [...] la nullité du contrat accessoire [n'entraîne] pas celle du contrat principal constaté dans le même écrit » (*Crédit Ford du Canada* c. *Gatien*, [1981] C.A. 638, p. 642, j. A. Mayrand).
Occ. Titre précédant l'art. 206, *Loi sur la protection du consommateur*, L.R.Q., chap. P-40.1.
Opp. contrat principal.
Angl. accessory contract.

CONTRAT À DISTANCE

(*Obl.*) Syn. contrat entre non-présents. « [...] voyons [...] le cas des "contrats à distance". Il arrive fréquemment que les négociations, l'offre et l'acceptation interviennent entre des parties éloignées l'une de l'autre, par correspondance ou par un autre moyen de communication [...] Où et quand le contrat est-il formé? » (Larouche, *Obligations*, t. 1, n° 113, p. 126).
Occ. Art. 20, *Loi sur la protection du consommateur*, L.R.Q., chap. P-40.1.
Angl. contract between absents, contract *inter absentes*+, remote-parties contract.

CONTRAT À EXÉCUTION INSTANTANÉE

(*Obl.*) Contrat dont les prestations sont susceptibles, de par leur nature, d'être accomplies en un trait de temps, immédiatement ou à terme. Par ex., la vente. « [...] la rétroactivité n'est concevable [au cas d'inexécution d'une obligation] que dans le cadre d'un contrat à exécution instantanée » (Pineau et Burman, *Obligations*, n° 28, p. 47).
Rem. Selon la majorité des auteurs, le contrat dont l'exécution est échelonnée dans le temps, par ex., la vente à tempérament, la vente avec livraisons successives, ne devient pas pour autant un contrat à exécution successive.
Syn. contrat instantané+. **Opp.** contrat à exécution successive. **V.a.** obligation instantanée, résolution.
Angl. contract of instantaneous execution, contract of instantaneous performance+, instantaneous contract.

CONTRAT À EXÉCUTION SUCCESSIVE

(*Obl.*) Contrat dans lequel au moins une prestation, de par sa nature, exige un laps de temps pour son exécution. Par ex., le louage de choses, le louage d'ouvrage. « [...] les contrats à exécution successive sont ceux qui soulèvent le plus souvent des difficultés en cas de variation profonde des prix et plus généralement de transformations économiques importantes [...] » (Marty et Raynaud, *Obligations*, t. 1, n° 70, p. 68).
Rem. **1°** Le contrat à exécution successive peut être à durée déterminée ou durée indéterminée. **2°** L'expression *contrat à exécution continue* serait plus appropriée que le terme consacré *contrat à exécution successive*.
Syn. contrat successif+. **Opp.** contrat à exécution instantanée. **V.a.** obligation continue, résiliation[2], résolution[1+].
Angl. contract of successive execution, contract of successive performance+, successive contract.

CONTRAT À FORFAIT

(*Obl.*) Contrat dans lequel une partie s'oblige à fournir une prestation moyennant un prix global et invariable, fixé par avance. « Le droit de résiliation du maître de l'ouvrage, reconnu par l'article 1691 [C. civ.], n'est [...] pas en droit privé, un principe d'ordre public, mais une disposition supplétive qui se trouve incorporée à tout contrat

à forfait, à moins d'exclusion expresse » (Rousseau-Houle, *Contrats de construction*, p. 275).
Rem. **1°** L'expression se rencontre principalement en matière de contrat d'entreprise de construction. **2°** Voir les art. 1690, 1691 C. civ.
Syn. marché à forfait.
Angl. fixed price contract+, lump sum contract.

CONTRAT ALÉATOIRE

(*Obl.*) Contrat à titre onéreux dans lequel, au moment de sa formation, l'une au moins des prestations dépend, dans son existence ou dans son étendue, d'un aléa. Par ex., le contrat d'assurance, le jeu et le pari, la vente d'un immeuble moyennant une rente viagère. « Le contrat d'assurance est essentiellement un contrat aléatoire; il reste aléatoire, que le risque se réalise par cas fortuit ou par la faute d'un tiers » (*Morgan* c. *North British and Mercantile Insurance Co.*, (1940) 69 B.R. 511, p. 518, j. A. Rivard).
Opp. contrat commutatif. **V.a.** jeu, pari, vente aléatoire.
Angl. aleatory contract.

CONTRAT À TITRE GRATUIT

(*Obl.*) Contrat par lequel une des parties entend procurer à l'autre un avantage sans contrepartie. Par ex., la donation. « Les conditions de validité des contrats à titre gratuit sont plus strictes que celles des contrats à titre onéreux : règles de capacité, règles de forme, erreur sur la personne. Les contrats à titre gratuit sont toujours faits *intuitu personae*, en considération de la personne, plus précisément des qualités personnelles du bénéficiaire » (Tancelin, *Obligations*, n° 51, p. 36).
Rem. **1°** Parmi les contrats à titre gratuit, on distingue généralement ceux qui ont pour objet un transfert de valeurs de patrimoine à patrimoine, par ex., les libéralités, et ceux qui ne comportent que des services rendus, appelés contrats de bienfaisance, par ex., le prêt sans intérêt, le mandat non salarié. **2°** Il faut se garder de confondre le contrat à titre gratuit avec le contrat unilatéral. Ainsi, la donation avec charge est, selon certains auteurs, un contrat synallagmatique à titre gratuit.
Opp. contrat à titre onéreux.
Angl. contract by gratuitous title, gratuitous contract+.

CONTRAT À TITRE ONÉREUX

(*Obl.*) Contrat par lequel chaque partie retire un avantage en contrepartie de celui qu'elle fournit. Par ex., la vente, le louage.
Rem. **1°** Le contrat à titre onéreux peut être commutatif ou aléatoire. **2°** Il faut se garder de confondre le contrat à titre onéreux avec le contrat synallagmatique. Ainsi, le prêt à intérêt est un contrat unilatéral à titre onéreux.
Syn. contrat intéressé. **Opp.** contrat à titre gratuit.
Angl. contract by onerous title, onerous contract+.

CONTRAT BILATÉRAL

(*Obl.*) Syn. contrat synallagmatique.
Angl. bilateral contract+, synallagmatic contract.

CONTRAT CIVIL

(*Obl.* et *D. comm.*) Contrat qui a pour objet de réaliser une opération ne présentant pas un caractère de commercialité. Par ex., la vente d'un objet mobilier entre deux non-commerçants.
Opp. contrat commercial, contrat mixte[1].
V.a. acte civil.
Angl. civil contract.

CONTRAT-CADRE *n.m.*

(*Obl.*) Contrat par lequel les parties déterminent les règles principales auxquelles seront soumis les contrats qui, pendant une période donnée, seront conclus en exécution

de l'accord originaire. « Est dit *contrat-cadre*, le contrat qui fixe l'objet et les règles générales devant gouverner pendant un long temps les rapports contractuels des parties. Il est comme une préface ou une introduction à ces rapports contractuels » (Le Tourneau, *Responsabilité*, n° 201, p. 75).
Occ. Art. 2472 C. civ.
Angl. framework contract.

CONTRAT COLLECTIF

(*Obl.*) Contrat qui produit effet même à l'égard de personnes ou d'un groupe de personnes qui n'y ont pas souscrit. Par ex., la convention collective de travail, le contrat d'assurance collective. « L'existence de la personnalité morale est un masque qui empêche d'apercevoir le contrat collectif : la volonté des associés majoritaires s'impose aux minoritaires » (Mazeaud et Chabas, *Leçons*, t. 2, vol. 1, n° 90, p. 84).
Opp. acte unilatéral collectif, contrat individuel.
Angl. collective contract.

CONTRAT COMMERCIAL

(*Obl.* et *D. comm.*) Contrat qui a pour objet de réaliser une opération présentant un caractère de commercialité. Par ex., la vente d'un objet mobilier par un commerçant. « Les effets de commerce sont des contrats commerciaux auxquels on applique les règles du droit commercial » (L'Heureux, *Droit commercial*, n° 35, p. 24).
Opp. contrat civil, contrat mixte[1]. **V.a.** acte de commerce.
Angl. commercial contract.

CONTRAT COMMUTATIF

(*Obl.*) Contrat à titre onéreux dans lequel, au moment de sa formation, l'étendue des prestations est déterminée. Par ex., la vente d'une chose moyennant un prix donné. « Ainsi une vente, faite pour un prix déterminé, est un contrat commutatif; si elle est consentie moyennant une rente viagère, l'émolument que devra verser l'acquéreur dépend de la durée de la vie du vendeur, c'est alors un contrat aléatoire » (Weill et Terré, *Obligations*, n° 40, p. 41-42).
Opp. contrat aléatoire.
Angl. commutative contract.

CONTRAT COMPLEXE

(*Obl.*) Contrat qui, mettant en jeu plusieurs opérations juridiques, est susceptible de relever de plusieurs types de contrats auxquels il emprunte ses caractères et ses règles. Par ex., le contrat d'hôtellerie, le crédit-bail.
Syn. contrat mixte[2]. **Opp.** contrat simple.
V.a. contrat innommé ou innomé.
Angl. complex contract, mixed contract[2+].

CONTRAT CONSENSUEL

(*Obl.*) Contrat qui se forme par le simple échange des consentements des parties, sans aucune formalité.
Rem. Les contrats sont, en principe, consensuels (art. 984, 988 C. civ.).
Opp. contrat formaliste. **V.a.** acte consensuel, consensualisme, contrat réel, contrat solennel.
Angl. consensual contract.

CONTRAT D'ADHÉSION

(*Obl.*) Contrat dont les clauses sont établies d'avance par une partie, généralement sous la forme d'un contrat type, et proposées à l'autre partie, qui ne peut guère que les accepter en bloc ou refuser de contracter. « [...] le contrat n'implique pas nécessairement une libre et égale discussion. En effet, l'égalité économique ou psychologique est impossible à réaliser : tel sera pressé d'acheter, alors que l'autre partie n'aura pas besoin de vendre [...] Le passage est insensible du contrat de gré à gré au contrat d'adhésion [...] » (Mazeaud et Chabas, *Leçons*, t. 2, vol. 1, n° 87, p. 77).

Occ. Art. 55, *Charte de la langue française*, L.R.Q., chap. C-11.
Rem. On peut désigner les parties sous le nom de *partie rédactrice* et d'*adhérent*.
Opp. contrat de gré à gré.
Angl. adhesion contract+, contract of adhesion.

CONTRAT D'ALIÉNATION

(*Obl.*) Contrat qui emporte aliénation.
Angl. contract of alienation.

CONTRAT DE BAIL

(*Obl.*) Syn. bail.
Angl. contract of lease and hire, hire, lease[A]+, lease of things.

CONTRAT DE BIENFAISANCE

(*Obl.*) Contrat à titre gratuit dont l'objet est de fournir des services à l'une des parties, et non d'opérer un transfert de biens[1]. Par ex., le dépôt, le mandat non salarié.
Rem. On notera cependant que certains auteurs, s'inspirant de l'art. 1105 C. civ. fr., font de ce terme un synonyme de *contrat à titre gratuit*.
Syn. contrat désintéressé. **V.a.** libéralité[1].
Angl. benevolent contract.

CONTRAT D'ÉCHANGE

(*Obl.*) Syn. échange.
Angl. barter, contract of exchange, exchange+.

CONTRAT DE CRÉDIT

(*Obl.* et *D. comm.*) Contrat accordant à une partie un crédit[3]. « Le prêt d'argent, considéré sous son aspect contractuel, est qualifié de contrat de crédit. S'il est conclu entre un commerçant dans le cours de son commerce [...] et un consommateur, il constitue un contrat de crédit spécialement réglementé » (L'Heureux, *Consommation*, n° 99, p. 88).
Occ. Art. 66, *Loi sur la protection du consommateur*, L.R.Q., chap. P-40.1.
Rem. On trouve aussi la forme *contrat à crédit* (art. 957.1 C. proc. civ.).
Angl. contract of credit+, credit contract.

CONTRAT DE DÉPÔT

(*Obl.*) Syn. dépôt[1].
Angl. contract of deposit, deposit[1]+.

CONTRAT D'ÉDITION

(*Obl.*) Contrat par lequel l'auteur d'une oeuvre intellectuelle cède, selon diverses modalités, à une personne appelée *éditeur*, le droit de reproduire l'oeuvre en vue de sa diffusion. « Le droit de propriété littéraire et artistique [...] peut faire l'objet d'une cession. Cette cession revêt des formes diverses. Parfois l'auteur concède seulement un monopole d'exploitation; c'est le contrat d'édition. Parfois il s'agit d'une véritable cession du droit de propriété qui relève du contrat de vente » (Planiol et Ripert, *Traité*, t. 10, n° 328, p. 413).
Angl. publishing contract.

CONTRAT DE GAGE

(*Sûr.*) Syn. gage[1]. « Si d'un autre côté le contrat de gage est dissimulé sous une autre forme, avec contre-lettre, mais sans livraison actuelle, il se peut que le créancier ait quand même un titre sur l'objet gagé, et son contrat pourra être valide, mais non comme gage [...] » (Demers, dans *Traité*, t. 14, p. 23).
Angl. contract of pawning, pawn[1]+, pawning.

CONTRAT DE GARANTIE

(*Obl.* et *Sûr.*) Contrat dont l'objet est d'établir une sûreté[1]. Par ex., le contrat de cautionnement, le contrat constitutif d'hypothèque.
Angl. contract of guarantee.

CONTRAT DE GRÉ À GRÉ

(*Obl.*) Contrat dont les clauses sont librement discutées par les parties et peuvent ainsi faire l'objet de concessions réciproques. « L'équilibre qui existe entre les situations des futurs contractants, dispense le législateur d'intervenir dans la formation du contrat de gré à gré » (Mazeaud et Chabas, *Leçons*, t. 2, vol. 1, n° 88, p. 78).
Syn. contrat de libre discussion, contrat négocié. **Opp.** contrat d'adhésion. **V.a.** vente de gré à gré.
Angl. contract by negotiation+, contract *de gré à gré*, negotiated contract.

CONTRAT DE JEU

(*Obl.*) Syn. jeu. « Le contrat de *jeu* est une convention par laquelle deux ou plusieurs personnes s'engagent, en se livrant à un jeu, à payer, à celle d'entre elles qui gagnera, une somme d'argent ou quelque autre objet déterminé » (Aubry et Rau, *Droit civil*, t. 6, n° 82, p. 118).
Occ. Art. 1927 C. civ.
Angl. gaming contract.

CONTRAT DE LIBRE DISCUSSION

(*Obl.*) Syn. contrat de gré à gré.
Angl. contract by negotiation+, contract *de gré à gré*, negotiated contract.

CONTRAT DE LOCATION

(*Obl.*) Syn. bail.
Angl. contract of lease and hire, hire, lease[A]+, lease of things.

CONTRAT DE LOUAGE DE SERVICES

(*Obl.*) Syn. contrat de travail.
Angl. contract of employment+, contract of lease and hire of services, lease and hire of personal service(s)(x), lease and hire of services[1].

CONTRAT DE LOUAGE D'OUVRAGE

(*Obl.*) Syn. louage d'ouvrage.
Angl. contract of lease and hire of work, lease and hire of work+.

CONTRAT DE MANDAT

(*Obl.*) Syn. mandat[1].
Angl. contract of mandate, mandate[1]+.

CONTRAT D'ENTREPRISE

(*Obl.*) Contrat par lequel une personne, l'*entrepreneur* ou *locateur d'ouvrage*, s'engage, contre rémunération, envers une autre, le *maître de l'ouvrage* ou *client*, à exécuter, sans lien de subordination à l'égard de celui-ci, un ouvrage matériel ou intellectuel. « Contrairement au contrat de travail, le contrat d'entreprise se caractérise par l'autonomie du débiteur dans la réalisation d'une obligation de résultat » (Comité, *R.D.* Titres immobiliers — Doctrine — Doc. 1, n° 38).
Occ. Art. 2087, Projet de loi 125.
Rem. Le contrat d'entreprise est un type de louage d'ouvrage où l'entrepreneur est le locateur et le maître de l'ouvrage est le locataire (art. 1666 par. 3 C. civ. et les art. 1683 à 1697 C. civ.).
Syn. entreprise. **V.a.** contrat de services, contrat de transport, contrat de travail, devis.
Angl. contract of enterprise.

CONTRAT DE PARI

(*Obl.*) Syn. pari. « [...] dans un contrat de jeu et pari, aucune des parties ne peut exiger de l'autre l'exécution de la promesse. Cependant, si le perdant acquitte volontairement la dette, il n'est pas admis à répéter la somme ainsi payée » (Baudouin, *Obligations*, n° 18, p. 33).
Angl. bet, betting+, wager, wagering.

CONTRAT DE PRÊT

(*Obl.*) Syn. prêt. « Le contrat de prêt, ne se formant pas avant la remise de la chose

prêtée, ne crée pas à la charge du prêteur l'obligation de prêter » (Mazeaud et Chabas, *Leçons*, t. 3, vol. 2, 2e part., n° 1434, p. 889).
Angl. contract of loan, loan+.

CONTRAT DE PRÊTE-NOM

(*Obl.*) Mandat[1] dans lequel il est convenu que le mandataire agira en son propre nom pour le compte du mandant sans révéler sa qualité de mandataire. « En droit québécois, comme en droit français, le contrat de prête-nom est une forme licite du contrat du mandat. Dans le *Code civil* [...] cela ressort de l'art. 1716 [...] » (*Victuni* c. *Ministre du revenu du Québec*, [1980] 1 R.C.S. 580, p. 584, j. L.-P. Pigeon).
Syn. mandat clandestin, mandat dissimulé, prête-nom[2]. **V.a.** représentation imparfaite.
Angl. clandestine mandate, contract of *prête-nom*+, *prête-nom*[2], secret mandate.

CONTRAT DE SERVICES

(*Obl.*) Contrat par lequel une personne s'engage, contre rémunération, à mettre son activité au service d'une autre personne, le *client*, pour une durée déterminée, tout en conservant le choix des moyens d'exécution.
Occ. Art. 2087, Projet de loi 125.
Rem. **1°** Le prestataire de services a une obligation de moyens, contrairement à l'entrepreneur qui, par le contrat d'entreprise, a une obligation de résultat. **2°** Le contrat de services se distingue du contrat de travail par l'absence de lien de subordination. **3°** Dans le droit actuel, le contrat de services est analysé comme une espèce du contrat de louage d'ouvrage (art. 1665*a*, 1666 C. civ.). **4°** En droit de la consommation, on emploie parfois le terme *contrat de services* en lui donnant un sens plus large qui correspond à l'une ou l'autre des acceptions de service; il serait préférable d'employer une périphrase, par ex., contrat visant à la prestation de services.
Syn. louage de services[2]. **V.a.** contrat d'entreprise, contrat de travail, louage d'ouvrage.
Angl. contract for services+, lease and hire of services[2].

CONTRAT DÉSINTÉRESSÉ

(*Obl.*) Syn. contrat de bienfaisance.
Rem. En dépit des apparences, le contrat désintéressé n'est pas l'antonyme du contrat intéressé.
Angl. benevolent contract.

CONTRAT DE SOCIÉTÉ

(*Obl.*) Syn. société[1]. « [...] le contrat de société suppose nécessairement que des parties capables de contracter ont fourni une mise commune [...] en vue de réaliser par ce moyen un profit honnête qui doit être partagé parmi elles » (Mignault, *Droit civil*, t. 8, p. 181).
Occ. Art. 1830 C. civ.
Angl. contract of partnership, partnership[1]+, partnership agreement.

CONTRAT DE SOUS-ENTREPRISE

(*Obl.*) Contrat par lequel un entrepreneur principal confie à un sous-entrepreneur l'exécution totale ou partielle du contrat d'entreprise qu'il a lui-même conclu avec le maître de l'ouvrage. « Le contrat de sous-entreprise est celui par lequel un entrepreneur qui s'est chargé de l'exécution d'un travail, traite avec un autre entrepreneur pour tout ou partie de cette exécution » (Planiol et Ripert, *Traité*, t. 11, n° 918, p. 153).
Rem. Le contrat de sous-entreprise est, en définitive, un contrat d'entreprise intervenu entre l'entrepreneur principal et le sous-entrepreneur.
Syn. contrat de sous-traitance, sous-entreprise, sous-traitance, sous-traité. **V.a.** sous-contrat.
Angl. subcontract[2].

CONTRAT DE SOUS-TRAITANCE

(*Obl.*) Syn. contrat de sous-entreprise. « [...] le principe de la relativité du contrat entraîne l'inopposabilité du contrat de sous-traitance au maître de l'ouvrage. Ce dernier ne dispose d'aucune action contractuelle contre le sous-traitant [...] » (Rousseau-Houle, *Contrats de construction*, p. 203).
Angl. subcontract².

CONTRAT DE TRANSPORT

(*Obl.*) Contrat par lequel une personne, le *transporteur* ou *voiturier*, s'engage, contre rémunération, à déplacer une personne ou une chose d'un lieu à un autre. « Le contrat de transport est un genre de louage d'ouvrage où le voiturier est le locateur, et l'expéditeur ou le voyageur est le locataire » (Faribault, dans *Traité*, t. 12, p. 296).
Rem. **1°** Voir l'art. 1666 par. 2, et les art. 1672 à 1682*b* C. civ. **2°** Le droit actuel limite le contrat de transport à une opération à titre onéreux. On pourrait cependant concevoir un contrat de transport à titre gratuit, comme l'avait d'ailleurs recommandé l'Office de révision du Code civil (art. 606, L.V, *Projet de Code civil*), recommandation qui n'a pas été retenue dans le Projet de loi 125 (art. 2020 et 2022). **3°** On distingue le contrat de transport de personnes et le contrat de transport de marchandises.
Syn. contrat de voiture, transport².
V.a. contrat d'entreprise, contrat de travail, destinataire², expéditeur, passager.
Angl. carriage², contract of carriage⁺, contract of transport, contract of transportation, transport².

CONTRAT DE TRANSPORT DE CHOSES

(*Obl.*) Syn. contrat de transport de marchandises.
Angl. carriage of goods, carriage of merchandises, contract for the carriage of goods⁺, contract for the carriage of merchandises, contract for the transport of goods, contract for the transport of merchandises, transport of goods, transport of merchandises.

CONTRAT DE TRANSPORT DE MARCHANDISES

(*Obl.*) Contrat de transport dans lequel le transporteur s'engage envers une autre personne, l'*expéditeur*, à déplacer une chose d'un lieu à un autre. « **Formation [...] du contrat de transport de marchandises.** — Le contrat de transport est un contrat consensuel : il est produit par l'accord de deux volontés, celle de l'*expéditeur* ou *chargeur* et celle du *transporteur*, selon les règles du droit commun [...] » (*Dict. de droit*, t. 1, v° Contrat de transport, n° 4).
Rem. **1°** Généralement, le transporteur se charge de remettre la chose à une tierce personne, le *destinataire*; le contrat, intervenu entre le transporteur et l'expéditeur, comporte alors une stipulation pour autrui en faveur du destinataire. Le transporteur peut aussi s'engager à faire parvenir à l'expéditeur lui-même la chose faisant l'objet du contrat. **2°** Le *Projet de Code civil* utilise l'expression *transport de choses* alors que le Projet de loi 125 introduit le terme *transport de biens* (titre précédant l'art. 2030).
Syn. contrat de transport de choses, transport de choses, transport de marchandises.
Opp. contrat de transport de personnes.
Angl. carriage of goods, carriage of merchandises, contract for the carriage of goods⁺, contract for the carriage of merchandises, contract for the transport of goods, contract for the transport of merchandises, transport of goods, transport of merchandises.

CONTRAT DE TRANSPORT DE PASSAGERS

(*Obl.*) Syn. contrat de transport de personnes.
Angl. carriage of persons, contract for the carriage of passengers, contract for the carriage of persons⁺, contract for the transport of passengers, contract for the transport of persons, transport of persons.

CONTRAT DE TRANSPORT DE PERSONNES

(*Obl.*) Contrat de transport dans lequel le transporteur s'engage à déplacer une personne, le passager ou voyageur[1], d'un lieu à un autre. « [...] la nature même du contrat de transport de personnes implique, à la charge du voiturier, l'obligation non seulement de transporter, sans plus, mais bien aussi de veiller, au cours du transport, à la sécurité du passager » (Crépeau, (1960-1961) 7 *McGill L.J.*, 225, p. 237).
Syn. contrat de transport de passagers, contrat de transport de voyageurs, transport de personnes. **Opp.** contrat de transport de marchandises.
Angl. carriage of persons, contract for the carriage of passengers, contract for the carriage of persons+, contract for the transport of passengers, contract for the transport of persons, transport of persons.

CONTRAT DE TRANSPORT DE VOYAGEURS

(*Obl.*) Syn. contrat de transport de personnes. « Comme tout contrat, le contrat de transport de voyageurs se forme par le consentement du voyageur et du transporteur [...] » (*Dict. de droit*, t. 1, v° Contrat de transport, n° 48).
Angl. carriage of persons, contract for the carriage of passengers, contract for the carriage of persons+, contract for the transport of passengers, contract for the transport of persons, transport of persons.

CONTRAT DE TRAVAIL

(*Obl.*) Contrat par lequel une personne, l'*employé* ou l'*ouvrier*, s'engage, contre rémunération et pour un temps limité, à mettre son activité matérielle ou intellectuelle au service d'une autre, l'*employeur*, selon les instructions et sous l'autorité de celle-ci. « Dans un sens large [le] contrat de travail comprendrait toutes espèces de louage d'ouvrage. En pratique, les mots "contrat de travail" reçoivent une signification plus restreinte, ne désignant que le contrat de louage de services personnels » (Perrault, *Droit commercial*, t. 2, n° 781, p. 207).
Occ. Art. 2075, Projet de loi 125.
Rem. Le contrat de travail est un type de louage d'ouvrage où l'employé ou ouvrier est le locateur et l'employeur est le locataire (art. 1666 par. 1 C. civ. et les art. 1667 à 1671 C. civ.).
Syn. contrat de louage de services, louage de services[1]. **V.a.** contrat d'entreprise, contrat de services, contrat de transport.
F.f. louage de services personnels.
Angl. contract of employment+, contract of lease and hire of services, lease and hire of personal service(s)(x), lease and hire of services[1].

CONTRAT DE VENTE

(*Obl.*) Syn. vente.
Angl. contract of sale, sale+.

CONTRAT DE VOITURE

(*Obl.*) *Vieilli.* Syn. contrat de transport. « [Les voituriers] sont les locateurs de leurs services, et on appelle *expéditeur* ou *voyageur*, le locataire qui loue ces services. Enfin, la personne à qui la chose voiturée est adressée porte le nom de *destinataire* ou *consignataire*. Cette dernière personne n'est pas à proprement parler partie au contrat de voiture, mais elle acquiert le droit, en vertu de ce contrat, d'en exiger l'exécution [...] » (Mignault, *Droit civil*, t. 7, p. 379).
V.a. voiturier.
Angl. carriage[2], contract of carriage+, contract of transport, contract of transportation, transport[2].

CONTRAT D'HÔTELLERIE

(*Obl.*) Contrat par lequel, moyennant un prix, une partie, l'*hôtelier*, s'engage envers une autre, l'*hôte*, à loger cette dernière dans son établissement, à assurer la garde des effets apportés par celle-ci et à lui procurer certains services. « Le contrat innomé

emprunte parfois ses éléments à plusieurs contrats nommés; ainsi le contrat d'hôtellerie est, à la fois, un contrat de bail (de la chambre), de vente (de la nourriture), de dépôt (des bagages) [...] » (Mazeaud et Chabas, *Leçons*, t. 2, vol. 1, n° 112, p. 97).
Rem. Voir les art. 1814 à 1816*a*, 2001 et 2261 C. civ.
V.a. contrat innommé ou innomé.
Angl. contract of hostelry, hostelry contract+.

CONTRAT ENTRE ABSENTS

(*Obl.*) Syn. contrat entre non-présents. « La conclusion d'un contrat entre absents (plus exactement entre non présents, car il ne s'agit pas de l'absence au sens strict du terme) est susceptible de faire naître deux difficultés. La première [...] concerne le retrait et la caducité de l'offre. La seconde a trait à la formation même du contrat : *la détermination du lieu et du moment où l'offre et l'acceptation se rencontrent pour former un contrat* » (Mazeaud et Chabas, *Leçons*, t. 2, vol. 1, n° 140, p. 130).
Angl. contract between absents, contract *inter absentes*+, remote-parties contract.

CONTRAT ENTRE NON-PRÉSENTS

(*Obl.*) Contrat dans lequel le destinataire d'une offre donne son acceptation en l'absence de l'offrant. « *L'accord de volonté dans les contrats entre non-présents* [...] le développement du commerce ne permet pas tout le temps la rencontre des contractants et de plus en plus ceux-ci ont recours aux moyens modernes de transmission (poste, télex, télégraphe, téléphone, bélinographe) pour faire connaître les propositions de contrat ou donner leur assentiment aux offres qui leur sont faites » (Baudouin, *Obligations*, n° 109, p. 103).
Rem. **1°** On rencontre fréquemment l'expression *contrat entre absents*; il est plus exact de parler de *contrat entre non-présents* car l'absence peut constituer une situation juridique différente (art. 86 à 111 C. civ.). **2°** Dans les contrats entre non-présents, le destinataire de l'offre peut transmettre son acceptation par la poste, par télégramme, par télex, par messager ou autre mode semblable lorsque l'acceptation est transmise par écrit : on parle alors de *contrat par correspondance*. L'acceptation peut aussi être transmise par téléphone. **3°** Le contrat par téléphone soulève le problème de la détermination du lieu de la conclusion du contrat; les autres contrats entre non-présents (contrats par correspondance) posent, en outre, la question de savoir à quel moment le contrat s'est formé. **4°** Diverses théories ont été proposées pour la solution de ces problèmes : théories de la déclaration, de l'émission, de l'expédition, de la réception et de l'information. **5°** Pour qu'un contrat soit un contrat entre non-présents, il faut que les parties ne soient pas en présence l'une de l'autre au moment où l'acceptation est donnée, peu importe qu'elles l'aient été antérieurement au moment de l'offre ou au cours des pourparlers.
Syn. contrat à distance, contrat entre absents. **Opp.** contrat entre présents.
V.a. contrat par correspondance, contrat par téléphone, théorie de la déclaration, théorie de la réception, théorie de l'expédition, théorie de l'information.
Angl. contract between absents, contract *inter absentes*+, remote-parties contract.

CONTRAT ENTRE PRÉSENTS

(*Obl.*) Contrat dans lequel le destinataire d'une offre donne son acceptation en présence de l'offrant. « *Contrat entre présents.* — Quand les parties sont en présence réelle l'une de l'autre, aucune difficulté ne s'élève à propos de la date et du lieu de la formation du contrat [...] Le contrat se forme au moment précis où les parties ont le sentiment que leurs volontés se correspondent (*consensus*). Quant au lieu, aucun doute n'est même concevable : c'est le lieu où les parties se trouvent » (Ripert et Boulanger, *Traité*, t. 2, n° 348, p. 139).

Opp. contrat entre non-présents.
Angl. contract between persons present.

CONTRAT FICTIF

(*Obl.*) Contrat qui, dans une opération de simulation, constitue l'acte fictif.
Angl. fictitious contract.

CONTRAT FORMALISTE

(*Obl.*) Contrat dont la formation exige l'accomplissement de formes prescrites par la loi. Par ex., la constitution d'une hypothèque conventionnelle, qui exige la rédaction d'un acte notarié, ou le don manuel, qui exige la remise de la chose. « Les contrats formalistes se forment par une manifestation extérieure de volonté consistant soit dans la rédaction d'un acte écrit, soit dans la remise matérielle d'une chose faisant l'objet du contrat » (Tancelin, *Obligations*, n° 44, p. 33).
Rem. Les contrats formalistes se divisent en contrats solennels et réels.
Opp. contrat consensuel. **V.a.** condition de forme, contrat réel, contrat solennel, formalisme.
Angl. formalistic contract.

CONTRAT INDIVIDUEL

(*Obl.*) Contrat qui n'engage que les personnes qui y ont souscrit. « Le contrat individuel est le seul dont se soient préoccupés les rédacteurs du Code civil; l'apparition des contrats collectifs est liée à l'évolution sociale contemporaine » (Mazeaud et Chabas, *Leçons*, t. 2, vol. 1, n° 89, p. 84).
Opp. contrat collectif. **V.a.** acte individuel.
Angl. individual contract.

CONTRAT INNOMMÉ ou INNOMÉ

(*Obl.*) Contrat qui n'a pas fait l'objet, sous une dénomination propre, d'une réglementation particulière. Par ex., le contrat médical, le crédit-bail, le contrat d'hôtellerie.
Rem. On notera que ce contrat est régi, dans sa formation comme dans ses effets, par les règles du droit commun en matière contractuelle.
Syn. contrat *sui generis*. **Opp.** contrat nommé. **V.a.** contrat complexe.
Angl. innominate contract+, *sui generis* contract.

CONTRAT INSTANTANÉ

(*Obl.*) Syn. contrat à exécution instantanée. « [...] seuls les contrats instantanés peuvent être *résolus*, ce qui permet, en principe, de remettre les choses dans l'état antérieur à la conclusion du contrat, chacun rendant, éventuellement, à l'autre ce qu'il avait reçu avant la résolution » (Starck, Roland et Boyer, *Obligations*, t. 2, n° 111, p. 37).
Angl. contract of instantaneous execution, contract of instantaneous performance+, instantaneous contract.

CONTRAT INTÉRESSÉ

(*Obl.*) Syn. contrat à titre onéreux.
Angl. contract by onerous title, onerous contract+.

CONTRAT *INTUITU PERSONAE* (latin)

(*Obl.*) Contrat conclu par une partie en considération de la personne du cocontractant. Par ex., le louage de services, le mandat, la société. « Pour le locateur, le louage est un contrat *intuitu personae*. En effet, il n'est pas indifférent au locateur que la chose — dont il est propriétaire, la plupart du temps — soit utilisée ou occupée par telle personne plutôt que par telle autre [...] » (Jobin, *Louage*, n° 13, p. 45).
Rem. **1°** Les obligations du cocontractant en considération duquel le contrat *intuitu personae* a été fait ne peuvent être exécutées que par celui-ci. **2°** Le contrat *intuitu personae* s'éteint au décès de ce même con-

tractant (art. 1668, 1755 par. 3, 1892 par. 5 C. civ.). **3°** Le contrat est susceptible de résiliation unilatérale (art. 1691, 1755 par. 1 C. civ.).
V.a. erreur sur la personne.
Angl. *intuitu personae* contract.

CONTRAT MIXTE

1. (*Obl.*) Contrat qui est civil pour l'une des parties et commercial pour l'autre. « Un contrat de prêt [...] entre une personne qui fait le métier ou le commerce de prêter de l'argent et un marchand pour les fins de son négoce est un contrat commercial pour les deux parties. Par ailleurs, si l'emprunteur est un particulier qui emprunte pour ses besoins personnels, le prêt est alors un contrat mixte : commercial pour le prêteur commerçant et civil pour l'emprunteur non commerçant » (Martineau, *Prescription*, n° 279, p. 291).
Rem. Lorsqu'un contrat est mixte, s'applique la règle, inspirée du système de la personnalité des lois, selon laquelle chaque partie est régie par le régime qui lui est propre : le commerçant est soumis aux règles du droit commercial, en ce qui concerne notamment la preuve, la solidarité et la prescription; le non-commerçant est assujetti aux règles de droit commun.
Opp. contrat civil, contrat commercial.
V.a. acte mixte.
Angl. mixed contract[1].

2. (*Obl.*) Syn. contrat complexe.
Occ. Art. 34, *Loi sur la protection du consommateur*, L.R.Q., chap. P-40.1.
Angl. complex contract, mixed contract[2+].

CONTRAT NÉGOCIÉ

(*Obl.*) Syn. contrat de gré à gré. « Le type traditionnel du contrat est le contrat négocié [...] » (Starck, Roland et Boyer, *Obligations*, t. 2, n° 121, p. 41).
Angl. contract by negotiation[+], contract *de gré à gré*, negotiated contract.

CONTRAT NOMMÉ

(*Obl.*) Contrat qui, sous une dénomination propre, fait l'objet d'une réglementation particulière. Par ex., le mandat (art. 1701 C. civ.), la vente (art. 1472 C. civ.). « [...] le développement considérable à l'époque actuelle d'une *réglementation impérative propre à chaque type de contrat*, tend à rendre à la qualification des contrats nommés son importance » (Ghestin, *Contrat*, n° 23, p. 16).
Rem. On notera que cette réglementation particulière revêt, en principe, un caractère supplétif.
Opp. contrat innommé ou innomé.
Angl. nominate contract.

CONTRAT PAR CORRESPONDANCE

(*Obl.*) Contrat entre non-présents dans lequel l'acceptation est transmise par écrit, notamment par la poste, par messager, par télégraphe, par télex ou autre mode semblable. « Le contrat entre absents peut être conclu par lettre ou télégramme; c'est le *contrat par correspondance*; ce contrat pose la double question du temps et du lieu de formation, le lieu où le contrat est formé dépendant, d'ailleurs, du moment où il est conclu » (Mazeaud et Chabas, *Leçons*, t. 2, vol. 1, n° 140, p. 130).
Rem. **1°** Le contrat par correspondance est l'exemple-type du contrat entre non-présents. **2°** Pour certains auteurs, le contrat par messager constitue une catégorie distincte. Pour d'autres, au contraire, le contrat par correspondance est simplement synonyme de contrat entre non-présents et comprend donc non seulement le contrat par messager, mais aussi le contrat par téléphone.
Angl. contract by correspondence.

CONTRAT PAR TÉLÉPHONE

(*Obl.*) Contrat entre non-présents dans lequel l'acceptation est transmise par téléphone. « *Contrat par téléphone.* [...] ce

contrat est, au point de vue du temps où il intervient, un contrat entre présents. Mais il est entre absents quant au lieu où il se réalise » (Planiol et Ripert, *Traité*, t. 6, n° 156, p. 184).
Rem. Ce contrat ne soulève que la question de la détermination du lieu de la conclusion du contrat. Selon la jurisprudence, le contrat se forme au lieu où l'acceptation est donnée (voir *Rosenthal & Rosenthal Inc.* c. *Bonavista Fabrics Ltd*, [1984] C.A. 52).
V.a. contrat par correspondance.
Angl. contract by telephone.

CONTRAT PIGNORATIF

(*Obl.*) Contrat de gage ou d'antichrèse attribuant au créancier la propriété de la chose engagée au cas de non paiement à l'échéance. « [...] le Code Napoléon (art. 2078, 2088) prohibe le *contrat pignoratif*, c'est-à-dire la convention par laquelle celui qui emprunte une somme d'argent et confère, comme garantie du remboursement du prêt, un droit de gage ou d'antichrèse, consent qu'à défaut de paiement, le créancier pourra garder l'objet du gage ou de l'antichrèse [...] pour éluder la loi, les parties qui veulent faire un contrat pignoratif, ne manquent pas de donner à leur acte la forme d'une vente à réméré. De là une grande difficulté pratique à distinguer ce qui est permis et ce qui est défendu. Cette difficulté n'existe pas dans notre droit qui ne prohibe pas le contrat pignoratif [...] » (Mignault, *Droit civil*, t. 7, p. 157).
Rem. **1°** Voir l'art. 1971 al. 3 C. civ. **2°** Les auteurs français donnent le nom de *contrat pignoratif* au contrat par lequel, aux fins de tourner la prohibition des art. 2078 et 2088 C. civ. fr., on déguise un gage ou une antichrèse sous les apparences d'une vente à réméré.
V.a. pacte commissoire[2].
Angl. pignorative contract.

CONTRAT PRINCIPAL

(*Obl.*) Contrat qui possède une existence propre et indépendante.
Occ. Art. 206, *Loi sur la protection du consommateur*, L.R.Q., chap. P-40.1.
Opp. contrat accessoire.
Angl. principal contract.

CONTRAT RÉEL

(*Obl.*) Contrat formaliste dont la formation exige la remise de la chose sur laquelle il porte. Par ex., le don manuel, le gage, le prêt. « La *dépossession* du propriétaire de la chose est de l'essence du contrat réel » (Mazeaud et Chabas, *Leçons*, t. 2, vol. 1, n° 81, p. 69).
Opp. contrat solennel. **V.a.** contrat consensuel.
Angl. real contract.

CONTRAT SIMPLE

(*Obl.*) Contrat qui, portant sur une seule opération juridique, est régi par ses règles propres. Par ex., la vente, le louage de choses.
Opp. contrat complexe.
Angl. simple contract.

CONTRAT SIMULÉ

(*Obl.*) Contrat qui, dans une opération de simulation, constitue l'acte apparent.
Angl. simulated contract.

CONTRAT SOLENNEL

(*Obl.*) Contrat formaliste dont la formation exige la rédaction d'un écrit. Par ex., le contrat de mariage, qui doit être sous forme notariée, ou la vente à tempérament assujettie à la *Loi sur la protection du consommateur* (L.R.Q., chap. P-40.1). « [...] *dans le Code civil, certains contrats, très rares d'ailleurs, sont ou solennels ou réels. Depuis le Code civil, se manifeste un retour au formalisme : le nombre des contrats solennels a augmenté* » (Mazeaud et Chabas, *Leçons*, t. 2, vol. 1, n° 66, p. 59-60).
Opp. contrat réel. **V.a.** acte solennel, contrat consensuel.
Angl. formal contract, solemn contract[+].

CONTRAT SUCCESSIF

(*Obl.*) Syn. contrat à exécution successive. « Les contrats successifs ne peuvent pas être résolus, car on ne peut pas remettre les choses en l'état antérieur [...] Il en résulte qu'en cas d'inexécution des obligations de l'une ou l'autre partie, ce contrat ne pourra pas être *résolu,* dans le sens exact de ce terme; il sera éventuellement *résilié* » (Starck, Roland et Boyer, *Obligations*, t. 2, n° 111, p. 37-38).
Angl. contract of successive execution, contract of successive performance⁺, successive contract.

CONTRAT *SUI GENERIS* (latin)

(*Obl.*) Syn. contrat innommé ou innomé.
Angl. innominate contract⁺, *sui generis* contract.

CONTRAT SYNALLAGMATIQUE

(*Obl.*) Contrat qui engendre, à la charge des parties, des obligations réciproques et interdépendantes. Par ex., la vente, le louage. « C'est la réciprocité des obligations qui caractérise ainsi le contrat synallagmatique [...] *Cette réciprocité des obligations réalise l'échange des biens et des services qui est la fonction économique essentielle du contrat* » (Ghestin, *Contrat*, n° 10, p. 7).
Rem. Ne pas confondre avec acte bilatéral.
Syn. contrat bilatéral. **Opp.** contrat unilatéral.
Angl. bilateral contract⁺, synallagmatic contract.

CONTRAT SYNALLAGMATIQUE IMPARFAIT

(*Obl.*) Contrat unilatéral à l'origine, qui est dit synallagmatique imparfait lorsque, par suite d'un événement postérieur à sa conclusion, la partie qui n'avait pas initialement assumé d'engagement devient cependant débitrice d'une obligation. Par ex., le déposant qui, lors de la restitution de l'objet, se voit imposer l'obligation de rembourser au dépositaire les dépenses faites pour conserver la chose (art. 1812 C. civ.).
Angl. imperfect bilateral contract⁺, imperfect synallagmatic contract.

CONTRAT TRANSLATIF

(*Obl.*) Contrat dont l'objet est de faire passer un droit d'un contractant à l'autre. « La vente, la donation [...] sont des contrats translatifs : elles font disparaître, du patrimoine de l'une des parties, un droit qui se retrouve dans celui de l'autre » (Atias, *Biens*, n° 138, p. 188).
V.a. acte translatif.
Angl. translatory contract.

CONTRAT TRANSLATIF DE PROPRIÉTÉ

(*Obl.*) Contrat dont l'objet est de faire passer un droit de propriété d'un contractant à l'autre. « Entre les parties au contrat translatif de propriété, le droit sur un immeuble, comme sur un meuble, se transmet par la simple opération du consentement mutuel. Cependant, à l'égard des tiers, le contrat translatif d'un droit de propriété immobilière n'a d'effet que s'il est enregistré conformément aux formalités prescrites par la loi » (Baudouin, *Obligations*, n° 471, p. 295).
V.a. acte translatif de propriété.
Angl. contract translatory of ownership.

CONTRAT TYPE

(*Obl.*) Modèle écrit de contrat dont le contenu est destiné à servir à tous ceux qui, désirant conclure un contrat de même nature, n'auront le plus souvent qu'à remplir les blancs afin d'individualiser leur convention. Par ex., le bail type établi par règlement (D.1539-90, 31 octobre 1990, G.O.Q. 1990.II.4072). « Les clauses prérédigées des contrats types l'emportent sur les lois supplétives » (Ghestin, *Contrat*, n° 72-2, p. 65).

Occ. Art. 107, 109, *Loi sur la santé et la sécurité du travail*, L.R.Q., chap. S-2.1.
Rem. Le contrat type se rencontre le plus souvent dans le contexte du contrat d'adhésion.
V.a. conditions générales.
Angl. standard contract, standard-form contract+.

CONTRAT UNILATÉRAL

(*Obl.*) Contrat qui n'engendre d'obligations qu'à la charge d'une partie. Par ex., la donation, le prêt. « La question des risques suppose une *réciprocité d'obligations qui n'existe que dans les contrats synallagmatiques*. Dans les contrats unilatéraux, la difficulté ne se présente pas puisque, par hypothèse, une seule obligation existe et que le créancier doit évidemment subir le dommage résultant de l'impossibilité d'exécution » (Ripert et Boulanger, *Traité*, t. 2, n° 502, p. 194).
Rem. Ne pas confondre avec l'acte unilatéral, qui émane de la volonté d'une seule partie; le contrat, qu'il soit unilatéral ou synallagmatique, constitue un acte bilatéral.
Opp. contrat synallagmatique.
Angl. unilateral contract.

CONTRE-ÉCHANGE *n.m.*

(*Obl.*) Prestation envisagée dans l'échange comme contrepartie.
Occ. Art. 1597 C. civ.
Angl. counter-exchange.

CONTRE-LETTRE *n.f.*

(*Obl.*) Acte passé secrètement entre les parties, qui modifie ou supprime les effets d'un acte apparent conclu pour dissimuler leur convention. « Ce n'est [...] que par rapport à l'efficacité des conventions à l'égard des tiers que la contre-lettre pose un problème particulier, puisqu'il ne s'agit, en somme, que de la force obligatoire des contrats » (Nadeau et Ducharme, dans *Traité*, t. 9, n° 400, p. 305-306).
Occ. Art. 1212 C. civ.
Syn. acte réel, acte secret, acte véritable.
Opp. acte apparent. **V.a.** acte déguisé, acte fictif, simulation.
Angl. counter-letter+, real act, secret act, true act.

CONTRE-OFFRE *n.f.*

(*Obl.*) (X) *Angl.* V. contre-proposition.
Angl. counter-offer+, counter-proposal.

CONTREPARTIE *n.f.*

(*Obl.*) Avantage qu'un contractant reçoit en échange de celui qu'il procure. « Les libéralités mettent en péril le patrimoine familial, puisqu'elles en font sortir un bien sans contrepartie » (Mazeaud et Chabas, *Leçons*, t. 2, vol. 1, n° 104, p. 92).
Syn. contre-prestation. **V.a.** contrat à titre onéreux. **F.f.** considération², considération valable.
Angl. compensation³(x), consideration²(x), counterprestation+, valuable consideration(x).

CONTRE-PRESTATION ou CONTREPRESTATION *n.f.*

(*Obl.*) Syn. contrepartie. « [...] *la cause des obligations créées par les contrats à titre onéreux est la considération d'une contreprestation*, ce qui ne vise pas, d'ailleurs, le bénéfice que le débiteur escompte retirer du contrat; la contreprestation, qui l'incite à s'engager, peut ne lui procurer aucun profit; son obligation a cependant une cause » (Mazeaud et Chabas, *Leçons*, t. 2, vol. 1, n° 265, p. 250).
Angl. compensation³(x), consideration²(x), counterprestation+, valuable consideration(x).

CONTRE-PROPOSITION ou CONTREPROPOSITION *n.f.*

(*Obl.*) Offre nouvelle par laquelle le destinataire propose des modifications à l'offre

qui lui a été adressée. « Une réponse [à une offre] qui serait assortie d'un paramètre nouveau ou d'une condition au sens juridique ne serait pas une acceptation mais une contre-proposition [...] » (Tancelin, *Obligations*, n° 96, p. 54).
Opp. offre initiale. **F.f.** contre-offre.
Angl. counter-offer+, counter-proposal.

CONTRIBUTIF, IVE *adj.*

V. faute contributive.

CONTRIBUTION À LA DETTE

(*Obl.*) Répartition définitive d'une dette commune entre les codébiteurs. « *Rapports des codébiteurs solidaires entre eux* — L'obligation à la dette était dominée par un principe d'indivisibilité : à l'égard du créancier, la dette ne se divisait pas. La *contribution à la dette* va être dominée par un principe contraire : entre les débiteurs, la dette se divise de plein droit [...] » (Carbonnier, *Droit civil*, t. 4, n° 134 *bis*, p. 598).
Occ. Art. 474, 880 C. civ.
Rem. On écrit également *contribution aux dettes*.
Opp. obligation à la dette+.
Angl. contribution to the debt(s).

CONTRIBUTION (PAR) *loc.adv.*

V. par contribution.

CONTRIBUTOIRE *adj.*

F.f. faute contributoire.

CONTRÔLÉ, ÉE *p.p.adj.*

Syn. relatif[3].
V.a. droit contrôlé.
Angl. relative[3].

CONVENTION *n.f.*

(*Obl.*) Syn. contrat[A]. « Le contrat est la convention juridique. On s'est habitué à distinguer ces deux institutions en voyant le genre dans la convention et l'espèce dans le contrat. La distinction est d'ordre philosophique; dans notre droit, la convention se dénomme contrat. L'identité est totale » (Trudel, dans *Traité*, t. 7, p. 46). *Convention matrimoniale; principe de la liberté des conventions.*
Occ. Art. 13, 1040*e* C. civ.
Angl. agreement, contract[A]+, pact.

CONVENTION COLLECTIVE

V. décret de convention collective.

CONVENTION D'ANATOCISME

(*Obl.*) Contrat par lequel les parties conviennent que les intérêts échus vont porter intérêt.
Rem. Voir l'art. 1078 C. civ.
V.a. anatocisme, intérêt composé.
Angl. anatocism agreement, compound interest contract+, contract of capitalization of interest.

CONVENTION D'ARBITRAGE

(*Obl.* et *D. jud.*) Contrat par lequel les parties à un différend né ou éventuel conviennent de le soumettre à l'arbitrage.
Occ. Art. 1926.1 C. civ.
Rem. **1°** Cette convention peut prendre la forme de ce que le législateur appelait avant 1986 la *clause compromissoire*, contrat accessoire, et le *compromis*, contrat principal. **2°** Ne pas confondre avec transaction.
Angl. arbitration agreement+, contract of arbitration.

CONVENTION D'ARRHES

(*Obl.*) Syn. stipulation d'arrhes. « La convention d'arrhes [est] un contrat accessoire qui suppose l'existence d'un contrat principal [...] » (Faribault, dans *Traité*, t. 11, n° 111, p. 107).
Angl. agreement for earnest, stipulation as to earnest+.

CONVENTIONNEL, ELLE *adj.*

(*Obl.*) Syn. contractuel. « Le plus souvent [...] le pouvoir de représenter découle de la volonté du représenté : il s'agit d'une représentation conventionnelle, car elle résulte d'un contrat conclu entre le représenté et le représentant » (Pineau et Burman, *Obligations*, n° 53, p. 83).
Occ. Art. 1154, 2019 C. civ.
V.a. caution conventionnelle, cautionnement conventionnel, compensation conventionnelle, dommages conventionnels, dommages-intérêts conventionnels, garantie conventionnelle, hypothèque conventionnelle, indivisibilité conventionnelle, intérêt conventionnel, mandat conventionnel, obligation conventionnelle, représentation conventionnelle, résiliation conventionnelle, séquestre conventionnel, servitude conventionnelle, solidarité conventionnelle, subrogation conventionnelle, taux d'intérêt conventionnel, terme conventionnel.
Angl. contractual+, conventional.

COOBLIGÉ, ÉE *n.*

(*Obl.*) Syn. codébiteur. « Chaque débiteur est tenu pour le tout à l'égard du créancier et, après avoir acquitté l'obligation, peut récupérer de son coobligé la part que ce dernier devait » (Baudouin, *Obligations*, n° 790, p. 478).
Opp. cocréancier.
Angl. codebtor.

COPARTAGEANT, ANTE *n.* et *adj.*

(*Biens* et *Succ.*) Indivisaire[1] qui participe à un partage. « Le partage serait donc à la fois une acquisition et une aliénation, puisque chaque copartageant cède sa part aux autres dans les biens qui leur sont attribués, et acquiert leurs parts dans ceux qui tombent dans son lot » (Faribault, dans *Traité*, t. 4, p. 572). *Les héritiers copartageants; privilège des copartageants.*
Occ. Art. 745, 746, 748, 749, 750 C. civ.
Syn. partageant. **V.a.** cohéritier°, coïndivisaire, copropriétaire.
Angl. copartitioner+, partitioner.

COPERMUTANT ou CO-PERMUTANT, ANTE *n.*

(*Obl.*) Syn. coéchangiste. « L'aliénation de chacun des objets a pour cause l'acquisition de l'autre : si donc la chose promise par l'un des copermutants ne lui appartient pas, l'échange est nul » (Mignault, *Droit civil*, t. 7, p. 216).

COPROPRIÉTAIRE *n.*

(*Biens*) Titulaire du droit de copropriété. « La chose en copropriété (on dit aussi la chose indivise ou commune) n'appartient pas à une seule personne, qui serait titulaire exclusif du droit, maître unique, propriétaire privatif de la chose. Une même chose appartient à plusieurs propriétaires que l'on nomme copropriétaires (et que l'on appelait autrefois — première acception du terme — "communistes") » (Cornu, *Introduction*, n° 1221, p. 382).
Occ. Art. 566, 709, 1562 C. civ.
Syn. communiste, indivisaire[2], propriétaire indivis. **V.a.** cohéritier°, coïndivisaire, copartageant.
Angl. communist, co-owner+, coproprietor, undivided owner[2].

COPROPRIÉTÉ *n.f.*

(*Biens*) Droit de propriété de plusieurs personnes sur une même chose qui, n'étant pas matériellement divisée, appartient à chacune d'elles pour une quote-part abstraite. « Dans toute copropriété, *chaque copropriétaire a un droit sur le tout*, non sur une partie du tout. Matériellement, le droit de chaque copropriétaire porte sur l'ensemble de la chose commune » (Cornu, *Introduction*, n° 1224, p. 382).
Occ. Art. 441*b* C. civ.
Rem. 1° La copropriété est une modalité de la propriété caractérisée par la pluralité

des titulaires du droit, nommés *copropriétaires*. **2°** La chose n'est pas matériellement divisée entre les copropriétaires; c'est le droit même qui est divisé : en définitive, le droit de chacun consiste dans une fraction. **3°** Chaque copropriétaire peut disposer librement de sa part, mais l'utilisation et la disposition de la chose requièrent l'accord de tous. **4°** La copropriété peut avoir pour source un acte juridique, tel un contrat, un testament ou une déclaration de copropriété, ou la loi, telle une succession légale ou les cas prévus à l'art. 437 C. civ. et aux art. 492 et 520 C. civ. Q. **5°** La copropriété est ordinaire ou forcée.
Syn. droit de copropriété, indivision[2], propriété indivise. **V.a.** indivision[1], mitoyenneté.
Angl. co-ownership+, ownership in indivision, right of co-ownership, undivided ownership.

COPROPRIÉTÉ AVEC INDIVISION FORCÉE

(*Biens*) Syn. copropriété forcée. « Sous la copropriété avec indivision forcée, qui est de caractère permanent, chacun peut user de la totalité de la chose comme si elle lui appartenait à la double condition cependant de ne pas s'en servir à des usages autres que ceux auxquels elle est destinée et de ne pas porter atteinte au droit égal et réciproque des autres indivisaires » (Vallée-Ouellet, (1978) 24 *R.D. McGill* 196, p. 201).
Opp. copropriété avec indivision ordinaire.
Angl. co-ownership with forced indivision, forced co-ownership+, forced indivision, perpetual co-ownership.

COPROPRIÉTÉ AVEC INDIVISION ORDINAIRE

(*Biens*) Syn. copropriété ordinaire. « La doctrine classique, considérant la copropriété comme une simple modalité de la propriété, a regroupé ses diverses formes sous deux titres : la copropriété avec indivision ordinaire et la copropriété avec indivision forcée » (Vallée-Ouellet, (1978) 24 *R.D. McGill* 196, p. 201).
Opp. copropriété avec indivision forcée.
Angl. co-ownership with ordinary indivision, ordinary co-ownership+, ordinary indivision, temporary co-ownership.

COPROPRIÉTÉ DES IMMEUBLES ÉTABLIE PAR DÉCLARATION

(*Biens*) Régime de propriété en vertu duquel la propriété d'un immeuble bâti est répartie entre plusieurs personnes par fractions comprenant chacune une partie exclusive soumise à un droit de propriété privatif et une quote-part de parties communes soumises à un droit de copropriété. « Cette forme d'appropriation, appelée [...] "copropriété des immeubles établie par déclaration", condominium [...], vise à répartir un immeuble en parties exclusives qui appartiennent de façon exclusive et divise à leurs propriétaires respectifs, et en parties communes qui sont la propriété commune et indivise de ces mêmes propriétaires » (Vallée-Ouellet, (1978) 24 *R.D. McGill* 196, p. 196-197).
Occ. Titre précédant l'art. 441*b* C. civ.
Rem. **1°** La copropriété des parties communes constitue un cas de copropriété forcée. **2°** Voir les art. 441*b* à 442*p* C. civ. **3°** Les art. 1077 et s. C. civ. Q. (L.Q. 1987, chap. 18, art. 1 n.e.v.), repris aux art. 1036 et s. du Projet de loi 125, donnent à ce régime le nom de *copropriété divise d'un immeuble*. **4°** En droit français, ce régime est connu sous le nom de *copropriété des immeubles bâtis*.
Syn. condominium.
Angl. condominium, co-ownership of immoveables established by declaration+.

COPROPRIÉTÉ FORCÉE

(*Biens*) Copropriété destinée à durer indéfiniment, les copropriétaires n'étant pas admis à demander le partage de la chose faisant l'objet de ce droit. « [...] la copropriété forcée et perpétuelle [...] se présente

comme une organisation concrète des rapports de voisinage entre immeubles [...] » (Carbonnier, *Droit civil*, t. 3, n° 29, p. 133).
Rem. **1°** La copropriété forcée constitue une dérogation à la règle de l'art. 689 C. civ. selon laquelle nul n'est tenu de rester dans l'indivision. **2°** La copropriété forcée porte toujours sur des choses immobilières qui sont les accessoires de plusieurs immeubles appartenant en propriété divise à des propriétaires différents. **4°** La mitoyenneté et la copropriété des immeubles établie par déclaration (art. 441*b* et s. C. civ.) sont des cas de copropriété forcée. **5°** Le copropriétaire ne peut disposer de sa part dans la chose indivise indépendamment de l'immeuble dont elle est l'accessoire.
Syn. copropriété avec indivision forcée, copropriété perpétuelle, indivision forcée.
Opp. copropriété ordinaire.
Angl. co-ownership with forced indivision, forced co-ownership+, forced indivision, perpetual co-ownership.

COPROPRIÉTÉ ORDINAIRE

(*Biens*) Copropriété à laquelle chaque propriétaire a la faculté de mettre fin en demandant le partage de la chose faisant l'objet de ce droit. « [...] la copropriété ordinaire se conçoit également pour un bien isolé, meuble ou immeuble (ex. deux personnes achètent en commun une maison) » (Carbonnier, *Droit civil*, t. 3, n° 29, p. 134).
Rem. **1°** Voir l'art. 689 C. civ. **2°** Le copropriétaire a la faculté de disposer de sa quote-part, ce qui a pour effet de le faire sortir de l'état d'indivision qui subsiste entre le cessionnaire et les autres copropriétaires.
Syn. copropriété avec indivision ordinaire, copropriété temporaire, indivision ordinaire.
Opp. copropriété forcée.
Angl. co-ownership with ordinary indivision, ordinary co-ownership+, ordinary indivision, temporary co-ownership.

COPROPRIÉTÉ PERPÉTUELLE

(*Biens*) Syn. copropriété forcée. « La copropriété perpétuelle a une assiette limitée. Elle est assise non sur une universalité, mais, toujours, sur un bien particulier » (Cornu, *Introduction*, n° 1249, p. 389).
Opp. copropriété temporaire.
Angl. co-ownership with forced indivision, forced co-ownership+, forced indivision, perpetual co-ownership.

COPROPRIÉTÉ TEMPORAIRE

(*Biens*) Syn. copropriété ordinaire. « [...] la copropriété ordinaire peut être dite volontaire et temporaire, en contraste avec la copropriété forcée et perpétuelle » (Carbonnier, *Droit civil*, t. 3, n° 29, p. 134).
Opp. copropriété perpétuelle.
Angl. co-ownership with ordinary indivision, ordinary co-ownership+, ordinary indivision, temporary co-ownership.

CORPORATION *n.f.*

Personne morale qui tient son existence d'un texte législatif exprès ou d'un acte du pouvoir exécutif. Par ex., les municipalités, les sociétés par actions.
Occ. Art. 352 C. civ.
Rem. La notion de corporation a une extension moins vaste que celle de personne morale; en effet, la société en nom collectif et la société en commandite, qui sont reconnues à certaines fins par la jurisprudence comme des personnes morales, ne sont pas des corporations. Cependant, ces deux notions, provenant, la première du droit anglais, la seconde du droit français, font double emploi, dans la mesure où elles servent à regrouper, chacune dans le système d'où elles proviennent, les sujets de droit autres que les personnes physiques. C'est, en tout cas, la conclusion que semble en voie d'adopter le législateur, puisque le droit des personnes, en cours d'élaboration, abandonne complètement la notion de corporation, pour ne retenir que celle de personne morale.
V.a. compagnie.
Angl. corporation.

CORPORATION PROFESSIONNELLE

Syn. ordre professionnel.
Occ. Art. 24, *Code des professions*, L.R.Q., chap. C-26.
Rem. En français moderne, ce type de personne morale est appelé *ordre professionnel*, terme que le législateur a d'ailleurs adopté dans la *Charte de la langue française* (art. 34, L.R.Q., chap. C-11).
Angl. professional corporation.

CORPOREL, ELLE *adj.*

V. bien corporel, chose corporelle, dommage corporel, immeuble corporel, meuble corporel, préjudice corporel.

CORPS CERTAIN (ET DÉTERMINÉ)

(*Biens*) Syn. chose certaine et déterminée. « Le débiteur d'un corps certain ne peut être libéré de son obligation que s'il livre cette chose elle-même et ne peut se libérer par remise d'un objet équivalent » (Baudouin, *Droit civil*, p. 350).
Occ. Art. 1150 C. civ.
Angl. certain and determinate thing, certain specific thing, individualized thing, nonfungible property, non-fungible thing, thing certain and determinate⁺.

CORPUS *n.m.* (latin)

(*Biens*) Élément matériel pris en considération dans certaines situations juridiques. « Le *corpus* est [...] le contrôle matériel [...] permettant au possesseur d'accomplir les actes matériels par lesquels se manifeste habituellement le droit de propriété, c'est-à-dire les actes d'utilisation, de jouissance et de disposition — *usus, fructus, abusus* — qui caractérisent le droit de propriété » (Martineau, *Prescription*, n° 52, p. 53).
Rem. Ce terme est employé notamment en matière de domicile et de possession.
Opp. *animus.*
Angl. *corpus.*

CORRÉALITÉ *n.f.*

(*D. rom.*) Syn. solidarité. « Les Romains n'ont pas défini la solidarité, mais à propos de la stipulation, ils traitent du cas où plusieurs stipulants ou promettants [...] contractent une obligation pour le tout [...] Nous disons qu'il y a alors *corréalité* ou *solidarité* contractuelle » (Giffard, *Précis*, t. 2, n° 493, p. 321).
Angl. correality, perfect solidarity, solidarity⁺.

CORRÉLATIF, IVE *adj.*

(*Obl.*) V. obligation corrélative.

COUR *n.f.*

1. Syn. tribunal[1].
Rem. 1° L'adoption, au Québec, d'une organisation juidiciaire inspirée du système judiciaire anglais a conduit à donner aux tribunaux une désignation comportant le terme *cour* : Cour d'appel, Cour supérieure, Cour du Québec. **2°** En France, on réserve, en principe, le terme *cour* aux juridictions d'appel, en l'opposant à *tribunal*, qui désigne les juridictions de première instance.
Angl. court[1]⁺, Court of Justice, forum.

2. Syn. tribunal[2].
Angl. court[2]⁺, presiding judge[1].

COUR DE JUSTICE

1. (*D. jud.*) Juridiction élevée, spécialement à propos de juridictions internationales. Par ex., la Cour internationale de justice, la Cour de justice des communautés européennes. « La Cour internationale de Justice constitue l'organe judiciaire principal des Nations Unies. Elle fonctionne conformément à un statut établi sur la base du Statut de la Cour permanente de Justice internationale [...] » (*Charte des Nations Unies*, art. 92).

2. (*D. jud.*) (X) *Angl.* V. tribunal judiciaire.

Rem. Employé en ce sens, le terme *cour de justice* constitue un calque de l'anglais *Court of Justice*, pourtant traduit correctement dans le titre de la *Loi sur les tribunaux judiciaires* (L.R.Q., chap. T-16).
Angl. court[1](>)+, Court of Justice(>), forum(>).

COURONNE *n.f.*

F.f. procureur de la Couronne.

COURTE PRESCRIPTION

(*Prescr.*) Prescription extinctive qui s'accomplit par un délai de cinq ans ou moins. « À l'encontre de la règle générale d'après laquelle la prescription n'opère pas de plein droit, [...] les courtes prescriptions présentent les cas où la loi dénie l'action (art. 2267), où ce n'est pas seulement l'action qui est détruite, mais où la créance, l'obligation elle-même est éteinte (art. 1138), où la prescription [...] doit être suppléée d'office par le tribunal (art. 2188), même si elle n'est pas opposée par la partie intéressée [...] » (Rodys, dans *Traité*, t. 15, p. 340).
Occ. Titre précédant l'art. 2260 C. civ.
Rem. L'art. 2267 C. civ. mentionne les cas de courtes prescriptions; dans ces cas, la loi dénie l'action (art. 2188 C. civ.).
Syn. prescription courte. **V.a.** prescription abrégée.
Angl. short prescription.

COUTUME *n.f.*

1. Pratique ancienne généralement suivie et revêtue, dans l'opinion commune, d'un caractère obligatoire qui en fait une règle de droit. « Phénomène collectif, comme la loi, la coutume — à la différence de la loi — n'émane pas de l'État; elle "sourd" spontanément, par un long usage, de la vie du groupe social » (Cornu, *Introduction*, n° 77, p. 38).
Occ. Art. 455 C. civ.; art. 38, *Statut de la Cour internationale de Justice*.
Rem. La coutume, au contraire d'un simple usage, comporte deux éléments constitutifs : l'élément matériel, un usage constant; l'élément psychologique, la conviction du caractère obligatoire de l'usage (*opinio juris sive necessitatis*).
V.a. certificat de coutume, usage[1].
Angl. custom[1].

2. Droit[1] établi par la coutume[1]. « La rédaction des coutumes a été un moyen de les mieux connaître et de les comparer » (Starck, *Introduction*, n° 84, p. 38). *Pays de coutume; la Coutume de Paris.*
Syn. droit coutumier[1]. **Opp.** doctrine[1], jurisprudence[1], loi[1]. **V.a.** droit non écrit.
Angl. custom[2]+, customary law[1].

COUTUME DE LA PRÉVÔTÉ ET VICOMTÉ DE PARIS

(*Hist.*) Désignation officielle de la Coutume de Paris.
Angl. *Coutume de la prévôté et vicomté de Paris.*

COUTUME DE PARIS

(*Hist.*) Coutume[2] en vigueur dans la prévôté et vicomté de Paris. « Le ressort de la coutume de Paris fut bien définitivement restreint et fixé aux limites étroites de la prévôté et vicomté de Paris, tandis que son influence en tant que coutume modèle rayonnait sur toute la France coutumière » (Olivier-Martin, *Histoire*, p. 60).
Rem. Officiellement connue sous le nom de *Coutume de la prévôté et vicomté de Paris*, la Coutume de Paris, rédigée en 1510 et réformée en 1580, fut introduite, notamment, au Canada par l'article 33 de l'Édit de mai 1664 concernant l'établissement de la Compagnie des Indes Occidentales (*Édits et Ordonnances*, t. 1, 40, p. 46). Toujours en vigueur lors de la codification des lois civiles de 1866, elle constitue l'une des sources principales du droit civil québécois.
V.a. ancien droit[2], droit non écrit.
Angl. *Coutume de Paris*+, custom of Paris.

COUTUMIER, IÈRE *adj.*

V. droit coutumier.

CRAINTE *n.f.*

(*Obl.*) Sentiment de peur provoqué par la violence qui détermine une personne à conclure un acte juridique. « Comme le dol, la violence n'est pas en soi un vice du consentement, mais elle provoque un consentement donné sous l'empire de la crainte : ce consentement est donné par une personne, à la suite d'une contrainte exercée sur sa volonté, à la suite de la menace d'un mal considérable si, par malheur, elle ne concluait pas le contrat. Le vice n'est, donc, point la violence; c'est la crainte qu'elle détermine » (Pineau et Burman, *Obligations*, n° 81, p. 111).
Occ. Art. 991, 995 C. civ.
Rem. L'art. 994 C. civ. reconnaît la crainte comme cause de nullité relative du contrat.
V.a. consentement libre, dol[1], erreur vice du consentement, vice du consentement.
Angl. fear.

CRAINTE RÉVÉRENCIELLE

(*Obl.*) Crainte inspirée par le respect que l'on porte à ses ascendants et par le souci de ne pas leur déplaire. « La crainte révérencielle est celle qu'inspirent les parents (du moins il en était ainsi du temps où le Code a été rédigé). Un contrat conclu parce qu'on n'a pas osé désobéir à son père, lui "manquer de respect", ne peut pas être annulé. Mais il en serait autrement si l'ascendant avait utilisé des violences proprement dites [...] » (Starck, Roland et Boyer, *Obligations*, t. 2, n° 470, p. 165).
Occ. Art. 997 C. civ.
Rem. Le Code civil du Bas-Canada emploie la graphie *révérentielle*, alors que le Code civil français (art. 1114) utilise plutôt *révérencielle*. Les auteurs emploient indifféremment l'une ou l'autre graphie.
Angl. reverential fear.

CRÉANCE *n.f.*

(*Obl.*) Syn. droit personnel. « Envisagée du côté du créancier, du point de vue actif, l'obligation est une *créance*; envisagée du côté du débiteur, du côté passif, l'obligation est une *dette* » (Marty et Raynaud, *Obligations*, t. 1, n° 1, p. 1).
Occ. Art. 1113 C. civ.
Rem. Du latin *credere* : croire.
Opp. dette, obligation[3]. **V.a.** cession de créance, titre de créance, transport de créance, vente de créance.
Angl. creance, credit[4], debt[2], *jus in personam*, personal right+.

CRÉANCE CERTAINE

(*Obl.*) Créance dont l'existence et la validité ne présentent aucun doute sérieux. « Pour bénéficier du recours oblique, le créancier doit en principe avoir une créance certaine, liquide et exigible. [...] La créance certaine est celle dont l'existence est effective lorsque l'action est prise ou le droit exercé. Dès lors une créance simplement conditionnelle créée (condition suspensive), ou éteinte (condition résolutoire) par l'arrivée d'un événement futur et incertain, ne satisfait pas cette exigence [...] » (Baudouin, *Obligations*, n° 566, p. 344).
Opp. créance incertaine, dette certaine.
Angl. certain and determinate creance.

CRÉANCE CHIROGRAPHAIRE

(*Sûr.*) Créance non garantie par une sûreté particulière.
Occ. Art. 2094 C. civ.
Syn. créance ordinaire. **Opp.** créance hypothécaire, créance privilégiée.
Angl. chirographic creance+, ordinary creance.

CRÉANCE CONJOINTE

(*Obl.*) Créance comportant plusieurs créanciers dont chacun ne peut réclamer que sa part. « L'exemple le plus fréquent d'obli-

gation ou de créance conjointe résulte d'une règle de droit successoral figurant à l'article 1220 du Code civil [art. 1122 C. civ.]. Selon ce texte, les dettes ou les créances d'une personne *se divisent de plein droit* entre ses héritiers » (Starck, Roland et Boyer, *Obligations*, t. 2, n° 1106, p. 385).
Opp. créance solidaire[1], dette conjointe.
V.a. obligation conjointe.
Angl. joint creance, joint personal right⁺.

CRÉANCE EXIGIBLE

(*Obl.*) Créance dont le titulaire est en droit de réclamer l'exécution immédiate. Par ex., dans le cas d'une obligation à terme, la créance devient exigible à l'arrivée du terme. « Une créance est exigible lorsque son titulaire est "en droit de contraindre le débiteur au paiement sans qu'aucun obstacle, aussi bien temporaire que perpétuel, ne l'en empêche" » (Mendegris, *Rép. droit civ.*, v° Compensation, n° 76).
Opp. dette exigible. **V.a.** créance liquide, exigibilité.
Angl. demandable creance, exigible creance⁺.

CRÉANCE HYPOTHÉCAIRE

(*Sûr.*) Créance garantie par hypothèque.
Occ. Art. 2073 C. civ.
Opp. créance chirographaire, créance privilégiée.
Angl. hypothecary creance.

CRÉANCE INCERTAINE

(*Obl.*) Créance dont l'existence ou la validité présente un doute sérieux. Par ex., une créance assortie d'une condition.
Opp. créance certaine, dette incertaine.
Angl. uncertain creance.

CRÉANCE LIQUIDE

(*Obl.*) Créance dont le montant est exactement déterminé.
Occ. Art. 2058 C. civ.
Opp. dette liquide. **V.a.** créance exigible, liquidité.
Angl. liquidated creance.

CRÉANCE LITIGIEUSE

(*Obl.*) Créance dont l'existence ou l'étendue donne lieu ou risque de donner lieu à une contestation en justice. « *Notion de créance litigieuse* — [...] Il faut donc qu'il y ait prétention contradictoire relativement à l'existence ou à la solvabilité de la créance » (Starck, Roland et Boyer, *Obligations*, t. 2, n° 1892, p. 669).
V.a. cession de droits litigieux, droit litigieux, retrait litigieux, vente de droits litigieux.
Angl. litigious creance, litigious debt, litigious personal right⁺.

CRÉANCE ORDINAIRE

(*Sûr.*) Syn. créance chirographaire. « [...] si le prix de la vente de tous les biens du débiteur ne suffit pas pour acquitter toutes les dettes, les créanciers sont payés *au marc le franc* par l'attribution d'un *dividende*, sans égard à la date respective de leurs créances. Ces créanciers, porteurs d'un titre de créance ordinaire (*chirographum, cedula*) s'appellent *chirographaires* (*cédulaires* ou *céduliers* dans l'ancienne langue) » (Planiol et Ripert, *Traité*, t. 12, n° 1, p. 1).
Angl. chirographic creance⁺, ordinary creance.

CRÉANCE PORTABLE

(*Obl.*) Créance dont le paiement doit s'effectuer au domicile du créancier.
Rem. Voir l'art. 1152 C. civ.
Opp. créance quérable, dette portable.
Angl. portable creance.

CRÉANCE PRIVILÉGIÉE

(*Sûr.*) Créance garantie par un privilège.
Occ. Art. 1994, 2004 C. civ.

Opp. créance chirographaire, créance hypothécaire.
Angl. privileged creance.

CRÉANCE QUÉRABLE

(*Obl.*) Créance dont le paiement doit être réclamé au domicile du débiteur.
Rem. Voir l'art. 1152 C. civ.
Opp. créance portable, dette quérable.
Angl. seekable creance.

CRÉANCE SOLIDAIRE

1. (*Obl.*) Créance comportant plusieurs créanciers dont chacun peut exiger le paiement de la totalité de celle-ci. « [...] la créance solidaire est éteinte à l'égard de tous les créanciers solidaires lorsque la chose qui en est l'objet est perdue ou détruite par cas fortuit ou force majeure » (Faribault, dans *Traité*, t. 8 *bis*, n° 224, p. 165).
Opp. créance conjointe, dette solidaire.
V.a. obligation solidaire.
Angl. joint and several creance(x), solidary creance, solidary personal right⁺.

2. (*Obl.*) Créance à l'égard de codébiteurs solidaires. « La remise *relative* [de solidarité] ne profite pas aux codébiteurs de celui qui l'a obtenue : le créancier conserve contre eux sa créance solidaire pour le tout, sans déduction de la part du débiteur dans l'intérêt duquel il a renoncé à la solidarité » (Mignault, *Droit civil*, t. 5, p. 498-499).
Occ. Art. 1113 C. civ.
V.a. obligation solidaire.

CRÉANCIER, IÈRE *n.*

(*Obl.*) Titulaire d'un droit personnel. « [...] l'obligation constitue donc un *droit de créance* lorsqu'on l'envisage du côté du créancier. Celui-ci en est le *sujet actif* » (Flour et Aubert, *Obligations*, vol. 1, n° 8, p. 6).
Occ. Art. 1031 C. civ.
Opp. débiteur. **V.a.** cocréancier, novation par changement de créancier.
Angl. creancer, creditor⁺, obligee.

CRÉANCIER ANTICHRÉSISTE

(*Sûr.*) Créancier dont la créance est garantie par une antichrèse². « [...] le droit le plus clair du créancier antichrésiste, c'est celui qui lui permet de retenir la possession de l'immeuble jusqu'au paiement de sa créance » (Mignault, *Droit civil*, t. 8, p. 399).
Syn. antichrésiste. **Opp.** créancier gagiste.
Angl. pledgee(>).

CRÉANCIER CÉDÉ

(*Obl.*) Créancier d'une dette qui fait l'objet d'une cession.
Angl. assigned creancer, assigned creditor⁺.

CRÉANCIER CHIROGRAPHAIRE

(*Sûr.*) Créancier titulaire d'une créance chirographaire. « [...] dans la distribution du prix des biens vendus, le titulaire du droit de préférence échappe à la loi égalitaire du concours entre créanciers. Il peut, par priorité, se faire intégralement désintéresser, le reste, s'il existe, étant ensuite distribué, au marc le franc, entre les créanciers chirographaires » (Cornu, *Introduction*, n° 996, p. 314).
Syn. créancier ordinaire. **Opp.** créancier hypothécaire, créancier privilégié.
V.a. créancier nanti.
Angl. chirographic creditor⁺, ordinary creditor.

CRÉANCIER GAGISTE

(*Sûr.*) Créancier dont la créance est garantie par un gage². « Les principaux droits du créancier gagiste sont son droit de privilège, son droit de retenir la chose jusqu'à ce qu'il soit payé, et son droit de faire vendre l'objet du gage pour obtenir le paiement de sa créance » (Mignault, *Droit civil*, t. 8, p. 404).
Occ. Art. 1979*h* C. civ.

Syn. gagiste. **Opp.** créancier antichrésiste. **V.a.** créancier nanti.
Angl. pledgee(>).

CRÉANCIER HYPOTHÉCAIRE

(*Sûr.*) Créancier dont la créance est garantie par une hypothèque. « C'est [...] un *jus in re*, et c'est pour cela que le créancier hypothécaire a le droit de suite et celui d'être préféré sur le produit de la vente de l'immeuble » (Mignault, *Droit civil*, t. 9, p. 83).
Occ. Art. 2149 C. civ.
Opp. créancier chirographaire, créancier nanti, créancier privilégié.
Angl. hypothecary creditor.

CRÉANCIER NANTI

(*Sûr.*) Créancier dont la créance est garantie par un nantissement[2]. « S'il y a exécution du gage, le créancier nanti exerce son privilège, par préférence à tous autres créanciers privilégiés [...] » (Ripert et Boulanger, *Traité*, t. 3, n° 1268, p. 433).
Occ. Art. 1979*h* C. civ.
Opp. créancier hypothécaire. **V.a.** créancier chirographaire, créancier gagiste, créancier privilégié.
Angl. pledgee.

CRÉANCIER ORDINAIRE

(*Sûr.*) Syn. créancier chirographaire. « On désigne ainsi [créancier chirographaire] les créanciers *ordinaires*, n'ayant *aucune garantie particulière* pour obtenir paiement » (Starck, *Introduction*, n° 184, p. 81).
Angl. chirographic creditor+, ordinary creditor.

CRÉANCIER PRIVILÉGIÉ

(*Sûr.*) Créancier titulaire d'une créance garantie par un privilège. « Notre jurisprudence a suivi la doctrine énoncée par les auteurs français qui reconnaissent que les créanciers privilégiés sont préférés aux créanciers hypothécaires et que, conformément à l'article de notre code, le privilège trouve naissance dans la loi et non dans la convention entre les parties [...] » (Demers, dans *Traité*, t. 14, p. 71).
Occ. Art. 1984, 1987 C. civ.
Opp. créancier chirographaire, créancier hypothécaire. **V.a.** créancier nanti.
Angl. privileged creditor.

CRÉDIRENTIER, IÈRE *n.*

(*Obl.*) Créancier d'une rente[1]. « [Dans le cas de vente d'un immeuble contre une rente viagère] les arrérages qui seront versés par l'acquéreur dépendent de la durée incertaine de la vie du crédirentier [...] » (Mazeaud et Chabas, *Leçons*, t. 2, vol. 1, n° 215, p. 203).
Occ. Art. 2352, Projet de loi 125.
Rem. On écrit *crédirentier* ou *crédi-rentier.*
Opp. débirentier.
Angl. creditor of the rent.

CRÉDIT *n.m.*

1. (*Obl.* et *D. comm.*) Confiance dans la solvabilité d'une personne. « [...] chacun [...] [des associés] doit apporter au fonds commun quelque chose. Cela peut être des biens, soit meubles, soit immeubles, corporels ou incorporels, en propriété ou en jouissance seulement. Le crédit [...] peut aussi être l'objet de l'apport [...] » (Roch et Paré, dans *Traité*, t. 13, p. 336). *Faire crédit, avoir du crédit.*
Occ. Art. 1830 C. civ.
Rem. Du latin *creditum*, de *credere* : croire.
Angl. credit[1].

2. (*Obl.* et *D. comm.*) Opération par laquelle une personne met ou fait mettre à la disposition d'une autre personne une somme d'argent. « Pour que la prohibition [de l'art. 1235 par. 3 C. civ.] s'applique dans le cas des fausses représentations, il faut que le but poursuivi ait été de faire obtenir à un

tiers du crédit, de l'argent ou des effets » (Ducharme, *Preuve*, n° 401, p. 184). *Obtenir du crédit, consentir du crédit*; *ouverture de crédit* (art. 1979*a* C. civ.).
Occ. Art. 1235 par. 3, 1603 C. civ.
Angl. credit².

3. (*Obl.* et *D. comm.*) Droit² consenti par un créancier à son débiteur d'exécuter à terme son obligation de payer une somme d'argent. « Le terme "prêt d'argent" [de l'art. 1040*c* C. civ.] est pris dans un sens large et couvre non seulement le contrat de prêt au sens strict du terme, mais tout contrat ayant pour but d'accorder un crédit (vente à réméré, vente à terme [...]) » (Baudouin, *Obligations*, n° 196, p. 148). *Faire crédit*.
Rem. L'art. 1 par. *f* de la *Loi sur la protection du consommateur* (L.R.Q., chap. P-40.1) applique cette notion aux rapports entre commerçant et consommateur; on peut alors parler de *crédit à la consommation*.
V.a. contrat de crédit, taux de crédit.
Angl. credit³.

CRÉDIT À LA CONSOMMATION

(*Obl.* et *D. comm.*) Crédit³ consenti par un commerçant à un consommateur. « La loi [sur la protection du consommateur] ne limite pas son application aux opérations traditionnelles de crédit comme la vente ou le prêt, elle couvre tout le domaine du crédit à la consommation quelle qu'en soit la forme [...] » (L'Heureux, *Consommation*, n° 81, p. 71).
Rem. Voir l'art. 1 par. *f*, *Loi sur la protection du consommateur*, L.R.Q., chap. P-40.1.
Angl. consumer credit.

CRÉDIT-BAIL *n.m.*

(*Obl.* et *D. comm.*) Opération de financement par laquelle une personne qui fait le commerce de prêter ou de consentir du crédit acquiert, à la demande d'un client, la propriété d'un bien, et le loue à celui-ci moyennant un loyer total équivalent à la somme du prix d'achat et du coût du crédit. « Pour l'entreprise de haute technologie, le crédit-bail est utile en ce qu'il permet la location pour une durée déterminée de certains équipements qui peuvent faire l'objet d'une obsolescence rapide. L'acquisition d'un tel bien implique souvent un coût prohibitif tandis que sa location peut s'avérer profitable à cause du changement qu'elle permet d'opérer dans les équipements » (Demers, (1983) 14 *R.D.U.S.* 193, p. 196).
Occ. Art. 1603 C. civ.
Rem. **1°** Le crédit-bail qui satisfait aux conditions énumérées à l'art. 1603 C. civ., même s'il constitue une forme de louage de choses, est exempté de l'application des dispositions du Code relatives au louage de choses. **2°** L'usage du terme *leasing* est contestable.
F.f. leasing.
Angl. financial lease⁺, lease-back(x), leasing.

CRÉDIT HYPOTHÉCAIRE

(*Sûr.*) Syn. prêt hypothécaire. « Le crédit hypothécaire, c'est-à-dire le prêt d'argent assorti de constitution d'hypothèque, joue un rôle important actuellement, pour permettre aux particuliers de se procurer l'argent nécessaire à la construction ou à l'achat de leurs appartements » (Starck, *Introduction*, n° 219, p. 95).
Angl. hypothecary loan⁺, loan on hypothec.

CRITÈRE DE RATTACHEMENT

(*D. int. pr.*) Syn. facteur de rattachement. « [...] la Convention de La Haye du 5 octobre 1961 sur la forme des dispositions testamentaires ayant retenu, entre autres critères de rattachement, le domicile du testateur, précise que ce domicile est défini par "la loi du lieu où il est censé être situé" » (Mayer, *Droit int. privé*, n° 179, p. 114).
Angl. connecting circumstances, connecting criterion, connecting element, connecting factor⁺, connecting point, element of localization, point of localization.

CULPA *n.f.* (latin)

(*Hist.*) Faute non intentionnelle, en droit romain. « Les juristes classiques ajoutent à la notion d'illicéité (*injuria*) celle de culpabilité [...] On ne se contente plus, pour établir la responsabilité, d'un lien de causalité entre l'acte du délinquant et le dommage, il faut une faute [...] La *culpa*, qui n'est que négligence ou imprudence, s'oppose au dol qui implique la volonté de nuire » (Ourliac et de Malafosse, *Histoire*, t. 1, n° 366, p. 393-394).
Opp. *dolus.*
Angl. *culpa.*

CULPA IN COMMITENDO *loc.nom.f.* (latin)

(*Obl.*) Syn. faute de commission.
Opp. *culpa in omittendo.*
Angl. *culpa in commitendo*, *culpa in faciendo*, fault of commission⁺.

CULPA IN CONTRAHENDO *loc.nom.f.* (latin)

1. (*Obl.*) Faute[2] de celui qui conclut un contrat sans dévoiler à l'autre partie les causes de nullité qu'il devait connaître. « Dans une étude restée célèbre, Ihering a proposé de donner à la responsabilité du demandeur en annulation un fondement contractuel, la *culpa in contrahendo*. En consentant au contrat chaque partie s'engagerait accessoirement à conclure un acte valable. En demandant ensuite la nullité du contrat, elle violerait cet engagement tacite et sa responsabilité serait contractuelle » (Ghestin, *Contrat*, n° 938, p. 1083).
Angl. *culpa in contrahendo*[1].

2. (*Obl.*) Syn. faute précontractuelle.
Rem. Dans un sens large, la *culpa in contrahendo* comprend la faute de celui qui entreprend des pourparlers en vue d'un contrat qu'il n'a pas l'intention de conclure; elle comprend aussi la faute de celui qui, sans raison valable, retire son offre de contracter. Elle rejoint alors la notion de faute précontractuelle.
Angl. *culpa in contrahendo*[2], precontractual fault⁺.

CULPA IN FACIENDO *loc.nom.f.* (latin)

(*Obl.*) Syn. faute de commission. « Les interprètes disent que le débiteur en vertu d'un contrat de droit strict est tenu de son dol et de sa *culpa in faciendo*, mais non de sa *culpa in omittendo* ou *in non faciendo* » (Giffard, *Précis*, t. 2, n° 469, p. 339).
Opp. *culpa in non faciendo.*
Angl. *culpa in commitendo*, *culpa in faciendo*, fault of commission⁺.

CULPA IN NON FACIENDO *loc.nom.f.* (latin)

(*Obl.*) Syn. faute d'omission. « Le principe est [...] que seul le débiteur, intéressé à l'opération, doit veiller avec diligence sur la chose [...] et répond de la perte causée par son manque de soins, par sa *culpa in non faciendo* » (Giffard, *Précis*, t. 2, n° 471, p. 341).
Opp. *culpa in faciendo.*
Angl. *culpa in non faciendo*, *culpa in omittendo*, fault of omission⁺.

CULPA IN OMITTENDO *loc.nom.f.* (latin)

(*Obl.*) Syn. faute d'omission. « Dans certaines obligations de bonne foi, et dans les conventions synallagmatiques imparfaites sanctionnées par des actions *in factum*, les jurisconsultes classiques sont arrivés à exiger du débiteur qu'il s'abstienne de toute faute, même de faute d'omission (*culpa in omittendo*) » (Giffard, *Précis*, n° 470, p. 339).
Opp. *culpa in commitendo.*
Angl. *culpa in non faciendo*, *culpa in omittendo*, fault of omission⁺.

CULPA LATA **ou**
LATA CULPA *loc.nom.f.* (latin)

(*Obl.*) Syn. faute lourde. « [...] la *faute lourde, lata culpa*, consiste à ne pas apporter aux affaires d'autrui le soin que les personnes les moins soigneuses et les plus stupides ne manquent pas d'apporter à leurs affaires » (Pothier, *Oeuvres*, t. 2, p. 497).
Opp. *culpa levis, culpa levissima.*
Angl. *culpa lata*, gross fault, gross negligence+.

CULPA LEVIS **ou**
LEVIS CULPA *loc.nom.f.* (latin)

(*Obl.*) Syn. faute légère. « *Levis culpa*, la *faute légère*, est celle qui consiste à ne pas apporter à l'affaire d'autrui le soin que le commun des hommes apporte ordinairement à ses affaires » (Pothier, *Oeuvres*, t. 2, p. 497).
Opp. *culpa lata, culpa levissima.* **V.a.** obligation de moyens.
Angl. *culpa levis.*

CULPA LEVISSIMA **ou**
LEVISSIMA CULPA *loc.nom.f.* (latin)

(*Obl.*) Syn. faute très légère. « [...] *levissima culpa* est la *faute* qui consiste à ne pas apporter le soin que les personnes les plus attentives apportent à leurs affaires » (Pothier, *Oeuvres*, t. 2, p. 497).
Opp. *culpa lata, culpa levis.*
Angl. *culpa levissima.*

CUMULATIF, IVE *adj.*

V. garde cumulative.

CURATELLE *n.f.*

(*Pers.*) Régime légal de protection de l'enfant conçu mais pas encore né, du mineur émancipé en justice ou du majeur inapte, de manière totale et permanente, à prendre soin de lui-même ou à administrer ses biens.
Occ. Art. 333, 337 C. civ.
V.a. curateur+, régimes de protection des majeurs, tutelle.
Angl. curatorship.

CURATEUR, TRICE *n.*

(*Pers.*) Personne à qui la curatelle est confiée.
Occ. Art. 317, 320, 333 C. civ.
Rem. Le curateur au mineur émancipé en justice assiste le mineur dans certains actes auxquels ce dernier participe (art. 340 C. civ.). Le curateur au majeur protégé représente ce dernier dans l'exercice de ses droits civils[5] et a la pleine administration de ses biens (art. 333 et 333.1 C. civ.).
V.a. responsabilité du curateur.
Angl. curator.

D

DAMNUM EMERGENS *loc.nom.m.* (latin)

Perte pécuniaire subie par la victime d'un dommage. Par ex., perte résultant de la destruction d'un objet.
Opp. *lucrum cessans*, manque à gagner.
Angl. *damnum emergens*.

DATIF, IVE *adj.*

V. tutelle dative, tuteur datif.

DATION *n.f.*

(*Obl.*) Transfert[1] d'un droit réel. « Le débiteur tenu d'une *obligation de donner* (*dare*) doit effectuer au profit du créancier une *dation*, c'est-à-dire non pas une donation, mais un *transfert de droit réel* [...] » (Mazeaud et Chabas, *Leçons*, t. 2, vol. 1, n° 19, p. 13).
Angl. dation.

DATION EN PAIEMENT

(*Obl.*) Mode conventionnel d'extinction d'une obligation par lequel le débiteur transfère la propriété d'une chose à son créancier qui accepte de la recevoir en paiement à la place de la prestation sur laquelle ils s'étaient primitivement entendus. « Il ne faut pas [...] confondre la novation [par changement de dette] avec la dation en paiement, qui n'est, elle, qu'un mode de paiement en nature de l'obligation originale » (Baudouin, *Obligations*, n° 813, p. 496-497).
Occ. Art. 1592 C. civ.
V.a. clause de dation en paiement, remise de dette+.
Angl. giving in payment.

DÉBATS *n.m.pl.*

(*D. jud.*) Acte de procédure dans lequel l'oyant conteste le compte produit par le rendant. « Si les débats ne sont pas signifiés et produits dans le délai sans que l'on soit relevé du défaut, le compte est réputé admis » (Lauzon, *Exécution des jugements*, p. 33).
Occ. Art. 537 C. proc. civ.
V.a. reddition de compte, soutènements.
Angl. contestation.

DÉBATTRE *v.tr.*

(*D. jud.*) Contester un compte, en particulier au moyen de l'acte de procédure appelé *débats*. « [...] les parties majeures et jouissant du plein exercice de leurs droits peuvent recevoir et débattre entre elles tous comptes à l'amiable sans formalités particulières [...] » (*Rép. proc. civ.*, v° Compte (Reddition de), n° 9).
Occ. Art. 537 C. proc. civ.
Angl. contest.

DÉBIRENTIER, IÈRE *n.*

(*Obl.*) Débiteur d'une rente[1]. « *Aux termes de l'article 1978* [art. 1907 C. civ.], *le contrat de rente viagère ne peut être résolu* lorsque le débirentier cesse de payer les arrérages [...] » (Mazeaud et Chabas, *Leçons*, t. 2, vol. 1, n° 1092, p. 1153).
Occ. Art. 2352, Projet de loi 125.

Rem. On écrit *débirentier* ou *débi-rentier*.
Opp. crédirentier.
Angl. debtor of the rent.

DÉBITEUR, TRICE *adj.*

V. fonds débiteur.

DÉBITEUR, TRICE *n.*

(*Obl.*) Personne tenue d'exécuter une prestation. « Envisagée du côté de celui qui est tenu de l'exécuter, l'obligation constitue une *dette*. Le débiteur en est le *sujet passif* » (Flour et Aubert, *Obligations*, vol. 1, n° 8, p. 6).
Occ. Art. 1980 C. civ.
Syn. obligé. **Opp.** créancier. **V.a.** codébiteur, novation par changement de débiteur.
Angl. debtor+, obligor.

DÉBITEUR CÉDÉ

(*Obl.*) Débiteur d'une créance qui fait l'objet d'une cession. « La cession de créance fait intervenir trois personnes : le créancier qui vend : le cédant; celui qui acquiert la créance : le cessionnaire; le débiteur de la créance : le débiteur cédé » (Pourcelet, *Vente*, p. 213).
Syn. cédé.
Angl. assigned debtor.

DÉCHARGE *n.f.*

A. (*Obl.*) Libération d'une obligation. « En rendant compte, l'héritier bénéficiaire a le droit d'obtenir une décharge de son administration » (Faribault, dans *Traité*, t. 4, p. 360). *Donner décharge*.
Occ. Art. 916 C. civ.
Syn. quitus.
Angl. discharge[1.A]+, quit, *quitus*.

B. Écrit constatant cette libération.
Syn. quitus. **V.a.** quittance, reçu[1], titre de paiement.
Angl. discharge[1.B]+, quit, *quitus*.

DÉCHÉANCE *n.f.*

1. Sanction consistant dans la perte d'un droit. *Sous peine de déchéance*.
Occ. Art. 292, 423, 1202*l* C. civ.
V.a. péremption.
Angl. forfeiture[1].

2. (*Prescr.*) Syn. délai préfix. « [...] il s'agit dans le cas qui nous occupe d'une déchéance d'action et non pas de la prescription. Cette déchéance d'action est qualifiée de délais prefix, et ces délais sont impartis par la loi, et ont un caractère fatal. Une fois [ces délais] écoulés, le droit ne peut plus être exercé, et l'acte ne peut plus être accompli » (*Chaput* c. *Romain* , [1955] R.C.S. 834, p. 844, j. R. Taschereau).
Occ. Art. 2263 C. civ.
Angl. absolute delay, delay of forfeiture+, forfeiture[2], term of forfeiture.

DÉCHÉANCE DU TERME

(*Obl.*) Perte, à titre de sanction, du bénéfice du terme accordé au débiteur, dont la dette devient alors immédiatement exigible. Par ex., déchéance du terme pour insolvabilité ou faillite du débiteur. « La déchéance du terme frappe toutes les dettes sans exception, même les dettes hypothécaires » (Mazeaud et Chabas, *Leçons*, t. 2, vol. 1, n° 1026, p. 1099). *Déchéance de terme*.
Rem. Voir les art. 1092, 1664.2 C. civ., ainsi que l'art. 104, *Loi sur la protection du consommateur*, L.R.Q., chap. P-40.1.
V.a. échéance[2].
Angl. forfeiture of term.

DÉCISION *n.f.*

A. Acte juridique émanant d'une personne ou d'un organisme compétent en vue d'apporter une conclusion au problème dont il est saisi.
Occ. Art. 471 C. proc. civ.
V.a. jugement.
Angl. decision[A].

B. Écrit exprimant cet acte.
Angl. decision[B].

DÉCISION DE JUSTICE

Décision rendue par un tribunal ou par un juge.
Rem. La décision de justice comprend l'arrêt et le jugement.
Syn. décision judiciaire.
Angl. judicial decision.

DÉCISION DE PRINCIPE

Décision d'un tribunal qui, après un examen approfondi de la question de droit, tranche le litige en formulant une règle générale. « Par un jugement unanime de la Cour suprême, qui manifeste d'ailleurs son intention d'en faire une décision de principe pour la protection du consommateur, Kravitz obtient [...] » (Jobin, (1979-1980) 25 *R.D. McGill* 296).
Opp. décision d'espèce. **V.a.** arrêt de principe.
Angl. fundamental decision, leading case[+].

DÉCISION D'ESPÈCE

Décision d'un tribunal qui est déterminée par les circonstances de fait et dans laquelle il s'abstient d'aborder la question de droit en termes généraux.
Rem. Ne pas confondre avec cas d'espèce.
Opp. décision de principe. **V.a.** arrêt d'espèce, jugement d'équité.
Angl. *ad hoc* decision.

DÉCISION JUDICIAIRE

Syn. décision de justice.
Angl. judicial decision.

DÉCLARANT, ANTE *n.*

(*D. jud.*) Auteur d'une déclaration[1]. « Le déclarant doit être personnellement au courant de ce qu'il déclare et, si la partie adverse le juge nécessaire, il pourra être interrogé sur la vérité des faits attestés » (Anctil, *Commentaires*, t. 1, p. 119).
Occ. Art. 93 C. proc. civ.
F.f. affiant.
Angl. affiant(<)[+], deponent[+].

DÉCLARATIF, IVE *adj.*

(*Obl.*) Qui constate ou précise un droit préexistant. « [...] il existe des actes juridiques dont le but est seulement de constater l'existence d'une situation juridique; ils sont seulement *déclaratifs* de droits. Ainsi une reconnaissance de dette » (Mazeaud et Chabas, *Leçons*, t. 1, vol. 1, n° 262-2, p. 334). *L'effet déclaratif du partage.*
Opp. abdicatif, attributif[1], constitutif, translatif. **V.a.** acte déclaratif, effet déclaratif, loi déclarative.
Angl. declaratory.

DÉCLARATION *n.f.*

1. A. Action de porter quelque chose à la connaissance d'autrui. Par ex., la déclaration à un fonctionnaire de l'état civil.
V.a. action en déclaration de simulation, assignation en déclaration de jugement commun, copropriété des immeubles établie par déclaration.
Angl. declaration[1.A].

1. B. Mode d'expression de la déclaration[1.A]. Par ex., la déclaration écrite faite sous serment nommée *affidavit*.
Angl. declaration[1.B].

2. (*D. jud.*) Acte de procédure dans lequel une personne expose les faits et les moyens au soutien de sa demande en justice. « La demande, qui peut être contenue dans le bref d'assignation est ordinairement exposée dans une déclaration jointe au bref d'assignation » (Anctil, *Commentaires*, t. 1, p. 149).
Occ. Art. 111, 117, 148 C. proc. civ.
Rem. La déclaration est généralement annexée au bref introductif d'instance. En matière familiale, contrairement à la pratique générale, certaines demandes introductives d'instance se font par voie de déclaration seulement (art. 813 et s. C. proc. civ.)
V.a. bref.
Angl. declaration[2].

DÉCLARATION DE VOLONTÉ

(*Obl.*) Fait de porter à la connaissance d'autrui sa volonté de conclure un acte juridique. « La théorie dominante dans notre droit fait prévaloir la volonté interne sur la déclaration de volonté, mais, d'une manière générale, dans un souci de sécurité pour les tiers, la jurisprudence a dû freiner les conséquences de ce système » (Weill et Terré, *Obligations*, n° 131, p. 140).
V.a. consentement[1], théorie de la déclaration de volonté, volonté déclarée.
Angl. declaration of will.

DÉCLARATION D'ADOPTABILITÉ

(*Pers.*) Déclaration judiciaire affirmant qu'un enfant[1] peut être adopté. « À défaut de pouvoir obtenir les consentements exigés par la loi, la déclaration d'adoptabilité constitue la deuxième procédure qui donne ouverture à la requête pour ordonnance de placement » (Pilon, *Législation*, n° 13.5, p. 92). *Une demande en déclaration d'adoptabilité.*
Occ. Art. 612 C. civ. Q.; art. 824.1 C. proc. civ.
Rem. Voir les art. 611 à 614 C. civ. Q.
V.a. ordonnance de placement.
Angl. declaration of eligibility for adoption.

DÉCLARER *v.tr.*

V. volonté déclarée.

DÉCLINATOIRE *adj.*

(*D. jud.*) V. exception déclinatoire, moyen déclinatoire.

DÉCRET *n.m.*

1. Acte juridique qui constitue une décision du Conseil des ministres, habituellement prise en vertu d'un pouvoir que lui confère une loi. « Quoique le décret soit habituellement adopté en vertu d'une loi qui le prévoit expressément, il peut arriver que le Cabinet, de son propre chef, en vertu de "la théorie de ses pouvoirs généraux", se prononce par décret sans l'intermédiaire d'une loi habilitante » (Dussault et Borgeat, *Droit administratif*, t. 1, p. 77). *Prendre un décret* (art. 11.1, *Loi sur l'Exécutif*, L.R.Q., chap. E-18).
Occ. Art. 47 C. civ.
Rem. **1°** Au Québec, au niveau provincial, l'appellation *décret* a remplacé, en 1980, le terme *arrêté en conseil*, traduction apparente d'*order in council*; au fédéral, *arrêté en conseil* est toujours le terme consacré. **2°** Les décrets peuvent avoir une portée générale (par ex., le décret qui édicte un règlement) ou une portée individuelle (par ex., le décret de nomination d'un dirigeant d'organisme).
Syn. arrêté en conseil. **V.a.** arrêté ministériel.
Angl. decree[1+], order in council.

2. Acte juridique du gouvernement établissant directement une norme de portée générale, de la nature du règlement. Par ex., le *Décret sur le drapeau du Québec* (R.R.Q., D-13, r. 2). « Exceptionnellement, cependant, le gouvernement, au lieu d'édicter dans un règlement les nouvelles normes qu'il entend introduire dans un secteur d'activité, le fait directement dans un décret ou un arrêté en conseil. Il s'agit alors de textes qui participent véritablement de la nature d'un règlement, même s'ils n'en ont pas le nom » (Dussault et Borgeat, *Droit administratif*, t. 1, p. 416).
Angl. decree[2].

3. (*D. jud.*) Décision adjugeant un immeuble saisi. « L'hypothèque et le privilège immobilier ne sont rien d'autre que des "causes légitimes de préférence" au moment de la distribution du produit de la vente en justice de l'immeuble sur lequel ils portent [...] Ils ne peuvent en tant que droits réels affectant le droit de propriété survivre au décret et être opposables à l'adjudicataire » (*Breton* c. *Jacques*, [1972] R.P. 35 (C.S.), p. 37, j. Y. Bernier).
Occ. Art. 696 C. proc. civ.

Rem. Ce terme a été conservé de l'ancien droit; la procédure française moderne l'a remplacé par le terme, moins précis, d'*adjudication.*
Angl. sheriff's sale(>).

4. (*D. jud.*) Vente forcée d'un immeuble saisi.
Occ. Art. 571 C. civ.
Rem. Le Code civil emploie encore, à quelques reprises, le terme *décret forcé* (art. 2177), qui s'opposait, dans l'ancien droit, au *décret volontaire.* Les textes plus récents, par ex. le Code de procédure civile de 1965, n'emploient plus que le terme *décret.*
Syn. vente par décret.
Angl. sheriff's sale.

5. Syn. canon[1].
Angl. canon[1]+, decree[3].

DÉCRET DE CONVENTION COLLECTIVE

(*Trav.*) Décret[2] qui rend applicable certaines conditions de travail dans une partie ou dans l'ensemble du territoire.
Rem. 1° Les décrets sont pris en vertu de la *Loi sur les décrets de convention collective* (L.R.Q., chap. D-2). 2° Le terme constitue un raccourci pour désigner ce qui est, à proprement parler, un *décret d'extension de convention collective.*
Angl. collective agreement decree.

DE CUJUS loc.nom.m. (latin)

(*Succ.*) Défunt considéré comme auteur d'une succession[1]. « Le mot *succession*, à l'article 596, est pris dans un sens assez restreint, puisqu'on le définit comme la transmission du patrimoine d'un *défunt*, aussi appelé *de cujus* (*de cujus successione agitur*) » (Mayrand, *Successions*, n° 11, p. 9).
Rem. Le terme est tiré de la formule latine *de cujus successione agitur* : celui de la succession duquel il s'agit.
V.a. héritier, légataire, testateur.
Angl. *de cujus.*

DÉDIRE (SE) *v.pronom.*

(*Obl.*) Se dégager unilatéralement d'un contrat. « [...] on retrouve [...] dans certains contrats, comme ceux de consommation, l'exigence [...] que le consentement soit *réfléchi.* La possibilité pour l'un des contractants, par exemple, de se dédire d'un engagement déjà conclu [...] (faculté de dédit) est une manifestation de cette exigence » (Baudouin, *Obligations*, n° 92, p. 92). *Faculté de se dédire.*
Angl. withdraw[2](<).

DÉDIT *n.m.*

1. (*Obl.*) Syn. faculté de dédit. « Les précédents précités prévoient tous que celui qui exerce le dédit devra, pour y recourir, verser un certain prix à son cocontractant [...] Ce qui rend, au contraire, particulièrement intéressante pour le consommateur la faculté de dédit qui lui est ouverte, c'est qu'il s'agit d'une faculté de dédit purement gratuite qui n'oblige le consommateur qui en use à aucun débours » (Françon, dans *Travaux Henri Capitant*, t. 24, 117, p. 125-126).
Angl. option of withdrawal, withdrawal option+.

2. (*Obl.*) Somme d'argent, déterminée lors du contrat, que doit payer le contractant qui exerce la faculté de dédit. « Cet article [1477 C. civ.] a surtout en vue les sommes d'argent qui sont remises à l'occasion d'une promesse de vente. Elles représentent alors un dédit » (Faribault, dans *Traité*, t. 11, n° 108, p. 105).
V.a. arrhes, stipulation d'arrhes.
Angl. penalty of withdrawal.

DÉFAILLANCE DE LA CONDITION

(*Obl.*) État d'une condition[1] qui ne s'est pas accomplie et dont il est certain qu'elle ne s'accomplira pas. « [...] si la défaillance de la condition provient de la fraude du débiteur, tout se passe [...] comme si la condition s'était réalisée [...] » (Mazeaud

et Chabas, *Leçons*, t. 2, vol. 1, n° 1036, p. 1105).
Opp. réalisation de la condition.
V.a. condition défaillie.
Angl. failure of the condition.

DÉFAILLIR *v.intr.*

(*Obl.*) Ne pas se réaliser, en parlant d'une condition[1]. « Lorsque la condition suspensive défaille [...] *tout se passe rétroactivement comme si le contrat n'avait pas été conclu* [...] » (Mazeaud et Chabas, *Leçons*, t. 2, vol. 1, n° 1036, p. 1104). *La condition défaille ou se réalise.*
Occ. Art. 1082 C. civ.
V.a. condition défaillie.
Angl. fail.

DÉFAUT APPARENT

(*Obl.*) Syn. vice apparent.
Angl. apparent defect.

DÉFAUT CACHÉ

(*Obl.*) Syn. vice caché. « [...] en matière de vices ou défauts cachés, l'acheteur est confronté avec la matière, la chose elle-même qui ne peut, en raison du vice qui l'anime, lui rendre les services qu'il en escomptait » (Pourcelet, *Vente*, p. 145).
V.a. garantie des défauts cachés.
Angl. hidden defect, latent defect+, redhibitory defect.

DÉFAUT DE FORME

Syn. vice de forme. « L'article 2254 [C. civ.] ne mentionne que la nullité du titre pour défaut de forme. On tient, cependant, que cette règle doit recevoir application dans tous les cas où un acte translatif de propriété est atteint de nullité absolue même si cette nullité ne résulte pas d'un défaut de forme. Ce titre [...] ne peut servir de fondement à la prescription de dix ans » (Martineau, *Prescription*, n° 123, p. 117).
Occ. Art. 895, 1221, 2226 C. civ.
Angl. defect of form+, formal defect, informality.

DÉFENDEUR, ERESSE *n.* et *adj.*

(*D.jud.*) Personne contre qui une demande en justice est formée. « Le défendeur concourt [...] à délimiter l'objet du débat (ou à le déplacer dans les limites de la connexité), en soulevant des exceptions ou en formant des demandes reconventionnelles » (Cornu et Foyer, *Procédure civile*, p. 391).
Occ. Art. 172 C. proc. civ.
Opp. demandeur.
Angl. defendant.

DÉFIANCE *n.f.*

V. incapacité de défiance.

DÉFINITIF, IVE *adj.*

V. droit définitif.

DEGRÉ *n.m.*

1. (*Pers.* et *Succ.*) Unité de mesure servant à calculer la proximité de parenté ou d'alliance entre deux personnes. « Un degré, dans le sens juridique de ce mot, c'est-à-dire en tant qu'il sert à déterminer la proximité de la parenté, est synonyme de génération » (Aubry et Rau, *Droit civil*, t. 1, n° 257, p. 456). *Le degré de parenté; alliés au même degré.*
Occ. Art. 615 C. civ.
Rem. Voir les art. 616 à 618 C. civ.
Syn. génération[2].
Angl. degree[1]+, generation[2].

2. (*D.int.pr.*) V. renvoi au premier degré, renvoi au deuxième degré, renvoi au second degré.
Angl. degree[2].

DE GRÉ À GRÉ *loc.nom.*

(*Obl.*) V. contrat de gré à gré, vente de gré à gré.

DÉGUERPIR *v.tr.*

1. (*Biens*) Effectuer un déguerpissement[1]. « La faculté de déguerpir n'étant qu'un attribut du droit réel, le déguerpissement n'est qu'un mode d'exercice de ce droit » (Breton, *Rev. trim. dr. civ.* 1928, 261, p. 291). *Déguerpir un fonds, déguerpir un héritage.*
Occ. Art. 573 C. civ.
Angl. abandon[1](>).

2. (*Obl.*) Effectuer un déguerpissement[2].
Occ. Art. 1652.9 C. civ.; art. 48, *Loi sur les terres et forêts*, L.R.Q., chap. T-9.
Angl. abandon[1](>).

DÉGUERPISSEMENT *n.m.*

1. (*Biens*) Acte abdicatif par lequel le titulaire d'un droit réel portant sur un immeuble abandonne ce droit. « Le déguerpissement réalisé emporte un double effet. D'une part, il entraîne pour son auteur la perte du droit réel déguerpi : c'est l'effet abdicatif du déguerpissement. D'autre part, il dégrève le patrimoine de son auteur des charges réelles qui étaient la contre-partie du droit abdiqué : c'est l'effet libératoire du déguerpissement » (Breton, *Rev. trim. dr. civ.* 1928, 261, p. 318).
Occ. Art. 579.4, 580, 1595 C. civ.
V.a. abandon, dessaisissement[1], obligation réelle, renonciation.
Angl. abandonment(>).

2. (*Obl.*) Fait, pour le locataire d'un immeuble, de quitter les lieux avant l'expiration du bail, en raison de l'inexécution d'une obligation essentielle du locateur.
Occ. Art. 1652.9 C. civ.
Angl. abandonment(>).

DÉGUISÉ, ÉE *adj.*

(*Obl.*) V. acte déguisé.

DE IN REM VERSO *loc.nom.m.* (latin)

(*Obl.*) V. action *de in rem verso*.
Angl. *de in rem verso*.

DÉLAI *n.m.*

Période de temps à l'expiration de laquelle s'attache un effet de droit. « [...] tout laps de temps auquel s'attachent des conséquences juridiques peut être regardé comme un délai. Ce qui autorise à faire entrer dans la catégorie les *prescriptions*, [....] aussi bien que les *délais préfix* et les *délais de procédure* » (Carbonnier, *Introduction*, n° 172, p. 295).
Occ. Art. 1551, 2426 C. civ.; art. 8, 9 C. proc. civ.
V.a. terme[1].
Angl. delay.

DÉLAI DE FORCLUSION

(*Prescr.*) Syn. délai préfix. « Il importe de distinguer de la prescription extinctive le délai préfix ou délai de forclusion » (Mazeaud et Chabas, *Leçons*, t. 2, vol. 1, n° 1170, p. 1207).
Angl. absolute delay, delay of forfeiture+, forfeiture[2], term of forfeiture.

DÉLAI DE GRÂCE

(*Obl.*) Syn. terme judiciaire. « [...] le tribunal ne peut pas ordonner le fractionnement d'un paiement devenu exigible (art. 1149, al. 2 C.c.B.C.), contrairement au droit français qui reconnaît au tribunal le droit d'accorder un délai de grâce [...] » (Pineau et Burman, *Obligations*, n° 235, p. 324).
Angl. judicial term+, term of grace.

DÉLAI PRÉFIX

(*Prescr.*) Délai imposé par la loi, sous peine de déchéance[1], pour l'accomplissement d'un acte ou pour l'exercice d'une action en justice. Par ex., le délai de publication de mariage avant sa célébration (art. 413 C. civ. Q.); le délai de l'action en désaveu de paternité (art. 581 C. civ. Q.). « [...] le délai préfix sert à enfermer dans le temps, et indirectement à stimuler, l'activité d'une personne déterminée et d'elle seule. C'est un délai

pour agir [...] » (Marty, Raynaud et Jestaz, *Obligations*, t. 2, n° 319, p. 283).
Rem. En règle générale, le délai préfix ne comporte ni suspension ni interruption et est d'ordre public : le juge doit le soulever d'office et le défaillant ne peut y renoncer.
Syn. déchéance², délai de forclusion.
Opp. prescription extinctive.
Angl. absolute delay, delay of forfeiture⁺, forfeiture², term of forfeiture.

DÉLAISSANT, ANTE *n.* et *adj.*

(*D. jud.*) Personne qui fait un délaissement. « [...] on ne peut dire que le délaissement est une aliénation, puisque le délaissant conserve la propriété de l'immeuble jusqu'à l'adjudication [...] » (Mignault, *Droit civil*, t. 9, p. 168).

DÉLAISSEMENT *n.m.*

(*D. jud.*) Acte par lequel la partie poursuivie hypothécairement ou en livraison d'une chose mobilière ou immobilière, en abandonne la détention matérielle à la partie qui y a droit ou au curateur public. « [...] le délaissement n'est pas une aliénation, le délaissant demeurant propriétaire jusqu'à la vente de l'immeuble » (Mignault, *Traité*, t. 9, p. 168).
Occ. Art. 2077 C. civ.; titre précédant l'art. 540 C. proc. civ.
Rem. **1°** Voir l'art. 540 C. proc. civ. **2°** La partie poursuivie hypothécairement peut délaisser l'immeuble avant jugement (art. 2075 C. civ.).
Angl. surrender.

DÉLAISSER *v.tr.*

(*D. jud.*) Effectuer un délaissement.
Occ. Art. 2075 C. civ.
Angl. surrender.

DÉLÉGANT, ANTE *n.* et *adj.*

(*Obl.*) Personne qui, dans la délégation, demande au délégué de s'obliger envers le délégataire. « Qu'il s'agisse de délégation parfaite ou imparfaite, le délégué ne peut pas opposer au délégataire les moyens de défense personnels qu'il pouvait avoir contre le délégant (art. 1180, al. 1 C.c.B.C.) » (Pineau et Burman, *Obligations*, n° 419, p. 480).
Occ. Art. 1180 C. civ.
Opp. délégataire, délégué.
Angl. delegator.

DÉLÉGATAIRE *n.* et *adj.*

(*Obl.*) Personne qui, dans la délégation, accepte l'engagement que le délégué assume à son égard à la demande du délégant. « [...] le rapport juridique entre le délégant et le délégataire est la cause objective de l'engagement du délégué [...] » (Pineau et Burman, *Obligations*, n° 419, p. 480).
Opp. délégant, délégué.
Angl. delegatee.

DÉLÉGATION *n. f.*

(*Obl.*) Convention par laquelle une personne, le *délégué*, à la demande d'une autre, le *délégant*, s'oblige envers une troisième, le *délégataire*. « Le plus souvent la délégation intervient *entre personnes obligées les unes envers les autres* [...] La délégation est alors une opération de simplification, jouant un rôle qui peut être rapproché de celui de la compensation » (Mazeaud et Chabas, *Leçons*, t. 2, vol. 1, n° 1234, p. 1262).
Occ. Art. 1173 C. civ.
V.a. cession de dette, novation.
Angl. delegation.

DÉLÉGATION IMPARFAITE

(*Obl.*) Délégation dans laquelle le délégataire, en général créancier du délégant, tout en acceptant l'engagement du délégué à son endroit, ne libère pas pour autant le délégant. Par ex., l'acquéreur d'un immeuble, le délégué, s'engage vis-à-vis de son vendeur, le délégant, à payer une partie du prix

entre les mains du créancier hypothécaire de son vendeur, le délégataire. « La délégation est dite *imparfaite*, lorsque [...] ou bien le délégant n'était pas débiteur du délégataire, ou bien le délégataire ne consent pas à la novation [...] » (Mazeaud et Chabas, *Leçons*, t. 2, vol. 1, n° 1238, p. 1263).
Opp. délégation parfaite. **V.a.** indication de paiement.
Angl. imperfect delegation.

DÉLÉGATION PARFAITE

(*Obl.*) Délégation dans laquelle le délégataire, créancier du délégant, accepte que l'engagement du délégué à son endroit libère le délégant. « La délégation *parfaite* suppose, d'une part, que le délégant était débiteur du délégataire; d'autre part, que le délégataire accepte d'éteindre sa créance contre le délégant, pour lui substituer celle que la délégation fait naître à son profit contre le délégué » (Mazeaud et Chabas, *Leçons*, t. 2, vol. 1, n° 1238, p. 1263).
Rem. Contrairement à la délégation imparfaite, la délégation parfaite emporte novation par changement de débiteur.
Opp. délégation imparfaite. **V.a.** indication de paiement.
Angl. perfect delegation.

DE LEGE FERENDA *loc.adv.* (latin)

Selon le droit[1] à venir, dans une perspective de réforme. « *De lege ferenda*, on peut souhaiter de voir réduire les différences entre les régimes; on peut même souhaiter leur parfaite unification, ce qui paraît cependant idéaliste » (Jobin, (1982) 27 *R.D. McGill* 813, p. 832).
Opp. *de lege lata.* **V.a.** *lex ferenda.*
Angl. *de lege ferenda.*

DE LEGE LATA *loc.adv.* (latin)

Selon le droit positif du moment. « On est donc obligé de constater que, *de lege lata*, aussi bien au Québec qu'en France, il existe de nombreuses différences, parfois fort importantes, de régime entre les deux responsabilités. Mais on ne saurait se contenter d'être positiviste et il faut alors se demander si, *de lege ferenda* cette fois, ces distinctions sont opportunes » (Durry, *Distinction*, n° 67, p. 46).
Opp. *de lege ferenda.* **V.a.** *lex lata.*
Angl. *de lege lata.*

DÉLÉGUÉ, ÉE *n.* et *adj.*

(*Obl.*) Personne qui, dans la délégation, accepte, à la demande du délégant, de s'obliger envers le délégataire. « Le délégué peut [...] opposer au délégataire la nullité de l'obligation qui lie le délégant au délégataire (art. 1180, al. 2 C.c.B.C.) [...] » (Pineau et Burman, *Obligations*, n° 419, p. 480).
Occ. Art. 1175 C. civ.
Opp. délégant, délégataire.
Angl. delegate.

DÉLÉGUER *v.tr.*

1. (*Obl.*) Opérer une délégation.
Occ. Art. 1180 C. civ.
Angl. delegate[1].

2. (*Obl.*) Confier à une autre personne l'exercice d'un droit ou d'un pouvoir.
Occ. Art. 913 C. civ.
Angl. delegate[2].

DÉLICTUEL, ELLE *adj.*

(*Obl.*) Qui résulte d'un délit; qui se rapporte à un délit. « Il arrive d'abord fréquemment que, là où l'action contractuelle n'assure qu'une réparation partielle, l'action délictuelle assure une réparation totale » (Mazeaud et Tunc, *Traité*, t. 1, n° 186, p. 239). *Fait délictuel; en matière délictuelle.*
Rem. Le terme *délictuel* est souvent utilisé dans un sens plus large qui comprend le *quasi délictuel.*
Opp. quasi contractuel, quasi délictuel.
V.a. contractuel, faute délictuelle, responsabilité délictuelle.
Angl. delictual.

DÉLIT *n.m.*

(*Obl.*) Fait illicite et dommageable ayant, en matière extracontractuelle, le caractère d'une faute commise intentionnellement. « On appelle *délit*, le fait par lequel une personne, par dol ou malignité, cause du dommage ou quelque tort à un autre » (Pothier, *Oeuvres*, t. 2, n° 116, p. 57). *Commettre un délit.*
Occ. Art. 1007 C. civ.
Rem. Du latin *delictum*, de *delinquere* : manquer, être en faute.
Opp. quasi-contrat, quasi-délit. **V.a.** contrat, faute délictuelle, faute intentionnelle.
Angl. delict+, offence, tort[1](x).

DÉLIVRANCE *n.f.*

1. (*Obl.*) Mise d'un bien à la disposition du créancier auquel il est dû. « [...] la remise (par endossement) du titre représentant la marchandise [...] *vaut délivrance de la chose* » (Le Tourneau, dans *Ventes internationales*, n° 86, p. 263).
Rem. En matière de vente, malgré la définition donnée par l'art. 1492 C. civ. reprenant, comme l'art. 1604 C. civ. fr., la définition de Domat, la délivrance ne transfère ni la propriété[1] ni la possession[1] puisque, depuis la codification, la vente est, en principe, translative de propriété.
V.a. enlèvement, livraison, remise[1], tradition.
Angl. delivery[1].

2. (*Obl.*) (X) *Angl.* V. livraison.
Rem. L'anglais rendant par *delivery* non seulement la notion de délivrance, mais aussi la notion de livraison, il arrive que la version française des lois emploie *délivrance* plutôt que *livraison*, par ex., les art. 776, 1570 C. civ. Toutefois, le terme *délivrance* était utilisé, dans cette acception, en ancien droit français (Pothier, *Oeuvres*, t. 5, p. 40).
Angl. delivery[2].

DÉLIVRER *v.tr.*

(*Obl.*) Effectuer la délivrance. « Le vendeur doit délivrer une marchandise que l'acheteur a voulu acquérir et non seulement une marchandise de qualité ou nature différente » (Pourcelet, *Vente*, p. 108).
Occ. Art. 1493 C. civ.
Angl. deliver[1].

DEMANDE *n.f.*

(*D. jud.*) Acte[2] par lequel une personne, le *demandeur*, soumet ses prétentions au tribunal pour qu'il statue sur celles-ci.
Occ. Art. 88, 117 C. proc. civ.
Syn. action[2], action en justice[2], demande en justice. **V.a.** acquiescement à la demande. **F.f.** action directe[4].
Angl. action[2], demand+, direct action[4](x), judicial action, judicial demand, law suit[1], suit[1].

DEMANDE EN JUSTICE

(*D. jud.*) Syn. demande. « [...] l'action est une puissance alors que la demande en justice est cette puissance passée à l'état d'acte » (Savoie et Taschereau, *Procédure civile*, t. 1, n° 71, p. 43).
Angl. action[2], demand+, direct action[4](x), judicial action, judicial demand, law suit[1], suit[1].

DEMANDER ACTE *loc.verb.*

Demander la constatation par écrit d'un fait, spécialement de la déclaration d'une partie au cours d'un procès.

DEMANDEUR, ERESSE *n.* et *adj.*

(*D. jud.*) Personne qui forme une demande en justice. « Est demandeur qui commence (*is qui petit*). La qualité de demandeur est, logiquement, attribuée à l'auteur de la demande initiale, originaire, introductive d'instance » (Cornu et Foyer, *Procédure civile*, p. 389). *Partie demanderesse.*
Occ. Art. 111 C. proc. civ.
Opp. défendeur.
Angl. plaintiff.

DÉMEMBREMENT *n.m.*

1. (*Biens*) Fait d'établir un droit réel démembré. « [...] la plénitude et le caractère exclusif des pouvoirs du propriétaire se trouvent limités lorsque la propriété a fait l'objet de *démembrements* [...] » (Marty et Raynaud, *Biens*, n° 47, p. 53).
Angl. dismemberment[1].

2. (*Biens*) Syn. droit réel démembré. « On pourrait encore citer, parmi les démembrements de la propriété, les servitudes [...] » (Cornu, *Introduction*, n° 48, p. 29).
Occ. Art. 2206 C. civ.
Angl. dismembered real right, dismembered right, dismemberment[2], limited real right+, relative right[2].

DÉMEMBRER *v.tr.*

(*Biens*) Opérer un démembrement[1]. « Parce qu'il est un droit réel de jouissance, l'usufruit entame la propriété; sa constitution réalise la fission de la propriété : elle la démembre » (Atias, *Biens*, t. 1, n° 113, p. 156).
V.a. droit réel démembré.
Angl. dismember.

DEMEURE *n.f.*

1. (*Obl.*) Retard juridiquement constaté du débiteur à exécuter l'obligation. « [...] au point de vue juridique, dans notre droit, tout retard dans l'exécution n'est pas nécessairement une demeure [...] Il faut que le créancier interpelle le débiteur dans certaines formes [...] et c'est seulement à partir de cette mise en demeure que le débiteur est considéré comme légalement en retard [...] » (Weill et Terré, *Obligations*, n° 418, p. 441).
Être en demeure; constituer, mettre le débiteur en demeure.
Occ. Titre précédant l'art. 1067 C. civ., art. 1068 C. civ.
Rem. **1°** Le retard à exécuter l'obligation n'entraîne de conséquences juridiques que s'il est officiellement constaté; il prend alors le nom de *demeure*. Le débiteur n'est pas en demeure, c'est-à-dire juridiquement en retard, par la seule arrivée du terme; en principe, la demeure résulte d'un acte du créancier : la mise en demeure. Toutefois, par exception, la demeure a lieu de plein droit dans certains cas; par ex., le débiteur est en demeure par la seule arrivée du terme lorsque le contrat contient une clause à cet effet (art. 1067 C. civ.) ou encore s'il s'agit d'un contrat de nature commerciale (art. 1069 C. civ.). **2°** Le débiteur en demeure est tenu de réparer le préjudice que le retard fait subir au créancier (dommages moratoires); par ailleurs, il n'est plus admis à invoquer le cas fortuit comme cause exonératoire de responsabilité (art. 1200, 1202 C. civ.). **3°** Du latin *mora* : retard.
V.a. mise en demeure.
Angl. default.

2. (*Biens*) V. perpétuelle demeure (à).

DÉNOMINATION SOCIALE

(*D. comm.*) Nom d'une société par actions[1] constituée en corporation. « [...] la raison sociale est le nom juridique de la société commerciale créée en vertu du Code civil du Bas-Canada, au même titre que la dénomination sociale constitue le nom juridique de la compagnie » (Bohémier et Côté, *Droit commercial*, t. 2, p. 27).
Occ. Art. 33, 34, 34.1, *Loi sur les compagnies*, L.R.Q., chap. C-38; art. 1 par. 2, *Loi sur les déclarations des compagnies et sociétés*, L.R.Q., chap. D-1; art. 6 par. 1, 10 par. 1, 12, *Loi sur les sociétés par actions*, L.R.C. 1985, chap. C-44.
V.a. nom commercial+, raison sociale[1].
Angl. corporate name(>).

DÉNONCIATION *n.f.*

(*Biens*) V. action en dénonciation de nouvel oeuvre.
Angl. denunciation.

DÉPEÇAGE *n.m.*

(*D. int. pr.*) Opération consistant à distinguer, au sein d'un rapport de droit compor-

tant un élément d'extranéité, plusieurs aspects dont chacun est soumis à une règle de conflit propre. Par ex., l'action de rechercher séparément la loi applicable à la capacité des contractants, à la forme et au fond du contrat lui-même, ou, en matière de mariage, la loi applicable à sa conclusion et à ses effets. « [...] le dépeçage du contrat — *splitting of the contract*, *Spaltung* — est contraire à l'autorité de la loi, parce qu'une loi forme un ensemble » (Batiffol, *Contrats*, p. 162).
Rem. **1°** Plus les règles de conflit d'un système juridique sont précises, plus on doit utiliser le dépeçage. **2°** La doctrine met en garde, en général, contre un dépeçage trop poussé, qui nuirait à la cohérence des institutions, notamment en matière contractuelle. **3°** Voir l'art. 3 al. 1 de la Convention sur la loi applicable aux obligations contractuelles (Rome, 19 juin 1980).
V.a. conflit de lois, qualification.
Angl. *dépeçage*.

DÉPENDANCES *n.f.pl.*

(*Biens*) Constructions et installations qui constituent l'accessoire d'un immeuble. Par ex., un garage, une grange, une remise, un four, une piscine. *Vente d'un immeuble avec la maison et ses dépendances.*
Occ. Art. 1650 C. civ.
Rem. Dans les actes notariés, on rencontre parfois l'expression *circonstances et dépendances*.
Angl. dependencies.

DÉPENSES NÉCESSAIRES

(*Obl.*) Syn. impenses nécessaires.
Occ. Art. 1770, 1973 C. civ.
Angl. necessary disbursements, necessary expenses+.

DÉPENSES SOMPTUAIRES

(*Biens*) (X) V. impenses voluptuaires.
Angl. sumptuary expenses, voluptuary disbursements, voluptuary expenses+.

DÉPENSES UTILES

(*Obl.*) Syn. impenses utiles.
Occ. Art. 1046 C. civ.
Angl. useful disbursements, useful expenses+.

DÉPENSES VOLUPTUAIRES

(*Biens*) Syn. impenses voluptuaires.
Angl. sumptuary expenses, voluptuary disbursements, voluptuary expenses+.

DE PLANO *loc.adv.* (latin)

Syn. de plein droit.
Angl. *de plano, pleno jure*, right (of)+.

DE PLEIN DROIT *loc.adv.*

Se dit d'un effet de droit qui se réalise par la seule force de la loi, sans l'intervention de la volonté ou sans l'accomplissement d'une formalité. « La compensation opère de plein droit, *ipsa vi legis* : elle éteint les deux obligations *sans l'intervention des parties ni du juge, automatiquement, dès que les conditions en sont réunies* » (Mazeaud et Chabas, *Leçons*, t. 2, vol. 1, n° 1156, p. 1197).
Occ. Art. 607, 1188, 1646 C. civ.
Syn. *de plano, pleno jure*. **V.a.** responsabilité de plein droit.
Angl. *de plano, pleno jure*, right (of)+.

DÉPOSANT, ANTE *n.* et *adj.*

(*Obl.*) Personne qui effectue un dépôt. « Le dépôt est aussi, en principe, un contrat unilatéral n'obligeant que le dépositaire; les obligations du déposant ne découlant que de faits subséquents au contrat » (Roch et Paré, dans *Traité*, t. 13, p. 251).
Occ. Art. 2268, Projet de loi 125.
Opp. dépositaire.
Angl. depositor.

DÉPOSITAIRE *n.* et *adj.*

(*Obl.*) Personne à qui est confiée la chose déposée. « Le dépôt, obligeant, en principe,

le dépositaire à restituer la chose même qui lui a été remise, doit porter sur des *corps certains* » (Mazeaud et Chabas, *Leçons*, t. 3, vol. 2, 2e part., n° 1492, p. 930).
Occ. Art. 1801 C. civ.
Opp. déposant. **V.a.** séquestre[2].
Angl. depositary.

DÉPOSER *v.tr.*

(*Obl.*) Effectuer un dépôt. « [...] le dépôt est un contrat réel; il n'est parfait que par la délivrance de la chose déposée » (Roch et Paré, dans *Traité*, t. 13, p. 256).
Occ. Art. 1802, 1803, 1805 C. civ.
Angl. deposit[1].

DÉPOSSÉDER *v.tr.*

(*Biens*) Priver de la possession. « [...] le possesseur dispose des actions possessoires qui lui permettent de faire cesser le trouble qu'on porterait à sa possession ou de reprendre sa possession lorsqu'il a été dépossédé par violence ou voie de fait » (Martineau, *Prescription*, n° 105, p. 99).
Occ. Art. 770 C. proc. civ.

DÉPOSSESSION *n.f.*

(*Biens*) Perte de la possession[1]. « En général, la propriété des meubles corporels s'accquiert par une prescription de trois ans, dont le point de départ est la dépossession du propriétaire » (Langelier, *Droit civil*, t. 6, p. 526).
Occ. Art. 1626, 2268 C. civ.
Rem. **1°** La dépossession peut être volontaire ou involontaire. **2°** Le terme est employé à l'art. 1626 C. civ. au sens de perte de la possession[2].
Opp. détention[1]. **V.a.** déguerpissement, délaissement, dessaisissement.
Angl. dispossession.

DÉPÔT *n.m.*

1. (*Obl.*) Contrat réel par lequel l'une des parties, le *dépositaire*, ayant reçu une chose de l'autre, le *déposant*, s'engage à la garder et, à la demande de ce dernier, à la restituer. « Il ne suffit [...] pas, pour caractériser le dépôt, d'une obligation de garde chez celui qui reçoit la chose : cette obligation doit être la *cause principale de la remise*; cela distingue le dépôt d'autres contrats, tels que le mandat, la vente conditionnelle, le prêt, le louage, qui obligent, sans doute, à garder les choses confiées, mais où cette obligation n'est que secondaire » (Planiol et Ripert, *Traité*, t. 11, n° 1168, p. 497- 498).
Occ. Art. 1794 C. civ.
Rem. On distingue le dépôt simple et le séquestre.
Syn. contrat de dépôt.
Angl. contract of deposit, deposit[1+].

2. (*Obl.*) Syn. dépôt simple. « Lorsque plusieurs personnes déposent en commun une chose à laquelle elles ont un intérêt commun, elles ne sont censées faire toutes ensemble qu'un déposant, et le dépôt qu'elles font est un dépôt simple » (Pothier, *Oeuvres*, t. 5, n° 1, p. 121).
Occ. Art. 1797 C. civ.
Angl. deposit[2], simple deposit[+].

3. (*D. comm.*) Remise à une banque, ou à un autre établissement financier, d'une somme d'argent, dans le cadre d'un contrat qui oblige celui-ci à mettre à la disposition du client une somme équivalente et, en outre, à lui rendre certains services ou à lui verser des intérêts. « [...] le "dépôt" bancaire n'est pas un véritable contrat de dépôt, mais plus un prêt que le client consent à l'institution » (Baudouin, *Obligations*, n° 841, p. 514).
Occ. Art. 296*a*, 945 C. civ.
Syn. dépôt irrégulier. **V.a.** prêt d'argent.
Angl. deposit[3+], irregular deposit.

4. (X) *Angl.* V. acompte.
Occ. Art. 1665.2 C. civ.
Angl. deposit[4+], payment on account.

5. Remise d'un document entre les mains d'une autorité publique en vue d'en assurer la conservation ou la publicité. Par ex., le dépôt d'un acte de vente immobilière au bureau d'enregistrement.

Occ. Art. 47, 441*m*, 2132 C. civ.
Angl. deposit[5].

6. Remise d'une somme d'argent entre les mains d'une autorité publique qui, dans les conditions prévues par la loi, la fera parvenir au tiers destinataire.
Occ. Art. 1656 C. civ.; art. 652 C. proc. civ.; *Loi sur les dépôts et consignations*, L.R.Q., chap. D-5.
Rem. **1°** Le dépôt effectué sous l'empire des art. 652 et s. du C. proc. civ. est qualifié de *dépôt volontaire.* **2°** Le dépôt, en ce sens, englobe le dépôt judiciaire. **3°** Par extension, ce terme est employé pour désigner la somme d'argent déposée (art. 953*a* C. civ.).
V.a. consignation.
Angl. deposit[6].

DÉPÔT IRRÉGULIER

(*D. comm.*) Syn. dépôt[3]. « Les différences théoriques que Pothier signalait entre prêt de consommation et dépôt irrégulier n'existent plus. Inutile d'encombrer la science juridique de notions — comme celle de *dépôt irrégulier* — qui ne servent que la confusion des idées » (Perrault, *Droit commercial*, t. 2, n° 938, p. 382).
Angl. deposit[3]+, irregular deposit.

DÉPÔT JUDICIAIRE

1. Dépôt[6] entre les mains de l'autorité judiciaire.
Occ. Art. 953*a* par. 5, 1162 C. civ.
V.a. consignation.
Angl. judicial deposit[1].

2. (*Obl.* et *D. jud.*) Syn. séquestre judiciaire[1].
Angl. judicial deposit[2], judicial sequestration+.

DÉPÔT NÉCESSAIRE

(*Obl.*) Dépôt simple que le déposant se voit obligé de conclure à la suite d'événements imprévus. « Un véritable dépôt suppose le consentement des parties. Cependant, on distingue le dépôt *volontaire*, dans lequel le consentement du déposant a été donné avec une liberté complète, et le dépôt *nécessaire* dont l'art. 1949 [art. 1813 C. civ.] déclare qu'il a été "forcé par quelque accident, tel qu'un incendie, une ruine, un pillage, un naufrage, ou autre événement imprévu" » (Planiol et Ripert, *Traité*, t. 11, n° 1172, p. 505).
Occ. Art. 1813, 1814 C. civ.
Opp. dépôt volontaire.
Angl. necessary deposit.

DÉPÔT SIMPLE

(*Obl.*) Dépôt[1] d'une chose mobilière fait par un seul déposant, ou par plusieurs déposants qui ont un intérêt commun à le faire.
Occ. Art. 1795 C. civ.
Rem. **1°** Le dépôt simple fait par plusieurs personnes se distingue du séquestre[1] en ce que, dans ce dernier cas, les intérêts des déposants sont opposés. **2°** Le dépôt simple, communément appelé *dépôt*, est volontaire ou nécessaire (art. 1798 C. civ.). **3°** Le Code civil énonce, à l'art. 1795, que ce contrat est par essence gratuit. Si une rémunération est stipulée, il s'agit d'un contrat d'entreprise ou d'un contrat de services, selon le cas. Le Projet de loi 125, à l'art. 2268, admet le dépôt contre rémunération, comme le proposait le *Projet de Code civil* (art. 802, L.V).
Syn. dépôt[2]. **Opp.** séquestre[1].
Angl. deposit[2], simple deposit+.

DÉPÔT VOLONTAIRE

(*Obl.*) Dépôt simple que le déposant conclut librement. « [...] le consentement est requis pour le dépôt nécessaire comme pour le dépôt volontaire, car sans cela il n'y aurait aucun contrat » (Mignault, *Droit civil*, t. 8, p. 163).
Occ. Art. 1799, 1800 C. civ.

Rem. La définition que donne l'art. 1799 C. civ. du dépôt volontaire est erronée et ne permet pas de distinguer le dépôt volontaire du dépôt nécessaire. Le consentement réciproque des parties est requis non seulement pour le contrat de dépôt volontaire mais pour tout contrat.
Opp. dépôt nécessaire.
Angl. voluntary deposit.

DÉPOUILLEMENT *n.m.*

(*Obl.*) *Vieilli.* Syn. dessaisissement[1]. « [...] la parfaite libéralité qui fait que le donateur préfère le donataire à lui-même pour la chose donnée, est [...] le caractère des donations entre-vifs; or, c'est une suite de cette préférence que le donateur se dépouille au profit de son donataire. Ce dépouillement est donc de la nature des donations entre-vifs » (Pothier, *Oeuvres*, t. 8, n° 66, p. 374).
Angl. divestment[1].

DÉPOUILLER (SE) *v.pronom.*

(*Obl.*) *Vieilli.* Syn. dessaisir[1]. « Le donateur doit se dépouiller *actuellement* et *irrévocablement*. Il n'y a pas là deux caractères distincts : le mot "actuellement" est seulement destiné à renforcer la notion d'irrévocabilité » (Ripert et Boulanger, *Traité*, t. 4, n° 3560, p. 1138).
Angl. divest[1].

DÉSAVEU DE PATERNITÉ

(*Pers.*) Syn. action en désaveu de paternité. « Le désaveu de paternité est une expression qui est techniquement réservée à *l'action intentée par le mari en vue de faire écarter le rattachement normal de l'enfant issu de sa femme* » (Bénabent, *Famille*, n° 444, p. 343).
Occ. Titre précédant l'art. 581, art. 584 C. civ. Q.
Angl. action in disavowal, action in disavowal of paternity[+], disavowal of paternity.

DESCENDANT, ANTE *adj.*

(*Pers.*) Qui se rapporte à un descendant. *La ligne directe descendante.*
Occ. Art. 616 C. civ.
Opp. ascendant.
Angl. descending.

DESCENDANT, ANTE *n.*

(*Pers.*) Personne issue en ligne directe d'une autre personne. « Le premier ordre de succession comprend les descendants et le conjoint survivant du *de cujus* » (Mayrand, *Successions*, n° 129, p. 112).
Occ. Art. 614 C. civ.
Rem. En matière successorale, les descendants au premier degré, les enfants[1], excluent les autres d'un degré plus éloigné comme les petits-enfants, sauf quant à ceux qui participent par représentation.
Syn. enfant[2]. **Opp.** ascendant. **V.a.** degré[1], filiation[2].
Angl. child[2], descendant[+].

DÉSINTÉRESSÉ, ÉE *adj.*

(*Obl.*) V. contrat désintéressé.

DÉSISTEMENT *n.m.*

(*D. jud.*) Acte[2] par lequel une partie à un litige renonce à une demande en justice, à un acte de procédure ou à un jugement. « [...] comme on ne peut renoncer qu'à ses propres droits, il ne doit pas être permis de se désister d'un acte de procédure qui a fait naître des droits en faveur d'autrui : le désistement ne peut être fait au préjudice des droits des tiers » (*L'Espérance* c. *Atkins*, [1956] B.R. 62, p. 66, j. G. Pratte).
Occ. Art. 263, 476 C. proc. civ.
Angl. discontinuance(<)[+], renunciation[2](<)[+].

DÉSISTER (SE) *v.pronom.*

(*D. jud.*) Procéder à un désistement. « Après s'être désisté d'une première de-

mande, le demandeur peut entreprendre de nouvelles procédures à moins que dans l'intervalle, la prescription se soit accomplie » (Martineau, *Prescription*, n° 194, p. 199).
Occ. Art. 2226 C. civ.; art. 262, 814.2 C. proc. civ.
Angl. abandon[2](<), discontinue(<)+.

DESSAISIR (SE) *v.pronom.*

1. (*Obl.*) Procéder au dessaisissement[1]. « Il s'en dessaisit *actuellement*, ce qui veut dire, non pas que le donateur doit immédiatement abandonner la possession de la chose donnée [...] mais que le donataire acquiert dès l'instant de la donation entre vifs un droit à la chose donnée [...] » (Mignault, *Traité*, t. 4, p. 91). *Se dessaisir de...*
Occ. Art. 777 C. civ.
Syn. dépouiller.
Angl. divest[1].

2. (*Sûr.*) Procéder au dessaisissement[2].
Occ. Art. 1220.6 C. civ.
Angl. divest[2].

DESSAISISSEMENT *n.m.*

1. (*Obl.*) Abandon d'un droit de propriété ou d'un droit de créance. « Tel est le sens de l'adage "donner et retenir ne vaut" encore aujourd'hui; la tradition n'est plus nécessaire (article 777, al. 2), mais le dessaissement actuel est exigé (article 777, al. 1); plus précisement, le donateur ne peut se réserver une faculté conventionnelle de révocation (article 785) » (Brière, *Libéralités*, n° 134, p. 89).
Rem. Au Québec, le terme *dessaisissement* est surtout employé pour les donations entre vifs alors qu'en France, il n'est utilisé qu'en matière de sûretés.
Syn. dépouillement. **V.a.** déguerpissement[1], renonciation.
Angl. divestment[1].

2. (*Sûr.*) Dépossession volontaire. « Le dessaisissement peut résulter d'une vente conditionnelle, d'un gage, d'un dépôt, d'un bail ou de tout autre contrat où l'autre personne prend possession du bien, mais où le propriétaire entend le demeurer jusqu'à parfaite exécution du contrat ou jusqu'au terme stipulé » (Caron, (1977) 23 *McGill L.J.* 1, p. 27).
Rem. Au Québec, le terme *dépossession* est plus fréquent que *dessaisissement*, alors que c'est l'inverse en France.
Angl. divestment[2].

DESTINATAIRE *n.*

1. (*Obl.*) Personne qui reçoit une offre. « Le retrait peut [...] s'effectuer par un acte postérieur du pollicitant, quand le pollicitant fait savoir au destinataire de l'offre que celle-ci est retirée [...] » (Pineau et Burman, *Obligations*, n° 40, p. 58).
Syn. pollicité. **Opp.** offrant. **V.a.** acceptant, bénéficiaire d'une promesse.
Angl. offeree.

2. (*Obl.*) Personne à qui le transporteur doit livrer la chose faisant l'objet d'un contrat de transport de marchandises. « Une autre particularité du contrat de transport de marchandises tient à l'intervention d'une troisième personne, le destinataire. Ce dernier peut être l'expéditeur du bien; propriétaire ou non de la marchandise [...] Le destinataire peut être aussi une tierce personne, distincte de l'expéditeur [...] » (Pineau, *Transport*, n° 16, p. 17).
Syn. consignataire. **V.a.** expéditeur.
Angl. addressee, consignee+, receiver.

DESTINATION *n.f.*

V. immeuble par destination.
Angl. destination.

DESTINATION DU PÈRE DE FAMILLE

(*Biens*) Mode de constitution d'une servitude qui résulte de l'aménagement matériel fait sur un fonds au profit d'un autre par le propriétaire des deux et qui produit effet au

moment où les fonds viennent à appartenir à des propriétaires différents. « Si par la suite ces maisons viennent à appartenir à différents maîtres [...] le service que l'une des maisons tire de l'autre, qui était *destination de père de famille,* lorsqu'elles appartenaient à un même maître, devient un droit de servitude que le propriétaire de cette maison a sur la maison voisine [...] » (Pothier, *Oeuvres,* t. 1, n° 228, note 1, p. 321).
Occ. Art. 551 C. civ.
Rem. **1°** La destination du père de famille peut aussi se rapporter à deux parties d'un même fonds. **2°** Le terme *père de famille* est ici synonyme de *propriétaire.* Les art. 1222 et 1224 C. civ. Q. (L.Q. 1987, chap. 18, art. 1 n.e.v.), repris aux art. 1179 et 1181 du Projet de loi 125, parlent de *destination du propriétaire.*
V.a. servitude du fait de l'homme, servitude par destination du père de famille.
Angl. destination by the proprietor.

DÉTENIR *v.tr.*

(*Biens*) Avoir la détention. « [Le détenteur] détient [la chose] *précairement*, parce que, normalement, le propriétaire la lui a remise, sur sa prière, [...] *il devra,* à un moment plus ou moins éloigné, *la restituer au propriétaire* [...] *il n'a pas l'animus domini* » (Colin et Capitant, *Traité,* t. 2, n° 381, p. 213). *Détenir pour autrui, détenir pour soi.*
Occ. Art. 2203 C. civ.
Angl. hold.

DÉTENTEUR, TRICE *n.*

1. (*Biens*) Personne qui a la détention[1].
Occ. Art. 1975 C. civ.
Angl. detentor[1], holder[1]+.

2. (*Biens*) Personne qui a la détention[2]. « Le détenteur ressemble à un possesseur, parce que la chose est matériellement à sa disposition et qu'il exerce sur elle le pouvoir physique appelé possession; cependant la loi ne le reconnaît pas comme possesseur et ne le protège pas comme tel [...] » (Planiol et Ripert, *Traité,* t. 3, n° 158, p. 175).
Occ. Art. 1975 C. civ.
Syn. détenteur précaire, possesseur précaire.
Angl. detentor[2], holder[2]+, precarious holder, precarious possessor.

3. (X) V. possesseur.
Occ. Art. 1040*a* C. civ.
Angl. holder[3](x), possessor+.

DÉTENTEUR PRÉCAIRE

(*Biens*) Syn. détenteur[2].
V.a. prestation des détenteurs précaires.
Angl. detentor[2], holder[2]+, precarious holder, precarious possessor.

DÉTENTION *n.f.*

1. (*Biens*) Maîtrise effective d'une chose. « Quant aux éléments constitutifs de la possession de droits réels, le *corpus* est défini [...] comme l'ensemble des actes matériels manifestant par détention, utilisation, transformation ou disposition, le droit réel possédé » (Marty et Raynaud, *Biens,* n° 17, p. 18).
Occ. Art. 2192 C. civ.
Syn. possession réelle. **Opp.** dépossession. **F.f.** possession[2], possession actuelle[2].
Angl. actual possession, detention[1]+, possession[2](x).

2. (*Biens*) Détention[1] fondée sur un titre qui implique la reconnaissance par le détenteur du droit supérieur d'autrui sur la chose détenue. Par ex., la détention de l'usufruitier ou du locataire à l'égard du propriétaire. « La détention [...] est tout à fait distincte de la possession véritable: elle est d'ordre inférieur et ne procure pas, à beaucoup près, les mêmes avantages que la véritable possession » (Planiol et Ripert, *Traité,* t. 3, n° 158, p. 175).
Occ. Art. 961 C. civ. Q. (L.Q. 1987, chap. 18, art. 1 n.e.v.) repris à l'art. 920 du Projet de loi 125.

Syn. détention précaire, possession naturelle, possession précaire, simple détention.
Opp. possession[1].
Angl. detention[2]+, precarious detention(x), precarious possession, simple detention.

DÉTENTION PRÉCAIRE

(*Biens*) Syn. détention[2]. « *Analyse de la détention précaire* [...] Le *titre de la détention* (*causa detentionis*) est généralement un contrat (ex. bail, prêt); parfois aussi la loi [...] C'est elle [la présence de ce titre] qui l'oblige [le détenteur] à restituer, qui lui interdit de prescrire, qui l'empêche d'être possesseur » (Carbonnier, *Droit civil*, t. 3, n° 43, p. 193).
Rem. Voir l'art. 2203 C. civ.
Angl. detention[2]+, precarious detention(x), precarious possession, simple detention.

DÉTERMINANT, ANTE *adj.*

V. cause déterminante.

DÉTERMINATION DE LA LOI

(*Biens*) V. immeuble par la détermination de la loi, meuble par la détermination de la loi.
Angl. determination of law.

DÉTERMINÉ, ÉE *adj.*

V. chose certaine et déterminée, corps certain et déterminé, offre à personne déterminée.
Angl. determinate.

DETTE *n.f.*

(*Obl.*) Syn. obligation[3]. « [...] la même valeur figure à la fois dans deux patrimoines : sous forme positive dans le patrimoine du créancier, et sous forme négative dans le patrimoine du débiteur; d'un côté une créance, de l'autre une dette » (Pineau et Burman, *Obligations*, n° 1, p. 2). *Dette échue; dette exigible.*
Occ. Art. 1182 C. civ.
Rem. 1° En anglais, le mot *debt* désigne non seulement la dette, mais aussi la créance (art. 1570 C. civ. et le titre précédant cet article), ce qui expliquerait l'emploi incorrect, dans la version française des art. 1571*a* et 1571*c* du Code civil, du mot *dette* au sens de créance. 2° On dit *contracter une dette* et non pas *encourir une dette*, qui est un barbarisme.
Opp. créance. **V.a.** cession de dette, consolidation de dette, contribution à la dette, novation par changement de dette, obligation à la dette, reconnaissance de dette, remise de dette, reprise de dette, transport de dette.
Angl. charge[1], debt[1], liability[3], obligation[3]+.

DETTE ACTIVE

(*Obl.*) *Rare.* Syn. droit personnel.
Occ. Art. 395, 398 C. civ.
Rem. Le terme *dette active* se retrouve dans le Code civil français (art. 533, 536).
Angl. creance, credit[4], debt[2], *jus in personam*, personal right+.

DETTE CERTAINE

(*Obl.*) Dette dont l'existence et la validité ne présentent aucun doute sérieux.
Opp. créance certaine, dette incertaine.
Angl. certain and determinate debt.

DETTE CONJOINTE

(*Obl.*) Dette comportant plusieurs débiteurs dont chacun n'est tenu que pour sa part. « Lorsque [la] remise [de solidarité] joue à l'égard de tous les codébiteurs — remise totale —, la dette devient conjointe » (Mazeaud et Chabas, *Leçons*, t. 2, vol. 1, n° 1069, p. 1127).
Opp. créance conjointe, dette solidaire.
V.a. obligation conjointe.
Angl. joint debt.

DETTE DE JEU (OU DE PARI)

(*Obl.*) Dette résultant d'un contrat de jeu ou de pari. « La loi refusant, en général,

toute action pour le paiement d'une dette de jeu ou de pari, on doit en conclure qu'une dette de cette nature ne peut, ni être opposée en compensation, ni faire l'objet d'une ratification, ou d'une transaction, ni être garantie par une sûreté personnelle ou réelle, ni être convertie, par voie de novation ou de transaction, en une obligation civilement efficace » (Aubry et Rau, *Droit civil*, t. 6, n° 84, p. 121).
Rem. 1° Voir les art. 1927, 1928 C. civ. 2° L'expression *dette de jeu* désigne aussi, généralement, la dette résultant d'un contrat de pari.
V.a. exception de jeu.
Angl. gambling debt.

DETTE DE VALEUR

(*Obl.*) Obligation de payer une somme d'argent équivalente à une valeur économique et déterminée au moment du paiement, plutôt qu'une somme fixe. Par ex., l'obligation alimentaire, l'obligation du vendeur de rembourser à l'acheteur évincé les impenses faites sur la chose vendue, suivant leur valeur (art. 1515 C. civ.). « La dette de valeur [...] dans sa phase d'attente et d'élasticité [...] demeure en dehors des variations monétaires : tant qu'elle n'est pas cristallisée en un montant fixe, le créancier d'une telle obligation échappe à la dépréciation de la monnaie » (Carbonnier, *Droit civil*, t. 4, n° 5, p. 32).
Rem. La notion de dette de valeur vient de la doctrine allemande qui oppose la *Wertschuld* (dette de valeur) à la *Geldschuld* (dette pécuniaire).
Angl. value debt.

DETTE DIVISIBLE

(*Obl.*) Dette dont le paiement peut être effectué pour partie.
Opp. dette indivisible. **V.a.** obligation divisible⁺.
Angl. divisible debt.

DETTE EXIGIBLE

(*Obl.*) Dette dont l'exécution immédiate peut être réclamée par le créancier. « Il ne peut [...] y avoir compensation légale entre une dette exigible et une autre qui ne l'est pas, parce qu'affectée, par exemple, d'un terme ou d'une condition » (Baudouin, *Obligations*, n° 838, p. 512-513).
Opp. créance exigible. **V.a.** dette liquide, exigibilité.
Angl. exigible debt.

DETTE INCERTAINE

(*Obl.*) Dette dont l'existence ou la validité présente un doute sérieux.
Occ. Art. 800 C. civ.
Opp. créance incertaine, dette certaine.
Angl. uncertain debt.

DETTE INDIVISIBLE

(*Obl.*) Dette dont le paiement ne peut être fractionné. « Tandis que la dette solidaire se divise entre les héritiers de l'un des codébiteurs, *la dette indivisible — c'est là son intérêt capital — ne se divise pas entre les héritiers du ou des débiteurs*; le créancier pourra exiger de chacun des héritiers la totalité de sa créance » (Mazeaud et Chabas, *Leçons*, t. 2, vol. 1, n° 1076, p. 1137).
Occ. Art. 1126 C. civ.
Opp. dette divisible. **V.a.** obligation indivisible⁺.
Angl. indivisible debt.

DETTE LIQUIDE

(*Obl.*) Dette dont le montant est exactement déterminé. « *Les créances doivent être liquides*. Deux créances réciproques ne se compensent que lorsqu'elles sont liquides car le paiement ne peut être exigé que pour une dette liquide » (Marty, Raynaud et Jestaz, *Obligations*, t. 2, n° 250, p. 223).
Rem. Voir l'art. 1188 C. civ.
Opp. créance liquide. **V.a.** dette exigible, liquidité.
Angl. liquidated debt.

DETTE PORTABLE

(*Obl.*) Dette qui doit être payée au domicile du créancier. « Rien n'empêche les parties de stipuler que la dette [...] sera *portable* au domicile du créancier [...] » (Planiol et Ripert, *Traité*, t. 7, n° 1187, p. 592).
Rem. Voir l'art. 1152 C. civ.
Opp. créance portable, dette quérable.
Angl. portable debt.

DETTE QUÉRABLE

(*Obl.*) Dette qui doit être payée au domicile du débiteur. « [...] les dettes sont en principe *quérables* : au créancier à venir chercher son paiement » (Planiol et Ripert, *Traité*, t. 7, n° 1186, p. 592).
Rem. Voir l'art. 1152 C. civ.
Opp. créance quérable, dette portable.
Angl. seekable debt.

DETTE SOLIDAIRE

(*Obl.*) Dette comportant plusieurs débiteurs dont chacun est tenu pour la totalité de celle-ci. « L'article 1117 [C. civ.] pose le principe qu'entre les codébiteurs la dette solidaire se divise de plein droit [...] » (Faribault, dans *Traité*, t. 8 *bis*, n° 318, p. 232).
Occ. Art. 1118, 1191 C. civ.
Opp. créance solidaire[1], dette conjointe.
V.a. obligation solidaire.
Angl. joint and several debt(x), solidary debt⁺.

DEVIS *n.m.*

(*Obl.*) État détaillé des travaux à effectuer en exécution d'un contrat d'entreprise, avec indication des matériaux à employer et estimation des coûts. « Le devis renseigne le maître et sert de base au marché qui déterminera le prix de l'ouvrage entrepris » (Mignault, *Droit civil*, t. 7, p. 400). *Plan et devis*; *donner, établir, faire un devis.*
Occ. Art. 1690 C. civ.
Rem. L'expression *ouvrage par devis et marché*, que l'on retrouve notamment au titre qui précède l'art. 1683 C. civ., peut porter à confusion. Le devis sert à fixer les bases du marché, c'est-à-dire du contrat qui sera conclu entre le maître de l'ouvrage et l'entrepreneur. Ce contrat porte alors le nom de *marché sur devis* et constitue un contrat d'entreprise.
V.a. marché sur devis.
Angl. estimate⁺, specifications.

DEVOIR DE CONSEIL

(*Obl.*) Syn. obligation de conseil. « Le devoir de conseil qui pèse sur le notaire n'oblige [...] pas seulement celui-ci à renseigner les parties sur les conditions de validité de l'acte : il doit également les mettre en mesure d'agir efficacement et au mieux de leurs intérêts » (Viney, *Responsabilité*, n° 504, p. 610).
Angl. duty to advise, obligation to advise⁺, obligation to counsel.

DIES AD QUEM *loc.nom.m.* (latin)

Jour de l'échéance d'un délai. « La computation du délai [de prescription acquisitive] se fait par conséquent à partir du lendemain du jour de l'entrée en possession et la prescription est réalisée au moment où le *dies ad quem* prend fin » (Martineau, *Prescription*, n° 177, p. 182).
Rem. L'art. 8 C. proc. civ. pose la règle que, pour la computation de tout délai fixé par le Code, le jour de l'échéance est compté.
Opp. *dies a quo.*
Angl. *dies ad quem*⁺, terminal day.

DIES A QUO *loc.nom.m.* (latin)

Jour qui marque le point de départ d'un délai. « Le jour de l'entrée en possession — *dies a quo* — n'est pas inclus dans la computation du délai [de prescription acquisitive] » (Martineau, *Prescription*, n° 177, p. 181).
Rem. L'art. 8 C. proc. civ. pose la règle que, pour la computation de tout délai fixé par le Code, « le jour qui marque le point

de départ n'est pas compté ». On notera qu'il en va autrement pour la computation de l'âge de majorité : le jour de la naissance — *dies a quo* — compte en entier.
Opp. *dies ad quem.*
Angl. *dies a quo.*

DIFFÉRER *v.tr.*

V. paiement différé.

DILATOIRE *adj.*

(*D. jud.*) V. exception dilatoire, moyen dilatoire.

DILIGENCE *n.f.*

V. obligation de diligence.
Angl. diligence.

DIRECT, ECTE *adj.*

V. action directe, action directe en garantie, dommage direct, exécution directe, ligne directe, préjudice direct.

DIRECTION *n.f.*

V. ordre public de direction.
Angl. direction.

DISCERNEMENT *n.m.*

(*Obl.*) Aptitude d'une personne à apprécier les conséquences de ses actes. « Le législateur québécois a [...] inscrit expressément comme condition de la faute civile qu'elle se rattache à un agent doué de la faculté de discernement » (Nadeau et Nadeau, *Responsabilité*, n° 66, p. 52). *Faculté de discernement; absence de discernement, doué ou privé de discernement.*
Occ. Art. 20, 21 C. civ.
Rem. **1°** La personne privée de discernement n'est pas responsable du dommage qu'elle cause (art. 1053 C. civ.). **2°** En droit privé, la faculté de discernement est une question de fait laissée à l'appréciation du tribunal; alors qu'en droit pénal, l'enfant de moins de douze ans n'encourt pas de responsabilité, étant réputé incapable de discerner le licite de l'illicite (art. 13 C. cr.).
V.a. *doli capax*, imputabilité[1].
Angl. discernment.

DISCONTINU, UE *adj.*

V. possession discontinue, servitude discontinue.

DISCRÉTIONNAIRE *adj.*

Syn. absolu[3]. « Le refus de donner le consentement [parental] n'a pas à être motivé : le pouvoir des parents est personnel et discrétionnaire » (Ouellette, *Famille*, p. 27). *Pouvoir discrétionnaire.*
V.a. droit discrétionnaire.
Angl. absolute[4+], discretionary.

DISCUSSION *n.f.*

(*Obl.* et *Sûr.*) Saisie et vente en justice de certains biens, par priorité à d'autres. « [...] le bénéfice de discussion ne paralyse pas absolument le droit de poursuite du créancier contre la caution. Le créancier peut intenter son action, mais il est loisible, à la caution, d'arrêter sa poursuite par une exception dilatoire exigeant la discussion du débiteur » (Mignault, *Droit civil*, t. 8, p. 352).
Occ. Art. 1943, 1944, 2066 C. civ.
Rem. En matière de cautionnement, les biens du débiteur principal doivent être discutés avant ceux de la caution (art. 1941 C. civ.). En matière d'exécution d'un jugement, il y a discussion des meubles du débiteur avant la vente en justice des immeubles (art. 572 C. proc. civ.).
V.a. bénéfice de discussion, contrat de libre discussion, droit de discussion, exception de discussion.
Angl. discussion.

DISCUTER *v.tr.*

(*Obl.* et *Sûr.*) Opérer la discussion du débiteur. « Lorsque le créancier est invité

par la caution à discuter le débiteur principal, il doit se retourner contre celui-ci, saisir et vendre ses biens. La caution bénéficie, de la sorte, d'un délai et n'aura à payer, le cas échéant, que le reliquat de la dette » (Mazeaud et Chabas, *Leçons*, t. 3, vol. 1, n° 48-2, p. 47-48). *Discuter le débiteur principal dans ses biens.*
Occ. Art. 1942 C. civ.
Rem. Du latin *discutere* : secouer, d'où frapper et exécuter.
Angl. discuss.

DISPONIBILITÉ *n.f.*

1. (*Biens* et *Obl.*) Qualité d'un bien susceptible de disposition[1]. « Selon le "coefficient d'appropriation", des degrés s'établissent dans la disponibilité des droits : possibilité d'y renoncer, transmissibilité par décès, aliénabilité entre vifs, saisissabilité [...] » (Ghestin et Goubeaux, *Introduction*, n° 223, p. 190).
Opp. indisponibilité[1].
Angl. disponibility[1], disposability[1+].

2. Qualité d'un bien qui est immédiatement utilisable ou livrable.
Opp. indisponibilité[2].
Angl. disponibility[2], disposability[2+].

DISPONIBLE *adj.*

1. (*Biens* et *Obl.*) Susceptible de disposition[1].
Opp. indisponible[1]. **V.a.** aliénable, cessible, droit disponible, transmissible.
Angl. disposable[1].

2. Qui est immédiatement utilisable ou livrable. Par ex., fonds disponibles, marchandises disponibles.
Opp. indisponible[2]. **V.a.** vente en disponible.
Angl. disposable[2].

DISPOSANT, ANTE *n.*

(*Succ.*) Auteur d'une disposition[1.A].
Occ. Art. 935 C. civ.
Rem. Ce terme est utilisé spécialement dans le cas d'une disposition à titre gratuit.
Angl. party disposing.

DISPOSER *v.tr.*

1. A. (*Obl.* et *Succ.*) Transférer par la voie d'une disposition[1.A.1]. « [...] le droit de disposition est un attribut essentiel de la propriété [...] on ne peut en conséquence s'interdire le droit de disposer librement de ses biens » (Lalonde, dans *Traité*, t. 6, p. 133). *Disposer d'un bien.*
Occ. Art. 831 C. civ.
V.a. léguer, tester.
Angl. dispose[1.A+], settle[4].

1. B. (*Biens*) Accomplir un acte matériel ou juridique qui épuise le droit de propriété. « *Disposer de sa chose,* c'est la transformer, la consommer, la détruire, ou enfin l'aliéner, c'est-à-dire la transmettre à un autre » (Mignault, *Droit civil*, t. 2, p. 477).
Occ. Art. 406 C. civ.
Angl. dispose[1.B].

2. Régler par une disposition[2]. *La loi dispose que ... ; la loi ne dispose que pour l'avenir; à moins que le contrat n'en dispose autrement* (art. 2553 C. civ.).
Rem. **1°** En matière de contrats, le verbe *disposer* est moins fréquent que le verbe *stipuler*. **2°** Ce verbe est souvent employé absolument.
Angl. provide.

3. (*D. jud.*) (X) Décider un litige ou un point d'un litige.
Occ. Art. 222, 225 C. proc. civ.
Rem. La tournure semble calquée sur l'anglais *to dispose of*; on emploie correctement *décider, prononcer, statuer, trancher*.
Angl. decide[+], dispose[2].

DISPOSITIF, IVE *adj.*

V. loi dispositive.

DISPOSITION *n.f.*

1. A. 1° (*Obl.* et *Succ.*) Transfert[1] d'un droit, entre vifs ou à cause de mort. « [...] l'exhérédation absolue, en ce sens que le testateur priverait de son hérédité tous ses successeurs, sans instituer personne, rendrait le testament nul, car tout testament doit contenir une disposition des biens » (Mignault, *Droit civil*, t. 4, p. 320).
Occ. Art. 863 C. civ.
Rem. 1° On distingue la disposition à titre onéreux (vente, échange, apport en propriété) et la disposition à titre gratuit, appelée *libéralité* (donation, legs). 2° L'auteur de la disposition s'appelle le *disposant*; quant au bénéficiaire, on le désigne par un terme spécifique, selon la nature de la disposition : *acheteur*, *donataire*, *légataire*, etc.
V.a. acquisition[1], aliénation, cession, mutation, transmission.
Angl. disposition[A.1].

1. A. 2° (*Obl.* et *Succ.*) Faculté pour le titulaire d'un droit de le transmettre ou d'y renoncer. « L'emphytéose emportant aliénation, il n'y a que celui qui a la libre disposition de ses biens qui puisse la constituer » (Montpetit et Taillefer, dans *Traité*, t. 3, p. 512).
Occ. Art. 399, 569 C. civ.
Angl. disposal+, disposition[A.2].

1. B. 1° (*Biens*) Droit[2] pour le propriétaire d'accomplir sur sa chose tout acte qui épuise son droit de propriété.
Rem. Il peut s'agir d'actes matériels par lesquels il consomme sa chose, la détruit ou en transforme la substance. En règle générale, la disposition matérielle est l'attribut qui distingue le droit de propriété des autres droits réels. Il peut aussi s'agir d'actes juridiques, par lesquels il se départit de tout ou partie des prérogatives sur sa chose, soit en les transmettant à un tiers (vente, donation, constitution de droit réel), soit en renonçant à sa chose (abandon). La disposition juridique n'est pas le propre du droit de propriété ou des autres droits réels : elle constitue la règle pour les droits patrimoniaux (voir disposition[1.A.2]). La disposition, à la fois matérielle et juridique, correspond à l'*abusus*.
V.a. jouissance[1], usage[2].
Angl. disposition[B.1].

1. B. 2° (*Biens*) Acte par lequel le propriétaire exerce ce droit.
V.a. acte de disposition.
Angl. disposition[B.2].

2. Manifestation de volonté exprimée dans une loi[1] ou dans un acte juridique (spécialement un testament ou une donation) et, par extension, texte contenant cette manifestation. *Dispositions de la loi; dispositions légales, législatives, réglementaires; disposition de droit nouveau; disposition d'exception.*
Occ. Art. 18, 829 C. civ.
Rem. 1° Le terme *disposition* s'entend aussi des chefs de décision contenus dans le dispositif d'un jugement. 2° *Disposition* est le terme propre pour désigner les éléments d'un texte normatif; à propos des actes juridiques, on emploie plutôt *stipulation* ou *clause*, sauf en matière de libéralités où le terme *disposition* est d'usage courant.
V.a. condition[2].
Angl. clause[2](<)+, provision+.

DISPOSITION À TITRE GRATUIT

(*Obl.*) Syn. libéralité[1].
Angl. disposition by gratuitous title, liberality[1]+.

DISPOSITION PAR TESTAMENT

(*Succ.*) Syn. legs[1].
Angl. bequest[1], legacy[1]+, testamentary disposition.

DISPOSITION TESTAMENTAIRE

1. (*Succ.*) Syn. legs[1].
Occ. Art. 873, 901 C. civ.
Angl. bequest[1], legacy[1]+, testamentary disposition.

2. (*Succ.*) Disposition[2] contenue dans un testament. « [...] les biens non légués seront dévolus à ses [testateur] héritiers légitimes, et demeureront dans sa succession *ab intestat*. Il en sera de même des biens légués par des dispositions testamentaires qui manquent absolument d'effet » (Mignault, *Droit civil*, t. 4, p. 319).
Occ. Art. 839 C. civ.
Angl. testamentary provision.

DISPOSITION TRANSITOIRE

Disposition[2] qui aménage la transition entre la loi ancienne et la loi nouvelle.
Angl. transitional provision.

DISSIMULÉ, ÉE *adj.*

(*Obl.*) V. mandat dissimulé.

DISSOLUTION *n.f.*

Extinction de la communauté d'intérêts moraux ou patrimoniaux qui existe entre deux ou plusieurs personnes. « Les mandats que se sont donnés les associés quant à l'administration de la société se terminent au moment de la dissolution [...] » (Bohémier et Côté, *Droit commercial*, t. 2, p. 35). *Dissolution du mariage, dissolution de la communauté de biens, dissolution de la société d'acquêts, dissolution d'une société.*
Occ. Art. 118, 1426, 1892, 1896 C. civ.
Rem. À la différence de la nullité et de la résolution, la dissolution n'emporte pas rétroactivité.
Angl. dissolution.

DIVIS, ISE *adj.*

(*Biens*) V. partie divise, propriétaire divis, propriété divise.

DIVISÉ, ÉE *p.p.adj.*

V. paiement divisé.

DIVISIBILITÉ *n.f.*

1. (*Obl.*) Caractère de ce qui peut être divisé. *Divisibilité de l'aveu, divisibilité du paiement.*
Angl. divisibility[1].

2. (*Obl.*) Caractère d'une obligation qui, en raison de son objet, est susceptible d'exécution partielle. « [...] la divisibilité est la règle, et l'indivisibilité l'exception » (Faribault, dans *Traité*, t. 8-bis, n° 344, p. 247). *Divisibilité de la créance, divisibilité de la dette* (art. 1976 C. civ.), *divisibilité de l'obligation.*
Occ. Art. 1122 C. civ.
Opp. indivisibilité. **V.a.** obligation divisible.
Angl. divisibility[2].

DIVISIBLE *adj.*

(*Obl.*) V. dette divisible, obligation divisible.

DIVISION *n.f.*

(*Obl.* et *Sûr.*) V. bénéfice de division.
Angl. division.

DOCTRINAL, ALE *adj.*

Qui se rapporte à la doctrine. « Il existe des exemples nombreux et remarquables de théories doctrinales recueillies et adoptées par la jurisprudence » (Marty et Raynaud, *Introduction*, n° 127 *bis*, p. 237).
Opp. jurisprudentiel, légal[1].
Angl. doctrinal.

DOCTRINE *n.f.*

1. Ensemble des travaux des auteurs visant à exposer ou à interpréter le droit[1]. « Le *Code civil* ne contient pas tout le droit civil. Il est fondé sur des principes qui n'y sont pas tous exprimés et dont il appartient à la jurisprudence et à la doctrine d'assurer la fécondité [...] » (*Cie Immobilière Viger* c.

Lauréat Giguère Inc., [1977] 2 R.C.S. 67, p. 76, j. J. Beetz). *En bonne doctrine.*
Rem. La doctrine ne constitue pas une source formelle du droit; elle exerce néanmoins une influence sur l'interprétation et l'évolution du droit.
Opp. coutume[2], jurisprudence[1], loi[1].
Angl. doctrine[1].

2. Opinion personnelle d'un auteur ou de plusieurs auteurs sur un point de droit[1]. Par ex., la doctrine d'Aubry et Rau sur la notion de patrimoine. « Même une doctrine unanime (*communis opinio doctorum*) n'a pas la valeur d'une règle de droit » (Cornu, *Introduction*, n° 451, p. 151). *La doctrine dominante.*
Angl. doctrine[2].

D'OFFICE *loc.adv.*

Par les devoirs de sa charge, sans intervention des parties intéressées. « Existe-t-il d'autres cas d'intervention condamnable du juge dans la recherche des éléments de preuve? La réponse est généralement affirmative. On donne comme exemples les actes suivants : le fait pour un juge d'ordonner d'office la preuve de faits non invoqués par les parties; le fait d'exiger d'office la comparution de témoins que les parties n'ont pas jugé bon d'appeler [...] » (Nadeau et Ducharme, dans *Traité*, t. 9, n° 106, p. 68-69).
Syn. *ex officio.* **V.a.** *proprio motu.*
Angl. *ex officio.*

DOL *n.m.*

1. (*Obl.*) Manoeuvre employée par une personne pour en tromper une autre en vue de la déterminer à conclure un acte juridique. « Cette fraude suppose [...] une *intention* de tromper [...] et celui qui fournit de bonne foi des informations erronées à son cocontractant [ne] commet [pas] un dol car il n'avait pas l'intention de tromper » (Marty et Raynaud, *Obligations*, t. 1, n° 156, p. 155). *Contrat entaché de dol.*
Occ. Art. 993 C. civ.
Rem. **1°** Le dol, qui provoque une erreur chez la personne qui en est victime, constitue une cause de nullité relative du contrat distincte de l'erreur; un contrat peut être annulé pour cause de dol même si l'erreur qui en résulte ne remplit pas les conditions requises par l'art. 992 C. civ. pour qu'elle soit une cause de nullité. **2°** Le dol n'est cause de nullité que si l'auteur est le cocontractant de la victime ou le représentant de celui-ci ou, encore, si le dol a été commis par un tiers à la connaissance du cocontractant. **3°** Les manoeuvres qui constituent le dol peuvent consister dans un mensonge ou, parfois, dans une simple réticence. **4°** On distingue le dol de la simple exagération, parfois appelée *bon dol,* qui n'entraîne pas la nullité.
Syn. dol principal, *dolus malus*, fraude[2].
V.a. consentement éclairé, crainte, erreur vice du consentement, manoeuvre dolosive, vice du consentement.
Angl. *dolus malus*, fraud[2]+, principal fraud.

2. (*Obl.*) Fait du débiteur qui, de mauvaise foi et de propos délibéré, n'exécute pas une obligation contractuelle. « Il ne faut pas confondre *ce dol dans l'exécution du contrat* avec le dol vice du consentement. Le dol est ici tout acte coupable, légalement ou moralement, par lequel le débiteur refuse d'exécuter son obligation. Il s'agit de l'*inexécution intentionnelle* de la part d'un débiteur [...] » (Ripert et Boulanger, *Traité*, t. 2, n° 795, p. 294).
Occ. Art. 1074, 1075 C. civ.
Syn. fraude[3]. **V.a.** faute dolosive, faute intentionnelle.
Angl. fraud[3].

DOLI CAPAX *loc.adj.* (latin)

(*Obl.*) Qui est suffisamment doué de discernement pour être tenu responsable de sa faute[1]. « [...] lorsqu'un dommage est causé par un interdit ou par un mineur, les juges doivent examiner si, au moment où le dommage a été causé, le défendeur était *doli capax*, c'est-à-dire si l'insensé se trouvait,

à cet instant, dans un intervalle lucide, si le mineur était alors doué d'une raison assez développée pour avoir la conscience de ses actions » (Mignault, *Droit civil*, t. 5, p. 333-334).
Rem. On rencontre également la forme plurielle *doli capaces*.
V.a. imputabilité[1].
Angl. *doli capax*.

DOL INCIDENT

(*Obl.*) Dol[1] qui a déterminé la victime non pas à conclure le contrat mais à le faire à des conditions plus onéreuses. « Cette distinction entre dol principal et dol incident ne nous paraît pas aussi claire qu'on voudrait le faire croire et nous semble même rendre confuse une question simple : l'excès de catégorisation nuit » (Pineau et Burman, *Obligations*, n° 76, p. 103-104).
Rem. **1°** La doctrine a fait cette distinction entre le dol principal — celui sans lequel la victime n'aurait pas contracté — et le dol incident — celui sans lequel la victime aurait contracté mais à des conditions plus avantageuses. Seul le dol principal serait une cause de nullité du contrat; le dol incident ne donnerait ouverture qu'à une demande en dommages-intérêts. **2°** La doctrine contemporaine condamne cette distinction qu'elle juge artificielle et irréaliste. Elle enseigne que la victime du dol peut demander la nullité du contrat ou se contenter de demander des dommages-intérêts sans qu'il y ait lieu de faire de distinction entre dol principal et dol incident. Le Projet de loi 125 va dans ce sens (art. 1397 et 1403).
Opp. dol principal.
Angl. incidental fraud.

DOLOSIF, IVE *adj.*

(*Obl.*) Entaché de dol. « *Machinations dolosives* — Ce sont "des artifices, des ruses habiles ou grossières en vue de la tromperie ...". Les manoeuvres dolosives emportent donc un plan de tromperie, une machination préparée d'avance » (Baudouin, *Obligations*, n° 159, p. 128).
Syn. frauduleux. **V.a.** faute dolosive, manoeuvre dolosive, réticence dolosive.
Angl. fraudulent.

DOL PRINCIPAL

(*Obl.*) Syn. dol[1]. « Pour entraîner l'annulation du contrat, le dol doit avoir eu une influence déterminante sur le consentement [...] Le dol remplissant ces conditions est généralement qualifié de *dol principal* par opposition au *dol incident* [...] Cette distinction [...] est de plus en plus critiquée par la doctrine moderne » (Marty et Raynaud, *Obligations*, t. 1, n° 157, p. 159).
Opp. dol incident[+].
Angl. *dolus malus*, fraud[2+], principal fraud.

DOLUS *n.m.* (latin)

(*Hist.*) Faute intentionnelle, en droit romain. « On commet une faute délictuelle, de même qu'on commettait un *dolus* en droit romain, chaque fois qu'on agit dans l'intention de causer un dommage » (Mazeaud, *Traité*, t. 1, n° 409, p. 479).
Opp. *culpa*.
Angl. *dolus*.

DOLUS BONUS *loc.nom.m.* (latin)

(*Obl.*) Syn. bon dol. « Il faut [...] tolérer ces menus mensonges par lesquels les vendeurs ont coutume de vanter à l'excès leurs marchandises. Notre droit a conservé la tradition romaine qui ne sanctionnait pas le *dolus bonus*, opposé au *dolus malus* » (Flour et Aubert, *Obligations*, n° 210, p. 149).
Opp. *dolus malus*.
Angl. *dolus bonus*.

DOLUS MALUS *loc.nom.m.* (latin)

(*Obl.*) Syn. dol[1]. « Les Romains distinguaient le *dolus malus*, qui était un délit, du *dolus bonus*, qui était toléré » (Mazeaud

et Chabas, *Leçons*, t. 2, vol. 1, n° 191, p. 173).
Opp. *dolus bonus.*
Angl. *dolus malus*, fraud[2]+, principal fraud.

DOMICILE *n.m.*

(*Pers.*) Lieu où une personne a son principal établissement. « Dans sa vie juridique, tout individu doit être relié à un lieu : Le domicile opère *la localisation juridique* de chaque individu » (Cornu, *Introduction*, n° 643, p. 226). *Élection de domicile.*
Occ. Art. 6, 79, 80 C. civ.
Rem. **1°** On distingue le domicile réel, qui est le domicile d'origine ou le domicile acquis, et le domicile élu. **2°** Le domicile, notion juridique, s'oppose à la résidence, notion de pur fait. **3°** Du latin *domus* : maison, et *colere* : habiter.
V.a. élection de domicile, résidence.
Angl. domicile.

DOMICILE ACQUIS

(*Pers.*) Domicile réel qu'une personne acquiert en remplacement d'un domicile antérieur. « Le domicile ordinaire ou réel peut se subdiviser en domicile d'origine [...] et en domicile acquis [...] » (Gérin-Lajoie, *Du domicile*, p. 42).
Rem. Le domicile acquis peut être un domicile volontaire ou un domicile légal.
Opp. domicile d'origine.
Angl. acquired domicile.

DOMICILE CONJUGAL

(*Pers.*) Domicile commun des époux. « Pour les auteurs du Code civil, le domicile conjugal était apparu comme le centre unique, et nécessaire, de la vie familiale. Il se confondait avec le domicile du mari [...] » (Chartier, *Rev. trim. dr. civ.* 1971, 510, p. 512).
Rem. Depuis la modification apportée à l'art. 83 C. civ. en 1981, le domicile conjugal résulte de la volonté commune des conjoints; les époux peuvent donc ne pas avoir de domicile conjugal.
V.a. domicile matrimonial, résidence familiale.
Angl. conjugal domicile.

DOMICILE D'ACQUISITION

(*Pers.*) Syn. domicile volontaire. « [...] c'est la volonté de l'intéressé qui fixe le domicile : c'est au lieu choisi pour celui de son principal établissement qu'une personne a son domicile, le domicile est dit volontaire ou domicile d'acquisition » (Marty et Raynaud, *Personnes*, n° 747, p. 838).
Angl. domicile of choice, voluntary domicile+.

DOMICILE DE CHOIX

(*Pers.*) Syn. domicile volontaire. « Le domicile volontaire, ou domicile de choix, est celui qui est librement choisi par l'intéressé [...] » (Perrot et Réglade, *Rép. droit civ.*, v° Domicile, n° 36).
Angl. domicile of choice, voluntary domicile+.

DOMICILE DE DROIT

(*Pers.*) Syn. domicile légal. « Certaines personnes ont un domicile de droit. Elles ne sont pas libres de fixer leur domicile où elles l'entendent, du moins leur domicile général. Celui-ci leur est attribué d'office et automatiquement par la loi [...] » (Marty et Raynaud, *Personnes*, n° 745, p. 835).
Angl. *de jure* domicile, legal domicile+.

DOMICILE D'ÉLECTION

(*Pers.* et *D. jud.*) Syn. domicile élu. « Personne ne peut avoir plus d'un domicile *réel*; on peut, au contraire, avoir autant qu'on veut de domiciles *d'élection* » (Mignault, *Droit civil*, t. 1, p. 229).
Angl. elected domicile.

DOMICILE D'ORIGINE

(*Pers.*) Domicile réel imposé par la loi lors de la naissance. « [...] le domicile d'origine demeure tant que la personne n'en a pas acquis un nouveau, conformément aux exigences de la loi » (Trudel, dans *Traité*, t. 1, p. 247).
Rem. **1°** Le domicile d'origine est toujours un domicile légal. **2°** En principe, le mineur non émancipé a son domicile chez ses père et mère (art. 83 C. civ.).
Opp. domicile acquis.
Angl. domicile of origin.

DOMICILE ÉLU

(*Pers.* et *D. jud.*) Domicile fictif fixé en vue d'une fin déterminée. « Le domicile élu n'est [...] relatif qu'aux *significations, demandes et poursuites*; or, ces termes ne comprennent point l'*exécution* elle-même, qui, par conséquent, demeure sous l'empire du droit commun, lequel est réglé par l'article 1152 » (Mignault, *Droit civil*, t. 1, p. 248).
Occ. Art. 68 C. proc. civ.
Rem. Règle générale, le domicile élu est établi volontairement; par exception, il est prévu par la loi, par ex., le domicile attribué par l'art. 63 C. proc. civ. à la partie qui a comparu par avocat.
Syn. domicile d'élection. **Opp.** domicile réel.
Angl. elected domicile.

DOMICILE LÉGAL

(*Pers.*) Domicile que la loi assigne à une personne. « Pour un grand nombre de personnes, la loi a déterminé d'office où se trouve le domicile. Il s'agit alors d'un domicile légal, obligatoire, contre lequel ne peuvent prévaloir ni les situations de fait, ni la volonté de l'intéressé » (Colin et Capitant, *Traité*, t. 1, n° 856, p. 511).
Rem. Le domicile d'origine est toujours un domicile légal; le domicile acquis peut être légal ou volontaire.
Syn. domicile de droit. **Opp.** domicile volontaire.
Angl. *de jure* domicile, legal domicile+.

DOMICILE MATRIMONIAL

(*D. int. pr.*) Domicile commun des époux au moment du mariage.
Rem. **1°** Le domicile matrimonial peut servir, comme facteur de rattachement, à la détermination du régime matrimonial des conjoints, en l'absence d'un contrat de mariage. **2°** Le domicile matrimonial constitue le premier domicile conjugal. **3°** Depuis la modification apportée à l'art. 83 C. civ., en 1981, chacun des époux pouvant avoir un domicile distinct, il se peut qu'il n'y ait pas de domicile matrimonial.
V.a. domicile conjugal.
Angl. matrimonial domicile.

DOMICILE RÉEL

(*Pers.*) Domicile véritable d'une personne. « On ne peut avoir qu'un domicile réel, tandis qu'on peut avoir autant de domiciles élus qu'on a d'affaires différentes » (Mignault, *Droit civil*, t. 1, p. 250).
Occ. Art. 85 C. civ.
Rem. **1°** Le domicile réel est général, par opposition au domicile élu, qui ne vaut que pour une fin déterminée. **2°** Le domicile réel se divise en domicile d'origine et en domicile acquis.
Opp. domicile élu.
Angl. real domicile.

DOMICILE VOLONTAIRE

(*Pers.*) Domicile qu'une personne a librement choisi. « Tout majeur est, en principe, libre de choisir son domicile, c'est-à-dire (à sa majorité ou à son émancipation) d'abandonner son domicile de rattachement pour aller s'établir ailleurs; et ainsi de suite, aussi librement, de domicile volontaire en domicile volontaire » (Cornu, *Introduction*, n° 653, p. 228).

Rem. Le domicile volontaire s'acquiert par changement de domicile c'est-à-dire « [...] par le fait d'une habitation réelle dans un autre lieu, joint à l'intention d'y faire son principal établissement » (art. 80 C. civ.).
Syn. domicile d'acquisition, domicile de choix. **Opp.** domicile légal.
Angl. domicile of choice, voluntary domicile+.

DOMINANT, ANTE *adj.*

V. fonds dominant, héritage dominant.

DOMMAGE *n.m.*

(*Obl.*) Atteinte aux droits ou aux intérêts d'une personne. « Le *dommage* (ou *préjudice* [...]) est la première condition de la responsabilité civile » (Carbonnier, *Droit civil*, t. 4, n° 88, p. 369). *Éprouver un dommage; réparer un dommage.*
Occ. Art. 1053 C. civ.
Rem. 1° On distingue, de façon classique, le dommage matériel et le dommage moral; de nos jours, on ajoute une troisième catégorie, celle du dommage corporel qui participe à la fois du dommage moral et du dommage matériel. 2° On appelle *auteur du dommage* celui qui le cause, et *victime*, celui que le subit. 3° Malgré la synonymie avec *préjudice*, certaines expressions ne se rencontrent qu'avec ce dernier terme, par ex., *préjudice d'agrément.* 4° Le terme *dommage* au pluriel a, en outre, le sens de dommages-intérêts.
Syn. préjudice, tort[2]. **V.a.** dommages, responsabilité civile+.
Angl. damage+, harm, injury, loss[3], prejudice, wrong[2].

DOMMAGE ACTUEL

(*Obl.*) Dommage déjà réalisé au jour de la demande en réparation ou, au plus tard, au jour où la responsabilité est appréciée. Par ex., la perte d'une chose, la perte d'un emploi. « Le préjudice appelé à se réaliser dans le futur est recouvrable, tout comme le dommage actuel, mais à condition de ne pas être simplement éventuel » (Nadeau et Nadeau, *Responsabilité*, n° 580, p. 544).
Syn. dommage présent, préjudice actuel.
Opp. dommage futur.
Angl. present damage.

DOMMAGE CERTAIN

(*Obl.*) Dommage susceptible d'indemnisation du fait que sa réalisation ne fait pas de doute. « Mais le dommage peut être certain sans pour autant être présent » (Pineau et Ouellette, *Responsabilité*, p. 18).
Rem. Le dommage certain peut être actuel ou futur; dans ce dernier cas, il suffit d'établir qu'il se produira selon toute vraisemblance.
Syn. préjudice certain. **V.a.** dommage éventuel.
Angl. certain damage.

DOMMAGE COLLECTIF

(*Obl.*) Dommage qui atteint un nombre indéterminé d'individus, du fait de leur appartenance à un groupe donné. Par ex., la propagande haineuse à l'égard d'un groupe ethnique ou religieux. « [...] à raison du caractère diffus d'un tel préjudice [collectif] la difficulté consiste à déterminer si quelqu'un a qualité pour l'invoquer et qui? C'est seulement dans la mesure où une réponse positive est donnée à cette question que le dommage collectif donne naissance à responsabilité et à réparation » (Marty et Raynaud, *Obligations*, t. 1, n° 434, p. 470).
Rem. 1° Le dommage collectif peut donner lieu soit à un recours individuel, soit à un recours collectif. 2° Ne pas confondre le dommage collectif avec l'addition de dommages individuels.
Syn. préjudice collectif. **V.a.** recours collectif.
Angl. collective damage.

DOMMAGE CONTINU

(*Obl.*) Dommage qui se manifeste de façon ininterrompue.

V.a. dommage graduel, dommage périodique, dommage récurrent.
Angl. continuous damage+, continuous loss.

DOMMAGE CORPOREL

(*Obl.*) Dommage qui consiste en une atteinte à l'intégrité physique de la personne humaine. « L'antithèse classique est celle du *dommage matériel* et du *dommage moral*. Mais une troisième catégorie s'est aujourd'hui détachée des précédentes : le *dommage corporel*, qui a des aspects à la fois matériels et moraux » (Carbonnier, *Droit Civil*, t. 4, n° 88, p. 372).
Occ. Art. 1 par. 11, *Loi sur l'assurance automobile*, L.R.Q., chap. A-25.
Syn. préjudice corporel. **V.a.** dommage matériel, dommage moral. **F.f.** dommage personnel².
Angl. bodily injury+, corporal damage, corporal injury, personal injury².

DOMMAGE DIRECT

(*Obl.*) Dommage susceptible d'indemnisation à raison d'un lien de causalité étroit avec le fait générateur de responsabilité. « Les frais de notaire qu'une partie a dû acquitter à la suite du défaut de l'autre de signer un contrat constituent [...] un dommage direct » (Baudouin, *Obligations*, n° 712, p. 427).
Syn. préjudice direct. **Opp.** dommage indirect.
Angl. direct damage.

DOMMAGE ÉCONOMIQUE

(*Obl.*) Syn. dommage matériel. « Sur le principe même de l'indemnisation des dommages économiques, et indépendamment des différences sensibles qui apparaissent dans la façon d'évaluer les indemnités destinées à les réparer, il semble d'ailleurs que les systèmes juridiques nationaux tendent vers une quasi-unanimité » (Viney, *Responsabilité*, n° 252, p. 309).
Angl. corporeal damage, material damage+, patrimonial damage, pecuniary damage.

DOMMAGE ESTHÉTIQUE

(*Obl.*) Syn. préjudice esthétique. « Le droit à l'intégrité corporelle a pour conséquence de permettre [...] l'indemnisation du dommage esthétique » (Baudouin, *Responsabilité*, n° 280, p. 150).
Angl. aesthetic damage+, aesthetic harm, aesthetic injury, aesthetic prejudice.

DOMMAGE ÉVENTUEL

(*Obl.*) Dommage futur, mais incertain, donc non susceptible d'être réparé. Par ex., la perte de revenu que pourra subir le propriétaire d'un appartement dans l'hypothèse que son locataire pourrait lui demander une diminution de loyer. « Le dommage éventuel n'est qu'une expectative : il est hypothétique » (Le Tourneau, *Responsabilité*, n° 508, p. 168).
Syn. préjudice éventuel. **Opp.** dommage virtuel.
Angl. possible damage.

DOMMAGE EXTRAPATRIMONIAL

(*Obl.*) Syn. dommage moral. « Ce qu'on appelle normalement "dommage moral" est, en vérité, un dommage extrapatrimonial, donc un dommage qui, en tant que tel, n'entraîne pas une perte économique, une diminution du patrimoine » (Pineau et Ouellette, *Responsabilité*, p. 16).
Opp. dommage patrimonial.
Angl. extrapatrimonial damage, injury to feelings¹, moral damage+, non-pecuniary damage.

DOMMAGE FUTUR

(*Obl.*) Dommage non encore réalisé au jour de la demande en réparation ou, au plus tard, au jour où la responsabilité est appréciée. Par ex., la perte qui résultera, à l'avenir, d'une incapacité permanente. « C'est ce relativisme de la certitude qui explique la possibilité [...] de réparer le dommage futur » (Flour et Aubert, *Obligations*, vol. 2, n° 638, p. 150).

Rem. Le dommage futur peut être virtuel ou éventuel.
Syn. préjudice futur. **Opp.** dommage actuel.
Angl. future damage.

DOMMAGE GRADUEL

(*Obl.*) Dommage qui se manifeste par degrés et non d'un seul coup. « [...] les dommages [...] ont été causés par les racines d'un arbre [...], il s'agit d'un dommage graduel [...] » (*Mayrand* c. *Laval (Ville de)*, [1979] R.P. 331, p. 335 et 337, j. P. Durand).
Syn. dommage progressif. **V.a.** dommage continu, dommage périodique, dommage récurrent.
Angl. gradual damage⁺, gradual loss.

DOMMAGE ILLICITE

(*Obl.*) Dommage qui consiste en l'atteinte à une activité ou à un intérêt contraire à la loi, à l'ordre public ou aux bonnes mœurs.
Syn. préjudice illicite. **Opp.** dommage licite.
Angl. illicit damage.

DOMMAGE IMPRÉVISIBLE

(*Obl.*) Dommage qu'un débiteur prudent et diligent n'aurait pu normalement envisager comme conséquence de l'inexécution de son obligation. « Le responsable est donc, en matière contractuelle, sauf faute intentionnelle ou lourde, libéré de l'obligation de réparer le dommage imprévisible » (Mazeaud et Chabas, *Traité*, t. 3, vol. 1, n° 2390-3, p. 745).
Rem. Voir l'art. 1074 C. civ.
Opp. dommage prévisible⁺. **V.a.** dommage imprévu.
Angl. unforeseeable damage.

DOMMAGE IMPRÉVU

(*Obl.*) Dommage que le débiteur n'a pas envisagé comme conséquence de l'inexécution de son obligation. « Quant aux *dommages imprévus*, la loi fait une distinction : si le débiteur est exempt de dol, il n'en répond pas; mais s'il y a eu dol de sa part, il doit la réparation de tous les dommages, même imprévus, à quelque somme qu'ils puissent monter » (Planiol et Ripert, *Traité*, t. 7, n° 862, p. 193).
Rem. Voir l'art. 1074 C. civ.
Opp. dommage prévu. **V.a.** dommage prévisible⁺.
Angl. unforeseen damage.

DOMMAGE INDIRECT

(*Obl.*) Dommage non susceptible d'indemnisation à raison d'un lien de causalité trop lointain avec le fait générateur de responsabilité. « Au fond, la distinction du dommage direct et du dommage indirect n'ajoute rien aux exigences de la causalité » (Rodière, *Responsabilité*, n° 1622, p. 239).
Syn. préjudice indirect. **Opp.** dommage direct. **V.a.** dommage par ricochet.
Angl. indirect damage.

DOMMAGE INITIAL

(*Obl.*) Dommage subi par une personne, la *victime initiale*, lequel, par répercussion, en entraîne un autre pour un tiers, la *victime par ricochet*. « Parents ou non parents ont droit à la réparation du préjudice matériel qui est, pour chacun d'eux, la conséquence du dommage souffert par la victime initiale [...] Mais ils n'agissent pas, pour le compte de cette victime, en réparation du dommage initial » (Mazeaud, *Traité*, t. 2, n° 1873, p. 948-949).
Syn. préjudice initial. **Opp.** dommage par ricochet.
Angl. initial damage.

DOMMAGE LICITE

(*Obl.*) Dommage qui consiste en l'atteinte à une activité ou à un intérêt juridiquement protégé. « Pour avoir droit à réparation, l'intérêt lésé ne doit pas être illégitime ou,

pour dire l'autre face, n'est réparable que le dommage licite » (Le Tourneau, *Responsabilité*, n° 523, p. 174).
Syn. préjudice licite. **Opp.** dommage illicite.
Angl. licit damage.

DOMMAGE MATÉRIEL

(*Obl.*) Dommage qui consiste en une atteinte d'ordre patrimonial, donc directement susceptible d'évaluation pécuniaire. « Tout dommage matériel permet à la victime de demander une réparation, du moins lorsque les autres éléments constitutifs de la responsabilité sont réunis, c'est-à-dire lorsque l'auteur du préjudice a commis une faute et qu'il existe un lien de cause à effet entre cette faute et le préjudice » (Mazeaud et Tunc, *Traité*, t. 1, n° 215, p. 267).
Rem. **1°** Le dommage matériel comprend non seulement l'atteinte aux biens, par ex. la destruction d'un objet, mais aussi l'atteinte à la personne physique dans la mesure où elle entraîne une perte pécuniaire, par ex., la lésion corporelle entraînant une perte de salaire. **2°** À côté de la classification bipartite traditionnelle, on trouve aussi une classification tripartite, dans laquelle le dommage corporel (tant d'ordre patrimonial que d'ordre extrapatrimonial) est opposé au dommage matériel et au dommage moral. Dès lors, le dommage matériel se trouve réduit au dommage causé aux biens; on en trouve un exemple dans la *Loi sur l'assurance automobile* (art. 1 par. 12, L.R.Q., chap. A-25).
Syn. dommage économique, dommage patrimonial, dommage pécuniaire, préjudice économique, préjudice matériel, préjudice patrimonial, préjudice pécuniaire. **Opp.** dommage moral. **V.a.** dommage corporel.
Angl. corporeal damage, material damage+, patrimonial damage, pecuniary damage.

DOMMAGE MORAL

(*Obl.*) Dommage qui consiste en une atteinte d'ordre extrapatrimonial, laquelle n'est donc qu'indirectement susceptible d'évaluation pécuniaire. « La notion de dommage moral trouve son application naturelle là où il y a lésion de l'un de ces droits que l'on qualifie de droits extrapatrimoniaux ou primordiaux : droit au nom, à la propre image, à l'honneur, à la considération » (Carbonnier, *Droit civil*, t. 4, n° 89, p. 373).
Rem. Le dommage moral comprend non seulement les atteintes aux droits extrapatrimoniaux (par ex., diffamation, atteinte au droit de visite de l'un des parents), mais aussi les conséquences non économiques des atteintes à l'intégrité corporelle (par ex., souffrances physiques et morales, préjudice d'agrément).
Syn. dommage extrapatrimonial, dommage non pécuniaire, préjudice extrapatrimonial, préjudice extrapécuniaire, préjudice moral, préjudice non pécuniaire. **Opp.** dommage matériel+. **V.a.** dommage corporel, *pretium doloris*, *solatium doloris*.
Angl. extrapatrimonial damage, injury to feelings[1], moral damage+, non-pecuniary damage.

DOMMAGE NON PÉCUNIAIRE

(*Obl.*) Syn. dommage moral.
Opp. dommage pécuniaire. **V.a.** préjudice non pécuniaire+.
Angl. extrapatrimonial damage, injury to feelings[1], moral damage+, non-pecuniary damage.

DOMMAGE PAR RICOCHET

(*Obl.*) Dommage causé à une personne, la *victime par ricochet*, par contrecoup du préjudice subi par une autre personne, la *victime initiale*. Par ex., le préjudice causé à une personne qui se voit privée des joies de la vie commune par suite de blessures infligées à son conjoint. « On ne saurait, pour refuser la réparation d'un "dommage par ricochet", prétendre que les dommages-intérêts alloués à la victime initiale, par exemple à la femme, réparent, en même

temps que le préjudice souffert par celle-ci, le “dommage par ricochet” subi par le mari; ce serait confondre des dommages distincts subis par des personnes différentes » (Mazeaud, *Traité*, t. 2, n° 1874, p. 950).
Syn. dommage réfléchi, préjudice par ricochet, préjudice réfléchi. **Opp.** dommage initial. **V.a.** dommage indirect.
Angl. rebounding damage+, ricochet damage.

DOMMAGE PATRIMONIAL

(*Obl.*) Syn. dommage matériel. « Les rédacteurs du Code [...] ont entendu accorder une indemnisation à tous ceux qui subissent un préjudice pécuniaire quelconque, si léger soit-il, sans distinguer entre le dommage corporel et le dommage patrimonial [...] » (Mazeaud et Tunc, *Traité*, t. 1, n° 215, p. 267).
Opp. dommage extrapatrimonial.
Angl. corporeal damage, material damage+, patrimonial damage, pecuniary damage.

DOMMAGE PÉCUNIAIRE

(*Obl.*) Syn. dommage matériel. « Est matériel le dommage qui est “directement susceptible d'évaluation pécuniaire”; aussi l'appelle-t-on également, pécuniaire ou patrimonial » (Flour et Aubert, *Obligations*, vol. 2, n° 636, p. 148).
Opp. dommage non pécuniaire.
Angl. material damage+, patrimonial damage, pecuniary damage.

DOMMAGE PÉRIODIQUE

(*Obl.*) Dommage qui se reproduit à intervalles réguliers. Par ex., des inondations printanières provenant de l'insuffisance des canalisations d'une municipalité. « [...] il y a lieu de distinguer entre des dommages périodiques ou récurrents et des dommages progressifs, les premiers déterminant comme point de départ de la prescription le jour où ils se produisent [...], tandis que les seconds ne deviennent assujettis au délai de prescription qu'à l'époque où l'on peut normalement déterminer l'étendue et le caractère du préjudice [...] » (*Gingras* c. *Québec (Cité de)*, [1948] B.R. 171, p. 173-174, j. B. Bissonnette).
V.a. dommage continu, dommage graduel, dommage récurrent.
Angl. periodic damage.

DOMMAGE PERSONNEL

1. (*Obl.*) Dommage subi par la personne qui en demande réparation. « [Les conditions du droit à réparation] diffèrent complètement selon que les victimes par ricochet agissent en réparation de leur dommage personnel ou en qualité d'héritiers du défunt, en réparation du dommage subi par celui-ci » (Viney, *Responsabilité*, n° 324, p. 395).
Rem. Le dommage personnel vise autant celui qui est subi par la victime par ricochet que celui subi par la victime initiale.
Syn. préjudice personnel.
Angl. personal damage+, personal harm, personal injury[1], personal prejudice.

2. (X) V. dommage corporel.
Occ. Art. 2467 C. civ.
Angl. bodily injury+, corporal damage, corporal injury, personal injury[2].

DOMMAGE PRÉSENT

(*Obl.*) Syn. dommage actuel. « L'indemnité peut même consister en une somme unique, destinée à réparer le préjudice futur en même temps que le présent » (Aubry et Rau, *Droit civil*, t. 6, n° 341, p. 516).
Angl. present damage.

DOMMAGE PRÉVISIBLE

(*Obl.*) Dommage qu'un débiteur prudent et diligent aurait pu normalement envisager comme conséquence de l'inexécution de son obligation. « *Dommages prévisibles* — [...] Celles-ci [les parties], ayant pu lors de la formation du contrat fixer exactement le contenu de leur engagement, étaient également en mesure de prévoir l'étendue des conséquences d'une inexécution future. La prévisibilité doit donc s'apprécier au jour où le contrat a été conclu et par l'application d'un critère abstrait : quels sont les dommages qu'un contractant raisonnablement prudent et diligent pouvait prévoir dans les circonstances? » (Baudouin, *Obligations*, n° 713, p. 428-429).

Rem. **1°** La distinction entre dommage prévisible et dommage imprévisible ne s'applique qu'en matière contractuelle; l'auteur d'une faute délictuelle ou quasi délictuelle doit réparer tous les dommages. **2°** En matière contractuelle, le débiteur, selon l'art. 1074 C. civ., n'est, en principe, tenu que des dommages prévus ou prévisibles. Toutefois, par exception, il est aussi tenu des dommages imprévisibles, lorsque l'inexécution de l'obligation résulte de son dol[2].

Opp. dommage imprévisible. **V.a.** dommage prévu.

Angl. foreseeable damage.

DOMMAGE PRÉVU

(*Obl.*) Dommage envisagé par le débiteur au cas où il n'exécuterait pas son obligation. « En matière contractuelle comme en matière délictuelle l'auteur du préjudice n'est tenu, en principe, que des *dommages directs*. Mais, alors que l'auteur d'une faute délictuelle est tenu des dommages imprévus, il n'est normalement tenu, en matière contractuelle, qu'aux dommages prévus ou prévisibles » (Le Tourneau, *Responsabilité*, n° 240, p. 87).

Rem. Voir l'art. 1074 C. civ.

Opp. dommage imprévu. **V.a.** dommage prévisible⁺.

Angl. foreseen damage.

DOMMAGE PROGRESSIF

(*Obl.*) Syn. dommage graduel. « [...] s'agit-il de dommages progressifs, c'est-à-dire d'un préjudice qui naît, se dessine et se développe par une sorte d'évolution qui tire toute sa force nuisible dans une même cause et où ne se révèle pas encore tous ses effets pernicieux, on ne peut certes imposer comme point de départ à la prescription, le jour même où la plus simple, la plus minime manifestation du dommage s'est produite. Ce serait accorder un droit d'action, mais refuser l'efficacité de son exercice » (*Gingras* c. *Québec (Cité de)*, [1948] B.R. 171, p. 182, j. B. Bissonnette).

Angl. gradual damage⁺, gradual loss.

DOMMAGE PSYCHOLOGIQUE

(*Obl.*) Dommage moral d'ordre mental. « *Dommage psychologique* — On peut [...] rentrer dans la catégorie générale des souffrances d'ordre moral, les traumatismes psychologiques entraînés par l'accident, par exemple les névroses ou psychoses post-traumatiques, les dépressions accompagnées ou non de tentatives de suicide, et les changements de personnalité » (Baudouin, *Responsabilité*, n° 284, p. 152).

Syn. préjudice psychologique.

Angl. psychological damage⁺, psychological harm.

DOMMAGE RÉCURRENT

(*Obl.*) Dommage qui se reproduit à intervalles.

V.a. dommage continu, dommage graduel, dommage périodique.

Angl. recurrent damage.

DOMMAGE RÉFLÉCHI

(*Obl.*) Syn. dommage par ricochet. « Le principe est celui de l'indépendance du dommage réfléchi par rapport au dommage initial, et donc de la prise en considération de tous les chefs de préjudice, dans leur diversité » (Chartier, *Réparation du préjudice*, n° 184, p. 238).

Angl. rebounding damage⁺, ricochet damage.

DOMMAGES *n.m.pl.*

(*Obl.*) Syn. dommages-intérêts. « Le créancier n'a droit à des dommages que s'il subit un préjudice par suite de l'inexécution de

l'obligation » (Faribault, dans *Traité*, t. 7-bis, n° 427, p. 369).
Occ. Art. 1065 C. civ.
Rem. Ne pas confondre le ou les dommages qui constituent le préjudice subi par le créancier et les dommages qui représentent l'indemnité pécuniaire réparatrice du préjudice subi.
V.a. dommage+.
Angl. damages.

DOMMAGES COMPENSATOIRES

(*Obl.*) Syn. dommages-intérêts compensatoires.
Angl. compensatory damages.

DOMMAGES CONVENTIONNELS

(*Obl.*) Syn. dommages-intérêts conventionnels. « [...] en vertu du principe de la liberté contractuelle, les parties peuvent [...] prédéterminer dans le contrat le montant que devra payer le débiteur en cas d'inexécution par une clause pénale (dommages conventionnels) » (Baudouin, *Obligations*, n° 705, p. 422).
Opp. dommages légaux.
Angl. contractual damages+, conventional damages.

DOMMAGES ET INTÉRÊTS

(*Obl.*) Syn. dommages-intérêts. « [...] les dommages et intérêts sont considérés comme un mode d'exécution *par équivalent* » (Marty et Raynaud, *Obligations*, t. 1, n° 578, p. 723).
Angl. damages.

DOMMAGES EXEMPLAIRES

(*Obl.*) Syn. dommages-intérêts exemplaires. « Les dommages exemplaires poursuivent un but punitif et dissuasif et non l'objectif de compenser des dommages subis » (*Lemieux* c. *Polyclinique St-Cyrille Inc.*, [1989] R.J.Q. 44 (C.A.), p. 45, j. C. Bisson).
Occ. Art. 49, *Charte des droits et libertés de la personne*, L.R.Q., chap. C-12.
Angl. exemplary damages+, punitive damages.

DOMMAGES EXTRAJUDICIAIRES

(*Obl.*) Syn. dommages-intérêts extrajudiciaires.
Opp. dommages judiciaires.
Angl. extrajudicial damages.

DOMMAGES-INTÉRÊTS *n.m.pl.*

(*Obl.*) Indemnité pécuniaire attribuée au créancier en réparation du préjudice résultant de l'inexécution par le débiteur de son obligation. « Si l'exécution en nature est impossible à obtenir, le créancier devra se contenter d'une exécution par équivalent : le débiteur sera condamné à des dommages-intérêts [...] » (Marty, Raynaud et Jestaz, *Obligations*, t. 2, n° 308, p. 272).
Occ. Art. 1065, 1070 C. civ.
Rem. **1°** On distingue les dommages-intérêts compensatoires et les dommages-intérêts moratoires. On reconnaît en outre les dommages-intérêts exemplaires. **2°** En principe, les dommages-intérêts ne visent qu'à la réparation intégrale du préjudice subi. Les dommages-intérêts exemplaires vont au-delà et revêtent ainsi un caractère exceptionnel. **3°** On oppose, de plus, les dommages-intérêts judiciaires aux dommages-intérêts extrajudiciaires.
Syn. dommages, dommages et intérêts.
V.a. action en dommages-intérêts, réparation par équivalent.
Angl. damages.

DOMMAGES-INTÉRÊTS COMPENSATOIRES

(*Obl.*) Dommages-intérêts alloués en réparation du préjudice résultant de l'inexécution définitive de l'obligation. « Les dommages-intérêts compensatoires sont la somme d'argent destinée à réparer le préjudice subi par la victime, indépendamment

de tout retard apporté à l'indemniser. Ils correspondent à l'évaluation du préjudice corporel, moral ou matériel subi par la victime » (*Corriveau* c. *Péloquin*, [1980] C.A. 4, p. 6, j. A. Mayrand).
Syn. dommages compensatoires. **Opp.** dommages-intérêts exemplaires, dommages-intérêts moratoires.
Angl. compensatory damages.

DOMMAGES-INTÉRÊTS CONVENTIONNELS

(*Obl.*) Dommages-intérêts extrajudiciaires que les parties fixent elles-mêmes. « *Dommages-intérêts conventionnels — Généralités* — Le principe de la liberté contractuelle, permet aux parties de prévoir d'avance dans la convention les dommages qui devront être payés en cas d'inexécution, au moyen d'une clause pénale » (Baudouin, *Obligations*, n° 716, p. 431).
Syn. dommages conventionnels. **Opp.** dommages-intérêts légaux. **V.a.** clause pénale, forfait.
Angl. contractual damages+, conventional damages.

DOMMAGES-INTÉRÊTS EXEMPLAIRES

(*Obl.*) Dommages-intérêts alloués à la victime, à titre de peine à caractère privé, indépendamment du préjudice réellement subi. « Le consommateur peut réclamer des dommages-intérêts exemplaires si le commerçant ou le manufacturier n'exécutent pas les obligations que la loi leur impose » (L'Heureux, *Consommation*, n° 289, p. 234).
Occ. Art. 272, *Loi sur la protection du consommateur*, L.R.Q., chap. P-40.1.
Rem. Traditionnellement, le droit civil[4] refusait d'admettre les dommages-intérêts exemplaires en raison de la distinction fondamentale faite entre le droit criminel, qui vise à punir, et le droit privé[1] qui vise à réparer le préjudice subi. Les dommages-intérêts exemplaires, ayant un caractère punitif et non compensatoire, ne sont pas admis par le régime du Code civil (art. 1073 C. civ.). Cependant, certaines lois particulières les admettent : art. 1 et 272 de la *Loi sur la protection du consommateur* (L.R.Q., chap. P-40.1); art. 42 de la *Charte des droits et libertés de la personne* (L.R.Q., chap. C-12); art. 167 al. 2 de la *Loi sur l'accès aux documents des organismes public et sur la protection des renseignements personnels* (L.R.Q., chap. A-2.1); art. 1 de la *Loi sur la protection des arbres* (L.R.Q., chap. P-37). Le *Projet de Code civil* (art. 290, L. V) proposait que les dommages-intérêts exemplaires soient généralement admissibles en cas de faute intentionnelle ou de faute lourde, mais le Projet de loi 125 (art. 1619) en réserverait l'application aux cas prévus par la loi.
Syn. dommages exemplaires, dommages-intérêts punitifs, dommages punitifs. **Opp.** dommages-intérêts compensatoires. **V.a.** dommages-intérêts moratoires.
Angl. exemplary damages+, punitive damages.

DOMMAGES-INTÉRÊTS EXTRAJUDICIAIRES

(*Obl.*) Dommages-intérêts fixés par la loi ou par la volonté des parties. « *Les dommages-intérêts extra-judiciaires.* Les dommages-intérêts sont fixés par le juge, à défaut d'une convention ou à défaut d'une loi qui en déterminent le montant » (Tancelin, *Obligations*, n° 776, p. 465).
Rem. Les dommages-intérêts extrajudiciaires sont conventionnels ou légaux.
Syn. dommages extrajudiciaires. **Opp.** dommages-intérêts judiciaires.
Angl. extrajudicial damages.

DOMMAGES-INTÉRÊTS JUDICIAIRES

(*Obl.*) Dommages-intérêts fixés par décision judiciaire. « *Dommages-intérêts judiciaires — Principes généraux* — Le montant accordé par le tribunal doit permettre de replacer le créancier dans la même situation

où il se serait trouvé si le débiteur avait fidèlement exécuté l'obligation, sans toutefois enrichir le premier aux dépens du second » (Baudouin, *Obligations*, n° 706, p. 422-423).
Syn. dommages judiciaires. **Opp.** dommages-intérêts extrajudiciaires.
Angl. judicial damages.

DOMMAGES-INTÉRÊTS LÉGAUX

(*Obl.*) Dommages-intérêts extrajudiciaires fixés par une disposition de la loi. « *Les dommages-intérêts légaux — Régimes spéciaux* — Les articles 1077 et 1078.1 C.c. apportent une dérogation au principe d'évaluation judiciaire des dommages-intérêts dus pour retard dans l'exécution d'une obligation pécuniaire et pour inexécution d'une obligation en nature » (Tancelin, *Obligations*, n° 790, p. 472).
Syn. dommages légaux. **Opp.** dommages-intérêts conventionnels.
Angl. legal damages.

DOMMAGES-INTÉRÊTS MORATOIRES

(*Obl.*) Dommages-intérêts alloués en réparation du préjudice résultant du retard du débiteur à exécuter son obligation. « Lorsque l'obligation qui n'a pas été exécutée avait pour objet une somme d'argent, il ne peut être question, en principe, que de dommages-intérêts moratoires [...] » (Weill et Terré, *Obligations*, n° 436, p. 455).
Rem. Voir l'art. 1077 C. civ.
Syn. dommages moratoires. **Opp.** dommages-intérêts compensatoires. **V.a.** dommages-intérêts exemplaires.
Angl. moratory damages.

DOMMAGES-INTÉRÊTS PUNITIFS

(*Obl.*) Syn. dommages-intérêts exemplaires.
Occ. Art. 1619, Projet de loi 125.
Angl. exemplary damages+, punitive damages.

DOMMAGES JUDICIAIRES

(*Obl.*) Syn. dommages-intérêts judiciaires. « Dans la majorité des cas, ils [les dommages-intérêts] sont fixés par le tribunal sur demande du créancier au cours d'une instance judiciaire l'opposant au débiteur (dommages judiciaires) » (Baudouin, *Obligations*, n° 705, p. 422).
Opp. dommages extrajudiciaires.
Angl. judicial damages.

DOMMAGES LÉGAUX

(*Obl.*) Syn. dommages-intérêts légaux.
Opp. dommages conventionnels.
Angl. legal damages.

DOMMAGES MORATOIRES

(*Obl.*) Syn. dommages-intérêts moratoires.
Angl. moratory damages.

DOMMAGES PUNITIFS

(*Obl.*) Syn. dommages-intérêts exemplaires.
Angl. exemplary damages+, punitive damages.

DOMMAGE VIRTUEL

(*Obl.*) Dommage futur, mais certain, donc susceptible d'être réparé. Par ex., le dommage continu résultant d'une incapacité permanente. « Le dommage actuel et le dommage virtuel sont "certains", alors que le dommage éventuel ne peut pas être qualifié de la sorte » (Le Tourneau, *Responsabilité*, n° 508, p. 168).
Syn. préjudice virtuel. **Opp.** dommage éventuel.
Angl. probable damage.

DON *n.m.*

1. (*Obl.*) Syn. donation. « C'est donc en dehors des règles civiles des donations que se placent les dons que peut faire une personne

de son sang ou de ses organes au profit d'une autre personne » (Savatier, *Rép. droit civ.*, v° Donation, n° 2). *Faire un don.*
Occ. Art. 712 C. civ.
Angl. donation, gift[1]+.

2. (*Obl.*) Objet de la donation. *Recevoir un don.*
Occ. Art. 700 C. civ.
Angl. gift[2].

DONATAIRE *n.m.*

(*Obl.*) Personne qui accepte une donation. « Sans qu'il y ait à proprement parler charge imposée au donataire, le donateur peut lui remettre un bien déterminé en lui imposant un acte ou une renonciation qu'il estime utile à son intérêt » (Planiol et Ripert, *Traité*, t. 5, n° 315, p. 431).
Occ. Art. 771 C. civ.
Opp. donateur.
Angl. donee.

DONATEUR, TRICE *n.*

(*Obl.*) Personne qui fait une donation. « Un donateur ne peut reprendre unilatéralement le bien donné, sous réserve des cas dans lesquels il existe une cause légale de révocation [...] » (Terré et Lequette, *Successions*, n° 428, p. 388).
Occ. Art. 762 C. civ.
Opp. donataire. **V.a.** aliénateur.
Angl. donor.

DONATION *n.f.*

(*Obl.*) Contrat formaliste par lequel une partie, le *donateur*, consent une libéralité à une autre, le *donataire*. « À l'inverse du testament qui peut être librement modifié par le testateur, la donation est en principe irrévocable sauf ingratitude du donataire ou inexécution des charges qui avaient pu lui être imposées » (Atias, *Droit civil*, t. 1, p. 105).
Occ. Art. 754, 776 C. civ.
Rem. **1°** On oppose la donation entre vifs à la donation à cause de mort. **2°** La donation est en principe un contrat solennel; toutefois, dans le cas de la donation mobilière, la remise de la chose peut remplacer l'acte notarié : il s'agit alors d'un contrat réel (art. 776 C. civ.).
Syn. don[1]. **V.a.** legs[1].
Angl. donation, gift[1]+.

DON MANUEL

(*Obl.*) Donation d'un meuble corporel accomplie par simple tradition. « On entend par *don manuel*, le fait de donner de la main à la main, de *main chaude* disaient les vieux auteurs, avec l'intention de s'en dessaisir en faveur du donataire, une chose mobilière, telle qu'un meuble corporel ou une somme d'argent » (Mignault, *Droit civil*, t. 4, p. 80).
Angl. *don manuel*+, gift from hand to hand, manual gift.

DONNER *v.tr.*

1. (*Biens* et *Obl.*) Transférer un droit réel. « En édictant le principe du consensualisme [...] l'article 1025 C.c. semble retirer toute application à l'exécution d'une obligation de donner au sens juridique, c'est-à-dire d'exécuter l'obligation de transférer la propriété » (Tancelin, *Obligations*, n° 715, p. 426).
Occ. Art. 1058, 1063 C. civ.
Rem. **1°** En ce sens, le verbe *donner* correspond au latin *dare* (faire dation) plutôt qu'à *donare* (faire donation). **2°** L'expression *donner en paiement* (art. 1143 C. civ.) signifie remettre à titre de paiement, parfois par le biais d'une dation en paiement.
V.a. obligation de donner.
Angl. give[1].

2. (*Obl.*) Effectuer une donation. « Il faut que le donateur se dépouille de la chose, car donner et retenir ne vaut [...] » (Mignault, *Droit civil*, t. 4, p. 7).
Occ. Art. 771 C. civ.
Angl. give[2].

DONNER ACTE *loc.verb.*

Accorder la constatation par écrit d'un fait, selon la demande qui en a été faite.
Angl. acknowledge[1].

DONNEUR D'OUVRAGE

(*Obl.*) Syn. maître de l'ouvrage.
Angl. client.

DONT ACTE *loc.prép.*

Formule employée pour indiquer la fin d'un acte instrumentaire, spécialement d'un acte notarié. « Le mot "acte" dans l'expression "Dont Acte" indique bien que le notaire instrumentant a pris bonne note, dans l'écrit qu'il signe, des conventions des parties ou d'une manifestation de volonté » (Martineau, (1977-1978) 80 *R. du N.* 357, p. 360).
Angl. whereof act.

DOUBLE MANDAT

(*Obl.*) Situation juridique dans laquelle une même personne est mandataire des deux parties au contrat qu'elle doit conclure pour leurs comptes respectifs. Par ex., une personne chargée de vendre un immeuble par son propriétaire, le vend à un acheteur de qui elle avait reçu mandat d'acheter. « Le double mandat sera cependant valide s'il n'y a pas conflit d'intérêts entre les mandants i.e. si les intérêts des deux peuvent simultanément être bien servis [...] » (Larouche, *Obligations*, t. 1, n° 63, p. 88).
Rem. **1°** Le double mandat s'analyse en deux contrats de mandat, comportant deux mandants distincts, dans lesquels la même personne joue le rôle de mandataire. **2°** Voir l'art. 1735 C. civ.
Syn. mandat double.
Angl. double mandate.

DOUBLE RENVOI

(*D. int. pr.*) Renvoi qui donne lieu à l'application non simplement de la règle de conflit étrangère désignée par celle du for, mais de l'ensemble du système de conflits de l'État ainsi désigné. Par ex., le fait pour le juge anglais d'appliquer sa propre loi interne[3] à la question de la succession d'une Anglaise domiciliée en Italie lors de son décès, parce que, s'il avait été directement saisi du litige, le juge italien, dont la loi était applicable selon la règle de conflit anglaise, aurait refusé le renvoi et, partant, appliqué la loi interne[3] anglaise de la nationalité de la défunte. « On voit en quoi le double renvoi diffère du renvoi au premier ou au second degré : on n'emprunte pas au pays désigné sa seule règle de conflit, mais tout le raisonnement judiciaire » (Mayer, *Droit int. privé*, n° 231, p. 194).
Rem. **1°** La jurisprudence anglaise est la seule à recourir à ce type de renvoi, qui est appelé *foreign court theory* en Angleterre. **2°** La doctrine civiliste condamne unanimement son emploi pour le motif que ce mécanisme ne peut fonctionner logiquement que si seul le juge saisi l'applique.
Syn. renvoi total. **Opp.** renvoi simple.
V.a. théorie du renvoi.
Angl. double renvoi⁺, total renvoi.

DROIT *n.m.*

1. Ensemble de règles applicables à la vie en société et sanctionnées par la puissance publique. « De même que le droit s'incarne pour le peuple dans le législateur et dans le juge [...] il se manifeste, aux yeux du juriste, dans deux phénomènes : la *règle de droit* et le *jugement* » (Carbonnier, *Introduction*, n° 4, p. 21). *Dire le droit.*
Syn. droit objectif, *jus*[2]. **Opp.** droit[2].
V.a. ancien droit, erreur de droit, incapacité de droit, système de droit.
Angl. *jus*[2], law[1]⁺.

2. Prérogative que le droit objectif reconnaît à un sujet de droit, le titulaire, dans l'intérêt de ce dernier. Par ex., le droit de propriété, le droit de créance, le droit au respect de la vie privée. « Le terme même de "droit subjectif" ne date que du XIXe siècle. Mais la notion de droit conçu comme

l'attribut d'un sujet (*subjectum juris*) et qui n'existe exclusivement qu'à l'*avantage* de ce sujet, remonte pour le moins au XIVe siècle. Elle était pour la première fois clairement distinguée chez Guillaume d'Occam, fondateur de la "voie nouvelle" » (Villey, *Philosophie du droit*, t. 1, n° 80, p. 146). *Exercice d'un droit, ouverture d'un droit.*
Syn. droit individuel, droit subjectif, *jus*[3].
Opp. droit[1]. **V.a.** abus de droit, apparence de droit, objet de droit, sujet de droit, terme de droit.
Angl. *jus*[3], right[+].

DROIT ABSOLU

1. Droit subjectif opposable à tous. Par ex., les droits réels, le droit d'auteur, les droits de la personnalité.
Opp. droit relatif[1].
Angl. absolute right[1].

2. (*Biens*) Droit réel illimité. « Il n'existe dans notre système juridique qu'un seul droit absolu : c'est [...] la propriété » (Cardinal, (1964-1965) 67 *R. du N.* 271, p. 280).
Rem. Le caractère absolu du droit de propriété s'oppose au caractère relatif de ses démembrements.
Opp. droit relatif[2].
Angl. absolute right[2].

3. Droit subjectif dont l'exercice est insusceptible d'abus. « Nier que nous puissions engager notre responsabilité en exerçant un de nos droits, voir dans chacun de nos droits un droit absolu, serait faire preuve d'un individualisme excessif » (Mazeaud et Chabas, *Leçons*, t. 2, vol. 1, n° 457, p. 468).
Rem. C'est à l'encontre du caractère absolu des droits qu'a été élaborée la théorie de l'abus des droits, selon laquelle le titulaire d'un droit ne saurait l'exercer dans le seul dessein de nuire à autrui. Malgré une généralisation du domaine d'application de la théorie, certains droits revêtent encore un caractère absolu ou discrétionnaire, par ex., le droit des père ou mère de consentir ou de refuser de consentir au mariage de leur enfant mineur (voir l'art. 119 C. civ.).
Syn. droit discrétionnaire, droit non causé.
Opp. droit relatif[3]. **V.a.** abus de droit[+].
Angl. absolute right[3+], discretionary right.

DROIT ACQUIS

1. Droit actuel dont une personne devient titulaire au cours de son existence. Par ex., droit résultant d'un contrat, droit provenant de l'état de père ou de mère.
Syn. *jus quaesitum*. **Opp.** droit inné.
Angl. acquired right[1+], *jus quaesitum*, vested right[1].

2. Syn. droit actuel. « D'après la théorie [...] classique [...] la loi nouvelle ne peut porter atteinte aux droits acquis lors de sa promulgation, droits qui demeurent régis par la loi ancienne; au contraire, la loi nouvelle s'applique si les intéressés ne peuvent invoquer encore que de simples expectatives, des espérances [...] » (Marty et Raynaud, *Introduction*, n° 106, p. 185-186).
Rem. Dans ce sens, le terme *droit acquis* est surtout employé dans un contexte de conflits de lois dans le temps ou dans l'espace. Ainsi, un droit valablement acquis sous l'empire d'une loi ancienne ou d'une loi étrangère ne peut, en principe, être remis en question par application d'une loi nouvelle (droit transitoire) ou de la loi du for (droit international privé). Le principe connaît, toutefois, d'importantes exceptions.
Angl. accrued right, acquired right[2], present right[+], vested right[2].

DROIT ACTUEL

Droit[2] déjà né, existant. Par ex., droit de l'héritier lors du décès du *de cujus*.
Rem. Le droit actuel peut être parfait, tel le droit définitif, ou imparfait, tel le droit éventuel[1] et le droit conditionnel[2].
Syn. droit acquis[2]. **Opp.** simple expectative. **V.a.** droit définitif, droit éventuel.
Angl. accrued right, acquired right[2], present right[+], vested right[2].

DROIT ADMINISTRATIF

Branche du droit public ayant pour objet de régir l'organisation et le fonctionnement de l'Administration, de même que ses rapports avec les particuliers. « [...] le contrôle judiciaire de l'Administration constitue pour le justiciable la partie la plus concrète et sans doute la plus importante du droit administratif [...] » (Dussault et Borgeat, *Droit administratif*, t. 1, p. 38).
V.a. droit public[1].
Angl. administrative law.

DROIT APPARENT

(*D. jud.*) Droit subjectif présentant le caractère vraisemblable constitutif de l'apparence de droit.
Angl. apparent right.

DROIT CANON

Syn. droit canonique. « Le droit canon est probablement celui qui a le plus contribué au développement du rôle de l'intention dans le droit et, plus largement, à l'adaptation de la règle juridique à la moralité de l'auteur du dommage, une adaptation qui a fini par placer le concept de faute dans une position éminente » (Tunc, *Responsabilité*, n° 61, p. 54).
Angl. Canonical law, Canon law⁺.

DROIT CANONIQUE

Droit ecclésiastique[1] établi par l'Église catholique. « [...] la méthode juridique à laquelle le droit canonique a recours n'entre pas de façon autonome, mais subordonnée à la foi, dans le champ d'expression de ce droit » (Franck, *Droit canonique*, p. 285).
Rem. Le droit canonique a fait l'objet d'une nouvelle codification, élaborée dans l'esprit du Concile de Vatican II; le nouveau code (*Codex iuris canonici*) est entré en vigueur le 27 novembre 1983.
Syn. droit canon, droit ecclésiastique[2].
V.a. droit séculier.
Angl. Canonical law, Canon law⁺.

DROIT CIVIL

1. Syn. droit privé[1]. « Peu à peu le terme droit civil devient synonyme de droit privé. C'est en ce sens que Domat le prenait lorsqu'il intitulait son ouvrage "Les lois civiles dans leur ordre naturel", un autre ouvrage étant consacré par lui au droit public » (Marty et Raynaud, *Introduction*, n° 43, p. 73).
Occ. Art. 356 C. civ.
Angl. civil law[5], private law⁺.

2. Ensemble des règles fondamentales du droit privé[1] qui constitue le droit commun applicable en principe, c'est-à-dire en l'absence de dispositions dérogatoires régissant des matières spécialisées. Par ex., les règles concernant le statut des personnes et de la famille, le régime des biens et la théorie des obligations. « C'est dans le droit privé que le droit civil prend place. Il en représente le droit commun et le tronc commun. Plus précisément, il est le droit privé lui-même, moins les rameaux spécialisés qui s'en sont, à différentes époques, détachés [...] » (Carbonnier, *Introduction*, n° 64, p. 104).
Angl. civil law[1].

3. Branche du droit privé[1] qui, par opposition au droit commercial, réglemente les actes civils. « Dans le Code, l'on retrouve, comme en droit français, une dualité de régime : il existe un droit commun, c'est le droit civil, applicable en principe à toutes les relations juridiques de nature privée et un droit spécial ou exceptionnel, c'est le droit commercial formé d'un certain nombre de règles particulières qui dérogent aux règles du droit commun [...] » (Bohémier et Côté, *Droit commercial*, p. 67).
Angl. civil law[2].

4. Droit[1] qui tire principalement son origine et son inspiration du droit romain. Par ex., le droit civil du Québec, de la Louisiane. « Le droit civil n'est pas une collection de règles données, puisées au droit romain, au droit canon ou au droit coutumier et transmises jusqu'à nous sous un forme figée. Ainsi que le décrivait si justement le Professeur René David, [...] le droit civil, c'est

essentiellement "un style" : c'est une certaine manière de concevoir, d'exprimer, d'appliquer la règle de droit et qui transcende les politiques législatives mouvantes selon les époques de l'histoire d'un peuple » (Crépeau, *Projet*, Préface, p. XXIX).
V.a. common law[3].
Angl. Civil law[3].

5. Droit[2] que consacre et garantit le droit privé[1]. Par ex., droit au respect de la vie privé, droit de propriété, droit de créance. « Les droits *civils*, opposés aux droits *politiques* [...] dérivent du droit *privé* » (Mignault, *Droit civil*, t. 1, p. 131).
Occ. Art. 18 C. civ.
Rem. En ce sens, ce terme s'emploie souvent au pluriel.
Opp. droit politique.
Angl. civil right.

6. Syn. droit séculier. « Cette question [l'administration des biens temporels de la paroisse] a de nombreuses répercussions purement civiles. Les deux pouvoirs, ecclésiastiques et civils, ont tout avantage à s'entendre. Mais, il faut toujours faire la différence entre les prescriptions du droit civil et celles du droit ecclésiastique » (Arbour, *Droit canonique*, p. 105).
Angl. civil law[4], secular law+.

7. A. (*D. rom.*) Droit[1] applicable aux citoyens romains, par opposition au droit applicable à la fois aux citoyens et aux étrangers. « Pour les Romains, le *droit civil* était le *droit de Rome* ou le droit des Quirites, (*Jus quiritium*). Le droit civil ainsi entendu s'opposait au *Jus gentium* qui comprenait les règles communes à tous les peuples [...] » (Ripert et Boulanger, *Traité*, t. 1, n° 62, p. 30).
Syn. *jus civile.* **Opp.** *jus gentium*[2].
Angl. Civil law[6.A]+, *jus civile.*

7. B. (*D. rom.*) Droit[1] qui découle de sources législatives et de la doctrine des jurisconsultes, par opposition au droit prétorien issu des édits des magistrats romains. « Le droit prétorien est *distinct du droit civil* [...] Il constitue en face de lui un ensemble de normes autonomes. Cela aboutit dans certains cas à une dualité d'institutions : les unes de droit civil, les autres de droit prétorien » (Gaudemet, *Institutions*, n° 420, p. 576).
Opp. droit prétorien[2].
Angl. Civil law[6.B].

8. (*Hist.*) Droit romain, par opposition au droit canonique et au droit coutumier[2], au Moyen Age et en ancien droit français. « Le sens de l'expression droit civil a évolué. À Rome le *jus civile* [...] a fini par désigner le droit romain codifié à Bysance sous le nom de *corpus juris civilis*; c'est en ce sens que l'on parlait de droit civil dans l'ancienne France [...] » (Marty et Raynaud, *Introduction*, n° 43, p. 73).
Angl. Civil law[7].

DROIT CODIFIÉ

Droit écrit ayant sa source dans une codification.
Rem. Le droit privé du Québec est principalement un droit codifié.
V.a. droit écrit[1].
Angl. codified law.

DROIT COMMERCIAL

(*D. comm.*) Branche du droit privé[1] qui réglemente les actes de commerce et les rapports juridiques qui en découlent. « [Le] droit commercial est une *dérogation* aux règles ordinaires du *droit civil* [...] Il ne faudrait [...] pas croire que toute l'activité des commerçants est régie par les règles du droit commercial. Il n'existe de telles règles spéciales *que pour un certain nombre de matières* [...]; là où il n'en existe pas, ce sont les règles du droit civil qui s'appliquent même pour les commerçants [...] » (Houin et Rodière, *Droit commercial*, n° 1, p. 1).
Rem. **1°** Le droit commercial québécois est de source provinciale et fédérale. Dans la législation provinciale, on trouve le livre quatrième du Code civil intitulé *Lois commerciales* et les diverses lois relatives aux

compagnies. Dans la législation fédérale, on peut signaler la *Loi sur les sociétés par actions* (L.R.C. 1985, chap. C-44), la *Loi sur les lettres de change* (L.R.C. 1985, chap. B-4) et la *Loi sur les banques* (L.R.C. 1985, chap. B-1). **2°** Le droit commercial est considéré comme une branche du droit privé bien que certains de ses aspects touchent au droit public : droit international, droit administratif, droit fiscal.
V.a. commerce[2], commercialité, droit civil[3].
Angl. commercial law.

DROIT COMMUN

1. Droit[1] normalement applicable à un ensemble de rapports juridiques. Par ex., la théorie générale du contrat par opposition aux dispositions de la *Loi sur la protection du consommateur*; le régime de la société d'acquêts (art. 464 C. civ. Q.) par opposition à celui de la séparation de biens. « [...] les lois spéciales, en tant qu'elles constituent des dispositions dérogatoires au droit commun, subissent une double pression qui tend à en restreindre le domaine d'application et à en limiter la durée » (Gassin, D.1961, Chr.91, p. 93). *Régime de droit commun; règles exorbitantes du droit commun.*
Occ. Art. 366 C. civ.
Rem. Au Québec, le droit commun s'entend aussi bien du droit civil[4] en droit privé, que de la common law[2] en droit public.
Opp. droit d'exception. **V.a.** loi générale, prescription de droit commun, tribunal de droit commun. **F.f.** droit supplétif[2].
Angl. common law[1]+, *droit commun.*

2. (X) *Angl.* V. common law[2].
Rem. Le terme *common law*, dans la mesure où il désigne l'une des composantes du droit anglais, ne comporte pas d'équivalent en langue française. Particulièrement en droit privé, cette expression est à proscrire, d'autant qu'elle risque de laisser croire que la common law est, en la matière, le droit commun du Québec. « C'est donc la *common law* qui se trouve le droit fondamental dans la province de Québec en tout ce qui n'est pas "*property and civil rights*" » (Pigeon, *Rédaction*, p. 110).
Angl. common law[3].

DROIT CONDITIONNEL

(*Obl.*) Droit[2] assorti d'une condition[1]. « Le droit conditionnel est un droit qui réunit déjà toutes les conditions qui pourraient le rendre parfait, mais auquel a été surajoutée une modalité, la condition » (Marty et Raynaud, *Introduction*, n° 165, p. 298).
Occ. Art. 392, 2081 par. 2 C. civ.
Opp. droit pur et simple. **V.a.** droit éventuel[1]+, obligation conditionnelle.
Angl. conditional right+, qualified right(>)+.

DROIT CONSTITUTIONNEL

Branche du droit public ayant pour objet de régir l'organisation et le fonctionnement des institutions politiques de l'État et de définir les libertés publiques, ainsi que les droits et devoirs fondamentaux des personnes soumises à son autorité. « Étudier le droit constitutionnel, c'est donc étudier les institutions politiques sous leur aspect juridique » (Duverger, *Institutions politiques*, p. 14).
V.a. droit public[1].
Angl. constitutional law.

DROIT CONTRÔLÉ

Syn. droit relatif[3].
Angl. relative right[3].

DROIT COUTUMIER

1. Syn. coutume[2]. « Les deux éléments [...] l'usage, et le sentiment de nécessité juridique, me paraissent autant suffisants que nécessaires, d'après la raison d'être profonde de la puissance du droit coutumier, pour constituer une coutume imposant sa décision à l'interprète » (Geny, *Méthode*, t. 1, p. 364). *Pays de droit coutumier.*
Angl. custom[2]+, customary law[1].

2. (*Hist.*) Droit[1] d'origine coutumière qui était en vigueur avant la codification (1804 en France et 1866 au Québec). « Les populations se plaignaient de l'incertitude que le Droit coutumier laissait dans leurs relations. Aussi le pouvoir royal ordonna-t-il, à la suite d'enquêtes opérées par des jurisconsultes, une rédaction officielle des coutumes (ordonnance de Montil-les-Tours de 1453) » (Colin et Capitant, *Traité*, t. 1, n° 190, p. 117).
V.a. ancien droit.
Angl. customary law[2].

3. (X) V. common law[1].
Rem. D'aucuns utilisent à tort l'expression *droit coutumier* comme synonyme de *droit anglais* ou encore pour traduire l'expression anglaise *Common law*. « La common law a eu pour effet de faire disparaître le droit coutumier de l'Angleterre, que l'on trouvait dans les coutumes locales » (David, *Grands systèmes*, n° 352, p. 396).
Angl. Common law[2].

DROIT D'ACCESSION

(*Biens*) Droit[2] en vertu duquel la propriété d'une chose principale s'étend aux fruits et produits, ainsi qu'aux accessoires qui s'y incorporent ou s'y unissent. « Les fruits et les produits d'une chose appartiennent au propriétaire par droit d'accession » (Mignault, *Droit civil*, t. 2, p. 480).
Occ. Art. 408 C. civ.
Angl. right of accession.

DROIT DE COPROPRIÉTÉ

(*Biens*) Syn. copropriété. « [...] certains auteurs proposaient de définir le droit de chaque copropriétaire comme un droit de copropriété unique s'étendant à la totalité de l'immeuble mais s'exerçant différemment sur l'appartement et sur les parties communes » (Marty et Raynaud, *Biens*, n° 240, p. 302).
Angl. co-ownership+, ownership in indivision, right of co-ownership, undivided ownership.

DROIT DE CRÉANCE

(*Obl.*) Syn. droit personnel. « La situation du débiteur n'est certes pas analogue à celle de la chose sur laquelle porte un droit réel [...] Le droit de créance tend à courber sa volonté pour obtenir de lui l'exécution d'une prestation » (Ghestin et Goubeaux, *Introduction*, n° 214, p. 174-175).
V.a. titre de créance.
Angl. creance, credit[4], debt[2], *jus in personam*, personal right+.

DROIT DE DISCUSSION

(*Obl.* et *Sûr.*) Syn. bénéfice de discussion. « [...] l'exercice du droit de discussion ne joue pas de plein droit en faveur de la caution; celle-ci doit en faire la demande dès qu'elle est poursuivie » (Roch et Paré, dans *Traité*, t. 13, p. 626).
Angl. benefit of discussion+, right of discussion.

DROIT DÉFINITIF

Droit actuel qui, dans un contexte de formation progressive d'un droit, comporte tous les éléments intrinsèques essentiels à sa perfection. Par ex., le droit de l'appelé aux biens d'une substitution une fois celle-ci ouverte.
Opp. droit éventuel[1]+.
Angl. definitive right+, perfected right.

DROIT DE GAGE

(*Sûr.*) Nantissement[2] portant sur un meuble[1]. « Ainsi, si le créancier remet l'objet du gage au débiteur qui s'engage à le conserver pour lui, il perd son droit de gage » (Mignault, *Droit civil*, t. 8, note 4, p. 403).
Occ. Art. 1741 C. civ.
Syn. gage[2]. **Opp.** antichrèse[2].
Angl. pawn[2], right of pawning+.

DROIT DE GARDE

1. (*Pers.*) Syn. garde[1]. « On peut alors concevoir le droit de garde, en quelque sorte,

comme le ciment de cet ensemble de droits et d'obligations qui forment l'écheveau de l'autorité parentale » (Simler, *Rev. trim. dr. civ.* 1972, 685, n° 10, p. 697).
Angl. care[1], custody[1]+, right of custody[1].

2. (*Pers.*) Syn. garde[2].
Angl. care[2], custody[2]+, juridical custody(x), legal custody[1](x), physical custody(x), right of custody[2].

DROIT DE JOUISSANCE

(*Biens* et *Obl.*) Syn. jouissance[1].
Angl. enjoyment[1]+, right of enjoyment.

DROIT DE LA PERSONNALITÉ

Droit privé extrapatrimonial portant sur des attributs physiques ou moraux de la personne. Par ex., droit à la vie, droit à la sauvegarde de l'honneur et de la réputation, droit à l'inviolabilité du domicile, droit au secret et au respect de la vie privée. « Tous les *droits de la personnalité mettent en jeu un intérêt d'ordre moral, non évaluable en argent.* Mais [...] des intérêts pécuniaires accessoires viennent se greffer sur cet intérêt moral prédominant [...] » (Mazeaud et Chabas, *Leçons*, t. 1, vol. 2, n° 647, p. 740).
Rem. Le terme s'emploie le plus souvent au pluriel, pour désigner l'ensemble de ces droits.
V.a. droits de la personne.
Angl. personality right.

DROIT DÉMEMBRÉ

(*Biens*) Syn. droit réel démembré.
Occ. Art. 2203 C. civ.
Angl. dismembered real right, dismembered right, dismemberment[2], limited real right+, relative right[2].

DROIT DE MITOYENNETÉ

(*Biens*) Syn. mitoyenneté. « [...] tout copropriétaire d'un mur mitoyen peut se dispenser de contribuer aux réparations et reconstruction en abandonnant le droit de mitoyenneté, pourvu que le mur mitoyen ne soutienne pas un bâtiment qui lui appartienne [...] » (Mazeaud et Chabas, *Leçons*, t. 2, vol. 2, n° 1323, p. 45).
Occ. Art. 513 C. civ.
Angl. common ownership, joint ownership, *mitoyenneté*+, right of *mitoyenneté*.

DROIT DE PASSAGE

(*Biens*) Syn. servitude de passage.
Occ. Titre précédant l'art. 540 C. civ.
Angl. right of passage, right of way, servitude of passage, servitude of right of way+.

DROIT DE PRÉEMPTION

1. (*Obl.*) Faculté pour une personne d'acquérir un bien par préférence à toute autre dans le cas où le propriétaire déciderait de le vendre.
Occ. Art. 22, *Loi sur les biens culturels*, L.R.Q., chap. B-4.
V.a. clause de préemption, pacte de préférence.
Angl. preemptive right[1], right of preemption+.

2. (*D. comm.*) (X) V. droit préférentiel de souscription.
Rem. Le droit pour l'actionnaire de souscrire par préférence à une nouvelle émission s'appelle en anglais *preemptive right*, rendu par *droit de préemption* à l'art. 28 de la *Loi sur les sociétés par actions* (L.R.C. (1985), chap. C-44). Ce terme est inapproprié, la préemption étant nécessairement reliée à la vente alors que la souscription ne s'analyse pas en une vente. Le *Règlement sur les valeurs mobilières*, annexe I, rubrique 17 (G.O.Q., 1983, II, 1545), emploie le terme juste.
Angl. preemptive right[2], subscription right+.

DROIT DE PRÉFÉRENCE

1. (*Obl.*) Droit[2] de conclure un contrat par préférence à d'autres personnes. Par ex., le droit de préemption[1].

Rem. Ce droit résulte d'un pacte de préférence ou de la loi.
F.f. droit de premier refus.
Angl. right of first refusal, right of preference[1]+.

2. (*Biens*) Attribut du droit réel permettant au titulaire d'exclure de la chose grevée toute personne qui ne peut se prévaloir que d'un droit de créance ou d'un droit réel inférieur en rang ou postérieur en date. « [...] c'est surtout pour les droits réels de garantie, spécialement pour l'hypothèque, que le droit de préférence, comme le droit de suite, a sa portée pratique la plus considérable : quand il y aura lieu de répartir le prix de l'immeuble hypothéqué, les créanciers hypothécaires, grâce à leur droit réel, seront payés avant les créanciers chirographaires; et entre les créanciers hypothécaires, les plus anciens passeront avant les plus récents (*prior tempore, potior jure*) » (Carbonnier, *Droit civil*, t. 3, n° 14, p. 67).
Occ. Art. 744, 1986 C. civ.
V.a. droit de suite.
Angl. right of preference[2].

DROIT DE PREMIER REFUS

(*Obl.*) (X) *Angl.* V. droit de préférence[1].
Rem. Le terme *droit de premier refus* est calqué de l'anglais *right of first refusal*.
Angl. right of first refusal, right of preference[1]+.

DROIT DE PROPRIÉTÉ

(*Biens*) Droit réel conférant à son titulaire, le *propriétaire*, le pouvoir exclusif de tirer de sa chose, dans les limites fixées par la loi, toutes les utilités économiques qu'elle comporte. « C'est en effet le droit au contenu le plus vaste possible [...] Tout droit au contenu plus restreint est nécessairement retranché du droit de propriété ayant le même objet » (Ghestin et Goubeaux, *Introduction*, n° 213, p. 173).
Occ. Art. 405 C. civ.
Rem. **1°** Traditionnellement, le droit de propriété se décompose en trois attributs : l'*usus*, le *fructus* et l'*abusus*. **2°** Si le droit de propriété, à proprement parler, ne peut porter que sur des choses matérielles, on l'emploie parfois à propos de biens incorporels, tels une créance, une entreprise, un brevet.
Syn. pleine propriété, propriété[1]. **V.a.** nue-propriété.
Angl. full ownership, ownership, property[3], right of ownership+.

DROIT DE RÉMÉRÉ

(*Obl.*) Syn. faculté de réméré. « [...] l'exercice du droit de réméré a un effet rétroactif, de telle sorte que tous les droits que l'acheteur a pu consentir à des tiers depuis la vente vont disparaître avec l'exécution du rachat » (Faribault, dans *Traité*, t. 11, n° 392, p. 364).
Occ. Art. 1550, 1555, 1558 C. civ.
Angl. option to repurchase, redemption[2], right of redemption+.

DROIT DE REPRISE

(*Obl.*) Faculté d'effectuer la reprise. « *Le droit au renouvellement du preneur, comme le droit au maintien dans les lieux du locataire de locaux à usage d'habitation, cède devant le droit de reprise du propriétaire* » (Mazeaud, *Leçons*, t. 3, vol. 2, 2e part., n° 1290, p. 669).
Occ. Art. 140, *Loi sur la protection du consommateur*, L.R.Q., chap. P-40.1.
Angl. right of repossession.

DROIT DE RÉTENTION

(*Sûr.*) Droit[2] accordé par la loi au titulaire, le *rétenteur*, permettant à celui-ci de conserver la détention d'une chose jusqu'à ce que la dette y afférente lui ait été payée. « [...] le créancier rétenteur n'a ni le droit de préférence ni le droit de suite qui sont les attributs normalement reconnus au droit réel [...]; c'est pourquoi certains refusent au droit de rétention le caractère d'un véritable droit [réel], pour le définir comme une simple

modalité de la dette de restitution, accessoire à la créance du rétenteur » (Marty, Raynaud et Jestaz, *Sûretés*, n° 16, p. 22).
Occ. Art. 1810 C. civ.
Rem. La doctrine analyse souvent le droit de rétention comme une sûreté réelle.
V.a. hypothèque, nantissement[2], privilège.
Angl. right of retention.

DROIT DES GENS

Syn. droit international public. « Aujourd'hui l'individu physique n'est pas en règle générale personne de droit des gens » (Cavaré, *Droit int. public positif*, t. 1, p. 9).
Angl. international law[2], *jus gentium*[1], law of nations, public international law+.

DROIT DE SUITE

(*Biens*) Attribut du droit réel permettant au titulaire de faire valoir son droit sur la chose qui en fait l'objet en quelque main qu'elle se trouve. « [...] le droit réel est assorti d'une prérogative particulière dénommée *droit de suite* [...] Si un usurpateur, se faisant passer pour propriétaire, vend un terrain qui ne lui appartient pas, le véritable propriétaire pourra en exiger la restitution, de l'acheteur [...] Le créancier hypothécaire peut toujours suivre le bien hypothéqué dont la valeur est affectée au remboursement de sa créance; en revanche, le créancier chirographaire ne peut empêcher l'évolution de la composition de l'actif du patrimoine de son débiteur » (Atias, *Biens*, t. 1, n° 40, p. 66).
V.a. droit de préférence[2].
Angl. *droit de suite*, right to follow+.

DROIT DE SUPERFICIE

(*Biens*) Droit réel qui permet à son titulaire d'être propriétaire d'édifices, ouvrages ou plantations situés sur un immeuble par nature appartenant à autrui et parfois même à l'intérieur d'un tel immeuble. « Il semble bien clair [...] qu'on ne puisse prétendre à la propriété d'un objet immobilier incorporé dans le sol d'autrui sans prétendre à la faculté de pouvoir conserver cet objet à cet endroit déterminé. Ce n'est que lorsque cette faculté de conserver sa chose sur le sol d'autrui existe qu'il y a vraiment lieu au véritable droit de superficie » (Cardinal, *Superficie*, n° 54, p. 135).
Rem. **1°** Le titulaire du droit de superficie est appelé *superficiaire* alors que le propriétaire de l'immeuble porte le nom de *tréfoncier*. **2°** Le droit de superficie est, en fait, constitué de deux droits : le droit de propriété du superficiaire, appelé *propriété superficiaire*, qui a pour objet les édifices, ouvrages et plantations; le droit du superficiaire de maintenir ceux-ci sur le sol du tréfoncier.
Syn. superficie[1]. **V.a.** propriété superficiaire, superfices.
Angl. right of superficies+, superficies[1].

DROIT D'EXCEPTION

Droit écrit[1] comportant des dispositions dérogatoires au droit commun[1]. Par ex., la *Loi sur la protection du consommateur* (L.R.Q., chap. P-40.1) constitue un droit d'exception par rapport à la théorie générale du contrat, énoncée au Code civil. « [Le droit civil] a valeur de droit commun et continue de s'appliquer même aux rapports sociaux régis par les différents droits d'exception, toutes les fois qu'une règle spécifique de ce droit d'exception ne vient pas y déroger » (Jestaz, *Rép. droit civ.*, v° Droit, n° 35).
Syn. droit spécial. **Opp.** droit commun[1].
V.a. loi d'exception[2].
Angl. *lex specialis*[1], special law[1]+.

DROIT D'HABITATION

(*Biens*) Droit d'usage[1] portant sur une maison. « Le droit d'habitation est un droit réel que le code conçoit comme portant nécessairement sur un immeuble. Il pourrait toutefois s'étendre au mobilier qui garnit la maison à titre d'accessoire dans la mesure

où l'acte constitutif le stipule » (Cantin Cumyn, *R.D.* Biens — Doctrine — Doc. 3, n° 148).
Occ. Art. 495 C. civ.
Angl. right of habitation.

DROIT DISCRÉTIONNAIRE

Syn. droit absolu[3]. « Il semble que certains droits soient discrétionnaires, que leur exercice ne puisse jamais être critiqué sous prétexte d'abus [...] » (Carbonnier, *Introduction,* n° 183, p. 318).
Angl. absolute right[3]+, discretionary right.

DROIT DISPONIBLE

(*Obl.*) Droit[2] dont le titulaire peut librement disposer. « *Distinction des droits disponibles et des droits indisponibles.* Selon le "coefficient d'appropriation", des degrés s'établissent dans la disponibilité des droits : possibilité d'y renoncer, transmissibilité par décès, aliénabilité entre vifs [...] » (Ghestin et Goubeaux, *Introduction,* n° 223, p. 190).
Opp. droit indisponible.
Angl. disponible right.

DROIT D'USAGE

1. (*Biens*) Droit réel démembré, essentiellement temporaire, conférant à son titulaire, l'*usager,* la jouissance du bien d'un autre, le *nu-propriétaire,* et la faculté d'en percevoir les fruits dans les limites de ses besoins et de ceux de sa famille. « L'incessibilité de principe du droit d'usage ne s'étend pas aux fruits qui sont acquis à l'usager et dont il peut disposer librement » (Cantin Cumyn, *R.D.* Biens — Doctrine — Doc. 3, n° 146).
Rem. Le droit d'usage, comme le droit d'habitation, est considéré comme un « diminutif personnalisé » de l'usufruit (Cornu, *Introduction,* n° 1319, p. 409).
Syn. usage[3].
Angl. right of use, use[2]+.

2. (*Biens*) Syn. *usus.*
Angl. *jus utendi, usus*+.

DROIT D'USUFRUIT

(*Biens*) Syn. usufruit. « L'exercice du droit d'usufruit s'accompagne de certaines obligations qui incombent à l'usufruitier » (Cantin Cumyn, *R.D.* Biens — Doctrine — Doc. 3, n° 9).
Angl. right of usufruct, usufruct+.

DROIT ECCLÉSIASTIQUE

1. Ensemble de règles établies par une Église en vue d'assurer l'organisation et le fonctionnement de son gouvernement et de tracer la conduite de ses membres par rapport aux fins qui lui sont propres.
Opp. droit séculier. **V.a.** droit canonique.
Angl. ecclesiastical law.

2. Syn. droit canonique. « Le droit *positif humain* se subdivise en droit ecclésiastique (droit canonique) et en droit civil » (Cance, *Droit canonique,* t. 1, n° 3, p. 7).
Angl. Canonical law, Canon law+.

DROIT ÉCRIT

1. Droit[1] d'origine législative. « [...] les règles de droit écrit (lois, règlements, ordonnances) sont ainsi élaborées et promulguées par le ou les individus ayant dans l'État ce pouvoir de commandement » (Weill et Terré, *Introduction,* n° 74, p. 88).
Syn. droit légiféré. **Opp.** droit non écrit.
V.a. droit codifié.
Angl. enacted law, written law[1]+.

2. Syn. droit romain. « On a pu dire que le Droit romain était la coutume fondamentale des pays de droit écrit » (Weill et Terré, *Introduction,* n° 76, p. 90). *Pays de droit écrit.*
Rem. **1°** Avant la Codification de 1804, la France était divisée en deux zones par une ligne de démarcation, qui n'avait rien d'une ligne droite, allant de l'embouchure de la Charente à Genève : au nord, les pays de coutumes (environ 60 coutumes générales, dont, parmi les plus importantes, les cou-

tumes de Bretagne, de Normandie et de Paris, et environ 700 coutumes locales); au sud, les pays de droit écrit. **2°** On notera que la rédaction des coutumes, au XVIe siècle, n'en fit pas du droit écrit.
Angl. Roman law+, written law2.

DROIT ÉVENTUEL

1. Droit actuel encore imparfait, ayant vocation de se transformer en droit définitif par la survenance, future mais incertaine, d'un élément intrinsèque essentiel à sa réalisation. Par ex., le droit de l'appelé aux biens d'une substitution pendant la possession du grevé. « En définitive, donc, c'est bien le caractère extérieur ou intérieur à la situation de fait que présente l'élément futur qui constitue aux yeux des auteurs le critère de distinction du droit conditionnel et du droit éventuel. C'est sur cette base que se sont fondés les auteurs qui ont critiqué la confusion fréquemment faite à leurs yeux, entre éventualité et condition » (Verdier, *Droits éventuels*, n° 311, p. 252-253).
Occ. Art. 956 C. civ.
Rem. **1°** Dans un contexte de formation successive d'un droit, le droit éventuel constitue une situation intermédiaire entre la simple expectative et le droit définitif. **2°** Le droit éventuel fait partie du patrimoine d'une personne; il est l'objet d'une protection juridique et à cet égard est un droit actuel : le titulaire peut donc, en principe, y renoncer ou en disposer et faire tous actes conservatoires (par ex., les art. 956 et 1086 C. civ., ainsi que l'art. 1275 C. civ. Q. [L.Q. 1987, chap. 18, art. 1 n.e.v.] repris à l'art. 1233 du Projet de loi 125). **3°** Malgré certains traits communs (éventualité future et incertaine), le droit éventuel se distingue à certains égards du droit conditionnel suspensif. Dans sa formation, le droit éventuel dépend de la survenance d'un élément intrinsèque essentiel à sa formation, par ex. l'ouverture de la substitution, alors que le droit conditionnel suspensif est subordonné à la survenance d'un événement extrinsèque à sa formation, par ex., la vente d'une maison si l'on est nommé à un poste à l'étranger dans un délai déterminé; dans ses effets, l'avènement de la condition emporte rétroactivité, alors que le droit éventuel ne prend effet que pour l'avenir à l'avènement de la situation définitive.
Opp. droit définitif. **V.a.** droit conditionnel, simple expectative.
Angl. contingent right2(x), eventual right1 +.

2. Droit susceptible de naître. « Le créancier conditionnel n'a [...] en principe aucun droit contre son débiteur conditionnel [...] Il existe cependant indubitablement un droit "conditionnel" ou "éventuel" du créancier à l'exécution de la promesse [...] Ce droit, qui devient actuel à l'arrivée de l'événement, est le reflet d'un certain rapport juridique entre le futur créancier et son futur débiteur » (Baudouin, *Obligations*, n° 770, p. 465-466).
Occ. Art. 658 C. civ.
Angl. contingent right1, eventual right2+.

DROIT EXTRAPATRIMONIAL

Droit2 qui, n'étant pas directement susceptible d'évaluation pécuniaire, ne fait pas partie du patrimoine d'une personne. Par ex., le droit au respect de la vie privée, le droit à la fidélité entre époux. « [...] bien que n'ayant pas, à proprement parler, de valeur pécuniaire, bien qu'étant [...] en dehors du "commerce juridique", l'atteinte aux droits extrapatrimoniaux permet d'obtenir, en justice, une réparation qui, souvent, est pécuniaire [...] » (Starck, *Introduction*, n° 174, p. 78).
Rem. On reconnaît, parmi les droits privés extrapatrimoniaux, les droits de la personnalité et les droits de famille.
Opp. droit patrimonial. **V.a.** extrapatrimonial+.
Angl. extrapatrimonial right.

DROIT FONDAMENTAL

Syn. droits de la personne. « Le principe général selon lequel celui qui, par sa faute,

cause un dommage à autrui doit réparation a constitué depuis longtemps l'instrument privilégié de défense de certains droits fondamentaux comme la vie privée ou le respect de la réputation » (Lluelles et Trudel, (1984) 18 R.J.T. 219, p. 247).
Angl. fundamental rights, human rights+, rights of man.

DROIT HÉRÉDITAIRE

(*Succ.*) Syn. droit successif. « La cession de droits successifs porte sur des droits héréditaires : le vendeur ne cède pas sa qualité d'héritier [...] Il transmet seulement tous les droits et les charges qui résultent de la succession » (Pourcelet, *Vente*, p. 233).
Rem. Le terme s'emploie généralement au pluriel.
Angl. heritable right, right of inheritance, right of succession+.

DROIT HONORAIRE

(*D. rom.*) Syn. droit prétorien[2]. « Ce Droit honoraire, dont nous n'avons pas l'équivalent, est un Droit différent du Droit civil, mais qui n'est pas toujours en opposition avec lui. Bien souvent le préteur est intervenu, donnant ses actions, ses exceptions, rendant ses décrets, uniquement pour confirmer le Droit civil ou pour le compléter [...] Mais le préteur parfois est intervenu dans son édit, pour corriger le Droit civil [...] » (Giffard, *Précis*, t. 1, n° 83, p. 52).
Angl. honorary law, *jus honorarium*, *jus praetorium*, praetorian law[2]+.

DROIT IMPÉRATIF

Droit[1] édictant des règles auxquelles on ne peut déroger par des conventions particulières. « [...] il existe aussi en droit privé une part de droit impératif qui n'a jamais été négligeable [...] Tout droit impératif n'est pas droit public » (Marty et Raynaud, *Introduction*, n° 41, p. 68).
Rem. Le droit qui règle notamment l'état et la capacité des personnes est un droit impératif.
Syn. *jus cogens*. **Opp.** droit supplétif[1].
V.a. loi impérative.
Angl. imperative law[1]+, *jus cogens*.

DROIT INDISPONIBLE

Droit[2] dont le titulaire ne peut librement disposer.
Opp. droit disponible+.
Angl. undisponible right.

DROIT INDIVIDUEL

Syn. droit[2]. « La règle de droit, ou droit objectif, confère aux individus des prérogatives, appelées droits individuels, ou *droits subjectifs*, parce qu'ils ont un sujet : le titulaire de ces prérogatives » (Mazeaud et Chabas, *Leçons*, t. 1, vol. 1, n° 155, p. 219).
Angl. *jus*[3], right+.

DROIT INNÉ

Droit actuel qui appartient à toute personne du seul fait de son existence. Par ex., le droit à la sauvegarde de sa dignité, de son honneur et de sa réputation. « [Les] "droits de la personnalité" sont au premier chef des droits innés, puisqu'ils appartiennent à toute personne, du fait même de son existence comme personne » (Roubier, dans *Archives*, 83, p. 85-86).
Syn. *jus connatum*. **Opp.** droit acquis[1].
Angl. inherent right+, innate right, *jus connatum*.

DROIT INTERNATIONAL

1. Droit[1] qui dépasse l'échelle nationale, par ses sources ou par son objet.
Rem. Dans le cas où le mot *international* se combine avec un autre terme évoquant une subdivision du droit, la signification varie en fonction de la place de l'adjectif *international*. « S'il est placé avant l'adjectif indiquant la subdivision en cause, il

désigne cette subdivision pour autant qu'elle a des sources internationales; s'il est placé après, il la désigne pour autant qu'elle a des sources internes » (Francescakis et Kiss, dans *Encyclopédie*, v° Droit international privé, n° 14). Cependant, le terme *droit international privé*, désignation consacrée depuis plus d'un siècle, fait exception à cette règle, puisque ses sources sont essentiellement internes.
Angl. international law[1].

2. Syn. droit international public. « Chaque fois que l'expression "droit international" est employée sans préciser, on peut affirmer qu'il s'agit presque toujours du droit international public » (de Mestral et Williams, *Droit int. public*, p. 2).
Angl. international law[2], *jus gentium*[1], law of nations, public international law⁺.

DROIT INTERNATIONAL PRIVÉ

Droit[1], le plus souvent de source interne, régissant les relations privées à caractère international. « Le droit international privé doit son existence à la diversité des systèmes juridiques qui se partagent le monde » (Castel, *Droit int. privé*, p. 4).
Rem. **1°** Le droit international privé, tel qu'il est généralement conçu au Québec, a pour objet de régir les conflits de lois, les conflits de juridictions, de même que la reconnaissance et l'exécution des jugements étrangers. **2°** D'aucuns utilisent, à tort, le terme *conflits de lois* pour désigner cette matière, peut-être sous l'influence de la désignation anglaise courante *Conflict of Laws*. **3°** L'expression *droit international privé*, aujourd'hui consacrée, peut tout de même prêter à confusion. D'une part, il ne s'agit pas de règles internationales puisqu'elles sont généralement de source locale; d'autre part, il ne s'agit pas exclusivement de droit privé dans la mesure où les conflits de juridictions touchent la compétence des tribunaux, matière de droit public. **4°** Au Canada, une relation juridique interprovinciale est considérée comme une relation internationale et est donc régie par le droit international privé.
Angl. private international law.

DROIT INTERNATIONAL PUBLIC

Droit[1] applicable aux États et aux autres sujets de la société internationale, principalement les organismes internationaux, dans leurs rapports mutuels. « [...] le Droit international public est constitué par l'ensemble des règles qui président à l'existence et au développement de la Communauté internationale » (Reuter, *Droit int. public*, p. 13).
Syn. droit des gens, droit international[2], *jus gentium*[1]. **Opp.** droit interne[1].
Angl. international law[2], *jus gentium*[1], law of nations, public international law⁺.

DROIT INTERNE

1. Droit[1] applicable à l'intérieur d'un État ou d'une subdivision politique d'un État, ayant des sources et des sanctions qui lui sont propres. « Le droit interne est le droit applicable à la collectivité et au territoire d'un État donné » (Brun et Tremblay, *Droit constitutionnel*, p. 11).
Rem. Au Canada, étant donné le partage des compétences législatives entre le Parlement fédéral et les législatures provinciales, le terme *droit interne* est généralement préféré à celui de *droit national*.
Syn. droit national. **Opp.** droit international public. **V.a.** loi interne[1].
Angl. domestic law[1]⁺, internal law[4], municipal law, national law.

2. (*D. int. pr.*) Droit interne[1], à l'exclusion des règles de conflit. « La notion d'ordre public a donc en droit international privé un rôle nettement distinct de celui qu'elle joue en droit interne » (Batiffol et Lagarde, *Droit int. privé*, t. 1, n° 365, p. 422-423).
Syn. droit matériel[2], droit substantiel[2]. **V.a.** loi interne[2].
Angl. domestic law [2]⁺, substantive law[2].

DROIT JUDICIAIRE

(*D. jud.*) Branche du droit[1] ayant pour objet de régir l'organisation judiciaire, la compétence des tribunaux, l'instruction des procès et l'exécution des jugements.
Angl. judicial law.

DROIT JUDICIAIRE PRIVÉ

(*D. jud.*) Droit judiciaire applicable en matière civile. « Le droit judiciaire privé apparaît essentiellement comme un *droit sanction*, puisque c'est par lui, et par le moyen de l'action déduite en justice, que se trouvent assurées la mise en oeuvre, la sanction et l'efficacité des règles de fond posées par le droit privé, lorsque celles-ci ne sont pas spontanément respectées et obéies » (Solus et Perrot, *Droit judiciaire*, t. 1, n° 15, p. 21).
Rem. Cette appellation tend à remplacer celle de *procédure civile* que certains auteurs jugent trop restrictive.
Angl. judicial law(>).

DROIT LÉGIFÉRÉ

Syn. droit écrit[1].
Angl. enacted law, written law[1+].

DROIT LITIGIEUX

(*Obl.*) Droit[2] dont l'existence ou l'étendue donne lieu ou risque de donner lieu à une contestation en justice. « Le titulaire d'un droit litigieux peut avoir intérêt à le céder : il évite les ennuis, les frais et les aléas du procès. Mais il cède son droit litigieux pour un prix nécessairement inférieur à la valeur qu'aurait le droit s'il n'était l'objet d'aucun procès » (Mazeaud et Chabas, *Leçons*, t. 3, vol. 2, 1e part., n° 846, p. 126).
Occ. Art. 1485, 1582 C. civ.
V.a. cession de droits litigieux, créance litigieuse, retrait litigieux, vente de droits litigieux.
Angl. litigious right.

DROIT MATÉRIEL

1. Syn. droit substantiel[1]. « Auxiliaire du droit matériel, la procédure est adaptée à la branche du droit qu'elle doit servir, subordonnée à elle, conditionnée par elle, comme si, à ce niveau, le fond engendrait la forme » (Cornu et Foyer, *Procédure civile*, p. 7).
Angl. substantive law[1].

2. (*D. int. pr.*) Syn. droit interne[2]. « Le seul moyen efficace de rendre compte de la spécificité des rapports internationaux est de forger un droit matériel ou substantiel appelé à le régir » (Loussouarn et Bourel, *Droit int. privé*, n° 69, p. 74).
Angl. domestic law[2+], substantive law[2].

DROIT MIXTE

1. Droit[1] dont les règles proviennent de divers systèmes juridiques. Par ex., le droit du Québec, de la Louisiane. « [...] il existe, en certains pays, des droits que l'on ne sait à laquelle des deux familles annexer, car ils empruntent certains de leurs éléments à la famille romanogermanique, et d'autres éléments à la famille de la *common law*. Parmi ces droits mixtes on peut citer les droits de l'Écosse, d'Israël, de l'Union sud-africaine, de la province de Québec, des Philippines » (David, *Grands systèmes*, n° 19, p. 26).
Angl. mixed law[1].

2. Branche du droit[1] s'inspirant à la fois des règles du droit public et du droit privé. Par ex., le droit de la consommation, le droit de l'environnement. « [...] la notion de droit mixte résulte de ce double constat que la distinction du droit privé et du droit public n'est pas une division absolue du droit, et qu'en réalité les préoccupations et les techniques propres à ces deux orientations du droit se mélangent très souvent, selon des proportions variables » (Aubert, *Introduction*, n° 51, p. 47).
Angl. mixed law[2].

DROIT NATIONAL

Syn. droit interne[1].
Angl. domestic law[1]+, internal law[4], municipal law, national law.

DROIT NATUREL

Ensemble des préceptes de justice idéale considérés comme supérieurs au droit[1] en vigueur. « [...] la valeur du droit positif pourrait être appréciée au regard du droit naturel » (Ghestin et Goubeaux, *Introduction*, n° 9, p. 7).
Syn. justice naturelle. **Opp.** droit positif.
Angl. natural justice, natural law+.

DROIT NON CAUSÉ

Syn. droit absolu[3].
Angl. absolute right[3]+, discretionary right.

DROIT NON ÉCRIT

Droit[1] d'une origine autre que législative. « Les règles de droit non écrit ont ceci de commun qu'elles n'ont, à aucun moment, été promulguées par une volonté humaine déterminée » (Weill et Terré, *Introduction*, n° 74, p. 88).
Rem. La coutume constitue la source principale du droit non écrit. La jurisprudence et la doctrine participent également à l'élaboration du droit non écrit, dans la mesure où elles contribuent à dégager et à formuler des règles de droit.
Opp. droit écrit[1]. **V.a.** coutume[2], Coutume de Paris.
Angl. unwritten law.

DROIT OBJECTIF

Syn. droit[1]. « Le droit objectif [...] vu dans sa totalité cohérente [...] est l'ordre juridique [...] » (Cornu, *Introduction*, n° 10, p. 17).
Opp. droit subjectif.
Angl. *jus*[2], law[1]+.

DROIT PATRIMONIAL

Droit[2] qui, étant susceptible d'évaluation pécuniaire, fait partie du patrimoine d'une personne. Par ex., la créance du vendeur, le droit de propriété. « Il faut [...] réserver les règles de la prescription aux droits patrimoniaux » (*Bergeron* c. *Proulx*, [1967] C.S. 579, p. 583, j. A. Mayrand).
Syn. bien[1], bien incorporel, chose incorporelle. **Opp.** droit extrapatrimonial.
Angl. incorporeal property, incorporeal thing, patrimonial right+, property[1].

DROIT PÉNAL

Branche du droit public ayant pour objet de réglementer, par l'imposition d'une peine, la répression des comportements qui sont considérés comme portant atteinte à l'ordre social. « Alors que le droit civil vise à la réparation des dommages découlant d'une faute, le droit pénal cherche à prévenir, par l'application de mesures afflictives ou privatives, la commission d'infractions » (Fortin et Viau, *Droit pénal général*, p. 3).
Rem. Le droit pénal est de source fédérale ou provinciale. Sur le plan fédéral, on distingue le droit criminel, édicté en vertu du pouvoir exclusif attribué à l'État fédéral par l'art. 91 par. 27 de la *Loi constitutionnelle de 1867* et le droit pénal au sens restreint qui établit, tout comme le fait le droit pénal provincial, des infractions dans les domaines autres que ceux relevant du droit criminel. Cette distinction entre droit criminel et droit pénal, reliée au partage des compétences législatives au Canada, est inconnue du droit français qui traite les deux termes comme des synonymes.
V.a. droit public[1].
Angl. penal law.

DROIT PERPÉTUEL

Droit[2] établi pour une durée illimitée. Par ex., le droit de propriété.
Occ. Art. 381 C. civ.
Opp. droit temporaire.
Angl. perpetual right.

DROIT PERSONNEL

(*Obl.*) Droit[2] à caractère patrimonial permettant à son titulaire, le *créancier*, d'exiger d'une autre personne, le *débiteur*, une prestation. « Le droit personnel s'exerce sur la personne du débiteur, le droit réel sur une chose [...] » (Ourliac et de Malafosse, *Histoire*, t. 2, n° 19, p. 47).
Rem. **1°** Le droit personnel, ou créance, est l'obligation[2] envisagée du côté du créancier, alors que la dette est l'obligation[2] envisagée du côté du débiteur. **2°** Ne pas confondre avec les droits de la personnalité ni avec les droits exclusivement attachés à la personne.
Syn. créance, dette active, droit de créance, *jus in personam*. **Opp.** droit réel, obligation[3]. **V.a.** *jus ad rem*.
Angl. creance, credit[4], debt[2], *jus in personam*, personal right+.

DROIT POLITIQUE

Droit public[2] que consacre et garantit le droit public[1], en ce qui concerne principalement la participation du citoyen à l'exercice des pouvoirs publics. Par ex., droit de voter, droit d'éligibilité aux charges publiques. « Les droits *politiques* dérivent du droit constitutionnel, qui règle les rapports du gouvernement et des gouvernés » (Mignault, *Droit civil*, t. 1, p. 131).
Rem. Ce terme s'emploie souvent au pluriel.
Opp. droit civil[5].
Angl. political right.

DROIT POSITIF

Droit[1] en vigueur à un moment précis sur un territoire donné. « Il ne faut donc pas sous-estimer le rôle de l'interprétation dans la formation du droit positif : elle dégage le droit positif dans la mesure où elle énonce des solutions "en puissance immédiate" d'application » (Batiffol, *Problèmes*, p. 116).
Rem. On oppose généralement au droit positif un droit idéal vers lequel le premier devrait tendre. Ce droit idéal est généralement connu sous le nom de *droit naturel*. On oppose également le droit positif au droit à venir par les expressions *de lege lata* et *de lege ferenda*.
Opp. droit naturel. **V.a.** équité.
Angl. positive law.

DROIT PRÉFÉRENTIEL DE SOUSCRIPTION

(*D. comm.*) Droit[2] pour un actionnaire de souscrire par préférence à une nouvelle émission, au prorata du nombre d'actions qu'il détient.
Occ. *Règlement sur les valeurs mobilières*, annexe I, rubrique 17, G.O.Q., 1983, II, 1545.
F.f. droit de préemption[2].
Angl. preemptive right[2], subscription right+.

DROIT PRÉTORIEN

1. Règles d'origine jurisprudentielle. « Créé surtout par le préteur urbain, ce droit fut de bonne heure qualifié de *jus praetorium*, droit prétorien et l'expression est restée traditionnelle pour désigner aujourd'hui encore une solution juridique d'origine juridictionnelle » (Gaudemet, *Institutions*, n° 419, p. 575).
Angl. praetorian law[1].

2. (*D. rom.*) Droit[1] issu des édits des magistrats romains, notamment le préteur urbain, en vue de confirmer, de compléter ou même de corriger le droit civil[6.B]. « Ces édits des magistrats judiciaires, par l'introduction de moyens nouveaux de procédure, ont créé un droit nouveau, qui s'oppose à l'ancien *Jus civile*. Ce droit nouveau [...] On l'appelle aussi "Droit prétorien" parce que les édits les plus importants, ce sont précisément les édits du préteur, spécialement du préteur urbain » (Giffard, *Précis*, t. 1, n° 71, p. 47).
Syn. droit honoraire, *jus honorarium*, *jus praetorium*. **Opp.** droit civil[7.B].
Angl. honorary law, *jus honorarium*, *jus praetorium*, praetorian law[2]+.

DROIT PRIMORDIAL

Syn. droits de la personne. « Le droit à sa propre image est un droit de la personnalité, un droit primordial qui protège la personne dans sa liberté, son intimité, peut-être sa sécurité » (Cornu, *Introduction*, n° 521, p. 180).
Angl. fundamental rights, human rights[+], rights of man.

DROIT PRIVÉ

1. Ensemble des règles juridiques qui régissent les rapports des personnes entre elles. « Le *droit civil* c'est le *droit privé général*, celui qui s'applique aux rapports de droit privé qui n'ont pas fait l'objet de quelque règle édictée par un droit plus spécialisé » (Starck, *Introduction*, n° 55, p. 26).
Rem. **1°** Ces règles peuvent, en certains cas, régir les rapports des particuliers avec les personnes morales de droit public. **2°** On range généralement dans le droit privé le droit civil[3], le droit commercial et, à certains égards, la procédure civile.
Syn. droit civil[1]. **Opp.** droit public[1].
Angl. civil law[5], private law[+].

2. Droit[2] que le titulaire peut faire valoir à l'encontre d'une autre personne. Par ex., le droit de propriété, le droit de créance. « On peut, en s'inspirant de la distinction du droit public et du privé, classer pareillement les droits en *publics* [...] et *privés* [...] » (Marty et Raynaud, *Introduction*, n° 143, p. 264-265).
Opp. droit public[2]. **V.a.** droit civil[5].
Angl. private right.

DROIT PUBLIC

1. Ensemble des règles juridiques qui régissent l'organisation et le fonctionnement de l'État et de ses organes, ainsi que leurs rapports avec les particuliers. « [...] la province de Québec n'est pas une province de droit civil purement et simplement; elle est un pays de droit civil en droit privé mais pas en droit public » (Pigeon, *Rédaction*, p. 109).
Occ. Art. 356, 399 C. civ.
Opp. droit privé[1]. **V.a.** droit administratif, droit constitutionnel, droit pénal.
Angl. public law.

2. Droit[2] que le titulaire peut faire valoir à l'encontre de l'État.
Rem. Parmi les droits publics, on distingue, selon la *Charte des droits et libertés du Québec* (L.R.Q., chap. C-12), les droits politiques (art. 21 et s.), tel le droit d'être électeur ou d'être éligible, le droit d'exercer des fonctions publiques; les droits judiciaires (art. 23 et s.), tel le droit à un procès public devant un tribunal impartial; les droits économiques et sociaux (art. 39 et s.), tel le droit à l'instruction publique gratuite.
Opp. droit privé[2].
Angl. public right.

3. V. servitude de droit public.

DROIT PUR ET SIMPLE

(*Obl.*) Droit[2] qui n'est assorti d'aucune modalité. « Parfois une situation juridique se crée immédiatement au stade le plus parfait; des droits purs et simples naissent; ainsi dans la vente non conditionnelle » (Mazeaud et Chabas, *Leçons*, t. 2, vol. 1, n° 1032, p. 1101).
Opp. droit conditionnel. **V.a.** obligation pure et simple.
Angl. absolute right[4+], pure and simple right, unconditional right[1], unconditional right[2](<)[+], unqualified right.

DROIT RÉEL

(*Biens*) Droit[2] à caractère patrimonial qui est exercé directement sur une chose. « L'idée de droit réel traduit juridiquement un fait social : l'appropriation privée des richesses, le rapport entre une personne et une chose » (Ourliac et de Malafosse, *Histoire*, t. 2, n° 20, p. 49).
Occ. Art. 576, 2082 C. civ.

Rem. 1° Le droit réel emporte droit de suite et droit de préférence. 2° Les droits réels se divisent en droits réels principaux et accessoires.
Syn. *jus in re*. **Opp.** droit personnel.
V.a. *jus ad rem*.
Angl. *jus in re*, real right+.

DROIT RÉEL ACCESSOIRE

(*Biens*) Droit réel, accessoire d'une créance, visant à en garantir le paiement. Par ex., le gage, l'hypothèque. « [...] les droits réels accessoires (accessoires de créances dont ils garantissent le paiement) portent sur la *valeur pécuniaire* de la chose, cette valeur étant mise en réserve dans l'intérêt du titulaire du droit » (Carbonnier, *Droit civil*, t. 3, n° 12, p. 62).
Rem. Ce droit est une sûreté réelle. Il ne confère à son titulaire ni l'usage ni la jouissance de la chose grevée.
Syn. droit réel de garantie. **Opp.** droit réel principal.
Angl. accessory real right.

DROIT RÉEL DE GARANTIE

(*Biens*) Syn. droit réel accessoire. « On peut en [droits réels] distinguer deux grandes catégories, chacune d'elles se ramifiant à son tour : les *droits réels principaux* (ou du premier degré) et les *droits réels accessoires* (ou du second degré, ou encore droits réels de garantie) » (Carbonnier, *Droit civil*, t. 3, n° 12, p. 62).
Angl. accessory real right.

DROIT RÉEL DÉMEMBRÉ

(*Biens*) Droit réel principal autre que le droit de propriété. Par ex., la servitude, l'usufruit. « Relativement à la pleine propriété, les droits réels démembrés ne procurent à leur bénéficiaire que des avantages restreints [...] » (Cornu, *Introduction*, n° 983, p. 311).
Rem. Le titulaire n'a qu'une partie des prérogatives du propriétaire, qui sont l'*usus*, le *fructus* et l'*abusus*.
Syn. démembrement[2], droit démembré, droit relatif[2]. **Opp.** propriété[1].
Angl. dismembered real right, dismembered right, dismemberment[2], limited real right+, relative right[2].

DROIT RÉEL PRINCIPAL

(*Biens*) Droit réel qui, contrairement au droit réel accessoire, a une existence autonome. Par ex., la propriété. « Les droits réels principaux [...] donnent à leur titulaire le pouvoir de tirer directement d'une chose tout ou partie de son utilité économique » (Cornu, *Introduction*, n° 983, p. 311).
Rem. Le droit réel principal est formé du droit de propriété et de chacun de ses démembrements.
Opp. droit réel accessoire.
Angl. principal real right.

DROIT RELATIF

1. Droit[2] opposable à certaines personnes seulement. Par ex., le droit de créance, le droit d'un époux au secours de l'autre.
Opp. droit absolu[1].
Angl. relative right[1].

2. (*Biens*) Syn. droit réel démembré. « Les droits relatifs seront constitués des démembrements de la propriété, c'est-à-dire des servitudes réelles et des servitudes personnelles, l'usufruit, l'usage, l'habitation et l'emphytéose » (Cardinal, (1964-1965) 67 *R. du N.* 271, p. 281).
Opp. droit absolu[2].
Angl. dismembered real right, dismembered right, dismemberment[2], limited real right+, relative right[2].

3. Droit subjectif dont l'exercice est susceptible d'abus.
Syn. droit contrôlé. **Opp.** droit absolu[3]+.
Angl. relative right[3].

DROIT ROMAIN

Droit[1] en vigueur à Rome et sur les territoires soumis à la domination romaine, depuis

la fondation de Rome (vers 750 avant J.-C.) jusqu'à la mort de l'empereur Justinien (565 après J.-C.). « Un aspect essentiel du droit romain serait plutôt à trouver dans la protection des faibles et dans l'individualisation des patrimoines. Plus peut-être que la liberté des individus, c'est la protection de leurs biens qu'assurerait le droit romain au cours de ses progrès » (Villers, *Rome*, p. 523).
Rem. En Europe médiévale, certaines régions adoptaient le droit romain à titre de droit coutumier, alors que d'autres le considéraient comme une source d'inspiration.
Syn. droit écrit[2]. **V.a.** droit civil[7], droit civil[8], droit prétorien[2].
Angl. Roman law+, written law[2].

DROITS DE LA PERSONNE

Ensemble de droits[2], extrapatrimoniaux ou même patrimoniaux, considérés comme inhérents à la condition humaine. Par ex., droit à la vie, à la liberté, à la sécurité; droit à la liberté de pensée, de conscience et de religion; droit à la liberté d'expression, de réunion pacifique et d'association.
Rem. **1°** Le Québec a « affirm[é] solennellement [...] les libertés et droits fondamentaux » dans un texte législatif du 27 juin 1975, intitulé *Charte des droits et libertés de la personne* (L.R.Q., chap. C-12). Sur le plan fédéral, les droits et libertés sont, depuis 1982, consacrés dans un instrument constitutionnel intitulé *Charte canadienne des droits et libertés* (Loi de 1982 sur le Canada, Annexe B. 1982 (R.U.), chap. 11). **2°** Les droits de la personne se distinguent des droits de la personnalité. Ils ne recouvrent pas exactement la même matière : ainsi, le droit de propriété constitue un des droits de la personne mais non un droit de la personnalité, le droit à l'image fait partie des droits de la personnalité mais non des droits de la personne; enfin le droit au respect de la réputation constitue à la fois un droit de la personnalité et un des droits de la personne. Par ailleurs, les droits de la personne sont envisagés principalement dans un contexte de droit public, alors que les droits de la personnalité sont considérés sous l'angle du droit privé.
Syn. droit fondamental, droit primordial, droits de l'homme. **V.a.** droit de la personnalité, liberté publique.
Angl. fundamental rights, human rights+, rights of man.

DROITS DE L'HOMME

Syn. droits de la personne. « Les représentants du Peuple Français, constitués en Assemblée Nationale, considérant que l'ignorance, l'oubli et le mépris des droits de l'homme, sont les seules causes des malheurs publics et de la corruption des gouvernements, ont résolu d'exposer dans une déclaration solennelle, les droits naturels, inaliénables et sacrés de l'homme [...] » (Déclaration [française] des droits de l'homme et du citoyen, 1789).
Rem. L'expression fut reprise dans la *Déclaration universelle des droits de l'homme*, adoptée par les Nations Unies le 10 décembre 1948. Le Québec a préféré *droits de la personne*, dans le texte législatif du 27 juin 1975, intitulé *Charte des droits et libertés de la personne* (L.R.Q., chap. C-12).
Angl. fundamental rights, human rights+, rights of man.

DROIT SÉCULIER

Droit[1] d'un État par opposition à celui d'une Église.
Syn. droit civil[6]. **Opp.** droit ecclésiastique[1]. **V.a.** common law[5], droit canonique.
Angl. civil law[4], secular law+.

DROIT SPÉCIAL

Syn. droit d'exception.
V.a. loi spéciale[2].
Angl. *lex specialis*[1], special law[1]+.

DROIT STATUTAIRE

1. Droit[1] qui a sa source dans les statuts d'une personne morale.

2. (X) *Angl.* Droit légiféré.
Rem. Le terme *droit statutaire* employé pour désigner, par opposition au droit commun[1], le droit qui tire sa source de lois d'exception est un calque de *statutory law*. Cette expression désigne en droit anglais un droit légiféré qui s'oppose à la common law[2], droit jurisprudentiel, lequel constitue le droit commun[1]. Cependant, du fait du système mixte qui existe au Québec, on oppose le droit d'exception non seulement au droit jurisprudentiel mais aussi au Code civil qui constitue le droit commun[1] en droit privé, bien qu'il soit lui aussi un droit légiféré.
Angl. statute law, statutory law+.

DROIT SUBJECTIF

Syn. droit[2]. « [...] pouvoir reconnu et consacré par le droit objectif, le droit subjectif se définit comme un intérêt légitime ou encore [...] comme un "*intérêt juridiquement protégé*" » (Cornu, *Introduction*, n° 38, p. 26).
Opp. droit objectif.
Angl. *jus*[3], right+.

DROIT SUBSTANTIEL

1. Ensemble des règles de fond de droit positif, à l'exclusion des règles de procédure. « Pour définir la procédure comme règle de droit, il paraît nécessaire de partir de l'opposition traditionnelle qui est faite entre les règles de procédure (civile, administrative, criminelle) et les règles dites du fond du droit (droit civil, droit administratif, droit pénal), encore nommé droit substantiel ou matériel » (Cornu et Foyer, *Procédure civile*, p. 3).
Syn. droit matériel[1]. **F.f.** droit substantif.
Angl. substantive law[1].

2. (*D. int. pr.*) Syn. droit interne[2]. « L'objet à qualifier est la question de droit substantiel posée en l'espèce, formée par la *prétention* du plaideur et par les *faits* qu'il invoque à son soutien [...] » (Mayer, *Droit int. privé*, n° 154, p. 101).
Angl. domestic law[2]+, substantive law[2].

DROIT SUBSTANTIF

(X) *Angl.* V. droit substantiel[1].
Rem. L'expression, souvent utilisée, est calquée du terme anglais *substantive law*, que l'on oppose à *adjective law*.
Angl. substantive law[1].

DROIT SUCCESSIF

(*Succ.*) Droit[2] d'un héritier, légal ou testamentaire, portant sur l'universalité du patrimoine d'un défunt ou sur une quote-part d'une telle universalité. « En vendant ses droits successifs le cédant ne cède pas les droits et les prérogatives qui sont spécialement attachés à sa qualité et à son titre d'héritier » (Faribault, dans *Traité*, t. 11, n° 524, p. 497).
Occ. Art. 647, 1579 C. civ.
Rem. Le terme s'emploie généralement au pluriel.
Syn. droit héréditaire. **V.a.** cession de droits successifs, vente de droits successifs.
Angl. heritable right, right of inheritance, right of succession+.

DROIT SUPPLÉTIF

1. Droit[1] édictant des règles auxquelles on peut déroger par des conventions particulières. Par ex., le régime matrimonial légal (art. 464 C. civ. Q.), le régime légal de dévolution successorale (art. 597 C. civ.).
Rem. Le droit contractuel est, en principe, un droit supplétif.
Syn. *jus dispositivum*. **Opp.** droit impératif. **V.a.** loi supplétive.
Angl. *jus dispositivum*, suppletive law[1]+.

2. (X) V. droit commun[1].
Rem. On emploie par erreur *droit supplétif* pour désigner le droit commun, c'est-à-

dire le droit qui supplée les règles générales en l'absence de règles spéciales.
Angl. common law[1]+, *droit commun.*

DROIT TEMPORAIRE

Droit[2] établi pour une durée limitée. Par ex., rente temporaire. « [...] à la différence du droit de propriété, l'usufruit est un droit temporaire » (Larroumet, *Droit civil*, t. 2, n° 460, p. 276).
Opp. droit perpétuel. **V.a.** droit viager.
Angl. temporary right.

DROIT VIAGER

Droit temporaire dont la durée est fixée au temps de la vie d'une personne déterminée, mais pas au-delà. Par ex., rente viagère. « La transmissibilité d'un droit n'est pas certainement conditionnée par le caractère perpétuel de ce droit, on peut transmettre des droits dont la durée est limitée dans le temps, ainsi un droit viager comme l'usufruit [...] » (Marty et Raynaud, *Biens*, n° 48, p. 53).
Angl. right for life.

DROIT VIRTUEL

Syn. simple expectative. « *Distinction des droits acquis et des droits virtuels.* C'est à propos des conflits de lois dans le temps que ce classement des droits a été utilisé, l'expression "simple expectative" étant parfois substituée à celle de droit virtuel » (Ghestin et Goubeaux, *Introduction*, n° 223, p. 189).
Angl. expectancy, expectation, mere expectancy+, mere expectation, potential right.

DUCES TECUM *loc.nom.m.* (latin)

(*D. jud.*) Syn. bref de *subpoena duces tecum.*
Rem. L'expression *duces tecum* signifie apporter (avec soi).
Angl. *duces tecum*, *subpoena duces tecum*, writ of *subpoena duces tecum*+.

E

ECCLÉSIASTIQUE *adj.*

V. droit ecclésiastique.

ÉCHANGE *n.m.*

(*Obl.*) Contrat par lequel les parties, les *échangistes* ou les *coéchangistes*, se transfèrent réciproquement un bien[1] autre qu'une somme d'argent. « [...] le contrat de vente est né du troc ou échange, le plus primitif des contrats qui permettent l'acquisition d'un droit; la vente est un échange amélioré du fait que l'objet vendu est cédé, non contre un autre objet, mais contre une somme d'argent [...] » (Mazeaud et Chabas, *Leçons*, t. 3, vol. 2, 1e part., n° 1028, p. 365). *Donner, recevoir en échange.*
Occ. Art. 1596 C. civ.
Rem. Lorsque, en cas de différence de valeur entre les biens transférés, les parties entendent rétablir l'équilibre, elles prévoient le paiement d'une somme d'argent, appelée *soulte*.
Syn. contrat d'échange, troc.
Angl. barter, contract of exchange, exchange+.

ÉCHANGER *v.tr.*

(*Obl.*) Effectuer un échange. « [...] toutes les choses susceptibles d'être vendues sont également susceptibles d'être échangées : propriété contre usufruit, usufruit contre nue-propriété, propriété ou usufruit contre servitude, droit réel contre droit personnel [...] » (Planiol et Ripert, *Traité*, t. 10, n° 393, p. 506).
Syn. troquer.
Angl. barter, exchange+.

ÉCHANGISTE *n.*

(*Obl.*) Partie à un échange. « [...] les dommages-intérêts ne sont accordés que si l'échangiste ignorait que la chose n'était pas la propriété de son co-échangiste [...] » (Mignault, *Droit civil*, t. 7, p. 217).
Occ. Art. 2100 C. civ.
V.a. coéchangiste, copermutant.

ÉCHÉANCE *n.f.*

1. Moment où expire un délai. *Échéance du bail*; *venir à échéance.*
Angl. expiration[1]+, expiry, maturity.

2. (*Obl.*) Moment où arrive le terme[1]. « [...] une obligation n'est pas susceptible d'exécution forcée avant l'échéance du terme » (Pineau et Burman, *Obligations*, n° 269, p. 357). *Échéance de la dette* (art. 442*k* C. civ.); *échéance de l'obligation* (art. 2190 par. 2 C. civ.).
Occ. Art. 1090 C. civ.; art. 93, *Loi sur la protection du consommateur*, L.R.Q., chap. P-40.1.
Syn. arrivée du terme, avènement du terme, échéance du terme. **V.a.** déchéance du terme.
Angl. arrival of the term, expiration[2]+, expiration of the term.

ÉCHÉANCE DU TERME

(*Obl.*) Syn. échéance[2]. Par ex., date à laquelle expire le bail.
Occ. Art. 1953 par. 4 C. civ.
Angl. arrival of the term, expiration[2]+, expiration of the term.

ÉCHELONNER *v.tr.*

V. paiement échelonné.

ÉCHOIR *v.intr.*

(*Obl.*) Venir à échéance. *Délai échu; le terme échoit le 15 mars.*
V.a. intérêt à échoir, intérêt échu.

ÉCLAIRÉ, ÉE *adj.*

V. consentement éclairé.

ÉCONOMIQUE *adj.*

(*Obl.*) V. dommage économique, ordre public économique, ordre public économique et social, préjudice économique.

ÉCRIT, ITE *adj.*

V. droit écrit, droit non écrit.

ÉDIFICE *n.m.*

(*Biens*) Construction immobilière, généralement d'une certaine importance. « Si [...] le preneur construisait sans permission à cet effet, l'édifice qu'il élèverait ne lui appartiendrait évidemment pas [...] » (Cardinal, *Superficie*, n° 41, p. 106).
Occ. Art. 1688 C. civ.
V.a. bâtiment, ouvrage[2].
Angl. edifice.

ÉDITEUR, TRICE *n.*

(*Obl.*) Partie qui, dans un contrat d'édition, acquiert le droit de reproduire une oeuvre intellectuelle en vue de sa diffusion. « Lorsqu'un auteur convient avec un éditeur que celui-ci publiera l'oeuvre, en gardant à sa charge tous les frais de publication, il y a alors une véritable entreprise : l'éditeur est un entrepreneur qui se charge, moyennant une rémunération forfaitaire ou proportionnelle à la vente des exemplaires, d'assurer l'impression et la vente de l'ouvrage » (Planiol et Ripert, *Traité*, t. 11, n° 968, p. 215).
Angl. publisher.

ÉDITION *n.f.*

V. contrat d'édition.

ÉDUCATION *n.f.*

V. faute dans l'éducation, faute d'éducation.
Angl. education.

EFFET ABDICATIF

(*Obl.*) Effet résultant d'un acte abdicatif. « *L'effet abdicatif* que peut produire l'acte unilatéral apparaît de la façon la plus nette dans les divers cas de *renonciation.* C'est dire que la volonté unilatéralement exprimée a le pouvoir de déterminer *l'extinction* d'un droit : plus précisément, *d'un droit dont le déclarant était titulaire* » (Flour et Aubert, *Obligations*, vol. 1, n° 489, p. 394).
Opp. effet constitutif, effet déclaratif, effet extinctif, effet translatif. **V.a.** acte abdicatif.
Angl. renunciative effect, renunciatory effect+.

EFFET CONSTITUTIF

(*Obl.*) Effet résultant d'un acte constitutif. Par ex., la filiation résultant d'une adoption. « Lorsque tout en créant un rapport d'obligation personnelle entre les parties, un contrat constitue un droit réel sur la chose d'autrui, l'opposabilité du contrat, du moins en ce qui concerne son effet constitutif de droit réel, est régie par le système qui gouverne l'opposabilité aux tiers des actes constitutifs ou translatifs de droits réels et d'obligations réelles » (Larroumet, *Droit civil*, t. 3, 1e part., n° 212, p. 191).
Opp. effet abdicatif, effet déclaratif, effet extinctif, effet translatif. **V.a.** acte constitutif.
Angl. constitutive effect.

EFFET DÉCLARATIF

(*Obl.*) Effet résultant d'un acte déclaratif. « [...] sont soumis à l'effet déclaratif tous les actes juridiques ayant pour but de substituer une propriété individuelle à une propriété indivise, quel qu'en soit le nom et quelle que soit l'origine de l'indivision [...] Les principaux actes concernés sont d'abord les partages proprement dits, puis les actes qui s'apparentent au partage » (Brière, *Successions*, n° 385, p. 240-241).
Opp. effet abdicatif, effet constitutif, effet extinctif, effet translatif. **V.a.** acte déclaratif.
Angl. declaratory effect.

EFFET DE COMMERCE

(*D. comm.*) Titre négociable qui représente une créance de somme d'argent ou relative à un bien meuble. « La négociation des effets de commerce est un mode de cession différent de la cession de créances du droit civil parce qu'elle ne requiert que la livraison, si le titre est au porteur, et que l'endossement et la délivrance, si le titre est à ordre, pour investir le bénéficiaire de tous les droits et recours auxquels ce titre peut donner lieu » (L'Heureux, *Droit commercial*, n° 33, p. 23).
Occ. Art. 102, *Loi sur la protection du consommateur*, L.R.Q., chap. P-40.1.
Rem. **1°** Les effets de commerce les plus courants sont la lettre de change, le chèque et le billet. **2°** Les effets de commerce sont régis par une loi fédérale, la *Loi sur les lettres de change*, L.R.C. 1985, chap. B-4.
F.f. instrument négociable.
Angl. negotiable instrument.

EFFET EXTINCTIF

(*Obl.*) Effet résultant de l'extinction d'un droit². « De l'effet abdicatif des renonciations, on rapprochera *l'effet extinctif* attaché à l'exercice des *facultés unilatérales de résiliation* [...] En mettant fin au contrat par sa seule initiative, l'une des parties éteint non seulement les droits qui en résultaient pour elle, mais aussi ceux dont bénéficiait son cocontractant [...] » (Flour et Aubert, *Obligations*, vol. 1, n° 489, p. 394).
Opp. effet abdicatif, effet constitutif, effet déclaratif, effet translatif. **V.a.** extinction.
Angl. extinctive effect.

EFFET MOBILIER

(*Biens*) Syn. meuble¹.
Occ. Art. 397 C. civ.
Angl. moveable¹⁺, moveable effect, moveable object, moveable thing.

EFFET RELATIF DES CONTRATS

(*Obl.*) V. principe de l'effet relatif des contrats.

EFFET RELATIF DES CONVENTIONS

(*Obl.*) V. principe de l'effet relatif des conventions. « L'effet relatif des conventions explique [...] la décision suivante : le propriétaire d'un terrain, responsable envers un tiers pour les dégâts subis par l'immeuble de ce dernier [...] vend sa propriété en stipulant que l'acquéreur faisait son affaire personnelle de l'instance éventuelle en responsabilité pour les dommages dont il s'agit. La victime poursuit, cependant, celui qui était propriétaire lors du sinistre; les juges du fond la déboutent en invoquant l'acte de vente précité. Cette décision est cassée : la victime est un *tiers* par rapport à cette vente; celle-ci ne lui est pas opposable » (Starck, Roland et Boyer, *Obligations*, t. 2, n° 1301, p. 453).

EFFET RELATIF DU LIEN OBLIGATOIRE

(*Obl.*) V. principe de l'effet relatif du lien obligatoire. « *L'effet relatif du lien obligatoire.* En vertu de l'article 1023 [C. civ.] "[l]es contrats n'ont d'effet qu'entre les parties contractantes; ils n'en ont point quant aux tiers" Tel est le principe [...] » (Pineau et Burman, *Obligations*, n° 199, p. 283).

EFFET RÉTROACTIF

Effet comportant rétroactivité. « L'effet rétroactif attaché [...] à la condition réalisée est une *fiction*, puisqu'il fait remonter les effets de la condition à une époque antérieure à sa réalisation » (Weill et Terré, *Obligations*, n° 900, p. 906).
Occ. Art. 1085, 2112 C. civ.
Angl. retroactive effect.

EFFET SUSPENSIF

1. (*Obl.*) Effet d'une condition suspensive ou d'un terme suspensif qui consiste en ce que la naissance ou l'exigibilité d'un droit ou d'une obligation est reportée à une époque ultérieure. « [L']effet suspensif [de la condition] *est beaucoup plus énergique* que celui du terme. Le droit affecté d'une condition suspensive n'a pas encore d'existence; la condition en *empêche la naissance* même, et on ne sait même pas si ce droit naîtra jamais » (Ripert et Boulanger, *Traité*, t. 1, n° 618, p. 275).
Rem. La condition suspensive retarde la naissance même du droit ou de l'obligation; le terme suspensif n'en retarde que l'exigibilité.
Angl. suspensive effect[1].

2. (*D. jud.*) Effet de l'inscription en appel d'un jugement qui est de surseoir à son exécution.
Rem. Voir l'art. 599 C. proc. civ.
Angl. suspensive effect[2].

EFFET TRANSLATIF

(*Obl.*) Effet résultant d'un acte translatif. « L'objet d'un contrat, c'est de créer un rapport d'obligation entre un créancier et un débiteur. [...] Cependant, certains contrats peuvent avoir [...] en même temps pour objet de transférer un droit ou une obligation du patrimoine d'un des contractants dans le patrimoine de l'autre contractant [...] Par conséquent, à côté de l'effet créateur de droit personnel et d'obligation, qui est commun à tous les contrats, certains contrats auront un objet supplémentaire, qui sera [...] un effet translatif de droit ou d'obligation » (Larroumet, *Droit civil*, t. 3, 1e part., n° 209, p. 189-190).
Opp. effet abdicatif, effet constitutif, effet déclaratif, effet extinctif. **V.a.** acte translatif.
Angl. translatory effect.

EFFICIENT, ENTE *adj.*

V. cause efficiente.

ÉLECTION DE DOMICILE

(*Pers.* et *D. jud.*) Choix d'un domicile fictif, en vue d'une fin particulière. « L'élection de domicile est facultative; tel est le principe. Par exception, la loi l'ordonne dans quelques cas » (Mignault, *Droit civil*, t. 1, p. 245).
Occ. Art. 85 C. civ.
Rem. Voir les art. 63, 64 et 68 C. proc. civ.
V.a. clause d'élection de domicile, domicile élu.
Angl. election of domicile.

ÉLÉMENT DE LOCALISATION

(*D. int. pr.*) Syn. facteur de rattachement. « [...] les éléments ou facteurs de localisation ou de rattachement ne sont pas tous physiques » (Castel, *Droit int. privé*, p. 29).
Angl. connecting circumstances, connecting criterion, connecting element, connecting factor+, connecting point, element of localization, point of localization.

ÉLÉMENT DE RATTACHEMENT

(*D. int. pr.*) Syn. facteur de rattachement. « [...] si la règle de conflit applicable retient

comme élément de rattachement le lieu du délit, il faut déterminer quel est en l'espèce ce lieu : l'ordre juridique compétent est celui de l'État sur le territoire duquel il est situé » (Mayer, *Droit int. privé*, n° 170, p. 146).
Angl. connecting circumstances, connecting criterion, connecting element, connecting factor+, connecting point, element of localization, point of localization.

ÉLÉMENT D'EXTRANÉITÉ

(*D. int. pr.*) Élément, de fait ou de droit, par lequel un rapport de droit présente un lien avec un ordre juridique étranger. Par ex., le domicile en Ontario du propriétaire d'un meuble situé au Québec; l'exécution à New-York d'un contrat conclu à Montréal; le domicile en Angleterre d'un époux introduisant une action en divorce au Québec. « [...] dès lors que le litige présente un ou plusieurs éléments d'extranéité, un problème surgit : le juge ne peut appliquer cumulativement à la même question de droit deux règles qui ne la résolvent peut-être pas de la même façon. Il y a *conflit de lois*, et le juge doit *choisir* entre elles » (Mayer, *Droit int. privé*, n° 87, p. 75).
Rem. Le fait qu'un rapport de droit présente un élément d'extranéité ne signifie pas forcément que ce rapport sera soumis à la loi d'un ordre juridique étranger.
Syn. élément étranger.
Angl. foreign element+, foreign factor.

ÉLÉMENT ÉTRANGER

(*D. int. pr.*) Syn. élément d'extranéité. « Au Québec, les règles du droit international privé régissent les relations de droit privé qui contiennent au moins un élément étranger pertinent » (Castel, *Droit int. privé*, p. 3).
Angl. foreign element+, foreign factor.

ÉLISIF, IVE *adj.*

(*Obl.*) V. clause élisive de responsabilité.

ÉLU, UE *adj.*

(*Pers.*) V. domicile élu.

ÉMANCIPATION *n.f.*

(*Pers.*) Modification de l'état du mineur qui consiste dans la suppression ou la réduction de l'incapacité qui le frappe d'exercer ses droits civils[5]. « L'enfant soumis à l'autorité parentale est l'enfant mineur qui n'a pas été émancipé (art. 646 C.C.Q.) : l'émancipation est une cessation anticipée de l'autorité parentale, en même temps qu'un changement dans l'état de la personne » (Pineau, *Famille*, n° 329, p. 279).
Occ. Art. 120, 247, 314, 317 C. civ.
Rem. **1°** L'émancipation est légale ou judiciaire. L'émancipation légale résultant du mariage confère au mineur la pleine capacité juridique; il est assimilé au majeur (art. 314 C. civ.). L'émancipation judiciaire confère au mineur une capacité d'exercice accrue sans pour autant lui attribuer la pleine capacité accordée au majeur (par ex., art. 1707 C. civ.). **2°** Le Code civil du Québec conserverait deux degrés d'émancipation, appelés *simple émancipation* (art. 183 C. civ. Q. [L.Q. 1987, chap. 18, art. 1 n.e.v.] repris à l'art. 168 du Projet de loi 125) et *pleine émancipation* (art. 191 C. civ. Q. [L.Q. 1987, chap. 18, art. 1 n.e.v.] repris aux art. 176 et 177 du Projet de loi 125).
V.a. curatelle, mineur émancipé.
Angl. emancipation.

ÉMANCIPATION JUDICIAIRE

(*Pers.*) Émancipation d'un mineur résultant d'une décision de justice. « [...] l'émancipation [judiciaire est] accordée à la demande du mineur lui-même, ou à celle de son tuteur ou de ses parents et alliés, par le tribunal, les juges ou les protonotaires auxquels il appartient de conférer la tutelle, sur l'avis du conseil de famille [...] : c'est alors un état intermédiaire entre la minorité et la majorité, une demi-capacité qui met ce mineur célibataire sous un régime de

"curatelle" quant à ses biens » (Pineau, *Famille*, n° 329, p. 279).
Occ. Titre précédant l'art. 315 C. civ.
Rem. 1° Voir l'art. 315 C. civ. 2° L'émancipation judiciaire confère au mineur une capacité accrue sans pour autant lui attribuer la pleine capacité du majeur.
Opp. émancipation légale.
Angl. judicial emancipation.

ÉMANCIPATION LÉGALE

(*Pers.*) Émancipation d'un mineur résultant de son mariage. « [...] *l'émancipation légale* [...] se produit sans aucune demande ni procédure particulière : elle résultera du mariage d'un mineur [...] » (Azard et Bisson, *Droit civil*, t. 1, n° 110, p. 170).
Rem. L'émancipation légale confère au mineur la pleine capacité juridique; il est assimilé au majeur (art. 314 C. civ.).
Opp. émancipation judiciaire.
Angl. legal emancipation.

ÉMANCIPÉ, ÉE *n.*

(*Pers.*) Syn. mineur émancipé.
Angl. emancipated minor.

ÉMANCIPER *v.tr.*

(*Pers.*) Opérer l'émancipation d'un mineur. « L'article 314 C. C. B. C. reconnaît que le mariage émancipe le mineur et le rend capable "comme s'il était majeur, de tous les actes de la vie civile" » (Pilon, *Législation*, p. 33).
Occ. Art. 314, 315 C. civ.
V.a. mineur émancipé, mineur non émancipé.
Angl. emancipate.

EMPHYTÉOSE *n.f.*

1. (*Biens*) Syn. bail emphytéotique.
Occ. Art. 567 C. civ.
Rem. Du latin *emphyteusis*, dérivé du grec *emphuteúein* : planter (d'où donner à bail pour une durée permettant de jouir de ses plantations).
Angl. contract of emphyteusis, contract of emphyteutic lease, emphyteusis[1], emphyteutic lease+.

2. (*Biens*) Droit réel immobilier que confère à l'emphytéote le bail emphytéotique. « Comme l'emphytéose emporte aliénation, il est bien clair que seuls ceux qui peuvent disposer de leurs biens peuvent la constituer. Les mineurs [...] sont donc dans l'impossibilité de créer un tel droit » (Martineau, *Biens*, p. 165).
Angl. emphyteusis[2].

EMPHYTÉOTE *n.*

(*Biens*) Personne qui prend à bail emphytéotique. « Contrairement à l'usufruitier, l'emphytéote pourra [...] apporter certaines transformations à l'immeuble, du moment que la valeur de celui-ci n'est pas diminuée » (Martineau, *Biens*, p. 169).
Occ. Art. 572 C. civ.
Angl. emphyteutic lessee.

EMPHYTÉOTIQUE *adj.*

(*Biens*) V. bail emphytéotique, louage emphytéotique, rente emphytéotique.

EMPIÉTEMENT *n.m.*

(*Biens*) Fait d'occuper sans droit une partie d'un fonds voisin. « Parfois, les ouvrages nouveaux consistent en de simples *empiétements* sur le terrain du voisin : une personne construit une maison sur son propre terrain, mais une partie de l'immeuble (un mur, par exemple) empiète sur le sol d'autrui » (Mazeaud et Chabas, *Leçons*, t. 2, vol. 2, n° 1598-2, p. 288).
Occ. Art. 2220 C. civ.
Rem. On rencontre la graphie *empiètement*.
Angl. encroachment.

EMPIÉTER *v.intr.*

(*Biens*) Occuper sans droit une partie d'un fonds voisin. « Il arrive qu'un propriétaire

s'étant trompé sur les limites exactes de son fonds, le bâtiment qu'il fait édifier empiète [...] sur la propriété contiguë » (Carbonnier, *Droit civil*, t. 3, n° 50, p. 228).
Angl. encroach.

EMPRUNT *n.m.*

(*Obl.*) Prêt, envisagé du côté de l'emprunteur. « [...] le mineur émancipé peut, en thèse générale, emprunter avec la seule assistance de son curateur, mais si l'emprunt est considérable eu égard à sa fortune et porte hypothèque, il doit être autorisé [par l'autorité judiciaire] » (Mignault, *Droit civil*, t. 2, p. 265).
Occ. Art. 321, 2700 C. civ.
Angl. contract of loan, loan+.

EMPRUNTER *v.tr.*

(*Obl.*) Contracter un emprunt. « Toute personne jouissant de l'administration de sa fortune, est capable de prêter ou d'emprunter à titre de commodat [...] » (Aubry et Rau, *Droit civil*, t. 6, n° 110, p. 163).
Occ. Art. 351, 1772 C. civ.
Opp. prêter.
Angl. borrow.

EMPRUNTEUR, EUSE *n.* et *adj.*

(*Obl.*) Personne qui contracte un emprunt. « L'emprunteur doit n'employer la chose prêtée qu'à l'usage expressément indiqué par la convention ou à défaut de convention expresse, qu'à celui auquel elle est destinée d'après sa nature » (Aubry et Rau, *Droit civil*, t. 6, n° 111, p. 164).
Occ. Art. 1763, 1766 C. civ.
Opp. prêteur.
Angl. borrower.

ENCLAVE *n.f.*

(*Biens*) État d'un fonds qui n'a pas d'issue sur la voie publique ou n'a sur celle-ci qu'une issue insuffisante ou impraticable pour son exploitation; le fonds lui-même qui se trouve dans cette situation. « L'état d'enclave s'entend de la situation d'un fonds qui n'a "aucune issue sur la voie publique", et qui par le fait même se trouve dans une situation qui nuit à l'exploitation de ce fonds. Cette notion d'exploitation est fondamentale car elle est à la base même de la protection accordée à l'enclave, comme le dit l'art. 540 [...] » (Pourcelet, (1965-1966) 68 *R. du N.* 250, p. 252). *État d'enclave; droit de passage au cas d'enclave.*
Occ. Art. 1039 C. civ. Q. (L.Q. 1987, chap. 18, art. 1 n.e.v.) repris à l'art. 998 du Projet de loi 125.
Rem. **1°** Voir les art. 540 à 544 C. civ. **2°** Du latin *inclavere* (dérivé de *clavis* : clef) : mettre sous clef.
Angl. enclave, enclosed land+.

ENCLAVÉ, ÉE *n.*

(*Biens*) *Rare.* Propriétaire d'un fonds enclavé. « [...] l'article 540 donne à l'enclavé un droit incontestable, il a un droit absolu de se rendre à la voie publique en passant sur l'un des fonds voisins » (Mignault, *Droit civil*, t. 3, p. 136, note).

ENCLAVER *v.tr.*

(*Biens*) Établir une enclave. « [...] un fonds peut être considéré comme enclavé si sa sortie sur la voie publique présente des inconvénients auxquels on ne saurait remédier sans encourir des dépenses considérables, hors de proportion avec les dommages qui résulteraient du passage sur le fonds voisin » (*Rompré* c. *Rivard*, [1972] C.A. 42, p. 44, j. J. Turgeon).
Occ. Art. 540, 541, 543 C. civ.
Rem. On rencontre généralement ce verbe à la forme du participe passé.

ENFANT *n.*

1. (*Succ.*) Descendant au premier degré. « Telle est la signification du principe qui puise sa force dans une tradition ancestrale : l'enfant conçu est considéré comme né toutes les fois qu'il y va de son intérêt *(infans conceptus pro nato habetur quoties de*

commodis ejus agitur) » (Atias, *Personnes*, n° 8, p. 19).
Occ. Art. 574, 577 C. civ. Q.; art. 624*b* C. civ.
Rem. **1°** Certaines lois donnent une définition différente du mot *enfant*, notamment l'art. 1 par. c de la *Loi sur la protection de la jeunesse* (L.R.Q., chap. P-34.1). **2°** Il fut un temps où les mots *enfant* ou *descendant* employés seuls dans la loi ne désignaient que l'enfant issu d'un mariage (voir l'art. 1056 C. civ. avant 1970); c'était l'enfant légitime. Les autres enfants étaient qualifiés de différentes façons : *naturels*, *illégitimes*, *légitimés*, *adultérins*, *incestueux*. Le Code civil du Québec écarte ces distinctions en reconnaissant à tous les enfants les mêmes droits « quelles que soient les circonstances de leur naissance » (art. 572 et 594).
V.a. filiation[1].
Angl. child[1].

2. (*Succ.*) Syn. descendant. « [...] l'identification des enfants par leur nom [dans un testament] élimine l'application de l'art. 980 du Code civil » (Charron, (1975) 35 *R. du B.* 364, p. 365).
Occ. Art. 980 C. civ.
Angl. child[2], descendant⁺.

3. (*Pers.*) Syn. mineur. « L'une des caractéristiques essentielles de la Loi québécoise [*Loi sur la protection de la jeunesse*] et peut-être aussi un de ses apports majeurs est la reconnaissance de l'enfant comme sujet de droit » (Deleury, Lindsay et Rivet, (1980) 21 *C. de D.* 101).
Occ. Art. 30, 31, 608, 1054 C. civ.
Rem. On emploie plus souvent l'expression *enfant mineur* (art. 596 et 634 C. civ. Q.) ou tout simplement le terme *mineur* (art. 615 C. civ. Q.).
Angl. child[3], infant, minor⁺, person of minor age.

ENFANT ADOPTÉ

(*Pers.*) Personne mineure qui est adoptée. « [...] l'enfant adopté ne peut épouser ses parents biologiques en ligne directe, à l'infini, et en ligne collatérale jusqu'au troisième degré [...] » (Ouellette, (1982) 13 *R.G.D.* 109, p. 113). *Le statut d'enfant adopté.*
Occ. Art. 632 C. civ. Q.
Rem. Voir les art. 595, 601 et 602 C. civ. Q.
Syn. enfant adoptif. **V.a.** adopté.
Angl. adopted child⁺, adoptive child.

ENFANT ADOPTIF

(*Pers.*) Syn. enfant adopté. « [...] l'intérêt — très prépondérant en l'espèce — de *l'enfant adoptif* est d'être assimilé, dans toute la mesure du possible, à un enfant légitime des adoptants [...] » (Azard et Bisson, *Droit civil*, t. 1, n° 113, p. 177).
Angl. adopted child⁺, adoptive child.

ENFANT ADULTÉRIN

(*Pers.*) Enfant naturel dont le père ou la mère était marié à une tierce personne au moment de sa conception. « Les enfants adultérins ou incestueux avaient été soumis à un régime plus rigoureux que les enfants naturels simples parce que l'irrégularité qui entoure leur conception et leur naissance était apparue moralement et socialement plus grave. Non seulement ils ont été conçus hors mariage mais encore dans des circonstances où le mariage eut été impossible entre leurs parents » (Marty et Raynaud, *Personnes*, n° 374, p. 481).
Occ. Anc. art. 768 C. civ.
Rem. **1°** De 1971 à 1981, l'enfant adultérin a pu être légitimé (anc. art. 237 C. civ.). **2°** On distinguait l'enfant adultérin *a patre* ou *a matre* selon que le père ou la mère était marié à une tierce personne au moment de sa conception.
Opp. enfant incestueux, enfant naturel simple. **V.a.** enfant[1]⁺, filiation adultérine, légitimation⁺.
Angl. adulterine child.

ENFANT ILLÉGITIME

(*Pers.*) *Vieilli.* Syn. enfant naturel.
Angl. illegitimate child, natural child[+].

ENFANT INCESTUEUX

(*Pers.*) *Vieilli.* Enfant naturel dont les père et mère ne peuvent contracter mariage ensemble en raison d'un lien de parenté ou d'alliance. « Les *enfants incestueux* sont ceux qui sont issus des rapports de deux personnes qui n'auraient pu s'unir par le mariage, à raison des liens de parenté ou d'alliance qui existaient entre elles. Ils sont nés de l'inceste » (Marty et Raynaud, *Personnes*, n° 374, p. 481).
Occ. Anc. art. 768 C. civ. (1866-1981).
Rem. **1°** Jusqu'en 1981, l'enfant incestueux ne pouvait être légitimé (anc. art. 237 C. civ. [1866-1981]). **2°** La prohibition de l'union incestueuse est prévue aux art. 124 et s. C. civ.
Opp. enfant adultérin, enfant naturel simple. **V.a.** enfant[1+], filiation incestueuse, légitimation[+].
Angl. incestuous child.

ENFANT LÉGITIME

(*Pers.*) *Vieilli.* Enfant[1] issu de parents[2] mariés ensemble. « [...] par l'*adoption* [...] un enfant qu'aucun lien du sang ne rattache nécessairement à la personne qui l'adopte est assimilé à peu près complètement à un enfant légitime » (Planiol et Ripert, *Traité*, t. 2, n° 730, p. 606).
Occ. Anc. art. 228 C. civ. (1866-1981).
Rem. **1°** La plupart des auteurs précisent que l'enfant légitime était issu de parents[2] qui étaient mariés ensemble à l'époque de la conception. Par ailleurs, la jurisprudence accordait par extension le statut d'enfant légitime à celui issu de parents[2] mariés ensemble au moment de sa naissance. **2°** Les conséquences de la légitimité étaient maintenues à l'égard des enfants nés à la suite d'un mariage putatif.
Opp. enfant naturel. **V.a.** enfant[1+], famille légitime, filiation légitime.
Angl. legitimate child.

ENFANT LÉGITIMÉ

(*Pers.*) *Vieilli.* Enfant naturel à qui le mariage subséquent de ses parents[2] confère le statut d'enfant légitime. « L'enfant légitimé devient, à tous égards, l'égal d'un enfant légitime » (Azard et Bisson, *Droit civil*, t. 1, n° 144, p. 271). *L'enfant légitimé par le mariage.*
Occ. Anc. art. 239 C. civ. (1866-1981).
V.a. enfant[1+], légitimation[+], légitimité[3.A], mariage *in extremis*.
Angl. legitimated child.

ENFANT NATUREL

(*Pers.*) *Vieilli.* Enfant[1] issu de parents[2] non mariés ensemble au moment de sa conception et de la naissance. « [...] la règle suivant laquelle l'enfant naturel reconnu n'a de lien de parenté qu'avec le parent qui l'a reconnu et ne peut hériter *ab intestat* serait éliminée » (O.R.C.C., *Commentaires*, t. 1, p. 193). *Légitimer un enfant naturel.*
Occ. Anc. art. 240 C. civ. (1970-1981).
Rem. Pour les fins de la légitimation, l'anc. art. 237 C. civ. (1971-1981) distinguait entre l'enfant naturel simple, l'enfant adultérin et l'enfant incestueux.
Syn. enfant illégitime. **Opp.** enfant légitime. **V.a.** enfant[1+], famille naturelle, filiation naturelle, reconnaissance d'enfant naturel.
Angl. illegitimate child, natural child[+].

ENFANT NATUREL SIMPLE

(*Pers.*) *Vieilli.* Enfant naturel qui n'est pas issu d'un adultère ou d'un inceste. « L'enfant *naturel simple* est celui qui est né d'un homme et d'une femme non mariés mais qui auraient pu l'être, aucun obstacle ne s'opposant à leur union » (Huet-Weiller, *Rép. droit civ.*, v° Filiation naturelle, n° 2).

Rem. L'enfant naturel simple pouvait être légitimé (anc. art. 237 C. civ. [1971-1981])
Opp. enfant adultérin, enfant incestueux.
V.a. enfant[1]+, filiation naturelle simple, légitimation+.
Angl. simple natural child.

ENFANT RECONNU

(*Pers.*) Enfant[1] qui a fait l'objet d'une reconnaissance de maternité ou de paternité.
Angl. acknowledged child.

ENGAGÉ, ÉE *p.p.adj.*

(*Sûr.*) Qui fait l'objet d'un droit de gage. « Quand le gage porte sur une chose consomptible, le créancier [...] devient propriétaire de l'objet engagé et doit restituer une chose équivalente, non la chose elle-même [...] » (Mazeaud et Chabas, *Leçons*, t. 3, vol. 1, n° 65, p. 86). *Chose engagée; créance engagée.*
Syn. gagé.

ENGAGEMENT *n.m.*

1. (*Obl.*) Syn. obligation[2].
Angl. juridical obligation[2], obligation[2]+.

2. (*Obl.*) Syn. obligation[3]. « L'engagement du promettant-acheteur est unilatéral en ce sens que lui seul s'engage jusqu'à l'acceptation du propriétaire » (Demers, *R.D.* Vente — Doctrine — Doc. 1, n° 67).
Angl. charge[1], debt[1], liability[3], obligation[3]+.

ENGAGEMENT PAR VOLONTÉ UNILATÉRALE

(*Obl.*) Syn. engagement unilatéral. « [...] l'engagement par volonté unilatérale n'est logiquement acceptable que dans une conception objective de l'obligation. Il suppose admise une obligation pouvant exister sans créancier et un acte juridique puisant sa force obligatoire beaucoup plus dans le milieu social désireux de sécurité que dans la valeur créatrice de la volonté » (Marty et Raynaud, *Obligations*, t. 1, n° 356, p. 368).
Angl. undertaking by unilateral will, unilateral undertaking (of will)+.

ENGAGEMENT UNILATÉRAL (DE VOLONTÉ)

(*Obl.*) Acte unilatéral créant une obligation à la charge de son auteur. « [...] on a soutenu que l'on devait admettre comme source générale des obligations, à côté du contrat, l'*engagement unilatéral de volonté*, c'est-à-dire la manifestation de volonté émanant du débiteur seul : une personne pourrait être obligée du seul fait qu'elle veut l'être, par une simple déclaration unilatérale émanée d'elle, sans qu'il soit besoin du consentement du créancier » (Weill et Terré, *Obligations*, n° 25, p. 26-27).
Syn. engagement par volonté unilatérale.
V.a. théorie de l'engagement par volonté unilatérale+.
Angl. undertaking by unilateral will, unilateral undertaking (of will)+.

ENGAGER *v.tr.*

1. (*Obl.*) Syn. obliger. « Celui qui se porte fort n'engage pas autrui, il promet personnellement d'obtenir l'engagement ou le fait d'un tiers » (Marty et Raynaud, *Obligations*, t. 1, n° 276, p. 292).
Occ. Art. 1028, 1600 C. civ.
Rem. On trouve aussi la forme pronominale *s'engager* qui signifie se lier par convention, s'obliger.
V.a. libérer.
Angl. bind, obligate+.

2. (*Sûr.*) Mettre en gage[2].
Occ. Art. 91 C. civ.
Rem. La forme pronominale est passive et signifie être mis en gage. *Des bijoux s'engagent facilement.*
Angl. pawn.

ENLÈVEMENT *n.m.*

(*Obl.*) Action de prendre livraison d'un meuble corporel à l'endroit de sa délivrance[1],

surtout dans le cas de la vente. « Le vendeur supporte les frais de délivrance parce qu'il a l'obligation de délivrer; de son côté, l'acheteur ayant l'obligation de prendre livraison supporte les frais d'enlèvement » (Pourcelet, *Vente*, p. 113).
Occ. Art. 1544 C. civ.
Syn. retirement. **V.a.** remise[1], tradition.
Angl. removal.

ENLEVER *v.tr.*

(*Obl.*) Effectuer l'enlèvement. « L'obligation de l'acheteur de recevoir livraison ou d'enlever la chose est le corollaire de l'obligation de délivrance qui incombe au vendeur » (Pourcelet, *Vente*, p. 171).
Occ. Art. 1544 C. civ.
Syn. retirer[1].
Angl. remove.

EN PERPÉTUEL *loc.adv.*

V. perpétuel (en).

ENREGISTREMENT *n.m.*

(*Biens*) Dépôt[5] dans un bureau de l'État des documents constatant la création, la déclaration, l'exercice, la transmission ou l'extinction de certains droits dans le but de faire connaître aux tiers, et par là même de leur rendre opposables, ces opérations juridiques. « L'enregistrement est une mesure de publicité prescrite dans l'intérêt des tiers. Entre les parties, il est indifférent qu'un acte soit ou ne soit pas enregistré. Mais, en l'absence d'enregistrement, cet acte, s'il confère un droit réel, ne peut en principe être opposé aux tiers dont les droits sont enregistrés » (Mignault, *Droit civil*, t. 9, p. 190). *Priorité d'enregistrement* .
Occ. Art. 2083, 2084, 2093 C. civ.
Rem. **1°** Les règles relatives à l'enregistrement se trouvent notamment aux art. 2082 et s. C. civ., au titre *De l'enregistrement des droits réels*. Malgré cet intitulé, la loi exige, dans des cas exceptionnels, l'enregistrement de certains droits personnels : droit du locataire en vertu d'un bail (art. 1646 C. civ.); droit du donataire d'une somme d'argent d'exiger le paiement de celle-ci (art. 804 C. civ.). **2°** En principe, sauf quelques exceptions mentionnées à l'art. 2084 C. civ., les droits réels relatifs aux immeubles sont soumis à l'enregistrement. Par contre, les droits mobiliers ne doivent être enregistrés que dans certains cas; par ex., droits résultant d'une donation (art. 806 C. civ.) ou d'une substitution (art. 938 C. civ.); droits résultant d'un nantissement agricole (art. 1979*b* C. civ.) ou d'un nantissement commercial (art. 1979*g* C. civ.).
V.a. publicité foncière.
Angl. registration.

ENREGISTRER *v.tr.*

(*Biens*) Procéder à l'enregistrement. « Celui qui retarde à faire enregistrer son titre risque que les titres enregistrés avant le sien lui soient préférés » (Demers, dans *Traité*, t. 14, p. 336).
Occ. Art. 2083, 2085, 2098 C. civ.
Angl. register.

ENRICHISSEMENT INJUSTIFIÉ

(*Obl.*) Syn. enrichissement sans cause. « Au Québec, tant avant qu'après la promulgation du *Code civil*, la jurisprudence a implicitement mais effectivement appliqué la théorie de l'enrichissement injustifié [...] Mais c'est surtout après les années 1930 qu'une doctrine abondante fait une analyse systématique de la théorie de l'enrichissement injustifié en même temps que beaucoup de décisions en première instance et en appel tentent d'en circonscrire les conditions d'application » (*Cie Immobilière Viger* c. *Lauréat Giguère Inc.*, [1977] 2 R.C.S. 67, p. 76, j. J. Beetz).
Occ. Titre précédant l'art. 1489 du Projet de loi 125.
Angl. unjust enrichment, unjustified enrichment⁺.

ENRICHISSEMENT SANS CAUSE

(*Obl.*) Avantage appréciable en argent, corrélatif à l'appauvrissement d'un autre patrimoine, qui n'est pas justifié par une opération juridique ou par la loi. « La jurisprudence a [...] dégagé un troisième "quasi-contrat". Elle a découvert une troisième source d'obligations quasi contractuelles : l'enrichissement sans cause. Celui qui, sans cause juridique valable, s'enrichit aux dépens d'autrui, est tenu d'indemniser ce dernier selon certaines règles précises » (Baudouin, *Obligations*, n° 495, p. 307).
Rem. L'enrichissement sans cause crée, à la charge de la personne enrichie, l'obligation de restituer la moindre des deux sommes que représente l'enrichissement ou l'appauvrissement.
Syn. enrichissement injustifié. **V.a.** action *de in rem verso*, action en répétition d'enrichissement sans cause, arrêt de principe+, gestion d'affaire, paiement de l'indu.
Angl. unjust enrichment, unjustified enrichment+.

ENTIERCEMENT *n.m.*

(*Biens*) Fait de placer un bien entre les mains d'un tiers, le tiers convenu. « Cette pratique [fait pour le créancier de posséder le gage par l'intermédiaire d'un tiers qui en est détenteur pour son compte] était appelée autrefois *entiercement*; elle constitue le seul procédé permettant d'affecter le même objet mobilier à la garantie de plusieurs dettes différentes, avantage qui semblait réservé à l'hypothèque : l'intermédiaire détient l'objet pour tous les créanciers » (Planiol et Ripert, *Traité*, t. 12, n° 101, p. 117-118).
Rem. **1°** Ce terme est employé notamment à propos du bien grevé d'un nantissement[2], qui n'est pas placé entre les mains du créancier nanti, mais en mains tierces (art. 1970 C. civ.). **2°** Contrairement à l'usage en droit français, le terme *entiercement* est encore employé au Québec (*Beaudry* c. *Randall*, [1963] R.C.S. 418, p. 425).
Angl. escrow.

ENTIERCER *v.tr.*

(*Biens*) Effectuer un entiercement.
Angl. put in escrow.

ENTREPRENEUR, EUSE *n.*

(*Obl.*) Personne qui, en vertu d'un contrat d'entreprise, effectue un ouvrage. « L'entrepreneur ne répond [...] pas des délits commis par les sous-entrepreneurs, parce que le contrat passé avec eux ne les assujettit pas à une subordination à son égard » (Planiol et Ripert, *Traité*, t. 11, n° 930, p. 169).
Occ. Art. 1690 C. civ.
Opp. maître de l'ouvrage. **V.a.** commettant, maître d'oeuvre. **F.f.** contracteur.
Angl. contractor.

ENTREPRENEUR EN SOUS-ORDRE

(*Obl.*) Syn. sous-entrepreneur.
Occ. Art. 1697*a* C. civ.
Angl. subcontractor.

ENTREPRENEUR GÉNÉRAL

(*Obl.*) Syn. entrepreneur principal. « Les rapports de l'entrepreneur général et du sous-entrepreneur résultent du contrat de sous-traitance; ce contrat est un louage d'ouvrage dans lequel l'entrepreneur principal joue le rôle de maître d'ouvrage et le sous-traitant celui d'entrepreneur [...] » (Mazeaud et Chabas, *Leçons*, t. 3, vol. 2, 2e part., n° 1379-3, p. 833).
Rem. Dans la langue courante, le terme *entrepreneur général* est souvent utilisé pour désigner celui qui, dans le domaine de la construction, se charge de travaux de tout genre, par opposition à l'entrepreneur spécialisé.
Angl. chief contractor, general contractor+.

ENTREPRENEUR PRINCIPAL

(*Obl.*) Entrepreneur qui confie à un sous-entrepreneur l'exécution totale ou partielle du contrat d'entreprise qu'il a lui-même conclu avec le maître de l'ouvrage. « Les

rapports du maître [de l'ouvrage] et de l'entrepreneur principal titulaire du marché demeurent ceux d'un contrat de louage d'ouvrage, sans être altérés par l'existence d'un sous-traité même agréé : *l'entrepreneur principal conserve la responsabilité de tous les travaux comme s'il les exécutait lui-même* [...] » (Mazeaud et Chabas, *Leçons*, t. 3, vol. 2, 2e part., n° 1379-3, p. 833).
Occ. Art. 1697*a* C. civ.
Syn. entrepreneur général. **Opp.** sous-entrepreneur. **V.a.** contrat de sous-entreprise.
Angl. chief contractor, general contractor+.

ENTREPRIS, ISE *p.p.adj.*

V. jugement entrepris.

ENTREPRISE *n.f.*

(*Obl.*) Syn. contrat d'entreprise.
Angl. contract of enterprise.

ENTRE VIFS *loc.adv.*

(*Obl.*) Entre personnes vivantes.
Occ. Art. 754, 755, 777 C. civ.
Rem. On écrit *entre vifs* ou *entrevifs*.
Syn. *inter vivos*. **Opp.** cause de mort (à). **V.a.** acte entre vifs+, donation entre vifs°.
Angl. *inter vivos*.

ÉPAVE *n.f.*

(*Biens*) Chose mobilière égarée dont on ne connaît pas le propriétaire. « *L'épave, ou chose perdue en dehors de la volonté de son propriétaire, doit être distinguée de la chose abandonnée.* Le propriétaire de l'épave en a perdu la possession [...] mais il a conservé le droit de propriété. L'abandon entraîne, au contraire, perte de la possession et de la propriété » (Mazeaud et Chabas, *Leçons*, t. 2, vol. 2, n° 1586, p. 274). *Épave maritime, épave terrestre.*
Rem. Voir les art. 589 à 594 C. civ.
V.a. bien sans maître, chose abandonnée.
Angl. thing lost.

ÉPOUX DE FAIT

(*Pers.*) Syn. conjoint de fait. « [...] les époux de fait tendent actuellement à **organiser** leurs relations patrimoniales notamment, par des contrats prévoyant les droits et obligations de chacun, tant il est vrai que la même organisation de vie appelle des solutions semblables » (Castelli, *Famille*, p. 418).
Angl. concubinary, concubine, *de facto* spouse+.

ÉQUIPOLLENT, ENTE *adj.*

Vieilli. Équivalent.
Occ. Anc. art. 1275 C. civ. (1866-1981).
Angl. equipollent.

ÉQUIPOLLER (À) *v.tr.ind.*

Vieilli. Équivaloir à. « [...] quoique la consignation qui se fait sur le refus du créancier de recevoir la chose ou la somme à lui due, qui lui est offerte, ne soit pas un véritable paiement [...] lorsqu'elle est faite valablement, elle équipolle à un paiement, et elle éteint la dette [...] » (Pothier, *Oeuvres*, t. 2, n° 573, p. 306).

ÉQUITABLE *adj.*

1. Qui agit selon l'équité. *Une personne équitable, un juge équitable.*
Angl. equitable(>)+, fair(>).

2. Conforme à l'équité. « [...] entre deux interprétations de la loi, entre deux théories construites pour compléter la loi, [les juges] inclineront bien souvent à choisir non pas celle qui est, *en général*, la plus exacte, mais celle qui est, *dans le cas particulier*, la plus équitable » (Carbonnier, *Introduction*, n° 9, p. 36). *Jugement équitable, loi équitable, partage équitable.*
Occ. Art. 1202*a* par. c C. civ.
V.a. légitime2.
Angl. equitable(>)+, fair(>).

ÉQUITÉ *n.f.*

1. Notion de justice visant l'équilibre des intérêts en présence. « Tous ont le sentiment de la justice, mais tous n'en ont pas la même conception [...] L'équité par définition consiste à tenir la balance égale entre les intérêts en présence » (Colin et Capitant, *Traité*, t. 1, n° 15, p. 12). *Équité d'un partage.*
Rem. Du latin *aequitas*, dérivé de *aequus* : égal.
V.a. jugement d'équité.
Angl. equity[1].

2. Ensemble des principes fondés sur des valeurs telles la morale, la raison, l'utilité, correspondant au sentiment commun de ce qui est juste. « [...] l'équité se réclame soit du droit naturel ou de la raison, soit [...] de la morale, soit [...] du sens commun, d'une sorte d'évidence à la fois logique et sentimentale [...]. L'équité traduit ainsi une réaction instinctive devant les problèmes humains [...] » (Jestaz, *Rép. droit civ.*, v° Équité, n° 7). *Juger en équité, traiter avec équité.*
Occ. Art. 429, 1024, titre précédant l'art. 1040*c* C. civ.
Rem. **1°** Le droit positif peut être contraire à ce qui est perçu comme équitable. **2°** Le juge est tenu de statuer en droit, mais il peut avoir recours à l'équité; l'arbitre, lui, peut écarter les règles de droit supplétives et juger en équité si les parties y consentent (art. 944.10 C. proc. civ.).
V.a. justice[1].
Angl. equity[2].

EQUITY *n.f.* (anglais)

Règles de droit dégagées et appliquées en Angleterre, à partir du XVe siècle jusqu'en 1875, par la *Court of Chancery*, par opposition aux règles de la common law[1]. « [...] l'equity était devenue, depuis le XVIIe siècle, un corps de véritables règles juridiques, administrées par la Cour de la Chancellerie selon une procédure et dans des conditions qui ne le cédaient en rien, en formalisme et en minutie, aux procédures et conditions d'application de la common law » (David, *Grands systèmes*, n° 303, p. 352).
Rem. **1°** Les *Judicature Acts* de 1873-1875 ont opéré, en Angleterre, une fusion de la common law et de l'equity, mais uniquement sur le plan de l'organisation judiciaire : ils ont permis à toutes les cours supérieures de statuer à la fois selon la common law et selon l'equity. Il en fut de même, progressivement, dans les provinces canadiennes de common law. **2°** L'equity n'a jamais été conçue comme un système de droit complet et autonome, mais plutôt comme un système auxiliaire greffé à la common law pour en combler les lacunes ou en atténuer la rigueur. **3°** Malgré la cristallisation des règles d'equity, les *equitable remedies* relèvent du pouvoir discrétionnaire des tribunaux qui peuvent les refuser à une partie qui, en l'espèce, ne paraît pas devoir mériter la protection du tribunal. **4°** Le terme *equity*, pris dans ce sens, ne comporte pas d'équivalent en langue française, et ne doit pas être confondu avec l'équité en droit civil.
Opp. common law[1].
Angl. Equity[3].

ÉQUIVALENCE DES CONDITIONS

(*Obl.*) Valeur causale identique, attribuée à tous les faits sans lesquels le dommage n'aurait pas eu lieu. « Deux critiques principales peuvent être adressées à l'équivalence des conditions. La première est qu'elle oblige à tenir compte d'antécédents lointains. La seconde est qu'elle fait du lien de causalité une somme de conditions et de circonstances, sans opérer de sélection quantitative ou qualitative entre elles. Or, il est manifeste que certaines ont eu ou pu avoir une influence plus déterminante ou plus directe que d'autres » (Baudouin, *Responsabilité*, n° 341, p. 188).
Opp. causalité adéquate. **V.a.** condition *sine qua non*+, théorie de l'équivalence des conditions.
Angl. equivalence of conditions.

ÉQUIVALENT *n.m.*

V. exécution par équivalent, réparation par équivalent.
Angl. equivalence.

ÉQUIVOQUE *adj.*

V. possession équivoque, possession non équivoque.

ERGA OMNES *loc.adv.* (latin)

À l'égard de tous. *Opposable* erga omnes, *valable* erga omnes.
Opp. *inter partes.* **V.a.** absolu[1].
Angl. *erga omnes.*

ERREUR *n.f.*

(*Obl.*) Appréciation inexacte de la réalité qui, dans les cas reconnus par la loi, entraîne la nullité d'un acte juridique. « L'erreur est une représentation inexacte de la réalité, c'est un fait psychologique qui peut avoir une importance juridique lorsqu'il est de nature à vicier la volonté de l'un des contractants et à empêcher le contrat de se former » (Marty et Raynaud, *Obligations*, t. 1, n° 133, p. 133).
Occ. Art. 991, 992 C. civ.
Rem. Toute erreur n'est pas cause de nullité; on distingue l'erreur qui empêche l'existence même du consentement (erreur-obstacle); l'erreur qui, sans exclure le consentement, en empêche l'intégrité (erreur-vice du consentement); enfin, l'erreur indifférente à la validité du consentement.
V.a. consentement éclairé, crainte, dol[1], vice du consentement.
Angl. error.

ERREUR DE DROIT

(*Obl.*) Erreur relative à l'existence ou à l'interprétation d'une règle de droit. Par ex., l'héritier qui croit recueillir d'une succession une part plus grande que celle que la loi lui accorde. « Commet [...] une erreur de droit, celui qui se trompe sur l'existence, la nature ou l'étendue de ses droits [...] » (Pineau et Burman, *Obligations*, n° 68, p. 94).
Occ. Art. 1047, 1921 C. civ.
Opp. erreur de fait.
Angl. error of law.

ERREUR DE FAIT

(*Obl.*) Erreur relative à un fait matériel[1]. Par ex., l'erreur quant à l'authenticité du meuble dont on fait l'acquisition. « L'erreur sur la substance et l'erreur sur la personne sont presque toujours des erreurs de fait » (Starck, Roland et Boyer, *Obligations*, t. 2, n° 421, p. 145).
Occ. Art. 1047, 2260 par. 8 C. civ.
Opp. erreur de droit.
Angl. error of fact.

ERREUR-OBSTACLE *n.f.*

(*Obl.*) Erreur empêchant la rencontre des volontés sur un élément essentiel du contrat, faisant ainsi obstacle à la formation même de celui-ci. « [...] l'"erreur obstacle" est un "dialogue de sourds". Aussi faut-il voir en elle plus qu'un vice du consentement [...] il y a, en réalité, absence de consentement, entraînant la nullité absolue du contrat » (Mazeaud et Chabas, *Leçons*, t. 2, vol. 1, n° 161, p. 149).
Rem. Purement doctrinale, cette notion comprend trois types : l'erreur sur la nature du contrat, l'erreur sur l'identité de l'objet et l'erreur sur la cause de l'obligation.
Opp. erreur vice du consentement.
Angl. absolute error.

ERREUR SUR LA CONSIDÉRATION PRINCIPALE

(*Obl.*) Erreur portant sur le motif principal qui a déterminé une personne à conclure un acte juridique. « Puisque l'erreur sur la considération principale vicie le consentement, le contrat peut être annulé au cas d'erreur sur la personne, lorsque la personne

avec laquelle on contracte est une considération principale qui ait engagé à contracter : on vise, ici, les contrats conclus *intuitu personae* » (Pineau et Burman, *Obligations*, n° 66, p. 93).
Rem. L'erreur sur la considération principale constitue un vice du consentement que l'art. 992 C. civ. reconnaît comme cause de nullité relative du contrat.
V.a. erreur sur la substance.
Angl. error as to a principal consideration.

ERREUR SUR LA PERSONNE

(*Obl.* et *Pers.*) Erreur sur l'identité ou sur les qualités d'une personne. « Elle [L'erreur sur la personne] est cause de nullité toutes les fois qu'elle porte sur la personne physique ou les qualités du cocontractant, à condition que celles-ci aient été pour le contractant une considération principale de son engagement. Le domaine de l'erreur sur la personne se limite donc aux contrats [...] conclus *intuitu personae* [...] » (Baudouin, *Obligations*, n° 138, p. 117).
Rem. **1°** L'erreur sur la personne ne constitue pas une espèce distincte de l'erreur-vice de consentement; elle n'est qu'une variante de l'erreur sur la considération principale (art. 992 C. civ.). **2°** En matière de mariage, l'erreur sur la personne donne lieu à des solutions particulières (art. 148 C. civ.).
V.a. contrat *intuitu personae*.
Angl. error as to the person.

ERREUR SUR LA SUBSTANCE

(*Obl.*) Erreur portant sur une qualité essentielle de l'objet de la prestation, qui a déterminé une personne à conclure un acte juridique. « D'une *notion objective* de la substance, *matière* dont est formée la chose sur laquelle porte le contrat, on est allé vers une *notion subjective*, qui fait de la "substance" la *qualité essentielle* envisagée par les parties [...] L'authenticité d'une oeuvre d'art, la qualité consistant pour une perle à être "naturelle" et non "de culture", l'époque d'un meuble, sont des qualités substantielles » (Mazeaud et Chabas, *Leçons*, t. 2, vol. 1, n° 163, p. 152-153).
Rem. L'erreur sur la substance constitue un vice du consentement que l'art. 992 C. civ. reconnaît comme cause de nullité relative du contrat.
V.a. erreur sur la considération principale.
Angl. error as to substance.

ERREUR-VICE DU CONSENTEMENT

(*Obl.*) Erreur qui, sans exclure le consentement[1], porte atteinte à son intégrité. « [...] *Erreur vice du consentement* : [...] C'est l'erreur proprement dite, celle qui est spécialement prévue dans l'article 1110 C. civ. [art. 992 C. civ.] » (Mazeaud et Chabas, *Leçons*, t. 2, vol. 1, n° 161, p. 151).
Rem. L'erreur-vice du consentement constitue une cause de nullité relative (art. 1000 C. civ.).
Opp. erreur-obstacle.
Angl. error constituting a defect of consent.

ESCOMPTE *n.m.*

(*Obl.*) Réduction du montant d'une dette accordée au débiteur qui la paye au comptant ou avant l'échéance. « [...] l'acceptation d'un paiement anticipé diminué de l'escompte est laissé à l'agrément du vendeur, toujours libre d'exiger de l'acheteur la totalité du prix » (Mazeaud et Chabas, *Leçons*, t. 3, vol. 2, 1e part., n° 998, p. 345).
Occ. Art. 1149 C. civ.
Angl. discount.

ESPÈCE *n.f.*

V. arrêt d'espèce, cas d'espèce, décision d'espèce.

ESPÈCE (EN L') *loc.prép.*

(*D. jud.*) Dans l'affaire dont il est question.

ESPÈCES *n.f.pl.*

(*Obl.*) Monnaie de papier ou de métal ayant cours légal. « Le paiement en espèces, s'il demeure le principe, est de plus en plus remplacé par le paiement en monnaie scripturale (chèque, virement, lettre de change, carte de crédit) » (Starck, Roland et Boyer, *Obligations*, t. 2, n° 1981, p. 702).
Occ. Art. 1779 C. civ.
Rem. **1°** La monnaie ayant cours légal consiste dans les billets et pièces émis par la Banque du Canada. **2°** Voir les art. 1163 par. 4 C. civ.; art. 8, 13, *Loi sur la monnaie*, L.R.C. 1985, chap. C-52.
V.a. paiement en espèces.
Angl. cash+, *specie*.

ESTER EN JUSTICE *loc.verb.*

(*D. jud.*) V. intérêt pour ester en justice.

ESTHÉTIQUE *adj.*

(*Obl.*) V. dommage esthétique, préjudice esthétique.

ESTIMATOIRE *adj.*

(*Obl.*) V. action estimatoire.

ÉTAT *n.m.*

1. (*D. const.*) Entité juridique souveraine composée d'une population habitant un territoire délimité et dotée d'une autorité politique exerçant les prérogatives de la puissance publique. Par ex., le Canada, la France. « Considérée d'un point de vue davantage politique, la notion d'État peut être dégagée de ses implications sociales et faire abstraction des personnes qui à un moment donné sont chargées d'exercer l'autorité. L'État devient alors le titulaire abstrait et permanent du pouvoir et les gouvernants les agents passagers de l'exercice de ce pouvoir » (Brun et Tremblay, *Droit constitutionnel*, p. 67).
Rem. **1°** L'État, personne morale de droit public, jouit de la personnalité juridique au regard du droit privé et du droit public. **2°** On distingue aujourd'hui l'État unitaire (par ex., la France) et l'État fédéral (par ex., le Canada). **3°** Dans ce sens, le terme s'écrit avec la majuscule.
V.a. Couronne°, gouvernement°.
Angl. State[1].

2. (*D. int. public*) État[1] reconnu comme sujet de droit international. « Un État doit avoir la capacité d'entrer en relations avec les autres États. Cette condition [stipulée par la Convention de Montevideo] souligne implicitement [...] l'importance de la reconnaissance par les autres États étant donné que, jusqu'à ce que la reconnaissance lui ait été accordée, le nouvel État ne peut pas entrer en rapport avec les autres même s'il en est capable et désireux » (de Mestral et Williams, *Droit int. public*, p. 37).
Occ. *Loi sur l'immunité des États*, L.R.C. 1985, chap. S-18.
Rem. La notion classique d'État a été reprise et définie dans l'article 1er de la Convention de Montevideo de 1933 sur les droits et devoirs des États.
Angl. State[2].

ÉTAT CIVIL

(*Pers.*) Situation d'une personne dans la vie juridique; son statut juridique. « [...] l'élément principal de l'état civil des personnes physiques est l'*état dans la famille*, le point de savoir si l'on est marié ou non [...] » (Colin et Capitant, *Traité*, t. 1, n° 58, p. 47).
Occ. Art. 39, 42 C. civ.
V.a. acte de l'état civil°, action en réclamation d'état, possession d'état, registre de l'état civil°.
Angl. civil status.

ÉTAT DE NÉCESSITÉ

1. (*Obl.*) Situation d'urgence dans laquelle une personne est justifiée de causer

un dommage pour en éviter un plus grave. Par ex., une maison est démolie pour éviter la propagation d'un incendie; un automobiliste défonce une vitrine pour éviter d'écraser un piéton.
Rem. **1°** L'état de nécessité exclut la faute, mais dans certains cas la victime de l'acte nécessaire aura droit d'être indemnisée. **2°** L'auteur d'une faute qui a créé l'état de nécessité n'échappe pas à la responsabilité civile.
V.a. cas fortuit[1], fait justificatif°.
Angl. state of necessity[1].

2. (*Obl.*) Situation due à des événements graves qui poussent une personne à donner son consentement à un contrat abusif. « [...] la jurisprudence ne tient compte de cet état de nécessité qu'avec prudence. Elle exige que l'autre partie ait abusé de la situation désespérée dans laquelle se trouvait la victime » (Ghestin, *Contrat*, n° 448, p. 495).
Rem. Pareille situation entraîne l'annulation du contrat pour vice de consentement fondé sur la violence.
Angl. state of necessity[2].

ÉTAT FÉDÉRAL

(*D. const.*) État[1] doté de plusieurs autorités politiques exerçant, chacune dans sa sphère, directement et non par délégation, les prérogatives de la puissance publique. Par ex., le Canada, les États Unis d'Amérique, la Suisse, la Belgique. « On a défini l'État fédéral comme étant celui où le pouvoir central et les pouvoirs régionaux sont souverains, chacun dans sa sphère respective, et où l'action de ces pouvoirs est coordonnée » (Beaudoin, *Partage des pouvoirs*, p. 10).
Syn. État fédératif, fédération[2]. **Opp.** État unitaire. **V.a.** fédération[1].
Angl. Federal State+, federation[2].

ÉTAT FÉDÉRATIF

Syn. État fédéral. « [...] l'aménagement de la compétence personnelle dans l'État fédératif doit faire en sorte que l'expression de la souveraineté étatique soit partagée entre deux niveaux, l'un central et l'autre décentralisé » (Brun et Tremblay, *Droit constitutionnel*, p. 297).
Angl. Federal State+, federation[2].

ÉTATIQUE *adj.*

(*D. const.*) Qui relève de l'État. « En transposant sur le plan juridique, on est amené à penser que l'aménagement de la compétence personnelle dans l'État fédératif doit faire en sorte que l'expression de la souveraineté étatique soit partagée entre deux niveaux, l'un central et l'autre décentralisé » (Brun et Tremblay, *Droit constitutionnel*, p. 297). *Pouvoir étatique.*
Angl. state.

ÉTAT UNITAIRE

(*D. const.*) État[1] doté d'une seule autorité politique exerçant l'ensemble des prérogatives de la puissance publique. Par ex., l'État français. « On parle aujourd'hui d'État unitaire pour qualifier l'État dont le régime constitutionnel ne comporte pas de décentralisation de la fonction législative » (Brun et Tremblay, *Droit constitutionnel*, p. 292).
Opp. État fédéral.
Angl. Unitary State.

ÉVENTUALITÉ *n.f.*

1. Caractère de ce qui est éventuel. « On peut définir le risque brièvement comme l'éventualité d'un événement aléatoire » (Bout, *Contrat d'assurance*, p. 40).

2. Fait, événement susceptible de se produire. « [...] le testament fait encore naître un droit éventuel. Mais ici deux époques doivent être distinguées. Lorsque le testateur est mort, il y a pour le légataire un droit éventuel qui ne dépend plus que de son acceptation. On a un droit soumis à l'éventualité du consentement » (Demogue, *Rev. trim. dr. civ.* 1905, 723, p. 790-791).
Angl. eventuality[1].

3. Événement intrinsèque, futur et incertain, dont la survenance transforme un droit éventuel[1] en droit définitif. Par ex., l'ouverture d'une substitution en ce qui concerne les droits de l'appelé. « A cet égard, donc, se manifeste une divergence entre éventualité et condition, la première suspendant le droit parce que retardant la formation de l'acte lui-même, dont elle affecte un élément essentiel. C'est à cela que se réduit la différence véritable entre ces deux événements futurs et incertains qui ont le même effet sur la genèse du droit, mais dont l'un seulement affecte l'acte lui-même » (Verdier, *Droits éventuels*, n° 355, p. 283).
V.a. droit éventuel[1+].
Angl. eventuality[2].

ÉVENTUEL, ELLE *adj.*

Susceptible de se produire, de naître. *Intérêt éventuel.*
Occ. Art. 658, 1926.1 C. civ.
Rem. Du latin *eventus* : événement.
V.a. dommage éventuel, droit éventuel, préjudice éventuel.
Angl. eventual.

ÉVICTION *n.f.*

1. A. (*Obl.*) Perte d'un droit[2] par suite de la reconnaissance à un tiers d'un droit[2] qui contredit le premier. « [...] l'éviction peut se définir comme tout fait ou acte du vendeur ou d'un tiers, ayant pour effet d'enlever à l'acheteur soit totalement, soit partiellement la propriété et l'usage de la chose » (Pourcelet, *Vente*, p. 127).
Rem. **1°** Le terme s'emploie surtout à propos du droit de propriété, par ex., en matière de vente (art. 1508 C. civ.); cependant, on peut aussi l'appliquer aux droits personnels, comme le fait l'art. 1240 C. civ. fr. C'est ainsi qu'un locataire peut être évincé de la jouissance de la chose louée du fait de l'éviction du locateur. « La garantie contre l'éviction protège essentiellement contre un défaut du droit de propriété [...] » (*Racicot* c. *Bertrand*, [1979] 1 R.C.S. 441, p. 466, j. Y. Pratte). **2°** L'éviction est totale lorsque l'acheteur, par exemple, perd la propriété de la totalité de la chose; elle est partielle lorsqu'il perd la propriété d'une partie de la chose ou lorsque la chose est grevée d'une charge non apparente inconnue de l'acheteur au moment de la vente.
V.a. garantie contre l'éviction, reprise.
Angl. eviction[1.A].

1. B. (*Obl.*) Perte, par le locataire, du droit[2] à la jouissance des lieux loués, par suite de l'exercice, par le locateur, d'une faculté de reprendre les lieux.
Occ. Art. 1657 C. civ.
Angl. eviction[1.B].

2. (*Obl.*) (X) V. expulsion.
Rem. Cet emploi, influencé par le sens de l'anglais *eviction*, est critiquable en ce qu'il assimile la situation de l'occupant sans droit à celle du locataire régulier. Ainsi, l'art 1648 C. civ. parle à tort de l'*éviction* du locataire qui continue d'occuper les lieux après l'expiration du bail; le bail étant expiré le locataire devient un occupant sans droit, dont le locateur pourra demander non pas l'*éviction*, mais l'*expulsion*, comme le dit correctement l'art. 547*d* C. proc. civ.
Angl. ejectment, eviction[2](x), expulsion[+].

ÉVINCER *v.tr.*

(*Obl.*) Provoquer l'éviction. *Évincer quelqu'un de quelque chose; acheteur évincé.*
Occ. Art. 1511 C. civ.
Rem. Les textes, s'attachant à la cause plutôt qu'à l'effet, n'envisagent guère l'action d'évincer et parlent plutôt des moyens de faire valoir le droit qui entraînera l'éviction. Cependant, au titre *Du louage*, le Code civil parle du locateur qui peut *évincer* son locataire; abstraction faite des cas où il ne s'agit pas vraiment d'éviction, il eût été plus juste de dire que le locateur peut, par ex., *reprendre les lieux loués*, c'est-à-dire exercer son droit de reprise.
Angl. eject, evict[+].

EXCEPTIO CEDENDARUM ACTIONUM *loc.nom.f.* (latin)

(*Obl.* et *Sûr.*) Syn. exception de subrogation.
Angl. *exceptio cedendarum actionum*, exception *cedendarum actionum*, exception of subrogation⁺.

EXCEPTION *n.f.*

V. droit d'exception, imprescriptibilité des exceptions, loi d'exception, tribunal d'exception.
Angl. exception.

EXCEPTION *CEDENDARUM ACTIONUM* (latin)

(*Obl.* et *Sûr.*) Syn. exception de subrogation. « La caution [...] doit invoquer le bénéfice de l'article 1959 [C. civ.]; elle l'invoque par une exception, qu'on appelle ordinairement l'exception *cedendarum actionum*, ou exception de subrogation » (Mignault, *Droit civil*, t. 8, p. 381-382).
Rem. Voir le titre précédant l'art. 2070 C. civ.
Angl. *exceptio cedendarum actionum*, exception *cedendarum actionum*, exception of subrogation⁺.

EXCEPTION DÉCLINATOIRE

(*D. jud.*) Syn. moyen déclinatoire. « L'incompétence du tribunal, soit à raison de la nature de l'affaire, soit à raison de la situation géographique, est soulevée par voie de l'*exception d'incompétence* ou *exception déclinatoire* » (*Dict. de droit*, t. 1, v° Exceptions et fins de non-recevoir, n° 12).
Occ. Art. 161 C. proc. civ.
Angl. declinatory exception⁺, exception as to jurisdiction.

EXCEPTION DE DISCUSSION

(*Obl.* et *Sûr.*) Exception dilatoire par laquelle on invoque le bénéfice de discussion. « [...] l'exception de discussion n'est qu'une exception dilatoire car s'il apparaît que la discussion des biens hypothéqués demeurés entre les mains du débiteur est insuffisante pour assurer le paiement du créancier, celui-ci pourra reprendre ses poursuites contre le tiers détenteur » (Marty, Raynaud et Jestaz, *Sûretés*, n° 317, p. 202).
Angl. exception of discussion.

EXCEPTION DE JEU

(*Obl.* et *D. jud.*) Exception permettant au débiteur d'une dette de jeu ou de pari de faire rejeter l'action en paiement dirigée contre lui. « [...] c'est au défendeur qui invoque l'exception de jeu ou de pari à prouver que la dette dont on lui réclame le paiement constitue une dette de jeu ou de pari » (Roch et Paré, dans *Traité*, t. 13, p. 571).
Rem. Voir les art. 1927, 1928 C. civ.

EXCEPTION DE NON-RECEVABILITÉ

(*D. jud.*) Syn. moyen de non-recevabilité.
Occ. Art. 174 C. proc. civ.
Angl. exception to dismiss action.

EXCEPTION DE SUBROGATION

(*Obl.* et *Sûr.*) Exception par laquelle on invoque le bénéfice de subrogation. « Si, par la faute du créancier [... la caution] ne peut bénéficier de cette subrogation, elle doit être libérée [...]. Il lui suffira alors d'opposer au créancier qui la poursuit l'exception de subrogation pour faire valoir sa libération [...] » (Dagot, *Sûretés*, p. 60).
Occ. Titre précédant l'art. 2070 C. civ.
Rem. Voir les art. 1156, 1959, 2070, 2071 C. civ.
Syn. *exceptio cedendarum actionum*, exception *cedendarum actionum*. **V.a.** subrogation personnelle.
Angl. *exceptio cedendarum actionum*, exception *cedendarum actionum*, exception of subrogation⁺.

EXCEPTION DILATOIRE

(*D. jud.*) Syn. moyen dilatoire. « Les exceptions dilatoires suspendent l'instance soit pour l'observation d'un délai, soit pour l'accomplissement d'un acte, de telle sorte que l'instruction marque un temps d'arrêt durant lequel aucun acte de procédure n'a lieu » (Fauchères, *Rép. proc. civ.*, v° Défenses, exceptions, fins de non-recevoir, n° 18).
Occ. Art. 2063 C. civ.; art. 174 C. proc. civ.
Angl. dilatory exception.

EXCEPTION D'INCOMPÉTENCE

(*D. jud.*) Syn. moyen déclinatoire. « L'exception d'incompétence est la voie offerte au défendeur qui décline la compétence du tribunal saisi et désigne celui qui lui paraît conforme aux règles de procédure » (Fauchères, *Rép. proc. civ.*, v° Défenses, exceptions, fins de non-recevoir, n° 12).
Angl. declinatory exception+, exception as to jurisdiction.

EXCEPTION D'INEXÉCUTION

(*Obl.*) Exception qui permet à une partie à un contrat synallagmatique de ne pas exécuter son obligation tant que l'autre partie n'exécute pas la sienne. « [...] puisque les obligations sont interdépendantes, si une partie refuse d'exécuter ses obligations, l'autre ne peut être forcée d'exécuter les siennes, puisqu'en principe l'exécution doit être simultanée. C'est l'*exceptio non adimpleti contractus* ou exception d'inexécution » (Baudouin, *Obligations*, n° 42, p. 54).
Syn. *exceptio non adimpleti contractus.*
Angl. exception of non-performance, *exceptio non adimpleti contractus+*.

EXCEPTION D'ORDRE PUBLIC

(*D. int. pr.*) Correctif exceptionnel permettant au tribunal d'écarter une loi ou une décision étrangère qui contrevient aux principes fondamentaux du for. « Le mécanisme de l'exception d'ordre public consiste à remplacer la règle contraire à l'ordre public, évincée, par la règle du for apte à régir la question de droit » (Mayer, *Droit int. privé*, n° 217, p. 135).
Rem. Par le jeu de cette exception, l'ordre public peut avoir un effet plénier ou atténué selon qu'il fait échec à l'acquisition, au Québec, de droits régis par une loi étrangère, ou qu'il tolère la reconnaissance, au Québec, de droits régulièrement acquis à l'étranger.
V.a. loi d'application immédiate, ordre public international².
Angl. exception of public order.

EXCEPTIO NON ADIMPLETI CONTRACTUS *loc.nom.f.* (latin)

(*Obl.*) Syn. exception d'inexécution. « L'exception d'inexécution, aussi connue sous le nom latin d'*exceptio non adimpleti contractus*, sanctionne la bonne foi dans l'exécution des obligations contractuelles » (Baudouin, *Obligations*, n° 434, p. 277).
Angl. exception of non-performance, *exceptio non adimpleti contractus+*.

EXCEPTION PRÉLIMINAIRE

(*D. jud.*) Syn. moyen préliminaire.
Angl. preliminary exception+, procedural exception.

EXCLUSIF, IVE *adj.*

Qui est réservé à une seule personne à l'exclusion de toute autre.
V.a. offre exclusive, partie exclusive.

EXCLUSION DE RESPONSABILITÉ

(*Obl.*) V. clause d'exclusion de responsabilité.

EXCLUSIVITÉ *n.f*

Qualité de ce qui est réservé à une personne à l'exclusion de toute autre. « L'exclusivité

peut porter sur l'approvisionnement : c'est le cas de l'entreprise qui s'engage à n'employer que le matériel fabriqué par telle firme. Elle peut aussi porter sur la fourniture : c'est le cas de la firme qui s'engage à ne fournir qu'une seule entreprise à l'intérieur d'une région donnée » (Samson, (1980) 21 *C. de D.* 787, p. 798).
Occ. Art. 34, *Loi sur le statut professionnel des artistes des arts visuels, des métiers d'arts et de la littérature et sur les contrats avec les diffuseurs*, L.Q. 1988, chap. 69.
V.a. clause d'exclusivité.
Angl. exclusivity.

EX CONTRACTU *loc.adv.* (latin)

(*Obl.*) Provenant d'un contrat.
V.a. *ex delicto, ex lege, quasi ex contractu, quasi ex delicto.*
Angl. *ex contractu.*

EX DELICTO *loc.adv.* (latin)

(*Obl.*) Provenant d'un délit.
V.a. *ex contractu, ex lege, quasi ex contractu, quasi ex delicto.*
Angl. *ex delicto.*

EXÉCUTER *v.tr.*

(*Obl.*) Procéder à l'exécution d'une obligation[3]. « Un droit n'a de valeur que si le créancier peut contraindre son débiteur à exécuter l'obligation qui en est la contrepartie » (Faribault, dans *Traité*, t. 7-bis, n° 338, p. 232).
Occ. Art. 1134 C. civ.
Rem. On dit aussi, de façon elliptique, *exécuter un contrat* (art. 1692 C. civ.).
Syn. accomplir.
Angl. execute, fulfil, perform⁺.

EXÉCUTION *n.f.*

(*Obl.*) Acte par lequel le débiteur fournit au créancier la prestation qui lui est due. « Le créancier de toute obligation contractuelle ou légale est en droit d'exiger de son débiteur l'exécution de l'engagement volontairement assumé ou imposé par la loi » (Baudouin, *Obligations*, n° 604, p. 366). *Exécution de l'engagement, de l'obligation, de la prestation; impossibilité d'exécution.*
Occ. Art. 1203 C. civ.
Syn. accomplissement. **Opp.** inexécution.
Angl. execution, fulfilment, performance⁺.

EXÉCUTION DIRECTE

(*Obl.*) Syn. exécution en nature. « L'exécution directe est celle qui tend à procurer au créancier l'objet même de la prestation qui lui est due; c'est pourquoi on la désigne aussi par les termes "exécution en nature" » (Starck, Roland et Boyer, *Obligations*, t. 2, n° 1339, p. 469).
Angl. payment in kind[1], performance in kind, specific performance⁺.

EXÉCUTION DU CONTRAT

(*Obl.*) Exécution des obligations résultant du contrat.
Occ. Art. 2693 C. civ.
Opp. inexécution du contrat.
Angl. performance of the contract.

EXÉCUTION EN NATURE

(*Obl.*) Exécution par laquelle le créancier reçoit la prestation même qui lui était due. « Le créancier doit alors recourir aux tribunaux pour [...] obliger le débiteur à exécuter précisément sa promesse même (exécution en nature) [...] » (Baudouin, *Obligations*, n° 604, p. 366).
Occ. Art. 1610 C. civ.
Syn. exécution directe, paiement en nature[1]. **Opp.** exécution par équivalent.
V.a. *in corpore*, réparation en nature.
F.f. exécution spécifique.
Angl. payment in kind[1], performance in kind, specific performance⁺.

EXÉCUTION FORCÉE

(*Obl.*) Exécution d'une obligation à la suite d'une contrainte exercée sur le débiteur par l'autorité judiciaire. « L'exécution forcée, comme d'ailleurs l'exécution volontaire, suppose une créance » (Marty, Raynaud et Jestaz, *Obligations*, t. 2, n° 273, p. 243).
Opp. exécution volontaire. **V.a.** bref d'exécution, exécution provisoire.
Angl. compulsory execution.

EXÉCUTION PAR ÉQUIVALENT

(*Obl.*) Exécution forcée d'une obligation qui consiste à remettre au créancier une somme d'argent pour l'indemniser du préjudice que lui cause le défaut d'exécution en nature. « Si l'exécution en nature est impossible à obtenir, le créancier devra se contenter d'une exécution par équivalent : le débiteur sera condamné à des dommages-intérêts [...] » (Marty, Raynaud et Jestaz, *Obligations*, t. 2, n° 308, p. 272).
Opp. exécution en nature. **V.a.** action en dommages-intérêts, dommages-intérêts, réparation par équivalent.
Angl. performance by equivalence.

EXÉCUTION PAR PROVISION

(*D. jud.*) Syn. exécution provisoire. « [...] le fait que le perdant soit exposé à une exécution par provision, ne l'empêche pas d'exécuter volontairement, d'une manière qui sera révélatrice de son intention d'acquiescer au jugement » (Maurice, *Rép. proc. civ.*, v° Exécution provisoire, n° 150).
Angl. provisional execution.

EXÉCUTION PROVISOIRE

(*D. jud.*) Exécution forcée d'un jugement porté en appel, par dérogation au principe de l'effet suspensif de l'appel. « [...] l'exécution provisoire est facultative, le créancier n'étant pas obligé d'y avoir recours. Mais, le créancier doit la demander pour y avoir droit » (Lauzon, *Exécution*, p. 51-52).
Occ. Art. 547 C. proc. civ.
Rem. En règle générale, l'exécution provisoire est ordonnée par le tribunal de première instance saisi du litige; mais elle peut aussi être ordonnée par un juge de la Cour d'appel.
Syn. exécution par provision.
Angl. provisional execution.

EXÉCUTION SPÉCIFIQUE

(*Obl.*) (X) *Angl.* V. exécution en nature. « L'expression exécution "spécifique" constitue à notre avis un anglicisme inutile » (Tancelin, *Obligations*, n° 633, p. 379).
Rem. Il s'agit d'un calque de *specific performance.*
Angl. payment in kind[1], performance in kind, specific performance+.

EXÉCUTION VOLONTAIRE

(*Obl.*) Fait par le débiteur de fournir, sans contrainte, la prestation due. « Le paiement est l'exécution volontaire d'une obligation » (Marty, Raynaud et Jestaz, *Obligations*, t. 2, n° 193, p. 177).
Opp. exécution forcée.
Angl. voluntary performance.

EXÉCUTOIRE *adj.*

(*D. jud.*) Qui peut être mis à exécution par la voie de l'exécution forcée. « En principe, tout jugement, *en matière pécuniaire*, n'est exécutoire qu'après un certain délai [...] » (Lauzon, *Exécution*, p. 13).
Occ. Art. 568 C. proc. civ.
Angl. executory.

EXEQUATUR *n.m.invar.* (latin)

(*D. int. pr.*) Décision par laquelle le tribunal autorise l'exécution d'un jugement ou d'un acte étranger. « [...] quand le jugement étranger a pour but d'établir seulement l'état ou la qualité de quelqu'un, par exemple un

jugement étranger de divorce, de nomination d'un syndic à une faillite, d'un tuteur à un mineur ou d'un administrateur à une succession [...], les praticiens semblent suivre non pas le droit québécois mais le droit français à cet égard qui prévoit que les jugements étrangers en matière d'état et de capacité produisent leurs effets sans exequatur » (Talpis, (1977) *C.P. du N.* 115, n° 103, p. 152).
Occ. Art. 3, *Loi assurant l'application de l'entente sur l'entraide judiciaire entre la France et le Québec*, L.R.Q., chap. A-20.1 (titre VII).
Rem. **1°** On utilise aussi l'*exequatur* pour rendre exécutoire un jugement étranger d'homologation d'une sentence arbitrale étrangère. **2°** Du latin *exsequi* : exécuter.
Angl. exemplification+, *exequatur*.

EXERCICE *n.m.*

V. capacité d'exercice, incapacité d'exercice.

EXIGIBILITÉ *n.f.*

(*Obl.*) Caractère d'une obligation² dont le créancier est en droit de réclamer l'exécution immédiate. « La condition de l'exigibilité de la dette empêche qu'on puisse prétendre à la compensation lorsque l'obligation de l'une des parties est une obligation naturelle : celle-ci n'étant pas susceptible d'exécution forcée, elle ne possède pas la qualité requise pour être compensable » (Pineau et Burman, *Obligations*, n° 255, p. 343-344).
Occ. Art. 442*j*, 2260 C. civ.
V.a. créance exigible, dette exigible, liquidité.
Angl. demandability, exigibility+.

EXIGIBLE *adj.*

(*Obl.*) Dont l'exécution immédiate peut être réclamée.
V.a. créance exigible, dette exigible.
Angl. exigible.

EX LEGE *loc.adv.* (latin)

(*Obl.*) Provenant de la loi.
V.a. *ex contractu, ex delicto, quasi ex contractu, quasi ex delicto.*
Angl. *ex lege.*

EX OFFICIO *loc.adv.* (latin)

Syn. d'office
Angl. *ex officio.*

EXONÉRATION *n.f.*

(*Obl.*) Fait de décharger une personne de l'obligation³ qui pèse ou semble peser sur elle; son résultat. « Qui dit exonération dit qu'au moins un instant de raison, la charge [...] de la réparation pèse sur le gardien, lequel s'en dégage en rapportant la preuve de tel ou tel événement [...] d'où résulte soit, négativement, son absence de faute, soit, positivement, l'existence d'une cause étrangère exonératoire » (Weill et Terré, *Obligations*, n° 726, p. 734).
V.a. clause d'exonération de responsabilité.
Angl. exoneration.

EXONÉRATOIRE *adj.*

(*Obl.*) V. clause exonératoire de responsabilité.

EXONÉRER *v.tr.*

(*Obl.*) Décharger une personne de l'obligation³ qui pèse ou semble peser sur elle. « [...] l'instituteur s'exonère de sa responsabilité en démontrant d'une part qu'il a exercé une surveillance adéquate de l'enfant [...] et que d'autre part, malgré celleci, il lui a été impossible d'empêcher l'acte dommageable » (Baudouin, *Responsabilité*, n° 460, p. 244).
Occ. Art. 1664.4 C. civ.
Rem. Ce verbe s'emploie aussi à la forme pronominale.
Angl. exonerate.

EXPECTATIVE *n.f.*

V. simple expectative.

EXPÉDITEUR, TRICE *n.*

(*Obl.*) Partie à un contrat de transport de marchandises qui remet au transporteur la chose que ce dernier s'engage à déplacer d'un lieu à un autre. « Normalement, les parties au contrat de transport sont le transporteur et l'expéditeur [...] » (Pineau, *Transport*, n° 13, p. 15).
Syn. chargeur. **V.a.** destinataire[2].
Angl. consignor, freighter, sender, shipper⁺.

EXPLICITE *adj.*

V. consentement explicite.

EXPRÈS, ESSE *adj.*

V. abrogation expresse, acceptation expresse, consentement exprès, mandat exprès, manifestation de volonté expresse, nullité expresse, offre expresse.

EXPROPRIANT, ANTE *adj.*

(*Biens* et *D. adm.*) Qui procède à une expropriation. « L'indemnité doit toujours être payée avant que l'autorité expropriante puisse être envoyée en possession [...] » (Carbonnier, *Droit civil*, t. 3, n° 73, p. 331).

EXPROPRIANT, ANTE *n.*

(*Biens* et *D. adm.*) Personne qui procède à une expropriation. « [...] l'expropriant ne devrait jamais pouvoir évincer l'exproprié sans qu'au moins un paiement partiel ait été versé à ce dernier et sans que plus tard on tienne compte de la valeur réelle au moment du règlement final » (Prévost, (1966) 26 *R. du B.* 645, p. 648).
Occ. Art. 1590, 1649 C. civ.; art. 42, 44, *Loi sur l'expropriation*, L.R.Q., chap. E-24.
Rem. L'expropriant est l'autorité publique ou toute personne agissant par voie de délégation.
Syn. expropriateur. **Opp.** exproprié.
Angl. expropriating party⁺, expropriator.

EXPROPRIATEUR, TRICE *n.*

(*Biens* et *D. adm.*) Syn. expropriant. « [...] l'expropriateur doit se porter acquéreur de la propriété entière et pas seulement d'un démembrement de cette propriété, telle une servitude, à moins qu'une loi autorise une telle expropriation partielle [...] » (Comtois, *R.A.Q.E.C.D.*, 1962, 99, p. 109).
Angl. expropriating party⁺, expropriator.

EXPROPRIATION *n.f.*

(*Biens* et *D. adm.*) Opération par laquelle l'autorité publique, pour des motifs d'intérêt public, contraint le propriétaire d'un bien à lui en transférer la propriété. « Par l'expropriation, le droit public manifeste [...] sa suprématie sur le droit privé et sur la propriété foncière. Le propriétaire est dépossédé, il est expulsé de son bien par l'autorité publique agissant directement ou par délégation » (Comtois, *R.A.Q.E.C.D.* 1962, 99).
Occ. Art. 1590, 1649 C. civ.
Rem. **1°** L'expropriation constitue pour l'expropriant un mode d'acquisition de la propriété; pour l'exproprié, elle est une cession forcée de son droit (art. 407 C. civ.). **2°** Habituellement, ce sont les immeubles qui font l'objet d'une expropriation. **3°** L'expropriation se fait, selon l'art. 407 C. civ., « moyennant une juste et préalable indemnité ». **4°** L'expropriation est régie par la *Loi sur l'expropriation* (L.R.Q., chap. E-24). **5°** L'expropriation porte sur le droit de propriété même et non pas seulement sur un démembrement de celle-ci, telle une servitude, à moins qu'une loi n'autorise une semblable expropriation.
Syn. expropriation pour cause d'utilité publique.
Angl. expropriation⁺, expropriation for public utility.

EXPROPRIATION POUR CAUSE D'UTILITÉ PUBLIQUE

(*Biens* et *D. adm.*) Syn. expropriation. « [...] l'expropriation pour cause d'utilité publique est devenue une opération administrative des plus importantes. Comme il arrive souvent pour une opération administrative, elle a d'abord utilisé les formes traditionnelles du droit, mais elle a tenu de plus en plus à s'en éloigner pour des raisons d'efficacité, et c'est alors que certaines personnes ont pu être lésées, voire même spoliées » (Prévost, (1966) 26 *R. du B.* 645, p. 647).
Angl. expropriation⁺, expropriation for public utility.

EXPROPRIÉ, ÉE *n.*

(*Biens* et *D. adm.*) Personne qui subit l'expropriation. « [...] l'exproprié a besoin que l'État le protège et lui assure qu'il ne sera pas dépossédé sans une juste indemnité [...] » (Bhérer, (1939-1940) 42 *R. du N.* 219, p. 220).
Occ. Art. 40, 41, *Loi sur l'expropriation*, L.R.Q., chap. E-24.
Opp. expropriant.
Angl. expropriated party.

EXPROPRIÉ, ÉE *p.p.adj.*

1. (*Biens* et *D. adm.*) Qui subit une expropriation. « [...] l'expropriation pour cause d'utilité publique [...] est une suppression forcée du droit de propriété dans l'intérêt général et moyennant l'indemnisation du propriétaire exproprié » (Larroumet, *Droit civil*, t. 2, n° 173, p. 109). *Propriétaire exproprié.*
Angl. expropriated^1.

2. (*Biens* et *D. adm.*) Qui est l'objet d'une expropriation. *Immeuble exproprié.*
Occ. Art. 1590, 1649 C. civ.
Angl. expropriated^2.

EXPROPRIER *v.tr.*

(*Biens* et *D. adm.*) Procéder à l'expropriation. « Le mot "exproprier" existe depuis quelques siècles en droit pour désigner l'action de priver quelqu'un de sa propriété [...] » (Prévost, (1966) 26 *R. du B.* 645, p. 647).
Occ. Art. 1589 C. civ.
Angl. expropriate.

EXPULSER *v.tr.*

(*Obl.*) Faire vider les lieux, par expulsion. « Parfois les tribunaux, sans doute irrités par l'inertie du locateur à expulser le tiers, ont admis que le locataire, au moyen de l'action oblique, exerce lui-même les droits du locateur à expulser le tiers » (Jobin, *Louage*, n° 191, p. 462).
Angl. expel.

EXPULSION *n.f.*

(*Obl.*) Mesure consistant à forcer l'occupant d'un immeuble à vider les lieux; son résultat. Par ex., l'expulsion d'un locataire (art. 547*d* C. proc. civ.) ou celle du détenteur d'un immeuble (art. 697 C. proc. civ.).
V.a. bref d'expulsion. **F.f.** éviction^2.
Angl. ejectment, eviction^2(x), expulsion⁺.

EXTÉRIORITÉ *n.f.*

(*Obl.*) Fait de se situer en dehors du champ des activités normales du débiteur de l'obligation inexécutée ou de l'auteur du préjudice, à propos d'un événement constituant un cas fortuit. « Le caractère d'extériorité est exigé par la jurisprudence et la doctrine en général pour éliminer les cas où l'inexécution, tout en provenant d'un événement normalement imprévisible, a sa source dans le champ normal d'activité propre du débiteur » (Baudouin, *Obligations*, n° 731, p. 441).
V.a. imprévisibilité, irrésistibilité.
Angl. externality.

EXTERNE *adj.*

V. volonté externe.

EXTERRITORIALITÉ *n.f.*

(*D. int. public*) Fiction juridique en vertu de laquelle les agents d'un État et ses immeubles sont censés se trouver sur son territoire et non au lieu de leur résidence ou de leur situation réelle. « L'exterritorialité est une notion très ancienne du droit des gens, qui s'applique aux agents diplomatiques, aux souverains, chefs d'État, aux ambassades, légations, et, dans une certaine mesure, aux navires de guerre » (Niboyet, *Cours*, n° 370, p. 333). *Prérogatives d'exterritorialité.*
Rem. Cette fiction sert à justifier notamment certaines immunités.
Angl. exterritoriality.

EXTINCTIF, IVE *adj.*

V. effet extinctif, prescription extinctive, terme extinctif.

EXTINCTION *n.f.*

(*Obl.*) Anéantissement d'un droit réel ou personnel par une des causes prévues par la loi. Par ex., l'usufruit s'éteint notamment par la mort naturelle de l'usufruitier (art. 479 C. civ.) et l'obligation, par le paiement (art. 1138 C. civ.). « Une obligation peut [...] s'éteindre par son exécution : c'est le cas du paiement pur et simple. Elle peut également s'exécuter sans extinction complète : c'est le cas du paiement avec subrogation. Elle peut enfin s'éteindre sans exécution : ce sont les hypothèses de remise, de confusion et surtout de prescription libératoire » (Tancelin, *Obligations*, n° 1030, p. 583). *Extinction des obligations.*
Angl. extinction.

EXTRACONTRACTUEL, ELLE *adj.*

(*Obl.*) Qui résulte d'une source autre que le contrat ou qui ne se rapporte pas à un contrat. « En droit français positif [...] on peut opposer les *obligations contractuelles* [...] aux *obligations extracontractuelles* » (Mazeaud et Chabas, *Leçons*, t. 2, vol. 1, n° 46, p. 46). *En matière extracontractuelle.*
Occ. Art. 2600 C. civ.
Syn. légal[5]. **Opp.** contractuel. **V.a.** obligation extracontractuelle, responsabilité extracontractuelle.
Angl. extracontractual+, legal[7].

EXTRAJUDICIAIRE *adj.*

A. (*D. jud.* et *Preuve*) Qui a lieu en dehors de toute instance. *Serment extrajudiciaire, transaction extrajudiciaire.*
Occ. Art. 2224 al. 6 C. civ.
Rem. On trouve aussi la graphie *extra-judiciaire.*
Opp. judiciaire[3.A]. **V.a.** dommages-intérêts extrajudiciaires.
Angl. extrajudicial[A].

B. (*D. jud.* et *Preuve*) Se dit d'un aveu fait hors de l'instance même où il est invoqué. « Il y a deux espèces d'aveu : l'aveu extra-judiciaire et l'aveu judiciaire (art. 1243, al. 2 [C. civ.]). Le premier est celui que fait toute personne, mais en dehors d'un procès où elle est partie [...] » (Mignault, *Droit civil*, t. 6, p. 118).
Occ. Art. 1244 C. civ.
Rem. L'aveu judiciaire fait au cours d'une instance constitue un aveu extrajudiciaire lorsqu'il est invoqué dans une autre instance.
Opp. judiciaire[3.B].
Angl. extrajudicial[B].

EXTRANÉITÉ *n.f.*

(*D. int. pr.*) Caractère de ce qui est étranger. « *La relation internationale peut d'abord être définie comme celle qui présente* [...] *un élément d'extranéité*, c'est-à-dire un élément par lequel elle est en contact, serait-ce partiellement, avec un ordre juridique étranger » (Mayer, *Droit int. privé*, n° 5, p. 3).
Rem. **1°** Le terme s'emploie le plus souvent dans l'expression *élément d'extranéité.* **2°** Du latin *extraneus* : étranger.

EXTRAPATRIMONIAL, ALE *adj.*

Qui ne se rapporte pas au patrimoine. « Les multiples espèces de droits extrapatrimoniaux montrent que la personne y est, elle-même, concernée dans son mode de vie, ses sentiments intimes (d'affection, d'honneur), sa vie intellectuelle, ou même, physiquement, dans son corps [...] » (Cornu, *Introduction*, n° 60, p. 31).
Syn. moral[3]. **Opp.** patrimonial. **V.a.** dommage extrapatrimonial, droit extrapatrimonial, préjudice extrapatrimonial.
Angl. extrapatrimonial+, moral[3].

EXTRAPÉCUNIAIRE *adj.*

V. préjudice extrapécuniaire.

EXTRATERRITORIAL, ALE *adj.*

(*D. int. pr.*) V. loi extraterritoriale.

EXTRATERRITORIALITÉ *n.f.*

1. (*D. int. pr.*) Principe selon lequel le facteur de rattachement de situations juridiques comportant un élément d'extranéité consiste en une donnée non localisée sur le territoire d'un État. Par ex., le rattachement du statut personnel par la nationalité. « Dès l'instant où l'on n'applique pas la loi du pays où un fait se produit, il y a extraterritorialité » (Niboyet, *Cours*, n° 454, p. 425).
Rem. Au Québec, la plupart des facteurs de rattachement sont territoriaux.
Opp. territorialité des lois[1]. **V.a.** loi extraterritoriale[1], personnalité des lois[1].
Angl. extraterritoriality[1].

2. (*D. int. pr.*) Principe selon lequel une loi est susceptible d'être appliquée par un autre juge que celui de l'État qui l'a édictée. Par ex., la loi étrangère du domicile. « Les deux formes qui se partagent aujourd'hui le monde sont la territorialité ou l'extraterritorialité *relatives*. Nous entendons par là que tout État applique aujourd'hui tantôt ses propres institutions, tantôt celles des autres » (Niboyet, *Traité*, t. 3, n° 845, p. 10).
Syn. personnalité des lois[2]. **Opp.** territorialité des lois[2]. **V.a.** loi extraterritoriale[2].
Angl. extraterritoriality[2]+, personality of laws[2].

F

FABRICANT, ANTE *n.*

(*Obl.*) V. responsabilité du fabricant.

FACTEUR DE RATTACHEMENT

(*D. int. pr.*) Élément de fait ou de droit contenu dans une règle de conflit et qui rattache à un système juridique une situation comportant un élément d'extranéité. Par ex., le lieu de situation d'un bien, le domicile ou la nationalité d'une personne, le lieu de passation d'un acte juridique. « Il est indispensable qu'il existe des éléments de lien entre le tribunal et les parties en cause. Ces éléments sont les facteurs de rattachement [...] » (Groffier, *Précis*, n° 243, p. 241).
Rem. Le facteur de rattachement localise une catégorie de rattachement. Dans ce but, la règle de conflit utilise soit un facteur unique, soit plusieurs facteurs alternativement ou même cumulativement.
Syn. circonstance de rattachement, critère de rattachement, élément de localisation, élément de rattachement, point de localisation, point de rattachement. **Opp.** catégorie de rattachement. **V.a.** localisation.
Angl. connecting circumstances, connecting criterion, connecting element, connecting factor+, connecting point, element of localization, point of localization.

FACULTATIF, IVE *adj.*

(*Obl.*) Syn. potestatif.
V.a. condition facultative, condition purement facultative, condition simplement facultative.
Angl. facultative, potestative+.

FACULTÉ *n.f.*

V. acte de pure faculté.

FACULTÉ D'AGRÉMENT

(*Obl.*) Faculté reconnue à l'auteur d'une offre au public relative à la conclusion d'un contrat *intuitu personae* de refuser de conclure le contrat avec l'un ou l'autre des acceptants. « Lorsqu'elle [l'offre] est faite *intuitu personae*, l'offrant garde la faculté d'agrément. [...] Ainsi, la personne qui met une annonce dans un journal pour engager un domestique garde la faculté de refuser tel ou tel postulant à condition que les raisons de son refus ne soient pas discriminatoires [...] » (Baudouin, *Obligations*, n° 103, p. 98).
Rem. Selon la majorité des auteurs, l'offre assortie de la faculté d'agrément n'est pas une véritable offre mais constitue une invitation à entrer en pourparlers.
Syn. réserve d'agrément.

FACULTÉ DE DÉDIT

(*Obl.*) Faculté de se dégager unilatéralement d'un contrat. « *La faculté de dédit.* — L'acheteur et le vendeur s'entendent souvent pour insérer dans le contrat de vente une clause qui permet à l'un ou l'autre, ou même l'un et l'autre, de "se dédire", c'est-à-dire d'effacer par volonté unilatérale le

contrat. La faculté ainsi conférée à l'une ou à l'autre des parties n'est pas d'arrêter l'exécution du contrat, de le résilier; c'est d'une faculté de résolution, qui est l'anéantissement rétroactif du contrat, qu'il s'agit » (Mazeaud et Chabas, *Leçons*, t. 3, vol. 2, 1e part., n° 805, p. 86).
Rem. **1°** La faculté de dédit résulte généralement de la convention des parties. Parfois, elle résulte d'une disposition de la loi, par ex., art. 59, 73, *Loi sur la protection du consommateur*, L.R.Q., chap. P-40.1. **2°** L'exercice de la faculté de dédit peut être assujetti au paiement d'une indemnité par le contractant qui s'en prévaut, par ex., la vente avec arrhes (art. 1477 C. civ.).
Syn. dédit[1]. **V.a.** clause de dédit, stipulation d'arrhes.
Angl. option of withdrawal, withdrawal option+.

FACULTÉ DE RACHAT

(*Obl.*) Syn. faculté de réméré. « Malgré les termes de l'article 1659 [art. 1546 C. civ.], qui vise "la faculté de rachat ou de réméré", on admet qu'il ne s'agit pas d'une possibilité, conférée au vendeur, de racheter la chose qu'il a vendue, ce qui impliquerait [...] un deuxième contrat de vente conclu en sens inverse du premier et succédant à celui-ci. On est en présence d'une vente unique, mais conclue *sous la condition résolutoire de l'exercice du réméré* » (Mazeaud et Chabas, *Leçons*, t. 3, vol. 2, 1e part., n° 917, p. 202).
Angl. option to repurchase, redemption[2], right of redemption+.

FACULTÉ DE RÉMÉRÉ

(*Obl.*) Droit[2] que, dans un contrat de vente, se réserve le vendeur de reprendre la chose vendue en restituant à l'acheteur le prix et en lui remboursant les autres sommes prévues par la loi, dans un délai convenu. « [...] la "faculté de réméré" *bénéficie au vendeur*. Elle lui permet de "*reprendre la chose vendue*, moyennant la restitution du prix principal et le remboursement" de certains frais [...] » (Mazeaud et Chabas, *Leçons*, t. 3, vol. 2, 1e part., n° 917, p. 202).
Occ. Art. 1546, 1547, 1548, 1552 C. civ.
Rem. **1°** Le délai convenu ne doit pas dépasser dix ans (art. 1548 C. civ.). **2°** L'exercice de la faculté de réméré est, aux termes de l'art. 1040*d* C. civ., assujetti à l'avis de soixante jours prévu à l'art. 1040*a* C. civ.
Syn. droit de réméré, faculté de rachat, réméré, retrait conventionnel. **V.a.** vente à réméré.
Angl. option to repurchase, redemption[2], right of redemption+.

FACULTATIF, IVE *adj.*

V. condition facultative, condition purement facultative, condition simplement facultative, loi facultative, obligation facultative.

FAIT *n.m.*

1. (*Obl.*) Événement quelconque. Par ex., un phénomène naturel, une explosion, une action, une abstention. « [...] on doit, en principe, considérer que le fait de nature à engager la responsabilité personnelle de son auteur n'est pas n'importe quel fait, mais seulement le *fait fautif* [...] » (Weill et Terré, *Obligations*, n° 614, p. 630-631). *Fait involontaire; fait justificatif.*
Occ. Art. 547 C. civ.
Rem. On distingue, en ce sens, le fait juridique[2] et le fait matériel[1], selon qu'il est susceptible ou non d'entraîner des conséquences juridiques.
V.a. acte[1], erreur de fait, incapacité de fait.
Angl. fact[1].

2. (*Obl.*) Syn. faute civile. « On voit [...] que la responsabilité civile ne tient pas seulement à un fait positif volontaire, mais aussi peut tenir à une simple imprudence ou négligence » (Nadeau et Nadeau, *Responsabilité*, n° 54, p. 40). *Fait fautif; fait générateur de responsabilité; par son fait.*

Rem. En ce sens, le terme *fait* désigne plus particulièrement la faute intentionnelle (délit), par opposition à la faute non intentionnelle (quasi-délit), et la faute de commission, par opposition à la faute d'omission (art. 1053, 1509 C. civ.).
Angl. civil fault+, fault[2].

3. (*Preuve*) Événement ou situation dont l'existence ou la réalité doit être judiciairement établie. Par ex., l'existence d'un dommage, la réalité d'une paternité, la remise d'un objet. « [...] pour donner au litige la solution précise que les parties demandent, le juge est obligé, d'une part de rechercher quels sont les faits qu'il doit, en l'espèce, tenir pour constants et, d'autre part, quelle est la règle de droit applicable à cette situation de fait, pour en déduire enfin sa décision » (Marty, *Distinction du fait et du droit*, n° 2, p. 11). *Constatation de fait; dénaturation des faits; faits d'une cause; fait nouveau; qualification du fait.*
Rem. 1° En ce sens, on distingue le fait matériel[2] et le fait juridique[3]. 2° Les juridictions d'appel connaissent toutes et du fait et du droit.
Opp. règle de droit.
Angl. fact[2].

FAIT AUTONOME DE LA CHOSE

(*Obl.*) Activité propre de la chose, sans intervention humaine, qui contribue à la réalisation d'un dommage pouvant entraîner la responsabilité[2] de son gardien. Par ex., l'explosion d'une chaudière ou bouteille sans que quelqu'un y touche; les racines d'un arbre endommageant les fondations d'une maison. « [...] tout dommage causé par une chose n'entraîne pas nécessairement l'application du régime général. Les tribunaux exigent en effet le *fait autonome de la chose*, c'est-à-dire d'une part que celle-ci ait joué un rôle actif et, d'autre part qu'elle n'ait pas été alors le simple prolongement matériel de l'activité humaine » (Baudouin, *Responsabilité*, n° 595, p. 301).
Rem. En droit français, on n'exige pas le fait autonome de la chose pour que la responsabilité du gardien soit engagée.
V.a. fait de l'animal, responsabilité du fait des choses.
Angl. autonomous act of a thing.

FAIT D'AUTRUI

(*Obl.*) Fait d'une personne qui, causant un dommage, est susceptible d'engendrer la responsabilité[2] d'une autre personne.
Opp. fait de la chose, fait personnel.
V.a. responsabilité du fait d'autrui.
Angl. act of another.

FAIT DE LA CHOSE

(*Obl.*) Intervention causale d'une chose dans la réalisation d'un dommage pouvant entraîner la responsabilité[2] de son gardien ou de son propriétaire. « [...] il y a fait de la personne et non fait des choses lorsque le conducteur d'une automobile, à la suite d'une fausse manoeuvre, écrase un piéton. Le véhicule n'est, en effet, qu'un simple agent de transmission de l'activité humaine. Par contre, on caractérisera comme résultant du fait de la chose le dommage causé par une automobile qui, stationnée sans occupant sur un terrain en pente, dévale celui-ci et heurte une autre voiture » (Baudouin, *Responsabilité*, n° 603, p. 305-306).
Opp. fait d'autrui, fait personnel.
V.a. fait de l'animal, responsabilité du fait des choses.
Angl. act of a thing.

FAIT DE L'ANIMAL

(*Obl.*) Intervention causale d'un animal dans la réalisation d'un dommage pouvant entraîner la responsabilité[2] de son gardien. « Peu importe que l'animal, au moment de l'accident, fût sous le contrôle actuel du prétendu responsable, ou qu'il fût égaré ou échappé. Un *fait* de l'animal est exigé en ce sens que l'animal ne doit pas avoir eu un rôle purement passif dans la genèse du dommage [...] » (Carbonnier, *Droit civil*, t. 4, n° 104, p. 444).

Rem. Certains exigent le fait autonome de l'animal pour que le gardien soit responsable.
V.a. fait autonome de la chose, fait de la chose, responsabilité du fait des animaux.
Angl. act of an animal.

FAIT DES CHOSES INANIMÉES

(*Obl.*) V. responsabilité du fait des choses inanimées.

FAIT DES PRODUITS

(*Obl.*) V. responsabilité du fait des produits.

FAIT DU BÂTIMENT

(*Obl.*) V. responsabilité du fait des bâtiments.

FAIT DU PRINCE

(*Obl.*) Acte de l'autorité publique qui empêche l'exécution d'un contrat telle que l'avaient envisagée les parties. « Le fait du prince peut constituer [...] un cas fortuit. Ainsi un embargo [...] sur le transport du foin par chemins de fer a été jugé comme un cas fortuit empêchant le vendeur québécois d'exécuter son contrat de vente [...] d'une certaine quantité de foin aux États-Unis » (Larouche, *Obligations*, n° 249, p. 310).
V.a. cas fortuit[1].
Angl. act of state.

FAIT JURIDIQUE

1. (*Obl.*) Fait[1] qui produit des effets de droit. Par ex., un contrat, la conduite dangereuse d'un automobiliste à l'origine d'un accident. « Au sens large [...] [l']acte juridique n'est ainsi qu'une espèce [...] de fait juridique [...] » (Verdot et Hébraud, *Rép. droit civ.*, v° Acte, n° 8).
Rem. En ce sens large, le fait juridique comprend le fait juridique[2] et l'acte juridique.
Angl. juridical fact[1].

2. (*Obl.*) Fait[1], auquel la loi attache des effets de droit indépendamment de la volonté des intéressés. Par ex., la naissance, le décès, le délit, le quasi-délit, la gestion d'affaire, le paiement de l'indu. « *Fait juridique* — C'est soit un événement purement matériel, vide de tout contenu volontaire [...] soit un agissement animé d'une certaine volonté [...] d'où découlent des effets de droit, des modifications dans l'ordonnancement juridique [...] mais sans que ces effets aient été directement recherchés (d'où la différence avec l'acte juridique) » (Carbonnier, *Droit civil*, t. 4, n° 5, p. 31).
Rem. On distingue, parmi les faits juridiques, le fait naturel, tel le décès, et le fait d'une personne, telle la faute qui cause un préjudice.
Opp. acte juridique, fait matériel[1].
Angl. juridical fact[2].

3. (*Preuve*) Syn. acte juridique. « Cette distinction entre les faits juridiques et les faits matériels domine toute la question de la recevabilité des procédés de preuve, parce que nous avons conservé dans notre droit le principe posé par l'ordonnance de Moulins suivant lequel les faits juridiques doivent se prouver au moyen d'un écrit » (Nadeau et Ducharme, dans *Traité*, t. 9, n° 68, p. 47).
Rem. En matière de preuve, le terme *fait juridique* prend donc un sens contraire à l'acception généralement reçue qui l'oppose à acte juridique.
Opp. fait matériel[2].
Angl. act[2.A], juridical act[+], juridical fact[3], *negotium*, title[2.A].

FAIT MATÉRIEL

1. (*Obl.*) Fait[1] considéré indépendamment des conséquences juridiques que la loi peut y attacher. Par ex., un accident de la circulation routière, le bris d'un objet par son propriétaire.

Opp. fait juridique². **V.a.** acte matériel.
Angl. material fact¹.

2. (*Preuve*) Fait³ autre qu'un acte juridique. « L'art. 1233, al. 5, permet la preuve testimoniale dans tout autre cas où la partie réclamante n'a pu se procurer une preuve écrite. Cette disposition vise principalement la preuve des faits matériels » (Nadeau et Ducharme, dans *Traité*, t. 9, n° 459, p. 353).
Opp. fait juridique³.
Angl. material fact².

FAIT PERSONNEL

(*Obl.*) Fait dommageable susceptible d'engager la responsabilité² de son auteur. « Fait personnel [...] — Le fait, au sens le plus large, susceptible d'entraîner la responsabilité personnelle de son auteur, n'est pas un fait quelconque : il doit constituer de la part de son auteur, une faute » (Marty et Raynaud, *Obligations*, t. 1, n° 453, p. 506).
Opp. fait d'autrui, fait de la chose. **V.a.** faute personnelle, responsabilité du fait personnel.
Angl. personal act or omission.

FAMILIAL, ALE *adj.*

V. résidence familiale.

FAMILLE *n.f.*

1. (*Pers.*) Ensemble des parents¹ et alliés. « Entendue dans un sens large, la famille est traditionnellement le groupement de ceux qui sont unis par le mariage et la filiation, par conséquent les parents et les alliés » (Pineau, *Famille*, n° 2, p. 1).
Angl. family¹.

2. (*Pers.*) Ensemble des personnes qui descendent d'un même auteur. « Dans les temps primitifs la communauté d'existence reliait matériellement entre eux tous ceux qu'unissait le lien de la parenté; la famille tendait en s'accroissant à devenir *tribu* » (Ripert et Boulanger, *Traité*, t. 1, n° 444, p. 205).
Rem. Cette famille correspond à la *gens* du droit romain et au lignage du droit coutumier.
Syn. famille-souche. **V.a.** filiation.
Angl. family².

3. (*Pers.*) Ensemble formé des conjoints et des parents¹ aux degrés successibles. *Le droit de la famille.*
Rem. **1°** Les conjoints succèdent l'un à l'autre (art. 614, 624*a*, 624*b* C. civ.); les parents¹ succèdent jusqu'au douzième degré (art. 635 C. civ.). **2°** Le législateur donne parfois un sens particulier au terme *famille*, notamment en matière de prohibition d'aliéner (art. 979 C. civ.).
V.a. génération.
Angl. family³.

4. (*Pers.*) Ensemble des parents et alliés vivant sous le même toit.
Occ. Art. 487 C. civ.
Angl. family⁴.

5. (*Pers.*) Groupe composé du père, de la mère et de leurs enfants vivant habituellement sous le même toit. « L'évolution moderne s'est traduite par un resserrement du cercle familial, un passage de la famille large à la famille étroite » (Carbonnier, *Droit civil*, t. 2, n° 1, p. 15). *Fonder une famille; bon père de famille.*
Occ. Art. 443, 446, 447 C. civ. Q.
Rem. **1°** Depuis la réforme de 1982, la distinction entre famille légitime, famille naturelle et famille adoptive n'existe plus. **2°** Dans le langage courant, on appelle aussi *famille* la réunion sous un même toit d'un père et d'une mère, mariés ou non, et de leurs enfants respectifs nés d'une union antérieure.
Syn. famille-foyer. **V.a.** résidence familiale.
Angl. family⁵.

6. (*Pers.*) Groupe composé du père ou de la mère et de ses enfants. « [...] l'évolution tend à un rétrécissement de la famille; au modèle de l'ancien droit — une famille

tribale groupant toutes les personnes ayant un ancêtre commun — succède un modèle plus réduit — groupement des parents et de leurs enfants [...] puis, dans certains cas, un modèle rétréci — dit monoparental —, réunion d'un seul parent avec son enfant, résultant d'une reconnaissance ou d'une adoption [...] » (Colombet, *Famille*, n° 2, p. 14).
Syn. famille monoparentale.
Angl. family[6]+, one-parent family, single-parent family.

FAMILLE ADOPTIVE

(*Pers.*) Famille composée d'un ou des parents adoptifs et de l'adopté. « Le développement de l'adoption [...] est caractéristique de la tendance à faciliter la création d'une véritable famille malgré l'absence de liens du sang, et à l'assimilation de la famille adoptive à la famille légitime » (Marty et Raynaud, *Personnes*, n° 29 bis, p. 31-32).
Occ. Art. 825.5 C. proc. civ.
V.a. famille légitime, famille naturelle, filiation adoptive.
Angl. adopting family+, adoptive family.

FAMILLE-FOYER *n.f.*

(*Pers.*) Syn. famille[5]. « [...] on peut entendre la famille dans un sens plus restreint et la limiter au groupe composé par le père, la mère et les enfants; c'est la notion la plus communément admise aujourd'hui et qu'on appelle la famille-foyer » (Pineau, *Famille*, n° 2, p. 1-2).
Angl. family[5].

FAMILLE LÉGITIME

(*Pers.*) *Vieilli.* Famille composée des parents mariés ensemble et des enfants nés de leur mariage. « Le Code civil considérait à peu près uniquement *la famille légitime* fondée à la fois sur le mariage, les liens du sang et la communauté de vie et il la concevait comme relativement étendue et autoritaire [...] » (Marty et Raynaud, *Personnes*, n° 29 bis, p. 29-30).
Rem. Depuis la réforme de 1982, la distinction entre famille légitime, famille naturelle et famille adoptive n'existe plus.
Opp. famille naturelle. **V.a.** enfant légitime, famille adoptive, filiation légitime.
Angl. legitimate family.

FAMILLE MONOPARENTALE

(*Pers.*) Syn. famille[6].
Angl. family[6]+, one-parent family, single-parent family.

FAMILLE NATURELLE

(*Pers.*) Famille composée des parents non mariés ensemble et de leurs enfants. « Le cercle de la famille naturelle demeure cependant plus restreint que celui de la famille légitime, car il n'existe pas d'*alliance* — faute de mariage — au sein de la famille naturelle » (Weill et Terré, *Personnes*, n° 590, p. 584).
Opp. famille légitime. **V.a.** enfant naturel, famille adoptive, filiation naturelle.
Angl. natural family.

FAMILLE-SOUCHE *n.f.*

(*Pers.*) Syn. famille[2]. « *Au point de vue économique*, nous sommes loin du régime de l'économie familiale. Souvent chacun des membres de la famille travaille hors du foyer et a ses ressources propres, la famille-souche a à peu près perdu toute réalité depuis l'éclatement de l'ancienne cellule économique et sociale et la dispersion que facilitent les moyens modernes de communication » (Marty et Raynaud, *Personnes*, n° 29 bis, p. 28).
Angl. family[2].

FAUSSE CAUSE

(*Obl.*) Syn. cause fausse. « La fausse cause se ramène à l'absence de cause, car se tromper sur la cause consiste à croire à une cause

qui n'existait pas [...] Ainsi, une personne s'engage à réparer un dommage dont elle se croyait erronément responsable : son engagement est nul parce qu'il repose sur une fausse cause [...] Il s'agit, alors, d'une erreur exclusive de consentement ou erreur-obstacle [...] » (Pineau et Burman, *Obligations*, n° 115, p. 162).
Angl. false cause.

FAUTE *n.f.*

1. Transgression d'une norme juridiquement obligatoire. « La notion de faute est originairement une notion morale [...] C'est une défaillance de l'homme qui n'accomplit pas son devoir. Mais, en passant dans la vie juridique, la faute a changé de caractère. Elle n'est pas relevée par le droit en tant que violation de la règle morale; elle constitue une infraction à l'ordre juridique » (Rodière, *Rép. droit. civ.*, v° Responsabilité, n° 9). *Commettre une faute; comportement entaché de faute.*
Rem. Dans ce sens, la faute comprend à la fois la faute civile et la faute pénale.
Syn. tort[1].
Angl. fault[1+], wrong[1].

2. (*Obl.*) Syn. faute civile. « La faute reste à bon droit la base de la responsabilité de droit commun » (Nadeau et Nadeau, *Responsabilité*, n° 57, p. 42). *Être en faute* (art. 1097 C. civ.).
Occ. Art. 1072, 1087 C. civ.
V.a. responsabilité sans faute.
Angl. civil fault[+], fault[2].

FAUTE CAUSALE

(*Obl.*) Faute[2] qui est la cause[2] d'un dommage. « [...] si l'on soutient qu'une faute collective, la salve, a causé l'accident, tous les participants sont responsables de cette faute unique. Ce procédé de collectivisation de la faute causale est fondé sur une interprétation assez logique des faits : la salve était dangereuse dans les circonstances et chacun des chasseurs a incité l'auteur immédiat de la blessure à y participer » (Mayrand, (1958) 18 *R. du B.* 1, p. 20).
Angl. causal fault.

FAUTE CIVILE

(*Obl.*) Faute[1] susceptible d'engager la responsabilité civile d'une personne. « [...] la faute civile s'analyse *in abstracto*, c'est-à-dire en comparant la conduite du défendeur à celle d'un type abstrait [...] » (Mazeaud et Tunc, *Traité*, t. 1, n° 354, note 2, p. 443).
Rem. **1°** La question se pose de savoir si la faute civile ne comprend que le fait illicite ou s'il faut y ajouter l'imputabilité de l'auteur du dommage, c'est-à-dire sa capacité à discerner le bien du mal. **2°** La notion de faute civile a évolué depuis une conception subjective — faute moralement imputable — à une conception plus objective fondée sur la conduite qu'une personne prudente et diligente n'aurait pas eu en pareilles circonstances. **3°** La faute civile, qu'elle soit contractuelle ou extracontractuelle, comprend aussi bien l'inexécution injustifiée d'un devoir déterminé (obligation de résultat ou de garantie) que le manquement à une norme de conduite, imposée à toute personne douée de discernement, de se conduire à l'égard d'autrui avec la prudence et la diligence d'une personne raisonnable (obligation de moyens). L'analyse concrète de cette notion consiste dès lors à « rechercher quels sont ces devoirs auxquels on ne peut manquer sans commettre une faute » (Viney, *Responsabilité*, n° 445, p. 535).
Syn. fait[2], faute[2]. **V.a.** délit, quasi-délit.
F.f. négligence[2].
Angl. civil fault[+], fault[2].

FAUTE COLLECTIVE

(*Obl.*) Syn. faute commune[1]. « [...] la faute collective n'est pas l'addition des fautes individuelles des divers participants à l'action commune : elle est une faute propre du groupe [...] pris en tant qu'*ensemble* » (Le Tourneau, *Responsabilité*, n° 640, p. 210).

Rem. Ce terme, plutôt que celui de *faute commune*, est surtout utilisé lorsqu'il est difficile d'identifier l'auteur immédiat du dommage et que le comportement de tous les membres du groupe a suscité le fait dommageable.
V.a. responsabilité collective.
Angl. collective fault, common fault[1]+, common offence.

FAUTE COMMUNE

1. (*Obl.*) Faute[2] unique, à laquelle participent plusieurs personnes. Par ex., la vente illégale d'une arme à feu par deux marchands associés à un enfant de dix ans qui se blesse en l'utilisant. « Cette faute unique, commise par plusieurs, est la *faute commune* proprement dite, qui entraîne [...] la responsabilité solidaire de ses auteurs, aux termes de l'article 1106 du Code civil [...] » (Mayrand, (1958) 18 *R. du B.* 1, p. 2-3).
Syn. faute collective. **Opp.** faute individuelle. **V.a.** responsabilité collective.
Angl. collective fault, common fault[1]+, common offence.

2. (*Obl.*) Faute[2] qui consiste en la fusion de fautes distinctes, commises par plusieurs personnes, se rejoignant dans leur effet dommageable pour contribuer à l'entier préjudice. « Il n'y a donc véritablement faute commune que si chaque partie a commis une faute ayant causé, par sa réunion à celle de l'autre, le préjudice entier, que s'il y a un lien de causalité certain et direct entre les fautes respectives des parties et le dommage » (Nadeau et Nadeau, *Responsabilité*, n° 542, p. 504).
Rem. **1°** Pour certains, la faute commune est la faute partagée entre le demandeur et le défendeur; on y voit également les fautes commises par des codéfendeurs. **2°** Dans ce sens, ce vocable est critiqué, bien que consacré par l'usage. La faute commune ne devrait s'entendre que de la faute unique, commise par plusieurs.
Syn. faute concurrente, faute contributive. **V.a.** fautes simultanées. **F.f.** faute contributoire.
Angl. common fault[2]+, concurrent fault, contributive fault, contributory fault.

FAUTE CONCURRENTE

(*Obl.*) *Vieilli*. Syn. faute commune[2]. « Dans le cas de faute concurrente, la responsabilité peut être divisée; mais il faut que les deux fautes aient concouru à déterminer l'accident » (*Marchessault* c. *C.N.R.*, (1927) 42 B.R. 355, p. 357, j. A. Rivard).
Angl. common fault[2]+, concurrent fault, contributive fault, contributory fault.

FAUTE CONTRACTUELLE

(*Obl.*) Faute[2] résultant de l'inexécution d'un contrat. « Si ces deux fautes contractuelles : faute dolosive et faute non dolosive, engagent l'une et l'autre la responsabilité de leur auteur, la distinction n'en présente pas moins des intérêts pratiques considérables » (Mazeaud et Tunc, *Traité*, t. 1, n° 675, p. 758).
Opp. faute extracontractuelle. **V.a.** faute délictuelle, faute quasi délictuelle.
Angl. contractual fault.

FAUTE CONTRIBUTIVE

(*Obl.*) Syn. faute commune[2]. « [Il n'est pas exclu] que la faute de la victime puisse être la cause exclusive du dommage. Mais il n'y a aucune nécessité à cela : la faute de la victime peut seulement contribuer à la réalisation du dommage, être une faute contributive » (Tancelin, *Obligations*, n° 618, p. 369).
Angl. common fault[2]+, concurrent fault, contributive fault, contributory fault.

FAUTE CONTRIBUTOIRE

(*Obl.*) (X) *Angl.* V. faute commune[2]. « [...] deux ou plusieurs fautes ont contribué à la création d'un préjudice unique. Cette situation est connue en jurisprudence,

d'une manière impropre d'ailleurs, sous le nom de "fautes contributoires". Dans la situation ainsi créée, les deux actes fautifs sont *distincts* » (Baudouin, *Responsabilité*, n° 386, p. 208).
Rem. Le terme *faute contributoire* est un calque de l'anglais *contributory negligence*.
Angl. common fault[2]+, concurrent fault, contributive fault, contributory fault.

FAUTE D'ABSTENTION

(*Obl.*) Syn. faute d'omission. « La faute d'abstention est une faute comme les autres. Le juge, pour savoir s'il y a responsabilité au cas d'abstention, doit rechercher si un individu normal se serait abstenu dans les mêmes conditions » (Mazeaud et Tunc, *Traité*, t. 1, n° 540, p. 634).
Angl. *culpa in non faciendo*, *culpa in omittendo*, fault of omission+.

FAUTE D'ACTION

(*Obl.*) Syn. faute de commission. « Il n'est donc pas possible, en thèse générale, d'établir une distinction entre la faute d'abstention et la faute d'action » (Mazeaud et Tunc, *Traité*, t. 1, n° 532, p. 630).
Angl. *culpa in commitendo*, *culpa in faciendo*, fault of commission+.

FAUTE DANS LA GARDE

(*Obl.*) Faute[2] qui consiste dans l'inexécution d'une obligation résultant de la garde[3]. « [...] lorsqu'une chose échappe au contrôle matériel de son gardien et intervient dans la réalisation d'un dommage, la loi présume que ce dommage est le résultat de la faute dans la garde qui a été commise; mais cette présomption est susceptible de tomber devant la preuve contraire » (Mazeaud, *Traité*, t. 2, n° 1319, p. 432).
Rem. **1°** Voir les art. 1054 et 1055 C. civ. **2°** Il n'est pas nécessaire d'être le propriétaire d'une chose ou d'un animal pour être responsable de la faute dans la garde; il suffit d'en être le gardien au moment où le dommage se produit.
V.a. faute dans la surveillance, faute dans l'éducation.
Angl. custodial fault.

FAUTE DANS LA SURVEILLANCE

(*Obl.*) Faute[2] qui consiste dans l'inexécution de l'obligation de veiller sur une personne, un animal ou une chose dont on a la garde[3]. « La jurisprudence québécoise, comme la jurisprudence française [...] oblige [les parents] à prouver leur absence de faute dans la surveillance [...] » (Baudouin, *Responsabilité*, n° 422, p. 229).
Rem. Voir les art. 1054 et 1055 C. civ.
V.a. faute dans la garde, faute dans l'éducation.
Angl. fault of supervision.

FAUTE DANS L'ÉDUCATION

(*Obl.*) Faute[2] dans la formation morale, intellectuelle ou sociale qu'une personne est chargée de donner à autrui. « En 1951, la Cour suprême du Canada [*Alain* c. *Hardy*, [1951] R.C.S. 540] vint [...] réaffirmer que la faute dans l'éducation ou dans la surveillance demeurait la seule base de la responsabilité imposée par l'article 1054 C. c. » (Baudouin, *Responsabilité*, n° 408, p. 224).
Syn. faute d'éducation. **V.a.** faute dans la garde, faute dans la surveillance.
Angl. fault in the education.

FAUTE DE *loc.prép.*

Par manque de, à défaut de. *Faute d'entretien* (art. 480 C. civ.); *faute d'avoir satisfait à cette obligation* (art. 672 C. civ.); *faute par le vendeur d'avoir exercé son droit* (art. 1550 C. civ.).
Rem. Ne pas confondre l'expression *faute d'attention* (par manque d'attention) avec l'expression *une faute d'attention*, employée à tort au lieu de l'expression *une faute d'inattention*.

FAUTE DE COMMISSION

(*Obl.*) Faute[1] consistant à faire ce que l'on ne doit pas faire. « Il nous semble donc légitime d'abolir toute différence entre la faute d'abstention et la faute de commission quant au pouvoir d'initiative appartenant aux tribunaux pour la définir » (Viney, *Responsabilité*, n° 453, p. 543).
Syn. *culpa in commitendo, culpa in faciendo*, faute d'action, faute par action, faute par commission. **Opp.** faute d'omission.
Angl. *culpa in commitendo, culpa in faciendo*, fault of commission+.

FAUTE D'ÉDUCATION

(*Obl.*) Syn. faute dans l'éducation. « En principe, lorsqu'ils ont prouvé que l'acte dommageable n'est pas dû à une faute de surveillance de leur part, les parents ne sont pas quittes pour autant. Il leur reste en effet à établir qu'il n'est pas non plus le résultat d'une faute d'éducation » (Viney, *Responsabilité*, t. 4, n° 887, p. 980).
Angl. fault in the education.

FAUTE DE LA VICTIME

(*Obl.*) Faute[1] commise par une personne d'où résulte pour elle-même un préjudice. « [Il n'est pas exclu] que la faute de la victime puisse être la cause exclusive du dommage. Mais il n'y a aucune nécessité à cela : la faute de la victime peut seulement contribuer à la réalisation du dommage, être une faute contributive » (Tancelin, *Obligations*, n° 618, p. 369).
Rem. L'incidence de la faute de la victime sur la responsabilité civile varie selon certaines circonstances. Lorsqu'elle est la seule cause du préjudice ou lorsqu'elle est en concours avec un cas fortuit, il n'y a aucune responsabilité civile : la victime supporte les conséquences pécuniaires du préjudice. Lorsqu'il y a concours de la faute de la victime et celle d'autrui, il y a partage de la responsabilité civile.
V.a. faute commune[2]+.
Angl. fault of the victim.

FAUTE DÉLICTUELLE

(*Obl.*) Faute extracontractuelle commise avec l'intention de causer un dommage. « Ainsi, pour savoir si une faute délictuelle a été commise, le juge civil devra souvent se livrer à un examen subjectif; il cherchera cette intention malfaisante sans laquelle il ne peut y avoir de délit » (Mazeaud et Tunc, *Traité*, t. 1, n° 409, p. 480).
Opp. faute quasi délictuelle. **V.a.** délit.
Angl. delictual fault.

FAUTE DE NÉGLIGENCE

(*Obl.*) Syn. négligence[1]. « On parle de faute d'imprudence ou de négligence lorsqu'il s'agit d'un acte qui n'est pas illicite en soi, mais l'est seulement parce qu'il devait être envisagé comme de nature à entraîner un dommage pour autrui, et qu'il existe un devoir général de prendre soin de ne pas causer préjudice à la personne et au bien d'autrui » (Planiol et Ripert, *Traité*, t. 6, n° 517, p. 699-700).
Angl. fault of negligence, neglect, negligence+.

FAUTE D'IMPRUDENCE

(*Obl.*) Syn. imprudence. « [Les] fautes d'imprudence ou de négligence [...] consistent à n'avoir pas prévu que d'un certain comportement pouvait résulter un dommage ou, l'ayant prévu, à avoir passé outre » (Aubry et Rau, *Droit civil*, t. 6, n° 349, p. 525).
Angl. fault of imprudence, imprudence+.

FAUTE DOLOSIVE

(*Obl.*) Faute intentionnelle en matière contractuelle. « La *faute intentionnelle* [...] est dite *dolosive* quand la responsabilité est contractuelle » (Mazeaud et Chabas, *Leçons*, t. 2, vol. 1, n° 444, p. 439).
Opp. faute non dolosive. **V.a.** dol[2].
Angl. intentional fault(>)+, voluntary fault(>).

FAUTE D'OMISSION

(*Obl.*) Faute[1] consistant à ne pas faire ce que l'on doit faire. « Il est certain que la faute d'omission peut engendrer la responsabilité, mais il faut que la négligence d'agir corresponde à un devoir d'agir » (*T. Eaton Co. of Canada* c. *Moore*, [1951] R.C.S. 470, p. 479, j. R. Taschereau).
Rem. On distingue, en doctrine, l'omission dans l'action et l'omission pure et simple. Dans le premier cas, l'abstention se situe dans le cadre d'une activité particulière, par ex., le fait pour un cycliste de dévaler une pente raide sans freiner à l'approche d'une intersection; dans le second cas, l'abstention n'est reliée à aucune activité, par ex., le fait pour un passant qui, pouvant sauver une personne qui se noie, s'abstient de lui tendre une perche. On notera que l'art. 2 de la *Charte des droits et libertés de la personne* (L.R.Q., chap. C-12) impose l'obligation civile de porter secours à l'égard d'un « être humain dont la vie est en péril ».
Syn. *culpa in non faciendo*, *culpa in omittendo*, faute d'abstention, faute par abstention, faute par omission. **Opp.** faute de commission.
Angl. *culpa in non faciendo*, *culpa in omittendo*, fault of omission⁺.

FAUTE EXTRACONTRACTUELLE

(*Obl.*) Faute[2] résultant de l'inexécution d'un devoir issu d'une source autre que le contrat.
Rem. La faute extracontractuelle comprend les fautes délictuelle et quasi délictuelle, de même que celle découlant de l'inexécution d'une obligation légale proprement dite.
Opp. faute contractuelle.
Angl. extracontractual fault.

FAUTE INDIVIDUELLE

(*Obl.*) Faute imputable à une personne en particulier. « En édictant la solidarité entre les coauteurs d'un délit ou d'un quasi-délit, l'article 1106 C. c. justifie amplement la reconnaissance de la faute collective à côté de la faute individuelle » (Tancelin, *Obligations*, n° 443, p. 265).
Opp. faute commune[1].
Angl. individual fault.

FAUTE INTENTIONNELLE

(*Obl.*) Faute contractuelle ou extracontractuelle commise de propos délibéré. « La *faute intentionnelle* est dite *délictuelle* quand la responsabilité n'est pas contractuelle [...] » (Mazeaud et Chabas, *Leçons*, t. 2, vol. 1, n° 444, p. 439).
Occ. Art. 1054.1, 2563 C. civ.
Rem. En matière contractuelle, la faute intentionnelle s'appelle *faute dolosive*; en matière extracontractuelle, elle porte le nom de *faute délictuelle.*
Syn. faute volontaire. **Opp.** faute non intentionnelle. **V.a.** délit, dol[2].
Angl. intentional fault⁺, voluntary fault.

FAUTE INVOLONTAIRE

(*Obl.*) Syn. faute non intentionnelle.
Opp. faute volontaire.
Angl. involuntary fault, non-intentional fault⁺.

FAUTE LÉGÈRE

(*Obl.*) Faute[2] que ne commettrait pas une personne de prudence moyenne. « Les auteurs anciens, se fondant sur le droit romain, croyaient pouvoir distinguer entre la faute très légère, la faute légère et la faute lourde. Le débiteur contractuel n'était tenu que de sa faute légère, alors que le débiteur d'une obligation résultant d'un délit répondait de sa faute la plus légère. La jurisprudence a abandonné cette distinction artificielle tant en matière délictuelle que contractuelle. La faute, dans les deux cas, s'apprécie en effet par rapport à l'intensité du devoir dont elle constitue la violation » (Baudouin, *Responsabilité*, n° 104, p. 63).
Syn. *culpa levis*. **Opp.** faute lourde, faute très légère.
Angl. *culpa levis*.

FAUTE LOURDE

(*Obl.*) Faute[2] que ne commettrait pas même la personne la moins soigneuse. « On admet généralement que la "faute lourde" est celle qui procède d'un comportement anormalement déficient. C'est donc en principe l'ampleur de l'écart constaté entre la conduite suivie par le défendeur et celle à laquelle il aurait dû se conformer qui révèle son existence, aussi bien en matière délictuelle que contractuelle » (Viney, *Responsabilité*, n° 611, p. 726).
Occ. Art. 1054.1 C. civ.; art. 20, *Loi sur l'indemnisation des victimes d'actes criminels*, L.R.Q., chap. I-6.
Rem. Si la distinction entre la faute légère et la faute très légère ne présente plus aujourd'hui d'intérêt, il n'en va pas de même de la distinction entre la faute légère et la faute lourde qui sont assujetties à des régimes différents : il est en effet généralement admis que, en vertu de la maxime traditionnelle *culpa lata dolo aequiparatur*, la faute lourde équivaut, selon le cas, au dol[2] ou au délit.
Syn. *culpa lata*. **Opp.** faute légère, faute très légère. **F.f.** négligence grossière.
Angl. *culpa lata*, gross fault, gross negligence+.

FAUTE NON DOLOSIVE

(*Obl.*) Faute non intentionnelle en matière contractuelle. « En cas de responsabilité contractuelle, on appelle faute *non dolosive* celle qui n'implique ni intention de nuire ni volonté délibérée de ne pas exécuter » (Mazeaud et Chabas, *Leçons*, t. 2, vol. 1, n° 444, p. 439).
Opp. faute dolosive.
Angl. non-intentional fault(>).

FAUTE NON INTENTIONNELLE

(*Obl.*) Faute contractuelle ou extracontractuelle commise sans propos délibéré. « La *faute non intentionnelle* est dite *quasi délictuelle* en cas de responsabilité extracontractuelle » (Mazeaud et Chabas, *Leçons*, t. 2, vol. 1, n° 444, p. 439).
Rem. En matière contractuelle, la *faute non intentionnelle* est dite aussi *faute non dolosive*; en matière extracontractuelle, on l'appelle aussi *quasi-délit* ou *faute quasi délictuelle*.
Syn. faute involontaire. **Opp.** faute intentionnelle.
Angl. involuntary fault, non-intentional fault+.

FAUTE OBJECTIVE

(*Obl.*) Faute[2] qu'en semblables circonstances un bon père de famille n'aurait pas commise. « Être en faute, civilement, c'est *se conduire autrement que la moyenne des gens qui se trouvent dans les mêmes circonstances de fait*. C'est une "faute sociale" dit-on encore et non une "faute morale". Ce sont des fautes *in abstracto*, des fautes "objectives", des "fautes sans culpabilité" » (Starck, Roland et Boyer, *Obligations*, t. 1, n° 52, p. 32-33).
Rem. La faute objective n'entraîne pas une responsabilité objective, dérivée de la théorie du risque, mais constitue un élément de la responsabilité subjective, basée sur la faute.
Opp. faute subjective.
Angl. objective fault.

FAUTE PAR ABSTENTION

(*Obl.*) Syn. faute d'omission. « La faute par abstention devrait être retenue, toutes les fois que l'on ne se conduit pas comme se serait conduit un homme prudent et avisé; toute personne a le "devoir légal d"agir" comme un bon père de famille » (Pineau et Ouellette, *Responsabilité*, p. 59).
Angl. *culpa in non faciendo*, *culpa in omittendo*, fault of omission+.

FAUTE PAR ACTION

(*Obl.*) Syn. faute de commission. « On peut classifier les fautes de différentes

façons : faute par action et faute par abstention » (Pineau et Ouellette, *Responsabilité*, p. 57).
Angl. *culpa in commitendo, culpa in faciendo*, fault of commission+.

FAUTE PAR COMMISSION

(*Obl.*) Syn. faute de commission.
Angl. *culpa in commitendo, culpa in faciendo*, fault of commission+.

FAUTE PAR OMISSION

(*Obl.*) Syn. faute d'omission.
Angl. *culpa in non faciendo, culpa in omittendo*, fault of omission+.

FAUTE PERSONNELLE

(*Obl.*) Faute civile commise par l'auteur du dommage.
V.a. fait personnel, responsabilité du fait personnel.
Angl. personal fault+, personal wrong.

FAUTE PRÉCONTRACTUELLE

(*Obl.*) Faute[2] consistant en la violation d'une obligation commise au cours de l'élaboration du contrat. Par ex., la faute de celui qui entreprend des pourparlers en vue d'un contrat qu'il n'a pas l'intention de conclure; la faute de celui qui, sans raison valable, retire son offre de contracter. « L'observation des sanctions [...] permet de discerner les fautes précontractuelles que le droit positif atteint : initiation ou entretien d'une confiance excessive que révèle l'échec du contrat [...] initiation ou entretien d'une confiance erronée qui viciera la formation du contrat [...] » (Schmidt, *Rev. trim. dr. civ.*, 1974, 46, n° 49, p. 72).
Rem. Le qualificatif *précontractuel* n'implique qu'une donnée chronologique, sans référer à la nature même de la faute. La faute précontractuelle entraîne une responsabilité extracontractuelle.
Syn. *culpa in contrahendo*[2]. **V.a.** obligation précontractuelle, période précontractuelle, responsabilité précontractuelle.
Angl. *culpa in contrahendo*[2], precontractual fault+.

FAUTE PROFESSIONNELLE

1. (*Obl.*) Faute[2] commise dans l'exercice d'une profession. Par ex., le défaut par un avocat d'exercer un recours dans les délais requis; la faute d'un garagiste dans la réparation d'un véhicule. « Le problème s'est posé de l'assimilation de la faute professionnelle à la faute lourde. Est-il admissible qu'un notaire, un médecin, un expert-comptable, un industriel puisse s'exonérer des fautes commises dans l'exercice de sa profession? » (Starck, Roland et Boyer, *Obligations*, t. 2, n° 1564, p. 544).
Rem. Le terme *profession* s'entend ici de toute occupation dont on tire ses moyens de subsistance.
V.a. responsabilité professionnelle.
Angl. professional fault[1].

2. (*Obl.*) Faute[2] qui consiste dans la violation d'une obligation imposée à ses membres par une corporation professionnelle. Par ex., la violation par un médecin du secret professionnel (art. 3.01, *Code de déontologie des médecins*, R.R.Q., chap. M-9, r. 4). « [...] de nombreuses corporations professionnelles exigent de leurs membres une couverture de responsabilité de façon à mieux protéger le public contre les effets de la faute professionnelle » (Baudouin, *Responsabilité*, n° 14, p. 8).
Angl. professional fault[2].

FAUTE QUASI DÉLICTUELLE

(*Obl.*) Faute extracontractuelle résultant d'un quasi-délit. « On peut [...] sans hésiter, rejeter l'appréciation *in concreto* de la faute quasi délictuelle. Le juge [...] n'a pas, dans ce domaine, à sonder les consciences. Il doit examiner l'acte fautif en lui-même, détaché de l'agent, procéder par comparaison, se

demander ce qu'aurait fait un autre individu, un type abstrait : apprécier la faute *in abstracto* » (Mazeaud et Tunc, *Traité*, t. 1, n° 423, p. 494).
Opp. faute délictuelle.
Angl. quasi-delictual fault.

FAUTES SIMULTANÉES

(*Obl.*) Fautes² distinctes, commises en même temps par plusieurs personnes, ayant contribué à la réalisation du préjudice. « La difficulté d'identifier, parmi les fautes simultanées, celle qui a causé le dommage est contournée au moyen de divers procédés; l'assurance, la présomption de fait et la collectivisation de la faute causale » (Mayrand, (1958) 18 *R. du B.* 1, p. 12).
Opp. fautes successives. **V.a.** faute commune².
Angl. simultaneous faults.

FAUTES SUCCESSIVES

Fautes² distinctes, commises l'une à la suite de l'autre par une ou plusieurs personnes, ayant contribué à la réalisation du préjudice. « Lorsqu'[...] il y a *fautes successives*, celles-ci sont non seulement *échelonnées dans le temps*, mais encore [...] elles ont, le plus souvent, une *nature différente*. Il demeure pourtant que ces fautes ont contribué à la production du dommage [...] » (Flour et Aubert, *Obligations*, vol. 2, n° 685, p. 210).
Opp. fautes simultanées.
Angl. successive faults.

FAUTE SUBJECTIVE

(*Obl.*) Faute² dont l'auteur connaît le caractère répréhensible. « Le déclin du rôle attribué à la faute subjective, en tant que condition de la responsabilité civile, est le trait qui a le plus vivement frappé tous les auteurs qui ont cherché à décrire l'évolution du droit de la responsabilité civile au cours du XXe siècle » (Viney, *Responsabilité*, n° 22, p. 24).
Opp. faute objective⁺.
Angl. subjective fault.

FAUTE TRÈS LÉGÈRE

(*Obl.*) Faute² que ne commettrait pas une personne particulièrement attentive. « Notre *ancien droit* avait élaboré la *théorie dite des trois fautes* [...]. Lorsque le contrat est passé dans le seul intérêt du débiteur, ce dernier promet une très grande diligence; une faute très légère suffira donc à l'obliger à réparation » (Mazeaud et Chabas, *Leçons*, t. 2, vol. 1, n° 450, p. 451).
Syn. *culpa levissima*. **Opp.** faute légère, faute lourde.
Angl. *culpa levissima*.

FAUTE VOLONTAIRE

(*Obl.*) Syn. faute intentionnelle. « Pour savoir s'il y a faute intentionnelle ou volontaire, le juge doit [...] se livrer à un *examen subjectif* : il doit étudier un état d'âme, sonder la conscience de l'agent, y découvrir l'intention malfaisante ou délibérée : *pareille faute s'apprécie in concreto* » (Mazeaud et Chabas, *Leçons*, t. 2, vol. 1, n° 446, p. 442).
Opp. faute involontaire.
Angl. intentional fault⁺, voluntary fault.

FAUTIF, IVE *adj.*

1. (*Obl.*) Qui est en faute, à propos d'une personne. « Lorsqu'un enfant fait subir un dommage à quelqu'un, il y a tout lieu de croire que la raison en est la mauvaise surveillance ou la mauvaise éducation donnée par les parents. Aussi sont-ils présumés fautifs » (Pineau et Ouellette, *Responsabilité*, p. 85).

2. (*Obl.*) Qui constitue une faute. « Ces droits ou ces libertés ne sont pas sans limite. Leur exercice peut être fautif » (Tunc, *Responsabilité*, n° 183, p. 153). *Acte fautif, exercice fautif d'un droit.*
Angl. faulty, wrongful⁺.

FAUTIF, IVE *n.*

Personne en faute. « [...] le droit de la responsabilité civile ne doit pas abandonner, au moins dans certains domaines, tout espoir d'aider le fautif à amender son comportement social » (Tunc, *Responsabilité*, n° 167, p. 140).

FAUX, FAUSSE *adj.*

(*Obl.*) V. cause fausse.

FÉDÉRAL, ALE *adj.*

1. Qui constitue une fédération. « C'est la constitution de l'État fédéral qui détermine les compétences des organes fédéraux, notamment de l'organe législatif et qui détermine donc a contrario celle des Etats membres » (Burdeau, *Droit constitutionnel*, p. 54-55).
V.a. État fédéral.

2. Relatif à une fédération. « Le système fédéral est celui où les pouvoirs régionaux [...] et le pouvoir central sont souverains dans la sphère délimitée par la Constitution et où l'action de ces pouvoirs est coordonnée » (Beaudoin, *Constitution*, p. 65-66). *Constitution fédérale, régime fédéral, institutions fédérales.*
Angl. federal[1].

3. Relatif au gouvernement central dans une fédération. « On sait que c'est la Cour suprême du Canada, créature exclusivement fédérale, qui est chargée depuis 1949 d'interpréter en dernier ressort les règles partageant les compétences législatives entre le fédéral et les provinces » (Brun et Tremblay, *Droit constitutionnel*, p. 301).
Opp. provincial°.
Angl. federal[2].

FÉDÉRAL *n.m.*

Gouvernement central dans un État fédéral. « Les règles du partage des compétences entre le fédéral et les provinces ménagent des portes ouvertes en faveur du fédéral, lui permettant, dans certains cas, par loi ordinaire, d'attenter unilatéralement à ce partage même » (Brun et Tremblay, *Droit constitutionnel*, p. 302).
Opp. provincial°.

FÉDÉRALISME *n.m.*

1. Forme constitutionnelle donnant à un État le caractère d'État fédéral. « Le fédéralisme est [...] un moyen terme, c'est-à-dire une façon d'unir et de décentraliser, un compromis entre l'uniformité de l'État unitaire et la simple indépendance des États indépendants » (Rémillard, *Fédéralisme canadien*, p. 26).
Angl. federalism[1].

2. Doctrine politique préconisant la forme constitutionnelle de l'État fédéral. « Le fédéralisme est beaucoup plus qu'un simple système de gouvernement. Il est une philosophie, voire une façon d'être » (Rémillard, (1979) 20 *C. de D.* 237).
Angl. federalism[2].

FÉDÉRATIF, IVE *adj.*

V. État fédératif.

FÉDÉRATION *n.f.*

1. Union d'entités politiques conclue aux termes d'une constitution qui établit des niveaux de gouvernement autonome (central et régionaux), chaque gouvernement exerçant une action directe sur les mêmes citoyens et un pouvoir souverain dans la sphère de compétence qui lui est attribuée. « Alors que dans une fédération, une même Constitution écrite unit les États fédérés et départage les compétences législatives, dans une Confédération véritable un traité unit pour certaines fins des États souverains qui ont déjà leur propre Constitution » (Beaudoin, *Constitution*, p. 71).
Rem. **1°** Au Canada, la fédération est constituée du Parlement fédéral et des

législatures provinciales. 2° Dérivé du latin *foedus, eris* : alliance.
Opp. confédération.
Angl. federation[1].

2. Syn. État fédéral. « [...] Lord Denning dans l'arrêt *Mellenger* de 1971 explique clairement que le Canada est une fédération, que le pouvoir législatif est partagé, que chaque ordre de gouvernement est souverain, indépendant et autonome dans sa sphère » (Beaudoin, *Partage des pouvoirs*, p. 11).
Angl. Federal State+, federation[2].

FEINT, FEINTE *adj.*

V. tradition feinte.

FICTIF, IVE *adj.*

(*Obl.*) V. acte fictif, contrat fictif, immeuble fictif, personnalité fictive, personne fictive, tradition fictive.

FICTION *n.f.*

Procédé de technique juridique par lequel la loi considère comme existante une situation différente de la réalité pour en déduire des conséquences juridiques. Par ex., l'effet rétroactif du partage (art. 746 C. civ.) ou de la réalisation de la condition (art. 1085 C. civ.); la représentation selon laquelle l'acte matériellement accompli par le représentant est censé avoir été accompli par le représenté (art. 1727 C. civ.); la représentation successorale (art. 619 C. civ.); l'immobilisation par détermination de la loi (art. 382 C. civ.); la personne morale (art. 352 C. civ.). « Opération intellectuelle, la fiction est un *artifice juridique*. Elle consiste à faire "comme si" (elle s'annonce souvent, dans la loi, par les expressions : "est censé", "est réputé"). La fiction n'est pas la réalité; elle méconnaît la réalité [...] Seul le législateur (non le juge) est, dans sa souveraineté, en situation de prendre avec les faits de telles libertés » (Cornu, *Introduction*, n° 210, p. 79). *Fiction juridique*; *fiction de la loi*.
Occ. Art. 619 C. civ.
Angl. fiction.

FIDÉJUSSEUR, EURE *n.*

(*Obl.*) Syn. caution[1].
Angl. guarantor[1], surety+.

FILIATION *n.f.*

1. (*Pers.*) Lien de parenté qui unit l'enfant[1] à son père ou à sa mère. « Dans le langage courant, la filiation comprend toute la série des intermédiaires qui rattachent une personne déterminée à tel ou tel ancêtre, quelque éloigné qu'il soit; mais dans la langue du droit, le mot a pris un sens beaucoup plus étroit, et il s'entend exclusivement du *rapport immédiat du père ou de la mère avec l'enfant* » (Planiol et Ripert, *Traité*, t. 2, n° 709, p. 585). *Établir une filiation; contester la filiation*.
Occ. Art. 572 C. civ. Q.
Rem. 1° La filiation peut s'envisager du point de vue de l'enfant, elle conserve alors son nom, et selon qu'on vise la relation avec la mère ou le père, on parlera de *filiation maternelle* ou de *filiation paternelle*. On peut aussi envisager le lien de parenté du côté des parents : du point de vue de la mère, il prend le nom de *maternité*; du point de vue du père, il s'appelle *paternité*. 2° Depuis la réforme du droit en cette matière (1981), le Code civil du Québec ne distingue plus entre la filiation légitime et la filiation naturelle, mais il traite de la filiation par le sang et de la filiation adoptive.
V.a. enfant[1]+, famille[2].
Angl. filiation[1].

2. (*Pers.*) Lien de parenté qui rattache une personne à ses ascendants à quelque degré que ce soit. « La filiation est la descendance en ligne directe » (Pineau, *Famille*, n° 250, p. 193).
V.a. descendant.
Angl. filiation[2].

FILIATION ADOPTIVE

(*Pers.*) Filiation[1] résultant de l'adoption. « [...] le lien biologique est mis de côté lorsque le législateur favorise l'établissement d'une filiation adoptive : l'élément charnel ne joue là aucun rôle et cède la place à l'élément affectif qui constitue le pivot de l'institution qu'est l'adoption » (Pineau, *Famille*, n° 254, p. 195).
Rem. La filiation adoptive remplace la filiation d'origine et « [l]'adopté cesse d'appartenir à sa famille, sous réserve des empêchements de mariage » (art. 627 C. civ. Q.).
Opp. filiation par le sang. **V.a.** famille adoptive, parent adoptif.
Angl. adoptive filiation.

FILIATION ADULTÉRINE

(*Pers.*) Filiation naturelle de l'enfant dont le père ou la mère était marié à une tierce personne au moment de la conception. « La constatation officielle d'une *filiation adultérine*, notamment lorsque le père ou la mère de l'enfant adultérin ont des enfants légitimes, porte atteinte, remarquait-on, à la *famille légitime et à l'ordre social* » (Mazeaud et Chabas, *Leçons*, t. 1, vol. 3, n° 987-988, p. 413).
Opp. filiation incestueuse, filiation naturelle simple. **V.a.** enfant adultérin+.
Angl. adulterine filiation.

FILIATION INCESTUEUSE

(*Pers.*) Filiation naturelle de l'enfant né d'un père et d'une mère qui ne peuvent contracter mariage ensemble en raison d'un lien de parenté ou d'alliance. « [...] la prohibition qui frappait antérieurement l'établissement de la filiation incestueuse est aujourd'hui circonscrite dans d'étroites limites » (Labrusse-Riou, *Rép. droit civ.*, v° Filiation, n° 7).
Opp. filiation adultérine, filiation naturelle simple. **V.a.** enfant incestueux+.
Angl. incestuous filiation.

FILIATION LÉGITIME

(*Pers.*) Filiation[1] de l'enfant issu de parents mariés ensemble. « La preuve de l'existence d'un mariage entre les parents est donc la clé de toute filiation légitime » (Azard et Bisson, *Droit civil*, t. 1, n° 91, p. 144).
Rem. Les anciens art. 218 et s. C. civ. (1866-1981) étaient consacrés à la filiation légitime. Le législateur québécois favorisait ce type de filiation et avait établi des présomptions pour faciliter la preuve de la légitimité de l'enfant.
Opp. filiation naturelle. **V.a.** enfant légitime+, famille légitime.
Angl. legitimate filiation.

FILIATION MATERNELLE

(*Pers.*) Filiation[1] qui unit un enfant[1] à sa mère. « [...] la filiation maternelle se prouve par l'acte de naissance, quelles que soient les circonstances de la naissance de l'enfant (art. 572, al. 1, C.C.Q.). Il s'agit de prouver le fait de l'accouchement et le fait de l'identité de l'enfant considéré avec celui dont la prétendue mère a accouché; de cette façon, on s'assure que l'enfant en question est bien celui dont la prétendue mère a accouché » (Pineau, *Famille*, n° 264, p. 204).
Occ. Art. 572, 611 C. civ. Q.
Opp. filiation paternelle. **V.a.** maternité[2].
Angl. maternal filiation, maternity[2]+.

FILIATION NATURELLE

(*Pers.*) Filiation[1] de l'enfant issu d'un père et d'une mère qui n'étaient pas mariés ensemble ni au moment de sa conception ni à celui de sa naissance. « Conformément à la tradition de l'ancien droit, la filiation naturelle reconnue volontairement ou en justice confère à l'enfant le droit d'obtenir des aliments de ses auteurs (art. 240) » (Azard et Bisson, *Droit civil*, t. 1, n° 143, p. 267). *L'établissement de la filiation naturelle.*
Occ. Anc. art. 241 C. civ. (1970-1981).

Rem. Avant la réforme du droit en cette matière (1981), on distinguait la filiation naturelle simple, la filiation adultérine et la filiation incestueuse.
Opp. filiation légitime. **V.a.** enfant naturel, famille naturelle, filiation[1+].
Angl. natural filiation.

FILIATION NATURELLE SIMPLE

(*Pers.*) Filiation naturelle qui n'est ni incestueuse ni adultérine.
Opp. filiation adultérine, filiation incestueuse. **V.a.** enfant naturel simple[+].
Angl. simple natural filiation.

FILIATION PAR LE SANG

(*Pers.*) Filiation[1] résultant du lien biologique. « Le Code civil du Québec mis en vigueur le 2 avril 1981 préconise désormais l'existence de deux sortes de filiation : la filiation par le sang et la filiation adoptive » (Pineau, *Famille*, n° 254, p. 195).
Occ. Titre précédant l'art. 572 C. civ. Q.
Opp. filiation adoptive.
Angl. filiation by blood.

FILIATION PATERNELLE

(*Pers.*) Filiation[1] qui unit un enfant[1] à son père. « L'acte de naissance est le mode de preuve privilégié pour établir la filiation paternelle et maternelle » (Ouellette, *Famille*, p. 103).
Occ. Art. 572, 611 C. civ. Q.
Opp. filiation maternelle. **V.a.** paternité[2].
Angl. paternal filiation, paternity[2+].

FLOTTANT, ANTE *adj.*

V. charge flottante, hypothèque flottante.

FONCIER, IÈRE *adj.*

(*Biens*) Relatif à un fonds. « [...] le régime foncier regroupe les règles de toute origine régissant l'ensemble des parcelles du territoire » (Cornu, *Introduction*, n° 1339, p. 423). *Taxe foncière.*
V.a. publicité foncière, régime foncier, rente foncière, services fonciers, servitude foncière.

FOND *n.m.*

Contenu, substance d'un acte ou d'un litige. « La nullité est une sanction atteignant un acte qui n'est pas conforme aux conditions de validité (de forme ou de fond) imposées par la règle de droit » (Mazeaud et Chabas, *Leçons*, t. 1, vol. 1, n° 348, p. 420).
Occ. Art. 388 C. proc. civ.
Rem. En matière d'actes juridiques, on oppose le fond à la forme de l'acte. En ce qui concerne un litige, on oppose le fond à la procédure. On notera toutefois que le fond d'un procès peut porter aussi bien sur la forme que sur le fond d'un acte.
Opp. formalité. **V.a.** condition de fond, vice de fond. **F.f.** mérite[1].
Angl. merit[1](<)[+], substance[+].

FONDAMENTAL, ALE *adj.*

V. droit fondamental.

FONDS *n.m.*

(*Biens*) Portion du sol. « La servitude est *attachée à un fonds*; elle appartient à tout propriétaire de ce fonds, quel qu'il soit » (Mazeaud et Chabas, *Leçons*, t. 1, vol. 1, n° 163, p. 226).
Occ. Art. 417 C. civ.
Rem. Le mot *fonds* désigne indifféremment un terrain bâti ou non.
Syn. bien-fonds, fonds de terre. **V.a.** immeuble par nature, tréfonds.
Angl. land[+], realty(x).

FONDS ASSERVI

(*Biens*) Syn. fonds servant.
Occ. Art. 550 C. civ.
Angl. servient land.

FONDS ASSUJETTI

(*Biens*) Syn. fonds servant.
Occ. Art. 555 C. civ.
Angl. servient land.

FONDS COMMUN

(*Obl.*) Syn. patrimoine social.
Occ. Art. 1873, 1877 par. 5, 1881 C. civ.
Angl. partnership patrimony.

FONDS DÉBITEUR

(*Biens*) Syn. fonds servant.
Occ. Art. 701 C. civ. fr.
Angl. servient land.

FONDS DE COMMERCE

(*Obl.* et *D. comm.*) Ensemble de biens mobiliers formant une universalité qui sert à l'exercice d'un commerce. « Un fonds de commerce est une universalité, comprenant à la fois des éléments corporels, matériel et marchandises, et des éléments incorporels, achalandage, droit au bail, enseigne, nom commercial, marques de fabrique, brevets d'invention [...] on considère que la réunion des différents éléments compris dans le fonds de commerce forme, en elle-même, un ensemble ayant une existence distincte de celle des objets qui le composent, obéissant à des règles juridiques spéciales [...] » (Planiol et Ripert, *Traité*, t. 3, n° 109, p. 111).
Occ. Art. 1569*a*, 1569*b*, 1569*c* C. civ.
Rem. Le fonds de commerce peut comprendre un immeuble lorsque celui-ci est l'accessoire du commerce.
V.a. universalité de fait.
Angl. stock-in-trade.

FONDS DE TERRE

(*Biens*) Syn. fonds.
Occ. Art. 376 C. civ.
Angl. land+, realty(x).

FONDS DOMINANT

(*Biens*) Fonds au profit duquel est établie une servitude réelle. « Le bénéfice de la servitude étant attaché au fonds dominant, il se transmet aux propriétaires successifs de ce fonds » (Marty et Raynaud, *Biens*, n° 139, p. 189).
Occ. Art. 557 C. civ.
Rem. L'art. 546 C. civ. emploie le terme *héritage dominant*.
Syn. héritage dominant. **Opp.** fonds servant. **V.a.** servitude active.
Angl. dominant land.

FONDS SERVANT

(*Biens*) Fonds grevé d'une servitude réelle. « [...] la servitude ne peut consister en une obligation personnelle du propriétaire du fonds servant » (Marty et Raynaud, *Biens*, n° 139, p. 188).
Occ. Art. 546 C. civ.
Syn. fonds asservi, fonds assujetti, fonds débiteur. **Opp.** fonds dominant. **V.a.** servitude passive.
Angl. servient land.

FONDS SOCIAL

(*Obl.*) Syn. patrimoine social. « L'associé doit faire un apport dans le fonds social » (Perrault, *Droit commercial*, t. 2, n° 950, p. 392).
Angl. partnership patrimony.

FONGIBILITÉ *n.f.*

(*Biens*) Caractère de ce qui est fongible. « La fongibilité est [...] un *rapport d'équivalence entre deux choses*, en vertu duquel l'une peut remplir la même fonction libératoire que l'autre. À la différence de la consomptibilité, la fongibilité s'apprécie toujours par voie de comparaison entre deux choses » (Planiol et Ripert, *Traité*, t. 3, n° 58, p. 63).
V.a. consomptibilité.
Angl. fungibility.

FONGIBLE *adj.*

(*Biens*) Qui n'est déterminé que par son espèce. « Les instruments monétaires, pièces métalliques, billets de banque [...] sont des biens éminemment fongibles » (Carbonnier, *Droit civil*, t. 3, n° 20, p. 90).
Rem. Du latin *fungibilis* (dérivé de *fungi* : s'acquitter de, accomplir).
Opp. non fongible. **V.a.** bien fongible, chose fongible, consomptible+.
Angl. fungible.

FOR *n.m.*

(*D. int. pr.*) Syn. tribunal[1]. « [...] la qualification ne concerne pas directement la loi substantielle, encore inconnue en effet, mais la règle de conflit, qui ne peut être que celle du for » (Mayer, *Droit int. privé*, n° 159, p. 104). *Règles de conflits du for.*
Rem. Ce terme s'emploie principalement en droit international privé.
V.a. loi du for.
Angl. court[1]+, Court of Justice, forum.

FORCÉ, ÉE *adj.*

V. copropriété avec indivision forcée, copropriété forcée, exécution forcée, indivision forcée, intervention forcée, mise en cause forcée, radiation forcée, représentation forcée, reprise forcée, résiliation forcée.

FORCE MAJEURE

1. (*Obl.*) Syn. cas fortuit[1]. « [...] l'événement invoqué comme force majeure doit être tel qu'il empêche l'exécution de l'obligation d'une manière absolue et permanente » (Baudouin, *Obligations*, n° 734, p. 443).
Occ. Art. 17 par. 24, 1072 C. civ.
Angl. *force majeure*[1], fortuitous event[1]+, superior force[1].

2. (*Obl.*) Type de cas fortuit[1] résultant des forces de la nature, par opposition au fait de la victime ou du créancier, ainsi qu'au fait du tiers.
Syn. cas fortuit[2].
Angl. *force majeure*[2], fortuitous event[2], superior force[2]+.

FORCLUSION *n.f.*

V. délai de forclusion.

FORFAIT *n.m.*

(*Obl.*) Somme d'argent fixée par avance, en particulier à propos d'une rémunération ou d'une indemnité. « Tantôt il [le législateur] veut éviter au juge toute espèce de recherche pour l'évaluation du préjudice. Il évalue lui-même à l'avance le dommage subi et fixe en conséquence le chiffre des dommages-intérêts. La victime peut y perdre comme elle peut y gagner; c'est un forfait » (Mazeaud et Chabas, *Traité*, t. 3, vol. 1, n° 2333, p. 659). *Construire à forfait.*
Occ. Art. 1690 C. civ.
Rem. Le forfait peut résulter soit de la volonté des parties, par ex., la clause pénale, soit de barèmes établis par les autorités publiques, par ex., la *Loi sur l'assurance automobile*, L.R.Q., chap. A-25.
V.a. contrat à forfait, dommages-intérêts conventionnels.
Angl. fixed price(<).

FORFAITAIRE *adj.*

(*Obl.*) Qui a rapport à un forfait. « La règle particulière dont les dommages et intérêts font l'objet en matière de sommes d'argent, réside dans leur *fixation forfaitaire* sous la forme d'un *intérêt légal* » (Marty et Raynaud, *Obligations*, t. 1, n° 595, p. 750). *Évaluation forfaitaire, indemnité forfaitaire.*
V.a. réparation forfaitaire.

FORMALISME *n.m.*

(*Obl.*) Principe en vertu duquel, outre l'expression de la volonté, la formation ou l'efficacité d'un acte juridique requiert l'accomplissement de formalités particulières.

« [...] le formalisme est protecteur de la volonté : protecteur de chacune des parties contre elle-même et contre l'autre » (Flour et Aubert, *Obligations*, vol. 1, n° 300, p. 241).

Rem. On distingue souvent le formalisme au sens strict et le formalisme atténué. Dans le premier cas, la forme est une condition de validité de l'acte : il en est ainsi des contrats solennels et des contrats réels; dans le second cas, sont exigées des formalités qui, sans être nécessaires à la validité de l'acte, ont pour objet d'en assurer la publicité ou la preuve.

Opp. consensualisme. **V.a.** condition de forme.

Angl. formalism.

FORMALISTE *adj.*

(*Obl.*) Soumis par la loi à des formalités.

Opp. consensuel. **V.a.** contrat formaliste+, réel[2], solennel.

Angl. formalistic.

FORMALITÉ *n.f.*

(*Obl.*) Opération prescrite par la loi pour assurer la validité ou l'efficacité d'un acte. Par ex., la rédaction, l'enregistrement ou la production d'un acte. « Lorsqu'on a quelque doute sur la portée exacte de la formalité imposée par la loi, on doit considérer que le contrat est consensuel et non point solennel, la formalité n'étant requise que *ad probationem* et non point *ad solemnitatem* » (Pineau et Burman, *Obligations*, n° 21, p. 36). *Acte accompagné de formalités* (art. 792 C. civ.); *sans formalités de justice* (art. 678 C. civ.).

Syn. forme[1].

Angl. form[1], formality+.

FORMALITÉ *AD PROBATIONEM*
(latin)

(*Obl.*) Syn. formalité probatoire.

Angl. formality *ad probationem*, probative form, probatory form, probatory formality+.

FORMALITÉ *AD SOLEMNITATEM*
(latin)

(*Obl.*) Syn. formalité substantielle.

Angl. essential formality+, formality *ad solemnitatem*, solemn form, solemnity.

FORMALITÉ DE PUBLICITÉ

(*Obl.*) Formalité destinée à renseigner les tiers sur l'existence d'un fait ou d'un acte juridique. Par ex., l'enregistrement des droits réels. « [...] des formalités de publicité sont exigées pour que les effets de certains contrats soient opposables aux tiers ou à certains tiers » (Weill et Terré, *Obligations*, n° 120, p. 126).

Opp. formalité habilitante, formalité probatoire, formalité substantielle.

Angl. formality as to publicity.

FORMALITÉ HABILITANTE

(*Obl.*) Formalité consistant en une autorisation que doit obtenir l'incapable ou son représentant légal pour accomplir un acte juridique. « *La nécessité d'observer ces formalités, dites habilitantes, n'empêche pas le contrat de demeurer consensuel* : le représentant de l'incapable pourvu des autorisations, ou l'incapable lui-même avec l'assistance requise, concluent le contrat *solo consensu* » (Mazeaud et Chabas, *Leçons*, t. 2, vol. 1, n° 74, p. 66).

Syn. forme habilitante. **Opp.** formalité de publicité, formalité probatoire, formalité substantielle.

Angl. enabling form, formality *ad habilitatem*+.

FORMALITÉ PROBATOIRE

(*Obl.*) Formalité requise pour la preuve d'un acte juridique. Par ex., la rédaction d'un écrit pour un contrat dont la valeur excède la somme déterminée par la loi. « [...] on distinguera toujours entre les formalités substantielles nécessaires à la validité, à l'existence même du contrat et les forma-

lités probatoires exigées seulement pour la preuve entre les parties et pour l'opposabilité aux tiers » (Tancelin, *Obligations*, n° 44, p. 33).
Syn. formalité *ad probationem*, forme probante, forme probatoire. **Opp.** formalité de publicité, formalité habilitante, formalité substantielle.
Angl. formality *ad probationem*, probative form, probatory form, probatory formality+.

FORMALITÉ SUBSTANTIELLE

(*Obl.*) Formalité requise pour la validité d'un acte juridique. Par ex., la rédaction d'un acte notarié pour le contrat de mariage.
Rem. Cet acte est dit *solennel*.
Syn. formalité *ad solemnitatem*, forme solennelle, solennité. **Opp.** formalité de publicité, formalité habilitante, formalité probatoire.
Angl. essential formality+, formality *ad solemnitatem*, solemn form, solemnity.

FORME *n.f.*

1. (*Obl.*) Syn. formalité. *En bonne et due forme; observation des formes, violation des formes.*
Occ. Art. 708 C. civ.
Opp. fond. **V.a.** condition de forme, défaut de forme, vice de forme.
Angl. form[1], formality+.

2. (*Obl.*) Mode d'extériorisation de la volonté dans un acte juridique ou un jugement. « [...] le principe est que les actes juridiques ne sont soumis à aucune exigence de forme; le seul consentement fait leur essence, indépendamment de la forme qui les revêt [...] » (Carbonnier, *Introduction*, n° 168, p. 287).
Angl. form[2].

FORME HABILITANTE

(*Obl.*) Syn. formalité habilitante.
Angl. enabling form, formality *ad habilitatem*+.

FORME PROBANTE

(*Obl.*) Syn. formalité probatoire.
Angl. formality *ad probationem*, probative form, probatory form, probatory formality+.

FORME PROBATOIRE

(*Obl.*) Syn. formalité probatoire.
Angl. formality *ad probationem*, probative form, probatory form, probatory formality+.

FORME SOLENNELLE

(*Obl.*) Syn. formalité substantielle.
Angl. essential formality+, formality *ad solemnitatem*, solemn form, solemnity.

FORTUIT, UITE *adj.*

V. cas fortuit.

FORUM SHOPPING *loc.nom.m.* (anglais)

(*D. int. pr.*) Pratique selon laquelle un demandeur profite de la diversité des ordres juridictionnels pour porter le litige devant un tribunal choisi dans l'espoir d'y obtenir la décision la plus favorable à sa cause. Par ex., une personne domiciliée au Québec, victime d'un accident survenu en Californie, saisit le tribunal californien pour obtenir une réparation des dommages plus importante que celle qu'elle obtiendrait au Québec. « En matière économique, [...] l'existence d'une réglementation impérative crée un risque de voir le juge appliquer la loi du for sans souci de la compétence supérieure d'une loi étrangère et donc se prêter au *forum shopping* » (Audit, *Fraude à la loi*, n° 83, p. 74).
Rem. Le *forum shopping* a souvent pour but de se prévaloir du jugement obtenu à l'étranger, dans le ressort du juge dont la compétence se présentait naturellement, afin de frauder la loi que ce dernier aurait normalement appliquée.
V.a. fraude à la loi[2].
Angl. forum shopping.

FOURNIR ET FAIRE VALOIR
loc.verb.

V. clause de fournir et faire valoir, garantie de fournir et faire valoir.
Angl. *fournir et faire valoir.*

FOURNISSEUR DE MATÉRIAUX

(*Sûr.*) Personne qui vend au propriétaire ou au constructeur des matériaux utilisés dans la construction d'un édifice. « Le fournisseur de matériaux est une personne, physique ou morale, qui fournit des matériaux sans s'occuper [...] de les utiliser. "Fournir" implique un transfert de propriété découlant d'une vente ou même d'un échange » (Ciotola, *Sûretés*, p. 356).
Occ. Art. 2013, 2013*a*, 2013*c*, 2013*e* C. civ.
V.a. privilège du fournisseur de matériaux.
Angl. supplier of materials.

FRACTIONNÉ, ÉE *p.p.adj.*

V. paiement fractionné.

FRAUDE *n.f.*

1. Fait accompli avec l'intention de porter atteinte aux intérêts d'autrui ou de se soustraire à l'application d'une règle de droit. Par ex., le débiteur insolvable qui consent une donation commet un acte en fraude des droits de ses créanciers (art. 1032 C. civ.). « Il faut [pour intenter l'action paulienne] que l'acte attaqué ait été accompli en fraude des droits du créancier » (Pineau et Burman, *Obligations*, n° 395, p. 462).
Occ. Art. 803, 1090, 1849 C. civ.
V.a. collusion.
Angl. fraud[1].

2. (*Obl.*) Syn. dol[1]. « [...] on ne peut pas considérer toute fraude comme constitutive d'un dol. Celui-ci suppose une fraude commise dans la conclusion d'un contrat et en vue de tromper le cocontractant pour l'amener à s'engager » (Marty et Raynaud, *Obligations*, t. 1, n° 156, p. 155).
Occ. Art. 991, 993 C. civ.
Angl. *dolus malus*, fraud[2]+, principal fraud.

3. (*Obl.*) Syn. dol[2]. « [...] lorsque l'inexécution est due à la fraude du débiteur [celui-ci] assume alors, comme sanction de la mauvaise foi, tous les dommages à caractère direct, même ceux qui sont imprévus ou imprévisibles » (Baudouin, *Obligations*, n° 713, p. 429).
Angl. fraud[3].

FRAUDE À LA LOI

1. Fraude[1] accomplie dans l'intention de se soustraire à l'application d'une règle de droit. « La simulation est souvent utilisée dans le dessein de commettre une fraude à la loi, c'est-à-dire d'éviter une prohibition légale ou de faire indirectement ce que la loi ne permet pas de faire directement » (Baudouin, *Obligations*, n° 419, p. 270).
V.a. collusion, mariage simulé.
Angl. evasion of the law[1]+, fraud upon (of) the law[1].

2. (*D.int.pr.*) Fraude[1] en apparence licite qui consiste à modifier un facteur de rattachement dans l'intention de se soustraire à l'application d'une disposition impérative. Par ex., le changement de nationalité ou de domicile dans l'intention de bénéficier d'un statut personnel plus favorable. « La fraude à la loi peut se présenter toutes les fois qu'un élément de rattachement dépend de la volonté des parties » (Batiffol et Lagarde, *Droit int. privé*, t. 1, n° 371, p. 428).
Occ. Art. 7.1 C. civ.
Rem. **1°** La théorie de la fraude à la loi est utilisée par les tribunaux d'un État pour défendre la compétence de leur propre loi, lorsqu'elle est écartée par l'oeuvre de celui qui cherche à éviter l'application d'une disposition impérative. **2°** La sanction de la fraude à la loi consiste à écarter la loi devenue compétente par l'effet de la fraude au profit de la loi qui normalement aurait dû l'être.

V.a. *forum shopping*, mariage simulé.
Angl. evasion of the law[2]+, fraud upon (of) the law[2].

FRAUDE PAULIENNE

(*Obl.*) Fraude[1] consistant dans le fait d'un débiteur qui, sciemment, se rend insolvable ou aggrave son insolvabilité au préjudice de ses créanciers. « [...] la fraude paulienne implique, comme toute fraude, un élément psychologique : le débiteur agit contre les droits des créanciers » (Weill et Terré, *Obligations*, n° 872, p. 881-882).
Rem. **1°** Voir les art. 1032 à 1040 C. civ. **2°** L'acte entaché de fraude paulienne peut être attaqué par le créancier au moyen de l'action paulienne. S'il s'agit d'un acte à titre onéreux, l'action ne sera maintenue que si le cocontractant du débiteur connaissait l'insolvabilité de ce dernier (art. 1035 C. civ.). Dans le cas d'un acte à titre gratuit, cette connaissance n'est pas requise (art. 1034 C. civ.).
V.a. action paulienne.
Angl. Paulian fraud.

FRAUDER *v.tr.*

Commettre une fraude. « L' "intention de frauder" peut recouvrir [...] la volonté de nuire, mais elle peut consister aussi à vouloir seulement soustraire certains biens à la poursuite des créanciers, en sachant qu'on va leur causer un préjudice [...] » (Pineau et Burman, *Obligations*, n° 395, p. 462). *Intention de frauder; frauder ses créanciers, frauder la loi.*
Occ. Art. 1033, 1035 C. civ.
Angl. defraud.

FRAUDULEUSEMENT *adv.*

De manière frauduleuse. *Soustraire frauduleusement.*
Occ. Art. 2638 C. civ.
Angl. fraudulently.

FRAUDULEUX, EUSE *adj.*

Entaché de fraude. « [...] le simple refus d'accomplir un acte qui enrichirait le débiteur en augmentant son patrimoine ne peut être attaqué par l'action paulienne, même s'il est frauduleux » (Starck, Roland et Boyer, *Obligations*, t. 2, n° 2351, p. 853). *Acte frauduleux, aliénation frauduleuse.*
Occ. Art. 1569*c*, 2626 C. civ.
Syn. dolosif. **V.a.** manoeuvre frauduleuse, réticence frauduleuse.
Angl. fraudulent.

FRUCTUS *n.m.* (latin)

(*Biens*) Attribut du droit de propriété qui confère au propriétaire le pouvoir de s'approprier les fruits de la chose. « [...] ***l'usufruit emporte l'"usus" et le "fructus".*** *— L'usufruit donne à son titulaire l'usage et la jouissance de la chose* » (Mazeaud et Chabas, *Leçons*, t. 2, vol. 2, n° 1648, p. 334).
Syn. *jus fruendi.* **Opp.** *abusus, usus.*
V.a. usufruit.
Angl. *fructus*+, *jus fruendi.*

FRUIT *n.m.*

(*Biens*) Ce que produit la chose de manière régulière et périodique, sans altération ni épuisement de sa substance. « La notion classique de "fruits", qui comporte les deux éléments de la périodicité et de l'absence d'une perte de substance, fonde la distinction que l'on fait entre ceux-ci et les "produits" de la chose, c'est-à-dire ce qui en provient soit avec diminution de substance ou sans périodicité » (Cantin Cumyn, *Droit des bénéficiaires*, n° 107, p. 75).
Occ. Art. 447 C. civ.
Rem. Ce terme s'emploie généralement au pluriel.
Opp. produit.
Angl. fruit.

FRUIT CIVIL

(*Biens*) Fruit qui consiste en une somme d'argent. Par ex., les arrérages[1], les divi-

dendes, les intérêts, les loyers. « L'usufruitier acquiert les fruits civils proportionnellement à la durée de son usufruit [...] » (Montpetit et Taillefer, dans *Traité*, t. 3, p. 234).
Occ. Art. 449 C. civ.
Rem. Les fruits civils sont réputés s'acquérir jour par jour (art. 451 C. civ.).
Opp. fruit industriel, fruit naturel.
Angl. civil fruit.

FRUIT INDUSTRIEL

(*Biens*) Fruit qui vient, par la culture ou l'exploitation, grâce au travail de l'homme. Par ex., les céréales, les légumes. « [...] *l'usufruitier n'acquiert les fruits naturels ou industriels que par leur perception* [...] » (Mazeaud et Chabas, *Leçons*, t. 2, vol. 2, n° 1674, p. 353).
Occ. Art. 448 C. civ.
Rem. Les fruits naturels et les fruits industriels étant soumis au même régime juridique, la distinction entre les deux est inutile.
Opp. fruit civil, fruit naturel.
Angl. industrial fruit.

FRUIT NATUREL

(*Biens*) Fruit provenant spontanément de la chose frugifère. Par ex., les fruits des arbres non cultivés, le croît des animaux. « [...] l'usufruitier a droit à tous les fruits [...] naturels (spontanés), industriels (résultant de l'exploitation de la chose) ou civils (loyers, fermages, intérêts) » (Marty et Raynaud, *Biens*, n° 72, p. 107).
Occ. Art. 448 C. civ.
Opp. fruit civil, fruit industriel+.
Angl. natural fruit.

FRUITS PENDANT PAR BRANCHES

(*Biens*) Fruits des arbres qui ne sont pas encore cueillis.
Occ. Art. 450 C. civ.
Angl. fruits attached by branches+, fruits unplucked.

FRUITS TENANT PAR RACINES

(*Biens*) Fruits de la terre sur pied non encore récoltés. Par ex., le blé.
Occ. Art. 450 C. civ.
Syn. récolte pendante par racines.
Angl. crops uncut, fruits attached by roots+.

FUTUR, URE *adj.*

V. bien futur, chose future, dommage futur, préjudice futur.

G

GAGE *n.m.*

1. (*Obl.* et *Sûr.*) Nantissement[1] portant sur un meuble[1]. « La jurisprudence considère le gage comme un contrat réel, de sorte que la remise de la chose est essentielle à l'existence du contrat [...] » (Aubry et Rau, *Droit civil*, t. 6, n° 242, p. 365-366). *Mise en gage.*
Occ. Art. 1968 C. civ.
Syn. contrat de gage. **Opp.** antichrèse[1].
Angl. contract of pawning, pawn[1+], pawning.

2. (*Sûr.*) Syn. droit de gage. « Le droit de gage [...] confère au créancier gagiste [...] un droit direct sur le meuble donné en gage [...] » (Larouche, *Obligations*, t. 1, n° 18, p. 23). *Donner en gage; mettre en gage.*
Occ. Art. 2001 C. civ.
Angl. pawn[2], right of pawning[+].

3. (*Sûr.*) Meuble[1] qui fait l'objet d'un droit de gage. « [...] si le créancier consent à se déposséder du gage, le privilège disparaît » (Mignault, *Droit civil*, t. 8, p. 403-404).
Occ. Art. 1970 C. civ.
Rem. Pour désigner le gage en ce sens, on trouve aussi les termes *chose gagée, chose engagée, créance engagée, effet gagé.*
Angl. pawn[3].

GAGÉ, ÉE *p.p.adj.*

(*Sûr.*) Syn. engagé. « [...] le gage crée au profit du créancier gagiste un droit réel sur la chose gagée [...] » (Dagot, *Sûretés*, p. 115).

GAGE COMMUN

(*Sûr.*) Ensemble des biens sur lesquels les créanciers peuvent recouvrer leurs créances. « Par suite de la pauvreté de notre langue juridique, le mot "gage" est pris par la loi elle-même dans d'autres sens : c'est ainsi qu'il désigne le meuble lui-même remis au créancier en nantissement [...] et le droit du créancier sur ce meuble [...] on l'applique même, en lui donnant une portée toute différente, au droit des créanciers chirographaires sur l'ensemble du patrimoine de leur débiteur, qui est dit leur "gage commun" [...] » (Planiol et Ripert, *Traité*, t. 12, n° 71, p. 78).
Occ. Art. 1981 C. civ.
Angl. common pledge.

GAGISTE *n.* et *adj.*

(*Sûr.*) Syn. créancier gagiste. « *Le dessaisissement du constituant et la prise de possession du gagiste ou du tiers convenu doivent être effectifs, apparents, notoires,* afin que les tiers soient nettement avertis » (Mazeaud et Chabas, *Leçons*, t. 3, vol. 1, n° 68, p. 88).
Occ. Art. 1979*h*, 2000 C. civ.
Opp. antichrésiste.
Angl. pledgee(>).

GAIN *n.m.*

(*Obl.*) Enrichissement du patrimoine. « Les dommages judiciaires comprennent deux éléments distincts : la perte subie et le gain manqué. La compensation pour être complète, doit en effet tenir compte non

seulement de la somme réelle perdue par le créancier, mais aussi du profit que le créancier aurait réalisé si le débiteur avait exécuté l'obligation » (Baudouin, *Obligations*, n° 706, p. 423).
Occ. Art. 1073 C. civ.
Opp. perte². **V.a.** dommages-intérêts, manque à gagner.
Angl. profit.

GARANT, ANTE *n.* et *adj.*

(*Obl.* et *Sûr.*) Personne qui doit la garantie. « [...] le *donateur* n'est pas garant, en principe, de l'éviction causée par un tiers; mais il répond toujours de son fait personnel; il ne peut ni troubler ni évincer le donataire » (Ripert et Boulanger, *Traité*, t. 3, n° 1477, p. 494).
Occ. Art. 1202*i*, 2064, 2080 C. civ.
Angl. guarantor², warrantor⁺.

GARANTI, IE *n.* et *adj.*

(*Obl.* et *Sûr.*) Personne à qui la garantie est due. « [...] la garantie a aussi une signification plus précise et plus traditionnelle. Il s'agit de l'obligation particulière à certains contrats et par laquelle l'une des parties, le garant, assure l'autre partie, le garanti, de la jouissance paisible (garantie d'éviction) et de la jouissance utile (garantie des vices cachés) d'une chose ou d'un droit » (Gross, *Rép. droit civ.*, v° Garantie, n° 2).
Angl. warrantee.

GARANTIE *n.f.*

1. (*Obl.*) Obligation³ imposée à une personne, le *garant*, d'assurer à une autre, le *garanti*, la jouissance paisible et utile des droits qu'elle lui a cédés. « Le vendeur est tenu de livrer la chose telle qu'elle a été convenue, telle qu'elle a été envisagée par les parties lors de la conclusion du contrat. Il doit, en conséquence, garantie à l'acheteur si la chose livrée diffère de la chose convenue, soit qu'elle porte en elle, à l'insu de l'acheteur, une possibilité d'*éviction*, soit qu'elle se trouve atteinte d'un *vice caché*, ignoré de l'acheteur » (Mazeaud et Chabas, *Leçons*, t. 3, vol. 2, n° 952, p. 275).
Occ. Art. 1491, 1506, 1531, 1603 par. 5 C. civ.
Rem. **1°** Le Code civil traite de la garantie principalement au titre de la vente; les art. 1506 à 1531, réglementant la garantie que le vendeur doit à l'acheteur, constituent le droit commun en cette matière. La garantie existe aussi dans d'autres domaines : garantie que le cédant d'une créance doit au cessionnaire (art. 1576 C. civ.), que le bailleur doit au locataire (art. 1606 C. civ.), que chaque associé doit à la société (art. 1839 C. civ.), que se doivent les copartageants (art. 748 C. civ.). **2°** Le vendeur est tenu d'assurer à l'acheteur une possession paisible de la chose vendue : c'est la garantie contre l'éviction. Il doit lui procurer une possession utile : c'est la garantie des vices cachés. **3°** On distingue la garantie légale, ou garantie de droit, et la garantie conventionnelle, ou garantie de fait.
Syn. obligation de garantie². **V.a.** action directe en garantie, action en garantie, clause de garantie.
Angl. obligation of warranty², warranty⁺.

2. (*Sûr.*) Syn. sûreté¹. « [On] qualifie [...] de garanties les sûretés réelles ou personnelles accordées au créancier en vue de faciliter le recouvrement de sa créance [...] » (Gross, *Rép. droit civ.*, v° Garantie, n° 1). *Donner en garantie, transporter en garantie, fournir (une) garantie.*
Occ. Art. 1040*b* C. civ.
V.a. contrat de garantie, droit réel de garantie.
Angl. security¹.

GARANTIE CONTRACTUELLE

(*Obl.*) Syn. garantie conventionnelle. « Le vendeur peut ajouter à la garantie légale une garantie complémentaire, qui résulte celle-là des seules dispositions contractuelles. Il est alors tout à fait libre, en principe, d'aménager comme il l'entend les condi-

tions et les effets de cette *garantie contractuelle* complémentaire [...] » (Ghestin, *Contrat*, n° 622, p. 729).
Angl. contractual warranty, conventional warranty+.

GARANTIE CONTRE L'ÉVICTION

(*Obl.*) Obligation[3] pour le garant de ne pas troubler la possession du garanti, de le défendre contre le trouble qu'un tiers apporterait à cette possession et de l'indemniser dans le cas où il subirait l'éviction[1-A] de la chose. « La garantie contre l'éviction a pour fondement l'effet principal de la vente qui est de transférer la propriété à l'acheteur : or, l'éviction empêche la réalisation de cet effet, qui est de l'essence même du contrat » (Pourcelet, *Vente*, p. 127).
Occ. Titre précédant l'art. 1508 C. civ.
Rem. La garantie contre l'éviction comprend la garantie du fait personnel du garant et la garantie du fait des tiers.
Syn. garantie d'éviction. **V.a.** garantie[1], garantie des vices cachés.
Angl. warranty against eviction.

GARANTIE CONVENTIONNELLE

(*Obl.*) Garantie[1] établie par convention. « La question de garantie peut avoir été réglée par le contrat [...] il y a alors garantie conventionnelle, parfois appelée garantie de fait, et les clauses de garantie peuvent être extensives ou, au contraire restrictives et même exclusives de la garantie » (Marty, Raynaud et Jestaz, *Obligations*, t. 2, n° 363, p. 325).
Rem. Voir les art. 1506 à 1511 C. civ.
Syn. garantie contractuelle, garantie de fait.
Opp. garantie légale.
Angl. contractual warranty, conventional warranty+.

GARANTIE DE DROIT

(*Obl.*) Syn. garantie légale. « Le Code civil a établi des règles concernant la garantie contre l'éviction (art. 1508 et suiv.). Cette garantie de droit (art. 1507, al. 1) qui anime le contrat de vente joue à défaut de dispositions conventionnelles relatives à la garantie, librement voulues et acceptées par les parties (art. 1507, al. 2) » (Pourcelet, *Vente*, p. 126).
Opp. garantie de fait.
Angl. legal warranty.

GARANTIE DE FAIT

(*Obl.*) Syn. garantie conventionnelle. « Les rédacteurs du Code civil, en réglementant [...] la garantie contre l'éviction, en ont, d'une part, fixé les règles légales, celles qui s'appliquent de plein droit en l'absence de conventions contraires; c'est la *garantie* dite "*de droit* ". Ils ont, d'autre part, envisagé les conventions susceptibles de modifier la garantie ainsi établie; c'est la *garantie* dite "*de fait*" » (Mazeaud, *Leçons*, t. 3, vol. 2, n° 953, p. 277).
Opp. garantie de droit.
Angl. contractual warranty, conventional warranty+.

GARANTIE DE FOURNIR ET FAIRE VALOIR

(*Obl.*) Garantie conventionnelle en vertu de laquelle le cédant répond envers le cessionnaire de la solvabilité du débiteur à l'échéance de la créance cédée. « Cette garantie de fournir et faire valoir limite les obligations du cédant au prix de la cession des créances et non à leur valeur nominale » (Ciotola, *Sûretés*, p. 223).
Occ. Art. 1988 C. civ.
Rem. **1°** La garantie de fournir et faire valoir est plus onéreuse que la simple garantie de solvabilité en vertu de laquelle, selon l'art. 1577 C. civ., le cédant ne répond que de la solvabilité actuelle du débiteur, c'est-à-dire sa solvabilité au moment de la cession. **2°** La garantie de fournir et faire valoir n'engage le cédant que jusqu'à concurrence du prix payé par le cessionnaire.
V.a. cession de créance, clause de fournir et faire valoir.
Angl. guarantee of payment, warranty of payment+.

GARANTIE DES DÉFAUTS CACHÉS

(*Obl.*) Syn. garantie des vices cachés. « Dans le contrat de vente [... l']obligation de garantie, qui est en somme le complément ou le corollaire de l'obligation de délivrance, a [...] deux objets : la garantie contre l'éviction et la garantie des défauts cachés » (*General Motors Products of Canada Ltd* c. *Kravitz*, [1979] 1 R.C.S. 790, p. 796, j. Y. Pratte).
Occ. Titre précédant l'art. 1522 C. civ.
Rem. On rencontre aussi les formes *garantie contre les défauts cachés* et *garantie à raison des défauts cachés.*
Angl. warranty against hidden defects, warranty against latent defects⁺.

GARANTIE DES VICES CACHÉS

(*Obl.*) Obligation[3] pour le garant de procurer au garanti une possession utile, c'est-à-dire de lui remettre une chose exempte de vices cachés qui en diminueraient considérablement ou en supprimeraient l'utilité. « Le vendeur répond des défauts cachés qui rendent la chose impropre à tout service ou qui diminuent considérablement son usage; c'est la garantie des vices cachés » (Planiol et Ripert, *Traité*, t. 10, n° 125, p. 134-135).
Rem. **1°** Cette garantie se rencontre dans la vente (art. 1522 à 1530 C. civ.) et dans le louage (art. 1606 C. civ.). **2°** Cette garantie, qui existe de plein droit, peut être remplacée par une garantie conventionnelle. **3°** On rencontre les formes *garantie contre les vices cachés* et *garantie à raison des vices cachés* (art. 1531 C. civ.).
Syn. garantie des défauts cachés.
V.a. action estimatoire, action redhibitoire, garantie[1], garantie contre l'éviction.
Angl. warranty against hidden defects, warranty against latent defects⁺.

GARANTIE D'ÉVICTION

(*Obl.*) Syn. garantie contre l'éviction. « Le Code civil présente la garantie d'éviction comme une conséquence de l'obligation contractée par le vendeur de procurer à l'acheteur la possession paisible [...] » (Planiol et Ripert, *Traité*, t. 10, n° 88, p. 91).
Angl. warranty against eviction.

GARANTIE DU FAIT DES TIERS

(*Obl.*) Garantie contre l'éviction en vertu de laquelle le garant est, de droit, tenu de défendre le garanti contre le trouble de droit causé par un tiers et de l'indemniser dans le cas où il subirait l'éviction[1.A]. « Le vendeur doit empêcher qu'un tiers, invoquant un droit sur la chose vendue, porte atteinte à la propriété, la possession ou la détention de l'acheteur; c'est la *garantie du fait des tiers* » (Mazeaud et Chabas, *Leçons*, t. 3, vol. 2, n° 954, p. 277).
Rem. **1°** La garantie du fait des tiers se rencontre non seulement dans la vente (art. 1508 et s. C. civ.) mais aussi dans le louage (art. 1608, 1609 C. civ.), le partage (art. 748 C. civ.) et la cession de créance (art. 1576 C. civ.). **2°** Cette garantie, qui existe de plein droit, peut être remplacée par une garantie conventionnelle. **3°** Cette garantie ne couvre que les troubles de droit et non les troubles de fait. Cette solution est proposée pour le louage par les art. 1608 et 1609 C.civ.; on en généralise l'application.
Opp. garantie du fait personnel.
Angl. warranty against acts of third persons.

GARANTIE DU FAIT PERSONNEL

(*Obl.*) Garantie contre l'éviction en vertu de laquelle le garant est, de droit, tenu de ne rien faire qui puisse troubler le garanti dans l'usage et la jouissance de la chose. « [...] la garantie du fait personnel imposée par le législateur, aux termes de l'article 1509 du Code civil, s'incorpore [...] au contrat de vente pour former, avec les autres obligations, un tout contractuel indivisible » (Crépeau, (1965) 43 *R. du B. Can.* 1, p. 29).
Occ. Art. 1509 C. civ.
Rem. **1°** La garantie du fait personnel est prévue par l'art. 1509 C. civ. pour la vente;

elle est reconnue également en matières de bail et de donation. **2°** Cette garantie couvre les troubles de droit et les troubles de fait. **3°** Cette garantie est de l'essence du contrat; l'art. 1509 C. civ., en effet, prohibe toute stipulation visant à l'exclure; la garantie du fait personnel est d'ordre public. **4°** On rencontre parfois la forme *garantie des faits personnels*.
Opp. garantie du fait des tiers.
Angl. warranty against personal acts.

GARANTIE LÉGALE

(*Obl.*) Garantie[1] qui résulte du seul effet de la loi. « Ces deux obligations du vendeur [garantie contre l'éviction et garantie des défauts cachés] existent de droit, sans stipulation : c'est ce qu'on appelle la garantie légale. Mais les parties peuvent par leurs conventions modifier ces obligations, et même les exclure : c'est ce qu'on appelle la garantie conventionnelle » (Mignault, *Droit civil*, t. 7, p. 84-85).
Occ. Art. 1507 C. civ.
Syn. garantie de droit. **Opp.** garantie conventionnelle.
Angl. legal warranty.

GARANTIR *v.tr.*

1. (*Obl.*) Assumer une garantie[1]. « [...] le cédant garantit légalement au cessionnaire qu'il est vraiment créancier du cédé au moment de la cession, c'est-à-dire que la créance cédée existe, qu'elle existe à son profit, que le paiement peut en être demandé et qu'elle n'est affectée [...] d'aucune cause d'extinction [...] ou d'aucun vice [...] pouvant justifier une exception au profit du débiteur » (Marty, Raynaud et Jestaz, *Obligations*, t. 2, n° 363, p. 324).
Occ. Art. 1508, 1522, 1642 C. civ.
Angl. warrant.

2. (*Sûr.*) Fournir une sûreté[1].

GARDE *n.f.*

1. (*Pers.*) Droit[2] et devoir de retenir un enfant auprès de soi ou de fixer sa résidence ailleurs. « La notion de garde de l'enfant est [...] tout entière dominée par l'intérêt de l'enfant : c'est lui qui explique les modalités de l'attribution et de l'exercice de la garde et qui détermine ses caractères de fonction obligatoire et précaire » (Simler, *Rev. trim. dr. civ.* 1972, 685, n° 37, p. 723). *Ordonnance de garde; attribuer la garde.*
Occ. Art. 647, 649 C. civ. Q.
Rem. **1°** C'est lorsqu'il y a démembrement de l'autorité parentale qu'il devient nécessaire de définir la garde, de tracer les frontières qui la séparent des autres attributs de l'autorité parentale, c'est-à-dire les droits de surveillance et d'éducation (art. 647 C. civ. Q.). En situation normale où les père et mère vivent ensemble, la garde est intimement liée aux autres attributs de l'autorité parentale et constitue le moyen qui permet aux parents de réaliser concrètement les autres droits de l'autorité parentale. **2°** C'est en leur qualité de titulaire de l'autorité parentale que les père et mère, à qui l'on a refusé l'exercice du droit de garde de l'enfant, conservent néanmoins le droit de surveiller son entretien et son éducation (art. 570 C. civ. Q.; art. 16 par. 5, *Loi sur le divorce*, L.R.C. 1985, chap. 3 (2e Suppl.)). **3°** La garde peut être attribuée par la loi, par le tribunal ou par convention.
Syn. droit de garde[1], garde matérielle[2].
V.a. autorité parentale+.
Angl. care[1], custody[1]+, physical custody, right of custody[1].

2. (*Pers.*) Droit[2] et devoir non seulement de retenir un enfant auprès de soi ou de fixer sa résidence ailleurs, mais aussi de le surveiller et de voir à son éducation. « [...] une conception aussi extensive de la garde qui finit par absorber à peu près tous les attributs de l'autorité parentale est difficilement acceptable aux cas où seule la garde est enlevée aux parents car ce qui resterait pour eux de l'autorité parentale se réduirait à peu près à rien » (Marty et Raynaud, *Personnes*, n° 238 bis, p. 289).
Occ. Art. 2, *Loi sur le divorce*, L.R.C. 1985, chap. 3 (2e Suppl.).

Rem. **1°** Il serait souhaitable de ne pas donner à la notion de garde une acception aussi vaste qui englobe à la fois la garde[1], l'éducation et la surveillance de l'enfant et qui épuise à elle seule presque tout le contenu de l'autorité parentale. **2°** Pour faire échec à l'exclusivité de l'autorité conférée au gardien, la jurisprudence, notamment en matière de divorce, a scindé cette conception de la garde en garde physique[1] et garde juridique[1]. Au Québec (art. 570 C. civ. Q.), cette distinction est inutile puisque le parent non-gardien reste titulaire du droit de garde; il ne perd que l'exercice de ce droit et continue d'exercer les autres attributs de l'autorité parentale, c'est-à-dire les droits de surveillance et d'éducation. Voir *C. (G.)* c. *V.-F. (T.)*, [1987] 2 R.C.S. 244.
Syn. droit de garde[2]. **F.f.** garde juridique[1](x), garde légale[2](x), garde physique[1](x).
Angl. care[2], custody[2+], juridical custody(x), legal custody[1](x), physical custody(x), right of custody[2].

3. (*Obl.*) Pouvoir de contrôle, de surveillance ou de direction exercé sur une personne, un animal ou une chose et qui oblige le gardien à veiller à ce que la personne, la chose ou l'animal gardé ne subisse et ne cause aucun dommage. « Le concept de garde, même s'il constitue une notion juridique, reste dépendant des circonstances particulières de chaque espèce. C'est en définitive l'analyse des faits précis de chaque cause qui permet d'identifier l'existence et l'attribution de ce pouvoir de contrôle » (Baudouin, *Responsabilité*, n° 618, p. 313). *Avoir sous sa garde*; *transfert de la garde*.
Occ. Art. 83, 1054 al. 1, 1055 C. civ.; art. 25, *Loi sur la protection du malade mental*, L.R.Q., chap. P-41.
Rem. **1°** La garde est un fait auquel ne correspond pas nécessairement un droit. Le voleur n'a aucun droit à la chose volée, mais il en est le gardien, il en a la garde de fait. **2°** La garde est alternative ou cumulative. **3°** On la qualifie de *garde juridique*[2] lorsqu'on veut l'opposer à la garde matérielle[1], qui est le simple fait d'avoir entre les mains une personne, une chose ou un animal. **4°** L'expression *la garde et la surveillance du gardien*, employée pour souligner un aspect précis de la garde, est pléonastique.
Syn. garde juridique[2]. **Opp.** garde matérielle[1]. **V.a.** faute dans la garde, faute dans la surveillance.
Angl. care[3], custody[3+], juridical custody[2], legal custody[3].

GARDE ALTERNATIVE

1. (*Pers.*) Garde[1] que plusieurs personnes exercent successivement. « Dans le cas de la garde alternative [...] chacun des parents a le plein exercice de l'autorité parentale (juridique et physique) pendant la période où l'enfant lui sera confié, l'autre ne conservant que ses droits de visite et de surveillance pendant cette période » (L'Heureux-Dubé, (1979) 39 *R. du B.* 835, p. 854).
Rem. Les droits de visite et surtout d'hébergement accordés pour de brefs intervalles ou à des conditions restrictives, étant des parcelles infimes du droit de garde, ne méritent pas l'appellation de *garde alternative*.
Syn. garde alternée, garde partagée[3].
F.f. garde conjointe[3].
Angl. alternate custody[1+], joint custody[3](x).

2. (*Obl.*) Garde[3] d'une chose ou d'un animal qui passe temporairement d'une personne à une autre. Par ex., le propriétaire, gardien d'un animal, cesse d'en être responsable quand l'emprunteur de cet animal s'en sert et en assume le contrôle et la surveillance.
Rem. En matière de responsabilité, la garde est le plus souvent alternative et non cumulative. La responsabilité d'un premier gardien cesse pour l'avenir quand le second gardien le remplace, de sorte que leur responsabilité n'est pas cumulative.
Opp. garde cumulative.
Angl. alternate custody[2].

GARDE ALTERNÉE

(*Pers.*) Syn. garde alternative[1]. « La garde alternée ou alternative est celle qui est confiée successivement à plusieurs personnes,

ordinairement les deux parents divorcés, pour que chacune d'elles, tour à tour, retienne l'enfant chez elle pour des périodes de temps égales ou tout au moins comparables » (Mayrand, (1988) 67 *R. du B. Can.* 193, p. 208).
Angl. alternate custody[1]+, joint custody[3](x).

GARDE COLLECTIVE

(*Obl.*) Syn. garde cumulative. « Il est possible que plusieurs personnes exercent sur une même chose des pouvoirs équivalents; ainsi des copropriétaires, des co-emprunteurs, des joueurs de tennis ou de football; la Cour de cassation reconnaît la garde collective » (Mazeaud, *Traité*, t. 2, n° 1160-2, p. 225).
Angl. collective custody, cumulative custody+, joint custody[4].

GARDE CONJOINTE

1. (*Pers.*) Garde[1] d'un enfant exercée simultanément et en pleine égalité par plusieurs personnes habitant ensemble. Par ex., la garde confiée par la loi aux père et mère (art. 647 C. civ. Q.), la garde attribuée par le tribunal aux grands-parents.
Syn. garde partagée[2].
Angl. joint custody[1].

2. (*Pers.*) Garde[2] attribuée aux père et mère séparés ou divorcés. « Il est clair que le terme "garde conjointe" n'est jamais employé pour signifier que sont accordées aux deux parents, en même temps, et la garde juridique et la garde physique d'un enfant, lors d'un divorce ou d'une séparation de corps [...] on peut dire qu'il [...] signifi[e] indifféremment la garde juridique aux deux conjoints, soit avec garde physique à l'un et droits de visite et de sortie à l'autre, soit avec garde physique à chacun à tour de rôle et droits de visite et de sortie alternant en conséquence » (L'Heureux-Dubé, (1979) 39 *R. du B.* 835, p. 842).
Rem. Les titulaires de la garde conjointe exercent leur autorité sur l'enfant simultanément et en pleine égalité.
V.a. garde alternative[1].
Angl. joint custody[2].

3. (*Pers.*) (X) V. garde alternative[1].
Rem. La garde conjointe s'exerce simultanément alors que la garde alternative s'exerce successivement.
Angl. alternate custody[1]+, joint custody[3](x).

4. (*Obl.*) Syn. garde cumulative.
Angl. collective custody, cumulative custody+, joint custody[4].

GARDE CUMULATIVE

(*Obl.*) Garde[3] que plusieurs personnes exercent simultanément et au même titre à l'égard d'une personne, d'un animal ou d'une chose. Par ex., les copropriétaires, les co-emprunteurs. « Faut-il [...] considérer que les copropriétaires exercent collectivement les pouvoirs qui constituent la garde, ce qui entraînerait à considérer qu'il s'agit d'une garde cumulative et non pas alternative? On doit [...] admettre l'affirmative dans le cas où chacun des copropriétaires dispose [...] de pouvoirs d'usage, de direction et de contrôle identiques à ceux des autres » (Larroumet, *Rép. droit civ.*, v° Responsabilité du fait des choses inanimées, n° 296-297).
Rem. Ne pas confondre la garde cumulative où le même pouvoir de contrôle et de surveillance est exercé par plusieurs, et la garde partagée où chaque gardien exerce un pouvoir de contrôle et de surveillance différents.
Syn. garde collective, garde conjointe[4].
Opp. garde alternative[2]+. **V.a.** garde partagée[1].
Angl. collective custody, cumulative custody+, joint custody[4].

GARDE DE FAIT

Garde qui n'est fondée sur aucun droit. Par ex., le voleur n'a aucun droit à la chose volée, mais il en a la garde de fait. De même, dans le cas où la garde d'un enfant est confiée à un des parents divorcés, qui se remarie et décède, le second conjoint de celui-ci qui

recueille l'enfant en a la garde de fait puisque le parent survivant recouvre l'exercice de son autorité parentale. « [...] la garde est un concept juridique qui doit être soigneusement distingué de ce qu'on appelle parfois, par commodité, la garde de fait et qui peut appartenir à une personne qui ne détient pas la moindre parcelle d'autorité parentale » (Simler, *Rev. trim. dr. civ.*, 1972, 685, n° 4, p. 692).
Opp. garde juridique[3].
Angl. custody *de facto*, custody in fact, *de facto* custody⁺.

GARDE DE (LA) STRUCTURE

(*Obl.*) Garde partagée[1] qui porte uniquement sur l'état interne de la chose, sur sa composition. « [...] dans le cadre du transport d'une chose qui explose, on a dit que le propriétaire de la chose avait la garde de la structure, tandis que le transporteur avait la garde du comportement. Cela signifie simplement que le propriétaire de la chose sera responsable du vice propre de la chose, tandis que le transporteur sera responsable de sa faute dans l'utilisation ou la manipulation de la chose » (Pineau et Ouellette, *Responsabilité*, p. 120).
Rem. Le gardien de la structure ne répond que du dommage causé par le vice de la chose gardée.
Opp. garde du comportement.
Angl. custody of the structure (of the thing)⁺, *garde de la structure.*

GARDE DU COMPORTEMENT

(*Obl.*) Garde partagée[1] qui porte uniquement sur le mouvement de la chose ou sur son utilisation. « La distinction entre "garde de la structure" et "garde du comportement" n'est en effet concevable que pour les choses dont la structure est dissociable du comportement et elle n'est utile que pour les objets dont l'utilisateur ("gardien du comportement") n'a pas normalement la possibilité de contrôler le fonctionnement interne » (Viney, *Responsabilité*, n° 693, p. 801).
Rem. **1°** Le gardien du comportement répond du dommage autre que celui imputable au vice de la chose. **2°** On trouve parfois la forme *garde de comportement.*
Opp. garde de la structure⁺.
Angl. custody of the activity (of the thing)⁺, *garde du comportement.*

GARDE JURIDIQUE

1. (*Pers.*) (X) V. garde[2]. « La dichotomie de la garde en garde juridique et garde physique ne peut être que source d'embarras » (Pineau, *Famille*, n° 238, p. 175.)
Rem. La notion de garde juridique s'oppose à celle de la garde physique, la jurisprudence ayant scindé la notion plus générale de la garde[2]. La garde juridique a été définie par les tribunaux comme se rapportant à la prise de décisions importantes relatives au bien-être de l'enfant. La Cour suprême du Canada a déconseillé de façon explicite l'usage des expressions « garde légale » et « garde physique » au regard de l'autorité parentale. La classification est trompeuse, compte tenu de la distinction civiliste entre la jouissance et l'exercice d'un droit.
Angl. care[2], custody[2]⁺, juridical custody[1](x), legal custody[1](x), right of custody[2].

2. (*Obl.*) Syn. garde[3]. « On peut dire qu'a la garde juridique d'une chose, sans que ce soit nécessairement le propriétaire, la personne à qui il appartient, pour prévenir un dommage, de garder et surveiller la chose, et de prendre les mesures nécessaires en ce sens. Il doit s'y ajouter l'élément "contrôle", mieux exprimé dans les termes de "direction et surveillance" [...] » (Nadeau et Nadeau, *Responsabilité*, n° 461, p. 440).
Angl. care[3], custody[3]⁺, juridical custody[2], legal custody[3].

3. Garde qui constitue un droit. Par ex., le locataire d'une chose. « L'important est que cette garde de fait ne confère, en matière civile, *aucun droit* à celui qui l'exerce et ne fait perdre au titulaire de la garde juridique aucune des prérogatives qui sont les

siennes, en l'absence du moins de mesures judiciaires prises à son encontre » (Simler, *Rev. trim. dr. civ.*, 1972, 685, n° 6, p. 693).
Rem. En ce sens, le voleur n'a pas la garde juridique.
Opp. garde de fait.
Angl. juridical custody[3], legal custody[4+].

GARDE LÉGALE

1. Garde établie par la loi. Par ex., en vertu de l'art. 647 C. civ. Q., les père et mère ont la garde légale de leur enfant.
Occ. Art. 1220 C. civ.; art. 15, 30, *Loi sur la protection du malade mental*, L.R.Q., chap. P-41.
Angl. legal custody[2].

2. (*Pers.*) (X) V. garde[2].
Angl. care[2], custody[2+], juridical custody[1](x), legal custody[1](x), right of custody[2].

GARDE MATÉRIELLE

1. (*Obl.*) Fait d'avoir entre les mains une personne, une chose ou un animal, sans en avoir le contrôle, la surveillance ou la direction. « Une controverse [...] s'éleva à ce sujet [garde juridique de la chose volée] : les partisans de la responsabilité du propriétaire défendirent la thèse dite de la "garde juridique" qui tendait à lier la qualité du gardien à l'existence du droit de propriété sur la chose, tandis que leurs adversaires plaidèrent la thèse de la "garde matérielle" subordonnant la qualité de "gardien" à l'exercice effectif des pouvoirs sur la chose au moment du dommage » (Viney, *Responsabilité*, n° 675, p. 786).
Syn. garde physique[2]. **Opp.** garde[3].
Angl. material custody.

2. (*Pers.*) Syn. garde[1].
Rem. Cette expression convient mieux à la garde d'une chose ou d'un animal.
Angl. care[1], custody[1+], right of custody[1].

GARDE PARTAGÉE

1. (*Obl.*) Garde[3] d'une chose dont le pouvoir de contrôle, de surveillance ou de direction est fractionné pour s'exercer, soit sur le comportement de la chose, soit sur sa structure. Par ex., l'embouteilleur des liqueurs gazeuses doit fournir des récipients suffisamment résistants pour qu'ils n'explosent pas lors de la manipulation normale par le distributeur : l'embouteilleur a la garde de la structure et le distributeur la garde du comportement. « [...] la thèse de la garde partagée, adoptée par plusieurs cours d'appel, n'a pas été sans exercer une influence certaine sur les décisions de la Cour de cassation qui, pour l'attribution de la garde, tient le plus grand compte de la cause probable du dommage et recherche si le défendeur avait le pouvoir de la prévenir » (Mazeaud, *Traité*, t. 2, n° 1160, p. 232).
Rem. Cette théorie de la garde partagée, développée en droit français et qui divise la notion de garde[3] en une garde de structure et une garde de comportement, a été appliquée dans quelques décisions jurisprudentielles.
V.a. garde cumulative[+].
Angl. shared custody.

2. (*Pers.*) Syn. garde conjointe[1].
Angl. joint custody[1].

3. (*Pers.*) Syn. garde alternative[1].
Angl. alternate custody[1+], joint custody[3](x).

GARDE PHYSIQUE

1. (*Pers.*) (X) V. garde[2].
Rem. **1°** La notion de garde juridique s'oppose à celle de la garde physique, la jurisprudence ayant scindé la notion plus générale de la garde[2]. **2°** La garde physique permet à son titulaire d'exercer son droit uniquement quant aux décisions relatives au quotidien de l'enfant. **3°** La Cour suprême du Canada a déconseillé de façon explicite l'usage des expressions « garde légale » et « garde physique » au regard de l'autorité

parentale. La classification est trompeuse compte tenu de la distinction civiliste entre la jouissance et l'exercice d'un droit. Voir *C. (G.)* c. *V.-F. (T.)*, [1987] 2 R.C.S. 244, à la p. 285.
Angl. care[2], custody[2+], physical custody(x), right of custody[2].

2. (*Obl.*) Syn. garde matérielle[1].
Angl. material custody.

GARDIEN, IENNE *n.*

(*Obl.* et *Pers.*) Personne qui a la garde d'une autre personne, d'un animal ou d'une chose. « Ce n'est pas [...] en tant que propriétaire, détenteur, usufruitier, etc., qu'une personne est gardienne d'une chose. C'est uniquement en fonction du pouvoir réel, concret et factuel qu'elle exerce sur l'objet pour son propre compte. En d'autres termes, il n'est pas nécessaire pour être gardien d'avoir sur la chose un droit quelconque » (Baudouin, *Responsabilité*, n° 627, p. 316).
Angl. custodian[+], guardian[1], keeper(<)[+].

GÉNÉRAL, ALE *adj.*

V. conditions générales, incapacité générale, loi générale, mandat général, privilège immobilier général, privilège mobilier général, procuration générale, procureur général.

GÉNÉRATEUR, TRICE *adj.*

V. cause génératrice.

GÉNÉRATION *n.f.*

1. (*Pers.* et *Succ.*) Ensemble des personnes qui se situent, par parenté ou par alliance, au même échelon généalogique.
Angl. generation[1].

2. (*Pers.* et *Succ.*) Syn. degré[1]. « Les degrés de parenté entre deux personnes se comptent par le nombre de générations qui les séparent » (Mayrand, *Successions*, n° 102, p. 86).
Occ. Art. 615 C. civ.
Angl. degree[1+], generation[2].

GENRE *n.m.*

(*Biens*) V. chose de genre.

GENS *n.m.pl.*

V. droit des gens.

GÉRANT, ANTE *n.*

1. (*Obl.*) Personne qui, dans une gestion d'affaire, s'occupe volontairement de l'affaire d'une autre personne, le géré, sans en avoir été chargée ni par cette dernière ni par la loi. « L'analyse classique consiste à rapprocher la gestion d'affaires du mandat : les choses se passent *comme si* le maître avait donné mandat au gérant, c'est précisément en cela qu'il y a *quasi*-contrat » (Flour et Aubert, *Obligations*, vol. 2, n° 509, p. 9).
Occ. Art. 1478, Projet de loi 125.
Syn. *negotiorum gestor*. **Opp.** géré.
Angl. manager[+], *negotiorum gestor*.

2. (*Obl.* et *D. comm.*) *Vieilli*. Syn. commandité.
Occ. Anc. art. 1873 C. civ. (1866-1979).
Rem. En 1979, ce terme a été remplacé au Code civil par *commandité*.
Angl. general partner.

GÉRÉ, ÉE *n.*

(*Obl.*) Personne pour le compte de qui une gestion d'affaire est effectuée. « Si le géré avait consenti à la gestion avant qu'elle ait été entreprise, il y aurait contrat de mandat, et non gestion d'affaire » (Mazeaud et Chabas, *Leçons*, t. 2, vol. 1, n° 672, p. 819).
Occ. Art. 1478, Projet de loi 125.
Syn. maître de l'affaire. **Opp.** gérant.
Angl. principal[3].

GESTION D'AFFAIRE(S)

(*Obl.*) Fait pour une personne, le gérant, de s'occuper volontairement de l'affaire d'une autre personne, le géré, sans en avoir été chargée ni par cette dernière ni par la loi. « Il faut que l'affaire soit gérée sans que le géré en ait connaissance. En effet, lorsque celui dont l'affaire est gérée par un autre a connaissance de cette gestion et ne s'y oppose pas, on est en présence d'un contrat de mandat et non point d'une gestion d'affaire » (Pineau et Burman, *Obligations*, n° 162, p. 232).
Occ. Art. 1478, Projet de loi 125.
Rem. **1°** Le Code civil, aux art. 1043 à 1046, considère la gestion d'affaire comme un quasi-contrat qui crée, à la charge du gérant et du géré, des obligations semblables à celles que le contrat de mandat impose au mandant et au mandataire. **2°** La gestion d'affaire peut consister dans l'accomplissement d'actes juridiques ou matériels.
Syn. *negotiorum gestio.* **V.a.** action en gestion d'affaire, enrichissement sans cause, paiement de l'indu.
Angl. management of the affairs of another+, management of the business of another, *negotiorum gestio.*

GRÂCE *n.f.*

V. délai de grâce, terme de grâce.
Angl. grace.

GRADUEL, ELLE *adj.*

V. dommage graduel.

GRÉ À GRÉ (DE) *loc.nom.*

(*Obl.*) V. contrat de gré à gré, vente de gré à gré.
Angl. *gré à gré (de).*

GREFFE *n.m.*

1. (*D. jud.*) Ensemble des services administratifs attachés à un tribunal.
Occ. Art. 47 C. civ.; art. 4 par. g, 59 C. proc. civ.
Rem. Les archives judiciaires sont déposées et conservées au greffe de chacun des tribunaux; les registres de l'état civil sont déposés et conservés au greffe de la Cour supérieure.
Angl. office of the court[1].

2. (*D. jud.*) Par extension, local abritant le greffe[1].
Occ. Art. 1, *Règles de procédure de la Cour d'appel en matière civile.*
Angl. office of the court[2].

3. (Q) Ensemble des actes reçus en minute par le notaire auquel s'ajoutent le répertoire et l'index de ces actes. « [...] les greffes des notaires, les greffes dont ils peuvent être cessionnaires, leurs coffres de sûreté et leurs livres de droit sont insaisissables » (Sirois, (1922-23) 25 *R. du N.* 284). *Cession d'un greffe, insaisissabilité d'un greffe.*
Occ. Art. 1 par. d, *Loi sur le Notariat*, L.R.Q., chap. N-2.
Rem. Le terme *greffe du notaire* est une expression québécoise dont les origines remontent au début de la colonie alors que la même personne cumulait les fonctions de greffier et de notaire.
Angl. notary's records, records of a notary+.

GREFFIER, IÈRE *n.*

(*D. jud.*) Officier de justice responsable de l'administration du greffe d'un tribunal ou d'une municipalité. « Le greffier [...] a pour tâche de prendre note de tout ce qui se déroule durant l'instruction, d'assermenter les témoins, leur demander leur nom, adresse et âge, et enfin, de recevoir les pièces qui sont produites par les parties ou les témoins » (Barakett, Beausoleil, Ferland et Reid, *Droit judiciaire 1*, t. 1, p. 104).
Occ. Art. 53*a*, 1485, 2151, 2175 C. civ.; art. 4 par. *f*, 36, 507.1 C. proc. civ.; art. 85, 87, *Loi sur les cités et villes*, L.R.Q., chap. C-19.
Rem. **1°** Le greffier peut, dans certaines circonstances, se voir attribuer des pouvoirs de nature judiciaire. **2°** Le greffier de la

Cour supérieure en matière civile porte le titre de protonotaire.
Angl. clerk.

GREVÉ, ÉE *n.*

(*Succ.*) Personne qui, dans le cadre d'une substitution, reçoit des biens à titre de propriétaire, par donation ou testament, à charge de les remettre, à son décès ou à une date différente, à une autre, l'*appelé*. « L'ouverture est le moment où le grevé (ou les héritiers) restitue les biens à l'appelé; ce peuvent être en effet les héritiers du grevé qui restituent les biens à l'appelé, si le terme fixé pour l'ouverture est postérieur au décès du grevé (article 963 [C. civ.]) » (Brière, *Libéralités*, n° 495, p. 255).
Occ. Art. 927, 963, 2207 C. civ.
Syn. grevé de substitution, institué.
Opp. appelé.
Angl. institute⁺, institute under substitution.

GREVÉ DE SUBSTITUTION

(*Succ.*) Syn. grevé. « La loi [...], dans deux cas, reconnaît une interversion de titre particulière qui s'opère de plein droit du seul fait que le détenteur conserve la chose après le temps fixé pour sa restitution [...] Le premier cas est celui du grevé de substitution » (Martineau, *Prescription*, n° 85, p. 81-82).
Occ. Art. 981*q*, 2205 C. civ.
Angl. institute⁺, institute under substitution.

GREVER *v.tr.*

(*Biens*) Frapper un bien d'une charge[3]. « Il est des actes juridiques qui sont absolument interdits au mineur : le contrat de donation entre vifs (art. 763); le testament (art. 833); le contrat par lequel le mineur aliène sa propriété immobilière ou la grève de charges sans observer les formalités prescrites par la loi (art. 1009) [...] » (Pineau et Burman, *Obligations*, n° 99, p. 136).
Occ. Art. 1009, 1547 C. civ.
Rem. Du latin *gravare* : charger.
V.a. libérer.
Angl. encumber.

GROSSES RÉPARATIONS

1. (*Biens*) Réparations autres que d'entretien.
Occ. Art. 469 C. civ.
Rem. Dans le cas de l'usufruit, les grosses réparations sont à la charge du nu-propriétaire; dans le cas de l'emphytéose, à celle du preneur (art. 577 C. civ.).
Opp. réparations d'entretien.
Angl. greater repairs[1].

2. (*Obl.*) Réparations autres que locatives. Par ex., la réparation d'une fournaise, celle d'un toit qui prend l'eau. « Le locataire est tenu des réparations de menu entretien, alors que le bailleur doit les grosses réparations » (*Dict. de droit*, v° Louage, n° 57).
Rem. Les grosses réparations sont à la charge du locateur (art. 1605 C. civ.), sauf convention contraire.
Opp. réparations locatives.
Angl. greater repairs[2].

GROSSIER, IÈRE *adj.*

V. négligence grossière.

H

HABILE *adj.*

1. (*Obl.*) Syn. capable[2].
Occ. Art. 99 C. civ.
Opp. inhabile[1].
Angl. capable[2].

2. Qui est autorisé à accomplir certains actes.
Opp. inhabile[2].
Angl. capable[3].

HABILITANT, ANTE *adj.*

V. formalité habilitante, forme habilitante.
Angl. *ad habilitatem.*

HABILITÉ *n.f.*

(*Obl.*) Syn. capacité civile.
Rem. C'est à tort que le législateur utilise, à l'art. 1830 C. civ., le terme *habilité,* alors qu'il s'agit manifestement du terme courant *habileté.*
Angl. civil capacity.

HABILITER *v.tr.*

1. (*Obl.*) Conférer la capacité juridique à un incapable.
Angl. habilitate[1].

2. Autoriser à accomplir certains actes. « [...] certaines dispositions [...] s'en remettent purement à la libre appréciation [...] au pouvoir discrétionnaire du juge qui est ainsi habilité à s'inspirer des circonstances concrètes et particulières de chaque espèce » (Marty et Raynaud, *Introduction,* n° 62, p. 112-113).
Angl. capacitate, habilitate[2+].

HABITATION *n.f.*

(*Biens*) V. droit d'habitation.
Angl. habitation.

HABITUEL, ELLE *adj.*

V. commettant habituel, préposé habituel, résidence habituelle.

HÉRÉDITÉ *n.f.*

(*Succ.*) Syn. succession[2]. « [Le patrimoine du *de cujus*] envisagé quant à sa transmission à cause de mort est généralement appelé *hérédité* ou *succession* » (Marty et Raynaud, *Successions,* n° 6, p. 6).
Occ. Art. 599, 677, 711 C. civ.
Angl. estate, inheritance, succession[2+].

HÉRITAGE *n.m.*

1. (*Biens*) *Vieilli.* Syn. immeuble par nature. « Ce mot "héritage", mis pour "immeuble", se rencontre à chaque page dans Pothier, et par son intermédiaire il est passé avec ce sens dans plusieurs articles du Code civil » (Ripert et Boulanger, *Traité,* t. 2, n° 2141, p. 751).
Occ. Art. 499 C. civ.
Angl. immoveable by nature[+], real estate(x), real property(x).

2. (*Succ.*) Syn. succession[1]. « Le droit d'hériter [...] est l'aboutissement nécessaire d'un droit qui [...] est fondamental : le droit du propriétaire de transmettre ses biens à son décès [...]. Dans cette perspective, le droit de transmettre par héritage apparaît

comme un prolongement du droit de propriété » (Mayrand, *Successions*, n° 3, p. 4). *Acquérir par héritage, transmettre par héritage.*
Angl. succession[1].

3. (*Succ.*) Syn. succession[2]. *Recevoir un héritage.*
Angl. estate, inheritance, succession[2]+.

HÉRITAGE DOMINANT

(*Biens*) Syn. fonds dominant.
Occ. Art. 546 C. civ.
Angl. dominant land.

HÉRITIER, IÈRE *n.*

(*Succ.*) Personne à qui est transmise, en totalité ou en partie, une succession[2]. « Autant que possible, il faut éviter l'ambiguïté; lorsque l'on n'a en vue que les héritiers *ab intestat*, mieux vaut ne pas employer le mot héritier seul; il faut plutôt préciser sa pensée par l'expression " héritiers *ab intestat*" ou "héritiers légaux" [...] N'a-t-on en vue que les héritiers testamentaires, mieux vaut alors employer les expressions "héritiers testamentaires" ou "légataires" » (Mayrand, *Successions*, n° 18, p. 16-17). *Qualité d'héritier*; *faire acte d'héritier.*
Occ. Art. 603, 612, 902, 972 C. civ.
Rem. **1°** L'art. 597 C. civ. donne au mot *héritier* un sens large désignant, selon le cas, le bénéficiaire d'une succession *ab intestat* ou celui d'une succession testamentaire. Toutefois, il arrive souvent que le mot *héritier* désigne l'héritier *ab intestat* seul. **2°** Voir l'art. 666 C. civ. Q. (L.Q. 1987, chap. 18, art. 1 n.e.v.), repris à l'art. 619 du Projet de loi 125.
V.a. ayant cause, *de cujus.*
Angl. heir.

HÉRITIER *AB INTESTAT* (latin)

(*Succ.*) Héritier à qui est dévolue une succession *ab intestat.* « Les héritiers ab intestat ont vocation à recueillir tantôt l'universalité du patrimoine du de cujus: ils sont alors ayants cause universels, — tantôt une fraction de ce patrimoine : ils sont alors ayants cause à titre universel » (Mazeaud et Chabas, *Leçons*, t. 4, vol. 2, n° 658, p. 4).
Rem. Voir l'art. 597 C. civ.
Syn. héritier légal, héritier légitime[2].
Opp. héritier testamentaire.
Angl. abintestate heir+, heir at law[1], lawful heir[2], legal heir.

HÉRITIER IRRÉGULIER

(*Succ.*) Syn. successeur irrégulier. « *Signification des expressions héritiers légitimes et héritiers irréguliers* — [...] l'article 598 C.C. expose la terminologie juridique des successions *ab intestat* [...] Cet article dit implicitement que le souverain est héritier *ab intestat* à défaut de parents et de conjoint » (Mayrand, *Successions*, n° 19, p. 17).
Opp. héritier régulier.
Angl. irregular heir, irregular successor+.

HÉRITIER LÉGAL

(*Succ.*) Syn. héritier *ab intestat.* « Dans un testament, on a déjà donné au mot héritier le sens restreint d'"héritier légal". Au contraire, dans un contrat de mariage contenant une donation d'usufruit, on a estimé que le mot héritier comprenait l'héritier légal et l'héritier testamentaire » (Mayrand, *Successions*, n° 18, p. 16).
Occ. Art. 864 C. civ.
Angl. abintestate heir+, heir at law[1], lawful heir[2], legal heir.

HÉRITIER LÉGITIME

1. (*Succ.*) Héritier à qui est dévolue une succession légitime[1]. « [...] le conjoint et les proches parents du *de cujus* sont des héritiers légitimes ou réguliers, tandis que le souverain est le seul successeur (parfois appelé héritier) irrégulier » (Mayrand, *Successions*, n° 19, p. 17).
Occ. Art. 606, 607 C. civ.

Syn. héritier régulier, successeur régulier.
Opp. successeur irrégulier.
Angl. heir at law², lawful heir¹⁺, regular heir, regular successor.

2. (*Succ.*) *Vieilli.* Syn. héritier *ab intestat.* « Quelquefois on dit *héritier légitime*, dans le sens d'héritier *ab intestat*, par opposition aux héritiers testamentaires » (Mignault, *Droit civil*, t. 3, p. 254, note *d*).
Angl. abintestate heir⁺, heir at law¹, lawful heir², legal heir.

HÉRITIER RÉGULIER

(*Succ.*) Syn. héritier légitime¹.
Opp. héritier irrégulier.
Angl. heir at law², lawful heir¹⁺, regular heir, regular successor.

HÉRITIER TESTAMENTAIRE

(*Succ.*) Héritier qui reçoit, par testament, un legs universel ou à titre universel. « [...] l'article 133 C.P.C. permet la signification collective d'une action aux héritiers du débiteur défunt; l'assignation collective devrait valoir à l'encontre des héritiers testamentaires » (Mayrand, *Successions*, n° 18, p. 16).
Rem. Voir l'art. 666 C. civ. Q. (L.Q. 1987, chap. 18, art. 1 n.e.v.), repris à l'art. 619 du Projet de loi 125.
Opp. héritier *ab intestat.* **V.a.** légataire à titre universel, légataire universel, succession testamentaire.
Angl. testamentary heir.

HOMME *n.m.*

V. droits de l'homme, servitude du fait de l'homme, servitude établie par le fait de l'homme.

HOMME DE LOI

Juriste autorisé à exercer une profession juridique. Par ex., un avocat, un notaire. « On peut donc affirmer qu'à cette époque (1867-1919) la quasi-totalité des ministres québécois étaient des hommes de loi » (Sénécal, (1984) 44 *R. du B.* 545, p. 549). *Consulter un homme de loi*; *faire appel à un homme de loi.*
Occ. Note en marge de l'art. 128, *Loi sur le Barreau*, L.R.Q., chap. B-1.
Rem. **1°** Les hommes de loi autorisés à exercer la profession juridique doivent être membres du Barreau du Québec ou de la Chambre des Notaires. **2°** Entre autres fonctions, l'homme de loi donne des consultations, négocie des contrats, rédige des actes et représente ses clients devant les tribunaux ou organismes gouvernementaux en matières contentieuses ou gracieuses. Toutefois, seul l'avocat peut agir en matières contentieuses, alors que seul le notaire peut recevoir les actes authentiques.
V.a. avocat, conseiller en loi, notaire.
Angl. lawyer.

HONORAIRE *adj.*

V. droit honoraire.

HÔTE *n.*

(*Obl.*) Partie à un contrat d'hôtellerie que l'hôtelier s'engage à loger. « L'hôtelier, qui a un droit de rétention sur les bagages [...] de ses hôtes, qui peut même les faire vendre par encan public (art. 1816*a* [C. civ.]), a également un droit de privilège qui dure autant que son droit de rétention » (Mignault, *Droit civil*, t. 9, p. 35).
Occ. Art. 1815, 1816*a* C. civ.
Rem. Dans ce sens, le terme *hôte* ne s'emploie qu'au masculin.
Opp. hôtelier. **V.a.** voyageur².
Angl. guest.

HÔTELIER, IÈRE *n.*

(*Obl.*) Partie à un contrat d'hôtellerie qui s'engage à loger son cocontractant. « L'hôtelier est tenu de fournir au voyageur la possession paisible de la chambre retenue et de garder ses effets [...] L'hôtelier répond

des effets apportés par le voyageur, qu'ils soient ou non remis entre ses mains » (*Dict. de droit*, v° Hôtelier-logeur, n° 5).
Occ. Art. 1816*a*, 2001 C. civ.
Opp. hôte.
Angl. hotel-keeper, innkeeper+.

HÔTELLERIE *n.f.*

V. contrat d'hôtellerie.

HUISSIER, IÈRE *n.*

(*D. jud.*) Officier de justice chargé principalement de la signification des actes de procédure et de l'exécution forcée des jugements. « Dans l'ancien droit, il y avait des *audienciers*, c'est-à-dire les huissiers proprement dits, chargés du service des audiences, et les *Sergents*, qui signifiaient et faisaient exécuter les actes. Nos huissiers d'aujourd'hui sont les héritiers directs, surtout dans notre Province, de ces Sergents » (De la Durantaye, (1941) 1 *R. du B.* 267). *Exploit d'huissier* (art. 910 C. proc. civ.), *acte d'huissier*; *huissier de justice*.
Occ. Art. 1485, 2224 C. civ.; art. 120, 144, 297 C. prov. civ.; *Loi sur les huissiers*, L.R.Q., chap. H-4.
Rem. **1°** L'huissier est un officier public; les procès-verbaux qu'il rédige sont authentiques. **2°** Tout en étant officier de justice, l'huissier agit à la demande des parties et non pas, de façon générale, à celle du tribunal.
Angl. bailiff.

HUISSIER-AUDIENCIER *n.m.*

(*D. jud.*) Officier de justice chargé d'introduire le tribunal, d'appeler les témoins et de maintenir l'ordre dans la salle d'audience.
Occ. Art. 29, 31, *Règles de pratique de la Cour supérieure du Québec en matières civiles*; art. 11, 13, *Règles de pratique de la Cour du Québec (chambre civile)*.
Angl. court bailiff, crier+.

HYPOTHÉCAIRE *adj.*

1. (*Sûr.*) Relatif à l'hypothèque. « [Le Projet de Code civil prévoit quatre] recours hypothécaires [...] la prise de possession, la vente autrement qu'en justice, la prise en paiement et l'action hypothécaire suivie de vente en justice » (O.R.C.C., *Commentaires*, t. 1, p. 352). *Jugement hypothécaire* (art. 2079 C. civ.), *poursuite hypothécaire* (art. 2060 C. civ.).
Occ. Art. 2057 C. civ.
V.a. action hypothécaire, cession du rang hypothécaire.
Angl. hypothecary1.

2. (*Sûr.*) Garanti par hypothèque. « Le propriétaire par indivis d'un immeuble peut hypothéquer sa portion indivise, mais alors l'efficacité de l'hypothèque est subordonnée au résultat du partage, de telle sorte que si l'immeuble n'échoit pas au débiteur hypothécaire, l'hypothèque s'évanouira [...] » (Mignault, *Droit civil*, t. 9, p. 92). *Garantie hypothécaire, prêt hypothécaire.*
Occ. Art. 2080 C. civ.
Rem. Dans les expressions *créancier hypothécaire* et *débiteur hypothécaire*, l'adjectif *hypothécaire* se rapporte à la créance ou à la dette plutôt qu'à son titulaire.
V.a. créance hypothécaire, crédit hypothécaire, prêt hypothécaire.
Angl. hypothecary2.

HYPOTHÉCAIREMENT *adv.*

(*Sûr.*) Par hypothèque. *Agir hypothécairement* (art. 877 C. civ.), *assigné hypothécairement* (art. 2062 C. civ.), *poursuivi hypothécairement* (art. 2075 C. civ.), *tenu hypothécairement* (art. 739 C. civ.).
Occ. Art. 2074 C. civ.
Angl. hypothecarily.

HYPOTHÈQUE *n.f.*

(*Sûr.*) Sûreté réelle établie sur un immeuble, sans désaisissement de son propriétaire, qui permet au créancier qui en est bénéficiaire de faire vendre en justice l'immeuble en quelques mains qu'il se trouve et d'être payé sur le prix de la vente par préférence à d'autres créanciers. « L'article 2016 C.c. édicte que l'hypothèque est un droit réel qui confère au créancier un droit de suite et de préférence » (Ciotola, *Sûretés*, p. 277). *Constituer, purger une hypothèque; purger un bien d'une hypothèque; hypothèque de premier rang.*

Occ. Art. 1982, 2016, 2017, 2018 C. civ.

Rem. **1°** Le Code civil, à l'art. 2019, distingue trois types d'hypothèque : légale, judiciaire, conventionnelle. À l'hypothèque conventionnelle l'art. 2045 C. civ. assimile l'hypothèque testamentaire. **2°** En droit actuel, l'hypothèque ne porte, en principe, que sur des immeubles (art. 2022 C. civ.). L'art. 2649 du Projet de loi 125 prévoit que l'hypothèque peut aussi porter sur des meubles. **3°** Contrairement au privilège, l'hypothèque n'existe pas en fonction de la cause ou nature de la créance qu'elle garantit; toute créance peut être assortie de cette sûreté. **4°** Pour avoir effet, l'hypothèque doit être enregistrée (art. 2130 al. 6 C. civ.). **5°** Le créancier hypothécaire est payé par préférence aux créanciers chirographaires, mais après les créanciers privilégiés. Entre eux, les créanciers hypothécaires sont payés dans l'ordre déterminé par la date d'enregistrement de leurs hypothèques respectives. **6°** Du latin *hypotheca*, dérivé du grec *hupo* : sous, et *tithenai* : placer (d'où mettre en gage).

V.a. droit de rétention, nantissement[2], privilège.

Angl. hypothec.

HYPOTHÉQUÉ, ÉE *p.p.adj.*

(*Sûr.*) Grevé d'une hypothèque. « Si la dette se divise entre plusieurs débiteurs, l'hypothèque subsiste entière; ainsi à la mort du débiteur, sa dette se divise en principe entre ses héritiers, chacun n'étant personnellement tenu que pour sa part [...], mais le créancier hypothécaire peut demander paiement intégral à celui qui a reçu l'immeuble hypothéqué, cet héritier est tenu hypothécairement pour le tout [...] » (Marty, Raynaud et Jestaz, *Sûretés*, n° 162, p. 115).

Occ. Art. 2058 C. civ.

Angl. hypothecated.

HYPOTHÈQUE CONVENTIONNELLE

(*Sûr.*) Hypothèque établie par convention. « L'hypothèque conventionnelle naît de la convention des parties. C'est un contrat qui implique donc la capacité de contracter, le consentement libre et une cause ou considération » (Demers, dans *Traité*, t. 14, p. 233).

Occ. Art. 2020, 2037 C. civ.

Opp. hypothèque judiciaire, hypothèque légale.

Angl. conventional hypothec.

HYPOTHÈQUE FLOTTANTE

(*Sûr.*) Hypothèque qui a le caractère d'une charge flottante. « L'hypothèque flottante sert principalement aux corporations dans le cours de leurs emprunts sur obligations [...] » (O.R.C.C., *Commentaires*, t. 1, p. 450).

Angl. floating hypothec.

HYPOTHÈQUE JUDICIAIRE

(*Sûr.*) Hypothèque qui résulte d'un jugement, d'un acte de cautionnement reçu en justice ou de tout autre acte de procédure judiciaire créant l'obligation de payer une somme d'argent. « [...] on voit souvent devant nos tribunaux, la confusion inconsciente de l'hypothèque légale et de l'hypothèque judiciaire [...] La judiciaire suppose un débat ou tout au moins une demande devant nos tribunaux et résulte d'un acte qui peut admettre contestation » (Demers, dans *Traité*, t. 14, p. 205-206).

Occ. Art. 2034 C. civ.

Opp. hypothèque conventionnelle, hypothèque légale.

Angl. judicial hypothec.

HYPOTHÈQUE LÉGALE

(*Sûr.*) Hypothèque qui résulte de la loi seule. « Toute hypothèque, qu'elle soit légale, judiciaire ou conventionnelle, prend rang à compter de sa date d'enregistrement, pourvu qu'elle tire origine du même constituant alors titulaire du droit de propriété (art. 2083 C.c., 2130 C.c., al. 3) » (Ciotola, *Sûretés*, p. 313).
Occ. Art. 2020, 2024, 2025, 2026 C. civ.
Rem. L'hypothèque légale garantit certaines créances des mineurs et des majeurs en tutelle ou en curatelle (art. 2030 C. civ.), de même que certaines créances de la Couronne (art. 2032 C. civ.).
Opp. hypothèque conventionnelle, hypothèque judiciaire.
Angl. legal hypothec.

HYPOTHÈQUE TESTAMENTAIRE

(*Sûr.*) Hypothèque établie par testament.
Rem. Voir l'art. 2045 C. civ.
Angl. testamentary hypothec.

HYPOTHÉQUER *v.tr.*

(*Sûr.*) Grever d'une hypothèque. « Il semblerait donc que tout immeuble qui est dans le commerce et qui est susceptible d'être vendu, peut être hypothéqué » (Mignault, *Droit civil*, t. 9, p. 89).
Occ. Art. 2039 C. civ.; art. 27, *Loi sur les pouvoirs spéciaux des corporations*, L.R.Q., chap. P-16.
Angl. hypothecate.

I

ILLÉGAL, ALE *adj.*

1. Contraire à la loi[1]. « La loi [...] n'est pas susceptible d'être illégale; puisqu'elle émane d'une autorité qui a le pouvoir de créer une règle de droit et qu'elle vise à cette création, non à la simple application d'une règle préexistante, elle s'impose à tous [...] qui sont tenus de s'y conformer » (Mazeaud et Chabas, *Leçons*, t. 1, vol. 1, n° 70, p. 111). *Exercice illégal d'une charge* (art. 36 C. proc. civ.), *règlement illégal.*
Occ. Art. 2611 C. civ.
Opp. légal[2].
Angl. illegal[1].

2. Syn. illicite.
Occ. Art. 989, 990, 998 C. civ.
V.a. cause illégale, considération illégale.
Angl. illegal[2], illicit[+], unlawful[1].

ILLÉGALEMENT *adv.*

D'une manière illégale.
Opp. légalement.
Angl. unlawfully.

ILLÉGALITÉ *n.f.*

1. Caractère de ce qui est illégal. « [...] les *règlements d'exécution* sont *subordonnés à la loi* qu'ils ont pour but de faire appliquer. Si, au lieu de constituer une mesure d'exécution de la loi, ils la violaient, ils seraient frappés d'*illégalité*, et les juges devraient en refuser l'application [...] » (Mazeaud et Chabas, *Leçons*, t. 1, vol. 1, n° 70, p. 111).
Opp. légalité[1]. **V.a.** illégitimité[1], illicéité.
Angl. illegality.

2. Atteinte à la légalité[2]. « Différents critères guident les tribunaux dans leurs décisions d'exclure ou non une preuve [...]. Ils considèrent plus particulièrement la nature et la gravité de l'illégalité commise [...] » (Royer, *Preuve civile*, n° 1070, p. 402). *Commettre une illégalité, vivre dans l'illégalité, exception d'illégalité.*
Opp. légalité[2].
Angl. illegality.

ILLÉGITIME *adj.*

1. Non fondé en droit; non reconnu, interdit par le droit. « En principe, une contrainte est illégitime quant à son but, dès lors que, même par la menace ou l'exercice de moyens qui peuvent être en eux-mêmes licites ou indifférents, elle ne tend pas à l'obtention d'un résultat auquel l'auteur de la contrainte a un droit certain » (*J.J. Joubert Ltée* c. *Lapierre*, [1972] C.S. 476, p. 480, j. R. Colas). *Motif illégitime, violence illégitime.*
Opp. légitime[1].
Angl. illegitimate[1+], unlawful[2].

2. Non conforme à la justice, à l'équité. « Il est normal [...] que le détenteur d'un droit puisse utiliser ce moyen de pression pour faire valoir celui-ci ou pour obtenir un règlement qui lui soit favorable[...]. Cette contrainte peut cependant devenir illégitime [...] lorsque le cocontractant l'utilise d'une façon illégale, c'est-à-dire lorsque, pour exercer son droit, il profère des menaces qui en elles-mêmes sont illégitimes » (Baudouin, *Obligations*, n° 182, p. 141). *Prétention*

illégitime, revendication illégitime, fin illégitime.
Opp. légitime[2].
Angl. illegitimate[2].

3. A. (*Pers.*) *Vieilli.* Syn. naturel[1].
V.a. enfant illégitime.
Angl. illegitimate[3.A], natural[+].

3. B. (*Pers.*) *Vieilli.* Qui se situe hors mariage. « [...] on ne distingue plus entre famille légitime et illégitime; seuls les liens du sang déterminant, avec le rang, le droit de succéder *ab intestat* [...], sauf à l'égard du conjoint » (O.R.C.C., *Commentaires*, t. 1, p. 244). *Parenté illégitime, union illégitime.*
Opp. légitime[4.B].
Angl. illegitimate[3.B].

ILLÉGITIMEMENT *adv.*

D'une manière illégitime. « Les *quasi-contrats* correspondent à des situations, créées par le fait de l'homme, où un avantage a été illégitimement recueilli par une personne » (Aubert, *Introduction*, n° 236, p. 243).
Opp. légitimement.
Angl. illegitimately.

ILLÉGITIMITÉ *n.f.*

1. Caractère de ce qui n'est pas fondé en droit, reconnu ou permis par le droit.
Opp. légitimité[1]. **V.a.** illégalité[1].
Angl. illegitimacy[1].

2. Caractère de ce qui n'est pas conforme à la justice, à l'équité. « [...] l'illégitimité peut également résider dans le *but poursuivi* par l'auteur de la violence. Ainsi, l'emploi d'une voie de droit, régulier en apparence, peut devenir illicite lorsqu'il n'a été, en réalité, que le moyen de se procurer un avantage abusif [...] » (Rieg, *Rép. droit civ.*, v° Violence, n° 18).
Opp. légitimité[2]. **V.a.** illicéité.

3. A. (*Pers.*) *Vieilli.* État juridique de l'enfant[1] issu de parents non mariés ensemble.
Rem. Depuis la réforme de 1981, le Code civil ne distingue plus entre la filiation légitime et la filiation naturelle.
Opp. légitimité[3.A].
Angl. illegitimacy[2.A].

3. B. (*Pers.*) *Vieilli.* Caractère de ce qui se situe hors mariage.
Opp. légitimité[3.B].
Angl. illegitimacy[2.B].

ILLICÉITÉ *n.f.*

Caractère de ce qui est illicite. « L'acte accompli contrairement aux principes juridiques porte atteinte aux intérêts juridiquement protégés, d'où son illicéité » (Ciotola, (1969-1970) 72 *R. du N.* 315, p. 317).
Opp. licéité. **V.a.** illégalité[1], illégitimité[2], immoralité[1].
Angl. illicitness.

ILLICITE *adj.*

Contraire au droit[1]. « Contrat et quasi-contrat ont en commun un caractère *licite*, qui les oppose au délit et au quasi-délit, faits *illicites* » (Carbonnier, *Droit civil*, t. 4, n° 5, p. 29).
Rem. Dans ce sens, le terme *illicite* marque notamment la non conformité à la loi[1], à l'ordre public ou aux bonnes mœurs. Toutefois, certains auteurs définissent *illicite* dans un sens strict : contraire à une disposition de la loi[1] ou à l'ordre public. On le distingue alors d'*immoral* : contraire aux bonnes mœurs.
Syn. illégal[2]. **Opp.** licite. **V.a.** cause illicite, condition illicite, dommage illicite, immoral, préjudice illicite.
Angl. illegal[2], illicit[+], unlawful[1].

IMMÉDIAT, ATE *adj.*

V. cause immédiate, loi d'application immédiate, règle d'application immédiate, représentation immédiate, victime immédiate.

IMMÉMORIAL, ALE *adj.*

Qui remonte à une époque tellement lointaine qu'aucune personne vivante ne peut attester son origine. « [...] l'on peut retenir l'eau de la source qu'on a dans son héritage, ou la conduire ailleurs pour son utilité, quoiqu'elle ait coulé d'un temps immémorial dans ceux des voisins [...] » (Baudry-Lacantinerie et Wahl, *Traité*, t. 25, n° 161, p. 133). *Coutume immémoriale, temps immémorial, usage immémorial.*
Occ. Art. 549, 2245, 2270 C. civ.
V.a. possession immémoriale.
Angl. immemorial.

IMMEUBLE *adj.*

(*Biens*) Non susceptible de déplacement ou réputé tel. « Les biens *immeubles* sont, à proprement parler, ceux que la nature ou la main de l'homme a rendus essentiellement *immobiles* ou intransportables [...] » (Mignault, *Droit civil*, t. 2, p. 397).
Occ. Art. 6, 1820 C. civ.
Syn. immobilier[1]. **Opp.** meuble.
Angl. immoveable[1].

IMMEUBLE *n.m.*

(*Biens*) Bien non susceptible de déplacement ou réputé tel. « [...] tous les bâtiments élevés sur le sol n'ont point le caractère d'*immeuble*; cette qualité n'appartient qu'à ceux qui y sont construits à perpétuelle demeure pour y rester » (Mignault, *Droit civil*, t. 2, p. 406).
Occ. Titre précédant l'art. 375 C. civ., art. 2054 C. civ.
Rem. **1°** On distingue les immeubles par nature, les immeubles par destination, les immeubles par l'objet auquel ils s'attachent, et les immeubles par la détermination de la loi. **2°** On emploie aussi le terme *immeuble* pour désigner un édifice ou une maison (art. 1651 C. civ.).
Opp. meuble[1]. **V.a.** copropriété des immeubles établie par déclaration, immobilisation.
Angl. immoveable.

IMMEUBLE CORPOREL

(*Biens*) Immeuble qui a le caractère d'un bien corporel. « La distinction des meubles et des immeubles corporels se fonde, principalement, sur un *critère physique tiré de la nature des choses*, celui de la mobilité » (Cornu, *Introduction*, n° 921, p. 331).
Occ. Art. 2210 C. civ.
Rem. Les immeubles corporels comprennent les immeubles par nature et les immeubles par destination.
Opp. immeuble incorporel.
Angl. corporeal immoveable.

IMMEUBLE FICTIF

(*Biens*) Syn. immeuble par la détermination de la loi. « L'article 382 désigne quatre espèces d'immeubles fictifs [...] On peut dire que, généralement, la loi qui est toute puissante sous ce rapport peut donner à un meuble la qualité d'immeuble, comme elle peut transformer en meuble un immeuble » (Mignault, *Droit civil*, t. 2, p. 432).
Angl. immoveable by determination of law.

IMMEUBLE INCORPOREL

(*Biens*) Immeuble qui a le caractère d'un bien incorporel. « L'article 526 [art. 381 C. civ.] n'énonce pas la propriété des choses immobilières parmi les immeubles incorporels qu'il énumère. Il suit la tradition romaine [...] » (Aubry et Rau, *Droit civil*, t. 2, n° 30, note 2, p. 50).
Rem. Les immeubles incorporels comprennent les immeubles par l'objet auquel ils s'attachent ainsi que certains immeubles par la détermination de la loi, comme la rente emphytéotique (art. 388 C. civ.).
Opp. immeuble corporel.
Angl. incorporeal immoveable.

IMMEUBLE PAR DESTINATION

(*Biens*) Chose[1] de nature mobilière qui est réputée immeuble du fait que, sans perdre son individualité, elle est rattachée à titre d'accessoire à un immeuble par nature

appartenant au même propriétaire. Par ex., les tables et les chaises servant à l'exploitation d'un restaurant, les outils servant à l'exploitation agricole. « [...] des machines qui sont achetées à l'essai et posées par l'acheteur, qui se déclare non satisfait, ne deviennent pas, par telle installation, immeubles par destination [...] » (Mignault, *Droit civil*, t. 2, p. 428).
Occ. Art. 379 C. civ.
Opp. immeuble par la détermination de la loi, immeuble par l'objet auquel il s'attache, immeuble par nature.
Angl. immoveable by destination.

IMMEUBLE PAR (LA) DÉTERMINATION DE LA LOI

(*Biens*) Immeuble décrété tel par la loi[1]. « [...] il y a certains meubles que la loi a immobilisés; on les appelle immeubles par la détermination de la loi » (Mignault, *Droit civil*, t. 2, p. 399).
Occ. Art. 382 C. civ.
Syn. immeuble fictif. **Opp.** immeuble par destination, immeuble par l'objet auquel il s'attache, immeuble par nature. **V.a.** immeuble incorporel, immobilisation.
Angl. immoveable by determination of law.

IMMEUBLE PAR L'OBJET AUQUEL IL S'ATTACHE

(*Biens*) Bien incorporel se rapportant à un immeuble. Par ex., la servitude, l'hypothèque, l'action confessoire, l'action négatoire.
Occ. Art. 381 C. civ.
Rem. En France, cette institution est généralement appelée *immeuble par l'objet auquel il s'applique* (art. 526 C. civ. fr.).
Opp. immeuble par destination, immeuble par la détermination de la loi, immeuble par nature. **V.a.** immeuble incorporel.
Angl. immoveable by reason of the object to which it is attached.

IMMEUBLE PAR NATURE

(*Biens*) Immeuble corporel non susceptible de déplacement en raison de ses caractéristiques matérielles. « Le fonds de terre est le seul objet qui ne puisse être transporté [...] Quand des meubles s'incorporent au sol, le législateur considère qu'ils ne font qu'un avec le fonds de terre. Ils perdent leur caractère de meubles et deviennent immeubles par nature tant que dure cette incorporation [...] » (Montpetit et Taillefer, dans *Traité*, t. 3, p. 24).
Occ. Art. 376 C. civ.
Rem. Le terme *immeuble par nature* désigne le fonds, qu'il soit bâti ou non.
Syn. héritage[1]. **Opp.** immeuble par destination, immeuble par la détermination de la loi, immeuble par l'objet auquel il s'attache. **V.a.** fonds.
Angl. immoveable by nature+, real estate(x), real property(x).

IMMOBILIER, IÈRE *adj.*

1. (*Biens*) Syn. immeuble. *Bien immobilier.*
Occ. Art. 381, 408 C. civ.
Opp. mobilier[1].
Angl. immoveable[1].

2. (*Biens*) Qui se rapporte aux immeubles. « Quoique doués d'un sens pratique remarquable, les Romains n'ont pas organisé la publicité immobilière » (Weill, *Sûretés*, n° 642, p. 547). *Bail immobilier, fichier immobilier.*
Opp. mobilier[2]. **V.a.** accession immobilière, action immobilière, action personnelle immobilière, action réelle immobilière, bail immobilier, privilège immobilier, saisie-exécution immobilière, saisie immobilière.
Angl. immoveable[2].

IMMOBILISATION *n.f.*

(*Biens*) Fait de conférer à un meuble le caractère immobilier. « [...] lorsque les propriétaires du meuble et de l'immeuble sont différents, l'immobilisation par destination qui tend à solidariser les deux biens ne peut atteindre ce but, puisque ne se trouvant pas dans le même patrimoine, ils ne seront

jamais hypothéqués, saisis ni vendus ou légués en même temps » (Weill et Terré, *Introduction*, n° 270, p. 281).
Occ. Art. 382 C. civ.
Opp. mobilisation. **V.a.** ameublissement.
Angl. immobilization+, realization.

IMMOBILISER *v.tr.*

(*Biens*) Opérer l'immobilisation. « Un simple locataire ne peut immobiliser par destination » (Montpetit et Taillefer, dans *Traité*, t. 3, p. 37).
Opp. mobilisation. **V.a.** ameublir.
Angl. immobilize+, realize.

IMMORAL, ALE *adj.*

Contraire aux bonnes mœurs. « Le caractère illicite ou immoral de la condition est apprécié par les tribunaux en tenant compte des règles générales relatives aux bonnes mœurs et à l'ordre public » (Baudouin, *Obligations*, n° 767, p. 465).
Rem. Voir les art. 760, 990, 1080 C. civ.
Opp. moral[1]. **V.a.** cause immorale, condition immorale, illicite.
Angl. immoral.

IMMORALITÉ *n.f.*

1. Caractère de ce qui est immoral. « Toute atteinte à l'ordre public est affectée d'illégalité. Toute atteinte aux bonnes mœurs est affectée d'immoralité. L'ordre public comprend les bonnes mœurs » (Ciotola, (1969-1970) 72 *R. du N.* 315, p. 319).
Opp. moralité[1]. **V.a.** illicéité.
Angl. immorality[1].

2. Atteinte à la moralité[2].
Opp. moralité[2].
Angl. immorality[2].

IMMUNITÉ D'EXÉCUTION

(*D. int. public*) Prérogative en vertu de laquelle un État ou un souverain étranger, leurs représentants, les agents diplomatiques ou consulaires et les organisations internationales ne peuvent faire l'objet d'une mesure d'exécution forcée. « La renonciation à l'immunité de juridiction ou à l'immunité d'exécution doit être expresse quand il s'agit de diplomates et consuls. Elle peut être implicite pour les États et les organismes internationaux » (Castel, *Droit int. privé*, p. 717).
V.a. immunité de juridiction.
Angl. immunity from execution.

IMMUNITÉ DE JURIDICTION

(*D. int. public*) Prérogative en vertu de laquelle un État ou un souverain étranger, leurs représentants, les agents diplomatiques ou consulaires et les organisations internationales ne peuvent être poursuivis, sans leur consentement, devant les tribunaux du for. « La raison d'être des immunités de juridiction et d'exécution est la bonne entente qui doit régner entre les États [...] » (Castel, *Droit int. privé*, p. 715-716).
V.a. immunité d'exécution.
Angl. immunity.

IMMUTABILITÉ *n.f.*

(*Pers.*) Qualité de ce qui n'est pas susceptible de modification.
Rem. Avant le 1er juillet 1970 (L.Q. 1969, chap. 77), les conventions matrimoniales ne pouvaient recevoir aucun changement par la volonté des intéressés après la célébration du mariage (anc. art. 1265 C. civ. [1866-1970]).
Opp. mutabilité. **V.a.** irrévocabilité.
Angl. immutability.

IMPARFAIT, AITE *adj.*

V. contrat synallagmatique imparfait, délégation imparfaite, obligation imparfaite, représentation imparfaite, solidarité imparfaite.

IMPENSES *n.f.pl.*

(*Biens*) Dépenses faites sur une chose par une personne qui a l'obligation de la res-

tituer. « Le possesseur a pu, pendant sa possession, faire des travaux et, partant, des dépenses sur l'immeuble. Ces dépenses incorporées à l'immeuble portent le nom d'*impenses* » (Carbonnier, *Droit civil*, t. 3, n° 69, p. 312).
Occ. Art. 732 C. civ.; art. 745 C. proc. civ.
Rem. **1°** La doctrine et la jurisprudence distinguent les impenses nécessaires, utiles et voluptuaires. **2°** Voir l'art. 417 C. civ. **3°** Du latin *impensa* : dépense.
V.a. améliorations, théorie des impenses.
Angl. disbursements, expenses+.

IMPENSES D'AGRÉMENT

(*Biens*) Syn. impenses voluptuaires.
Angl. sumptuary expenses, voluptuary disbursements, voluptuary expenses+.

IMPENSES DE PUR AGRÉMENT

(*Biens*) Syn. impenses voluptuaires.
Angl. sumptuary expenses, voluptuary disbursements, voluptuary expenses+.

IMPENSES NÉCESSAIRES

(*Biens*) Impenses indispensables à la conservation de la chose.
Syn. dépenses nécessaires. **Opp.** impenses utiles, impenses voluptuaires.
Angl. necessary disbursements, necessary expenses+.

IMPENSES UTILES

(*Biens*) Impenses qui, sans être indispensables à la conservation de la chose, ont pour effet d'en augmenter la valeur. « Les impenses utiles consistent dans les plantations, constructions, poses de clôtures effectuées par l'acheteur. C'est dans cette hypothèse que se pose le problème de la plus-value » (Pourcelet, *Vente*, p. 137).
Syn. dépenses utiles. **Opp.** impenses nécessaires, impenses voluptuaires. **V.a.** plus-value.
Angl. useful disbursements, useful expenses+.

IMPENSES VOLUPTUAIRES

(*Biens*) Impenses qui n'augmentent pas la valeur de la chose, mais ne font que satisfaire les goûts personnels de leur auteur. « [...] *le propriétaire ne doit aucune indemnité*, et il a même le droit d'*exiger la suppression des travaux et des dommages-intérêts* pour détérioration, *lorsqu'il s'agit d'impenses voluptuaires* [...] » (Mazeaud et Chabas, *Leçons*, t. 2, vol. 2, n° 1605, p. 292-293).
Syn. dépenses voluptuaires, impenses d'agrément, impenses de pur agrément.
Opp. impenses nécessaires, impenses utiles. **F.f.** dépenses somptuaires.
Angl. sumptuary expenses, voluptuary disbursements, voluptuary expenses+.

IMPÉRATIF, IVE *adj.*

V. droit impératif, loi impérative, règle impérative.

IMPLICITE *adj.*

V. abrogation implicite, consentement implicite.

IMPOSSIBILITÉ D'EXÉCUTION

(*Obl.*) Mode d'extinction d'une obligation, résultant du fait que le débiteur ne peut fournir la prestation convenue en raison d'un cas fortuit. « [...] dans un contrat synallagmatique, chaque partie étant à la fois créancier et débiteur, le cocontractant devra-t-il, malgré l'impossibilité d'exécution de son débiteur, être tenu d'exécuter en sa faveur l'obligation corrélative qu'il a assumée? » (Baudouin, *Obligations*, n° 461, p. 290).
Rem. Le Code civil en traite notamment aux art. 1072, 1138 et 1200.
V.a. théorie des risques.
Angl. impossibility of performance.

IMPOSSIBLE *adj.*

(*Obl.*) V. condition impossible.

IMPRESCRIPTIBILITÉ *n.f.*

(*Prescr.*) Caractère de ce qui est imprescriptible. « Le troisième alinéa de l'article 2246 [C. civ.] propose le cas de la compensation pour illustrer la règle de l'imprescriptibilité des exceptions » (Martineau, *Prescription*, n° 245, p. 248-249).
Opp. prescriptibilité.
Angl. imprescriptibility.

IMPRESCRIPTIBILITÉ DES EXCEPTIONS

(*Prescr.*) Règle selon laquelle un moyen peut toujours être opposé en défense pour repousser une action même si le temps de s'en prévaloir en demande est expiré. « Cette règle de l'imprescriptibilité des exceptions s'explique facilement lorsqu'on se rappelle le fondement de la prescription extinctive qui est l'inaction du titulaire d'un droit ou d'un recours, sa négligence à l'exercer pendant un certain temps. Or, celui qui est en droit d'opposer une exception ne peut le faire que lorsqu'il est attaqué. Jusque-là, il n'a aucune raison d'agir; il ne commet donc aucune négligence » (Martineau, *Prescription*, n° 243, p. 247).
Rem. **1°** Voir l'art. 2246 C. civ. **2°** Cette règle reproduit l'adage *quae temporalia sunt ad agendum, perpetua sunt ad excipiendum* : les actions sont temporaires, mais les exceptions sont perpétuelles; les premières s'éteignent par prescription, les secondes sont imprescriptibles.
Angl. imprescriptibility of exceptions+, perpetuity of exceptions.

IMPRESCRIPTIBLE *adj.*

(*Prescr.*) Qui ne peut faire l'objet d'une prescription. « L'imprescriptibilité est le prolongement nécessaire de l'inaliénabilité. Faute de déclarer imprescriptibles les biens inaliénables [...] on eût risqué de les voir appropriés au profit d'un usurpateur au bout d'un nombre d'années relativement bref » (Ripert et Boulanger, *Traité*, t. 2, n° 2689, p. 939).
Occ. Art. 2212, 2213 C. civ.
Opp. prescriptible.
Angl. imprescriptible.

IMPRÉVISIBILITÉ *n.f.*

(*Obl.*) Qualité de ce qui est imprévisible. « Il n'est pas nécessaire, pour qu'il y ait *imprévisibilité*, qu'on soit en face d'un événement qui ne s'est jamais encore produit [...]. Un événement est imprévisible, du moment qu'il n'y avait aucune raison particulière de penser que cet événement se produirait. Ainsi, un tremblement de terre dans une région qui n'y est pas sujette » (Mazeaud et Chabas, *Leçons*, t. 2, vol. 1, n° 576, p. 658-659).
Rem. L'imprévisibilité se rencontre notamment en matière d'appréciation de la faute, d'évaluation des dommages-intérêts et dans la détermination d'un événement susceptible de constituer un cas fortuit[1].
Opp. prévisibilité. **V.a.** dommage imprévisible, extériorité, irrésistibilité.
Angl. unforeseeability.

IMPRÉVISIBLE *adj.*

(*Obl.*) Non susceptible d'être prévu.
Opp. prévisible. **V.a.** dommage imprévisible.
Angl. unforeseeable.

IMPRÉVU, UE *adj.*

(*Obl.*) V. dommage imprévu.
Opp. prévu.

IMPRUDENCE *n.f.*

(*Obl.*) Faute non intentionnelle qui consiste à ne pas prévoir un dommage qu'une personne raisonnable, placée dans les mêmes circonstances, aurait prévu. « Si l'on veut essayer de distinguer entre ces deux termes, on peut dire que la négligence est relâchement de l'attention, l'imprudence défaut de réflexion sur les conséquences possibles de ses actes » (Flour et Aubert, *Obligations*, vol. 2, n° 612, p. 123).

Occ. Art. 1053 C. civ.
Syn. faute d'imprudence. **V.a.** négligence[1]+, quasi-délit.
Angl. fault of imprudence, imprudence+.

IMPUTABILITÉ *n.f.*

1. (*Obl.*) Fait de pouvoir tenir une personne civilement responsable de sa faute[1], en raison de sa capacité de discerner le bien du mal. « Aussi, est-ce dans un sens différent que la plupart des auteurs prennent le terme "imputabilité"; en déclarant que l'acte illicite doit être imputable à son auteur, ils entendent exiger que cet auteur soit "capable de discernement", qu'il puisse comprendre "la portée de ses actes " [...] » (Mazeaud et Tunc, *Traité*, t. 1, n° 390, p. 467).
Rem. En principe, la faute[1] de la personne privée de discernement (tel l'*infans* ou le dément) ne lui est pas imputable.
Syn. imputabilité morale, imputabilité psychologique. **V.a.** discernement+.
Angl. imputability[1]+, moral imputability, psychological imputability.

2. (*Obl.*) Fait de pouvoir attribuer à une personne un acte dommageable. « La faute de la victime du dommage est une cause d'exonération ou de mitigation de responsabilité. [...] l'auteur apparent du dommage ne l'a pas en réalité causé [...] ou [...] il ne l'a pas causé seul [...]. Le problème d'imputabilité se mêle alors à celui de la causalité » (Rodière, *Rép. droit civ.*, v° Responsabilité, n° 30).
Rem. Pris dans ce sens, le terme *imputabilité* équivaut à une question de causalité entre le dommage et le fait d'une personne.
Syn. imputabilité matérielle. **V.a.** cause étrangère.
Angl. imputability[2]+, material imputability.

IMPUTABILITÉ MATÉRIELLE

(*Obl.*) Syn. imputabilité[2]. « **Imputabilité matérielle et imputabilité psychologique.** — [...] On peut [...] donner à ce terme [imputabilité] un sens matériel : en ce cas, il signifie simplement que l'acte dommageable doit bien émaner de la personne poursuivie comme responsable; il ne signifie alors rien d'autre que l'exigence d'un lien causal unissant le dommage à un fait [...] qui soit celui de la personne en question [...] » (Marty et Raynaud, *Obligations*, t. 1, n° 458, p. 514).
Angl. imputability[2]+, material imputability.

IMPUTABILITÉ MORALE

(*Obl.*) Syn. imputabilité[1]. « À cette condition d'imputabilité psychologique ou morale on rattache diverses solutions. La conséquence essentielle est le principe de l'irresponsabilité des individus privés de raison, tels que l'aliéné ou *l'infans* » (Marty et Raynaud, *Obligations*, t. 1, n° 458, p. 515).
Angl. imputability[1]+, moral imputability, psychological imputability.

IMPUTABILITÉ PSYCHOLOGIQUE

(*Obl.*) Syn. imputabilité[1].
Angl. imputability[1]+, moral imputability, psychological imputability.

IMPUTABLE *adj.*

1. (*Obl.*) Qui peut être attribué à la faute[1] d'une personne, en raison de sa capacité de discerner le bien du mal.
V.a. imputabilité[1].
Angl. attributable[1], imputable[1]+.

2. (*Obl.*) Qui peut être attribué à une personne, en parlant d'un acte dommageable. « En matière contractuelle, la faute du créancier répond à ce qu'est la faute de la victime dans la responsabilité délictuelle. Cette faute peut entraîner la non-responsabilité du débiteur, lorsqu'elle présente des traits tels qu'elle constitue un événement qui ne lui est pas imputable selon l'article 1147 du code civil [art. 1071 C. civ.] » (Rodière, *Rép. droit civ.*, v° Responsabilité, n° 31).

Occ. Art. 1722 al. 2 C. civ.
V.a. imputabilité[2].
Angl. attributable[2], imputable[2+].

IMPUTATION DES PAIEMENTS

(*Obl.*) Fait d'appliquer un paiement à une dette particulière lorsque la somme versée par le débiteur ne couvre pas la totalité des dettes dont il est tenu à l'égard d'un même créancier. « L'imputation des paiements peut être faite par l'*accord des parties*. À défaut d'accord constaté, elle est faite soit par le débiteur, soit par le créancier, soit par la loi » (Marty, Raynaud et Jestaz, *Obligations*, t. 2, n° 224, p. 197).
Occ. Titre précédant l'art. 1158 C. civ.
Angl. imputation of payment.

IMPUTER *v.tr.*

1. (*Obl.*) Tenir une personne responsable de sa faute[1], en raison de sa capacité de discerner le bien du mal. « [...] l'intéressé [n'est] en faute [...] qu'autant que l'on peut lui reprocher son action ou son abstention : suivant une expression plus technique, la lui *imputer*. Ce qui suppose qu'il a eu conscience de ce qu'il faisait [...] » (Flour et Aubert, *Obligations*, vol. 2, n° 591, p. 102).
V.a. imputabilité[1].
Angl. impute[1].

2. (*Obl.*) Attribuer à une personne un acte dommageable. « [...] l'expression "cause étrangère qui ne peut lui être imputée" forme un tout : [...] la cause est étrangère au débiteur quand elle ne lui est pas imputable; l'événement est au contraire son fait, il ne lui est pas étranger, il lui est imputable lorsqu'il l'a provoqué » (Mazeaud, *Traité*, t. 2, n° 1566, p. 681).
Occ. Art. 1071 C. civ.
Rem. Dans ce sens, le verbe *imputer* signifie établir le lien de causalité entre le fait dommageable et son auteur.
V.a. imputabilité[2].
Angl. impute[2].

3. (*Obl.*) Appliquer le paiement à une dette particulière lorsque la somme versée par le débiteur ne couvre pas la totalité des dettes dont il est tenu à l'égard de son créancier. *Imputer le paiement sur le capital; le paiement s'impute sur le capital.*
Occ. Art. 1159 C. civ.
Rem. Du latin *imputare* : porter au compte.
Angl. impute[3].

IN ABSTRACTO *loc.adv.* (latin)

Dans l'abstrait. « Le juge civil [...] doit examiner l'acte fautif en lui-même, détaché de l'agent, procéder par comparaison, se demander ce qu'aurait fait un autre individu, un type abstrait : apprécier la faute *in abstracto* » (Mazeaud et Tunc, *Traité*, t. 1, n° 423, p. 494). *La faute s'apprécie* in abstracto.
Rem. Ce terme s'emploie spécialement à propos de l'appréciation d'une faute civile qui se fait par comparaison avec la conduite d'une personne prudente et diligente placée dans les mêmes circonstances.
Opp. *in concreto*. **V.a.** bon père de famille.
Angl. *in abstracto*.

INALIÉNABILITÉ *n.f.*

(*Biens* et *Obl.*) Qualité d'un bien non susceptible d'aliénation par l'effet de la loi ou d'un acte juridique. « [...] la loi édicte parfois de véritables *inaliénabilités* ou permet de les organiser. Même en laissant de côté l'inaliénabilité des biens du domaine public, les cas d'inaliénabilité légale sont nombreux, qu'il s'agisse du gibier ou du poisson dans le temps où la chasse et la pêche sont prohibés [...] etc ... » (Marty et Raynaud, *Biens*, n° 55, p. 66).
Opp. aliénabilité. **V.a.** indisponibilité[1], incessibilité, intransmissibilité.
Angl. inalienability.

INALIÉNABLE *adj.*

(*Biens* et *Obl.*) Non susceptible d'aliénation par l'effet de la loi ou d'un acte juri-

dique. « Le propriétaire peut aliéner sa chose à qui lui plaît et aux conditions qui lui conviennent : à titre onéreux ou à titre gratuit. Cependant, ce droit peut se heurter à l'*inaliénabilité* de la chose [...] certains biens sont inaliénables soit en vertu de la loi [...] soit en vertu de conventions [...] » (Mazeaud et Chabas, *Leçons*, t. 2, vol. 2, n° 1334, p. 72).
Opp. aliénable.
Angl. inalienable.

INCAPABLE *n.* et *adj.*

1. Au sens commun, qui n'est pas apte ou habile. « [...] *l'ivresse*, lorsqu'elle va jusqu'au point de faire perdre l'usage de la raison, rend la personne qui est en cet état, pendant qu'il dure, incapable de contracter, puisqu'elle la rend incapable de consentement » (Pothier, *Oeuvres*, t. 2, n° 49, p. 28).
Occ. Art. 268, 917, 986 al. 5, 1668 C. civ.
Opp. capable[1].
Angl. incapable[1].

2. (*Pers.*) Qui est frappé d'incapacité juridique. Par ex., le majeur protégé pour cause de maladie mentale. « La capacité ne fait pas double emploi avec le consentement, car une personne peut être mentalement apte à donner un consentement et pourtant être déclarée incapable de le faire par la loi » (Baudouin, *Obligations*, n° 234, p. 173).
Occ. Art. 833, 985, 1042 C. civ.
Syn. inhabile[1]. **Opp.** capable[2].
Angl. incapable[2].

INCAPACITÉ *n.f.*

(*Pers.*) Syn. incapacité juridique. « La plupart du temps l'incapacité qui frappe une personne est une mesure de protection : c'est le cas du mineur [...] Parfois l'incapacité est une mesure de prévention contre les conflits d'intérêts : c'est le cas du tuteur et de certains professionnels » (Tancelin, *Obligations*, n° 64, p. 41).
Occ. Art. 248, 987, 1484 C. civ.
Rem. À ne pas confondre avec le sens ordinaire : inaptitude, incompétence, inhabileté.
Opp. capacité.
Angl. incapacity, juridical incapacity, legal incapacity+.

INCAPACITÉ D'ACQUISITION

(*Pers.*) Syn. incapacité de jouissance. « Donnons un [...] exemple : les personnes âgées de moins de quatorze ans, pour l'homme, et de moins de douze ans, pour la femme, sont frappées d'une incapacité d'acquisition quant à la faculté de contracter mariage selon l'article 115 du Code civil » (Cardinal, (1956-1957) 59 *R. du N.* 489, 490).
Opp. capacité d'acquisition.
Angl. incapacity to acquire, incapacity to enjoy+.

INCAPACITÉ DE DÉFIANCE

(*Pers.*) Incapacité édictée dans le but de protéger les tiers ou dans un but d'intérêt général et non dans celui de protéger l'incapable. Par ex., l'incapacité d'un officier de justice d'acquérir un droit litigieux qui est du ressort du tribunal où il exerce ses fonctions (art. 1485 C. civ.); l'incapacité du tuteur d'acquérir les biens de son pupille (art. 1484 C. civ.). « *Les incapacités de défiance* [...] sont dirigées contre l'incapable dont il y a lieu de craindre qu'il ne porte atteinte aux intérêts d'autrui ou à l'intérêt général » (Marty et Raynaud, *Personnes*, n° 504, p. 629).
Opp. incapacité de protection.

INCAPACITÉ DE DROIT

(*Pers.*) Syn. incapacité juridique. « Certains auteurs distinguent l'incapacité de fait, ou incapacité naturelle, de l'incapacité de droit ou incapacité légale » (Baudouin, *Obligations*, n° 238, p. 175).
Rem. Certains auteurs emploient l'expression *incapacité de droit* comme synonyme d'*incapacité de jouissance*.

Opp. incapacité de fait.
Angl. incapacity, juridical incapacity, legal incapacity+.

INCAPACITÉ DE FAIT

(*Pers.*) Syn. incapacité naturelle. « [...] voyons [...] quelle est l'opinion de nos tribunaux sur la nature, absolue ou relative, de la nullité du contrat fait par une personne privée de la raison. Précisons d'abord la question. Il ne s'agit que de l'incapacité de fait, la privation des facultés intellectuelles » (Trudel, dans *Traité*, t. 7, p. 72).
Opp. incapacité de droit.
Angl. *de facto* incapacity, factual incapacity, natural incapacity+.

INCAPACITÉ DE JOUISSANCE

(*Pers.*) Incapacité privant une personne de la faculté d'être titulaire d'un droit[2], plus particulièrement du droit d'accomplir un acte juridique donné. « [...] l'incapacité de jouissance consiste à priver l'incapable de certains droits, à lui interdire certaines activités juridiques, alors que l'incapacité d'exercice consiste à priver l'incapable de la possibilité d'exercer lui-même ou seul certains droits dont il est titulaire, sans toutefois les lui supprimer » (Pineau et Burman, *Obligations*, n° 91, p. 127).
Rem. 1° L'incapacité de jouissance s'oppose à l'incapacité d'exercice. Dans l'incapacité d'exercice, l'incapable est titulaire de droits que la loi ne l'admet pas à mettre lui-même en oeuvre; ces droits sont exercés pour son compte par un représentant. C'est ainsi que les droits du mineur sont exercés par son tuteur; ceux du majeur protégé par son curateur ou son tuteur. Dans l'incapacité de jouissance, le majeur protégé est privé non seulement de l'exercice d'un droit mais bien du droit lui-même; il ne peut pas accomplir un acte juridique ni personnellement ni par l'entremise d'un représentant. C'est ainsi que le mineur ne peut pas tester et que son tuteur ne peut le faire pour lui (art. 833, 834 C. civ.). Il en est de même pour la donation entre vifs (art. 763 C. civ.). En matière de testament et de donation entre vifs, le mineur est donc frappé d'incapacité de jouissance. **2°** L'incapacité de jouissance ne peut être que spéciale en ce sens qu'une personne ne peut être privée que de certains droits. Une incapacité de jouissance générale serait la négation même de la personnalité juridique; or, celle-ci appartient à tout être humain.
Syn. incapacité d'acquisition. **Opp.** capacité de jouissance, incapacité d'exercice.
V.a. incapacité spéciale.
Angl. incapacity to acquire, incapacity to enjoy+.

INCAPACITÉ DE PROTECTION

(*Pers.*) Incapacité édictée par la loi dans le but de protéger la personne qui en est frappée. Par ex., l'incapacité du mineur, celle du majeur protégé. « [...] aucun lien nécessaire n'existe entre l'incapacité de protection et l'incapacité d'exercice. La première peut avoir la force d'une incapacité de jouissance si le législateur l'estime utile [...] [On] est fondé à ranger dans la catégorie des incapacités de protection un certain nombre d'incapacités spéciales de jouissance. Ainsi l'interdiction faite au pupille de conclure des traités avec son tuteur ou de disposer à titre gratuit au profit de celui-ci, avant la reddition des comptes, s'explique par la crainte d'un abus d'influence (art. 472 et 907 C. civ. [311 et 767 C. civ.]) » (Houin, *Rev. trim. dr. civ.* 1947, 45, 383, p. 388-389).
Opp. incapacité de défiance.
Angl. incapacity of protection.

INCAPACITÉ D'EXERCICE

(*Pers.*) Incapacité privant une personne de la faculté d'exercer, par acte juridique, elle-même ou sans assistance, un droit[2] dont elle est titulaire. « [...] l'acte qui est interdit à celui qui est frappé d'une incapacité d'exercice pourra être accompli à son nom et pour son compte par son représentant, alors que l'acte qui est interdit à celui qui est frappé d'une incapacité de jouissance ne pourra

être accompli par quiconque » (Pineau et Burman, *Obligations*, n° 91, p. 127).
Rem. **1°** En principe, les droits de la personne frappée d'incapacité d'exercice ne sont pas mis en oeuvre par celle-ci, mais par son représentant; ainsi, le tuteur agit à la place du mineur non émancipé, le curateur ou le tuteur, à la place du majeur protégé. Toutefois, le mineur émancipé en justice accomplit lui-même les actes relatifs à l'exercice de ses droits mais, pour certains actes, il ne peut agir seul : il lui faut l'assistance de son curateur. **2°** Dans le cas des mineurs et de certains majeurs protégés, en principe, leur incapacité seule n'est pas un motif d'annulation des actes auxquels ils ont participé; il faut, en outre, que ces actes leur aient causé lésion.
Opp. capacité d'exercice, incapacité de jouissance⁺.
Angl. incapacity to exercise.

INCAPACITÉ GÉNÉRALE

(*Pers.*) Incapacité relative à tout acte juridique à l'exception de ceux dont la loi autorise nommément l'accomplissement. « L'incapacité est dite *générale* lorsqu'elle s'applique, *en principe*, à tous les actes juridiques [...] elle peut donc être exprimée par la formule : tout ce qui n'est pas expressément permis est défendu » (Flour et Aubert, *Obligations*, vol. 1, n° 228, p. 180).
Rem. L'incapacité de jouissance ne peut pas être générale; ce serait la négation de la personnalité juridique. Au contraire, en matière d'incapacité d'exercice, il y a des incapacités générales : l'incapacité du mineur non émancipé; celle des diverses catégories de majeurs protégés.
Syn. incapacité totale. **Opp.** incapacité spéciale.
Angl. general incapacity⁺, total incapacity.

INCAPACITÉ JURIDIQUE

(*Pers.*) État d'une personne privée par la loi de la faculté d'être titulaire de certains droits[2] ou de l'exercice de droits[2] dont elle est titulaire. « Sont frappés d'une incapacité juridique, les mineurs [...] » (Pineau et Burman, *Obligations*, n° 97, p. 134).
Rem. On distingue l'incapacité de jouissance et l'incapacité d'exercice.
Syn. incapacité, incapacité de droit, incapacité légale. **Opp.** capacité juridique.
V.a. incapacité naturelle.
Angl. incapacity, juridical incapacity, legal incapacity⁺.

INCAPACITÉ LÉGALE

(*Pers.*) Syn. incapacité juridique. « [...] il n'y a véritable "incapacité", au sens juridique du mot, que si la loi a déclaré par avance l'individu incapable [...] lorsqu'il y a ainsi incapacité légale, le défaut (ou au moins le vice) du consentement est *présumé* » (Colin et Capitant, *Traité*, t. 2, n° 682, p. 386).
Occ. Art. 599*a* C. civ.
Opp. capacité légale.
Angl. incapacity, juridical incapacity, legal incapacity⁺.

INCAPACITÉ NATURELLE

(*Pers.*) État d'une personne qui n'est pas mentalement apte à donner un consentement. « Les situations couvertes par les prétendues incapacités naturelles énumérées à l'article 986 C. c. ne sont rien d'autres que des situations d'absence totale de consentement » (Baudouin, *Obligations*, n° 238, p. 175).
Rem. **1°** L'expression vise la situation des personnes qui, en raison de la faiblesse de leurs facultés mentales, ne sont pas aptes à comprendre la portée de leurs actes et, partant, à avoir une volonté véritable, donc, à donner un consentement; il s'agit des aliénés, des enfants en bas âge et des personnes privées de raison par suite d'accident, de maladie, d'ivresse ou d'autre cause semblable. **2°** Bien que le dernier alinéa de l'art. 986 C. civ. mentionne ces personnes dans l'énumération des incapables, les

auteurs soutiennent que l'incapacité naturelle n'est pas, à vrai dire, une variété d'incapacité juridique. En effet, le consentement et la capacité des parties constituent deux conditions distinctes de la validité du contrat. Ainsi, une personne peut être mentalement habile à donner un consentement et pourtant être juridiquement inhabile à le faire parce que la loi ne lui en reconnaît pas la capacité. Le contrat qu'elle conclut est nul non pas pour défaut de consentement — elle a pu donner un consentement valable — mais pour incapacité; c'est le cas, par exemple, du majeur protégé pour cause de maladie mentale qui a conclu un contrat durant une période de lucidité. Au contraire, le contrat conclu par une personne privée de sa raison est nul pour absence de consentement.
Syn. incapacité de fait. **V.a.** incapacité juridique.
Angl. *de facto* incapacity, factual incapacity, natural incapacity⁺.

INCAPACITÉ PARTIELLE

(*Pers.*) Syn. incapacité spéciale. « D'autres personnes ne sont atteintes que d'une incapacité partielle, *spéciale*, les empêchant de faire certains contrats » (Planiol et Ripert, *Traité*, t. 6, n° 77, p. 86).
Opp. incapacité totale.
Angl. partial incapacity, special incapacity⁺.

INCAPACITÉ SPÉCIALE

(*Pers.*) Incapacité relative aux seuls actes juridiques déterminés par la loi. « L'incapacité spéciale [...] rend le sujet qui en est frappé, inhabile à conclure certains actes. Il peut validement poser les actes qui ne lui sont pas expressément interdits » (Cardinal, (1956-1957) 59 *R. du N.* 489, 494).
Rem. **1°** L'incapacité de jouissance est toujours spéciale. On peut donner comme exemple l'incapacité des tuteurs, des curateurs et des mandataires de se porter acquéreurs des biens qui leur sont confiés (art. 1484 C. civ); l'incapacité du mineur de tester (art. 833, 834 C. civ.) ou de donner entre vifs (art. 763 C. civ.). **2°** L'incapacité d'exercice est parfois spéciale; ainsi, l'incapacité du mineur émancipé en justice est une incapacité spéciale : il ne doit être assisté de son curateur que pour les actes nommément indiqués aux art. 320 à 323 C. civ.
Syn. incapacité partielle. **Opp.** incapacité générale.
Angl. partial incapacity, special incapacity⁺.

INCAPACITÉ TOTALE

(*Pers.*) Syn. incapacité générale. « [...] une incapacité totale [de jouissance] équivaudrait à une absence de personnalité juridique » (Marty et Raynaud, *Personnes*, n° 503, p. 627).
Opp. incapacité partielle.
Angl. general incapacity⁺, total incapacity.

INCERTAIN, AINE *adj.*

V. créance incertaine, dette incertaine, terme incertain.

INCESSIBILITÉ *n.f.*

(*Biens* et *Obl.*) Qualité d'un droit insusceptible de cession.
Opp. cessibilité. **V.a.** inaliénabilité, indisponibilité[1], intransmissibilité.
Angl. non-assignability⁺, unassignability.

INCESSIBLE *adj.*

(*Biens* et *Obl.*) Non susceptible de cession, par l'effet de la loi ou d'un acte juridique.
Opp. cessible.
Angl. non-assignable⁺, unassignable.

INCESTUEUX, EUSE *adj.*

(*Pers.*) V. enfant incestueux, filiation incestueuse.

INCIDENT, ENTE *adj.*

V. dol incident.

INCOMPÉTENCE *n.f.*

(*D. jud.*) V. exception d'incompétence.

INCOMPÉTENCE D'ATTRIBUTION

(*D. jud.*) Absence de compétence d'attribution.
Syn. incompétence *ratione materiae.*
Opp. compétence d'attribution.

INCOMPÉTENCE *RATIONE MATERIAE* (latin)

(*D. jud.*) Syn. incompétence d'attribution. « [...] l'art. 164 [C. proc. civ.] visant l'incompétence *ratione materiae* n'est pas mentionné parmi ceux qui sont astreints au délai de cinq jours de l'art. 161 [...] » (*Alimport (Empresa Cubana Importadora de Alimentos)* c. *Victoria Transport Ltd*, [1977] 2 R.C.S. 858, p. 861, j. L.-P. Pigeon).
Occ. Art. 164 C. proc. civ.
Opp. compétence *ratione materiae.*

INCOMPÉTENCE TERRITORIALE

(*D. jud.*) Absence de compétence territoriale. « [...] seul le défendeur peut soulever la question de l'incompétence territoriale du tribunal et encore doit-il le faire au tout début de l'instance » (Savoie et Taschereau, *Procédure civile*, t. 1, n° 54, p. 34).
Opp. compétence territoriale.

IN CONCRETO *loc.adv.* (latin)

Dans le concret. « L'appréciation *in concreto* de l'erreur de conduite fait de la faute une notion purement subjective [...] elle impose soit de sonder l'état d'âme de l'agent [...] soit au moins de porter un jugement sur lui en tenant compte de sa nature et de ses habitudes » (Mazeaud et Tunc, *Traité*, t. 1, n° 418, p. 491). *Appréciation* in concreto.
Rem. Ce terme s'emploie spécialement à propos de l'appréciation d'une faute civile qui se fait par comparaison avec la conduite ordinaire du débiteur.
Opp. *in abstracto.*
Angl. *in concreto.*

INCONNU, UE *adj.*

V. terme inconnu.

IN CORPORE *loc.adv.* (latin)

(*Obl.*) En nature, en parlant de l'exécution d'une obligation. « Le débiteur d'un corps certain doit restituer celui-ci, en nature, *in corpore*, cet objet même, et non un autre » (Cornu, *Introduction*, n° 950, p. 304).
V.a. exécution en nature.
Angl. *in corpore.*

INCORPOREL, ELLE *adj.*

V. bien incorporel, chose incorporelle, immeuble incorporel, meuble incorporel.

INDÉFINI, IE *adj.*

(*Obl.*) V. cautionnement indéfini.

INDEMNISABLE *adj.*

(*Obl.*) Susceptible d'indemnisation. « Mais si l'exigence d'un préjudice direct constitue la règle générale en matière de responsabilité civile il s'agit moins d'un caractère du dommage indemnisable que du lien de causalité qui doit unir le dommage au fait générateur de la responsabilité » (Marty et Raynaud, *Obligations*, t. 1, n° 422, p. 450). *Préjudice indemnisable.*
Rem. Le terme s'emploie indifféremment à propos du préjudice subi ou de la victime du préjudice.
Angl. indemnifiable.

INDEMNISATION *n.f.*

1. (*Obl.*) Dédommagement d'une personne pour le préjudice subi. « Le droit de

la responsabilité [...] doit réaliser un compromis entre liberté et sécurité. Pour cela, il assure une indemnisation aux victimes d'une faute et aussi aux victimes de certains risques » (Tunc, *Responsabilité*, n° 170, p. 142).
Occ. *Loi sur l'indemnisation des victimes d'actes criminels*, L.R.Q., chap. I-6.
Rem. Alors qu'on ne peut parler que de la réparation du dommage ou de la compensation du préjudice, on peut parler autant de l'indemnisation d'une personne que de l'indemnisation d'un préjudice.

2. (*Obl.*) Syn. réparation. « Relève encore de l'indemnisation de la perte d'une chance la réparation du préjudice subi par la fiancée, à la suite du décès du fiancé [...] » (Weill et Terré, *Obligations*, n° 602, p. 619). *Indemnisation du dommage corporel* (titre précédant l'art. 2, *Loi sur l'assurance automobile*, L.R.Q., chap. A-25).
V.a. compensation[1].
Angl. reparation[1].

INDEMNISER *v.tr.*

1. (*Obl.*) Donner une indemnisation[1]. « L'existence même du préjudice n'est pas sans soulever des difficultés, spécialement lorsque, ayant d'ores et déjà été indemnisée par un autre que le responsable, la victime prétend obtenir aussi de celui-ci une indemnité » (Weill et Terré, *Obligations*, n° 599, p. 617). *Indemniser la victime* (art. 7 et 9, *Loi sur l'assurance automobile*, L.R.Q., chap. A-25).
Occ. Art. 749, 1812, 2062 C. civ.
Rem. Alors qu'on peut seulement dire réparer un dommage, compenser un préjudice, on peut dire indemniser soit une personne, soit un préjudice.

2. (*Obl.*) Syn. réparer. « [...] les tribunaux refusent d'indemniser le préjudice simplement hypothétique et dont la réalisation reste trop improbable » (Baudouin, *Responsabilité*, n° 180A, p. 108). *Indemniser le dommage*.
Angl. indemnify[2], repair+.

INDEMNITAIRE *adj.*

(*Obl.*) Qui a le caractère d'une indemnité. « [...] il n'en reste pas moins que l'extension de la protection sociale tend à diminuer l'utilité de la responsabilité civile dans sa fonction indemnitaire » (Viney, *Responsabilité*, n° 37, p. 49).
V.a. compensatoire.
Angl. indemnificatory.

INDEMNITÉ *n.f.*

(*Obl.*) Somme d'argent attribuée en compensation d'un préjudice. « La *réparation par équivalent* consiste *à faire entrer dans le patrimoine de la victime une valeur égale à celle dont elle a été privée* [...] L'équivalent consiste, le plus souvent, en une somme d'argent, une indemnité : les *dommages-intérêts* » (Mazeaud et Chabas, *Leçons*, t. 2, vol. 1, n° 622, p. 735). *Indemnité symbolique*.
V.a. compensation[2].
Angl. indemnity.

INDÉTERMINÉ, ÉE *adj.*

V. offre à personne indéterminée.

INDEXATION *n.f.*

(*Obl.*) Action d'indexer. « L'un des moyens traditionnels de défense contre l'inflation, c'est l'indexation. [...] Cette indexation se calcule habituellement par rapport à l'indice du coût de la vie publié par le bureau fédéral de la statistique » (Cossette, (1979-1980) 82 *R. du N.* 455, n° 4, p. 456).
V.a. clause d'échelle mobile.
Angl. indexation.

INDEXER *v.tr.*

(*Obl.*) Lier la détermination du montant d'une dette aux variations de certains éléments de référence. « [...] les contractants ont "inventé" eux-mêmes le système qui allait permettre au crédit de survivre, malgré

l'instabilité économique. Ce système est celui des *clauses d'indexation* ou d'*échelle mobile.* Les prix indexés réalisaient l'équilibre automatique sans lequel les contrats à exécution successive ou différée (ceux qui reposent sur l'idée de crédit) n'auraient pas pu survivre » (Starck, Roland et Boyer, *Obligations,* t. 2, n° 1172, p. 409-410). *Indexer un emprunt sur l'indice du coût de la vie.*
Occ. Art. 638, 642 C. civ. Q.
V.a. clause indexée.
Angl. index.

INDICATION DE PAIEMENT

(*Obl.*) Acte par lequel le débiteur informe son créancier, ou le créancier son débiteur, qu'il a donné mandat à un tiers de payer ou de recevoir paiement pour son compte. « Par une indication de paiement la personne, désignée soit pour payer, soit pour recevoir paiement, n'est qu'un mandataire [...] » (Perreault, *Traité,* t. 3, n° 702, p. 935).
Occ. Art. 800 C. civ.
Rem. **1°** L'indication de paiement n'opère pas novation. Elle se distingue de la délégation en ce que la personne à qui le débiteur a donné mandat de payer ne s'oblige pas personnellement envers le créancier. **2°** Voir l'art. 1174 C. civ.
V.a. délégation imparfaite, délégation parfaite.
Angl. indication of payment.

INDIRECT, ECTE *adj.*

V. action indirecte, dommage indirect, préjudice indirect, responsabilité indirecte.

INDISPONIBILITÉ *n.f.*

1. Qualité d'un bien non susceptible de disposition[1] par l'effet de la loi ou d'un acte juridique. « Il se peut [...] qu'une chose soit, en raison de son affectation à un but spécial, généralement d'intérêt collectif, mise par la loi hors du commerce, complètement ou partiellement. Les contrats, ou au moins certains contrats, passés à propos de cette chose seront nuls, non pas pour incapacité personnelle des parties, mais en raison de l'indisponibilité réelle du bien [...] » (Colin et Capitant, *Traité,* t. 2, n° 680, p. 386).
Opp. disponibilité[1]. **V.a** inaliénabilité, incessibilité, intransmissibilité.
Angl. indisposability[1], undisposability[1+].

2. Qualité d'un bien qui n'est pas immédiatement utilisable ou livrable.
Opp. disponibilité[2].
Angl. indisposability[2], undisposability[2+].

INDISPONIBLE *adj.*

1. Non susceptible de disposition[1] par l'effet de la loi ou d'un acte juridique. « [...] sauf disposition contraire du titre constitutif, [...] le droit d'usage est indisponible [...] » (Larroumet, *Droit civil,* t. 2, n° 772, p. 476). *Bien indisponible.*
Opp. disponible[1]. **V.a.** droit indisponible.
Angl. indisposable[1], undisposable[1+].

2. Qui n'est pas immédiatement utilisable ou livrable.
Opp. disponible[2].
Angl. indisposable[2], undisposable[2+].

INDIVIDUALISÉ, ÉE *adj.*

(*Biens*) V. chose individualisée.

INDIVIDUEL, ELLE *adj.*

(*Obl.*) Relatif à l'individu.
V.a. acte individuel, acte unilatéral individuel, contrat individuel, faute individuelle, liberté individuelle.
Angl. individual.

INDIVIS, ISE *adj.*

(*Biens*) Qui est soumis à l'indivision. « [...] chaque propriétaire indivis est titulaire d'une fraction de la propriété. Celle-

ci lui permet de retirer certains avantages des biens indivis [...] » (Atias, *Biens*, n° 100, p. 141). *Bien indivis, chose indivise, part indivise.*
Occ. Art. 1555, 2021, 2231 C. civ.
V.a. partie indivise, propriétaire indivis, propriété indivise.
Angl. undivided.

INDIVISAIRE *n.*

1. (*Biens*) Personne se trouvant dans l'indivision[1].
V.a. coïndivisaire.
Angl. undivided owner[1].

2. (*Biens*) Syn. copropriétaire. « Appliquée à la propriété, l'indivision est une modalité communautaire de la propriété individuelle [...] Ce qui change seulement, c'est le nombre de sujets du droit : au lieu d'une personne en relation directe avec la chose, il y en a plusieurs, plusieurs indivisaires ou propriétaires indivis » (Atias, *Biens*, n° 95, p. 136-137).
Occ. Art. 1013, Projet de loi 125.
Angl. communist, co-owner⁺, coproprietor, undivided owner[2].

INDIVISÉMENT *adv.*

(*Biens*) Syn. par indivis.
Occ. Art. 520 C. civ. Q.

INDIVISIBILITÉ *n.f.*

(*Obl.*) Modalité d'une obligation qui, en raison de son objet, n'est pas susceptible d'exécution partielle. « L'indivisibilité est un obstacle à la division entre les sujets multiples d'une obligation, tenant à l'objet de l'obligation » (Tancelin, *Obligations*, n° 972, p. 560).
Occ. Art. 1125 C. civ.
Rem. **1°** L'indivisibilité à l'égard de plusieurs créanciers est dite *indivisibilité active*; celle qui existe à l'égard de plusieurs débiteurs est dite *indivisibilité passive.* **2°** L'indivisibilité, envisagée dans sa source, peut être naturelle ou conventionnelle. **3°** Dans le cas de pluralité de créanciers, l'indivisibilité permet à chacun d'obtenir la totalité de la prestation; dans le cas de pluralité de débiteurs, elle permet au créancier d'obtenir de l'un d'eux l'exécution intégrale de l'obligation. **4°** L'indivisibilité tient à l'objet de l'obligation, lequel, par sa nature même ou en vertu d'une fiction, n'est pas susceptible de division. La solidarité, au contraire, ne tient pas à l'objet de l'obligation, lequel peut se diviser, mais bien à la pluralité des sujets, liée à l'idée de représentation mutuelle ou de communauté d'intérêts entre eux. **5°** L'indivisibilité, au contraire de la solidarité (art. 1117 C. civ.), joue même à l'égard des héritiers des sujets (art. 1127 C. civ.). **6°** L'indivisibilité est régie par les art. 1121 à 1130 C. civ.
Opp. divisibilité[2]. **V.a.** obligation indivisible.
Angl. indivisibility.

INDIVISIBILITÉ ACCIDENTELLE

(*Obl.*) Syn. indivisibilité conventionnelle. « L'indivisibilité dite "conventionnelle" ou "accidentelle" [...] ou de paiement, ne devrait pas exister : elle est destinée à compléter les effets insuffisants de la solidarité » (Planiol et Ripert, *Traité*, t. 7, n° 1102, p. 475).
Opp. indivisibilité réelle.
Angl. accidental indivisibility, artificial indivisibility, contractual indivisibility, conventional indivisibility⁺, subjective indivisibility.

INDIVISIBILITÉ ACTIVE

(*Obl.*) Indivisibilité entre créanciers. « Lorsque l'obligation est indivisible [...] chacun des créanciers indivisibles peut réclamer la totalité de la dette au débiteur [...] De la même façon qu'on rencontre la solidarité active [...] on a affaire à une indivisibilité active lorsqu'il s'agit de cocréanciers indivisibles [...] » (Pineau et Burman, *Obligations*, n° 304, p. 390).

Opp. indivisibilité passive. **V.a.** solidarité active.
Angl. active indivisibility.

INDIVISIBILITÉ ARTIFICIELLE

(*Obl.*) Syn. indivisibilité conventionnelle. « [...] alors que la prestation objet de l'obligation est susceptible d'exécution divisée, les parties peuvent considérer l'obligation comme indivisible. L'indivisibilité est alors *conventionnelle*; c'est une indivisibilité artificielle » (Marty, Raynaud et Jestaz, *Obligations*, t. 2, n° 95, p. 87).
Opp. indivisibilité véritable.
Angl. accidental indivisibility, artificial indivisibility, contractual indivisibility, conventional indivisibility+, subjective indivisibility.

INDIVISIBILITÉ CONVENTIONNELLE

(*Obl.*) Indivisibilité attribuée par les contractants à l'objet de l'obligation, lorsque cet objet, de par sa nature, est susceptible de division. « L'indivisibilité conventionnelle est artificielle, à la différence de la précédente [indivisibilité naturelle], qui a son fondement dans la réalité [...]. Elle est un caractère donné à l'obligation par le contrat selon les termes de l'article 1124, par. 2 C.c. » (Tancelin, *Obligations*, n° 977, p. 561).
Rem. 1° L'indivisibilité conventionnelle active est rare, alors que l'indivisibilité conventionnelle passive est fréquente. 2° L'obligation divisible, telle l'obligation de somme d'argent, se divise entre les héritiers d'un débiteur décédé, même si cette obligation est solidaire. L'indivisibilité conventionnelle a pour but d'empêcher ce résultat et de permettre au créancier d'obtenir le paiement complet de l'un ou de l'autre des héritiers.
Syn. indivisibilité accidentelle, indivisibilité artificielle, indivisibilité de paiement, indivisibilité subjective. **Opp.** indivisibilité naturelle.
Angl. accidental indivisibility, artificial indivisibility, contractual indivisibility, conventional indivisibility+, subjective indivisibility.

INDIVISIBILITÉ DE PAIEMENT

(*Obl.*) Syn. indivisibilité conventionnelle. « *Indivisibilité accidentelle* (conventionnelle, indivisibilité de paiement). — Elle concerne une obligation qui, dans son objet, serait parfaitement divisible (notamment, une obligation de somme d'argent), mais que les parties conviennent de rendre artificiellement indivisible » (Carbonnier, *Droit civil*, t. 4, n° 134, p. 596).
Rem. Ne pas confondre indivisibilité de paiement et indivisibilité du paiement.
Angl. accidental indivisibility, artificial indivisibility, contractual indivisibility, conventional indivisibility+, subjective indivisibility.

INDIVISIBILITÉ DU PAIEMENT

(*Obl.*) Règle selon laquelle le débiteur ne peut forcer le créancier à recevoir en paiement une partie de la dette, par ailleurs divisible. « Indivisibilité du paiement — Le créancier a droit à l'objet total de la dette en une seule fois. Il ne peut se voir imposer un paiement partiel quand bien même l'obligation serait susceptible de division (C. civ., art. 1244 [art. 1149 C. civ.]) » (Starck, Roland et Boyer, *Obligations*, t. 2, n° 1971, p. 699).
Rem. 1° Voir les art. 1122, 1149 C. civ. 2° Ne pas confondre indivisibilité du paiement et indivisibilité de paiement.
Angl. indivisibility of payment.

INDIVISIBILITÉ NATURELLE

(*Obl.*) Indivisibilité résultant de la nature même de l'objet de l'obligation, lequel porte sur une chose qui, dans sa livraison, ou un fait qui, dans l'exécution, n'est pas susceptible de division. Par ex., livrer un corps certain, garantir l'acheteur contre l'évic-

tion, ne pas faire quelque chose. « L'indivisibilité naturelle est la véritable indivisibilité » (Marty, Raynaud et Jestaz, *Obligations*, t. 2, n° 95, p. 86).
Syn. indivisibilité objective, indivisibilité réelle, indivisibilité véritable. **Opp.** indivisibilité conventionnelle.
Angl. natural indivisibility+, objective indivisibility, real indivisibility, true indivisibility.

INDIVISIBILITÉ OBJECTIVE

(*Obl.*) Syn. indivisibilité naturelle. « Quant à ses causes il est classique de distinguer entre l'indivisibilité qui tient à la nature des choses ou *objective* et celle qui résulte de la volonté des parties, ou *subjective* » (Ghestin, *Contrat*, n° 888, p. 757).
Opp. indivisibilité subjective.
Angl. natural indivisibility+, objective indivisibility, real indivisibility, true indivisibility.

INDIVISIBILITÉ PASSIVE

(*Obl.*) Indivisibilité entre débiteurs. « [...] lorsque le débiteur meurt, l'exécution de l'obligation à laquelle il était tenu se divise en principe entre ses héritiers ou représentants légaux, alors même qu'elle était solidaire. L'indivisibilité passive évite la division de l'obligation et permet au créancier d'exiger la totalité de l'exécution d'un seul des ayants cause du débiteur » (Baudouin, *Obligations*, n° 802, p. 486).
Rem. Voir les art. 1126, 1127 C. civ.
Opp. indivisibilité active. **V.a.** solidarité passive.
Angl. passive indivisibility.

INDIVISIBILITÉ RÉELLE

(*Obl.*) Syn. indivisibilité naturelle. « Il y a [...] une *indivisibilité réelle* ou *naturelle*, et à côté d'elle une *indivisibilité conventionnelle* » (Ripert et Boulanger, *Traité*, t. 2, n° 1851, p. 668).
Opp. indivisibilité accidentelle.
Angl. natural indivisibility+, objective indivisibility, real indivisibility, true indivisibility.

INDIVISIBILITÉ SUBJECTIVE

(*Obl.*) Syn. indivisibilité conventionnelle. « Lorsque l'indivisibilité ne résulte pas de la nature des choses mais seulement de l'intention des parties, c'est la volonté de ces dernières qui en fixera la portée réelle. En effet [...] "la notion d'indivisibilité subjective [...] est une application du principe d'autonomie de la volonté" » (Ghestin, *Contrat*, n° 890, p. 1026).
Opp. indivisibilité objective.
Angl. accidental indivisibility, artificial indivisibility, contractual indivisibility, conventional indivisibility+, subjective indivisibility.

INDIVISIBILITÉ VÉRITABLE

(*Obl.*) Syn. indivisibilité naturelle. « *Indivisibilité naturelle* (objective). — C'est l'indivisibilité véritable : l'obligation est indivisible quand, en raison de la nature de son objet, elle n'est pas susceptible d'exécution fractionnée » (Carbonnier, *Droit civil*, t. 4, n° 134, p. 595).
Opp. indivisibilité artificielle.
Angl. natural indivisibility+, objective indivisibility, real indivisibility, true indivisibility.

INDIVISIBLE *adj.*

(*Obl.*) V. dette indivisible, obligation indivisible.

INDIVISION *n.f.*

1. (*Biens*) Situation juridique de personnes qui sont titulaires en commun d'un droit sur un même bien ou sur un même ensemble de biens sans qu'il y ait division matérielle de leurs parts. « L'indivision est une technique très générale : elle peut affecter tous les droits, réels ou personnels. L'usufruit, la créance peuvent être indivis, comme la propriété. L'indivision peut, aussi, avoir pour objet une seule chose ou une masse de biens » (Atias, *Biens*, n° 96, p. 138). *Être dans l'indivision; demeurer dans l'indivision, sortir de l'indivision.*

Occ. Art. 689, 747 C. civ.
Rem. **1°** L'indivision peut se rapporter au droit de propriété comme à d'autres droits tels l'usufruit, la nue-propriété, l'emphytéose. Lorsqu'elle se rapporte au droit de propriété, les termes *copropriété* et *indivision*[2] sont employés comme synonymes. **2°** L'indivision peut avoir pour source un acte juridique, tel un contrat, un testament ou une déclaration de copropriété, ou la loi, telle une succession légale. **3°** Généralement, nul n'est tenu de rester dans l'indivision, chaque indivisaire ayant la faculté de demander le partage de la chose indivise (art. 689 C. civ.). Exceptionnellement, il est des cas où le partage ne peut pas être provoqué; on parle alors d'*indivision forcée*. La mitoyenneté en est un exemple.
Angl. indivision.

2. (*Biens*) Syn. copropriété. « [...] il existe un certain nombre de situations dans lesquelles plusieurs personnes se trouvent avoir des droits de propriété concurrents *de même nature* portant sur le même objet. Ces situations sont désignées par les vocables d'*indivision* ou de copropriété » (Marty et Raynaud, *Biens*, n° 57, p. 71).
Occ. Art. 1069 C. civ. Q. (L.Q. 1987, chap. 18, art. 1 n.e.v.), repris à l'art. 1028 du Projet de loi 125.
Angl. co-ownership+, ownership in indivision, right of co-ownership, undivided ownership.

INDIVISION FORCÉE

(*Biens*) Syn. copropriété forcée. « *Le droit de copropriété de chaque indivisaire étant lié à l'usage du fonds qui lui est propre, suit nécessairement le sort de ce fonds; il se trouve aliéné ou hypothéqué avec lui.* Par là, l'indivision forcée se rapproche de la servitude » (Mazeaud et Chabas, *Leçons*, t. 2, vol. 2, n° 1316, p. 41-42).
Opp. indivision ordinaire.
Angl. co-ownership with forced indivision, forced co-ownership+, forced indivision, perpetual co-ownership.

INDIVISION ORDINAIRE

(*Biens*) Syn. copropriété ordinaire. « *L'indivision ordinaire* [...] C'est celle qui naît entre cohéritiers appelés à recueillir une succession [...] C'est encore une indivision qui s'établit lorsque plusieurs personnes [...] acquièrent en commun un même bien » (Cornu, *Introduction*, n° 1229, p. 384).
Opp. indivision forcée.
Angl. co-ownership with ordinary indivision, ordinary co-ownership+, ordinary indivision, temporary co-ownership.

INDU, UE *adj.*

(*Obl.*) Qui n'est pas dû. *Dette indue.*
V.a. paiement indu.

INDU *n.m.*

(*Obl.*) Ce qui n'est pas dû. « Lorsque le *solvens* effectue un paiement alors qu'il sait pertinemment qu'il ne doit rien, il ne paye pas l'indu, car cette prestation sera considérée comme ayant été faite dans une intention libérale » (Pineau et Burman, *Obligations*, n° 177, p. 245).
V.a. paiement de l'indu, répétition de l'indu, restitution de l'indu.
Angl. thing not due.

INDUSTRIEL, ELLE *adj.*

V. accession industrielle, fruit industriel.

INEXÉCUTION *n.f.*

(*Obl.*) Fait de mal exécuter ou de ne pas exécuter, totalement ou partiellement, une obligation. « Seule l'inexécution fautive des obligations permet de demander la résolution de l'engagement » (Baudouin, *Obligations*, n° 448, p. 284).
Occ. Art. 1128, 1709 C. civ.
Opp. exécution. **V.a.** exception d'inexécution.
Angl. inexecution, non-fulfilment, non-performance+.

INEXÉCUTION DU CONTRAT

(*Obl.*) Inexécution d'une obligation résultant du contrat. Par ex., l'inexécution du mandat. « [...] l'inexécution du contrat ne peut, à elle seule, ouvrir droit à réparation; il est nécessaire qu'elle cause un dommage au créancier » (Mazeaud et Tunc, *Traité*, t. 1, n° 211, p. 263).
Opp. exécution du contrat.
Angl. non-performance of the contract.

INEXISTENCE *n.f.*

(*Obl.*) Caractère d'un acte juridique auquel il manque un élément essentiel à son existence. « [...] l'*inexistence* n'est pas, à proprement parler, une troisième sanction de l'irrégularité des actes juridiques » (Starck, Roland et Boyer, *Obligations*, t. 2, n° 835, p. 297).
Rem. Certains auteurs ont déjà opposé la notion d'inexistence à celle de nullité absolue. De nos jours, cette distinction n'est plus retenue, la notion de nullité absolue recouvrant celle d'inexistence.
V.a. nullité.
Angl. non-existence.

IN GENERE *loc.adv.* (latin)

Dans le genre, notamment à propos de la détermination de l'objet de l'obligation. « [...] le droit personnel [...] a pour objet une prestation due par le débiteur et l'objet de cette prestation peut être déterminé seulement *in genere*, ou même être seulement déterminable » (Marty et Raynaud, *Introduction*, n° 306, p. 485).
Opp. *in specie*.
Angl. *in genere*.

INGÉNIEUR, EURE *n.*

(*Obl.* et *Sûr.*) Personne autorisée par la loi à exercer la profession d'ingénieur. « La jurisprudence a assimilé l'ingénieur à l'architecte dans les cas prévus par l'article 1688 C.C. Notre Cour [...] a fait de même en ce qui concerne l'article 2013 C.C. Dans un cas comme dans l'autre, on peut y voir le rôle créateur de la jurisprudence comme source de droit au regard de situations de fait contemporaines » (*Loebenberg* c. *National Trust Co.*, [1980] C.A. 197, p. 198, j. A. Monet).
Occ. Art. 1 par. *d*, 2, 4, *Loi sur les ingénieurs*, L.R.Q., chap I-9.
Rem. Les actes constituant l'exercice de la profession d'ingénieur et le champ de la pratique de l'ingénieur sont définis aux art. 2 et 3 de la *Loi sur les ingénieurs*, L.R.Q., chap. I-9.
V.a. architecte.
Angl. engineer.

INHABILE *adj.*

1. (*Obl.*) Syn. incapable[2].
Opp. habile[1].
Angl. incapable[2].

2. Qui n'est pas autorisé à accomplir certains actes.
Opp. habile[2].
Angl. incapable[3].

IN INTEGRUM *loc.adj.* (latin)

(*Obl.*) V. *restitutio in integrum*.
Angl. *in integrum*.

INITIAL, ALE *adj.*

(*Obl.*) V. dommage initial, offre initiale, préjudice initial, victime initiale.

INJUSTIFIÉ, ÉE *adj.*

V. enrichissement injustifié.

IN LIMINE LITIS *loc.adv.* (latin)

(*D. jud.*) Au début du litige. « Quand le défendeur néglige d'exercer *in limine litis* son droit à l'exception déclinatoire, il est censé accepter que le litige soit instruit devant le tribunal devant lequel il a été assigné

[...] » (*Victoria Transport Ltd* c. *Alimport*, [1975] C.A. 415, p. 419, j. A. Mayrand).
Angl. *in limine litis.*

INNÉ, ÉE *adj.*

V. droit inné.

INNOMMÉ ou INNOMÉ, ÉE *adj.*

(*Obl.*) V. contrat innommé.

INOPPOSABILITÉ *n.f.*

(*Obl.*) Caractère d'un droit[2] ou d'un moyen de défense dont le titulaire ne peut se prévaloir à l'encontre de quelqu'un. « L'inopposabilité diffère de la nullité, de la résolution et de la résiliation en ce que l'engagement reste valable pour le passé et pour l'avenir entre les contractants, bien qu'il n'ait aucun effet à l'égard des tiers. L'inopposabilité est donc avant tout une mesure de protection de l'intérêt des tiers » (Baudouin, *Obligations*, n° 303, p. 211). *Inopposabilité des exceptions.*
Opp. opposabilité. **V.a.** nullité.
Angl. inopposability.

INOPPOSABILITÉ DU CONTRAT

(*Obl.*) Inopposabilité aux tiers des effets d'un contrat valable entre les parties. « L'inopposabilité des contrats ne doit pas être confondue avec le principe de relativité des contrats [...] » (Tancelin, *Obligations*, n° 203, p. 118).
Opp. opposabilité du contrat.
Angl. inopposability of contract.

INOPPOSABLE *adj.*

(*Obl.*) Que l'on ne peut opposer. « Ces formalités [relatives à l'enregistrement] ne sont cependant pas prescrites à peine de nullité de la convention passée entre les parties. Le défaut de se conformer aux exigences de la loi rend seulement le contrat inopposable aux tiers » (Baudouin, *Obligations*, n° 77, p. 77). *Acte, droit inopposable.*
Rem. Le Code civil, aux art. 1664.7 et 1664.8, emploie toutefois le terme *inopposable* dans un sens plus large, en l'appliquant à une partie au contrat plutôt qu'aux tiers.
Opp. opposable.
Angl. inopposable.

IN PERSONAM *loc.adj.* (latin)

V. *jus in personam.*
Angl. *in personam.*

IN RE *loc.adj.* (latin)

V. *jus in re.*
Angl. *in re.*

INSAISISSABILITÉ *n.f.*

(*D. jud.*) Qualité d'un bien non susceptible de saisie. « La protection du débiteur est assurée par la loi qui, pour "empêcher le créancier d'aller jusqu'au bout de son droit contre le débiteur" [...] institue d'importantes insaisissabilités, en application de considérations que l'on continue de nommer décence et humanité, profitant au débiteur et à sa famille, et peut-être, par contre-coup, à l'ordre public » (Fenaux, *Rép. proc. civ.*, v° Saisie, n° 48).
Occ. Art. 552 C. proc. civ.
Opp. saisissabilité.
Angl. exemption from seizure, unseizability+.

INSAISISSABLE *adj.*

(*D. jud.*) Non susceptible de saisie. « La jurisprudence [...] déclare insaisissables certaines parties des compensations judiciaires résultant d'actions en responsabilité civile, en leur accordant un caractère alimentaire » (Baudouin, *Obligations*, n° 572, p. 347).

Occ. Art. 553 C. proc. civ.
Opp. saisissable.
Angl. exempt from seizure, unseizable+.

IN SOLIDUM *loc.adj.* (latin)

(*Obl.*) V. obligation *in solidum*, responsabilité *in solidum*.
Angl. *in solidum*.

IN SPECIE *loc.adv.* (latin)

Dans l'espèce, notamment à propos de la détermination de l'objet de l'obligation.
Opp. *in genere*.
Angl. *in specie*.

INSTANCE *n.f.*

(*D.jud.*) Suite des actes de procédure depuis l'introduction de la demande jusqu'à son extinction par jugement ou autrement. « Pendant toute la durée de l'instance, les personnes considérées sont tenues de certaines *obligations* (*les parties* doivent en principe comparaître, déposer des conclusions etc.; le juge est tenu de rendre une décision) qui sont la conséquence du *rapport* ou *lien d'instance* » (Couchez, *Procédure civile*, n° 218, p. 149). *Acte introductif d'instance; poursuite de l'instance.*
Occ. Art. 1237 C. civ.; art. 256 C. proc. civ.
Syn. action[3], procès[2]. **V.a.** péremption d'instance.
Angl. action[3], law suit[2], suit[2]+, trial[2].

INSTANTANÉ, ÉE *adj.*

(*Obl.*) V. contrat à exécution instantanée, contrat instantané, obligation instantanée.

INSTITUÉ, ÉE *n.*

(*Succ.*) Syn. grevé. « L'article 927 [C. civ.] énonce les termes sous lesquels sont désignées les parties intéressées à une substitution. Le grevé ou institué est celui qui est chargé de rendre les biens [...] » (Lalonde, dans *Traité*, t. 6, p. 43).
Occ. Art. 932 C. civ.
Angl. institute+, institute under substitution.

INSTITUTEUR, TRICE *n.*

(*Obl.*) V. responsabilité de l'instituteur.

INSTRUMENTAIRE *adj.*

(*Obl.*) V. acte instrumentaire.

INSTRUMENT NÉGOCIABLE

(*D. comm.*) (X) *Angl.* V. effet de commerce.
Rem. Ce terme est un calque de l'anglais *negotiable instrument*.
Angl. negotiable instrument.

INSTRUMENTUM *n.m.* (latin)

(*Obl.*) Syn. acte instrumentaire. « Il faut [...] différencier l'acte-instrument de preuve (*instrumentum*) et l'opération elle-même, la vente (le *negotium*) » (Pineau et Burman, *Obligations*, n° 19, p. 31).
Angl. act[2.B], *acte*, attesting deed+, deed[1], *instrumentum*, title[2.B].

INTÉGRAL, ALE *adj.*

V. paiement intégral, réparation intégrale.

INTÉGRITÉ DU CONSENTEMENT

(*Obl.*) État d'un consentement[1] comportant les qualités requises pour la formation d'un contrat. « Poser, parmi les conditions de formation du contrat, l'exigence de l'intégrité du consentement, c'est dire que celui-ci n'est juridiquement efficace qu'autant qu'il présente, chez l'une et l'autre des parties, certaines qualités » (Flour et Aubert, *Obligations*, vol. 1, n° 188, p. 142).
Rem. Le Code civil ne mentionne pas de façon positive les qualités que doit revêtir

le consentement mais, sous la rubrique *Des causes de nullité des contrats*, aux art. 991 et s., il traite des vices qui en sont l'opposé.
V.a. consentement éclairé, consentement libre, vice du consentement.
Angl. integrity of consent.

INTENTION LIBÉRALE

(*Obl.*) Volonté d'effectuer une libéralité[1]. « Le *contrat à titre gratuit* (notion plus large que le contrat de bienfaisance) est celui où l'un des contractants *entend* procurer à l'autre un avantage sans contrepartie (il y faut l'intention, intention libérale, hors laquelle il peut y avoir enrichissement sans cause ou lésion, mais non pas contrat à titre gratuit) » (Carbonnier, *Droit civil*, t. 4, n° 8, p. 44).
Syn. *animus donandi*.
Angl. *animus donandi*, liberal intention+.

INTENTIONNEL, ELLE *adj.*

V. faute intentionnelle.

INTENTION NOVATOIRE

(*Obl.*) Intention d'opérer novation.
Syn. *animus novandi*.
Angl. *animus novandi*, novatory intention+.

INTERDICTION *n.f.*

1. (*Pers.*) *Vieilli.* Mesure de protection d'un majeur ou d'un mineur émancipé qui consiste à le priver de sa capacité d'exercer ses droits civils[5] par une décision de justice constatant son inaptitude à prendre soin de sa personne ou à administrer ses biens. « Lorsque l'état mental d'un individu peut faire craindre pour sa personne et son patrimoine, il convient d'offrir à celui-ci une protection particulière puisqu'il ne peut avoir une activité juridique normale : ainsi, par un jugement d'interdiction, il est frappé d'une incapacité générale et permanente (tout au moins jusqu'à ce qu'il y ait mainlevée du jugement) » (Pineau, *Famille*, n° 39, p. 26). *Agir en interdiction; prononcer, déclarer, lever l'interdiction; mainlevée de l'interdiction.*
Occ. Anc. art. 327, 328, 334 C. civ. (1866-1990); anc. art. 877, 878 C. proc. civ. (1966-1990).
Rem. **1°** Depuis avril 1990, l'interdiction est remplacée, en ce qui concerne les majeurs, par un régime de protection du majeur proportionné à l'inaptitude mentale ou physique de la personne. **2°** Les anc. art. 325 et s. C. civ. (1866-1990) énonçaient les diverses causes d'interdiction : l'imbécillité, la démence ou la fureur (anc. art. 325 C. civ.), l'excès de prodigalité (anc. art. 326 C. civ.), l'ivrognerie d'habitude (anc. art. 336*a* C. civ.) et l'usage de narcotiques (anc. art. 336*r* C. civ.). **3°** L'interdiction avait pour effet de placer le majeur ou le mineur émancipé sous curatelle (anc. art. 338 par. 2 C. civ.).
V.a. émancipation.
Angl. interdiction[1].

2. (*Pers.*) *Vieilli.* État d'un majeur ou d'un mineur émancipé frappé d'interdiction[1].
Occ. Anc. art. 336, 1011, 2258 C. civ. (1866-1990).
V.a. majorité, minorité.
Angl. interdiction[2].

INTERDIRE *v.tr.*

(*Pers.*) *Vieilli.* Frapper une personne d'interdiction[1].
Angl. interdict.

INTERDIT, ITE *adj.*

(*Pers.*) *Vieilli.* Qui est frappé d'interdiction[1].
Angl. interdicted.

INTERDIT, ITE *n.*

(*Pers.*) *Vieilli.* Majeur ou mineur émancipé frappé d'interdiction[1]. « À l'interdit, l'autorité judiciaire nomme un curateur, dont

la mission est de s'occuper de la gestion du patrimoine du majeur interdit (ou du mineur émancipé qui se trouverait dans une situation motivant légalement son interdiction) [...] » (Azard et Bisson, *Droit civil*, t. 1, n° 152, p. 309).
Occ. Anc. art. 334, 336, 336*n*, 834 C. civ. (1866-1990).
Angl. interdict.

INTÉRESSÉ, ÉE *p.p.adj.*

(*Obl.*) V. contrat intéressé.

INTÉRÊT *n.m.*

1. (*Obl.*) Fruit civil produit par un capital[2] dû. « Le prêt à intérêt n'est qu'une variante du prêt de consommation [...]. Mais l'emprunteur ne reçoit plus un service gratuit, il paie au prêteur une compensation pour l'usage des deniers, et cette compensation s'appelle l'intérêt » (Mignault, *Droit civil*, t. 8, p. 130).
Occ. Art. 1077, 1785, 1786 C. civ.; *Loi sur l'intérêt*, L.R.C. 1985, chap. I-15.
Opp. capital[2]. **V.a.** arrérages[1], dommages-intérêts, prêt à intérêt, taux d'intérêt.
Angl. interest[1].

2. (*Obl.* et *D. comm.*) Droit[2] de l'associé d'une société commerciale[1] dans laquelle les associés sont solidairement tenus des obligations de la société. « Le droit des associés qui ne répondent des dettes de la société que dans la limite de leur apport est une *action*. On appelle *intérêt* le droit des associés qui sont responsables *in infinitum* » (Mignault, *Droit civil*, t. 2, p. 440).
Occ. Art. 297, 387 C. civ.
V.a. action[5].
Angl. interest[2].

3. (*D. jud.*) Relation juridique entre l'objet d'une instance et une personne, qui justifie la participation de celle-ci à l'instance. « On indique en général que trois *conditions* sont exigées pour l'exercice d'une action en justice : la capacité, la qualité et l'intérêt. *L'intérêt* est la condition essentielle ainsi que l'expriment les règles classiques "Pas d'intérêt pas d'action" et "l'intérêt est la mesure des actions" » (Marty et Raynaud, *Introduction*, n° 189, p. 330).
Occ. Art. 55, 165 par. 3, 208, 453, 489 C. proc. civ.
Rem. **1°** Le Code de procédure civile énonce la règle très générale que l'intérêt pour ester en justice doit être « suffisant » (art. 55). **2°** L'intérêt peut être pécuniaire ou moral.
Syn. intérêt pour ester en justice, intérêt suffisant.
Angl. interest[3]+, interest to sue(<)+, sufficient interest.

4. V. loi d'intérêt privé.

INTÉRÊT À ÉCHOIR

(*Obl.*) Intérêt[1] dont le paiement n'est pas encore exigible. « Nous croyons donc que, dans la mesure où la créance est productive d'intérêts, dans la mesure également où le taux de ces intérêts est déterminé dans l'acte, l'hypothèque couvre de plein droit, en plus du capital, les intérêts à échoir pour la période indiquée par l'art. 2124 du Code civil » (Desjardins, (1982-1983) 17 *R.J.T.* 325, p. 331).
Opp. intérêt échu.
Angl. accruing interest.

INTÉRÊT COMPOSÉ

(*Obl.*) Intérêt[1] calculé sur un capital[2] augmenté des intérêts non payés qu'il a déjà produits.
Opp. intérêt simple. **V.a.** anatocisme.
Angl. compound interest.

INTÉRÊT CONVENTIONNEL

(*Obl.*) Intérêt[1] fixé par contrat.
Occ. Art. 1785 C. civ.
Opp. intérêt légal.
Angl. conventional interest.

INTÉRÊT ÉCHU

(*Obl.*) Intérêt[1] dont le paiement est devenu exigible. « L'enregistrement d'un acte

d'hypothèque permet d'étendre l'effet de l'hypothèque aux intérêts échus pour les deux dernières années en plus de l'année courante » (Caron et Binette, *R.D.* Sûretés — Doctrine — Doc. 1, n° 343).
Opp. intérêt à échoir.
Angl. accrued interest+, interest accrued, interest owing.

INTÉRÊT LÉGAL

(*Obl.*) Intérêt[1] fixé par la loi. « Les dommages-intérêts moratoires ne consistent jamais que dans la condamnation aux intérêts fixés d'avance par la loi, ou ***intérêt légal*** [...] » (Colin et Capitant, *Traité*, t. 2, n° 903, p. 503).
Occ. Art. 1785 C. civ.
Rem. **1°** Voir l'art. 1056*c* al. 1 C. civ. **2°** Le taux de l'intérêt légal est de 5% en vertu de l'art. 3 de la *Loi sur l'intérêt*, L.R.C. 1985, chap. I-15.
Opp. intérêt conventionnel.
Angl. legal interest.

INTÉRÊT MORAL

(*D. jud.*) Intérêt[3] à caractère extrapatrimonial. Par ex., l'intérêt de l'artiste au respect de son oeuvre. « L'intérêt moral est, en tout cas, protégé au même titre que l'intérêt pécuniaire » (Vincent et Guinchard, *Procédure civile*, n° 26, p. 47).
Opp. intérêt pécuniaire.
Angl. moral interest.

INTÉRÊT PÉCUNIAIRE

(*D. jud.*) Intérêt[3] à caractère patrimonial. Par ex., l'intérêt qu'a le vendeur impayé de réclamer le paiement du prix. « Il est possible que, dans une même demande, soient invoqués un intérêt pécuniaire et un intérêt moral. Cette éventualité est très fréquente en matière de responsabilité civile où, dans la plupart des cas, la victime réclame tout à la fois et la réparation d'un préjudice matériel et l'indemnisation du dommage moral qu'elle prétend avoir subi » (Solus et Perrot, *Droit judiciaire*, t. 1, n° 227, p. 201).
Opp. intérêt moral.
Angl. pecuniary interest.

INTÉRÊT POUR ESTER EN JUSTICE

(*D. jud.*) Syn. intérêt[3].
Angl. interest[3]+, interest to sue(<)+, sufficient interest.

INTÉRÊT SIMPLE

(*Obl.*) Intérêt[1] qui ne s'ajoute pas au capital[2].
Opp. intérêt composé.
Angl. simple interest.

INTÉRÊT SUFFISANT

(*D. jud.*) Syn. intérêt[3]. « [...] l'intérêt est suffisant lorsque la partie a un avantage certain de faire décider aujourd'hui, par un tribunal, du bien fondé de sa demande » (Savoie et Taschereau, *Procédure civile*, n° 80, p. 48).
Occ. Art. 55 C. proc. civ.
Angl. interest[3]+, interest to sue(<)+, sufficient interest.

INTÉRÊT USURAIRE

(*Obl.*) Intérêt[1] dont le taux est excessif.
Occ. Art. 1149 C. civ.
V.a. prêt usuraire, taux d'intérêt usuraire+, usure.
Angl. usurious interest.

INTERNATIONAL, ALE *adj.*

V. compétence internationale, droit international, droit international privé, droit international public, ordre public international.

INTERNE *adj.*

V. compétence interne, droit interne, loi interne, ordre public interne, règle interne, volonté interne.

INTER PARTES *loc.adv.* (latin)

Entre les parties. « *Inter partes*, la cession d'une créance est, comme la vente d'une chose *corporelle*, parfaite *solo consensu*, c'est-à-dire dès que les parties sont convenues de la chose et du prix » (Mignault, *Droit civil*, t. 7, p. 180).
Opp. *erga omnes.*
Angl. *inter partes.*

INTERPOSITION DE PERSONNES

(*Obl.*) Procédé de simulation consistant à faire figurer de façon apparente, dans un acte juridique, une personne à la place de celle qui y est réellement partie. « *Interposition de personnes* : Les parties utilisent parfois, pour céler la vérité, l'intervention apparente d'un tiers. Le donateur, désirant gratifier une personne incapable de recevoir, fait une donation apparente à un tiers, qui restitue secrètement le montant de la libéralité au véritable gratifié » (Mazeaud et Chabas, *Leçons*, t. 2, vol. 1, n° 807, p. 934).
Rem. L'interposition de personnes constitue une des formes de la simulation.
V.a. personne interposée.
Angl. interposition of persons.

INTERPRÉTATIF, IVE *adj.*

V. loi interprétative.

INTERROMPRE (LA PRESCRIPTION) *v.tr.*

(*Prescr.*) Causer l'interruption de la prescription. « La citation en justice interrompt la possession et donc la prescription, pour la bonne raison que si un individu se prétend propriétaire du droit possédé par un autre, il n'est plus légitime de continuer à permettre au possesseur de prescrire » (Larroumet, *Droit civil*, t. 2, n° 424, p. 253).
V.a. renoncer à la prescription, suspendre la prescription.

INTERRUPTIF, IVE *adj.*

V. cause interruptive.

INTERRUPTION (DE LA PRESCRIPTION)

(*Prescr.*) Arrêt définitif du cours de la prescription acquisitive ou extinctive, pour des causes définies par la loi, anéantissant la période du temps écoulée jusque là. « *L'interruption met à néant la prescription, effaçant rétroactivement tout le délai accompli*, de telle sorte que si, après l'interruption, la prescription recommence, le délai antérieur ne compte plus » (Mazeaud et Chabas, *Leçons*, t. 2, vol 1, n° 1177, p. 1214).
Occ. Art. 1102 C. civ.
Rem. **1°** Voir les art. 2222 à 2231 C. civ. **2°** On distingue l'interruption naturelle de l'interruption civile. **3°** On rencontre parfois la graphie *interruption de prescription.*
V.a. renonciation à la prescription, suspension de la prescription. **F.f.** possession non interrompue.
Angl. interruption (of prescription)+, uninterrupted possession(x).

INTERRUPTION CIVILE (DE LA PRESCRIPTION)

(*Prescr.*) Interruption de la prescription acquisitive ou extinctive résultant, soit d'une demande en justice intentée par le propriétaire ou par le créancier contre qui la prescription court, soit de la reconnaissance par le possesseur ou le débiteur du droit de celui contre qui il est en voie de prescrire. « À la différence de l'interruption naturelle, l'interruption civile [de la prescription acquisitive] n'implique pas une perte matérielle de la possession, une privation de jouissance » (Weill, Terré et Simler, *Biens*, n° 464, p. 403).
Occ. Art. 2224 C. civ.
Rem. **1°** Voir les art. 2224 à 2228 C. civ. **2°** Aux termes de l'art. 2227 C. civ., la renonciation au bénéfice du temps écoulé,

qui constitue une reconnaissance implicite, opère interruption civile.
Syn. interruption juridique. **Opp.** interruption naturelle. **V.a.** renonciation à la prescription+.
Angl. civil interruption (of prescription)+, legal interruption (of prescription).

INTERRUPTION JURIDIQUE (DE LA PRESCRIPTION)

(*Prescr.*) Syn. interruption civile. « La seconde sorte de cause d'interruption [...] est l'interruption juridique ou civile [...] Il s'agit d'un acte juridique dont l'effet est interruptif de la prescription » (Larroumet, *Droit civil*, t. 2, n° 424, p. 253).
Angl. civil interruption (of prescription)+, legal interruption (of prescription).

INTERRUPTION NATURELLE (DE LA PRESCRIPTION)

1. (*Prescr.*) Interruption de la prescription acquisitive résultant du fait que le possesseur a perdu la possession. « *L'interruption naturelle* est la conséquence de la perte de la possession. Cette perte peut résulter soit d'un abandon volontaire soit du fait d'un tiers ou du véritable propriétaire qui se saisit de la chose » (Marty et Raynaud, *Biens*, n° 191, p. 249).
Occ. Art. 2223 C. civ.
Rem. **1°** Si le possesseur abandonne volontairement l'objet de sa possession — perte du *corpus* et de l'*animus* — l'interruption a lieu immédiatement. **2°** Si le possesseur se fait enlever matériellement la chose mobilière dont il avait la possession, la prescription qu'il était en voie d'accomplir est immédiatement interrompue. En matière immobilière, par contre, l'interruption naturelle a lieu rétroactivement si le possesseur a été privé de la chose pendant plus d'un an (art. 2223 C. civ.); pendant cette période, même privé de la chose, il en conserve néanmoins la possession (possession *animo solo*) et peut exercer les actions possessoires pour la reprendre (art. 770 C. proc. civ.).
Opp. interruption civile.
Angl. natural interruption (of prescription)[1].

2. (*Prescr.*) Interruption de la prescription extinctive d'un droit réel démembré résultant du fait que son titulaire, après avoir cessé de l'exercer pendant un temps, recommence à en faire usage. « [...] les servitudes s'éteignent par le non-usage pendant trente ans [...] (art. 562 [C. civ.]). Cette prescription extinctive s'interrompra par tout usage de la servitude par celui qui y avait droit, tant que les trente ans ne se sont pas entièrement écoulés. À cette exception près, l'interruption naturelle est sans application à la prescription libératoire [...] » (Mignault, *Droit civil*, t. 9, p. 417).
Rem. **1°** Les droits d'usufruit, d'usage et d'habitation s'éteignent par la prescription de trente ans (art. 479 al. 4, 488 al. 2 C. civ.); il en est de même de la servitude réelle (art. 562 C. civ.) et de l'emphytéose (art. 2203 al. 4 C. civ.). **2°** Voir les art. 2874 et 2875 du Projet de loi 125.
Opp. interruption civile.
Angl. natural interruption (of prescription)[2].

INTERVENANT, ANTE *n.* et *adj.*

(*D. jud.*) Tiers qui entre dans un procès par la voie de l'intervention. « À plusieurs points de vue, la procédure de l'intervention est variable suivant que l'intervenant intervient en vertu d'un droit propre, ou à titre simplement conservatoire » (Vincent et Guinchard, *Procédure civile*, n° 1262, p. 1005).
Occ. Art. 212 C. proc. civ.
V.a. mis en cause.
Angl. intervenant.

INTERVENIR *v.intr.*

(*D. jud.*) Entrer dans un procès par la voie de l'intervention. « Les créanciers d'un débiteur peuvent intervenir dans un procès où ce débiteur est l'une des parties s'il existe

des motifs vraisemblables de croire que leur débiteur refusera ou négligera d'exercer ses droits à leur préjudice » (*Boucher* c. *Pelletier*, [1984] R.D.J. 214 (C.A.), p. 217, j. M. Jacques).
Occ. Art. 208 C. proc. civ.
V.a. mettre en cause.
Angl. intervene.

INTERVENTION *n.f.*

(*D. jud.*) Entrée d'un tiers dans un procès déjà engagé entre les parties originaires. « L'intervention fait exception au principe de l'immutabilité du litige en cours d'instance » (Wiederkehr, *Rép. proc. civ.*, v° Intervention, n° 4).
Rem. L'intervention est volontaire ou forcée.
V.a. mise en cause.
Angl. intervention.

INTERVENTION ACCESSOIRE

(*D. jud.*) Syn. intervention conservatoire. « La voie tracée à *l'intervention accessoire* est [...] assez étroite, car la relativité de la chose jugée est la règle » (Martin, *Juris-Cl. Proc. civ.*, fasc. 127-1, n° 20).
Rem. Le nouveau Code de procédure civile français consacre ce terme à l'art. 330.
Opp. intervention principale.
Angl. accessory intervention, conservatory intervention⁺.

INTERVENTION AGRESSIVE

(*D. jud.*) Intervention volontaire qui vise à faire reconnaître une prétention au profit de l'intervenant. « L'intervention agressive est une instance séparée, nullement sujette au sort de l'instance originaire » (*Desmeules* c. *Prêt Hypothécaire*, [1983] R.D.J. 101 (C.A.), p. 104, j. C. L'Heureux-Dubé).
Occ. Art. 210 C. proc. civ.
Syn. intervention principale. **Opp.** intervention conservatoire.
Angl. aggressive intervention⁺, principal intervention.

INTERVENTION CONSERVATOIRE

(*D. jud.*) Intervention volontaire qui vise à faire représenter une partie originaire par l'intervenant ou à appuyer la prétention de celle-ci. « L'intérêt [...] peut résulter, dans le cas d'intervention conservatoire, du fait que les droits de l'intervenant, actuels ou futurs, peuvent vraisemblablement être affectés, et cela malgré la relativité de la chose jugée » (*Boucher* c. *Pelletier*, [1984] R.D.J. 214 (C.A.), p. 217, j. M. Jacques).
Occ. Art. 210 C. proc. civ.
Syn. intervention accessoire. **Opp.** intervention agressive.
Angl. accessory intervention, conservatory intervention⁺.

INTERVENTION FORCÉE

(*D. jud.*) Syn. mise en cause[1]. « D'une manière générale, l'intervention forcée ne peut avoir pour objet de recueillir des éléments de preuve » (Wiederkehr, *Rép. proc. civ.*, v° Intervention, n° 93).
Occ. Titre précédant l'art. 216 C. proc. civ.
Opp. intervention volontaire.
Angl. forced impleading(x), forced intervention, impleading[1]⁺.

INTERVENTION PRINCIPALE

(*D. jud.*) Syn. intervention agressive. « *L'intervention principale* a, seule, les caractères d'une véritable demande (*mutatis mutandis*, elle ressemble à la demande en intervention forcée, forcée qu'elle est pour les parties originaires) » (Cornu et Foyer, *Procédure civile*, p. 321-322).
Rem. Le nouveau Code de procédure civile français consacre ce terme à l'art. 329.
Opp. intervention accessoire.
Angl. aggressive intervention⁺, principal intervention.

INTERVENTION VOLONTAIRE

(*D. jud.*) Intervention d'un tiers dans un procès, de sa propre initiative. « L'intervention volontaire peut être agressive ou

conservatoire. Dans le premier cas l'intervenant demande quelque chose pour lui, alors que dans le second, bien que cela lui profite indirectement sans quoi il y aurait défaut d'intérêt, son intervention vise à soutenir les prétentions d'une partie » (Anctil, *Commentaires*, t. 1, p. 285).
Occ. Art. 209 C. proc. civ.
Opp. intervention forcée, mise en cause[1].
Angl. voluntary intervention.

INTERVERSION DE TITRE

(*Biens* et *Prescr.*) Changement du titre[1] en vertu duquel s'exerçait une détention[2] qui transforme celle-ci en possession[1]. « La précarité peut se transformer en possession [...] Celle-ci [cette transformation] ne peut résulter que d'une interversion de titre. Il s'agit d'un changement dans la cause de l'occupation; le détenteur avait la chose en vertu d'un titre impliquant reconnaissance du droit d'autrui; à ce titre, on en substitue un nouveau qui implique que le détenteur a désormais l'*animus* nécessaire pour faire de lui un possesseur » (Martineau, *Prescription*, n° 77, p. 74).
Occ. Art. 2200 C. civ.
Rem. **1°** L'interversion de titre se rencontre principalement en matière de prescription. Voir les art. 2205, 2208 C. civ. **2°** L'interversion de titre peut s'effectuer soit par une cause venant d'une personne autre que le détenteur : ainsi, une personne vend au détenteur la chose qui fait l'objet de sa détention; soit par une cause venant du détenteur lui-même qui oppose contradiction au droit de celui qu'il reconnaissait comme propriétaire, manifestant ainsi sa volonté d'avoir la chose pour son propre compte et démontrant par là qu'il a dorénavant l'*animus* qui lui faisait défaut.
V.a. titre interverti, tradition par interversion de titre.
Angl. interversion of title.

INTERVERTIR UN TITRE *loc.verb.*

(*Biens* et *Prescr.*) Opérer interversion de titre. « Il ne suffit pas à l'usager, pour intervertir son titre et prescrire la propriété du fonds, de se prétendre propriétaire [...] si, à aucune époque, le véritable propriétaire n'a été [...] mis en demeure de reconnaître ou de contester la qualité que l'usager s'attribue [...] » (Rodière, *Rép. droit civ.*, v° Possession, n° 86).
Rem. Voir l'art. 2205 C. civ.
V.a. titre interverti.
Angl. intervert a title.

INTER VIVOS *loc.adv.* (latin)

(*Obl.*) Syn. entre vifs.
Rem. Dans le Code civil, ce terme n'est employé que dans la version anglaise, alors que la version française emploie l'expression *entre vifs* (art. 755 C. civ.).
Angl. *inter vivos.*

INTESTAT *adj.*

(*Succ.*) Qui n'a pas fait de testament.
Rem. **1°** Dans les expressions *décéder* et *mourir intestat*, le terme signifie sans avoir fait de testament et occupe une fonction adverbiale. **2°** Du latin *in* (élément négatif) et *testatus*, participe passé de *testari* (tester).
V.a. *ab intestat.*
Angl. *ab intestat*(>), abintestate(>)+, intestate(>).

INTESTAT *n.*

(*Succ.*) Personne décédée sans avoir fait de testament. « [...] cette expression singulière [succession *ab intestat*] devenue classique, signifie succession laissée "par un intestat", c'est-à-dire par une personne qui n'a pas fait de testament » (Ripert et Boulanger, *Traité*, t. 4, n° 1465, p. 471-472).
Angl. intestate.

INTIMÉ, ÉE *n.* et *adj.*

1. (*D. jud.*) Partie contre qui l'appel est formé. « [...] le terme "intimé", en appel,

veut toujours dire la partie contre laquelle l'appelant demande la réformation du jugement » (*Bean* c. *Langlois*, [1968] B.R. 135, p. 136, j. G. Pratte).
Occ. Art. 499 C. proc. civ.
Opp. appelant°.
Angl. respondent[1].

2. (*D. jud.*) Personne contre qui une requête est formée.
Opp. requérant.
Angl. respondent[2].

INTRANSMISSIBILITÉ *n.f.*

(*Obl.* et *Succ.*) Qualité d'un bien ou d'une dette non susceptible de transmission.
Opp. transmissibilité. **V.a.** inaliénabilité, incessibilité, indisponibilité[1].
Angl. intransmissibility.

INTRANSMISSIBLE *adj.*

(*Obl.* et *Succ.*) Non susceptible de transmission. « Certains droits d'action sont intransmissibles : c'est le cas des droits moraux destinés à s'éteindre avec la personne, seule admise à les exercer » (Brière, *Successions*, n° 118, p. 137).
Opp. transmissible.
Angl. intransmissible.

INTUITU PERSONAE *loc.adv.* (latin)

En considération de la personne. « Le caractère *intuitu personae* d'une obligation n'est pas, bien sûr, limité au cas à la fois classique et banal du tableau qu'une personne physique commande à un peintre connu » (*St-Laurent* c. *Ouellette*, [1984] C.A. 124, p. 130, j. A. Monet). *Contrat conclu* intuitu personae*; contracter* intuitu personae.
V.a. contrat *intuitu personae*.
Angl. *intuitu personae*.

INTUITUS PERSONAE *loc.nom.m.* (latin)

Considération de la personne. « [...] l'*intuitus personae* [...] conduit à l'intransmissibilité — non pas seulement entre vifs [...] mais même à cause de mort [...] » (Carbonnier, *Rev. trim. dr. civ.* 1954, 286, p. 323). *Contrat comportant un* intuitus personae.
Angl. *intuitus personae*.

INVALIDE *adj.*

(*Obl.*) Qui ne remplit pas les conditions[5] requises pour produire ses effets.
Opp. valide. **V.a.** nul.
Angl. invalid.

INVALIDER *v.tr.*

(*Obl.*) Rendre ou déclarer invalide.
Occ. Art. 988 C. civ.
Opp. valider. **V.a.** annuler.
Angl. invalidate.

INVALIDITÉ *n.f.*

(*Obl.*) Caractère d'un acte[2] qui ne remplit pas toutes les conditions[5] nécessaires pour produire ses effets.
Opp. validité. **V.a.** caducité, nullité.
Angl. invalidity.

INVOLONTAIRE *adj.*

V. faute involontaire.

IPSO FACTO *loc.adv.* (latin)

Par le fait même. « Il reste seulement que si l'on admet l'existence d'un droit naturel à contenu individualiste, la question de l'existence tout au moins de certains droits subjectifs se trouve *ipso facto* résolue de façon quasi nécessaire sur le terrain du droit positif » (Marty et Raynaud, *Introduction*, n° 133, p. 252-253).
Angl. *ipso facto*.

IRRÉGULIER, IÈRE *adj.*

V. dépôt irrégulier, héritier irrégulier, successeur irrégulier.

IRRÉSISTIBILITÉ *n.f.*

(*Obl.*) Fait de constituer, pour le débiteur de l'obligation inexécutée ou pour l'auteur du préjudice, un obstacle absolument insurmontable et inévitable, à propos d'un événement constituant un cas fortuit. « L'impossibilité qui doit être distincte de la difficulté et qui doit être absolue, est donc une condition nécessaire de la force majeure. Auteurs et arrêts la désignent souvent du nom d'*irrésistibilité*. Il faut que le débiteur n'ait pas pu résister, que l'obstacle rencontré ait été insurmontable » (Mazeaud, *Traité*, t. 2, n° 1573, p. 688).
V.a. extériorité, imprévisibilité.
Angl. irresistibility.

IRRESPONSABILITÉ *n.f.*

(*Obl.*) V. clause d'irresponsabilité.

IRRESPONSABLE *adj.*

(*Obl.*) Qui ne peut être tenu responsable, en raison de son âge ou de son état mental. « Les personnes qui sont, au moment de la réalisation du dommage, dans un état d'imbécillité, démence ou fureur [...] sont irresponsables » (Nadeau et Nadeau, *Traité*, n° 74, p. 57).
V.a. non responsable.

IRRESPONSABLE *n.*

(*Obl.*) Personne dont la responsabilité ne peut être engagée, en raison de son âge ou de son état mental. « Il ne peut être question [...] dans notre droit de la responsabilité des irresponsables; il y aurait contradiction dans les termes » (Mignault, dans *Journées*, 333, p. 335).
V.a. non-responsable.

IRRÉVOCABILITÉ *n.f.*

(*Obl.*) Caractère de ce qui est irrévocable. « Le principe qui domine la donation entre vifs [...] c'est l'irrévocabilité de la libéralité. Le donateur ayant donné ne peut plus se réserver la faculté de révoquer à sa volonté la donation qu'il a faite. Donner et retenir ne vaut » (Mignault, *Droit civil*, t. 4, p. 169).
Occ. Art. 930 C. civ.
Opp. révocabilité. **V.a.** immutabilité.
Angl. irrevocability.

IRRÉVOCABLE *adj.*

(*Obl.*) Qui ne peut être révoqué. *Acceptation irrévocable*, *donation irrévocable* (art. 823 C. civ.), *propriétaire irrévocable* (art. 1040*b* C. civ.), *renonciation irrévocable* (art. 504 C. civ. Q.), *substitution irrévocable* (art. 930 C. civ.).
Opp. révocable.
Angl. irrevocable.

J

JEU *n.m.*

(*Obl.*) Contrat aléatoire par lequel les parties s'engagent à fournir une prestation à celle d'entre elles qui réussira à atteindre un résultat donné dépendant d'un événement qu'elles peuvent, du moins partiellement, provoquer. Par ex., le contrat intervenant entre joueurs de cartes, d'échecs. « On souligne [...] la distinction entre le jeu et le pari en disant que, si l'événement naît de la volonté des parties dont l'une doit gagner, il y a jeu; si, au contraire, l'événement est indépendant de la volonté et du fait des parties, il y a pari » (Roch et Paré, dans *Traité*, t. 13, p. 569).
Occ. Titre précédant l'art. 1927 C. civ.
Rem. **1°** Voir les art. 1927, 1928 C. civ. **2°** Le régime juridique est le même pour le jeu et le pari; d'ailleurs les mots *jeu* et *pari* sont souvent employés indifféremment.
Syn. contrat de jeu. **V.a.** dette de jeu, exception de jeu, loterie.
Angl. gaming contract.

JONCTION DES POSSESSIONS

(*Prescr.*) Fait pour un possesseur d'ajouter au temps de sa possession le temps de possession de ses auteurs, aux fins de compléter le délai d'une prescription acquisitive. « La loi n'exige pas que le possesseur actuel ait lui-même possédé pendant tout le délai de prescription. Il peut, au contraire, à certaines conditions, ajouter aux années de sa propre possession les années de possession de ses auteurs pour compléter le nombre d'années requis pour l'usucapion. Cette règle de la jonction des possessions est formulée à l'article 2200 [C. civ.] » (Martineau, *Prescription*, n° 178, p. 182).
Rem. Selon l'art. 2200 C. civ., l'ayant cause à titre particulier peut joindre à sa possession celle de son auteur puisqu'il s'agit de possessions distinctes. L'ayant cause universel ou à titre universel, au contraire, ne commence pas une possession nouvelle mais continue celle de son auteur; il s'agit alors de la continuation d'une même possession et non de la jonction de deux possessions distinctes.
Angl. joinder of possessions.

JOUIR *v.tr.*

1. (*Biens* et *Obl.*) Avoir la jouissance[1].
Occ. Art. 406, 443 C. civ.
Angl. enjoy[1].

2. Avoir la jouissance[2].
Occ. Art. 569 C. civ.
Angl. enjoy[2].

JOUISSANCE *n.f.*

1. (*Biens* et *Obl.*) Faculté de se servir d'une chose et, le cas échéant, d'en percevoir les fruits. « [...] l'usufruit est un *droit de jouissance sur la chose d'autrui* [...] » (Marty et Raynaud, *Biens*, n° 62, p. 95).
Occ. Art. 1426, 1600 C. civ.
Rem. La jouissance peut résulter d'un droit personnel, tel celui du locataire, ou d'un droit réel, comme l'usufruit. Dans ce dernier cas, la jouissance correspond aux deux premiers attributs du droit de propriété, l'*usus* et le *fructus*. Dans le cas de l'usufruit,

certains auteurs, se fondant sur l'art. 447 C. civ. (art. 582 C. civ. fr.), donnent au terme *jouissance* un sens plus restreint, celui de *fructus*. Cette acception a été retenue à l'art. 102, L. IV du *Projet de Code civil*, repris à l'art. 1123 du Projet de loi 125.
Syn. droit de jouissance. **V.a.** abus de jouissance, disposition[1.B].
Angl. enjoyment[1]+, right of enjoyment.

2. Fait d'être titulaire d'un droit[2]. « La capacité revêt deux aspects différents : c'est, d'une part, l'aptitude à acquérir un droit ou à être titulaire d'un droit et c'est, d'autre part, l'aptitude à exercer les droits dont on est titulaire; dans le premier cas, il s'agit de la capacité de jouissance et, dans le second cas, il s'agit de la capacité d'exercice » (Pineau et Burman, *Obligations*, n° 91, p. 127).
Occ. Art. 18 C. civ.
V.a. capacité de jouissance, incapacité de jouissance.
Angl. enjoyment[2].

JOUISSANCE PAISIBLE

(*Obl.*) Jouissance[1] exempte de troubles de droit ou de fait. « Le locateur doit procurer au locataire la jouissance paisible des lieux loués. Cette obligation générale [...] veut dire que, tout au long du bail, le locataire a droit à la jouissance de la totalité des lieux loués dans leur intégralité sans être troublé par le locateur lui-même, par des tiers étrangers, par des colocataires ou par des tiers qui prétendraient à des droits sur les lieux loués » (Morel, *Louage*, n° 263).
Occ. Art. 1604 par. 3 C. civ.
Rem. Cette expression n'est utilisée qu'en matière de louage de choses.
Angl. peaceable enjoyment.

JOUR *n.m.*

(*Biens*) Ouverture dans un mur munie d'un verre fixé dans un châssis qu'on ne peut ouvrir. « Les jours sont les ouvertures les moins gênantes pour les voisins, car il n'y a pas à craindre que des objets venant de l'intérieur de la maison ou placés sur le rebord de la fenêtre tombent à l'extérieur. Aussi est-il permis d'en ouvrir *même dans les murs élevés sur la limite extrême du terrain* » (Ripert et Boulanger, *Traité*, t. 2, n° 3105, p. 1077).
Occ. Art. 534, 535 C. civ.
Rem. **1°** Le jour est dit à *verre dormant* à cause du fait qu'il est fermé par un verre inséré dans un châssis fixe. **2°** Le terme *verre* comprend par analogie d'autres matériaux ayant les mêmes propriétés. **3°** Quelle que soit la distance entre un mur et l'héritage voisin, on peut ouvrir dans ce mur des jours aux conditions prescrites par les art. 534 et 535 C. civ. : le jour doit être « à fer maillé », c'est-à-dire qu'il doit être protégé par un grillage ou treillis de fer; de plus, il ne peut être établi à moins d'une certaine hauteur du plancher de la pièce qu'il éclaire. **4°** Ces conditions sont modifiées par l'art. 1035 C. civ. Q. (L.Q. 1987, chap. 18, art. 1 n.e.v.), repris à l'art. 994 du Projet de loi 125, qui reproduisent en substance l'art. 60, L. IV, *Projet de Code civil* : les jours doivent être translucides et non transparents; les restrictions se rapportant au « fer maillé » et à la hauteur sont supprimées.
Syn. jour de souffrance, jour de tolérance.
Opp. vue. **V.a.** servitude de vue, verre dormant.
Angl. light+, light existing by sufferance, light existing by tolerance.

JOUR DE SOUFFRANCE

(*Biens*) Syn. jour. « Les *jours*, appelés parfois jours de souffrance ou de tolérance, sont des ouvertures destinées seulement à laisser passer la lumière et non l'air. Ils sont "à verre dormant" c'est-à-dire munis d'un verre fixé dans un châssis qui ne peut pas être ouvert » (Marty et Raynaud, *Biens*, n° 279, p. 382).
Angl. light+, light existing by sufferance, light existing by tolerance.

JOUR DE TOLÉRANCE

(*Biens*) Syn. jour. « Les *jours* — appelés parfois jours de souffrance ou de tolérance — sont des ouvertures *à verre dormant*, c'est-à-dire ne s'ouvrant pas; elles laissent passer la lumière à l'exclusion de l'air » (Weill, Terré et Simler, *Biens*, n° 281, p. 248).
Angl. light+, light existing by sufferance, light existing by tolerance.

JUDICIAIRE *adj.*

1. Relatif à la justice et à son administration. « Dans le domaine judiciaire, le législateur, surtout dans les sociétés libérales et démocratiques, limite les moyens qui peuvent être utilisés pour découvrir la vérité et édicte des règles qui guident le tribunal dans la solution du litige » (Royer, *Preuve civile*, n° 2, p. 1). *Organisation judiciaire, pouvoir judiciaire.*
Occ. Art. 47 C. civ.; art. 111, 276 C. proc. civ.
V.a. district judiciaire°, droit judiciaire privé, règle de compétence judiciaire, tribunal judiciaire. **F.f.** légal[6].
Angl. judicial[1].

2. Qui émane du juge ou du tribunal. « La compensation peut prendre trois formes principales. Elle est *légale* lorsqu'elle résulte de l'opération seule de la loi, *judiciaire* si elle est prononcée par le juge et enfin *conventionnelle* lorsqu'elle prend sa source dans l'entente réciproque des parties » (Baudouin, *Obligations*, n° 833, p. 508-509).
Occ. Art. 1823, 1930, 2034 C. civ.
Opp. contractuel, légal[3]. **V.a.** caution judiciaire, compensation judiciaire, conseil judiciaire, dommages-intérêts judiciaires, émancipation judiciaire, hypothèque judiciaire, mandat judiciaire, ordre public judiciaire, radiation judiciaire, représentation judiciaire, séquestre judiciaire, terme judiciaire.
Angl. judicial[2].

3. A. (*D. jud.* et *Preuve*) Qui se fait au cours d'une instance. « Le commerçant et le manufacturier qui volontairement ou non laissent traîner en longueur les réclamations du consommateur ne craignent pas les poursuites judiciaires, surtout si les montants en jeu sont minimes et ils rendent ainsi les mesures de protection légales inefficaces » (L'Heureux, *Consommation*, p. 236). *Enquête judiciaire, poursuite judiciaire, serment judiciaire, témoignage judiciaire, transaction judiciaire.*
Occ. Art. 953*a* par. 5, 1162 al. 2 C. civ.
Opp. extrajudiciaire[A]. **V.a.** dépôt judiciaire.
Angl. judicial[3.A].

3. B. (*D. jud.* et *Preuve*) Se dit d'un aveu fait dans l'instance même où il est invoqué. « Il y a deux espèces d'aveu : l'aveu extrajudiciaire et l'aveu judiciaire (art. 1243, al. 1 [C. civ.]) [...]; le second ne peut être fait que par une partie et doit l'être au cours du procès où cette partie figure » (Mignault, *Droit civil*, t. 6, p. 118).
Opp. extrajudiciaire[B].
Angl. judicial[3.B].

JUGE *n.*

1. (*D. jud.*) Personne investie par l'État du pouvoir de rendre la justice par l'application du droit. « Historiquement, ce qui a généralement été accepté comme l'essentiel du principe de l'indépendance judiciaire a été la liberté complète des juges pris individuellement d'instruire et de juger les affaires qui leur sont soumises [...] » (*R.* c. *Beauregard*, [1986] 2 R.C.S. 56, p. 69, j. B. Dickson).
Occ. Art. 11 C. civ.; art. 4 par. e, 46 C. proc. civ.; *Loi sur les juges*, L.R.C., chap. J-1; art. 6, *Loi sur les tribunaux judiciaires*, L.R.Q., chap. T-16.
V.a. tribunal[1].
Angl. judge[1].

2. (*D. jud.*) Syn. juge en chambre.
Occ. Art. 307, 669, 924 C. civ.; art. 4 par. e C. proc. civ.
Angl. judge[2], judge in chambers+.

JUGE EN CHAMBRE

(*D. jud.*) Juge[1] qui, hors des sessions du tribunal, exerce des pouvoirs spécifiquement prévus par la loi et siège le plus souvent dans son cabinet.
Occ. Art. 4 par. *e*, 40, 41 C. proc. civ.
Rem. Le terme « *in chambers* », d'origine britannique comme l'est le système judiciaire au Québec, est fréquemment utilisé tel quel.
Syn. juge[2]. **Opp.** tribunal[2].
Angl. judge[2], judge in chambers+.

JUGE EN CHEF

(*D. jud.*) Juge[1] à qui est confiée l'administration du tribunal[1] et sont conférés certains pouvoirs spéciaux. « L'honorable juge en chef doit voir à la bonne administration de la justice et au fonctionnement efficace de la Cour dont il est responsable » (*Gold* c. *P. G. Québec*, [1986] R.J.Q. 2924 (C.S.), p. 2928, j. A. Forget).
Occ. Art. 12 par. *l*, 36, 47 C. proc. civ.
Rem. Le terme *juge en chef* est dérivé des expressions « *chief justice* » ou « *chief judge* ». En droit français, sous cette acception, on emploie les expressions *président du tribunal* pour les tribunaux du premier degré, et *premier président* pour les juridictions supérieures [art. 758 et 907 C. prov. civ. fr.]. Au Québec, le *président du tribunal* est le juge qui siège en audience.
V.a. président de la cour.
Angl. chief justice.

JUGEMENT *n.m.*

A. Décision de justice rendue par un tribunal ou par un juge. *Rendre (un) jugement.*
Occ. Art. 472 C. proc. civ.
Rem. **1°** En France, le jugement, par opposition à l'arrêt, est réservé le plus souvent aux décisions de première instance. Au Québec, sous l'influence de la langue juridique anglaise qui ne connaît pas cette distinction, le terme s'entend généralement de toute décision judiciaire. **2°** Ce terme s'emploie aussi, bien que rarement, à propos d'une sentence arbitrale. **3°** On dit *infirmer*, *casser* ou *réformer un jugement* et non *renverser un jugement*, tournure calquée de l'anglais *to reverse a judgment.*
V.a. acquiescement à jugement, arrêt, assignation en déclaration de jugement commun, ordonnance°, saisie après jugement, saisie avant jugement.
Angl. judgment[A].

B. Écrit exprimant cette décision.
Occ. Art. 471 C. proc. civ.
Angl. judgment[B].

JUGEMENT *A QUO* (latin)

(*D. jud.*) Syn. jugement dont appel. « [...] je me vois dans l'obligation juridique d'accueillir l'appel, de casser le jugement *a quo* et de rejeter l'action du demandeur [...] » (*Reny* c. *Deroy*, [1969] B.R. 673, p. 682, j. R. Brossard).
Angl. judgment *a quo*, judgment in appeal, judgment under appeal+.

JUGEMENT ATTAQUÉ

(*D. jud.*) Syn. jugement dont appel.
Angl. judgment *a quo*, judgment in appeal, judgment under appeal+.

JUGEMENT D'ÉQUITÉ

Décision de justice dans laquelle le tribunal, pour des raisons d'équité, s'écarte de l'application normale de la loi parce que celle-ci serait trop rigoureuse en l'espèce. « Le jugement d'équité nous apparaît ainsi comme le jugement à l'état pur, un jugement qui, lui-même, ne croit pas pouvoir devenir règle [...] Ce jugement n'en crée pas moins du droit, non pas une règle générale, mais une solution individuelle » (Carbonnier, *Introduction*, n° 9, p. 35).
V.a. arrêt d'espèce, décision d'espèce.
Angl. judgment in equity.

JUGEMENT DONT APPEL

(*D. jud.*) Jugement à l'encontre duquel un appel a été formé. « Je suis donc d'avis

d'accueillir l'appel, de casser le jugement dont appel et, statuant à nouveau, d'accueillir l'action et de condamner l'intimée à payer aux appelants [...] » (*Paquet* c. *Aetna Casualty du Canada Cie d'assurance*, [1984] C.A. 163, p. 167, j. Y. Bernier).
Syn. jugement *a quo*, jugement attaqué, jugement entrepris, jugement frappé d'appel.
Angl. judgment *a quo*, judgment in appeal, judgment under appeal+.

JUGEMENT ENTREPRIS

(*D. jud.*) Syn. jugement dont appel. « Pour ces motifs, infirmant le jugement entrepris, j'accueillerais la requête de l'appelante pour nommer un arbitre, frais à suivre le sort de la cause, et je condamnerais l'intimée aux frais d'appel » (*Samson Bélair Inc.* c. *Commerce and Industry Insurance Co.*, [1984] C.A. 156, p. 163, j. A. Mayrand).
Angl. judgment *a quo*, judgment in appeal, judgment under appeal+.

JUGEMENT FRAPPÉ D'APPEL

(*D. jud.*) Syn. jugement dont appel. « Le jugement frappé d'appel rejette l'action en passation de titre du demandeur [...] » (*Asselin* c. *Héritiers légaux de feu Marcel Harnois*, [1983] C.A. 652, p. 656, j. F. Lajoie).
Occ. Art. 500 C. proc. civ.
Angl. judgment *a quo*, judgment in appeal, judgment under appeal+.

JURATOIRE *adj.*

(*Obl.*) V. caution juratoire.

JURIDICISABLE *adj.*

Susceptible de juridicisation. « Dès lors, le juriste se trouve confronté à une difficulté accrue, liée à la recherche du critère de la *juridicité* : il lui faut déterminer non pas seulement ce qui est appréhendé par un système juridique, sur un territoire et à une époque donnés, c'est-à-dire ce qui est *juridicisé*, mais encore ce qui pourrait l'être, en d'autres termes ce qui est *juridicisable* » (Weill et Terré, *Introduction*, n° 12, p. 16).
Angl. juridicizable.

JURIDICISATION *n.f.*

Attribution du caractère juridique à un phénomène social. Par ex., la juridicisation de l'obligation alimentaire de l'enfant naturel à l'égard de ses père et mère n'est survenue qu'en 1970 (L.Q. 1970, chap. 62, art. 11). « Le "*phénomène juridique*" correspond en sociologie à ce qu'on appelle "le droit" en droit dogmatique. Mais le phénomène juridique y est pulvérisé à travers diverses classifications [...]. Cela ouvre la voie à des multiples recherches sur "le processus de juridicisation" de l'homme dans la société, les voies qu'il emprunte (famille, école ...), sa progression selon l'âge, le sexe, les couches sociales ... » (Bergel, *Théorie du droit*, n° 159, p. 176).
V.a. juridicité.
Angl. juridicization.

JURIDICISER *v.tr.*

Effectuer une juridicisation. « Même parmi nous, certains groupements particuliers (ainsi l'Armée) [...] quand ils se créent un système de règles de conduite — une discipline — y font très aisément entrer tout le quotidien de l'existence (à l'instar des vieux droits asiatiques, les règlements militaires ont juridicisé la manière de saluer, la coupe des cheveux) » (Carbonnier, *Sociologie juridique*, n° 9, p. 181).
Angl. juridicize.

JURIDICITÉ *n.f.*

Caractère de ce qui relève du droit[1]. « La constatation que, du moins dans nos sociétés modernes, coexistent deux ordres de règles, les règles juridiques et toutes les règles sociales qui ne sont pas juridiques, nous

impose de chercher un critère par lequel différencier les deux catégories; et puisque c'est le juridique qui fait figure de phénomène particulier par rapport à l'ensemble social, il faut se mettre en campagne pour découvrir ce que peut être le critère du juridique, la *juridicité* » (Carbonnier, *Sociologie juridique*, n° 11, p. 186). *Critère de juridicité.*
V.a. juridicisation, juridique.

JURIDICTION *n.f.*

1. (*D. jud.*) Syn. tribunal[1]. « Une première règle qui délimite le pouvoir de juger est celle voulant qu'une juridiction ne puisse agir "*proprio motu*" [...]. Une juridiction ne peut exercer sa fonction juridictionnelle que lorsqu'on lui soumet la matière sur laquelle elle doit l'exercer [...] » (Savoie et Taschereau, *Procédure civile*, t. 1, n° 49, p. 31). *Juridiction de droit commun.*
Angl. court[1]+, Court of Justice, forum.

2. (*D. jud.*) Ensemble des tribunaux de même nature ou de même degré. Par ex., la juridiction civile, la juridiction d'appel.
Angl. jurisdiction[2].

3. (*D. jud.*) Pouvoir de juger. « Ce que l'on appelle plus spécialement la juridiction, c'est la fonction étatique qui consiste à découvrir (généralement à la suite d'une contestation, d'un litige, d'un procès) quelle est, parmi les règles de droit préexistantes, celle dont les dispositions abstraites recouvrent les circonstances concrètes du cas (de *l'espèce*), de déclarer ainsi la règle de droit applicable, et d'en faire application. C'est cela qui est proprement dire le droit [...] » (Carbonnier, *Introduction*, n° 8, p. 31).
Syn. justice[3].

4. (*D. jud.*) Compétence[1], à propos d'un tribunal.
Occ. Art. 6 al. 2 C. civ.
Rem. **1°** En français moderne, le terme *juridiction* ne s'emploie dans ce sens que dans un certain nombre de formules figées qui subsistent de l'époque où ce terme était courant, par ex., *clause attributive de juridiction, immunité de juridiction, prorogation de juridiction.* Dans les autres cas, il a été complètement remplacé par *compétence*, le terme *juridiction* s'employant surtout pour désigner l'organe chargé de dire le droit. **2°** Au Québec, sous l'influence de l'anglais, le terme *juridiction*, pris dans ce sens, est resté courant.
V.a. clause attributive de juridiction, conflit de juridictions, immunité de juridiction.
Angl. competence[1] (>), jurisdiction[1] (>)+.

5. (X) *Angl.* V. compétence[1] (à propos d'une autorité publique autre qu'un tribunal).
Rem. Le terme anglais *jurisdiction* s'applique, de façon générale, à l'habilitation permettant à une personne d'accomplir un acte public, alors que le terme français *juridiction* se rattache forcément à un pouvoir de dire le droit, c'est-à-dire de trancher un litige.
Angl. competence[1], jurisdiction[1]+.

6. (X) *Angl.* Pays, province ou territoire dans lequel une autorité publique exerce ses pouvoirs.
Rem. Ce terme est un calque de l'anglais *jurisdiction.*
Angl. jurisdiction[3].

JURIDICTION DE DROIT COMMUN

(*D. jud.*) Syn. tribunal de droit commun.
Angl. court of original general jurisdiction+, original jurisdiction.

JURIDICTIONNEL, ELLE *adj.*

V. compétence juridictionnelle, règle de compétence juridictionnelle.

JURIDIQUE *adj.*

1. Relatif au droit[1]. Par ex., études juridiques, opinion juridique, phénomène juridique, politique juridique, science juridique.

Rem. On emploie à tort les expressions *jour juridique, jour non juridique* (art. 17 par. 14*a*, 2160 C. civ.). On doit plutôt utiliser les termes *jour ouvrable* ou *non férié* et *jour férié.*
V.a. garde juridique, juridicité, maxime juridique, ordre juridique, personnalité juridique[1], personne juridique[1], précepte juridique, principe juridique, règle juridique.
F.f. légal[6].
Angl. jural, juridical[1], juristic, legal[2+].

2. Qui produit un effet de droit. « A cette classification [traditionnelle] la doctrine moderne en préfère généralement une autre, articulée sur deux notions plus larges : celles de l'*acte juridique* et du *fait juridique* » (Carbonnier, *Introduction*, n° 167, p. 284).
Syn. civil[11]. **V.a.** acte juridique, fait juridique, possession juridique.
Angl. civil[11], juridical[2], legal[8+].

3. Syn. légal[4].
V.a. capacité juridique, incapacité juridique.
Angl. juridical[3], legal[6+].

4. Qui est sanctionné par le droit positif.
Opp. moral[2]. **V.a.** obligation juridique, responsabilité juridique.
Angl. juridical[4], legal[5+].

5. Syn. moral[5].
V.a. personnalité juridique[2], personne juridique[2].
Angl. artificial, ideal, juridical[5], legal[9+], moral[5].

6. (*Prescr.*) Syn. civil[9].
V.a. interruption juridique de la prescription.
Angl. civil[9+], legal[10].

JURIDIQUE *n.m.*

Ce qui relève du droit. « La distinction entre "le juridique" et "le social non juridique" n'a cessé d'alimenter la réflexion des juristes, des philosophes, des sociologues ... » (Bergel, *Théorie du droit*, n° 159, p. 177).
V.a. juridicité.

JURISCONSULTE *n.*

1. Titre de prestige décerné, par commune renommée, à quelques juristes en raison de l'éminente autorité de leurs opinions ou travaux et de leur maîtrise incontestée du droit. Par ex., Du Moulin, Domat, Pothier, Demolombe. « [...] les travaux des jurisconsultes contribuèrent à préparer l'unification du droit français en s'efforçant de dégager un droit commun, dans lequel une place prépondérante était donnée soit aux solutions de la coutume de Paris, soit à celles du droit romain » (Aubry et Rau, *Droit civil*, t. 1, n° 173, p. 322).
V.a. doctrine.
Angl. jurisconsult[1].

2. Nom désignant un conseiller juridique, spécialement appelé à donner des consultations. « [...] le comité [d'étude sur le rôle, le statut, la rémunération et la carrière des avocats et notaires de la fonction publique] propose une série de mesures [...] Signalons parmi elles, des modifications à la Loi sur le ministère de la justice [...] clarifiant le rôle de jurisconsulte du ministre de la justice [...] » (*Journal Barreau*, (15 février 1987) 8).
Occ. Art. 4, *Loi sur le ministère de la Justice*, L.R.C. 1985, chap. J-2; art. 3 par. a, *Loi sur le ministère de la Justice*, L.R.Q., chap. M-19; art. 74, 80, *Loi sur l'Assemblée nationale*, L.R.Q., chap. A-23.1.
Rem. **1°** On doit distinguer le jurisconsulte[2] du juriste, car ce dernier ne donne pas toujours des consultations juridiques. **2°** En vertu de l'article 74 de la *Loi sur l'Assemblée nationale*, l'Assemblée peut nommer un jurisconsulte chargé de fournir, à un député qui en fait la demande, un avis relatif à la conformité de la situation de ce député avec les dispositions concernant les incompatibilités de fonctions et les conflits d'intérêts.
Angl. jurisconsult[2].

JURISPRUDENCE *n.f.*

1. Ensemble des décisions rendues par les tribunaux. « La jurisprudence [...] est un

guide de premier ordre pour la compréhension d'une loi obscure ou incomplète » (Azard et Bisson, *Droit civil*, t. 1, n° 26, p. 35). *La jurisprudence québécoise; les recueils de jurisprudence.*
Rem. 1° Traditionnellement, dans un système de droit codifié, la jurisprudence ne constitue pas une source formelle du droit; elle joue néanmoins un rôle majeur dans l'interprétation et l'évolution du droit. **2°** Du latin *jus, juris* : droit, et *prudentia* : connaissance.
Opp. coutume[2], doctrine[1], loi[1].
Angl. jurisprudence[1].

2. Solution généralement donnée par les tribunaux ou par un tribunal à une question de droit. « La jurisprudence s'établit donc par la répétition de décisions distinctes qui finissent par former une suite, une série, une tendance, parce qu'elles sont toutes orientées dans le même sens [...] » (Cornu, *Introduction*, n° 439, p. 146). *La jurisprudence de la Cour d'appel; la jurisprudence est fixée; revirement de jurisprudence; une jurisprudence constante.*
Rem. L'expression *faire jurisprudence* se dit d'une décision qui consacre une solution avec le résultat qu'elle est suivie par les décisions ultérieures.
Angl. jurisprudence[2].

3. Science du droit. « On fait à ceux qui professent la jurisprudence le reproche d'avoir multiplié les subtilités, les compilations et les commentaires » (Portalis, dans *Projet*, Discours préliminaire, p. xiii).
Angl. jurisprudence[3].

JURISPRUDENTIEL, IELLE *adj.*

Relatif à la jurisprudence. « Le droit anglais n'a jamais été un droit coutumier : c'est un droit jurisprudentiel » (David, *Grands systèmes*, n° 352, p. 396). *Courant jurisprudentiel.*
Opp. doctrinal, légal[1].
Angl. jurisprudential.

JURISTE *n.*

Personne versée dans la science du droit. Par ex., l'avocat, le juge, le notaire, le professeur de droit. « [...] le rôle des avocats et notaires est essentiel puisque, à titre de juristes, ils contribuent de façon déterminante au maintien de l'équilibre entre les intérêts de l'État et ceux des citoyens » (*Journal Barreau*, (15 février 1987) 8).
V.a. conseiller en loi, homme de loi, jurisconsulte.
Angl. jurist.

JUS *n.m.* (latin)

1. (*D. rom.*) Première phase d'un procès civil, devant un magistrat. « À partir de cette époque [établissement de la République] et jusqu'à la fin de l'époque classique, l'organisation judiciaire, à Rome, est dominée par un grand principe : la division de l'instance (ou procès) en deux phases désignées par les romanistes des noms de *jus* et de *judicium*. Les affaires civiles sont d'abord portées *in jure*, au tribunal du magistrat, puis *apud judicem* devant un juré, particulier choisi par les plaideurs pour juger le procès » (Giffard, *Précis*, t. 1, n° 132, p. 87).
Rem. On rencontre également la forme *ius*.
Angl. *jus*[1].

2. Syn. droit[1]. « La distinction du Droit et de la religion apparaît dès les origines du Droit romain. Le *jus* (ce qui est permis par la Cité) ne se confond pas avec le *fas* (ce que permet la religion) » (Giffard, *Précis*, t. 1, n° 7, p. 8).
Angl. *jus*[2], law[1+].

3. Syn. droit[2]. « Les interprètes du Moyen Age disaient que, dans ce sens, *jus* signifie *facultas agendi*, faculté d'agir (en anglais *right*) » (Giffard, *Précis*, t. 1, n° 5, p. 7).
Angl. *jus*[3], right[+].

JUS ABUTENDI *loc.nom.m.* (latin)

(*Biens*) Syn. *abusus*. « **Les prérogatives du jus abutendi** : — Le droit de disposer

comporte, outre le *droit d'abandonner* la chose et de la *détruire*, deux prérogatives importantes : le *droit d'aliéner* la chose à titre gratuit ou onéreux, le *droit de la conserver* dans son patrimoine » (Mazeaud et Chabas, *Leçons*, t. 2, vol. 2, 2e part., n° 1333, p. 72).
Angl. *abusus*+, *jus abutendi*.

JUS AD REM *loc.nom.m.* (latin)

(*Obl.*) Droit personnel résultant d'une obligation de donner. « L'époque féodale fit pulluler le droit réel, étouffa un peu le droit de créance [...] D'elle vint aussi l'intermède du *jus ad rem* [...] : c'était, entre le droit réel et le droit personnel, le droit personnel de se faire transférer par le débiteur un droit réel (le créancier d'une obligation de donner, dans un système juridique qui ne la répute pas exécutée par le seul consentement, a un *jus ad rem*) » (Carbonnier, *Droit civil*, t. 3, n° 15, p. 69).
Rem. **1°** Pour certains auteurs, le *jus ad rem* couvre également le droit personnel résultant de l'obligation de livrer une chose déterminée. **2°** Contrairement aux termes *jus in personam* et *jus in re*, qui constituent la distinction classique provenant du droit romain, le terme *jus ad rem* viendrait du droit canonique (Ourliac et de Malafosse, *Histoire*, t. 2, n° 22, p. 51).
V.a. droit réel.
Angl. *jus ad rem*.

JUS CIVILE *loc.nom.m.* (latin)

(*D. rom.*) Syn. droit civil7.A.
Angl. Civil law6.A+, *jus civile*.

JUS COGENS *loc.nom.m.* (latin)

Syn. droit impératif.
Angl. imperative law1+, *jus cogens*.

JUS CONNATUM *loc.nom.m.* (latin)

Syn. droit inné.
Opp. *jus quaesitum*+.
Angl. inherent right+, innate right, *jus connatum*.

JUS DISPOSITIVUM *loc.nom.m.* (latin)

Syn. droit supplétif1.
Angl. *jus dispositivum*, suppletive law1+.

JUS FRUENDI *loc.nom.m.* (latin)

(*Biens*) Syn. *fructus*. « [...] le *droit de propriété* confère à son titulaire l'ensemble des prérogatives que l'on est susceptible d'exercer sur une chose : droit de s'en servir (*jus utendi*), d'en tirer les revenus (*jus fruendi*), d'en disposer (*jus abutendi*) [...] » (Mazeaud et Chabas, *Leçons*, t. 2, vol. 2, 2e part., n° 1287, p. 4).
Angl. *fructus*+, *jus fruendi*.

JUS GENTIUM *loc.nom.m.* (latin)

1. Syn. droit international public.
Angl. international law2, *jus gentium*1, law of nations, public international law+.

2. (*D. rom.*) Droit1 applicable à la fois aux citoyens et aux étrangers, par opposition au *jus civile*. « Le *jus gentium* a un domaine plus large [que le *jus civile*]; il s'applique aux citoyens romains, mais aussi aux alliés et aux sujets de Rome, aux Latins et aux pérégrins [...] c'est un *Droit commun* à tous les peuples (*gentes*) du monde romain (*orbis romanus*) » (Giffard, *Précis*, t. 1, n° 10, p. 10).
Opp. droit civil7.A.
Angl. *jus gentium*2.

JUS HONORARIUM *loc.nom.m.* (latin)

(*D. rom.*) Syn. droit prétorien2. « Le droit créé par les magistrats (*qui honores gerunt*) est appelé "Droit honoraire", (*jus honorarium*) ou "Droit prétorien" par opposition au "Droit civil" qui découle des sources législatives et de la doctrine des jurisconsultes (*juris prudentia*) » (Giffard, *Précis*, t. 1, n° 13, p. 13).
Angl. honorary law, *jus honorarium*, *jus praetorium*, praetorian law2+.

JUS IN PERSONAM *loc.nom.m.* (latin)

(*Obl.*) Syn. droit personnel.
Angl. creance, credit[4], debt[2], *jus in personam*, personal right+.

JUS IN RE *loc.nom.m.* (latin)

(*Biens*) Syn. droit réel. « Nos anciens auteurs avaient très nettement souligné cette différence [entre droit réel et droit personnel] en opposant le droit "dans la chose" *(jus in re)* au droit "sur la chose" *(jus ad rem)*, qui n'est qu'une variété de droit personnel [...] » (Mazeaud et Chabas, *Leçons*, t. 1, vol. 1, n° 162, p. 225).
Angl. *jus in re*, real right+.

JUS PRAETORIUM *loc.nom.m.* (latin)

(*D. rom.*) Syn. droit prétorien[2].
Angl. honorary law, *jus honorarium*, *jus praetorium*, praetorian law[2]+.

JUS QUAESITUM *loc.nom.m.* (latin)

Syn. droit acquis[1]. « La distinction des droits innés (*jura connata*) et des droits acquis (*jura quaesita*) est déjà ancienne chez les juristes. On a voulu l'utiliser en droit transitoire, lorsqu'on fondait cette branche du droit sur le respect des droits acquis » (Roubier, dans *Archives*, 83, p. 85).
Opp. *jus connatum*.
Angl. acquired right[1]+, *jus quaesitum*, vested right[1].

JUS SANGUINIS *loc.nom.m.* (latin)

(*D. int. public* et *D. int. pr.*) Principe selon lequel la citoyenneté est attribuée à une personne en raison de sa filiation. « [...] un enfant peut avoir deux nationalités à la naissance à cause de la double application des principes du *jus soli* et du *jus sanguinis* » (de Mestral et Williams, *Droit int. public*, p. 193).
Rem. **1°** La loi canadienne sur la citoyenneté fait appel au double critère du *jus soli* et du *jus sanguinis*. **2°** Si une personne est née hors du Canada, elle aura la citoyenneté canadienne si, lors de sa naissance, l'un de ses parents était citoyen canadien. **3°** Dans plusieurs pays, la nationalité constitue le fondement du statut personnel; au Canada, c'est le domicile qui joue ce rôle. **4°** Voir l'art. 3, *Loi sur la citoyenneté*, L.R.C. 1985, chap. C-29.
Opp. *jus soli*.
Angl. *jus sanguinis*.

JUS SOLI *loc.nom.m.* (latin)

(*D. int. public* et *D. int. pr.*) Principe selon lequel la citoyenneté est attribuée à une personne en raison de sa naissance sur le territoire d'un État. « Alors qu'un pays d'émigration fondera la nationalité exclusivement sur la filiation (*jus sanguinis*), un pays d'immigration aura tendance à tenir compte du domicile (*jus soli*) » (Loussouarn et Bourel, *Droit int. privé*, n° 25, p. 20).
Rem. Voir l'art. 3, *Loi sur la citoyenneté*, L.R.C. 1985, chap. C-29.
Opp. *jus sanguinis*.
Angl. *jus soli*.

JUSTE TITRE

(*Obl.* et *Prescr.*) Syn. acte translatif de propriété. « Par *juste titre* on n'entend pas un écrit, mais un *acte juridique*, qui, de sa nature, est *translatif* de propriété [...] Par exemple, la *vente*, la *donation*, l'*échange*, le *legs* à titre particulier émanant d'un *non dominus*, ne rendent pas l'acquéreur propriétaire, mais constituent à son profit, s'il est mis en possession, le *juste titre* exigé par l'article 2265 [art. 2251 C. civ.] » (Colin et Capitant, *Traité*, t. 2, n° 433, p. 235).
Occ. Art. 2268 C. civ.
Rem. **1°** Ce terme s'emploie surtout en matière de prescription. **2°** L'art. 2251 C. civ. emploie l'expression *titre translatif de propriété*, alors que l'art. 2265 C. civ. fr., au même effet, utilise *juste titre*. Par ailleurs, les articles 2206 C. civ. et 2239 C. civ. fr. se servent l'un et l'autre des mots *titres*

translatifs de propriété. Enfin, on trouve le mot *titre* seul à l'art. 412 C. civ., alors qu'à l'art. 550 C. civ. fr. c'est l'expression *titre translatif de propriété* qui est utilisée; par contre, l'art. 2268 C. civ. parle de *juste titre*, alors que l'art. 2279 C. civ. fr. emploie le mot *titre* seul. **3°** Le qualificatif *juste* a ici le sens de « justificatif ».
Angl. lawful title, translatory act of ownership, translatory title of ownership+.

JUSTICE *n.f.*

1. Ce qui est idéalement conforme aux exigences de l'équité et de la raison. « La justice est l'une des aspirations éternelles de l'humanité » (Mazeaud et Chabas, *Leçons*, t. 1, vol. 1, n° 8, p. 22).
V.a. droit naturel, équité[1].
Angl. justice[1].

2. Ce qui est conforme au droit[1]; ce à quoi chacun peut légitimement prétendre en vertu du droit[1]. « L'une des définitions les plus célèbres de la justice est celle qu'en donnait le juriste romain Ulpien : la volonté constante et perpétuelle de rendre à chacun le droit qui lui revient (*voluntas constans et perpetua jus suum cuique tribuendi*) [...] Dans cette définition, la justice n'est que la mise en oeuvre du droit » (Mazeaud et Chabas, *Leçons*, t. 1, vol. 1, n° 8, p. 24).
Angl. justice[2].

3. Syn. juridiction[3]. « La justice s'observe d'abord comme un phénomène étatique : chaque État a sa justice, toute justice émane de l'État [...] » (Cornu et Foyer, *Procédure civile*, p. 71). *Rendre justice, exercer la justice avec rigueur.*
V.a. législation.

4. Organisation et administration judiciaires d'un État. Par ex., ministère de la Justice. « [...] l'État a l'obligation d'assumer diverses fonctions au moyen d'organes structurés afin d'assurer aux citoyens les services essentiels auxquels ils ont droit [...] L'administration de la justice au sens large est un de ces services » (Savoie et Taschereau, *Procédure civile*, t. 1, p. 19).
V.a. action en justice, officier de justice.
Angl. justice[3].

JUSTICE NATURELLE

Syn. droit naturel.
Angl. natural justice, natural law+.

JUSTICIABILITÉ *n.f.*

Caractère de ce qui est justiciable. « À l'évidence, le juridique se constitue souvent en dehors des juges. Même alors, pourtant, son application concrète est, par le procès, toujours ouverte à leur intervention. C'est la seule éventualité du jugement, l'*eventus judicii*, qui est la justiciabilité, non pas le jugement effectif, encore moins la condamnation » (Carbonnier, *Sociologie juridique*, n° 14, p. 193-194).
Angl. justiciability.

JUSTICIABLE *adj.*

Qui relève de la compétence des tribunaux d'un État, à propos d'une personne.
Angl. justiciable.

JUSTICIABLE *n.*

Personne qui relève de la compétence des tribunaux d'un État. « Il me semble important de prendre en considération cette possibilité que le législateur offre aux étrangers autant qu'aux justiciables québécois, de se placer sous la juridiction d'un tribunal de son choix » (*Victoria Transport Ltd* c. *Alimport*, [1975] C.A. 415, p. 421, j. A. Mayrand).
Angl. justiciable.

JUS UTENDI *loc.nom.m.* (latin)

(*Biens*) Syn. *usus*.
Angl. *jus utendi, usus*+.

L

LAIS *n.m.*

(*Biens*) Accroissement insensible que reçoit une rive par l'accumulation des terres que les eaux y déposent successivement et y laissent. *Lais et relais de la mer* (art. 2213 C. civ.).
Occ. Art. 400 C. civ.
Rem. **1°** Les lais d'un fleuve ou d'une rivière constituent une alluvion. **2°** De l'ancien français *lais*, dérivé de *laisser* (du latin *laxare* : relâcher).
V.a. atterrissement, relais.
Angl. foreshore.

LATO SENSU *loc.adj.* (latin)

Au sens large. *Obligation légale* lato sensu, *responsabilité légale* lato sensu.
Opp. *stricto sensu.*
Angl. *lato sensu.*

LEASING *n.m.* (anglais)

(*Obl.* et *D. comm.*) (X) *Angl.* V. crédit-bail.
Rem. Le terme *leasing*, souvent employé, est critiqué comme emprunt abusif.
Angl. financial lease+, lease-back(x), leasing.

LÉGAL, ALE *adj.*

1. Qui a le caractère d'une loi[1]. « [...] la rédaction des coutumes ne transforme pas les règles coutumières en règles légales : bien que mises par écrit, elles ne sont pas, pour autant, l'oeuvre du législateur » (Mazeaud et Chabas, *Leçons*, t. 1, vol. 1, n° 85, p. 122). *Disposition légale.*
Opp. doctrinal, jurisprudentiel. **V.a.** législatif[3].
Angl. legal[1](>).

2. Conforme à la loi[1]; permis par la loi[1]. *Règlement légal.*
Occ. Art. 369 C. civ.; art. 844 par. 2 C. proc. civ.
Opp. illégal[1]. **V.a.** légitime[1], licite.
Angl. legal[3].

3. Qui résulte de la loi[2]. « L'hypothèque légale existe par le fait de la loi seule. C'est un droit qui existe et qui ne demande que la formalité de l'enregistrement pour être conservé et être protégé » (Demers, dans *Traité*, t. 14, p. 205).
Occ. Art. 599*a*, 1030, 1154, 1930, 2020 C. civ.
Opp. contractuel, judiciaire[2]. **V.a.** caution légale, cautionnement légal, compensation légale, domicile légal, émancipation légale, garantie légale, hypothèque légale, mandat légal, obligation légale[2], radiation légale, représentant légal, représentation légale, responsabilité légale, servitude légale, solidarité légale, subrogation légale, terme légal, tutelle légale.
Angl. legal[4].

4. Qui est prescrit, imposé, fourni par la loi[1]. « Toujours la violence reste une injustice, une sorte de délit; elle est incompatible avec la contrainte légale » (Trudel, dans *Traité*, t. 7, p. 204). *Formalité légale, moyens légaux, cours légal.*
Occ. Art. 840 C. civ.; art. 581, 644 C. proc. civ.
Syn. juridique[3]. **V.a.** capacité légale, dommages-intérêts légaux, garde légale,

incapacité légale, intérêt légal, taux d'intérêt légal.
Angl. juridical[3], legal[6+].

5. (*Obl.*) Syn. extracontractuel.
V.a. obligation légale[1].
Angl. extracontractual+, legal[7].

6. (X) *Angl.* V. judiciaire[1], juridique[1].
Rem. Cet emploi fautif vient de ce que le mot anglais "legal" peut avoir un sens général là où le français utilise les termes *légal, judiciaire* ou *juridique*. Ainsi, par exemple, on devrait employer les expressions *étude juridique, secrétaire juridique, procédure judiciaire* au lieu de *étude légale, secrétaire légale* et *procédure légale*.
Angl. judicial[1+], jural, juridical[1], juristic, legal[2+].

LÉGALEMENT *adv.*

D'une manière légale.
Occ. Art. 1078, 1218 C. civ.
Opp. illégalement.
Angl. lawfully.

LÉGALITÉ *n.f.*

1. Caractère de ce qui est légal et, par extension, conforme au droit[1]. « [...] la cause en droit civil doit être envisagée comme un élément subjectif, une recherche de l'intention des parties, de la finalité de l'acte dans leur volonté pour en vérifier la concordance avec les impératifs de légalité et d'ordre public » (Tancelin, *Obligations*, n° 174, p. 100). *Contrôle de la légalité par les juges ou les tribunaux.*
Opp. illégalité[1]. **V.a.** licéité.
Angl. legality.

2. Ce qui est légal et, par extension, conforme au droit[1]. *Agir dans les limites de la légalité.*
Opp. illégalité[2].
Angl. legality.

LÉGATAIRE *n.*

(*Succ.*) Bénéficiaire d'un legs[1]. « Au 3e alinéa de l'article 597 C. c., on a défini le terme *héritier* comme s'appliquant à la personne à qui est dévolue une succession *ab intestat* ou testamentaire. Dans une terminologie juridique précise, il vaut mieux réserver le mot *héritier* pour celui qui recueille la succession *ab intestat*, et appeler *légataire* celui qui reçoit par testament » (Brière, *Successions*, n° 3, p. 1).
Occ. Art. 865, 868, 869, 871 C. civ.
Rem. On distingue les légataires universels, à titre universel et à titre particulier.
Opp. testateur. **V.a.** héritier.
Angl. legatee.

LÉGATAIRE À TITRE PARTICULIER

(*Succ.*) Bénéficiaire d'un legs à titre particulier. « Le légataire à titre particulier devient propriétaire dès le jour du décès, mais il doit demander délivrance aux héritiers saisis ou au légataire universel » (Colin et Capitant, *Traité*, t. 1, n° 254, p. 152).
Syn. légataire particulier. **Opp.** légataire à titre universel, légataire universel.
V.a. ayant cause à titre particulier.
Angl. legatee by particular title+, particular legatee.

LÉGATAIRE À TITRE UNIVERSEL

(*Succ.*) Bénéficiaire d'un legs à titre universel. « [...] si [...] le testament contient un ou des legs à titre universel, le ou les légataires à titre universel pourront se trouver en concours avec un héritier *ab intestat*, auquel cas l'obligation d'acquitter le legs particulier d'une somme d'argent se répartira proportionnellement entre eux [...] » (Brière, *Libéralités*, n° 363, p. 199).
Occ. Art. 472, 735, 737, 878, 880 C. civ.
Opp. légataire à titre particulier, légataire universel. **V.a.** ayant cause à titre universel, héritier testamentaire.
Angl. legatee by general title.

LÉGATAIRE PARTICULIER

(*Succ.*) Syn. légataire à titre particulier. « Le légataire particulier n'est pas tenu en

principe des dettes du défunt (article 735 [C. civ.]) [...] » (Brière, *Libéralités*, n° 361, p. 198).
Occ. Art. 738, 741, 886, 889 C. civ.
Angl. legatee by particular title+, particular legatee.

LÉGATAIRE UNIVERSEL

(*Succ.*) Bénéficiaire d'un legs universel. « Le légataire universel n'est pas nécessairement quelqu'un qui recueille effectivement tous les biens; il peut y avoir plusieurs légataires universels [...] » (Brière, *Libéralités*, n° 334, p. 185).
Occ. Art. 472, 735, 736, 878, 880 C. civ.
Opp. légataire à titre particulier, légataire à titre universel. **V.a.** ayant cause universel, héritier testamentaire.
Angl. legatee by universal title, universal legatee+.

LEGE FORI *loc.adv.* (latin)

(*D. int. pr.*) Selon la loi du for. « Et effectivement qualifier *lege fori* signifie classer dans les catégories de la loi du for » (Battifol et Lagarde, *Droit int. privé*, t. 1, n° 294, p. 343).
V.a. *lex fori*.
Angl. *lege fori*.

LÉGER, ÈRE *adj.*

V. faute légère, faute très légère.

LÉGIFÉRER *v.intr.*

Faire des lois. « Si le pouvoir central ou le pouvoir provincial légifèrent dans un champ qui n'est pas le leur, la loi devient inconstitutionnelle [...] » (Beaudoin, *Partage des pouvoirs*, p. 48).
V.a. droit légiféré.
Angl. legislate.

LÉGISLATEUR *n.m.*

(*D. const.*) Organe étatique dont la fonction est d'édicter des lois². « L'histoire du droit, le droit comparé, la sociologie juridique sont, pour le législateur moderne, des sources d'inspiration : des sciences auxiliaires de la législation » (Cornu, *Introduction*, n° 230, p. 88). *L'intention, la volonté du législateur*.
Rem. Dans le système fédératif canadien, le législateur est soit le Parlement canadien, soit une Législature provinciale.
V.a. codificateur.
Angl. legislator.

LÉGISLATIF, IVE *adj.*

1. Qui a mission de légiférer. *Assemblée législative, fonction législative, pouvoir législatif*.
Angl. legislative¹.

2. Qui concerne l'assemblée législative. « Tout citoyen canadien a le droit de vote et est éligible aux élections législatives fédérales ou provinciales » (art. 3, *Charte canadienne des droits et libertés, Loi de 1982 sur le Canada*, Annexe B, 1982 (R.U.) chap. 11).
Angl. legislative².

3. Qui a le caractère d'une loi². *Acte législatif, texte législatif*.
V.a. légal¹.
Angl. legislative³.

4. Qui a trait aux lois². « Le style lapidaire est, originellement, le style législatif (celui des tables de la loi) : à graver dans la pierre et dans la mémoire » (Cornu, *Introduction*, n° 223, p. 85). *Politique législative, style législatif*.
V.a. compétence législative.
Angl. legislative⁴.

5. Qui est énoncé dans une loi².
V.a. ordre public législatif.
Angl. legislative⁵.

LÉGISLATION *n.f.*

1. Ensemble des lois¹ d'un État ou encore ensemble des lois régissant un domaine déterminé. Par ex., législation canadienne,

législation civile, législation du travail. « [...] le droit comparé rapproche les législations étrangères [...] » (Cornu, *Introduction*, n° 225, p. 97).
Rem. Du latin *legislatio*, de *lex, legis* : loi, et *latus*, participe passé de *ferre* : proposer.
Angl. legislation[1].

2. (X) *Angl.* V. loi[2].
Rem. Ce terme est utilisé à tort pour désigner une loi particulière plutôt qu'un ensemble de lois.
Angl. act[3], legislation[2], statute[+].

LÉGISLATURE *n.f.*

1. (*D. const.*) Corps législatif d'un État. « La fonction législative au Canada appartient à un Parlement fédéral en certaines matières, et à dix législatures provinciales en certaines autres matières » (Brun et Tremblay, *Droit constitutionnel*, p. 157).
Occ. Art. 71, *Loi constitutionnelle de 1867*, 30 et 31 Vict. (R.U.) chap. 3.
Rem. 1° Au Canada, le terme *Législature* (art. 71, *Loi constitutionnelle de 1867*, 30-31 Vict. (R.U.) chap. 3) désigne le corps législatif d'une province. Toutefois, aux termes de l'art. 2 de la *Loi sur l'Assemblée nationale* (L.R.Q., chap. A-23.1), la Législature du Québec est, depuis 1982, connue sous le nom de *Parlement du Québec*, qui est composé de l'Assemblée nationale et du lieutenant-gouverneur. **2°** Dans ce sens, ce terme est emprunté à l'anglais.
Angl. legislature[1].

2. (*D. const.*) Période comprise entre deux élections générales, durant laquelle un corps législatif exerce ses pouvoirs. « Une législature est d'au plus cinq ans [...] » (art. 6, *Loi sur l'Assemblée nationale*, L.R.Q., chap. A-23.1).
Angl. legislature[2].

LÉGITIMATION *n.f.*

(*Pers.*) *Vieilli.* Action de conférer la légitimité à un enfant naturel. « La légitimation produit ses effets de plein droit, dès la célébration du mariage des parents naturels » (Azard et Bisson, *Droit civil*, t. 1, n° 144, p. 270).
Occ. Anc. art. 238 C. civ. (1866-1981).
Rem. **1°** Le mariage des parents, même putatif, opérait la légitimation de plein droit et sans effet rétroactif. **2°** Pendant longtemps, seul l'enfant naturel simple peut être légitimé. En 1971, on permet également la légitimation de l'enfant adultérin en maintenant, toutefois, la prohibition qui frappe l'enfant incesteux (anc. art. 237 C. civ. [1971-1981]). Avec la réforme du droit de la famille, en 1981, la légitimation perd sa raison d'être.
V.a. enfant légitimé.
Angl. legitimation.

LÉGITIME *adj.*

1. Fondé en droit; reconnu, permis par le droit. « L'exercice d'un droit est légitime, par définition, puisqu'il repose sur l'existence même de ce droit, et il ne deviendrait illégitime que s'il excédait les limites fixées par l'ordre juridique à ce droit [...] » (Oppetit, J.C.P. 1965.II.14035). *Cause légitime de préférence, motif légitime, crainte légitime, enrichissement légitime.*
Occ. Art. 1896, 1980, 1981, 1982 C. civ.
Rem. Du latin *legitimus* : établi par la loi.
Opp. illégitime[1]. **V.a.** légal[2].
Angl. lawful[2], legitimate[1+].

2. Conforme à la justice, à l'équité. Par ex., celui qui procure ses services à autrui a droit à une légitime rémunération. « [...] ce principe [le respect de la parole donnée] doit être concilié avec celui, non moins fort, de la *justice commutative* : le contrat n'est plus légitime lorsqu'un déséquilibre profond s'y accuse entre les prestations réciproques » (Flour et Aubert, *Obligations*, vol. 1, n° 406, p. 332). *Revendication légitime, fin légitime.*
Opp. illégitime[2]. **V.a.** équitable[2], licite.
Angl. legitimate[2].

3. Digne de protection juridique. « Bien que traditionnelle, l'expression "intérêt légitime" n'est pas exempte d'ambiguïté.

[...] Pour être légitime, ne faut-il pas que l'intérêt du plaideur soit avouable et mérite une protection juridique, de sorte que le droit d'agir devrait être dénié lorsque l'avantage recherché heurte l'ordre public ou les bonnes mœurs? » (Ghestin et Goubeaux, *Introduction*, n° 528, p. 474). *Intérêt légitime juridiquement protégé.*
Angl. legitimate[3].

4. A. (*Pers.*) *Vieilli.* Se dit d'un enfant issu de parents mariés ensemble. « Le Code civil du Québec vient [...] consacrer la reconnaissance de droits égaux à tous les enfants, quelles que soient les circonstances de leur naissance : en ce sens, il n'y a plus lieu de distinguer les enfants légitimes et les enfants naturels; en ce sens, les qualificatifs sont désormais inutiles » (Pineau, *Famille*, n° 257, p. 197).
Occ. Art. 124, 125 C. civ.
Opp. naturel[1]. **V.a.** enfant légitime.
Angl. legitimate[4.A].

4. B. (*Pers.*) *Vieilli.* Fondé sur le mariage. « Jusqu'à la réforme [...] du droit de la famille [en 1981], la distinction entre la parenté légitime et la parenté naturelle avait, en matière de successions *ab intestat*, une importance considérable, car les parents naturels ne pouvaient succéder » (Brière, *Successions*, n° 33, p. 24). *Parenté légitime, union légitime.*
Opp. illégitime[3.B]. **V.a.** famille légitime, filiation légitime.
Angl. legitimate[4.B].

5. (*Succ.*) Se dit d'une succession *ab intestat* déférée par la loi[2] au conjoint survivant et aux parents. « La succession légitime est celle que la loi défère à l'époux survivant et aux parents du *de cujus* (art. 598 C. civ.). Les alliés ne succèdent jamais » (Brière, *Successions*, n° 31, p. 24).
Occ. Art. 598, 893, 937, 978 C. civ.
V.a. héritier légitime[1], succession légitime[1].
Angl. legitimate[5].

6. (*Succ.*) *Vieilli.* Se dit d'une succession *ab intestat.*
V.a. héritier légitime[2], succession légitime[2].
Angl. legitimate[6].

7. Se dit d'un acte, d'un comportement considéré licite en raison d'un contexte particulier. « Il ne faut pas confondre légitime défense des biens et l'action de se faire justice soi-même. [...] La défense est un droit. Elle donne et elle confère immédiatement le droit [...], mais l'exercice de ce droit est une faute si certaines limites et certaines modérations ne sont pas observées » (*Charette* c. *Dorais*, [1972] C.S. 618, p. 621, j. T. Tôth). *Légitime défense, violence légitime.*
Rem. Voir l'art. 34 C. cr.
Angl. legitimate[7].

LÉGITIMÉ, ÉE *p.p.adj.*

(*Pers.*) V. enfant légitimé.

LÉGITIMEMENT *adv.*

D'une manière légitime. « [...] un créancier ne saurait légitimement user de voies de fait à l'encontre de son débiteur, alors pourtant qu'il ne chercherait, par là, qu'à obtenir son dû » (Flour et Aubert, *Obligations*, vol. 1, n° 220, p. 172).
Occ. Art. 666 C. civ.
Opp. illégitimement.
Angl. legitimately.

LÉGITIMITÉ *n.f.*

1. Qualité de ce qui est fondé en droit, reconnu ou permis par le droit. « La légitimité d'un tel pouvoir [du créancier] a sa source dans la norme objective. C'est la loi qui fonde le droit du créancier, soit qu'elle attache directement cette conséquence à une situation de fait, soit qu'elle permette aux volontés individuelles de faire naître une telle prérogative » (Ghestin et Goubeaux, *Introduction*, n° 192, p. 151).
Opp. illégitimité[1]. **V.a.** légalité.
Angl. legitimacy[1].

2. Qualité de ce qui est conforme à la justice, à l'équité.
Opp. illégitimité[2]. **V.a.** licéité.
Angl. legitimacy[2].

3. A. (*Pers.*) *Vieilli.* État juridique de l'enfant[1] issu de parents mariés ensemble.
Occ. Anc. art. 162 C. civ. (1866-1981).
Rem. Depuis la réforme de 1981, le Code civil ne distingue plus entre la filiation légitime et la filiation naturelle.
Opp. illégitimité[3.A]. **V.a.** action en contestation de légitimité, enfant légitime, enfant légitimé.
Angl. legitimacy[3.A].

3. B. (*Pers.*) *Vieilli.* Caractère de ce qui est fondé sur le mariage. « Dans le droit ancien (c'est-à-dire jusqu'au 2 avril 1981), la primauté allait à la filiation légitime qui supposait que la conception de l'enfant, ou tout au moins sa naissance, put se situer dans le mariage de ses père et mère. C'est dire que la légitimité implique la maternité d'une femme mariée et la paternité du mari de cette femme » (Pineau, *Famille*, n° 256, p. 197).
Opp. illégitimité[3.B].
Angl. legitimacy[3.B].

LEGS *n.m.*

1. (*Succ.*) Disposition[1.A.1] à titre gratuit faite par testament. « [...] si les legs englobent tous les biens, il y a exclusion totale de la succession *ab intestat*, alors que s'ils n'englobent qu'une partie des biens du testateur, il y a coexistence de la succession *ab intestat* et de la succession testamentaire » (Brière, *Libéralités*, n° 333, p. 184).
Occ. Art. 712, 838, 863, 865, 867 C. civ.
Rem. **1°** Un legs peut être universel, à titre universel ou à titre particulier. **2°** Du latin *lego* de *legare* : laisser par testament.
Syn. disposition par testament, disposition testamentaire[1]. **V.a.** donation, libéralité.
Angl. bequest[1], legacy[1+], testamentary disposition.

2. (*Succ.*) Objet d'un legs[1].
Occ. Art. 715, 717 C. civ.
Angl. bequest[2], legacy[2+].

LEGS À TITRE PARTICULIER

(*Succ.*) Legs[1] au bénéfice d'une ou de plusieurs personnes, légataires à titre particulier, appelées à recueillir un ou plusieurs biens déterminés du testateur. « Ce n'est [...] pas l'importance de l'émolument qui est en cause; ce legs peut être très important, mais il ne donne pas vocation au tout ni à une quotité ni à une universalité. Un legs à titre particulier peut porter en fait sur presque toute la fortune du testateur, *e.g.* sur trois immeubles déterminés alors que le testateur n'a pratiquement que ces biens » (Brière, *Libéralités*, n° 338, p. 187).
Occ. Art. 884 C. civ.
Rem. Voir l'art. 873 C. civ.
Syn. legs particulier. **Opp.** legs à titre universel, legs universel. **V.a.** transmission à titre particulier.
Angl. bequest by particular title, legacy by particular title[+], particular bequest, particular legacy.

LEGS À TITRE UNIVERSEL

(*Succ.*) Legs[1] au bénéfice d'une ou de plusieurs personnes, légataires à titre universel, appelées à recueillir une quote-part du patrimoine, une universalité ou une quote-part d'une universalité de ce patrimoine. « Contrairement au legs universel, le legs à titre universel ne donne pas vocation à la totalité des biens du défunt; ainsi, la renonciation du légataire à titre universel des biens mobiliers ne profite pas au légataire à titre universel des immeubles » (Brière, *Libéralités*, n° 335, p. 186).
Occ. Art. 863, 876 C. civ.
Rem. Voir l'art. 873 C. civ.
Opp. legs à titre particulier, legs universel. **V.a.** transmission à titre universel.
Angl. legacy by general title.

LEGS PARTICULIER

(*Succ.*) Syn. legs à titre particulier. « L'article 1002 [art. 863 C. civ.] distingue trois sortes de dispositions testamentaires : universelles, à titre universel, ou à titre

particulier, et les textes suivants définissent trois sortes de legs. [...] *Le legs particulier* (ou à titre particulier) est défini par opposition aux deux premiers : "tout autre legs ne forme qu'une disposition particulière" » (Marty et Raynaud, *Successions*, n° 567-1, p. 438).
Occ. Art. 880, 886, 887, 889 C. civ.
Angl. bequest by particular title, legacy by particular title+, particular bequest, particular legacy.

LEGS UNIVERSEL

(*Succ.*) Legs[1] au bénéfice d'une ou de plusieurs personnes, légataires universels, appelées à recueillir la totalité du patrimoine du testateur. « Ce qui caractérise un legs universel, ce n'est pas un fait matériel : l'émolument, mais la vocation à l'universalité, *i.e.* l'aptitude à recevoir tous les biens [...] » (Brière, *Libéralités*, n° 334, p. 185).
Occ. Art. 863, 873, 876 C. civ.
Opp. legs à titre particulier, legs à titre universel. **V.a.** transmission universelle.
Angl. legacy by universal title, universal legacy+.

LÉGUER *v.tr.*

(*Succ.*) Faire un legs[1]. « On peut léguer à titre particulier un corps certain, une somme d'argent ou une chose de genre » (Brière, *Libéralités*, n° 338, p. 187).
Occ. Art. 873, 882, 883 C. civ.
V.a. tester.
Angl. bequeath+, will.

LÉONIN, INE *adj.*

(*Obl.*) V. clause léonine, société léonine.

LÉSER *v.tr.*

(*Obl.*) Causer lésion.

LÉSION *n.f.*

(*Obl.*) Perte pécuniaire que la conclusion d'un contrat à titre onéreux fait subir à l'une des parties. « Le recours traditionnel de la lésion est une action qui permet à l'incapable, dans les cas prévus par la loi, d'obtenir la rescision de l'acte par lequel il a été lésé » (Baudouin, *Obligations*, n° 214, p. 158). *Être restituable pour cause de lésion.*
Occ. Art. 1001 C. civ.
Rem. **1°** Dans un sens objectif, la lésion consiste uniquement en un déséquilibre économique entre les prestations réciproques. Dans un sens subjectif, elle peut résulter, en outre, de l'inutilité du contrat pour l'une des parties, de l'insuffisance de ses ressources ou du caractère injuste de certaines clauses. La doctrine et la jurisprudence québécoises ont opté pour la conception subjective de la lésion. **2°** Pour être cause de nullité, la lésion doit exister au moment de la formation du contrat. **3°** En principe, la lésion n'est cause de nullité qu'en faveur de certaines catégories d'incapables; les majeurs non protégés ne peuvent demander à être restitués contre leurs contrats pour cause de lésion (art. 1012 C. civ.). Cette règle, toutefois, a subi de nombreuses dérogations, notamment aux art. 1040*c*, 1056*b* C. civ. et à l'art. 8, *Loi sur la protection du consommateur*, L.R.Q., chap. P-40.1. **4°** Du latin *laesio* (de *laesum*, supin de *laedere* : blesser, endommager, offenser) : tort, dommage.
V.a. clause abusive, rescision, restitution[2]+, vice du consentement.
Angl. lesion.

LÉSIONNAIRE *adj.*

(*Obl.*) Relatif à la lésion. « [...] les tribunaux québécois ont aussi admis qu'un contrat était lésionnaire pour un mineur si son objet lui était nocif, si le mineur n'avait pas les moyens financiers d'acheter le bien [...] ou encore si les clauses draconiennes du contrat risquaient de le mettre dans l'embarras » (Jobin, *Rev. int. dr. comp.* 1977, 331, p. 331-332). *Contrat lésionnaire.*
Angl. lesionary.

LETTRE DE CHANGE

(*D. comm.*) Effet de commerce par lequel une personne, le *tireur*, ordonne à une deuxième personne, le *tiré*, de payer, sur demande ou à une date future, une somme d'argent, soit à une troisième personne, le *bénéficiaire* ou *preneur*, ou à l'ordre de celle-ci, soit au *porteur*. « Des droits et des obligations préexistent à la lettre de change ou lui sont concomitants. La lettre de change leur infuse une vigueur plus grande, des modalités nouvelles. Désormais, le créancier va se trouver muni d'un titre de réalisation plus facile, plus efficace » (Perrault, *Droit commercial*, t. 3, n° 391, p. 499).
Occ. Art. 1229 C. civ.; art. 16, *Loi sur les lettres de change*, L.R.C. 1985, chap. B-4.
Syn. traite. **V.a.** billet, chèque.
Angl. bill, bill of exchange+, draft.

LEVÉE D'OPTION ou LEVÉE DE L'OPTION

(*Obl.*) Manifestation de volonté du bénéficiaire d'une option de conclure le contrat proposé. « Il est fréquent qu'une personne promette à une autre de lui vendre son immeuble [...] Le bénéficiaire de cette option accepte d'abord d'examiner la proposition du promettant; ensuite, lorsqu'il le décidera, il manifestera sa volonté d'acheter l'immeuble dont il s'agit : c'est ce qu'on appellera la levée d'option » (Pineau, (1964-1965) 67 *R. du N.* 387).
Angl. exercise of an option.

LEVER UNE OPTION *loc.verb.*

(*Obl.*) Opérer une levée d'option. « [...] lorsque le créancier de la promesse, qui n'avait contracté aucune obligation, s'empare de la proposition qui lui a été faite c'est-à-dire lorsqu'il lève l'option, il devient à son tour débiteur puisqu'il a consenti à acheter » (Pourcelet, *Vente*, p. 29).

LEX CAUSAE *loc.nom.f.* (latin)

(*D. int. pr.*) Loi applicable au fond du litige. Par ex., la loi applicable aux obligations contractuelles des parties (art. 8 C. civ.). « [...] nous croyons que le législateur doit adopter comme règle de conflit la *lex causae*, en matière de prescription. Cette solution remet au pays qui a le plus d'intérêt au conflit la compétence législative pour fournir les règles de prescription susceptibles de résoudre le problème en cours » (Fréchette, (1972) 3 *R.D.U.S.* 121, p. 169).
Opp. loi du for.
Angl. *lex causae*.

LEX CONTRACTUS *loc.nom.f.* (latin)

(*D. int. pr.*) Syn. *lex loci contractus*. « On suivra la "lex contractus" lorsqu'il s'agira des vices du consentement et de la liberté des conventions matrimoniales, avec cette restriction que l'ordre public québécois pourra s'opposer à l'application de certaines dispositions du régime matrimonial étranger » (Cossette, (1965-1966) 68 *R. du N.* 279, p. 281).
Angl. *lex contractus, lex loci contractus*+.

LEX DELICTI *loc.nom.f.* (latin)

(*D. int. pr.*) Syn. *lex loci delicti*. « Néanmoins, cette [...] interprétation [de la règle anglaise classique] a évolué en Angleterre vers une conception plus stricte suivant laquelle l'acte dommageable devrait donner ouverture à une action en dommages à la fois selon la *lex fori* et selon la *lex delicti* » (Groffier, *Précis*, n° 226, p. 218).
Angl. *lex delicti, lex loci delicti*+, *lex loci delicti commissi*.

LEX DOMICILII *loc.nom.f.* (latin)

(*D. int. pr.*) Loi[4] applicable en raison du rattachement d'une personne à son domicile. Par ex., la loi québécoise applicable au régime matrimonial de conjoints domiciliés au Québec lors de leur mariage. « La loi successorale, *lex domicilii* pour les successions mobilières et *lex situs* pour les successions immobilières, déterminera les

qualités requises pour succéder [...] » (Talpis, (1975) *C.P. du N.* 225, p. 234).
Rem. **1°** En vertu de l'art. 6 al. 2 et 4 C. civ., la *lex domicilii* régit notamment les successions mobilières, de même que l'état et la capacité des personnes. **2°** Équivalent : *loi du domicile.*
Angl. *lex domicilii.*

LEX EXECUTIONIS *loc.nom.f.* (latin)

(*D. int. pr.*) Syn. *lex solutionis.* « En l'absence d'indices contraires d'une valeur suffisante, les tribunaux [français] ont tendance à préférer l'application de la *lex executionis* » (Castel, *Droit int. privé*, p. 504).
Rem. Équivalent : *loi du lieu de l'exécution* (d'une obligation).
Angl. *lex executionis, lex solutionis*+.

LEX FERENDA *loc.nom.f.* (latin)

Loi telle que l'on souhaiterait qu'elle fût établie, dans une perspective de réforme du droit. « *L'ordre et la paix extérieure qui s'établissent du fait que chaque droit inspire à chaque citoyen l'attitude sociale pertinente, voilà ce qui retient l'attention du juriste, auteur de la* lex ferenda, *ou interprète de la* lex lata » (Saint Thomas d'Aquin, *Justice*, t. 1, p. 6).
Rem. L'expression est plutôt employée sous la forme adverbiale *de lege ferenda.*
Angl. *lex ferenda.*

LEX FORI *loc.nom.f.* (latin)

(*D. int. pr.*) Syn. loi du for. « Le renvoi au second degré est plus compliqué parce que la loi qui renvoie ne retourne plus à la *lex fori*, celle du juge saisi, mais à une loi tierce » (Cossette, (1969-1970) 72 *R. du N.* 135, p. 138).
Angl. law of the forum+, *lex fori.*

LEX LATA *loc.nom.f.* (latin)

Loi telle qu'elle est établie, dans l'état actuel du droit positif.
Rem. L'expression se rencontre plutôt sous la forme adverbiale *de lege lata.*
Angl. *lex lata.*

LEX LOCI ACTUS *loc.nom.f.* (latin)

(*D. int. pr.*) Loi[4] applicable en raison de la localisation d'un acte juridique au lieu de sa passation. Par ex., la loi new yorkaise applicable à la forme d'un testament rédigé à New York. « [...] en vertu de l'article 7 C.c., on doit reconnaître la validité d'une hypothèque consentie selon la forme étrangère de la *lex loci actus*, même si l'immeuble grevé se trouve au Québec » (Castel, *Droit int. privé*, p. 351).
Rem. **1°** En vertu de l'art. 7 C. civ., la *lex loci actus* régit notamment la forme des actes juridiques. **2°** Équivalent : *loi du lieu de l'acte.*
V.a. *lex loci celebrationis, lex loci contractus.*
Angl. *lex loci actus.*

LEX LOCI CELEBRATIONIS *loc.nom.f.* (latin)

(*D. int. pr.*) Loi[4] applicable en raison de la localisation d'un mariage au lieu de sa célébration. Par ex., la loi ontarienne applicable aux formalités d'un mariage célébré en Ontario. « La règle *locus regit actum* a le mérite d'être simple et certaine. Au XXe siècle, rares sont les cas où les parties ne sont pas à même de se conformer à la *lex loci celebrationis* » (Castel, *Droit int. privé*, p. 168).
Rem. **1°** Il s'agit d'une application particulière de la *lex loci actus.* **2°** Voir l'art. 7.1 C. civ. **3°** Équivalent : *loi du lieu de la célébration.*
Angl. *lex loci celebrationis.*

LEX LOCI CONTRACTUS *loc.nom.f.* (latin)

(*D. int. pr.*) Loi[4] applicable en raison de la localisation d'un contrat au lieu de sa passation. Par ex., la loi japonaise régissant

l'inexécution d'un contrat passé au Japon. « [...] la *lex loci contractus* n'est pas appliquée lorsqu'il apparaît que l'intention des parties a été de s'en rapporter à la loi d'un autre lieu [...] » (Castel, *Droit int. privé*, p. 498).
Rem. **1°** Aux termes de l'art. 8 C. civ., en l'absence de volonté expresse ou implicite des parties, la loi du lieu de conclusion du contrat s'applique au fond des obligations contractuelles. **2°** Il s'agit d'une application particulière de la *lex loci actus.* **3°** Équivalent : *loi du lieu du contrat.*
Syn. *lex contractus.*
Angl. *lex contractus, lex loci contractus*+.

LEX LOCI DELICTI *loc.nom.f.* (latin)

(*D. int. pr.*) Loi[4] applicable en vertu de la localisation d'un délit au lieu de sa survenance. Par ex., la loi québécoise régissant la responsabilité civile de l'auteur étranger d'un délit commis au Québec. « Le principe de la *lex loci delicti*, considéré comme trop rigide, a subi l'attaque de deux tendances extrémistes : les tenants de la *proper law of tort* et ceux de la *lex fori* » (Castel, *Droit int. privé*, p. 452).
Rem. **1°** En droit québécois, la règle de conflit relative à la responsabilité extracontractuelle, en cas de fait dommageable survenu à l'étranger, fait référence à la fois à la *lex loci delicti* et à la loi du for. **2°** Voir l'art. 6 al. 3 C. civ. **3°** Équivalent : *loi du lieu du délit.*
Syn. *lex delicti, lex loci delicti commissi.*
Angl. *lex delicti, lex loci delicti*+, *lex loci delicti commissi.*

LEX LOCI DELICTI COMMISSI
loc.nom.f. (latin)

(*D. int. pr.*) Syn. *lex loci delicti.* « La responsabilité civile aurait dû normalement, en vertu de l'alinéa 3 de l'article 6 du Code civil, être régie par la *lex loci delicti commissi* » (Groffier, *Précis*, n° 224, p. 216).
Angl. *lex delicti, lex loci delicti*+, *lex loci delicti commissi.*

LEX REI SITAE *loc.nom.f.* (latin)

(*D. int. pr.*) Loi[4] applicable en raison de la localisation d'un bien au lieu de sa situation. Par ex., la loi québécoise régissant les immeubles situés au Québec. « La *lex rei sitae* s'applique au régime de la propriété des immeubles [...] et, notamment, à la définition des limites de la propriété [...], ainsi qu'aux droits réels qui sont réclamés sur ces immeubles, y compris les servitudes » (Castel, *Droit int. privé*, p. 355).
Rem. **1°** Voir l'art. 6 al. 1 C. civ. **2°** En matière mobilière, d'aucuns estiment que, malgré les termes de l'art. 6 al. 2 C. civ., la *lex rei sitae* régit les meubles pris individuellement. **3°** Équivalent : *loi du lieu de la situation.*
Syn. *lex situs.*
Angl. *lex rei sitae*+, *lex situs.*

LEX SITUS *loc.nom.f.* (latin)

(*D. int. pr.*) Syn. *lex rei sitae.* « *Mobilia sequuntur personam* [les meubles suivent la personne] : c'est le vieil adage que beaucoup de pays ont cependant écarté de leur législation en faveur de la *lex situs* » (*Gauthier* c. *Bergeron*, [1973] C.A. 77, p. 85, j. J. Deschênes).
Angl. *lex rei sitae*+, *lex situs.*

LEX SOLUTIONIS *loc.nom.f.* (latin)

(*D. int. pr.*) Loi[4] applicable en raison de la localisation d'un acte juridique au lieu du paiement. « [...] l'on peut dire que la *lex solutionis* est désormais [en France] la loi la plus fréquemment retenue, non seulement lorsqu'elle est en concordance avec d'autres indices mais même en l'absence d'indices convergents » (Castel, *Droit int. privé*, p. 505).
Rem. Équivalent : *loi du lieu du paiement.*
Syn. *lex executionis.*
Angl. *lex executionis, lex solutionis*+.

LIBÉRALITÉ *n.f.*

1. (*Obl.*) Acte à titre gratuit comportant disposition[1.A.1]. « [...] l'objet des libéralités

porte nécessairement sur un droit patrimonial, c'est-à-dire suppose la transmission d'un bien d'un patrimoine dans un autre. Par là, les dispositions à titre gratuit se différencient des autres actes à titre gratuit, particulièrement les donations entre vifs des autres contrats de bienfaisance » (Pellegrin-Hardorff, *Rép. droit civ.*, v° Disposition à titre gratuit, n° 14). *Consentir, faire une libéralité.*
Occ. Art. 756 C. civ.
Syn. disposition à titre gratuit.
V.a. donation, testament.
Angl. disposition by gratuitous title, liberality[1]+.

2. (*Obl.*) Objet d'une libéralité[1]. *Le rapport des libéralités reçues.*
Angl. liberality[2].

LIBÉRATION *n.f.*

(*Obl.*) Affranchissement d'une personne ou d'une chose résultant de l'extinction d'une obligation ou d'un droit réel. Par ex., la libération du débiteur par l'effet de la remise de dette (art. 1184 C. civ); la libération d'un fonds; la libération d'une servitude ou d'une hypothèque. « *La libération prévue par les parties.* Les parties stipulent, parfois, que le débiteur sera libéré de toute responsabilité au cas d'inexécution de ses obligations [...] » (Pineau et Burman, *Obligations*, n° 377, p. 449).
Occ. Art. 1202*i*, 1228 C. civ.
Angl. discharge[2].

LIBÉRATOIRE *adj.*

(*Obl.*) Qui a pour effet de libérer une personne d'une obligation[3] ou un bien d'une charge[3] qui le grève. « Le paiement, pour avoir un effet libératoire, doit être fait au créancier personnellement ou à celui désigné pour le recevoir à sa place par la convention (mandataire ou bénéficiaire d'une stipulation pour autrui), la loi (tuteur), ou la justice (syndic à la faillite) » (Baudouin, *Obligations*, n° 612, p. 369-370).
Occ. Art. 2183 C. civ.
V.a. paiement libératoire, prescription libératoire.
Angl. liberating.

LIBÉRER *v.tr.*

(*Obl.*) Effectuer la libération. « La remise de dette a pour effet de libérer le débiteur et, donc, d'éteindre l'obligation totalement ou partiellement, selon qu'elle porte sur la totalité ou sur une partie de la dette » (Pineau et Burman, *Obligations*, n° 404, p. 472). *Libérer le débiteur, libérer un fonds d'une charge.*
Occ. Art. 2251 C. civ.
Rem. Ce verbe s'emploie aussi à la forme pronominale.
V.a. engager[1], grever.
Angl. discharge+, relieve[1].

LIBERTÉ *n.f.*

Prérogative que le droit[1] reconnaît, en principe, à toute personne de faire ce qu'il lui plaît. Par ex., la liberté de conscience, la liberté d'expression, la liberté contractuelle. « [...] les *libertés* sont en principe conférées à tous, et ouvrent à chacun un large choix — par exemple, la *liberté d'opinion*, liberté publique qui, entre autres, autorise chacun à adhérer au parti de son choix, ou à récuser tout engagement partisan; ou encore la *liberté contractuelle*, liberté civile, qui permet la conclusion de n'importe quel contrat, ou inversement, le refus de tout contrat [...] » (Aubert, *Introduction*, n° 179, p. 180).
Occ. Art. 1, *Charte canadienne des droits et libertés, Loi de 1982 sur le Canada*, Annexe B, 1982 (R.U.) chap. 11; art. 3, *Charte des droits et libertés de la personne*, L.R.Q., chap. C-12.
Rem. **1°** Dans une vision civiliste des libertés, on distingue les libertés publiques et les libertés civiles. **2°** Une même liberté peut être envisagée, soit sur le plan du droit public, soit encore sur le plan du droit privé. Ainsi, la liberté de mouvement peut être

sanctionnée par le droit public, par ex., les règles relatives au régime de détention, ou encore par le droit privé, par ex., la responsabilité civile découlant des atteintes illicites à l'exercice des libertés.
Syn. liberté individuelle.
Angl. freedom+, liberty.

LIBERTÉ CIVILE

Liberté dont jouit une personne dans ses rapports avec une autre. Par ex., la liberté d'expression, la liberté de tester, la liberté du commerce, la liberté contractuelle. « La liberté se diversifie selon l'activité humaine qui est en cause. Plutôt que de *la* liberté civile, c'est *de* libertés civiles concrètes que la pratique doit s'occuper » (Carbonnier, *Droit civil*, t. 1, n° 83, p. 119).
Rem. Les libertés civiles sont garanties par les sanctions du droit civil.
Opp. liberté publique.

LIBERTÉ INDIVIDUELLE

Syn. liberté. « Ce n'est que par une détermination de sa propre volonté que l'individu peut perdre quelque chose de cette liberté [de faire ou de ne pas faire]. Tel est le sens du contrat de travail par lequel il engage ses services au profit d'un autre. Ce qui paraît alors sauver la liberté individuelle, c'est l'essentielle précarité du lien ainsi créé » (Carbonnier, *Droit civil*, t. 1, n° 83, p. 120).
Angl. freedom+, liberty.

LIBERTÉ PUBLIQUE

Liberté dont jouit une personne dans ses rapports avec l'État. Par ex., liberté de réunion pacifique; liberté d'association. « [...] les libertés publiques étant, pour l'individu ou les groupes, une faculté d'exiger une attitude de l'Etat, constituent à son endroit une obligation » (Burdeau, *Libertés publiques*, p. 22).
Opp. liberté civile. **V.a.** droits de la personne.
Angl. civil liberty+, fundamental freedom.

LIBRE *adj.*

V. consentement libre.

LIBRE DISCUSSION

(*Obl.*) V. contrat de libre discussion.

LICÉITÉ *n.f.*

Caractère de ce qui est licite. « La licéité est la seconde qualité essentielle au concept de la cause. Ce n'est pas faire échec à la liberté des conventions; c'est seulement la diriger et la protéger » (Trudel, dans *Traité*, t. 7, p. 131).
Opp. illicéité. **V.a.** légalité[1], légitimité[2].
Angl. lawfulness, licitness+.

LICITE *adj.*

Conforme au droit[1]. « C'est une condition essentielle à la validité du contrat que toute partie qui s'y oblige le fasse pour une cause licite [...] : il faut que la cause *existe* et qu'elle soit *licite* [...] » (Carbonnier, *Droit civil*, t. 4, n° 26, p. 119).
Occ. Art. 984, 1041, 1701, 2442 C. civ.
Rem. Dans ce sens, le terme *licite* indique notamment la conformité à la loi[1], à l'ordre public ou aux bonnes mœurs. Toutefois, certains auteurs définissent *licite* dans un sens strict : conforme à une disposition de la loi[1] ou à l'ordre public. On le distingue alors de *moral* : conforme aux bonnes mœurs.
Opp. illicite. **V.a.** cause licite, dommage licite, légal[2], légitime[2], préjudice licite.
Angl. lawful[1], licit+.

LIEN CAUSAL

(*Obl.*) Syn. lien de causalité. « [...] la détermination des éléments constitutifs du lien causal, malgré la netteté des formules reste difficile à opérer dans la pratique, car le plus souvent, le préjudice a des causes multiples » (Baudouin, *Droit civil*, p. 856).
Angl. causality, causal relation, causation+.

LIEN DE CAUSALITÉ

(*Obl.*) Lien de cause à effet reconnu en droit entre le comportement d'une personne ou le rôle d'une chose et le dommage subi. « La réparation des dommages n'est pas subordonnée uniquement à la double existence d'un dommage [...] et d'un fait générateur de responsabilité [...] Encore faut-il que *ce* dommage se rattache à *ce* fait générateur de responsabilité par un lien de cause à effet, par un *lien de causalité* » (Weill et Terré, *Obligations*, n° 741, p. 760).
Rem. Les difficultés de détermination du lien de causalité surgissent lorsque plusieurs facteurs ont contribué à la réalisation du dommage. Elles ont donné naissance à plusieurs théories, comme celle de la causalité adéquate, celle de la *proxima causa* et celle de l'équivalence des conditions.
Syn. causalité, causalité juridique, lien causal, rapport de causalité, relation causale.
V.a. cause[2], responsabilité civile+.
Angl. causality, causal relation, causation+.

LIEN DE PRÉPOSITION

(*Obl.*) Lien juridique entre deux personnes, comportant la subordination de l'une, le *préposé*, à l'autorité de l'autre, le *commettant*, qui a le pouvoir de lui donner des ordres sur la manière d'exécuter la tâche qu'il lui a confiée. « Ces rapports — rapports de préposition, ou *lien de préposition*, dit-on habituellement — ne sont pas définis par la loi. La jurisprudence, constante, les caractérise par le droit qui appartient au commettant de donner des ordres au préposé. C'est dire qu'il s'agit de rapports *d'autorité et de subordination corrélatives* » (Flour et Aubert, *Obligations*, vol. 2, n° 713, p. 240).
Rem. L'autorité du commettant repose souvent sur un contrat de travail, mais elle peut résulter d'un pouvoir de fait exercé en l'absence de tout contrat et il n'est pas nécessaire que le préposé soit rémunéré.
Syn. rapport de préposition.
Angl. employer-employee relationship+, *lien de préposition*, master-servant relationship.

LIMITATIF, IVE *adj.*

(*Obl.*) V. clause limitative de responsabilité.

LIMITATION *n.f.*

(*Obl.*) V. clause de limitation de responsabilité.

LIQUIDE *adj.*

(*Obl.*) V. créance liquide, dette liquide.

LIQUIDITÉ *n.f.*

(*Obl.*) Caractère d'une obligation[2] dont le montant est exactement déterminé. « La compensation est un double paiement. Or l'une des conditions nécessaires à l'exigibilité d'un paiement est la liquidité de la dette. Par conséquent, il ne peut y avoir de compensation si l'une des dettes n'est pas liquide » (Baudouin, *Obligations*, n° 837, p. 510-511).
V.a. créance liquide, dette liquide, exigibilité.
Angl. liquidity.

LITIGIEUX, IEUSE *adj.*

V. bien litigieux, créance litigieuse, droit litigieux, retrait litigieux.

LIVRAISON *n.f.*

(*Obl.*) Remise[1] d'un meuble corporel au créancier à qui il est dû. « L'obligation de délivrance est celle de *laisser la chose vendue à la disposition de l'acheteur pour qu'il en prenne livraison* [...] » (Mazeaud et Chabas, *Leçons*, t. 3, vol. 2, 1e part., n° 930, p. 241). *Prise de livraison.*
Occ. Art. 1063, 1530 C. civ.
Rem. L'expression *prendre livraison* signifie, à propos du créancier, prendre le meuble corporel que lui livre le débiteur.
V.a. délivrance[1], enlèvement, tradition.
F.f. délivrance[2].
Angl. delivery[2].

LIVRER *v.tr.*

(*Obl.*) Effectuer la livraison. « Le transfert de la propriété s'effectuant par le seul échange des consentements, l'acquéreur devient propriétaire de la chose, même si celle-ci ne lui est pas livrée et reste en la possession du vendeur » (Pineau et Burman, *Obligations*, n° 155, p. 219).
Occ. Art. 1027, 1063, 1652 C. civ.
Rem. Lorsque le débiteur livre un meuble corporel, le créancier *en prend livraison* ou *en prend possession*, selon le cas.
Angl. deliver[2].

LOCALISATION *n. f.*

(*D. int. pr.*) Démarche consistant à situer un rapport juridique dans la sphère d'application d'un système juridique déterminé. Par ex., le droit international privé québécois a choisi de localiser la capacité juridique d'une personne au lieu de son domicile plutôt qu'à celui de sa nationalité (art. 6 al. 4 C. civ.). « [...] un système juridique ne se caractérise qu'incomplètement par le territoire sur lequel s'exerce son emprise : la "localisation" signifie le lien avec un système, ce lien n'est pas nécessairement spatial, comme on le voit pour la nationalité, ou éventuellement en matière de contrats » (Batiffol et Lagarde, *Droit int. privé*, t. 1, n° 265, p. 314). *Changer la localisation.*
Rem. La localisation est utilisée, en droit international privé, pour désigner la loi applicable ou la juridiction compétente.
V.a. élément de localisation, point de localisation, rattachement.
Angl. localization.

LOCATAIRE *n.*

1. (*Obl.*) Personne prenant une chose à bail.
Occ. Art. 1600 C. civ.
Syn. preneur, preneur à bail. **Opp.** locateur[1].
Angl. lessee[1]+, tenant(<)+.

2. (*Obl.*) Syn. locataire d'ouvrage.
Occ. Art. 1665*a* C. civ.
Angl. lessee[2], lessee of work+.

LOCATAIRE D'OUVRAGE

(*Obl.*) Celui au profit duquel, en vertu d'un contrat de louage d'ouvrage, un autre effectue un travail ou fournit des services.
Rem. De nos jours, ce terme est rarement employé. Dans le cas d'un contrat d'entreprise, le locataire d'ouvrage s'appelle *maître de l'ouvrage* ou *client*; dans le cas d'un contrat de travail, on le nomme *employeur* ou *patron*.
Syn. locataire[2].
Angl. lessee[2], lessee of work+.

LOCATAIRE PRIMITIF

(*Obl.*) Syn. locataire principal.
Angl. original lessee, principal lessee+.

LOCATAIRE PRINCIPAL

(*Obl.*) Locataire, dans un bail principal.
Rem. Le locataire principal qui donne en sous-location devient sous-locateur.
Syn. locataire primitif, preneur primitif.
V.a. sous-locataire.
Angl. original lessee, principal lessee+.

LOCATEUR, TRICE *n.*

1. (*Obl.*) Personne donnant une chose à bail.
Occ. Art. 1600 C. civ.
Rem. En droit québécois, on emploie le mot *locateur* plutôt que *bailleur*. Le Code civil, au chapitre du louage, n'emploie que le terme *locateur*.
Syn. bailleur. **Opp.** locataire[1]. **V.a.** propriétaire+.
Angl. emphyteutic lessor(<)+, lanlord(<)+, lessor[1]+.

2. (*Obl.*) Syn. locateur d'ouvrage.
Angl. lessor[2], lessor of work+.

LOCATEUR D'OUVRAGE

(*Obl.*) Personne qui, en vertu d'un contrat de louage d'ouvrage, s'engage envers une autre à faire un ouvrage ou à fournir des services.
Rem. De nos jours, ce terme est rarement employé. Dans le cas d'un contrat d'entreprise, le locateur d'ouvrage s'appelle généralement l'*entrepreneur*; dans les contrats de travail, on l'appelle, selon le cas, *employé*, *ouvrier*, *salarié*, *travailleur*.
Syn. locateur[2].
Angl. lessor[2], lessor of work+.

LOCATEUR PRIMITIF

(*Obl.*) Syn. locateur principal.
Angl. original lessor, principal lessor+.

LOCATEUR PRINCIPAL

(*Obl.*) Locateur, dans un bail principal. « [...] le locateur principal [...] conserve son recours contre le locataire principal, et peut exercer le même recours contre le sous-locataire jusqu'à concurrence de ce qu'il peut devoir au locataire principal » (Faribault, dans *Traité*, t. 12, p. 203).
Occ. Art. 1620 C. civ.
Rem. Ce terme ne se rencontre que dans le contexte de la sous-location.
Syn. bailleur principal, locateur primitif.
Angl. original lessor, principal lessor+.

LOCATIF, IVE *adj.*

1. (*Obl.*) Qui a trait au bail.
Occ. Art. 1634 C. civ.
V.a. valeur locative.
Angl. rental.

2. (*Obl.*) Qui a trait au locataire.
Occ. Art. 1627 C. civ.
V.a. réparations locatives, risque locatif.

LOCATION *n.f.*

(*Obl.*) Syn. bail[A]. *Recevoir en location.*
V.a. prix de location.
Angl. contract of lease and hire, hire, lease[A]+, lease of things.

LOCATION ÉCRITE

(*Obl.*) Syn. bail écrit.
Angl. written lease.

LOCATION-VENTE

(*Obl.*) Contrat complexe, participant à la fois du bail et de la vente, par lequel une personne loue une chose à une autre avec faculté pour le locataire d'en acquérir la propriété à l'expiration d'un temps déterminé. « La location-vente consiste en un *bail assorti d'une promesse de vente*; le propriétaire de la chose, au lieu de la vendre à tempérament, la donne en location pour un temps déterminé, à l'expiration duquel le locataire a la faculté d'acheter la chose [...] » (Mazeaud, *Leçons*, t. 3, vol. 2, 1e part., n° 923, p. 210).
Rem. 1° Voir l'art. 34, *Loi sur la protection du consommateur*, L.R.Q., chap. P-40.1. 2° Ce contrat porte habituellement sur une chose mobilière. 3° Ce terme s'écrit aussi sans trait d'union.
Angl. hire-purchase.

LOCATION VERBALE

(*Obl.*) Syn. bail verbal.
Angl. oral lease, verbal lease+.

LOI *n.f.*

1. Acte juridique d'un organe étatique, législatif ou administratif, qui établit une règle de droit. « Ce qui compte, dans l'opposition avec la coutume, c'est que la loi, comme on dit, vient d'en haut » (Cornu, *Introduction*, n° 74, p. 37). *La loi ne dispose que pour l'avenir.*
Rem. 1° En ce sens large ou générique, la loi émane soit de l'organe législatif, le *législateur* (loi[2]), soit de l'organe exécutif, l'*Administration* (règlement[1]). 2° On distingue les lois impératives et les lois supplétives. 3° On dit de la loi qu'elle *décide*, *déclare*, *dispose*, *énonce*, *ordonne*, *porte*, *prescrit*, *prohibe*, mais non qu'elle *stipule*, terme qui s'emploie à propos d'un contrat.

Opp. coutume[2], doctrine[1], jurisprudence[1].
V.a. législation[1].
Angl. law[2].

2. Loi[1] édictée par le législateur. « Dans la théorie juridique de notre constitution, le Parlement est l'arbitre suprême de la justice. Les lois qu'il décrète en sont le seul critère aux yeux de nos tribunaux » (Pigeon, *Rédaction*, p. 10). *Voter une loi.*
Rem. **1°** En ce sens, la loi se distingue du règlement qui, lui, est édicté par l'Administration. **2°** Aux termes de la Constitution, « qui est la loi suprême du Canada » (art. 52, *Loi de 1982 sur le Canada*, Annexe B, 1982 (R.U.) chap. 11), les lois applicables au Québec sont édictées soit par le Parlement canadien, soit par le Parlement du Québec, dans les limites de leurs compétences respectives (art. 91 et s., *Loi constitutionnelle de 1867*, 30-31 Vict. (R.U.) chap. 3).
Opp. règlement[1]. **V.a.** code[1]. **F.f.** acte[3], législation[2], statut[3].
Angl. act[3], legislation[2], statute+.

3. Syn. règle de droit.
Occ. Art. 14 C. civ.
Rem. La loi[1] est l'instrument par lequel sont édictées les lois prises dans ce troisième sens. Par ex., loi générale, loi impérative.
V.a. fraude à la loi[1].
Angl. juridical precept, juridical rule+, law[3], legal rule.

4. Système juridique d'un État. « Les biens meubles sont régis par la loi du domicile du propriétaire » (art. 6 al. 2 C. civ.). *Loi étrangère, loi locale.*
Syn. loi interne[1]. **V.a.** conflit de lois, personnalité des lois, territorialité des lois.
Angl. internal law[1], law[4]+.

LOI D'APPLICATION IMMÉDIATE

(*D. int. pr.*) Loi interne[1] dont l'application s'impose, que le législateur l'ait expressément indiqué ou non, compte tenu de son but et de son importance dans l'organisation étatique, et ce, malgré la présence d'un élément d'extranéité. Par ex., la législation sur la concurrence, la législation du travail. « En réalité, ce qui caractérise ces lois, c'est qu'elles s'appliquent sans l'intermédiaire des règles de conflit de lois. C'est en ce sens qu'il est proposé aujourd'hui de les appeler "lois d'application immédiate" » (Francescakis, dans *Encyclopédie*, v° Ordre public, n° 23).
Rem. L'expression *règle d'application nécessaire* serait plus exacte. La doctrine utilise de plus en plus l'expression *loi de police.*
Syn. loi de police, loi d'ordre public, norme d'application nécessaire, règle d'application immédiate, règle d'application nécessaire.
Opp. règle de conflit de juridictions, règle de conflit de lois. **V.a.** loi de police et de sûreté, règle matérielle[2].
Angl. law of immediate application+, law of police, law of public order, law of public policy, norm of necessary application, rule of immediate application, rule of necessary application.

LOI D'AUTONOMIE

(*D. int. pr.*) Loi[4] applicable en raison de la localisation d'un acte juridique par la volonté expresse ou implicite des parties. Par ex., la loi new yorkaise choisie expressément par les parties contractantes pour régir leurs obligations. « Le fond des actes juridiques, en général, et les obligations contractuelles, en particulier, sont soumis en droit québécois à la loi expressément ou implicitement choisie par les contractants, dite loi d'autonomie » (Talpis, (1977) *C.P. du N.* 115, n° 40, p. 138).
Rem. Voir l'art. 8 C. civ.
Angl. *professio juris.*

LOI DE CIRCONSTANCE

Loi spéciale édictée par suite de circonstances exceptionnelles qui en ont fait voir le besoin. « Tantôt c'est l'arrivée de circonstances exceptionnelles qui amène le législateur à déroger aux règles du droit commun;

ainsi c'est la rupture du barrage de Malpasset qui a entraîné le vote de la loi du 31 déc. 1959 sur les mariages posthumes; on parle volontiers alors de "lois de circonstances" » (Gassin, D. 1961, Chr.91, p. 92).

LOI DÉCLARATIVE

Syn. loi interprétative[1]. « L'intérêt de distinguer la loi déclarative ou interprétative des autres réside dans l'effet rétroactif qu'on leur reconnaît généralement. En principe, la loi interprétative a effet à compter de l'entrée en vigueur de la loi dont le sens est explicité [...] » (Côté, *Interprétation*, p. 467).
Angl. declaratory act[1]+, declaratory law.

LOI DE POLICE

(*D. int. pr.*) Syn. loi d'application immédiate. « La loi de police qui décline sa compétence restitue la matière dont elle se désintéresse à la méthode des conflits de loi » (Fadlallah, *Famille légitime*, n° 131, p. 127).
Rem. Les codificateurs québécois ont évité l'emploi de l'expression lors de la rédaction de l'art. 6 al. 3 C. civ., estimant que ce type de lois, qu'ils rattachaient au droit administratif et au droit pénal, n'était pas de leur compétence. Voir cependant l'art. 414 C. civ.
Angl. law of immediate application+, law of police, law of public order, law of public policy, norm of necessary application, rule of immediate application, rule of necessary application.

LOI DE POLICE ET DE SÛRETÉ

(*D. int. pr.*) *Vieilli.* Règle impérative de droit privé ou de droit public, s'appliquant à toute personne se trouvant sur le territoire du for, en raison de l'importance économique ou sociale fondamentale que cette disposition revêt pour l'État qui l'édicte. Par ex., une législation protectrice des mineurs. « L'ordre public international se distingue, selon une doctrine et une jurisprudence aujourd'hui constantes, de l'ordre public interne. Les lois de police et de sûreté ne peuvent pour autant se rattacher à la notion de l'ordre public international. Bien au contraire, des différences fondamentales existent entre ces deux catégories particulières du droit international privé, l'une constituant un statut, applicable par le jeu des règles normales de rattachement en matière de conflit des lois, l'autre ne formant qu'un "barrage" exceptionnel pouvant s'opposer aux effets de ces règles » (Vander Elst, *Lois de police et de sûreté*, t. 1, n° 66, p. 195).
Rem. 1° L'expression a été consacrée par l'art. 3 al. 1 C. civ. fr. Le sens en est ainsi explicité par Portalis : « Il est des lois [...] sans lesquelles un État ne pourrait subsister. Ces lois sont toutes celles qui maintiennent la police de l'État et qui veillent à sa sûreté. Nous déclarons que des lois de cette importance obligent indistinctement tous ceux qui habitent le territoire » (Portalis, dans *Discours, Rapports et Travaux*, Exposé des motifs du projet de loi intitulé : Titre préliminaire, p. 153). **2°** Voir l'art. 414 C. civ.
V.a. loi d'application immédiate.
Angl. law of police and safety.

LOI D'EXCEPTION

1. Loi[2] applicable à certains cas d'un genre donné de rapports juridiques.
Syn. loi particulière[2], loi spéciale[1].
F.f. statut spécial.
Angl. *lex specialis*[3], special act[2], special law[3], special statute+.

2. Loi[3] applicable à certains cas d'un genre donné de rapports juridiques. Par ex., l'art. 8 de la *Loi sur la protection du consommateur* (L.R.Q., chap. P-40.1) qui admet la lésion dans les conditions visées par la loi, constitue une loi d'exception par rapport à l'art. 1012 C. civ. qui écarte la lésion entre majeurs. « La loi spéciale se présente d'abord comme une disposition dérogatoire à la règle

générale dans une série de cas déterminés. En ce sens, elle est une exception à la règle, d'où l'emploi si fréquent du terme "loi d'exception" pour la désigner » (Gassin, D. 1961, Chr.91, p. 92-93).
Syn. loi spéciale[2]. **Opp.** loi générale. **V.a.** droit commun[1+], droit d'exception.
Angl. *lex specialis*[2], special law[2+].

LOI D'INTÉRÊT PRIVÉ

Syn. loi particulière[1]. « Les lois d'intérêt privé appellent une interprétation restrictive : elles dérogent au droit commun et, leur rédaction étant l'oeuvre de leurs promoteurs, on leur appliquera le principe qui veut que l'on interprète un texte au détriment de son rédacteur » (Côté, *Interprétation*, p. 188).
Angl. law of a private nature, special act[1+].

LOI DISPOSITIVE

Syn. loi supplétive.
Angl. suppletive law[2].

LOI D'ORDRE PUBLIC

(*D. int. pr.*) Syn. loi d'application immédiate. « La loi dite "d'ordre public" est celle qui possède normalement une compétence exclusive, soit auprès d'un tribunal, soit dans un ressort déterminé, en raison de son objet, telle qu'une loi de police ou une loi foncière » (Lerebours-Pigeonnière et Loussouarn, *Droit int. privé*, n° 377, p. 495).
Rem. Voir les art. 6 al. 2 et 8 C. civ.
Angl. law of immediate application[+], law of police, law of public order, law of public policy, norm of necessary application, rule of immediate application, rule of necessary application.

LOI DU FOR

(*D. int. pr.*) Loi[4] applicable en raison de la localisation d'une situation juridique dans le ressort du tribunal saisi. Par ex., la loi québécoise applicable par le tribunal québécois en matière de procédure. « Dans la solution du conflit entre deux ordres juridiques différents, le juge québécois ne peut décider qu'il appliquera systématiquement la loi québécoise c'est-à-dire la loi du for (ou *lex fori*) sans tenir compte de la loi étrangère » (Groffier, *Précis*, n° 3, p. 3).
Rem. **1°** En matière de conflit de lois, la loi du for régit en principe la qualification du litige, de même que les matières relevant de la procédure. En outre, elle a une vocation subsidiaire à s'appliquer en l'absence de preuve de la loi étrangère, ainsi que lorsque celle-ci est écartée par application de la notion d'ordre public. **2°** Voir l'art. 6 C. civ.
Syn. *lex fori*. **Opp.** *lex causae*.
Angl. law of the forum[+], *lex fori*.

LOI EXTRATERRITORIALE

1. (*D. int. pr.*) Loi[4] ayant vocation à régir des situations juridiques comportant un élément d'extranéité qui ne sont pas localisées sur le territoire de l'État qui l'a édictée. Par ex., loi du domicile. « [...] les lois qui s'appliquent aux nationaux à l'étranger mais ne s'appliquent pas aux étrangers sur le sol national — ce sont les lois extraterritoriales [...] » (Pillet, *Traité*, t. 1, n° 31, p. 103).
Opp. loi territoriale[1]. **V.a.** extraterritorialité[1], personnalité des lois[1].
Angl. extraterritorial law[1].

2. (*D. int. pr.*) Loi[4] susceptible d'être appliquée par les tribunaux d'un État étranger. Par ex., la loi new yorkaise du lieu de survenance d'un délit, applicable par un juge québécois. « Quand on parle de la compétence de la loi territoriale, on entend la loi du territoire sur lequel une question se pose, par opposition à la loi étrangère qui, lorsqu'elle s'applique, est alors une loi extraterritoriale [...] » (Niboyet, *Rép. droit int.*, v° Ordre public, n° 14).
Opp. loi territoriale[2]. **V.a.** extraterritorialité[2].
Angl. extraterritorial law[2].

LOI FACULTATIVE

Syn. loi supplétive.
Angl. suppletive law[2].

LOI GÉNÉRALE

Loi[3] applicable à tous les cas d'un genre donné de rapports juridiques. Par ex., l'art. 1053 C. civ. constitue la loi générale en ce qui concerne la responsabilité civile extracontractuelle. « Si la loi spéciale l'emporte en principe sur la loi générale lorsqu'elle est antérieure à celle-ci, à plus forte raison aura-t-elle préséance sur la loi générale si elle lui est postérieure [...] » (Côté, *Interprétation*, p. 310).
Opp. loi d'exception[2]. **V.a.** droit commun[1].
Angl. general law.

LOI IMPÉRATIVE

Loi[3] à laquelle on ne peut déroger par convention particulière. « [...] toutes les lois impératives ne sont pas nécessairement des lois intéressant l'ordre public et les bonnes mœurs » (Marty et Raynaud, *Introduction*, n° 99, p. 174).
Rem. Voir l'art. 15 C. civ. et l'art. 51, *Loi d'interprétation*, L.R.Q., chap. I-16.
Syn. règle impérative. **Opp.** loi supplétive. **V.a.** droit impératif, loi prohibitive.
Angl. imperative law[2+], imperative rule.

LOI INTERNE

1. (*D. int. pr.*) Syn. loi[4]. « [...] la règle de conflit désigne comme loi applicable une loi *interne*, la loi du pays ayant le rattachement le plus intense avec le rapport de droit envisagé » (Loussouarn et Bourel, *Droit int. privé*, n° 63, p. 69).
V.a. droit interne[1].
Angl. internal law[1], law[4+].

2. (*D. int. pr.*) Loi[4], à l'exclusion des règles de conflit. Par ex., la loi québécoise régissant la validité d'un contrat conclu au Québec, ne comportant aucun élément d'extranéité.
Rem. **1°** En droit international privé, les lois internes sont généralement désignées par les règles de conflit de lois. **2°** La distinction entre loi interne et règle de conflit de lois intervient, notamment, dans le recours au renvoi.
V.a. droit interne[2].
Angl. internal law[2].

3. (*D. int. pr.*) Loi[1] régissant le fond ou l'aspect procédural d'un litige, mais non le conflit de lois qui peut s'y rapporter. Par ex., la *Loi sur la protection du consommateur* (L.R.Q., chap. P-40.1) régissant un contrat expressément soumis à la loi québécoise. « En droit international privé, ce n'est pas seulement la moralité des lois étrangères qui doit être contrôlée, mais plus exactement leur compatibilité avec les lois internes » (Castel, *Droit int. privé*, p. 91).
Syn. loi substantielle, norme substantielle, règle interne, règle matérielle[1], règle substantielle[1].
Angl. dispositive rule[1], internal law[3+], internal rule, material rule[1], substantive law[3], substantive norm, substantive rule[1].

LOI INTERPRÉTATIVE

1. Loi[1] ayant pour objet de fixer le sens et la portée d'une règle de droit antérieure. « Les lois interprétatives [...] sont censées s'incorporer dans la loi qu'elles interprètent de telle sorte que leurs effets rétroagissent à la date d'entrée en vigueur de cette dernière » (Ghestin et Goubeaux, *Introduction*, n° 320, p. 278).
Syn. loi déclarative.
Angl. declaratory act[1+], declaratory law.

2. Syn. loi supplétive.
Angl. suppletive law[2].

LOI PARTICULIÈRE

1. Loi[2] comportant une mesure individuelle. Par ex., une loi qui autorise un mariage entre consanguins qui serait inter-

dit par la loi. « La loi particulière est une mesure individuelle prise sous forme de loi par le Parlement; loi au sens formel, elle ne l'est plus dans son acception matérielle, car étant une mesure individuelle, elle ne présente pas le caractère de généralité qui est l'un des traits essentiels de toute règle de droit » (Gassin, D.1961, Chr.91, note 2).
Syn. loi d'intérêt privé.
Angl. law of a private nature, special act[1]+.

2. Syn. loi d'exception[1]. « [...] la *Loi sur la protection du consommateur* énonce certaines règles qui, d'un point de vue matériel, sont de droit civil, mais qui sont contenues dans une loi ordinaire [...] Comment devrait-on interpréter ces lois particulières traitant de droit civil? » (Côté, *Interprétation*, p. 13).
Occ. Art. 362 C. civ.; art. 36.1, 37 C. proc. civ.
Angl. *lex specialis*[3], special act[2], special law[3], special statute+.

LOI PERSONNELLE

(*D. int. pr.*) Syn. statut personnel[1]. « [...] s'il y a une loi personnelle, qu'elle soit celle de la nationalité [...] ou celle du domicile [...] c'est parce qu'il y a des lois qui doivent suivre l'individu avec quelque permanence » (Batiffol, *Contrats*, p. 94).
Opp. loi réelle.
Angl. personal law, personal statut[1]+.

LOI PROHIBITIVE

Loi[3] qui interdit d'accomplir un acte. Par ex., la disposition qui interdit aux tuteurs et curateurs de se porter acquéreurs des biens dont ils ont la tutelle ou la curatelle, si ce n'est conformément à la loi (art. 1484 al. 1 C. civ.).
Occ. Art. 14 C. civ.
V.a. loi impérative, loi supplétive.
Angl. prohibitive law.

LOI RÉELLE

(*D. int. pr.*) Syn. statut réel[1]. « Quant aux effets du contrat, la loi réelle déterminera ceux qui concernent la création ou la transmission des droits réels : elle prescrira la publicité ou la tradition et déterminera leurs effets » (Batiffol, *Contrats*, p. 129).
Opp. loi personnelle.
Angl. real law, real statut[1]+.

LOI SPÉCIALE

1. Syn. loi d'exception[1]. « Dans le domaine de l'application des lois, on admet en principe que les lois spéciales excluent les lois générales dans la sphère de leur compétence » (Gassin, D.1961, Chr.91).
Occ. Art. 1591 C. civ.
Angl. *lex specialis*[3], special act[2], special law[3], special statute+.

2. Syn. loi d'exception[2].
Angl. *lex specialis*[2], special law[2]+.

LOI SUBSTANTIELLE

(*D. int. pr.*) Syn. loi interne[3]. « L'explication la plus ancienne et la plus simple du renvoi considère que le législateur du for *délègue* au législateur étranger le pouvoir de désigner la loi substantielle applicable » (Mayer, *Droit int. privé*, n° 228, p. 142).
Angl. dispositive rule[1], internal law[3]+, internal rule, material rule[1], substantive law[3], substantive norm, substantive rule[1].

LOI SUPPLÉTIVE

Loi[3] à laquelle on peut déroger par convention particulière. Par ex., les règles relatives à la garantie du vendeur; les règles concernant le lieu et la date du paiement. « [...] les *lois supplétives* (de volonté) — que l'on dénomme aussi parfois *interprétatives* ou *dispositives* — sont des lois dont les particuliers qui s'y trouvent soumis peuvent éluder l'application » (Aubert, *Introduction*, n° 98, p. 91).
Rem. Voir l'art. 15 C. civ. et l'art. 51, *Loi d'interprétation*, L.R.Q., chap. I-16.
Syn. loi dispositive, loi facultative, loi interprétative[2], règle supplétive. **Opp.** loi

impérative. **V.a.** droit supplétif[1], loi prohibitive.
Angl. suppletive law[2].

LOI TERRITORIALE

1. (*D. int. pr.*) Loi[4] de l'État sur le territoire duquel est localisé le facteur de rattachement d'une situation juridique comportant un élément d'extranéité. Par ex., la loi québécoise applicable aux immeubles d'un étranger situés au Québec. « Le problème des conflits [...] consiste à se demander si les différents faits de notre existence juridique doivent ou non être régis par la loi du pays où ils s'accomplissent. Quels que soient ces faits et quel que soit ce pays, c'est cette loi qui doit être considérée comme loi territoriale » (Aubry, Clunet 1900.689, p. 702).
Opp. loi extraterritoriale[1]. **V.a.** territorialité des lois[1].
Angl. territorial law[1].

2. (*D. int. pr.*) Loi interne du for, appliquée exclusivement par le juge saisi. Par ex., art. 3, *Loi sur la citoyenneté*, L.R.C. 1985, chap. C-29. « M. Bartin verrait à coup sûr [...] une loi territoriale, à raison de ce seul fait que le juge du territoire où elle a été promulguée doit toujours la faire prévaloir sur celui-ci, en quelque lieu que les faits en question se soient accomplis » (Aubry, Clunet 1901.253, p. 257).
Opp. loi extraterritoriale[2]. **V.a.** territorialité des lois[2].
Angl. territorial law[2].

LOTERIE *n.f.*

(*Obl.*) Opération consistant dans la vente au public de billets numérotés donnant le droit de participer à un tirage au sort qui déterminera la ou les personnes à qui sera attribué un gain ou un avantage quelconque. « La loterie diffère du jeu ordinaire en ce qu'elle s'adresse, non à un petit nombre de personnes, mais au public tout entier ou à une large catégorie de public; et en ce qu'elle se réduit à un simple tirage au sort et ne comporte pas, comme c'est généralement le cas pour le jeu, une certaine action de l'une des parties ou des deux sur la détermination du sort » (Planiol et Ripert, *Traité*, t. 11, n° 1214, p. 565).
Occ. *Loi sur la Société des loteries et courses du Québec*, L.R.Q., chap. S-13.1; *Loi sur les loteries, les courses, les concours publicitaires et les appareils d'amusement*, L.R.Q., chap. L-6; art. 206 par. 5, 207 C. cr.
V.a. jeu, pari.
Angl. lottery.

LOTI, IE *n.*

(*Biens*) Acquéreur d'un lot provenant d'un lotissement[1]. « Le lotisseur doit [...] avoir satisfait à ses obligations préalables à la mise en vente des lots [...] Mais les lotis sont soumis, concurremment avec le lotisseur, à nombre de ses autres obligations » (Bergel, *Servitudes de lotissement*, n° 69, p. 79).
Opp. lotisseur.

LOTIR *v.tr.*

(*Biens*) Effectuer un lotissement[1]. « [...] le propriétaire d'un fonds a le droit de diviser celui-ci en plusieurs parcelles pour aliéner chacune d'entre elles à un acquéreur différent; le droit de lotir fait partie des attributs du droit de propriété [...] » (Marty et Raynaud, *Biens*, n° 331, p. 429). *Terrain loti.*
Angl. subdivide.

LOTISSEMENT *n.m.*

1. (*Biens*) Action de diviser un terrain en lots distincts, chacun ayant son numéro cadastral. « Le lotissement est habituellement l'oeuvre d'un particulier, mais il peut être aussi réalisé par une collectivité publique [...] qui se procure un terrain puis le rétrocède en parcelles à des particuliers ou à des personnes morales publiques [...] » (Marty et Raynaud, *Biens*, n° 336, p. 433).

Occ. Art. 115, *Loi sur l'aménagement et l'urbanisme*, L.R.Q., chap. A-19.1; art. 1 par. 10, *Loi sur la protection du territoire agricole*, L.R.Q., chap. P-41.1.
Rem. Le lotissement est généralement effectué en vue de l'aliénation séparée des lots.
V.a. servitude de lotissement.
Angl. subdivision[1].

2. (*Biens*) Terrain faisant l'objet d'un lotissement[1]. « Lorsqu'un lotissement n'est initialement desservi par aucune voie publique, [le lotisseur] doit parfois en effectuer le raccordement par l'intermédiaire de voies d'un autre lotissement ou d'un fonds privé voisin » (Bergel, *Servitudes de lotissement*, n° 67, p. 76).
Rem. Parfois, le terme désigne chacun des lots du terrain ainsi loti.
Angl. subdivision[2].

LOTISSEUR, EUSE *n.*

(*Biens*) Personne qui effectue un lotissement[1]. « [...] le lotisseur doit préalablement à toute aliénation [...] faire approuver un projet d'aménagement [...] » (Marty et Raynaud, *Biens*, n° 331, p. 429).
Opp. loti.

LOUAGE *n.m.*

(*Obl.*) Contrat par lequel une personne, le *locateur*, moyennant contrepartie, procure, pendant un certain temps, à une autre, le *locataire*, soit la jouissance d'une chose (louage de choses), soit son industrie (louage d'ouvrage). « Le rapprochement entre ces deux catégories de louages s'explique historiquement : [...] on louait un homme comme on louait un animal ou une chose inanimée. Mais, dans le Code civil [...] les règles s'appliquant aux deux catégories de louages sont différentes [...] » (Mazeaud et Chabas, *Leçons*, t. 3, vol. 2, 2e part., n° 1047, p. 363).
Occ. Titre précédant l'art. 1600 C. civ.
Angl. lease and hire.

LOUAGE DE CHOSES

(*Obl.*) Syn. bail[A].
Occ. Art. 1600 C. civ.
Angl. contract of lease and hire, hire, lease[A+], lease of things.

LOUAGE DE SERVICE(S) PERSONNEL(S)

(*Obl.*) (X) *Angl.* V. contrat de travail.
Occ. Art. 1667 C. civ.
Rem. Ce terme, qui n'apparaît ni dans le Code civil français ni dans la doctrine française, paraît être un calque de l'anglais *letting of personal service* (*Black's*, v° Louage, p. 947).
Angl. contract of employment[+], contract of lease and hire of services, lease and hire of personal service(s)(x), lease and hire of services[1].

LOUAGE DE SERVICES

1. (*Obl.*) Syn. contrat de travail. « Les commentateurs [...] ramènent à deux les types de contrats visés par l'art. 1779 [art. 1666 C. civ.], le louage de services, et le louage d'ouvrage proprement dit ou entreprise, cette distinction correspondant à celle que les jurisconsultes romains faisaient entre la *locatio operarum* et la *locatio operis faciendi* » (Planiol et Ripert, *Traité*, t. 11, n° 765, p. 6).
Angl. contract of employment[+], contract of lease and hire of services, lease and hire of personal service(s)(x), lease and hire of services[1].

2. (*Obl.*) Syn. contrat de services.
Occ. Art. 189, *Loi sur la protection du consommateur*, L.R.Q., chap. P-40.1.
Angl. contract for services[+], lease and hire of services[2].

LOUAGE D'OUVRAGE

(*Obl.*) Contrat par lequel une personne, le *locateur d'ouvrage*, s'engage, contre rémunération, à effectuer au profit d'une autre,

le *locataire d'ouvrage*, un travail matériel ou intellectuel ou à lui fournir des services.
Occ. Art. 1665*a* C. civ.
Syn. contrat de louage d'ouvrage.
V.a. contrat d'entreprise, contrat de services, contrat de travail.
Angl. contract of lease and hire of work, lease and hire of work+.

LOUAGE EMPHYTÉOTIQUE

(*Biens*) Syn. bail emphytéotique.
Angl. contract of emphyteusis, contract of emphyteutic lease, emphyteusis[1], emphyteutic lease+.

LOUER *v.tr.*

1. (*Obl.*) Donner à bail. *Louer à quelqu'un.*
Occ. Art. 1665.3 C. civ.
Rem. On dit aussi *donner à loyer* ou *consentir un bail.*
Angl. lease[1]+, let, rent.

2. (*Obl.*) Prendre à bail.
Occ. Art. 1655.2 C. civ.
Rem. On dit aussi *prendre à loyer*.
Angl. lease[2]+, let, rent.

LOURD, LOURDE *adj.*

V. faute lourde.

LOYER *n.m.*

(*Obl.*) Prix que paie le locataire pour la jouissance de la chose louée.
Occ. Art. 1600 C. civ.
Rem. **1°** Ce terme s'emploie spécialement en matière de baux immobiliers. **2°** L'expression *donner à loyer* signifie louer[1], et l'expression *prendre à loyer*, louer[2].
Syn. prix de location.
Angl. rent[1].

LUCRUM CESSANS *loc.nom.m.* (latin)

Syn. manque à gagner.
Angl. *lucrum cessans*, profit deprived+.

M

MAINLEVÉE *n.f.*

Acte[2] mettant fin aux effets d'une saisie, d'une opposition, d'un régime de protection ou permettant la radiation de l'enregistrement d'une sûreté[1]. « La *mainlevée*, c'est l'acte par lequel le créancier renonce à l'inscription prise ou la décision par laquelle la justice déclare anéantie cette inscription. [...] Qu'elle soit volontaire ou judiciaire, la mainlevée se traduit par une *radiation* — celle-ci ne s'effectue pas matériellement par une rature, mais par une *mention en marge* de l'inscription indiquant que celle-ci n'existe plus [...] » (Weill, *Sûretés*, n° 618, p. 528). *Mainlevée d'une opposition au mariage*; *donner*, *accorder*, *ordonner mainlevée*; *jugement de mainlevée du régime de protection.*

Occ. Art. 65, 336, 442*k*, 2161*h* C. civ.; art. 602, 659.9, 884 C. proc. civ.

Rem. 1° Les termes *mainlevée* et *radiation* sont souvent employés comme synonymes en matière d'enregistrement de sûretés. En fait, la radiation est l'opération matérielle par laquelle se concrétise la mainlevée. 2° On rencontre exceptionnellement la graphie *main-levée*.

Angl. *mainlevée*+, release[2](<)+.

MAISON MEUBLÉE

(*Biens*) Maison avec ses meubles meublants.

Occ. Art. 397 C. civ.

Angl. furnished house.

MAÎTRE *n.*

(*Biens*) Syn. propriétaire. « En matière mobilière [...], on reconnaît l'existence de biens "vacants et sans maître". Ce sont des choses qui, *actuellement*, n'ont pas de propriétaire (*res nullius*) mais qui sont susceptibles d'appropriation [...] » (Starck, *Introduction*, n° 230, p. 99).

Occ. Art. 401, 584 C. civ.

V.a. bien sans maître, chose sans maître.

Angl. owner+, proprietor.

MAÎTRE DE L'AFFAIRE

(*Obl.*) Syn. géré. « Celui qui agit est le *gérant*; celui pour le compte duquel il agit est le géré ou maître de l'affaire » (Weill et Terré, *Obligations*, n° 792, p. 819).

Angl. principal[3].

MAÎTRE DE L'OEUVRE

(*Obl.*) Syn. maître d'oeuvre. « Les architectes et les ingénieurs sont soumis à la responsabilité quinquennale non en raison de leur profession, mais en raison de leur activité. En dressant des plans et devis, en dirigeant et surveillant les travaux, ils exercent les fonctions réservées au maître de l'oeuvre à l'époque de la codification du droit français » (Rousseau-Houle, *Contrats de construction*, p. 319).

Angl. master of the work.

MAÎTRE DE L'OUVRAGE

(*Obl.*) Personne pour laquelle, en vertu d'un contrat d'entreprise, une autre effectue un ouvrage. « Les rapports entre le maître de l'ouvrage et l'entrepreneur principal reste malgré la conclusion du sous-traité, sous

l'empire des clauses du contrat principal [...] » (Rousseau-Houle, *Contrats de construction*, p. 202).
Rem. **1°** Ne pas confondre maître de l'ouvrage et maître d'oeuvre. **2°** Le maître de l'ouvrage est appelé également *client*, terme qui est aussi employé dans le contrat de services.
Syn. donneur d'ouvrage. **Opp.** entrepreneur.
Angl. client.

MAÎTRE D'OEUVRE

(*Obl.*) Personne qui remplit les fonctions d'autorité, de coordination et de surveillance dans l'exécution du contrat d'entreprise. « Le maître d'oeuvre a la responsabilité de l'ensemble de la construction puisqu'il est le "chef d'orchestre" des travaux. Ainsi l'architecte, s'il est le maître d'oeuvre devra vérifier les calculs et "superviser" les études de l'ingénieur choisi par le client » (Mazeaud et Chabas, *Leçons*, t. 3, vol. 2, 2e part., n° 1362-4, p. 785).
Rem. **1°** Ne pas confondre maître d'oeuvre et maître de l'ouvrage. **2°** L'expression est rarement utilisée en droit québécois et, lorsqu'elle l'est, le plus souvent c'est dans le sens de maître de l'ouvrage.
Syn. maître de l'oeuvre. **V.a.** entrepreneur.
Angl. master of the work.

MAJEUR, EURE *adj.*

V. force majeure.

MAJEUR, EURE *n.*

(*Pers.*) Personne qui a atteint l'âge fixé par la loi pour exercer seule la plénitude de ses droits civils[5]. « La condition de validité imposée au contrat d'aliénation [d'une partie de l'anatomie d'un majeur] ou d'expérimentation consenti par un majeur doit sans doute s'appliquer au même contrat consenti par le mineur : le risque couru ne doit pas être "hors de proportion avec le bienfait qu'on peut en espérer" (C.C. art. 20, 1er al.) » (Mayrand, *Inviolabilité*, p. 67-68).
Occ. Art. 83, 325 C. civ.
Rem. **1°** L'art. 324 C. civ. fixe l'âge de la majorité à 18 ans. **2°** Le majeur est toutefois empêché d'exercer seul ses droits civils[5] lorsqu'il est placé sous le régime de protection des majeurs prévu aux art. 325 et s. C. civ.
Opp. mineur.
Angl. major, person of age of majority, person of full age+, person of major age.

MAJORITÉ *n.f.*

(*Pers.*) État d'une personne qui, ayant atteint l'âge déterminé par la loi[2], est apte à exercer seule la plénitude de ses droits civils[5]. « La *majorité* est l'état de la personne qui, ayant atteint un certain âge et, par suite, son complet développement physique et intellectuel, est "capable de tous les actes de la vie civile" [...] » (Colin et Capitant, *Traité*, t. 1, n° 817, p. 490).
Occ. Art. 247, 324 C. civ.
Rem. L'âge de la majorité a été ramené, en 1972, de 21 à 18 ans (art. 324 C. civ.).
Opp. minorité. **V.a.** incapacité d'exercice.
Angl. majority.

MANDANT, ANTE *n.*

(*Obl.*) Personne qui, par le mandat, confère à une autre un pouvoir de représentation. « Le mandataire n'agit et ne parle qu'au nom du mandant, et c'est celui-ci qui acquiert des droits et contracte des obligations à l'égard des tiers, et non pas le mandataire » (Mignault, *Traité*, t. 8, p. 4).
Occ. Art. 1701, 1701.1 C. civ.
Opp. mandataire. **V.a.** commettant, représentant.
Angl. mandator.

MANDAT *n.m.*

1. (*Obl.*) Contrat par lequel une personne, le *mandant*, donne à une autre, le *manda-*

taire, le pouvoir de la représenter dans l'accomplissement d'un acte juridique. « Le mandat se combine, fréquemment, avec d'autres contrats. Il est courant qu'un employé, un entrepreneur, un transporteur, un dépositaire, un acheteur, un locataire, reçoivent, du maître ou employeur, de l'expéditeur, du déposant, du vendeur, du bailleur, mission d'accomplir des actes juridiques intéressant ceux-ci : paiements, recouvrements, achats de fournitures, réceptions des travaux [...] » (Planiol et Ripert, *Traité*, t. 11, n° 1429, p. 853). *Confier un mandat; donner mandat de; le mandant révoque le mandat; le mandataire renonce au mandat.*
Occ. Art. 1701, 1701.1 C. civ.
Rem. **1°** L'art. 1701 C. civ. laisse entendre que le mandat porte sur n'importe quel type de services. La doctrine estime toutefois, en conformité avec l'interprétation donnée à l'article correspondant du Code civil français (art. 1984), que ces services doivent comporter comme élément essentiel la représentation. **2°** Depuis avril 1990, le législateur a réglementé un type particulier de mandat, celui donné en prévision de l'inaptitude du mandant (art. 1701.1 et 1731.1 et s. C. civ.).
Syn. contrat de mandat. **V.a.** procuration.
Angl. contract of mandate, mandate[1]+.

2. (*Obl.*) Pouvoir de représentation conféré à une personne. *Avoir mandat, donner mandat de, recevoir mandat.*
Rem. On distingue le mandat conventionnel, le mandat judiciaire et le mandat légal.
Angl. mandate[2].

MANDAT *AD LITEM* (latin)

(*Obl.* et *D. jud.*) Mandat[1] par lequel une personne confère à un avocat le pouvoir de la représenter dans une action en justice. « Le mandat de l'avocat peut être un mandat ordinaire, dont la nature et l'étendue varieront essentiellement selon les conventions des parties, ou bien un mandat *ad litem*, portant sur la défense des intérêts d'un client devant un tribunal » (Nadeau et Nadeau, *Responsabilité*, n° 293, p. 300-301).
Rem. **1°** Le nouveau Code de procédure civile français emploie le terme *mandat de représentation en justice*. **2°** Du latin *litem*, accusatif de *lis* : procès.
Angl. *ad litem* mandate.

MANDATAIRE *n.*

(*Obl.*) Personne qui, en vertu du mandat, reçoit un pouvoir de représentation. « [...] les effets des fautes commises par le mandataire dans l'accomplissement de gestes matériels devraient être recherchés ailleurs [que dans le mandat], notamment dans les règles du louage de services ou dans les règles générales de la responsabilité civile délictuelle ou contractuelle » (Fabien, (1978) 19 *C. de D.* 55, p. 60).
Occ. Art. 1701 C. civ.
Syn. procureur. **Opp.** mandant. **V.a.** commissionnaire°, représenté.
Angl. attorney, mandatary+.

MANDATAIRE PRINCIPAL

(*Obl.*) Syn. sous-mandant.
Angl. principal mandatary, sub-mandator+.

MANDAT APPARENT

(*Obl.*) Fiction selon laquelle celui qui a donné des motifs raisonnables de croire qu'une personne était un mandataire est tenu, comme s'il y avait eu mandat, envers le tiers qui a contracté de bonne foi avec celle-ci. Par ex., le client qui fait affaire avec un notaire faisant partie d'une étude désignée sous une raison sociale a des motifs raisonnables de croire que celui-ci est le mandataire de ses associés. « Le mandat tacite est fréquemment confondu avec le mandat apparent. Devant ces erreurs de qualification, il n'est pas inutile de préciser que le mandat tacite se rattache plutôt à la forme que peut prendre le consentement au mandat véritable, qui peut être exprès ou tacite [...]

Dans le cadre du mandat apparent, par contre, ce consentement n'a jamais eu lieu : il n'y a pas de lien contractuel entre le mandant et le mandataire » (Fabien et Morel, (1980-1981) 15 *R.J.T.* 319, p. 323).
Rem. Voir l'art. 1730 C. civ.
Angl. apparent mandate.

MANDAT CLANDESTIN

(*Obl.*) Syn. contrat de prête-nom. « [...] dans le cas d'un mandat clandestin [...] le mandant [...] n'a aucun recours contre le tiers-contractant, sauf s'il jouit d'une subrogation ou est cessionnaire d'une créance » (Larouche, *Obligations*, t. 1, n° 86, p. 103).
Angl. clandestine mandate, contract of *prête-nom*+, *prête-nom*², secret mandate.

MANDAT CONÇU EN TERMES GÉNÉRAUX

(*Obl.*) Mandat¹ dans lequel les pouvoirs du mandataire ne sont pas précisés. « Il faut se garder de confondre le mandat général et le mandat conçu en termes généraux — il serait plus exact de dire "en termes imprécis" ou en termes vagues » (Mazeaud et Chabas, *Leçons*, t. 3, vol. 2, 2e part., n° 1386, p. 851).
Occ. Art. 1703 C. civ.
Rem. **1°** La distinction entre le mandat conçu en termes généraux et le mandat exprès a trait, non pas au nombre des affaires qui sont confiées au mandataire, mais aux actes que, relativement à chaque affaire, il est autorisé à faire. **2°** Le mandat conçu en termes généraux autorise le mandataire à accomplir des actes d'administration seulement; pour les actes de disposition un mandat exprès est requis (art. 1703 C. civ.). **3°** Le mandat conçu en termes généraux peut être général ou spécial.
Syn. mandat exprimé en termes généraux.
Opp. mandat exprès. **V.a.** mandat général+, mandat spécial+.
Angl. mandate expressed in general terms, mandate given in general terms+.

MANDAT CONVENTIONNEL

(*Obl.*) Syn. procuration^A. « On distingue le *mandat conventionnel*, le *mandat légal* et le *mandat judiciaire*. Le premier naît de la convention des parties [...] » (Mignault, *Droit civil*, t. 8, p. 5).
Opp. mandat judiciaire, mandat légal.
V.a. représentation conventionnelle.
Angl. conventional mandate, power of attorney, procuration^A+.

MANDAT DISSIMULÉ

(*Obl.*) Syn. contrat de prête-nom. « La convention de prête-nom est [...] un mandat dissimulé, occulte. Elle réalise une interposition de personnes, ignorée des tiers » (Le Tourneau, *Responsabilité*, n° 1623, p. 512).
Angl. clandestine mandate, contract of *prête-nom*+, *prête-nom*², secret mandate.

MANDAT DOUBLE

(*Obl.*) Syn. double mandat. « Il faut [...] admettre la validité de principe du *mandat double*. Il s'agit du cas où *une même personne intervient comme mandataire des deux parties au contrat* : chargée de vendre un immeuble, elle l'aliène à quelqu'un qui l'avait chargée d'acheter » (Mazeaud et Chabas, *Leçons*, t. 3, vol. 2, 2e part., n° 1393, p. 856).
Angl. double mandate.

MANDAT EXPRÈS

1. (*Obl.*) Mandat¹ dans lequel les pouvoirs du mandataire sont précisés. Par ex., le mandat accordant le pouvoir de vendre les biens du mandant, d'hypothéquer un immeuble. « [...] le mandat exprès [...] ne se confond pas avec le mandat spécial [...] Pour rester exprès, il n'est pas indispensable que le mandat indique d'une manière particulière et déterminée l'affaire ou les affaires qui devront en faire l'objet; il suffit que soit précisée *la nature des actes* à entreprendre [...] » (Rodière, *Rép. droit civ.*, v° Mandat, n° 136).

Rem. **1°** Voir l'art. 1703 C. civ. **2°** Lorsqu'il s'agit d'autoriser le mandataire à accomplir un acte de disposition, le mandant doit s'en exprimer formellement; le mandat doit être exprès (art. 1703 al. 3 C. civ.). **3°** Le mandat exprès peut être général ou spécial.
Opp. mandat conçu en termes généraux+.
V.a. mandat général+, mandat spécial+.
Angl. express mandate[1].

2. (*Obl.*) Mandat[1] conféré par écrit ou verbalement. « Bien que l'art. 1985 [art. 1701 C. civ.] n'envisage, sous une forme tacite, que l'acceptation d'un mandat exprès, la possibilité d'un mandat tacite, aussi bien du côté du mandant que du côté du mandataire, est indiscutée et d'ailleurs conforme à la tradition » (Planiol et Ripert, *Traité*, t. 11, n° 1454, p. 886).
Occ. Art. 1043 C. civ.
Opp. mandat tacite.
Angl. express mandate[2].

MANDAT EXPRIMÉ EN TERMES GÉNÉRAUX

(*Obl.*) Syn. mandat conçu en termes généraux.
Angl. mandate expressed in general terms, mandate given in general terms+.

MANDAT GÉNÉRAL

(*Obl.*) Mandat[1] relatif à toutes les affaires du mandant. « Un mandat général peut être conçu en termes exprès : tel serait le pouvoir de faire sur tous les biens du mandant tous actes de disposition et d'administration » (Mazeaud et Chabas, *Leçons*, t. 3, vol. 2, 2e part., n° 1386, p. 851).
Rem. **1°** Voir l'art. 1703 C. civ. **2°** Le mandat général peut être un mandat conçu en termes généraux, par ex., gérer le patrimoine du mandant, s'occuper de ses affaires et accomplir les actes qu'elles nécessiteront; il peut être un mandat exprès, par ex., vendre tous les biens du mandant; faire sur les biens du mandant tous les actes de disposition et d'administration.
Opp. mandat spécial. **V.a.** procuration générale.
Angl. general mandate.

MANDAT JUDICIAIRE

(*Obl.*) Mandat[2] conféré par la justice. Par ex., le séquestre judiciaire.
Opp. mandat conventionnel, mandat légal.
V.a. représentation judiciaire.
Angl. judicial mandate.

MANDAT LÉGAL

(*Obl.*) Mandat[2] conféré par la loi. Par ex., le mandat du tuteur.
Opp. mandat conventionnel, mandat judiciaire. **V.a.** représentation légale.
Angl. legal mandate.

MANDAT SPÉCIAL

(*Obl.*) Mandat[1] relatif à une affaire particulière du mandant. « [...] un mandat spécial [...] peut être "conçu en termes généraux"; ainsi le mandat d'"administrer" ou de "gérer" tel bien » (Mazeaud et Chabas, *Leçons*, t. 3, vol. 2, 2e part., n° 1386, p. 851).
Rem. **1°** Voir l'art. 1703 C. civ. **2°** Le mandat spécial peut être un mandat conçu en termes généraux, par ex., s'occuper de l'exploitation de telle propriété; il peut être un mandat exprès, par ex., vendre tel immeuble du mandant. **3°** Dans certains cas, la loi requiert un mandat spécial : désaveu (art. 246 C. proc. civ.), désistement (art. 476 C. proc. civ.), confession de jugement (art. 458 C. proc. civ.); un mandat doit alors être donné pour chaque acte.
Opp. mandat général. **V.a.** procuration spéciale.
Angl. special mandate.

MANDAT TACITE

(*Obl.*) Mandat[1] conféré sans que la volonté du mandant se soit révélée par écrit ou verbalement. « [...] dans l'hypothèse où le

géré a connaissance de l'immixtion du gérant, il y a mandat tacite s'il l'approuve et absence de mandat et de gestion d'affaires s'il la désapprouve » (Baudouin, *Obligations*, n° 500, p. 310).
Opp. mandat exprès[2].
Angl. tacit mandate.

MANIFESTATION DE VOLONTÉ EXPRESSE

(*Obl.*) Syn. consentement exprès. « La *parole* et surtout l'*écriture* [...] constituent, par excellence, les manifestations de volonté expresses. Mais des *signes* faits avec le corps [...] ou même de simples gestes [...] peuvent avoir la même fonction [...] » (Carbonnier, *Droit civil*, t. 4, n° 16, p. 80).
Opp. manifestation de volonté tacite.
Angl. explicit consent, express consent+, express manifestation of intent.

MANIFESTATION DE VOLONTÉ TACITE

(*Obl.*) Syn. consentement tacite.
Opp. manifestation de volonté expresse.
Angl. implicit consent, implied consent, tacit consent+, tacit manifestation of intent.

MANOEUVRE DOLOSIVE

(*Obl.*) Moyen ou agissement visant à tromper une personne. Par ex., falsifier le kilométrage d'une automobile, présenter de faux bilans. « Les manoeuvres dolosives emportent [...] un plan de tromperie, une machination préparée d'avance [...]. Il n'est toutefois pas nécessaire que les manoeuvres dolosives soient pénalement répréhensibles pour être civilement sanctionnables » (Baudouin, *Obligations*, n° 159, p. 128).
Rem. L'art. 993 C. civ. énonce que le dol[1] est cause de nullité « lorsque les manoeuvres pratiquées par une des parties ou à sa connaissance sont telles que sans cela l'autre n'aurait pas contracté ».
Syn. manoeuvre frauduleuse. **V.a.** réticence.
Angl. fraudulent artifices.

MANOEUVRE FRAUDULEUSE

(*Obl.*) Syn. manoeuvre dolosive. « [...] le dol est [...] un ensemble de manoeuvres frauduleuses et déloyales qui ont pour but d'induire une personne en erreur et de l'amener, de ce fait, à contracter » (Pineau et Burman, *Obligations*, n° 72, p. 99).
Angl. fraudulent artifices.

MANQUE À GAGNER

Gain dont est privée la personne qui a subi un dommage. Par ex., la perte du profit que l'on pouvait espérer de la vente de l'objet qui a été détruit. « Le manque à gagner, à l'opposé de la perte éprouvée, constitue un dommage futur appelé à se réaliser dans l'avenir » (Roland et Boyer, *Locutions*, t. 1, p. 260).
Syn. *lucrum cessans*. **Opp.** *damnum emergens*.
Angl. *lucrum cessans*, profit deprived+.

MANUFACTURIER, IÈRE *n.*

(*Obl.*) V. responsabilité du manufacturier.

MARCHAND, ANDE *adj.*

(*Obl.*) V. qualité marchande, valeur marchande.

MARCHANDISE *n.f.*

V. contrat de transport de marchandises.
Angl. goods, merchandise.

MARCHÉ À FORFAIT

(*Obl.*) Syn. contrat à forfait. « Le marché à forfait est celui par lequel le constructeur s'engage à livrer l'ouvrage [...] pour un prix global et invariable fixé d'avance » (Rousseau-Houle, *Contrats de construction*, p. 83).
Occ. Art. 1691 C. civ.
Angl. fixed price contract+, lump sum contract.

MARCHÉ SUR DEVIS

(*Obl.*) Contrat d'entreprise conclu sur la base d'un devis. « Au lieu de fixer définitivement par avance la somme globale à payer, les parties peuvent se contenter de simples prévisions, basées sur le coût d'exécution des divers détails. L'entrepreneur présente ces prévisions dans un écrit appelé devis, et le marché est dit "marché sur devis". Le prix total dépendra de l'ensemble des travaux accomplis conformément au devis » (Planiol et Ripert, *Traité*, t. 11, n° 917, p. 152-153).
V.a. devis+. **F.f.** ouvrage par devis et marché.
Angl. work by estimate and contract.

MARC LA LIVRE (AU) *loc.adv.*

(*Obl.*) Locution signifiant d'une manière proportionnelle. Par ex., les créanciers chirographaires d'un débiteur insolvable sont payés au marc la livre, chacun recevant du prix de la vente en justice des biens du débiteur un montant proportionnel au montant de sa créance. « Comme il n'aurait pas été juste que la part de l'insolvable soit supportée uniquement par celui qui a dû payer plus qu'il ne devait, elle doit être répartie au marc la livre entre lui et ses cohéritiers ou colégataires [...] » (Faribault, dans *Traité*, t. 4, p. 556).
Occ. Art. 742, 749, 885 C. civ.
Rem. 1° L'art. 578 C. proc. civ. utilise la locution *au marc le dollar*. En France, on emploie plutôt l'expression *au marc le franc*. 2° Le marc est un ancien poids servant à peser les métaux précieux; la livre est une ancienne unité de monnaie. On s'explique mal cette locution.
V.a. par contribution.
Angl. contribution (by), *pro rata*, rateably+.

MARIAGE *n.m.*

1. (*Pers.*) Acte solennel par lequel un homme et une femme s'engagent publiquement à faire vie commune. « La formation du lien matrimonial suppose la réunion d'un certain nombre de conditions de fond (art. 115 à 127 C. c. B.C.) et de forme (art. 410 à 420 C. c. Q.) en l'absence desquelles le mariage n'est pas valide » (Ouellette, *Famille*, p. 15). *Acte de mariage, contrat de mariage; opposition au mariage.*
Occ. Art. 407 C. civ. Q.
Rem. 1° Voir les art. 410 et s. C. civ. Q. 2° Au Québec, le mariage est célébré devant un ministre du culte (mariage religieux) ou un fonctionnaire de l'État (mariage civil). 3° En France, seul le mariage civil comporte des effets juridiques, alors qu'au Québec les mariages civil et religieux produisent les mêmes effets de droit.
Syn. noces, union conjugale. **V.a.** union de fait.
Angl. marital union, marriage1+.

2. (*Pers.*) État juridique d'un couple marié. « En tant que situation juridique, la loi tient le mariage pour l'union d'un homme et d'une femme : conception monogamique [...], pour l'union de personnes et non de biens [...] » (Colombet, *Famille*, n° 15, p. 35).
Rem. Voir les art. 440 et s. C. civ. Q.
V.a. régime matrimonial°.
Angl. marriage2.

3. (*Pers.*) Cérémonie au cours de laquelle un homme et une femme s'épousent.
Occ. Art. 413 C. civ. Q.
V.a. noce.
Angl. marriage3.

MARIAGE CIVIL

(*Pers.*) Mariage1 célébré devant une personne autorisée par la loi, autre qu'un ministre du culte. « [...] tout comme le mariage catholique est indivisiblement contrat et sacrement, le mariage civil participe à la fois du contrat et de l'institution » (Bénabent, *Famille*, n° 56, p. 43).
Rem. 1° Voir les art. 410 et s. C. civ. Q. 2° Au Québec, le mariage civil est célébré devant un protonotaire ou l'un de ses adjoints.
Opp. mariage religieux+.
Angl. civil marriage.

MARIAGE CLANDESTIN

(*Pers.*) Mariage[1] célébré sans la publicité exigée par la loi.
Rem. **1°** Le mariage entraînant des effets tant pour les époux que pour les tiers, ces derniers ont le droit d'en être informés par un régime de publicité (art. 410 et s. C. civ. Q.). **2°** Le défaut de publicité constitue un vice de forme qui peut entraîner la nullité du mariage pour cause de clandestinité (art. 156 C. civ.).
V.a. mariage secret.
Angl. clandestine marriage.

MARIAGE FICTIF

(*Pers.*) Syn. mariage simulé. « Mais il y a [...] le cas du mariage fictif : il s'agit d'un mariage régulier quant à la forme, mais qui n'est qu'un simulacre afin d'obtenir quelque avantage bien déterminé [...] » (Pineau, *Famille*, n° 40, p. 27).
Angl. fictitious marriage, simulated marriage+.

MARIAGE *IN EXTREMIS* (latin)

(*Pers.*) Mariage[1] contracté alors qu'un des époux est mourant. « Seul le consentement fait le mariage, non l'oeuvre de chair, ni la fondation effective d'un foyer. C'est pourquoi le mariage *in extremis* est valable, où l'un des *futurs* est sur le point de mourir » (Carbonnier, *Droit civil*, t. 2, n° 12, p. 49).
V.a. enfant légitimé.
Angl. marriage *in extremis*.

MARIAGE PAR PROCURATION

(*Pers.*) Mariage[1] contracté par l'entremise d'un mandataire représentant un époux absent. « Alors que, sous l'ancien droit, le mariage par procuration n'était pas interdit dans des cas exceptionnels, cette tolérance n'existe plus » (Ouellette, *Famille*, p. 58).
Rem. **1°** Voir l'art. 418 al. 2 C. civ. Q. **2°** Bien que ce type de mariage ne soit plus admis au Québec, en France on permet exceptionnellement en temps de guerre le mariage sans comparution personnelle d'un militaire ou d'un marin absent.
Angl. marriage by proxy.

MARIAGE PUTATIF

(*Pers.*) Mariage[1] nul contracté par un époux qui le croit valide. « L'institution du mariage putatif a été imaginée par le droit canonique pour tempérer la rigueur de la rétroactivité » (Bénabent, *Famille*, n° 142, p. 96).
Rem. **1°** Voir les art. 431 à 439 C. civ. Q. **2°** Le mariage putatif produit des effets civils à l'égard de l'époux de bonne foi (art. 432 C. civ. Q.). Il en produit également, comme tout mariage nul d'ailleurs, à l'égard des enfants.
Angl. putative marriage.

MARIAGE RELIGIEUX

(*Pers.*) Mariage[1] célébré devant un ministre du culte. « [...] si un célébrant religieux estime que sa religion lui interdit de célébrer un mariage religieux avec effets civils, aucune ordonnance civile ne pourra le forcer à le faire » (Ouellette, *Famille*, p. 51).
Rem. **1°** Voir les art. 410 et s. C. civ. Q. **2°** Au Québec, le mariage religieux et le mariage civil produisent les mêmes effets de droit. **3°** En France, le mariage religieux est dépourvu d'effets civils.
Opp. mariage civil.
Angl. religious marriage.

MARIAGE SECRET

(*Pers.*) Mariage[1] célébré selon la loi, mais tenu secret par les époux. « Il ne faut pas confondre les mariages *clandestins* avec les mariages *secrets*. Le mariage secret a pu être célébré avec toute la publicité désirable et après les publications d'usage. Seulement les parties l'ont ensuite tenu caché [...] » (Ripert et Boulanger, *Traité*, t. 1, n° 1337, p. 522).
V.a. mariage clandestin.

MARIAGE SIMULÉ

(*Pers.*) Mariage[1] contracté uniquement en vue d'atteindre une fin autre que la formation d'une union matrimoniale. Par ex., un mariage conclu par un époux à seule fin d'obtenir un changement de citoyenneté.
Rem. **1°** Le Code civil ne prévoit pas la simulation comme cause de nullité du mariage; la jurisprudence est partagée à ce sujet. **2°** L'art. 424 C. civ. Q. prévoit la nullité du mariage simulé; toutefois, pour des motifs d'ordre constitutionnel, ce texte n'est pas en vigueur.
Syn. mariage fictif. **V.a.** fraude à la loi, simulation.
Angl. fictitious marriage, simulated marriage+.

MATÉRIAUX *n.m.pl.*

V. fournisseur de matériaux, privilège du fournisseur de matériaux.
Angl. materials.

MATÉRIEL, ELLE *adj.*

1. Relatif au fait d'une personne ou d'une chose.
Opp. moral[7]. **V.a.** acte matériel, causalité matérielle, cause matérielle, imputabilité matérielle.
Angl. material.

2. V. acte matériel, dommage matériel, droit matériel, fait matériel, garde matérielle, préjudice matériel, règle matérielle.

MATERNEL, ELLE *adj.*

(*Pers.*) V. filiation maternelle.

MATERNITÉ *n.f.*

1. État, qualité de mère. *Allocation de maternité, congé de maternité.*
Opp. paternité[1].
Angl. maternity[1].

2. (*Pers.*) Lien de parenté qui unit la mère à son enfant[1]. « Les mots *paternité, maternité* et *filiation*, expriment des idées corrélatives et inséparables. La *filiation* est la relation que le fait de la procréation établit entre deux personnes dont l'une est née de l'autre. Cette relation conserve le nom de *filiation*, lorsqu'on la considère par rapport à l'enfant; on l'appelle *paternité* ou *maternité*, lorsqu'on l'envisage au point de vue du père et de la mère » (Mignault, *Droit civil*, t. 2, p. 58).
Occ. Art. 577, 578, 580, 589 C. civ. Q.
Opp. paternité[2]. **V.a.** filiation[1]+, filiation maternelle, reconnaissance de maternité ou de paternité.
Angl. maternal filiation, maternity[2]+.

MATRIMONIAL, ALE *adj.*

V. domicile matrimonial.

MAUVAISE FOI

1. Manque de loyauté, spécialement dans la conclusion et l'exécution des contrats.
Opp. bonne foi[1].
Angl. bad faith[1].

2. Conscience du fait que l'on agit à l'encontre du droit[1]. « Le possesseur est de mauvaise foi lorsqu'il sait n'être pas propriétaire de la chose qu'il possède » (Cornu, *Introduction*, n° 1152, p. 361).
Occ. Art. 1049, 1516, 2202 C. civ.
Opp. bonne foi[2]. **V.a.** possession de mauvaise foi.
Angl. bad faith[2].

MAXIME JURIDIQUE

Formule lapidaire d'origine ancienne, souvent exprimée en vieux français ou en latin, énonçant de façon saisissante un principe général du droit ou encore une règle juridique communément admise. Par ex., à l'impossible nul n'est tenu; *fraus omnia corrumpit* (la fraude vicie tout); le mort saisit le vif. « Cependant le droit coutumier dit d'origine savante regroupe un fonds de maximes juridiques qui, assez souvent, ont,

en la forme et au fond, un caractère populaire. Elles ont donné corps à des proverbes, adages familiers qui reposent sur le simple bon sens » (Cornu, *Introduction*, n° 420, p. 140).
Syn. adage, brocard. **V.a.** principes généraux du droit.
Angl. adage, brocard, juridical maxim, legal maxim+.

MÉDIAT, ATE *adj.*

V. représentation médiate, victime médiate.

MÉLANGE *n.m.*

(*Biens*) Réunion de plusieurs choses mobilières, appartenant à des propriétaires différents, qui sont confondues pour former un seul tout et cessent d'être distinctes et reconnaissables. Par ex., union de deux tas de blé en un seul, fusion de plusieurs métaux pour former un objet. « Le *mélange* ne permet plus de distinguer les deux choses unies. Les propriétaires des choses mélangées en sont copropriétaires dans la proportion de la quantité et de la valeur des matières (art. 573, al. 2, C. civ. [art. 437 al. 2 C. civ.]). Il n'en serait autrement que si l'une des matières "était de beaucoup supérieure à l'autre par la qualité et le prix" (art. 574 C. civ. [art. 438 C.civ.]) » (Mazeaud et Chabas, *Leçons*, t. 2, vol. 2, n° 1610, p. 295).
Rem. **1°** Le mélange constitue une forme d'accession mobilière. **2°** Voir les art. 437, 438 C. civ.
Syn. confusion². **V.a.** adjonction, spécification.
Angl. admixture.

MENSUALITÉ *n.f.*

(*Obl.*) Somme versée mensuellement. *Prix payable par mensualités.*
V.a. annuité, paiement périodique.
Angl. monthly payment.

MENUES RÉPARATIONS

(*Obl.*) Syn. réparations locatives. « [...] le locataire est obligé de faire les menues réparations, communément appelées réparations locatives » (Faribault, dans *Traité*, t. 12, p. 196).
Angl. lessee's repairs+, minor repairs, minor repairs for maintenance.

MENUES RÉPARATIONS D'ENTRETIEN

(*Obl.*) Syn. réparations locatives.
Occ. Art. 1627 C. civ.
Angl. lessee's repairs+, minor repairs, minor repairs for maintenance.

MÈRE *n.f.*

(*Pers.*) Ascendant féminin au premier degré. « La preuve de la maternité légitime porte nécessairement sur un double fait : d'abord, l'accouchement de la mère; ensuite, l'identité de l'intéressé avec l'enfant mis au monde par celle-là » (Azard et Bisson, *Droit civil*, t. 1, n° 92, p. 144).
Occ. Art. 578 C. civ. Q.
Opp. père. **V.a.** parent².
Angl. mother.

MÉRITE *n.m.*

1. (*D. jud.*) (X) *Angl.* V. fond.
Rem. Ce terme est un calque de *merits* lorsqu'on l'emploie pour désigner la question qui fait l'objet du litige. D'ailleurs, le Code de procédure civile de 1965 a remplacé presque partout le terme *mérite* par le terme correct *fond* (art. 155, 159 C. proc. civ.).
Angl. merit¹(<)+, substance+.

2. Syn. bien-fondé.
Occ. Art. 213 C. proc. civ.
Rem. Le terme ne s'emploie plus guère, sinon au Québec, probablement sous l'influence du terme anglais *merit*. Les textes récents emploient plutôt le terme *bien-fondé* (art. 962, 967 C. proc. civ.).
Angl. merit².

METTRE EN CAUSE *loc.verb.*

(*D. jud.*) Faire entrer dans un procès par voie de mise en cause. « [...] les auteurs

reconnaissent que la partie à laquelle appartient le droit de mettre un tiers en cause a toute liberté pour user ou non de cette faculté [...] » (*Ouellette* c. *Duhamel*, [1950] B.R. 92, p. 98, j. G. Pratte).
Occ. Art. 2013*e* C. civ.
Syn. appeler en cause. **V.a.** appeler en garantie, intervenir.
Angl. implead.

MEUBLANT, ANTE *adj.*

V. meuble meublant.

MEUBLE *adj.*

(*Biens*) Susceptible de déplacement ou réputé tel. « [...] lorsqu'une boutique, construite sur le terrain d'autrui, a été vendue avec stipulation que l'acheteur pourra l'enlever pour la transporter ailleurs, cette boutique est un bien meuble » (Montpetit et Taillefer, dans *Traité*, t. 3, p. 55).
Occ. Art. 6 C. civ.
Syn. mobilier[1]. **Opp.** immeuble.
Angl. moveable[1].

MEUBLE *n.m.*

1. (*Biens*) Bien susceptible de déplacement ou réputé tel. « La division des biens en meubles et immeubles ne paraît laisser place à aucune catégorie intermédiaire [...] Des deux compartiments, les interprètes admettent [...] que c'est celui des *meubles* qui reste toujours ouvert, et qu'il convient [...] d'y faire entrer tous les cas douteux, toutes les espèces de biens qui ne peuvent rigoureusement se définir comme immeubles » (Carbonnier, *Droit civil*, t. 3, n° 17, p. 78).
Occ. Titre précédant l'art. 383 C. civ.
Rem. On distingue les meubles par nature et les meubles par la détermination de la loi.
Syn. bien meuble, effet mobilier, mobilier[1].
Opp. immeuble.
Angl. moveable[1]+, moveable effect, moveable object, moveable thing.

2. (*Biens*) Syn. meuble meublant. « Dans le langage courant, on ne désigne par meubles que les choses qui meublent une maison [...] » (Mazeaud et Chabas, *Leçons*, t. 1, vol. 1, n° 194, p. 265).
Occ. Art. 396 C. civ.
Angl. furniture+, moveable[2].

MEUBLÉ, ÉE *adj.*

(*Biens*) V. maison meublée.

MEUBLE CORPOREL

(*Biens*) Meuble[1] ayant le caractère d'un bien corporel. « [...] l'acquisition de la propriété des meubles corporels par possession obéit au principe général de la prescription » (Baudouin, *Droit civil*, p. 432).
Occ. Art. 2268 C. civ.
Opp. meuble incorporel. **V.a.** meuble par nature.
Angl. corporeal moveable.

MEUBLE INCORPOREL

(*Biens*) Meuble[1] ayant le caractère d'un bien incorporel. « Les *meubles incorporels*, c'est-à-dire les droits autres que le droit de propriété — *e.g.* droit d'usufruit, droit de créance — ne sont pas régis par l'article 2268 C.C. » (Martineau, *Prescription*, n° 154, p. 153).
Opp. meuble corporel. **V.a.** meuble par la détermination de la loi.
Angl. incorporeal moveable.

MEUBLE MEUBLANT

(*Biens*) Meuble[1] servant à l'usage ou à l'ornement d'une maison. « [...] celle-ci [la langue juridique] réserve aux choses qui meublent une maison le nom de "meubles meublants" » (Mazeaud et Chabas, *Leçons*, t. 1, vol. 1, n° 194, p. 265).
Occ. Art. 396 C. civ.
Syn. meuble[2], mobilier[2]. **V.a.** maison meublée.
Angl. furniture+, moveable[2].

MEUBLE PAR ANTICIPATION

(*Biens*) Meuble[1] qui, par sa nature, est un immeuble appelé à devenir meuble et, à certains égards, traité par avance comme meuble. Par ex., la récolte sur pied. « Lorsque le propriétaire de biens incorporés au sol les aliène avec l'entente que ces biens seront séparés du fonds, ils deviennent meubles par anticipation » (Montpetit et Taillefer, dans *Traité*, t. 3, p. 33).
Rem. Le meuble par anticipation est une espèce de meuble par la détermination de la loi.
Angl. moveable by anticipation.

MEUBLE PAR (LA) DÉTERMINATION DE LA LOI

(*Biens*) Meuble[1] décrété tel par la loi[1]. « Quant aux meubles *par la détermination de la loi*, il faut entendre par là les meubles incorporels, c'est-à-dire les droits qui sont meubles par l'objet auquel ils s'appliquent [...] » (Mignault, *Droit civil*, t. 2, p. 434).
Occ. Art. 387 C. civ.
Rem. Il existe trois catégories de meubles par la détermination de la loi : les créances mobilières, les droits réels mobiliers par l'objet auquel ils s'appliquent et les immeubles que la loi autorise à considérer, à certaines fins, comme des meubles.
Opp. meuble par nature.
Angl. moveable by determination of law.

MEUBLE PAR NATURE

(*Biens*) Meuble[1] susceptible de déplacement en raison de ses caractéristiques physiques. Par ex., un animal, une corde de bois. « Meubles et immeubles par nature — [...] la distinction correspond à une réalité concrète. Le critère en est *la fixité* ou *la mobilité* du bien considéré : donnée purement physique » (Flour et Aubert, *Obligations*, n° 22, p. 15-16).
Rem. Voir l'art. 384 C. civ.
Opp. meuble par la détermination de la loi. **V.a.** meuble corporel.
Angl. moveable by nature.

MINEUR, EURE *n.*

(*Pers.*) Personne qui n'a pas atteint l'âge fixé par la loi pour exercer seule la plénitude de ses droits civils[5]. « [...] le mineur est frappé d'une incapacité d'exercice » (Colin et Capitant, *Traité*, t. 1, n° 817, p. 490). *Enfant mineur*, *parent mineur*.
Occ. Art. 247 C. civ.; art. 615 C. civ. Q.
Rem. Une personne demeure en minorité jusqu'à ce qu'elle ait atteint l'âge de 18 ans accompli (art. 246 et 324 C. civ.).
Syn. enfant[3]. **Opp.** majeur. **V.a.** *infans*°.
Angl. child[3], infant, minor+, person of minor age.

MINEUR ÉMANCIPÉ

(*Pers.*) Mineur qui bénéficie de l'émancipation. « En plus des actes que le mineur ordinaire peut faire seul et que le mineur émancipé peut donc faire seul, le mineur émancipé bénéficie d'une capacité accrue quant à l'administration de son patrimoine » (Larouche, *Obligations*, n° 156, p. 181).
Occ. Art. 317, 318, 319 C. civ.
Syn. émancipé. **Opp.** mineur non émancipé. **V.a.** curateur.
Angl. emancipated minor.

MINEUR NON ÉMANCIPÉ

(*Pers.*) Mineur qui ne bénéficie pas de l'émancipation. « [...] le mineur émancipé peut accomplir seul les actes conservatoires (comme le peut le mineur non émancipé), les actes que le tuteur d'un mineur non émancipé pourrait accomplir seul, c'est-à-dire les actes de gestion normale du patrimoine [...] » (Pineau et Burman, *Obligations*, n° 101, p. 142).
Occ. Art. 322, 907, 1002 C. civ.
Rem. Ce terme n'est employé que dans un contexte d'opposition avec le mineur émancipé.
Opp. mineur émancipé.
Angl. unemancipated minor.

MINISTÉRIEL, ELLE *adj.*

V. arrêté ministériel.

MINORITÉ *n.f.*

(*Pers.*) État d'une personne qui n'a pas atteint l'âge déterminé par la loi[2] pour exercer seule la plénitude de ses droits civils[5]. « La minorité s'associe à un état de capacité — ou d'incapacité — relative. Elle correspond à l'inaptitude à prendre soin de soi. À des degrés divers, cette incapacité appelle une protection variable assumée par le titulaire de l'autorité parentale » (Ouellette, (1988) 1 *C. P. du N.* 133, n° 7).
Occ. Art. 246, 247 C. civ.
Rem. En certaines matières, le législateur accorde au mineur la capacité d'agir seul, par ex., l'enfant de 14 ans doit consentir à son adoption (art. 602 C. civ. Q.); l'enfant de 14 ans ou plus peut consentir seul à recevoir des soins ou traitements médicaux requis par son état de santé (art. 42, *Loi sur la protection de la santé publique*, L.R.Q., chap. P-35).
Opp. majorité. **V.a.** émancipation, incapacité d'exercice, tutelle.
Angl. minority.

MISE COMMUNE

(*Obl.*) Syn. apport. « Chaque associé doit fournir un certain apport pour que la société soit formée. Cette mise commune, ou mise sociale, peut consister en toute espèce de biens, tels un immeuble, l'usufruit d'un bien, une créance, une marque de commerce, une clientèle, un brevet d'invention ou un procédé industriel » (Bohémier et Côté, *Droit commercial*, t. 2, p. 16).
Angl. contribution (to the partnership).

MISE EN CAUSE

1. (*D. jud.*) Intervention d'un tiers dans une instance, à la demande d'une partie, soit afin de permettre une solution complète du litige, soit afin d'exercer contre lui un recours en garantie.
Occ. Art. 217 C. proc. civ.
Rem. **1°** Ce sens large, qui englobe aussi bien le recours en garantie que la mise en cause sans garantie, correspond à la terminologie retenue par le nouveau Code de procédure civile en France (art. 331). **2°** Le plus souvent, on emploie dans la pratique le terme *mise en cause forcée*, expression redondante formée sur le modèle d'*intervention forcée*, synonyme de *mise en cause*.
Syn. intervention forcée. **Opp.** intervention volontaire. **V.a.** assignation en déclaration de jugement commun, mise en cause aux fins de condamnation. **F.f.** mise en cause forcée.
Angl. forced impleading(x), forced intervention, impleading[1] +.

2. (*D. jud.*) Intervention d'un tiers dans une instance, à la demande d'une partie, non pas pour exercer un recours en garantie, mais uniquement afin de permettre une solution complète du litige. « L'appel en garantie se distingue de la mise en cause en ce qu'[il] implique un lien de droit, le plus souvent contractuel, entre le requérant et le tiers appelé en garantie » (Barakett, Beausoleil, Ferland et Reid, *Droit judiciaire I*, t. 1, p. 224).
Rem. Ce sens restreint, qui exclut le recours en garantie du domaine de la mise en cause, ne respecte pas l'ordonnancement établi par le Code de procédure civile. Au recours en garantie, on devrait opposer non pas la mise en cause, mais la mise en cause sans garantie.
Angl. impleading[2].

MISE EN CAUSE AUX FINS DE CONDAMNATION

(*D. jud.*) Mise en cause[1] d'un tiers en vue d'obtenir une condamnation contre lui. « La mise en cause aux fins de condamnation est une *action* qui au lieu d'être exercée à titre principal, se trouve greffée sur une autre *action*, formalisée dans une *instance* en cours » (Martin, *Juris-Cl. Proc. civ.*, fasc. 127-1, n° 90).

Rem. 1° L'art. 216 C. proc. civ., qui traite de la mise en cause, ne fait pas la distinction entre la mise en cause aux fins de condamnation et l'assignation en déclaration de jugement commun, qu'établit le nouveau Code de procédure civile de France. 2° L'appel en garantie constitue un type particulier de mise en cause aux fins de condamnation.
Opp. assignation en déclaration de jugement commun.
Angl. impleading for purposes of condemnation.

MISE EN CAUSE FORCÉE

(*D. jud.*) (X) V. mise en cause[1].
Rem. Expression redondante, formée sur le modèle d'*intervention forcée*, ce dernier terme étant synonyme de *mise en cause* (titre précédant l'art. 216 C. proc. civ.).
Angl. forced impleading(x), forced intervention, impleading[1]+.

MISE EN DEMEURE

(*Obl.*) Acte juridique unilatéral par lequel le créancier, une fois l'obligation échue, enjoint au débiteur d'exécuter formellement son obligation et constate ainsi officiellement le retard de ce dernier à s'en acquitter. « La mise en demeure rend manifeste la mauvaise volonté du débiteur; elle fait apparaître que l'inexécution est due à sa faute [...] Mettre le débiteur en demeure, c'est le constituer solennellement en faute [...] » (Carbonnier, *Droit civil*, t. 4, n° 76, p. 307).
Occ. Art. 248 C. proc. civ.
Rem. L'art. 1067 C. civ. reconnaît deux formes de mise en demeure : l'avis extrajudiciaire donné par le créancier au débiteur et l'interpellation judiciaire, c'est-à-dire l'assignation en justice du débiteur par le créancier.
V.a. demeure[1]+.
Angl. putting in default.

MIS EN CAUSE, MISE EN CAUSE
loc.nom. et *loc.adj.*

(*D. jud.*) Tierce partie introduite dans un procès par voie de mise en cause.
V.a. intervenant.
Angl. impleaded party+, *mis en cause.*

MISE SOCIALE

(*Obl.*) Syn. apport. « La mise sociale peut aussi être constituée par les qualités personnelles de l'associé, tels son crédit ou encore ses qualités physiques et intellectuelles » (Bohémier et Côté, *Droit commercial*, t. 2, p. 16).
Angl. contribution (to the partnership).

MITOYEN, ENNE *adj.*

(*Biens*) Soumis à la mitoyenneté. « [...] il est impossible au co-propriétaire d'un mur mitoyen d'en abandonner la mitoyenneté et de se libérer des obligations de contribuer aux réparations du mur si ce dernier soutient un bâtiment appartenant à ce co-propriétaire » (Cossette, (1958-1959) 61 *R. du N.* 488, p. 489). *Mur mitoyen, haie mitoyenne.*
Occ. Art. 510, 512 à 516 C. civ.
Rem. Le propriétaire d'un mur mitoyen est parfois appelé *propriétaire mitoyen.*
V.a. privatif.
Angl. common[1], mitoyen+.

MITOYENNETÉ *n.f.*

(*Biens*) Copropriété appliquée aux clôtures, murs, haies ou fossés séparant des fonds contigus. « Lorsque la chose qui est commune entre deux personnes consiste en un objet intermédiaire, servant de séparation à des fonds contigus, la communauté de cette chose s'appelle la *mitoyenneté* » (Mignault, *Droit civil*, t. 3, p. 58). *Acquérir la mitoyenneté, mitoyenneté d'un mur.*
Occ. Art. 517 C. civ.
Rem. 1° La mitoyenneté constitue une forme de copropriété soumise à un régime

propre prévu par les art. 510 et s. C. civ.
2° Le partage de la chose mitoyenne ne peut être demandé; c'est pourquoi on dit qu'il s'agit de copropriété forcée.
Syn. droit de mitoyenneté. **Opp.** non-mitoyenneté.
Angl. common ownership, joint ownership, *mitoyenneté*+, right of *mitoyenneté*.

MIXTE *adj.*

V. acte mixte, action mixte, condition mixte, contrat mixte, droit mixte, statut mixte.

MOBILE *adj.*

V. clause d'échelle mobile, conflit mobile.

MOBILE *n.m.*

(*Obl.*) Syn. cause[1.B].
Angl. cause[1.B]+, consideration[1], motive.

MOBILIER, IÈRE *adj.*

1. (*Biens*) Syn. meuble. « Les objets mobiliers qui, étant placés dans ou sur un bâtiment, *en font partie*, qui sont *de son essence*, sont immeubles. Tels sont : les volets d'une maison, ses croisées, ses portes [...] » (Mignault, *Droit civil*, t. 2, p. 420). *Effet mobilier*.
Occ. Art. 1637 C. civ.
Opp. immobilier[1].
Angl. moveable[1].

2. (*Biens*) Qui se rapporte aux meubles.
Opp. immobilier[2]. **V.a.** accession mobilière, action mobilière, action personnelle mobilière, action réelle mobilière, bail mobilier, privilège mobilier, saisie-exécution mobilière.
Angl. moveable[2].

MOBILIER *n.m.*

1. (*Biens*) Syn. meuble[1].
Occ. Art. 397 C. civ.
Angl. moveable[1]+, moveable effect, moveable object, moveable thing.

2. (*Biens*) Syn. meuble meublant.
Angl. furniture+, moveable[2].

MOBILISATION *n.f.*

(*Biens*) Fait de transformer un immeuble en meuble par l'effet de la loi ou d'un acte juridique ou matériel. « *Mobilisation par séparation* [...] les objets [...] qui ne revêtent la qualité d'immeubles par nature qu'à raison de leur adhérence au sol ou à un bâtiment, la perdent, d'une manière absolue, lorsqu'ils en sont séparés matériellement » (Aubry et Rau, *Droit civil*, t. 2, n° 14, p. 25).
Occ. Art. 387 C. civ.
Opp. immobilisation. **V.a.** ameublissement.
Angl. mobilization[1].

MOBILISATION ANTICIPÉE

(*Biens*) Syn. mobilisation par anticipation. « [...] une large liberté serait par-là laissée à la mobilisation anticipée des récoltes sur pied, coupes de bois aménagées, vente de constructions à démolir et même concession de carrières déjà en exploitation » (Marty et Raynaud, *Introduction*, n° 325, p. 510).
Angl. mobilization by anticipation.

MOBILISATION PAR ANTICIPATION

(*Biens*) Fait de traiter par avance comme mobilier un immeuble promis à la mobilisation. « La théorie de la mobilisation par anticipation comporte de nombreuses applications : en dehors des récoltes sur pied qui constituent l'exemple type des meubles par anticipation, la jurisprudence a fait application de la théorie aux arbres vendus pour être abattus [...] à la vente de matériaux à extraire d'une mine ou d'une carrière [...] aux maisons ou bâtiments quelconques qui seraient vendus en vue d'être démolis » (Weill et Terré, *Introduction*, n° 297, p. 301).
Syn. mobilisation anticipée.
Angl. mobilization by anticipation.

MOBILISER *v.tr.*

(*Biens*) Faire la mobilisation. « [Une des conditions requises pour la mobilisation] est l'intention des parties à l'acte de mobiliser l'immeuble [...] » (Atias, *Biens*, t. 1, n° 29, p. 39).
Opp. immobiliser. **V.a.** ameublir.
Angl. mobilize[1].

MODAL, ALE *adj.*

(*Obl.*) Qui est assorti d'une modalité.
Opp. pur et simple[1]. **V.a.** conditionnel, terme (à).
Angl. modal.

MODALITÉ *n.f.*

(*Obl.*) Forme particulière d'un acte ou d'un fait juridiques, d'un droit ou d'une obligation. Par ex., la copropriété et le droit de superficie sont des modalités du droit de propriété. « Les modalités peuvent [...] intéresser l'obligation en elle-même, dans son existence ou dans son exigibilité : ce sont la condition et le terme; elles peuvent aussi être relatives à son objet ou à ses sujets, il s'agit alors de la pluralité d'objets et de la pluralité de sujets » (Marty, Raynaud et Jestaz, *Obligations*, t. 2, n° 45, p. 43). *Modalité de l'offre.*
Occ. Art. 1877 par. 6 C. civ.
V.a. obligation à modalité, obligation à modalité complexe, obligation à modalité simple.
Angl. modality.

MODALITÉ DE L'OBLIGATION

(*Obl.*) Modalité qui affecte l'existence ou les effets de l'obligation[2]. « Le terme est une modalité de l'obligation qui affecte celle-ci dans son exigibilité ou dans sa durée, sans mettre en cause son existence même » (Marty, Raynaud et Jestaz, *Obligations*, t. 2, n° 46, p. 44).
V.a. condition[1], obligation complexe, obligation pure et simple, terme[1].
Angl. modality of the obligation.

MODALITÉ DE PAIEMENT

(*Obl.*) Modalité relative au paiement. Par ex., paiement comptant, paiement à terme, paiement périodique.
Occ. Art. 2501 par. *h* C. civ.
Syn. condition de paiement.
Angl. condition of payment, modality of payment+.

MOINS-VALUE *n.f.*

(*Biens*) Diminution de la valeur d'un bien d'une date à une autre.
Opp. plus-value+.

MONÉTAIRE *adj.*

(*Obl.*) V. clause monétaire, obligation monétaire.

MORAL, ALE *adj.*

1. Conforme aux bonnes mœurs. *Condition morale, objet moral.*
Opp. immoral.
Angl. moral[1].

2. Qui ne relève pas du droit positif. « Si certaines règles morales fondamentales doivent être impérativement observées, ce n'est pas pour elles-mêmes, car la fin du droit n'est pas directement moralisatrice, mais pour leur valeur sociale, pour l'ordre qu'elles apportent à la société » (Flour et Aubert, *Obligations*, vol. 1, n° 275, p. 219).
Opp. juridique[4]. **V.a.** obligation morale, responsabilité morale.
Angl. moral[2].

3. Syn. extrapatrimonial. « Si les oeuvres de l'esprit font naître un droit patrimonial elles font aussi l'objet d'un *droit moral* qui consiste essentiellement dans le droit de publier ou de ne pas publier l'oeuvre et de poursuivre ceux qui lui porteraient atteinte » (Marty et Raynaud, *Personnes*, n° 6, p. 8). *Direction morale de la famille.*
Occ. Art. 443 C. civ. Q.
V.a. intérêt moral.
Angl. extrapatrimonial+, moral[3].

4. Qui touche la douleur, la peine, les sentiments d'affection ou d'honneur qu'éprouve une personne. « Le préjudice moral est celui que subit une personne non plus à strictement parler dans ses biens ou son patrimoine, mais dans sa personne même » (Nadeau, dans *Traité*, t. 8, n° 255, p. 235).
V.a. dommage moral, préjudice moral, *pretium doloris*, *solatium doloris*.
Angl. moral[4].

5. Qui est fictif, purement intellectuel. « À côté des êtres humains, qui sont les attributaires essentiels de la personnalité juridique, le droit a placé des personnes morales, c'est-à-dire des êtres fictifs : ces personnes morales pourront être également sujets de droits. Il existe des personnes morales de droit public et de droit privé (art. 356 C. c.) [...] » (Azard et Bisson, *Droit civil*, t. 1, n° 11, p. 8).
Occ. Art. 352, 356, 1591, 2161*c* C. civ.; art. 57, 956, 985 C. proc. civ.
Syn. juridique[5]. **V.a.** personnalité morale, personne morale.
Angl. artificial, ideal, juridical[5], legal[9+], moral[5].

6. Relatif à une contrainte qui ne s'exerce que sur la volonté d'une personne. « La violence dans l'a. 1111 [art. 994 C. civ.] est, à proprement parler, l'emploi de la menace, ce que l'on appelle la violence *morale*, violence qui fait pression sur la volonté, mais ne l'abolit pas [...] » (Carbonnier, *Droit civil*, t. 4, n° 21, p. 96-97). *Violence morale*.
Angl. moral[6].

7. (*Obl.*) Relatif à la faute[2] d'une personne. « Cette causalité morale tient compte de l'attitude de l'auteur du dommage. C'est dire qu'il faut faire entrer en ligne de compte, dans cette recherche, la prévisibilité et l'évitabilité du dommage [...] » (Nadeau, dans *Mélanges Bissonnette*, p. 436-437).
Opp. matériel[1]. **V.a.** causalité morale, imputabilité morale.

MORALITÉ *n.f.*

1. Caractère de ce qui est moral[1].
Opp. immoralité[1]. **V.a.** licéité.
Angl. morality[1].

2. Ce qui est moral. « La notion de bonnes mœurs est bien proche de celle d'ordre public et bien des conventions estimées contraires à la moralité élémentaire heurtent aussi l'ordre public » (Marty et Raynaud, *Obligations*, t. 1, n° 77, p. 72).
Opp. immoralité[2].
Angl. morality[2].

MORATOIRE *adj.*

(*Obl.*) Relatif au retard. « La réparation du préjudice subi par le créancier du fait d'une exécution tardive se fait par l'octroi d'une somme d'argent appelée "dommages-intérêts moratoires" [...] » (Pineau et Burman, *Obligations*, n° 352, p. 431).
Rem. Du latin *moratorius*, de *morari* : retarder, suspendre.
V.a. dommages-intérêts moratoires, dommages moratoires.
Angl. moratory.

MORTIS CAUSA *loc.adv.* (latin)

(*Obl.* et *Succ.*) Syn. cause de mort. *Donation* mortis causa.
Angl. contemplation of death (in)[+], *mortis causa*.

MOYEN *n.m.*

V. obligation de moyens.
Angl. means.

MOYEN DÉCLINATOIRE

(*D. jud.*) Moyen préliminaire par lequel le défendeur requiert le renvoi de la demande devant le tribunal compétent ou, à défaut, son rejet.
Occ. Titre précédant l'art. 163 C. proc. civ.

Syn. exception déclinatoire, exception d'incompétence. **V.a.** compétence d'attribution, compétence *ratione personae*², compétence territoriale, moyen de non-recevabilité, moyen dilatoire.
Angl. declinatory exception⁺, exception as to jurisdiction.

MOYEN DE NON-RECEVABILITÉ

(*D. jud.*) Moyen préliminaire par lequel le défendeur, sans engager le débat au fond, requiert le rejet de la demande pour l'une des causes prévues par la loi.
Occ. Art. 165 C. proc. civ.
Rem. **1°** Les causes d'irrecevabilité sont la litispendance ou la chose jugée, l'absence de capacité ou de qualité, l'absence d'intérêt et l'absence d'un fondement juridique (art. 165 C. proc. civ.). **2°** Le tribunal peut accorder au demandeur un délai afin de permettre, dans la mesure du possible, le redressement du défaut sur lequel le moyen est fondé (art. 166 C. proc. civ.).
Syn. exception de non-recevabilité. **V.a.** moyen déclinatoire, moyen dilatoire.
Angl. exception to dismiss action.

MOYEN DILATOIRE

(*D. jud.*) Moyen préliminaire par lequel le défendeur requiert l'arrêt momentané de l'instance afin d'accomplir ou de faire accomplir par le demandeur certains actes. « En soi, les moyens dilatoires n'ont pas pour but de faire rejeter la demande; ils ne visent qu'à obtenir un arrêt de la poursuite soit pour accorder au défendeur un délai avant de prendre parti sur la demande, soit pour forcer le demandeur à accomplir une obligation ou un acte préalable à la contestation au fond [...] » (Barakett, Beausoleil, Ferland et Reid, *Droit judiciaire 1*, t. 1, p. 244).
Occ. Titre précédant l'art. 168 C. proc. civ.
Rem. Voir les art. 168 à 171 C. proc. civ.
Syn. exception dilatoire. **V.a.** moyen déclinatoire, moyen de non-recevabilité.
Angl. dilatory exception.

MOYEN PRÉLIMINAIRE

(*D. jud.*) Moyen invoqué par une partie, avant de plaider au fond, en vue soit de faire rejeter un acte de procédure, soit d'obtenir l'arrêt momentané de l'instance. « Les moyens préliminaires de défense ne sont pas destinés à bloquer le processus judiciaire, mais à faire apparaître le droit de celui ou celle qui n'a pas pris l'initiative du débat judiciaire aux fins de faire sanctionner par le tribunal ses propres droits ou de les faire préciser, de réprimer les abus procéduraux ou de faciliter la marche normale du processus judiciaire [...] » (Mailhot, dans *Moyens préliminaires*, Préface, p. VII).
Occ. Titre précédant l'art. 159 C. proc. civ.
Rem. **1°** Le Code de procédure civile prévoit trois moyens préliminaires : les moyens déclinatoires (art. 163, 164 C. proc. civ.), de non-recevabilité (art. 165 à 167 C. proc. civ.) et dilatoires (art. 168 à 171 C. proc. civ.). **2°** Les moyens préliminaires sont proposés par requête (art. 160 C. proc. civ.).
Syn. exception préliminaire.
Angl. preliminary exception⁺, procedural exception.

MULTILATÉRAL, ALE *adj.*

(*Obl.*) V. acte multilatéral.

MUTABILITÉ *n.f.*

(*Pers.*) Qualité de ce qui est susceptible de modification, spécialement à propos des régimes matrimoniaux.
Rem. Entre le 1er juillet 1970 (L.Q. 1969, chap. 77) et le 2 avril 1981 (L.Q. 1980, chap. 39), la mutabilité des conventions matrimoniales était admise après la célébration du mariage, sous réserve d'une homologation judiciaire. Depuis l'entrée en vigueur de l'art. 470 C. civ. Q., les conventions matrimoniales peuvent être modifiées au seul gré des parties, par acte notarié.
Opp. immutabilité. **V.a.** révocabilité.
Angl. mutability.

MUTATION *n.f.*

(*Obl.* et *Succ.*) Transfert[1] d'un bien, entre vifs ou à cause de mort.

Rem. Ce terme, surtout employé dans le contexte de la perception de droits à l'occasion de ces transmissions, est peu courant au Québec.

V.a. acquisition[1], aliénation, cession, disposition[1], transmission.

Angl. conveyance[2](<), transfer[1](<)+.

MUTUUM *n.m.* (latin)

(*Obl.*) Syn. prêt de consommation. « Le contrat par lequel une personne aurait l'usage d'une chose non consomptible, une automobile par exemple, étant stipulé qu'elle rendrait une chose identique — voiture de même type et série — serait un échange et non un *mutuum* [...] » (Mazeaud et Chabas, *Leçons*, t. 3, vol. 2, 2e part., n° 1436, p. 890).

Angl. loan for consumption+, *mutuum*.

N

NANTI, IE *adj.*

(*Sûr.*) Garanti par un nantissement[2]. « [...] un créancier est dit *nanti* quand il a la possession d'une chose qu'il peut retenir pour sa sûreté [...] » (Planiol et Ripert, *Traité*, t. 12, n° 71, p. 78). *Créancier nanti* (art. 1979*h* C. civ.).
Occ. Art. 1748 C. civ.
Angl. pledged.

NANTIR *v.tr.*

(*Sûr.*) Donner en nantissement[2]. « Celui qui nantit ne fait que donner la possession tout en gardant la propriété [...] » (Demers, dans *Traité*, t. 14, p. 13). *Bien nanti* (art. 1979*b* C. civ.).
Occ. Art. 1979*c* C. civ.
Angl. pledge.

NANTISSEMENT *n.m.*

1. (*Sûr.*) Contrat réel par lequel le débiteur ou un tiers, en se dessaisissant d'un bien, constitue sur celui-ci une sûreté réelle, le nantissement[2], au profit du créancier. « [...] le contrat de nantissement est un contrat *réel*, c'est-à-dire qu'il faut plus que le consentement des parties; la tradition de la chose nantie est absolument requise » (Mignault, *Droit civil*, t. 8, p. 395).
Occ. Art. 1966, 1968 C. civ.
Rem. 1° Les nantissements agricole, forestier et commercial (art. 1979*a* et s. C. civ.), n'emportant pas le dessaisissement de la part du débiteur, ne sont pas à proprement parler des nantissements; on les désigne sous l'appellation *nantissement sans dépossession*. **2°** Pour la validité du nantissement, il n'est pas nécessaire que le bien dont se dessaisit le débiteur soit remis au créancier nanti; il peut l'être à un tiers. **3°** De l'ancien français *nant* : gage, dérivé de l'ancien scandinave *nām* : prise de possession.
Angl. pledge[1+], pledging.

2. (*Sûr.*) Sûreté réelle résultant du nantissement[1]. « Pendant longtemps le nantissement en général et le gage en particulier se sont difficilement distingués de la fiducie, ou de la vente à réméré, c'est-à-dire de l'aliénation de la propriété d'une chose au créancier à charge de le rendre au débiteur s'il était payé à l'échéance » (Marty, Raynaud et Jestaz, *Sûretés*, n° 61, p. 49). *Consentir un nantissement*; *donner en nantissement*.
Occ. Art. 1182 C. civ.
Rem. Selon que le nantissement porte sur un meuble ou un immeuble, il s'appelle *gage* ou *antichrèse*.
V.a. droit de rétention, hypothèque, privilège.
Angl. pledge[2].

NANTISSEMENT AGRICOLE ET FORESTIER

(*Sûr.*) Nantissement sans dépossession consenti par le débiteur ou un tiers sur les produits, présents et à venir, de son exploitation agricole ou forestière, sur ses animaux de ferme, ainsi que sur sa machinerie et son outillage. « Toute personne physique ou morale qui tire une partie de ses revenus de l'exploitation agricole (agriculteur) ou de l'exploitation forestière (producteur de bois) ou de l'élevage d'animaux de ferme

(éleveur) peut consentir un nantissement agricole ou forestier » (Binette, (1983) *C.P. du N.* 135, n° 32, p. 16).
Occ. Titre précédant l'art. 1979*a* C. civ.
Rem. **1°** Voir les art. 1979*a* à 1979*d* C. civ. **2°** Ce nantissement est un contrat solennel puisque sa formation exige la rédaction d'un écrit (art. 1979*b* C. civ.).
V.a. nantissement commercial.
Angl. pledge of agricultural and forest property.

NANTISSEMENT COMMERCIAL

(*Sûr.*) Nantissement sans dépossession consenti par un débiteur qui a qualité de commerçant sur son outillage et son matériel d'équipement professionnel. « Le nantissement commercial est une forme particulière de nantissement mobilier; il se distingue principalement par le fait que le débiteur-constituant n'a pas à se départir des biens nantis. Le législateur permet ainsi aux commerçants de garantir leurs emprunts tout en conservant les biens qui leur permettent de poursuivre leur commerce » (Bohémier et Côté, *Droit commercial*, t. 1, p. 99).
Occ. Titre précédant l'art. 1979*e* C. civ.
Rem. **1°** Voir les art. 1979*e* à 1979*k* C. civ. **2°** Le nantissement commercial est un contrat solennel car sa formation exige la rédaction d'un écrit (art. 1979*f* C. civ.).
V.a. nantissement agricole et forestier.
Angl. commercial pledge.

NANTISSEMENT SANS DÉPOSSESSION

1. (*Sûr.*) Contrat par lequel le débiteur ou un tiers constitue, au profit du créancier, une sûreté réelle sur des biens mobiliers sans toutefois s'en dessaisir; la sûreté réelle ainsi constituée. « [...] la sûreté mobilière ne peut exister, en principe, qu'avec la dépossession de la part du débiteur de l'objet donné en garantie. Cette règle crée de multiples inconvénients. Ces inconvénients amènent le législateur à créer certaines formes de nantissement sans dépossession, savoir le nantissement commercial, le nantissement agricole et forestier, les sûretés découlant de la *Loi sur les pouvoirs spéciaux des corporations* (L.R.Q., c. P-16), les sûretés prévues aux termes des articles 177 ss de la *Loi sur les banques* de 1980 [L.R.C. 1985, chap. B-1] et les sûretés découlant de la *Loi sur les cessions de biens en stock* [L.R.Q., chap. 55] » (Ciotola, *Sûretés*, p. 64-65).
Rem. Dans l'expression *nantissement sans dépossession*, le terme *dépossession* vise l'absence de détention[1].
V.a. nantissement agricole et forestier, nantissement commercial.
Angl. non-possessory pledge[1]+, pledge without dispossession[1].

2. (*Sûr.*) Sûreté réelle résultant du nantissement sans dépossession[1].
Angl. non-possessory pledge[2]+, pledge without dispossession[2].

NATIONAL, ALE *adj.*

V. droit national.

NATURE *n.f.*

1. V. exécution en nature, obligation en nature, paiement en nature, réparation en nature.
Angl. kind.

2. V. immeuble par nature, meuble par nature.
Angl. nature.

NATUREL, ELLE *adj.*

1. (*Pers.*) Se dit d'un enfant issu de parents non mariés ensemble. « Le Code civil du Québec mis en vigueur le 2 avril 1981 préconise désormais l'existence de deux sortes de filiation : la filiation par le sang et la filiation adoptive. La nouveauté consiste à supprimer la distinction qui était faite entre l'enfant légitime et l'enfant naturel : le qualificatif n'apparaît plus dans les textes législatifs et la situation juridique de l'en-

fant est unique, que l'enfant soit né dans le mariage ou en dehors du mariage » (Pineau, *Famille*, n° 254, p. 195).
Syn. illégitime[3.A]. **Opp.** légitime[4.A].
V.a. enfant naturel, enfant naturel simple.
Angl. illegitimate[3.A], natural+.

2. V. accession naturelle, droit naturel, filiation naturelle, filiation naturelle simple, fruit naturel, incapacité naturelle, indivisibilité naturelle, interruption naturelle de la prescription, justice naturelle, obligation naturelle, possession naturelle, servitude naturelle.

NÉCESSAIRE *adj.*

V. améliorations nécessaires, dépenses nécessaires, dépôt nécessaire, impenses nécessaires, norme d'application nécessaire, règle d'application nécessaire.

NÉCESSITÉ *n.f.*

V. état de nécessité.
Angl. necessity.

NÉGATIF, IVE *adj.*

V. condition négative.

NÉGATOIRE *adj.*

V. action négatoire.

NÉGLIGENCE *n.f.*

1. (*Obl.*) Faute non intentionnelle qui consiste à ne pas prendre les précautions normales requises dans les circonstances pour éviter la réalisation d'un dommage probable. « La négligence ne peut légalement être considérée comme une faute que si elle correspond à un devoir qu'on n'a pas rempli. [...] On ne la relèvera que s'il y a eu défaut de prendre les précautions ordinaires et usuelles, nécessaires pour parer à des dangers normalement prévisibles [...] » (Nadeau et Nadeau, *Responsabilité*, n° 65, p. 51).
Occ. Art. 1045 al. 2, 1053 C. civ.
Rem. La négligence est souvent associée à l'imprudence, notamment en cas d'omission d'une précaution utile à la sécurité des personnes ou des biens.
Syn. faute de négligence. **V.a.** imprudence, quasi-délit.
Angl. fault of negligence, neglect, negligence+.

2. (*Obl.*) (X) *Angl.* V. faute civile.
Angl. civil fault+, fault[2].

NÉGLIGENCE GROSSIÈRE

(*Obl.*) (X) *Angl.* V. faute lourde. « La majorité des arrêts semble [...] exiger à la fois mauvaise foi et témérité [dans l'exercice abusif des recours judiciaires]. Cette double exigence, critiquée d'ailleurs à juste titre, est plus apparente que réelle. En effet, les tribunaux entendent souvent le terme *mauvaise foi* dans un sens large [...] par rapport au concept anglo-américain de *gross negligence* correspondant à la *faute lourde* en droit civil » (Baudouin, *Responsabilité*, n° 153, p. 87).
Occ. Art. 2633 C. civ.
Rem. Ce terme est calqué de l'anglais *gross negligence*.
Angl. *culpa lata*, gross fault, gross negligence+.

NÉGOCIÉ, ÉE *adj.*

(*Obl.*) V. contrat négocié.

NEGOTIORUM GESTIO *loc.nom.f.* (latin)

(*Obl.*) Syn. gestion d'affaire. « Il y a [...] *negotiorum gestio*, quand quelqu'un assume *volontairement* la gestion de l'affaire d'un autre, sans la connaissance de ce dernier (art. 1043 C.C.). La gestion doit donc être volontaire et intentionnelle [...] » (*Regent Taxi & Transport Co.* c. *Congrégation des Petits Frères de Marie*, [1929] R.C.S. 650, p. 690, j. P.-B. Mignault).

Occ. Titre précédant l'art. 1043 C. civ.
V.a. action *negotiorum gestorum*.
Angl. management of the affairs of another[+], management of the business of another, *negotiorum gestio*.

NEGOTIORUM GESTOR *n.* (latin)

(*Obl.*) Syn. gérant[1]. « *La gestion d'affaire est le fait d'une personne, le gérant ou* "negotiorum gestor", *qui sans en avoir été chargée, s'occupe des affaires d'une autre personne, le géré ou maître de l'affaire* » (Mazeaud et Chabas, *Leçons*, t. 2, vol. 1, n° 669, p. 818).
Angl. manager[+], *negotiorum gestor*.

NEGOTIUM *n.m.* (latin)

(*Obl.*) Syn. acte juridique. « [...] dans la pratique notariale, on appelle obligation l'acte écrit constatant un prêt [...] L'obligation correspond alors à l'*instrumentum* : à l'acte instrumentaire faisant lui-même preuve d'un acte juridique, au sens de *negotium* » (Flour et Aubert, *Obligations*, n° 38, p. 27).
Angl. act[2.A], juridical act[+], juridical fact[3], *negotium*, title[2.A].

NOCE *n.f.*

(*Pers.*) Ensemble des réjouissances qui accompagnent le mariage[3].
Occ. Art. 720 C. civ.
Rem. Dans ce sens, ce terme s'emploie indifféremment au singulier ou au pluriel.
Angl. nuptials, wedding[+].

NOCES *n.f.pl.*

(*Pers.*) Syn. mariage[1]. « En droit français, la femme ne peut se remarier avant que ne se soit écoulé un délai de 300 jours à compter de la dissolution de son premier mariage; ce délai est connu sous le nom de délai de viduité qui était à l'origine le *tempus lugendi*, le temps laissé à la veuve pour pleurer son ex-mari avant ses secondes noces! » (Pineau, *Famille*, n° 53, p. 36). *Convoler en justes noces*.
Occ. Art. 764 C. civ.
Angl. marital union, marriage[1+].

NOM COMMERCIAL

(*Obl.* et *D. comm.*) Nom qu'utilise une société commerciale[1] ou un commerçant faisant affaires seul. « [Le nom commercial et la raison sociale] se confondent très souvent dans la pratique commerciale; mais on peut imaginer que l'on puisse être tenté d'opérer la société sous un nom commercial autre que celui de sa raison sociale [...] À cet égard, le droit corporatif est très clair et il permet à une compagnie de faire affaires sous un nom différent du sien » (Bohémier et Côté, *Droit commercial*, t. 2, p. 29).
Rem. Voir l'art. 34, *Loi sur les compagnies*, L.R.Q., chap. C-38 et l'art. 1, *Loi sur les déclarations des compagnies et sociétés*, L.R.Q., chap. D-1.
V.a. dénomination sociale, raison sociale.
Angl. business name.

NOMMÉ, ÉE *adj.*

(*Obl.*) V. contrat nommé.

NON APPARENT, ENTE *adj.*

V. servitude non apparente.

NON CAUSÉ, ÉE *adj.*

Syn. absolu[3].
V.a. droit non causé.
Angl. absolute[4+], discretionary.

NON-CONCURRENCE *n.f.*

(*Obl.*) V. clause de non-concurrence, obligation de non-concurrence.

NON CONSOMPTIBLE *adj.*

(*Biens*) Dont l'usage normal n'entraîne ni destruction ni aliénation. « Lorsque l'usage

porte sur un bien non consomptible, l'usager doit restituer cette chose en nature, sauf convention contraire » (Cornu, *Introduction*, n° 943, p. 302).
Opp. consomptible. **V.a.** bien non consomptible, chose non consomptible, non fongible.
Angl. non-consumable.

NON EXCLUSIF, IVE *adj.*

(*Obl.*) V. offre non exclusive.

NON FONGIBLE *adj.*

(*Biens*) Qui est envisagé dans son individualité. Par ex., une maison, une collection de pièces de monnaie prêtée à un musée pour une exposition. « [...] s'il est vrai que les choses sont fongibles ou non fongibles selon la volonté des contractants, certaines choses seront presque toujours considérées comme fongibles : celles qui se vendent "au compte, au poids ou à la mesure", ainsi l'argent, qui se compte, les denrées qui se pèsent ou se mesurent » (Mazeaud et Chabas, *Leçons*, t. 1, vol. 1, n° 237, p. 302).
Opp. fongible. **V.a.** bien non fongible, chose non fongible+, non consomptible.
Angl. non-fungible.

NON-GARANTIE *n.f.*

V. clause de non-garantie, stipulation de non-garantie.

NON INTENTIONNEL, ELLE *adj.*

V. faute non intentionnelle.

NON-MITOYENNETÉ *n.f.*

(*Biens*) Absence de mitoyenneté. « Ces marques ne font preuve de la non-mitoyenneté, qu'autant qu'elles ont été placées dans le mur, au moment même de sa construction » (Mignault, *Droit civil*, t. 3, p. 73). *Marque de non-mitoyenneté.*
Occ. Art. 511, 524 C. civ.
Opp. mitoyenneté.
Angl. *non-mitoyenneté.*

NON PÉCUNIAIRE *adj.*

V. dommage non pécuniaire, préjudice non pécuniaire.

NON-RÉEMBAUCHAGE *n.m.*

(*Obl.*) V. clause de non-réembauchage.

NON-RESPONSABILITÉ *n.f.*

(*Obl.*) V. clause de non-responsabilité.

NON RESPONSABLE *adj.*

(*Obl.*) Qui n'a à répondre ni de son fait personnel, ni du fait d'autrui, ni du fait de la chose.
Occ. Art. 2392 C. civ.
Opp. responsable. **V.a.** irresponsable.

NON-RESPONSABLE *n.*

(*Obl.*) Personne dont la responsabilité[2] n'est pas engagée.
Opp. responsable. **V.a.** irresponsable.

NON-RÉTABLISSEMENT *n.m.*

(*Obl.*) V. clause de non-rétablissement.

NON VIAGER, ÈRE *adj.*

V. rente non viagère.

NORME D'APPLICATION NÉCESSAIRE

(*D. int. pr.*) Syn. loi d'application immédiate. « Lorsqu'on a affaire à des normes d'application nécessaire, elles font partie de l'ordre juridique de l'État local au même titre que n'importe quelle autre loi de cet

État » (Vitta, (1979) 162 *R.C.A.D.I.* (II) 13, p. 138).
Angl. law of immediate application+, law of police, law of public order, law of public policy, norm of necessary application, rule of immediate application, rule of necessary application.

NORME SUBSTANTIELLE

(*D. int. pr.*) Syn. loi interne[3]. « Bien que [...] les normes destinées aux relations internes soient susceptibles d'être appliquées aux relations internationales, il est aussi possible, et même parfois nécessaire, d'élaborer des normes substantielles spécialement destinées aux relations internationales » (Mayer, *Droit int. privé*, n° 20, p. 11).
Angl. dispositive rule[1], internal law[3]+, internal rule, material rule[1], substantive law[3], substantive norm, substantive rule[1].

NOTAIRE *n.*

Juriste, membre d'une chambre des notaires, dont la fonction consiste, notamment, à donner des consultations, à négocier des contrats, à rédiger certains actes juridiques, à représenter ses clients devant les tribunaux ou organismes gouvernementaux en matières non contentieuses, et, en tant qu'officier public, à rédiger et recevoir des actes authentiques. « Il importe surtout de mettre l'emphase sur le fait que le notaire rédacteur et authentificateur doit être tout à la fois un juriste averti, un conseiller impartial et un conciliateur désintéressé » (Marquis, (1987) 90 *R. du N.* 163, n° 15, p. 171). *Étude de notaire, charge de notaire.*
Occ. Art. 1208 C. civ.; art. 188 C. proc. civ.; *Loi sur le Notariat*, L.R.Q., chap. N-2.
Rem. **1°** Au Québec, de 1763 à 1785, les notaires pouvaient cumuler leurs fonctions et celles des avocats. **2°** L'ensemble des notaires du Québec constitue une corporation professionnelle réglementée, appelée *Chambre des Notaires du Québec* ou *Ordre des Notaires du Québec.* **3°** La compétence du notaire s'étend à toute la province et peut même, à certaines conditions, s'exercer en dehors de celle-ci. **4°** Bien qu'ordinairement les lois québécoises donnent le terme *notary* comme équivalent anglais au mot *notaire*, elles permettent aussi au notaire de recourir au titre de *title attorney*, pour accentuer sa fonction d'examinateur de titres immobiliers.
V.a. avocat.
Angl. notary.

NOTARIAL, ALE *adj.*

Relatif à l'exercice de la profession de notaire. *Profession notariale.*
V.a. notarié.
Angl. notarial[1].

NOTARIAT *n.m.*

1. Profession de notaire. « Si l'État faisait disparaître le notariat ou amoindrissait son rôle dans le fonctionnement des institutions juridiques québécoises, il perdrait ce protecteur du droit civil qu'a été et que sera toujours le notaire » (Cossette, (1980) 83 *R. du N.* 178, p. 185). *Se destiner au notariat.*
Occ. *Loi sur le Notariat*, L.R.Q., chap. N-2.
Rem. **1°** Il ne faut pas confondre le notaire du Québec avec le *notary public* des pays de common law, dont les attributions sont différentes. **2°** Au cours de l'histoire, les fonctions de notaire furent considérées d'abord comme une émanation du pouvoir judiciaire, puis du pouvoir exécutif. **3°** Du latin *notarius* : sténographe; de *notare* : écrire.
V.a. barreau[1].
Angl. notariate[1].

2. Syn. chambre des notaires. « [...] c'est l'avantage des pays de droit latin qui possèdent l'institution notariale que de n'avoir pas seulement une justice pour sanctionner les illégalités, mais aussi un notariat pour les éviter » (Rioufol et Rico, *Notariat français*, p. 54).

Occ. *Loi sur le Notariat*, L.R.Q., chap. N-2.
Rem. Sur le plan international, le notariat est groupé dans un organisme nommé l'*Union Internationale du Notariat Latin*.
Angl. board of notaries, chamber of notaries(x), *chambre des notaires*+, notariate[2], order of notaries, *ordre des notaires*.

NOTARIÉ, ÉE *adj.*

Se dit d'un acte qui est reçu par un notaire. *Vente notariée*.
V.a. acte notarié, notarial.
Angl. notarial[2]+, notarized.

NOTIFICATION *n.f.*

(*Obl.* et *D. jud.*) Action de porter à la connaissance de quelqu'un un acte juridique ou un fait juridique qui le concerne. « L'article 1026 C.c. prévoit expressément le cas des choses de genre. L'exécution de l'obligation de donner une chose incertaine ou indéterminée nécessite [...] une notification » (Tancelin, *Obligations*, n° 717, p. 428). *Donner, recevoir notification*.
Occ. Art. 1209 C. civ.; art. 910 C. proc. civ.
V.a. signification.
Angl. notice+, notification.

NOTIFIER *v.tr.*

(*Obl.*) Effectuer une notification. « On s'est demandé si la confirmation [d'un acte juridique atteint de nullité] devait faire l'objet d'une notification [...] En réalité la confirmation n'aurait quelque raison d'être notifiée que si elle apportait à l'acte vicié l'élément qui lui faisait défaut. Dès l'instant qu'il s'agit d'une pure et simple renonciation elle ne concerne que le confirmant qui se dépouille de son droit de critique » (Ghestin, *Contrat*, n° 828, p. 971).
Occ. Art. 1026 C. civ.
V.a. signifier°.
Angl. notify.

NOTORIÉTÉ *n.f.*

V. acte de notoriété.
Angl. notoriety.

NOUVEAU ou NOUVEL, ELLE *adj.*

V. action en dénonciation de nouvel oeuvre, titre nouvel.

NOVATION *n.f.*

(*Obl.*) Convention qui a pour objet d'éteindre une obligation et d'en créer une nouvelle qui remplace l'ancienne. « [...] au cas de novation, les privilèges et hypothèques ne passent pas à la nouvelle dette qui est substituée à la première [...] à moins toutefois que le créancier n'ait expressément réservé ce droit, selon les dispositions de l'article 1176 du *Code civil* » (Caron et Binette, *R.D.* Sûretés — Doctrine — Doc. 1, n° 445).
Occ. Art. 1169 C. civ.
Rem. **1°** La novation s'opère par changement de créancier, de débiteur ou de dette. Certains auteurs qualifient de *novation subjective* celle qui s'opère par changement de créancier ou de débiteur et de *novation objective* celle qui s'opère par changement de dette. **2°** Du latin *novatio*, de *novare* : renouveler.
Angl. novation.

NOVATION PAR CHANGEMENT DE CRÉANCIER

(*Obl.*) Novation dans laquelle le débiteur est libéré à l'égard de l'ancien créancier en devenant obligé à l'égard d'un nouveau. « L'avantage d'avoir un titre nouveau est nul dans la *novation par changement de créancier*. Celle-ci permet d'obtenir, de façon approximative et détournée, des avantages comparables à ceux que procure la cession de créance [...] » (Marty, Raynaud et Jestaz, *Obligations*, t. 2, n° 409, p. 377).
Rem. En pratique, la novation par changement de créancier a été supplantée par la cession de créance.

Opp. novation par changement de débiteur, novation par changement de dette.
Angl. novation by change of creditor.

NOVATION PAR CHANGEMENT DE DÉBITEUR

(*Obl.*) Novation dans laquelle le créancier accepte un nouveau débiteur à la place de l'ancien qu'il consent à libérer. « [...] la novation par changement de débiteur est un moyen indirect de transmettre une dette » (Pineau et Burman, *Obligations*, n° 411, p. 476).
Opp. novation par changement de créancier, novation par changement de dette.
V.a. délégation parfaite, remise de dette+.
Angl. novation by change of debtor.

NOVATION PAR CHANGEMENT DE DETTE

(*Obl.*) Novation dans laquelle l'obligation liant le débiteur au créancier est remplacée par une autre qui en diffère par l'objet, par la cause ou par les modalités. « La novation par changement de dette [...] se produit lorsque, entre les mêmes personnes, une nouvelle dette comportant un élément nouveau est substituée à l'ancienne » (Baudouin, *Obligations*, n° 813, p. 496).
Opp. novation par changement de créancier, novation par changement de débiteur.
V.a. consolidation de dette, dation en paiement.
Angl. novation by change of debt.

NOVATOIRE *adj.*

(*Obl.*) Relatif à la novation. « La nécessité d'une stipulation novatoire ne signifie pas que le terme même de "novation" doive figurer dans l'acte [...] » (Starck, *Obligations*, n° 1923, p. 684). *Effet novatoire, stipulation novatoire.*
V.a. intention novatoire.
Angl. novative, novatory+.

NOVER *v.tr.*

(*Obl.*) Opérer une novation. « [...] *il n'y a pas de novation si les parties n'ont pas eu l'intention de nover* » (Mazeaud et Chabas, *Leçons*, t. 2, vol. 1, n° 1213, p. 1249).
Angl. novate.

NUE-PROPRIÉTÉ *n.f.*

(*Biens*) Droit de propriété de celui dont le bien[2] est grevé d'un droit d'usufruit, d'usage ou d'habitation. « Il peut y avoir [...] aliénation de la nue-propriété au profit d'un acquéreur et *réserve d'usufruit* au profit de l'ancien propriétaire qui demeure simple usufruitier [...] » (Marty et Raynaud, *Biens*, n° 66, p. 99).
Occ. Art. 777 C. civ.
Rem. La nue-propriété, par opposition à la pleine propriété, ne consiste qu'en l'*abusus*; l'*usus* et le *fructus* sont réservés à l'usufruitier, à l'usager ou au titulaire du droit d'habitation. L'*abusus* du nu-propriétaire est un *abusus* limité (voir l'art. 462 al. 1 C. civ.).
Angl. bare ownership+, naked ownership.

NUL, NULLE *adj.*

(*Obl.*) Entaché de nullité. *Donation nulle* (art. 806 C. civ.), *mariage déclaré nul* (art. 432 C. civ. Q.), *testament nul* (art. 895 C. civ.), *titre nul* (art. 2254 C. civ.).
Occ. Art. 1487 C. civ.
V.a. invalide.
Angl. null+, void(x).

NULLITÉ *n.f.*

(*Obl.*) Sanction qui consiste à priver de ses effets un acte juridique auquel il manque une condition nécessaire à sa formation. Par ex., un contrat de donation immobilière qui ne serait pas en forme notariée ou encore un contrat conclu sous l'effet de l'erreur. « Quant à l'avenir, la nullité met fin au contrat; quand au passé, elle anéantit rétroactivement tous les effets produits par celui-ci » (Baudouin, *Obligations*, n° 319, p. 219).

À peine de nullité; cause de nullité; emporter nullité; entaché, frappé de nullité; entraîner la nullité.
Rem. On distingue la nullité absolue et la nullité relative.
V.a. action en nullité+, annulation, caducité, inexistence, inopposabilité, invalidité, résiliation, résolution.
Angl. nullity.

NULLITÉ ABSOLUE

(*Obl.*) Nullité qui sanctionne la violation d'une règle de formation d'un acte juridique visant à protéger l'intérêt général, l'ordre public ou les bonnes mœurs. Par ex., nullité d'un contrat faute d'objet, nullité d'un acte illicite ou immoral dans sa cause ou dans son objet, nullité d'une donation immobilière qui ne revêt pas la forme notariée. « Nullité absolue et nullité relative produisent des effets juridiques identiques » (Baudouin, *Obligations*, n° 319, p. 219).
Occ. Art. 1000 C. civ.
Rem. **1°** La nullité absolue peut être invoquée par tout intéressé. En principe, l'acte juridique qui est frappé de nullité absolue n'est pas susceptible de confirmation. Le tribunal doit la prononcer d'office. **2°** On retrouve parfois, dans la doctrine et dans la jurisprudence, les termes *nullité radicale, nullité* ab initio, *nullité de plein droit.*
Opp. nullité relative. **V.a.** action en nullité+.
Angl. absolute nullity.

NULLITÉ EXPRESSE

(*Obl.*) Syn. nullité textuelle.
Angl. express nullity, textual nullity+.

NULLITÉ RELATIVE

(*Obl.*) Nullité qui sanctionne la violation d'une règle de formation d'un acte juridique visant à protéger l'intérêt privé d'une partie à l'acte. Par ex., nullité pour vice de consentement, nullité pour incapacité. « Les incapacités d'exercice sont, en principe, sanctionnées par la nullité relative [...] » (Weill et Terré, *Obligations*, n° 296, p. 307).
Rem. La nullité relative ne peut être invoquée que par la personne que la loi veut protéger. Elle est susceptible d'être couverte par confirmation. Le tribunal ne peut la prononcer d'office.
Syn. rescision[2]. **Opp.** nullité absolue.
V.a. action en nullité+, annulabilité, rescision[1].
Angl. relative nullity+, rescission[2].

NULLITÉ TACITE

(*Obl.*) Syn. nullité virtuelle.
Angl. tacit nullity.

NULLITÉ TEXTUELLE

(*Obl.*) Nullité qui est prévue de façon expresse par un texte de loi. « Le législateur énonce parfois, de façon expresse, que la violation de la règle qu'il édicte entraînera la nullité du contrat. Il s'agit d'une nullité expresse ou textuelle. Le plus souvent, cependant, il ne précise pas la sanction de la règle » (Ghestin, *Contrat*, n° 728, p. 866).
Rem. Voir l'art. 776 C. civ. et l'art. 472 C. civ. Q.
Syn. nullité expresse. **Opp.** nullité virtuelle.
Angl. express nullity, textual nullity+.

NULLITÉ VIRTUELLE

(*Obl.*) Nullité qui n'est pas prévue expressément par le législateur, mais qui découle de l'interprétation d'un texte édictant les conditions de formation d'un acte. « *Le principe "pas de nullité sans texte" ne joue que dans certaines matières* afin de préserver la stabilité d'institutions qui intéressent les tiers et, plus largement, l'intérêt général. Il en est ainsi du mariage [...] En dehors de ces cas particuliers, il n'est pas contesté qu'un contrat puisse être annulé du seul fait qu'il s'est formé dans des conditions non conformes au droit positif. Les nullités peuvent être virtuelles ou tacites » (Ghestin, *Contrat*, n° 728, p. 866-867).

Rem. Voir les art. 116, 118, 1485 C. civ.
Syn. nullité tacite. **Opp.** nullité textuelle.
Angl. tacit nullity.

NU-PROPRIÉTAIRE, NUE-PROPRIÉTAIRE *n.*

(*Biens*) Titulaire de la nue-propriété. « [...] alors que le nu-propriétaire doit simplement laisser l'usufruitier jouir de la chose, c'est-à-dire ne pas nuire à l'exercice de son droit, le locateur doit lui-même procurer la jouissance de la chose au locataire » (Jobin, *Louage*, n° 16, p. 53).
Occ. Art. 876 C. civ.
Opp. plein propriétaire.
Angl. bare owner+, naked owner.

O

OBJECTIF, IVE *adj.*

(*Obl.*) V. droit objectif, faute objective, indivisibilité objective, responsabilité objective.

OBJET DE DROIT

Ce sur quoi porte un droit[2]. Par ex., une prestation, une abstention ou, plus concrètement, une somme d'argent, un service, un immeuble. « L'opposition faite par PAUL [jurisconsulte, IIe siècle après J.-C.], entre droit réel (propriété, servitude) et droit de créance, n'est pas fortuite. Celui-ci s'exerce sur la personne du débiteur, celui-là sur un bien quelconque, objet de droit » (Ourliac et de Malafosse, *Histoire*, t. 1, n° 2, p. 14).
Opp. personne, sujet de droit.
Angl. object of rights.

OBJET DE LA PRESTATION

(*Obl.*) Chose[1] ou activité sur laquelle porte la prestation. « [Le législateur, à l'article 1058 C. civ.] confond la prestation qui est l'objet de l'obligation et la "chose" qui est l'objet de la prestation [...] lorsque l'article 1059 édicte qu' "il n'y a que les choses qui soient dans le commerce qui puissent être l'objet d'une obligation", il envisage la chose elle-même qui fait l'objet de la prestation : par exemple le bien vendu ou donné » (Pineau et Burman, *Obligations*, n° 108, p. 151).
Rem. De même que, par ellipse, on parle de l'objet du contrat pour désigner l'objet de l'obligation (la prestation), de la même façon, également par ellipse, on dit l'objet de l'obligation pour désigner l'objet de la prestation (la chose ou l'activité).
V.a. objet de l'obligation, objet du contrat.
Angl. object of the prestation.

OBJET DE L'OBLIGATION

(*Obl.*) Prestation due par le débiteur de l'obligation. « [...] les rédacteurs du Code civil ont confondu l'objet du contrat avec l'objet de l'obligation issue du contrat. [...] La distinction de l'objet du contrat et de l'objet de l'obligation serait purement théorique. Au demeurant, un contrat n'a pas à proprement parler d'objet; il a pour effet d'engendrer des obligations, et c'est chacune de ces obligations qui a un objet » (Weill et Terré, *Obligations*, n° 223, p. 234-235).
Occ. Art. 1059, 1061, 1062 C. civ.
V.a. objet de la prestation, objet du contrat.
Angl. object of the obligation.

OBJET DU CONTRAT

(*Obl.*) Opération juridique principale que les parties ont voulu réaliser. Par ex., une vente, un louage, un prêt. « [Certains auteurs] voient [...] l'objet du contrat dans la création de l'obligation, et l'objet de l'obligation dans la prestation due; il leur paraît alors plus simple de dire, par ellipse, que l'objet du contrat est la prestation due. Une telle définition de l'objet du contrat ne semble pas exacte : la création de l'obligation n'est pas l'objet, mais l'effet du contrat. *L'objet du contrat est l'opération juridique que les*

parties cherchent à réaliser » (Mazeaud et Chabas, *Leçons*, t. 2, vol. 1, n° 231, p. 224-225).
Occ. Art. 984 C. civ.
Rem. Les codificateurs ont confondu l'objet du contrat et l'objet de l'obligation. L'art. 982 C. civ. fait allusion à l'objet de l'obligation, tandis que l'art. 984 se réfère à l'objet du contrat. Le paragraphe intitulé *De l'objet des contrats*, qui fait suite à l'art. 990, renvoie au chap. V, *De l'objet des obligations*. Cette conception, approuvée par certains auteurs, combattue par d'autres, a provoqué une certaine confusion dans la doctrine.
V.a. objet de la prestation, objet de l'obligation.
Angl. object of the contract.

OBLIGATION *n.f.*

1. (*Obl.*) Devoir. « Dans une signification étendue : *lato sensu*, il est synonyme au terme devoir, et il [le terme obligation] comprend les *obligations imparfaites*, aussi bien que les *obligations parfaites* » (Pothier, *Oeuvres*, t. 2 n° 1, p. 1).
Angl. obligation[1].

2. (*Obl.*) Lien de droit entre deux ou plusieurs personnes, en vertu duquel l'une d'elles, le *débiteur*, est tenue envers une autre, le *créancier*, d'exécuter une prestation déterminée, qui consiste à donner, à faire ou à ne pas faire quelque chose. « Au sens propre, au seul sens technique, l'obligation n'est *que* le lien de droit entre créancier et débiteur » (Flour et Aubert, *Obligations*, vol. 1, n° 39, p. 28).
Occ. Art. 982 C. civ.
Rem. Vu du côté actif, le lien s'appelle *droit personnel* ou *créance*; vu du côté passif, il prend le nom de *dette*.
Syn. engagement[1], obligation juridique[2].
V.a. modalité de l'obligation, objet de l'obligation.
Angl. juridical obligation[2], obligation[2]+.

3. (*Obl.*) Obligation[2] vue du côté du débiteur. « Pour qu'un contractant puisse exiger de son cocontractant qu'il exécute ses obligations, encore faut-il que le premier exécute lui-même ou propose d'exécuter les siennes » (Pineau et Burman, *Obligations*, n° 328, p. 414). *S'acquitter de ses obligations*, *remplir ses obligations*, *satisfaire à ses obligations*.
Occ. Art. 1064 C. civ.
Rem. Éviter la forme *rencontrer ses obligations* calquée de l'anglais *to meet one's obligations*.
Syn. charge[1], dette, engagement[2]. **Opp.** droit personnel. **V.a.** obligation personnelle.
Angl. charge[1], debt[1], liability[3], obligation[3]+.

OBLIGATION ABSOLUE

(*Obl.*) Syn. obligation de résultat.
Rem. En certains cas, l'obligation absolue s'entend au sens de l'obligation de garantie[1].
Opp. obligation relative.
Angl. absolute obligation, obligation of result+.

OBLIGATION À LA DETTE

(*Obl.*) Obligation[3] d'un codébiteur envers le créancier. « On est [...] conduit à distinguer deux questions. D'une part, la *question des poursuites* (on dit généralement de l'*obligation à la dette* [...]), qui est la question de l'exécution : [...] qu'est-ce qui peut être réclamé à chacun des débiteurs? D'autre part, la *question de la contribution à la dette* — qui est celle de la répartition définitive entre [...] les débiteurs » (Mazeaud et Chabas, *Leçons*, t. 2, vol. 1, n° 1053, p. 1117).
Rem. **1°** L'obligation à la dette concerne les rapports entre le créancier et les codébiteurs; la contribution à la dette a trait aux rapports des codébiteurs entre eux. **2°** Ces deux notions se retrouvent en matière de solidarité et d'indivisibilité et aussi dans les domaines de l'usufruit (art. 474 C. civ.) et des successions (art. 880 C. civ.). **3°** On écrit également *obligation aux dettes*.
Opp. contribution à la dette.
Angl. obligation for the debt.

OBLIGATION ALTERNATIVE

(*Obl.*) Obligation[2] ayant deux ou plusieurs objets dont le débiteur se libère en exécutant une seule des prestations prévues. Par ex., le débiteur doit une chose déterminée ou une somme d'argent. « L'obligation alternative se distingue de la conjonctive en ce sens qu'elle offre un choix entre plusieurs prestations » (Tancelin, *Obligations*, n° 966, p. 557).
Occ. Art. 1093, 1096, 1099 C. civ.
Rem. **1°** Dans l'obligation alternative, il y a pluralité d'objets mais, contrairement à l'obligation conjonctive, le débiteur n'est pas tenu de fournir toutes les prestations prévues; le paiement de l'une des prestations le libère. **2°** En principe, le choix appartient au débiteur (art. 1094 C. civ.).
Opp. obligation conjonctive, obligation facultative+. **V.a.** obligation plurale.
Angl. alternative obligation.

OBLIGATION À MODALITÉ

(*Obl.*) Syn. obligation complexe.
Angl. complex obligation+, obligation with a modality.

OBLIGATION À MODALITÉ COMPLEXE

(*Obl.*) Syn. obligation plurale. « Ainsi en est-il [...] des obligations alternatives, conjonctives, facultatives, conjointes, solidaires et indivisibles, qui [...] en raison de la pluralité de leurs objets ou de leurs sujets, constituent des "obligations à modalité complexe" » (Baudouin, *Obligations*, n° 748, p. 455).
Angl. obligation with a complex modality, plural obligation+.

OBLIGATION À MODALITÉ SIMPLE

(*Obl.*) Obligation[2] assortie d'un terme[1] ou d'une condition[1]. « Ainsi en est-il de l'obligation à terme et de l'obligation conditionnelle, généralement désignées sous le vocable d' "obligation à modalité simple" [...] » (Baudouin, *Obligations*, n° 748, p. 455).
Opp. obligation plurale.
Angl. obligation with a simple modality.

OBLIGATION À TERME

(*Obl.*) Obligation complexe assortie d'un terme[1]. « [...] le locataire, qui doit payer le loyer au locateur chaque mois, est débiteur d'une obligation à terme exigible aux jours fixés par la convention » (Baudouin, *Obligations*, n° 749, p. 456).
Occ. Titre précédant l'art. 1089 C. civ.
Rem. L'obligation peut comporter un seul ou plusieurs termes.
Opp. obligation pure et simple. **V.a.** obligation conditionnelle.
Angl. obligation with a term.

OBLIGATION CIVILE

(*Obl.*) Obligation juridique[1] susceptible d'exécution forcée. Par ex., l'obligation alimentaire entre époux. « Sur d'autres points, cependant, les obligations naturelles se rapprochent des obligations civiles; à celles-ci elles empruntent au moins certains de leurs effets lorsque le débiteur a librement décidé de les exécuter » (Ghestin et Goubeaux, *Introduction*, n° 668, p. 643).
Opp. obligation naturelle.
Angl. civil obligation.

OBLIGATION COMPLEXE

(*Obl.*) Obligation[2] assortie d'une modalité. « Une obligation peut être complexe pour plusieurs raisons. Les modalités peuvent, en effet intéresser l'obligation en elle-même, dans son existence ou dans son exigibilité : ce sont la condition et le terme; elles peuvent aussi être relatives à son objet ou à ses sujets, il s'agit alors de la pluralité d'objets et de la pluralité de sujets » (Marty, Raynaud et Jestaz, *Obligations*, t. 2, n° 45, p. 43).
Syn. obligation à modalité. **Opp.** obligation pure et simple. **V.a.** obligation à terme, obligation conditionnelle.

Angl. complex obligation+, obligation with a modality.

OBLIGATION CONDITIONNELLE

(*Obl.*) Obligation complexe assortie d'une condition[1]. « Ce qui caractérise l'obligation conditionnelle, c'est l'incertitude, le doute, qui planent sur son existence et par-delà sur l'existence du contrat [...] » (Carbonnier, *Droit civil*, t. 4, n° 62, p. 251).
Occ. Art. 1084 C. civ.
Syn. obligation sous condition. **Opp.** obligation pure et simple. **V.a.** droit conditionnel, obligation à terme.
Angl. conditional obligation.

OBLIGATION CONJOINTE

(*Obl.*) Obligation[2] comportant plusieurs créanciers dont chacun ne peut réclamer que sa part de la créance ou comportant plusieurs débiteurs dont chacun ne peut être tenu que de sa part de la dette. « L'exemple le plus courant d'obligations conjointes est fourni par la transmission active ou passive d'une obligation aux héritiers par le décès du créancier ou du débiteur. En l'absence de dispositions contraires, la créance ou la dette, en effet, se divise en autant de parts qu'il y a d'héritiers » (Baudouin, *Obligations*, n° 782, p. 473).
Rem. Les obligations comportant plusieurs sujets, actifs ou passifs, sont en principe conjointes.
Opp. obligation *in solidum*, obligation solidaire. **V.a.** obligation divisible, obligation plurale.
Angl. joint obligation.

OBLIGATION CONJONCTIVE

(*Obl.*) Obligation[2] par laquelle le débiteur s'engage à fournir plusieurs prestations qui doivent toutes être exécutées pour qu'il soit libéré. « L'agent de voyage qui s'obligerait à transporter son client, à le loger et à le nourrir serait débiteur d'une obligation conjonctive » (Pineau et Burman, *Obligations*, n° 285, p. 373).
Rem. **1°** Il peut s'agir d'une obligation unique ayant plusieurs objets, comme dans l'exemple suggéré dans la citation; dans d'autres cas, il s'agit, en fait, de plusieurs obligations distinctes, par ex., l'engagement de livrer une automobile et une somme d'argent. **2°** Le Code civil ne traite pas de l'obligation conjonctive, mais seulement de l'obligation alternative.
Opp. obligation alternative, obligation facultative. **V.a.** obligation plurale.
Angl. conjunctive obligation.

OBLIGATION CONTINUE

(*Obl.*) Obligation[3] dont la prestation exige, pour son exécution, un laps de temps. Par ex., l'obligation du locateur de procurer l'occupation de la chose louée; l'obligation de l'employé de fournir le travail convenu.
Syn. obligation successive. **Opp.** obligation instantanée. **V.a.** contrat à exécution successive+.
Angl. continuous obligation+, obligation of successive performance, successive obligation.

OBLIGATION CONTRACTUELLE

(*Obl.*) Obligation[2] résultant d'un contrat. « Les obligations contractuelles, du fait qu'elles ont été voulues par les parties, offrent une plasticité, une variété, qui les opposent irréductiblement à la rigidité de toutes les autres » (Flour et Aubert, *Obligations*, vol. 1, n° 55, p. 37).
Syn. obligation conventionnelle. **Opp.** obligation extracontractuelle. **V.a.** obligation légale[2], obligation quasi contractuelle, responsabilité contractuelle.
Angl. contractual obligation+, conventional obligation.

OBLIGATION CONVENTIONNELLE

(*Obl.*) Syn. obligation contractuelle. « Les obligations nées des contrats sont appelées *obligations conventionnelles*, tout aussi bien qu'*obligations contractuelles* » (Ripert et Boulanger, *Traité*, t. 2, n° 32, p. 15).
Angl. contractual obligation+, conventional obligation.

OBLIGATION CORRÉLATIVE

(*Obl.*) Obligation d'une partie à un contrat synallagmatique envisagée par référence à l'obligation correspondante de l'autre partie. Par ex., l'obligation de l'acheteur de payer le prix est corrélative de l'obligation du vendeur de livrer la chose vendue. « [...] dans les contrats synallagmatiques ordinaires [par opposition aux contrats synallagmatiques translatifs de propriété], la force majeure, rendant l'exécution d'une obligation impossible, décharge le débiteur qui n'est pas tenu de fournir une exécution équivalente et de plus rejaillit sur l'obligation corrélative, en l'éteignant et en dispensant le cocontractant de l'exécuter » (Baudouin, *Obligations*, n° 466, p. 293).
V.a. obligation réciproque.
Angl. correlative obligation.

OBLIGATION DE CONSEIL

(*Obl.*) Obligation de donner une opinion sur une décision à prendre. « En réalité, dans la pratique, il est très difficile de différencier l'obligation de renseignement de l'obligation de conseil » (Le Tourneau, *Responsabilité*, n° 1350, p. 429).
Rem. L'obligation de conseil se rencontre surtout dans les rapports des professionnels — notaires, avocats, médecins, architectes — et autres fournisseurs de services avec leurs clients.
Syn. devoir de conseil. **V.a.** obligation de renseignement.
Angl. duty to advise, obligation to advise+, obligation to counsel.

OBLIGATION DE DILIGENCE

(*Obl.*) Syn. obligation de moyens. « Le créancier d'une obligation de diligence doit supporter un fardeau de preuve particulièrement onéreux car, pour prouver l'inexécution de l'obligation du débiteur [...] il lui faut démontrer que le débiteur n'a pas agi avec la prudence et la diligence du "bon père de famille" [...] » (Crépeau, *Intensité*, n° 24, p. 15).
Angl. general obligation of prudence and diligence, obligation of diligence, obligation of means+, relative obligation.

OBLIGATION DE DONNER

(*Obl.*) Obligation[3] qui a pour objet le transfert d'un droit réel. Par ex., l'obligation de transférer la propriété d'une chose. « [...] l'expression "obligation de donner" doit être prise dans le sens latin de *dare* et non point de *donare : dare* désigne non point une donation, mais le transfert d'un droit réel [...] » (Pineau et Burman, *Obligations*, n° 10, p. 11).
Occ. Art. 1063 C. civ.
Rem. Dans le contrat translatif, comme le transfert résulte, en principe, du seul échange des consentements, l'obligation de donner n'existe « qu'en théorie et le temps d'un éclair » (Carbonnier, *Droit civil*, t. 4, n° 4, p. 27), car elle est exécutée au moment même où elle naît. Elle survit toutefois au consentement lorsque les parties ont convenu de reporter le transfert à une époque ultérieure ou encore lorsque le contrat a pour objet le transfert de choses de genre.
Opp. obligation de faire, obligation de ne pas faire.
Angl. obligation to give.

OBLIGATION DE FAIRE

Obl.) Obligation[3] qui a pour objet l'accomplissement d'un acte positif. Par ex., exécuter un travail. « [...] si l'obligation de faire ou de ne pas faire peut s'exécuter sans imposer au débiteur un fait personnel, l'exécution "forcée" en nature sera licite [...] » (Weill et Terré, *Obligations*, n° 831, p. 848).
Occ. Art. 1142 C. civ.
Opp. obligation de donner, obligation de ne pas faire.
Angl. obligation to do.

OBLIGATION DE GARANTIE

1. (*Obl.*) Obligation[3] par laquelle le débiteur est tenu de fournir un résultat précis et déterminé, même dans l'éventualité d'un

cas fortuit. Par ex., l'obligation de l'assureur de couvrir un risque, l'obligation du commettant d'indemniser la victime de la faute dommageable de son préposé « [...] l'obligation de garantie, comme la responsabilité fondée sur la faute, impose à une personne de réparer un dommage. Mais le responsable répare les conséquences d'une faute qu'il a commise, par violation d'une obligation ou d'un devoir antérieurs, alors que le garant couvre un cas fortuit, un risque » (Mazeaud et Tunc, *Traité*, t. 1 n° 103-8, p. 124).
Opp. obligation de moyens+, obligation de résultat.
Angl. obligation of warranty[1].

2. (*Obl.*) Syn. garantie[1]. « Les parties peuvent, soit ajouter à l'obligation de garantie en attribuant plus d'étendue aux effets que la loi y attache, soit la restreindre en diminuant l'étendue de ses effets légaux, soit même l'anéantir complètement (art. 1507 [C. civ.]) » (Mignault, *Traité*, t. 7, p. 86).
Occ. Art. 796, 1530, 1531 C. civ.
Angl. obligation of warranty[2], warranty+.

OBLIGATION DE MOYENS

(*Obl.*) Obligation[3] par laquelle le débiteur est seulement tenu de se conduire avec prudence et diligence afin de parvenir au résultat souhaité par les parties. Par ex., l'obligation de conserver une chose, l'obligation de surveillance des parents. « [...] lorsque l'obligation inexécutée est une obligation de moyens, le seul fait de l'inexécution ne fait pas présumer la faute du débiteur » (Pineau et Burman, *Obligations*, n° 356, p. 434).
Rem. **1°** À l'origine, Demogue proposait une classification bipartite en obligations de moyens et obligations de résultat, appliquée aux seules obligations contractuelles. Par la suite, on a étendu cette distinction aux obligations extracontractuelles et plusieurs auteurs, ajoutant l'obligation de garantie, adoptent maintenant une classification tripartite. **2°** Sauf stipulation contraire, la diligence s'apprécie non pas subjectivement (*in concreto*), mais selon un critère objectif (*in abstracto*).
Syn. obligation de diligence, obligation générale de prudence et diligence, obligation relative. **Opp.** obligation de garantie, obligation de résultat. **V.a.** personne raisonnable.
Angl. general obligation of prudence and diligence, obligation of diligence, obligation of means+, relative obligation.

OBLIGATION DE NE PAS FAIRE

(*Obl.*) Obligation[3] qui a pour objet l'abstention. Par ex., l'engagement de non-concurrence pris par un employé, l'engagement de non-rétablissement pris par le vendeur d'un fonds de commerce. « [...] l'obligation de donner et l'obligation de ne pas faire sont *forcément* des obligations de résultat [...] » (Flour et Aubert, *Obligations*, vol 1, n° 45, p. 32).
Opp. obligation de donner, obligation de faire.
Angl. obligation not to do.

OBLIGATION DE NON-CONCURRENCE

(*Obl.*) Obligation[3] par laquelle le débiteur est tenu de s'abstenir d'exercer une activité professionnelle ou commerciale susceptible de faire concurrence au créancier. « L'obligation de non concurrence [...] peut être définie comme l'obligation de laquelle résulte pour une personne une interdiction de concurrence, interdiction emportant la nécessité de ne pas exercer une activité déterminée [...] » (Serra, *Obligation de non concurrence*, n° 13, p. 10).
V.a. clause de non-concurrence+, obligation de ne pas faire.
Angl. obligation of non-competition.

OBLIGATION DE RENSEIGNEMENT(S)

(*Obl.*) Obligation[3] d'une personne de révéler à une autre des faits susceptibles d'influer sur son comportement. « L'obli-

gation pour les parties de collaborer en vue de la bonne exécution du contrat met à la charge de l'un et de l'autre [...] une obligation de renseignements » (Mazeaud, *Traité*, t. 1, n° 704-10, p. 809).
Rem. **1°** L'obligation de renseignement est susceptible de se rencontrer tant en matière contractuelle qu'en matière extracontractuelle. **2°** En matière contractuelle, on distingue l'obligation précontractuelle de renseignement et l'obligation de renseignement dans l'exécution du contrat, par exemple, l'obligation du médecin de renseigner son patient en cours de traitement. **3°** Dans l'exécution du contrat, l'obligation de renseignement est, par application de l'art. 1024 C. civ., souvent considérée comme l'accessoire d'une obligation principale. Ainsi, l'obligation du vendeur de fournir les renseignements relatifs à l'usage, au fonctionnement et à l'entretien de la chose vendue est considérée comme l'accessoire de son obligation de délivrance. **4°** Parfois, la loi prévoit cette obligation; par ex. l'art. 1776 C. civ. en matière de prêt à usage et l'art. 2566 C. civ. en matière d'assurance.
Syn. obligation de renseigner, obligation d'information. **V.a.** obligation de conseil, obligation précontractuelle de renseignement, réticence dolosive.
Angl. obligation to inform.

OBLIGATION DE RENSEIGNER

(*Obl.*) Syn. obligation de renseignement. « Même si en matière de responsabilité civile médicale, la plupart des poursuites sont fondées sur l'absence de consentement éclairé du patient, nos tribunaux n'ont pas encore donné une solution claire au problème de la causalité en ce qui a trait à la violation de l'obligation de renseigner » (Kouri, (1987) 17 *R.D.U.S.* 493, p. 495).
Angl. obligation to inform.

OBLIGATION DE RÉSULTAT

(*Obl.*) Obligation[3] par laquelle le débiteur est tenu de fournir un résultat précis et déterminé, sauf dans l'éventualité d'un cas fortuit. Par ex., l'obligation de livrer une chose à telle date, l'obligation de sécurité du gardien d'un animal. « [...] il appartiendra au tribunal saisi du litige de décider dans chaque cas, à la lumière de l'article 1024 C. civ. et de la preuve, l'étendue des obligations du transporteur et, singulièrement, s'il a assumé une obligation de résultat ou une obligation de moyens » (*Surprenant* c. *Air Canada*, [1973] C.A. 107, p. 126, j. J. Deschênes).
Syn. obligation absolue, obligation déterminée. **Opp.** obligation de garantie[1], obligation de moyens[+].
Angl. absolute obligation, obligation of result[+].

OBLIGATION DE SOMME D'ARGENT

(*Obl.*) Syn. obligation pécuniaire. « En général, la compensation ne joue qu'en matière d'*obligations de sommes d'argent*, car il est exceptionnel, en dehors de l'argent, que les objets de deux obligations puissent se remplacer » (Mazeaud et Chabas, *Leçons*, t. 2, vol. 1, n° 1148, p. 1191).
Angl. monetary obligation, pecuniary obligation[+].

OBLIGATION DÉTERMINÉE

(*Obl.*) Syn. obligation de résultat. « [...] *dans les obligations déterminées, il suffit au créancier de prouver que le résultat n'a pas été atteint* [...] » (Mazeaud et Chabas, *Leçons*, t. 2, vol. 1, n° 21, p. 14).
Angl. absolute obligation, obligation of result[+].

OBLIGATION D'INFORMATION

(*Obl.*) Syn. obligation de renseignement. « [...] les obligations d'information, de mise en garde et de conseil sont dans l'immense majorité des cas, imputées à des professionnels et apparaissent comme inhérentes à l'exercice de la profession » (Viney, *Responsabilité*, n° 515, p. 623).
Angl. obligation to inform.

OBLIGATION DIVISIBLE

(*Obl.*) Obligation qui peut être exécutée pour partie, son objet étant susceptible d'être divisé. Par ex., l'obligation de payer une somme d'argent. « Les obligations divisibles doivent, lorsqu'il n'existe qu'un seul créancier et qu'un seul débiteur, être exécutées comme si elles étaient indivisibles (art. 1220 C. civ. [art. 1122 C. civ.]) » (Planiol et Ripert, *Traité*, t. 7, n° 1099, p. 471).
Occ. Art. 1122 C. civ.
Opp. obligation indivisible. **V.a.** dette divisible, obligation conjointe.
Angl. divisible obligation.

OBLIGATION EN NATURE

(*Obl.*) Obligation[3] dont la prestation porte sur un objet autre qu'une somme d'argent. « Il est [...] une autre manière de distinguer les obligations par leur objet. C'est de mettre à part l'*obligation de somme d'argent* ou *obligation pécuniaire*, en l'opposant à toutes les autres obligations ou *obligations en nature*, comme à l'économie en nature s'oppose l'économie monétaire » (Carbonnier, *Droit civil*, t. 4, n° 4, p. 26).
Rem. Les obligations en nature comprennent les obligations de donner autre chose que de l'argent, les obligations de faire et les obligations de ne pas faire.
Opp. obligation pécuniaire.
Angl. obligation in kind.

OBLIGATION EXTRACONTRACTUELLE

(*Obl.*) Obligation[2] résultant d'une source autre que le contrat.
Rem. L'obligation extracontractuelle comprend l'obligation délictuelle, l'obligation quasi contractuelle, l'obligation quasi délictuelle et l'obligation légale[2].
Syn. obligation légale[1]. **Opp.** obligation contractuelle. **V.a.** responsabilité extracontractuelle.
Angl. extracontractual obligation⁺, legal obligation[1].

OBLIGATION FACULTATIVE

(*Obl.*) Obligation[2] ayant un objet unique mais qui permet au débiteur de se libérer en exécutant une autre prestation déterminée à la place de celle qui est due. Par ex., un testateur lègue à un légataire à titre particulier une maison tout en accordant à ses héritiers la faculté de se libérer en payant, à la place, une somme d'argent au légataire particulier. « L'obligation facultative n'a, en réalité, qu'un seul objet. Ce qui peut être fourni à la place de l'objet dû n'est qu'un moyen de libération et non l'exécution d'une obligation » (Planiol et Ripert, *Traité*, t. 7, n° 1053, p. 407).
Occ. Titre précédant l'art. 1549, Projet de loi 125.
Rem. Lorsque le débiteur est empêché par cas fortuit d'exécuter la prestation due, il est libéré; il n'a pas à fournir l'autre prestation; l'obligation est éteinte. La solution est différente dans le cas de l'obligation alternative.
Opp. obligation alternative, obligation conjonctive.
Angl. facultative obligation.

OBLIGATION GÉNÉRALE DE PRUDENCE ET DILIGENCE

(*Obl.*) Syn. obligation de moyens. « Le débiteur s'est-il seulement engagé à essayer, par une conduite prudente et diligente, de parvenir au résultat en vue duquel les parties concluent le contrat? alors l'obligation est une obligation générale de prudence et diligence » (Mazeaud et Chabas, *Leçons*, t. 2, vol. 1, n° 21, p. 14).
Angl. general obligation of prudence and diligence, obligation of diligence, obligation of means⁺, relative obligation.

OBLIGATION IMPARFAITE

(*Obl.*) *Vieilli*. Syn. obligation morale. « On appelle *obligations imparfaites*, les obligations dont nous ne sommes comptables qu'à Dieu, et qui ne donnent aucun droit

à personne d'en exiger l'accomplissement [...] » (Pothier, *Oeuvres*, t. 2, n° 1, p. 1).
Opp. obligation parfaite.
Angl. imperfect obligation, moral obligation+.

OBLIGATION INDIVISIBLE

(*Obl.*) Obligation dont l'exécution ne peut être fractionnée, son objet n'étant pas susceptible d'être divisé. Par ex., l'obligation de livrer une chose individualisée. « Comme dans l'obligation solidaire, il y a, dans l'obligation indivisible, pluralité de créanciers ou de débiteurs; mais c'est l'objet de l'obligation qui s'oppose à sa division et la rend impossible, de sorte que chacun des codébiteurs peut être tenu du tout » (Pineau et Burman, *Obligations*, n° 304, p. 390).
Occ. Art. 1127 à 1130 C. civ.
Opp. obligation divisible. **V.a.** dette indivisible, obligation solidaire.
Angl. indivisible obligation.

OBLIGATION *IN SOLIDUM* (latin)

(*Obl.*) Obligation de plusieurs débiteurs tenus chacun pour le tout envers le même créancier bien qu'il n'y ait ni solidarité ni indivisibilité. « L'obligation *in solidum* produit les mêmes effets principaux que l'obligation solidaire. Chaque débiteur est tenu pour le tout à l'égard du créancier et après avoir acquitté l'obligation, peut récupérer de son coobligé la part que ce dernier devait. Elle n'en produit pas cependant les effets dits "secondaires". Ainsi la mise en demeure ou l'interruption de prescription contre l'un des débiteurs ne vaut pas à l'égard des autres, l'élément de représentation mutuelle étant absent » (Baudouin, *Obligations*, n° 790, p. 478).
Rem. **1°** De création doctrinale et jurisprudentielle, la notion d'obligation *in solidum* sert surtout, en droit français, à pallier l'absence d'un texte correspondant à l'art. 1106 C. civ. qui prévoit la solidarité entre les coauteurs d'un délit ou d'un quasi-délit. À cette fin, on avait créé, au XIXe siècle, la distinction entre solidarité parfaite ou ordinaire, produisant tous les effets de la solidarité fondée sur un mandat tacite, et une solidarité imparfaite ou incomplète ne produisant pas les effets secondaires de la solidarité. Cette distinction fut par la suite abandonnée; les auteurs enseignent qu'il n'y a qu'une seule solidarité et qu'il ne peut en exister des formes dégradées. La notion de solidarité imparfaite est remplacée par la notion d'obligation *in solidum*. **2°** On voit mal, malgré une certaine jurisprudence, l'importation au Québec de cette doctrine et son application dans le cas des coauteurs d'un délit ou d'un quasi-délit puisque l'art. 1106 C. civ. établit dans ce cas une solidarité véritable. Toutefois, rien n'empêche l'application de cette notion dans des cas autres que celui prévu à l'art. 1106 C. civ., notamment, en matière de responsabilité civile du commettant et du préposé. D'aucuns souhaiteraient même qu'elle soit également appliquée aux codébiteurs d'une obligation alimentaire.
Syn. solidarité imparfaite. **Opp.** obligation conjointe, obligation solidaire.
V.a. responsabilité *in solidum*, solidarité parfaite.
Angl. imperfect solidarity, *in solidum* obligation, obligation *in solidum*+.

OBLIGATION INSTANTANÉE

(*Obl.*) Obligation[3] dont la prestation est susceptible d'être accomplie en un trait de temps. Par ex., l'obligation du vendeur de livrer la chose vendue; l'obligation de l'acheteur de payer le prix convenu.
Opp. obligation continue. **V.a.** contrat à exécution instantanée+.
Angl. instantaneous obligation+, obligation of instantaneous performance.

OBLIGATION JURIDIQUE

1. (*Obl.*) Obligation[1] sanctionnée par l'État, par opposition à l'obligation morale. « [La] distinction entre obligation morale et

obligation juridique ne signifie pas [...] que la morale n'a rien à faire avec le droit » (Pineau et Burman, *Obligations*, n° 13, p. 16).
Rem. L'obligation juridique peut être civile ou naturelle.
Syn. obligation parfaite. **Opp.** obligation morale.
Angl. juridical obligation[1]+, perfect obligation.

2. (*Obl.*) Syn. obligation[2].
Angl. juridical obligation[2], obligation[2]+.

OBLIGATION LÉGALE

1. (*Obl.*) Syn. obligation extracontractuelle. « La classification des sources, fondée sur la volonté, a été critiquée. Aucune obligation, a-t-on observé, ne peut prendre naissance sans la volonté du législateur. Toutes les obligations seraient donc des obligations légales *lato sensu*. La remarque peut contenir une part de vérité [...] » (Mazeaud et Chabas, *Leçons*, t. 2, vol. 1, n° 48, p. 47).
Rem. Le terme *obligation légale*, dans un sens large, désigne toute obligation qui ne résulte pas de la volonté de ceux qui y sont partie. L'obligation légale comprend l'obligation quasi contractuelle, l'obligation délictuelle et l'obligation quasi délictuelle, ainsi que l'obligation qui résulte directement de l'opération de la loi seule. L'art. 1369 du Projet de loi 125 propose une division bipartite qui rejoint celle du Code civil français, lequel oppose les obligations conventionnelles en général et les engagements qui se forment sans convention (titres précédant les art. 1101 et 1370).
V.a. responsabilité légale[1].
Angl. extracontractual obligation+, legal obligation[1].

2. (*Obl.*) Obligation extracontractuelle résultant directement de la loi seule. Par ex., l'obligation alimentaire; l'obligation du tuteur d'administrer les biens de son pupille (art. 290 C. civ.). « En cas d'obligation légale, *stricto sensu*, non seulement le débiteur n'a pas voulu devenir débiteur, mais il n'a accompli aucun fait sur lequel puisse être fondée son obligation. Ainsi le débiteur d'une obligation alimentaire; c'est la loi seule qui, directement, crée l'obligation » (Mazeaud et Chabas, *Leçons*, t. 2, vol. 1, n° 50, p. 47).
Rem. **1°** Le terme *obligation légale*, dans un sens restreint, désigne une obligation qui est imposée par la loi seule, en raison d'une situation juridique donnée, sans que les parties aient voulu être obligées ou sans qu'elles aient accompli un fait auquel la loi attache l'effet de produire des obligations (art. 1057 C. civ.). L'obligation légale proprement dite se distingue ainsi des autres obligations extracontractuelles : obligation quasi contractuelle, obligation délictuelle et obligation quasi délictuelle; ces dernières ont pour source directe un fait personnel auquel la loi attache l'effet de produire des obligations. **2°** Par application de l'art. 1024 C. civ., la loi met parfois certaines obligations à la charge des parties à un contrat; ces obligations, bien qu'édictées par une disposition de la loi, n'en sont pas moins des obligations contractuelles (voir *Banque de Montréal* c. *P. G. Québec*, [1979] 1 R.C.S. 565, p. 572).
Opp. obligation quasi contractuelle.
V.a. obligation contractuelle, responsabilité légale[2].
Angl. legal obligation[2].

OBLIGATION MONÉTAIRE

(*Obl.*) (X) *Angl.* V. obligation pécuniaire.
Occ. Art. 1040*c* C. civ.
Angl. monetary obligation, pecuniary obligation+.

OBLIGATION MORALE

(*Obl.*) Obligation[1] dépourvue de sanction étatique, qui ne s'impose au débiteur que sur le plan de la conscience ou de l'honneur. Par ex., le devoir de charité envers son prochain. « La distinction nécessaire entre les obligations morales et les obligations juridiques

ne doit pas conduire à méconnaître l'interdépendance du droit et de la morale » (Mazeaud et Chabas, *Leçons*, t. 2, vol. 1, n° 24, p. 16).
Rem. Sur le plan juridique, l'exécution de cette obligation constitue, non pas un paiement, mais une libéralité.
Syn. obligation imparfaite. **Opp.** obligation juridique[1]. **V.a.** responsabilité morale.
Angl. imperfect obligation, moral obligation+.

OBLIGATION NATURELLE

(*Obl.*) Obligation juridique[1] qui n'est susceptible que d'exécution volontaire. Par ex., l'obligation alimentaire entre frères et soeurs. « [...] au cas d'inexécution de son obligation naturelle par le débiteur, celui-ci n'encourt aucune responsabilité » (Pineau et Burman, *Obligations*, n° 14, p. 17).
Occ. Art. 1140 C. civ.
Rem. L'exécution de l'obligation naturelle constitue un paiement et non une libéralité, ce qui distingue l'obligation naturelle de l'obligation morale.
Opp. obligation civile.
Angl. natural obligation.

OBLIGATIONNEL, ELLE *adj.*

(*Obl.*) Relatif aux obligations, spécialement à propos des obligations assumées expressément ou implicitement par contrat. « Le contenu obligationnel du contrat hospitalier pourrait varier selon l'intention des parties qui changent d'ailleurs selon les circonstances de chaque cas » (*Hôpital Notre-Dame de l'Espérance* c. *Laurent*, [1974] C.A. 543, p. 546, j. A. Mayrand).
Rem. La distinction entre les termes *obligationnel* et *réel* permet, en ce qui concerne notamment les effets du contrat, de mieux faire voir ceux qui relèvent du domaine des obligations et ceux qui ressortissent au domaine des biens.
Opp. réel[1]. **V.a.** obligatoire.
Angl. obligational.

OBLIGATION ORDINAIRE

(*Obl.*) Syn. obligation personnelle. « Le débiteur d'une obligation ordinaire est tenu sur tout son patrimoine. [...] Au contraire, *l'obligation réelle* (*ou propter rem*) *n'engage pas au-delà de la chose à laquelle elle est attachée* » (Mazeaud et Chabas, *Leçons*, t. 2, vol. 1, n° 22, p. 15).
Rem. On ne qualifie l'obligation d'*ordinaire* que dans le contexte où on l'oppose à l'obligation réelle.
Angl. ordinary obligation, personal obligation+.

OBLIGATION PARFAITE

(*Obl.*) *Vieilli.* Syn. obligation juridique[1]. « L'*obligation* purement *naturelle* [...] est aussi, quoique dans un sens moins propre, une *obligation parfaite* [...] » (Pothier, *Oeuvres*, t. 2, n° 1, p. 2).
Opp. obligation imparfaite.
Angl. juridical obligation[1]+, perfect obligation.

OBLIGATION PÉCUNIAIRE

(*Obl.*) Obligation[3] dont la prestation consiste dans le versement d'une somme d'argent. Par ex., l'obligation de l'acheteur de payer le prix, du locataire de payer le loyer, de l'employeur de payer le salaire. « *Juridiquement*, l'obligation pécuniaire est, de toutes, celle dont l'*exécution forcée* est la plus simple et la plus sûre. Par la saisie des biens de son débiteur, et à la seule condition que celui-ci soit solvable, le créancier reçoit la prestation même qui lui était due : à savoir une somme d'argent. Il obtient une satisfaction directe, qui est fort souvent exclue pour le créancier d'une obligation en nature » (Flour et Aubert, *Obligations*, vol. 1, n° 46, p. 33).
Syn. obligation de somme d'argent. **Opp.** obligation en nature. **F.f.** obligation monétaire.
Angl. monetary obligation, pecuniary obligation+.

OBLIGATION PERSONNELLE

(*Obl.*) Obligation³ par opposition à l'obligation réelle. « Le critère de la distinction des obligations personnelles et des obligations réelles tient à ce que les secondes, contrairement aux premières, sont la contrepartie d'un droit réel et notamment, mais pas exclusivement, d'un droit de propriété » (Larroumet, *Droit civil*, t. 2, n° 439, p. 262).
Syn. obligation ordinaire. **Opp.** obligation réelle⁺.
Angl. ordinary obligation, personal obligation⁺.

OBLIGATION PLURALE

(*Obl.*) Obligation² comportant soit plusieurs créanciers ou plusieurs débiteurs, soit plusieurs objets. « On a parlé [...] des obligations simples, c'est-à-dire des obligations ayant un sujet actif, un sujet passif et un objet. La réalité [...] offre maints exemples d'obligations plurales soit à cause de la pluralité de leurs objets, soit à cause de la pluralité de leurs sujets actifs ou passifs » (Tancelin, *Obligations*, n° 964, p. 557).
Syn. obligation à modalité complexe. **Opp.** obligation à modalité simple. **V.a.** obligation alternative, obligation conjointe, obligation conjonctive, obligation solidaire.
Angl. obligation with a complex modality, plural obligation⁺.

OBLIGATION PRÉCONTRACTUELLE

(*Obl.*) Obligation³ à laquelle sont tenues les parties au cours de l'élaboration d'un contrat. Par ex., l'obligation précontractuelle de renseignement. « Il existe aujourd'hui toute une série d'obligations précontractuelles d'information imposées par la loi » (Ghestin, *Contrat*, 1980, n° 457, p. 374).
V.a. faute précontractuelle, période précontractuelle, responsabilité précontractuelle.
Angl. precontractual obligation.

OBLIGATION PRÉCONTRACTUELLE DE RENSEIGNEMENT(S)

(*Obl.*) Obligation de renseignement qu'a une personne, au cours de l'élaboration d'un contrat, de fournir à son cocontractant éventuel certaines informations susceptibles d'influer sur son consentement. « La violation de l'obligation précontractuelle de renseignement et la rupture fautive des pourparlers engagent la responsabilité de leur auteur » (Le Tourneau, *Responsabilité*, n° 173, p. 68).
Rem. La loi impose parfois à une personne l'obligation de fournir certains renseignements à des cocontractants éventuels; par ex. les art. 71, 155, 168 et 183 de la *Loi sur la protection du consommateur*, L.R.Q., chap. P-40.1; l'art. 2487 C. civ. en matière d'assurance.
Angl. precontractual obligation to inform.

OBLIGATION *PROPTER REM* (latin)

(*Obl.* et *Biens*) Syn. obligation réelle. « [...] ces obligations ont ceci de particulier que le débiteur n'en est tenu qu'en tant que détenteur d'un fonds; leur charge se transmet avec ce fonds; il peut s'en décharger, en ***déguerpissant***, c'est-à-dire en abandonnant le bien. On appelle pour cette raison ces obligations *obligations propter rem* (parfois *obligations réelles* [...]) » (Weill, *Biens*, n° 719, p. 680).
Angl. obligation *propter rem*, real obligation⁺.

OBLIGATION PURE ET SIMPLE

(*Obl.*) Obligation² qui n'est assortie d'aucune modalité. « L'obligation pure et simple doit être, en principe, exécutée immédiatement; il en va différemment lorsque l'obligation est assortie d'une modalité telle que le terme ou la condition [...] » (Pineau et Burman, *Obligations*, n° 266, p. 355).
Occ. Art. 1096 C. civ.
Rem. L'obligation pure et simple comporte unité de créancier, de débiteur et

d'objet; de plus, elle donne lieu à l'exécution immédiate.

Syn. obligation simple. **Opp.** obligation à terme, obligation complexe, obligation conditionnelle.

Angl. pure and simple obligation+, simple obligation.

OBLIGATION QUASI CONTRACTUELLE

(*Obl.*) Obligation extracontractuelle résultant d'un quasi-contrat. « [...] toutes les obligations quasi contractuelles ont ceci de commun qu'elles résultent d'un *fait de l'homme* qui n'est pas une faute, mais un *acte de volonté* semblable à celui qui intervient dans le contrat; d'où cette idée qu'elles naissent comme s'il y avait eu contrat, *quasi ex contractu* » (Ripert et Boulanger, *Traité*, t. 2, n° 1183, p. 455).

Opp. obligation légale[2]. **V.a.** obligation contractuelle, responsabilité quasi contractuelle.

Angl. quasi-contractual obligation.

OBLIGATION RÉCIPROQUE

(*Obl.*) Obligation[2] dont le débiteur est également titulaire d'une créance vis-à-vis de son créancier, chaque partie étant à la fois débiteur et créancier. « Le contrat synallagmatique est celui qui crée des obligations réciproques à charge de chaque personne qui y est partie » (Baudouin, *Obligations*, n° 42, p. 53).

Occ. Art. 2394 C. civ.

Rem. Les obligations sont dites *réciproques* en considération des seuls sujets du rapport d'obligation, sans tenir compte de la connexité entre les obligations respectives des parties, par ex., les obligations susceptibles de donner ouverture à la compensation. Toutefois, dans le contrat synallagmatique, il se trouve que les obligations sont à la fois réciproques et interdépendantes.

V.a. obligation corrélative.

Angl. mutual obligation, reciprocal obligation+.

OBLIGATION RÉELLE

(*Obl.* et *Biens*) Obligation[3] dont une personne est tenue uniquement en raison de sa qualité de titulaire d'un droit réel, notamment du droit de propriété. Par ex., l'obligation du tiers acquéreur d'un immeuble hypothéqué, l'obligation de la caution réelle, l'obligation d'entretenir le chemin faisant l'objet d'une servitude de passage, l'obligation de contribuer à la réparation d'un mur mitoyen. « [...] une prestation positive est exigible non en vertu d'un engagement personnel mais en raison de la qualité de propriétaire ou de titulaire d'un autre droit réel. Là, il y a certainement obligation, obligation réelle ou encore "*propter rem*" » (Ghestin et Goubeaux, *Introduction*, n° 222, p. 186).

Rem. **1°** Lorsqu'il y a transfert du droit réel auquel se rattache l'obligation réelle, celle-ci est transmise à l'acquéreur. **2°** Le débiteur d'une obligation réelle peut aussi s'en libérer en abandonnant le bien; c'est le déguerpissement[1] (voir art. 513 C. civ.). **3°** Alors que le débiteur d'une obligation ordinaire est tenu sur l'ensemble de son patrimoine, le débiteur d'une obligation réelle n'est pas tenu au delà de la chose à laquelle se rattache l'obligation.

Syn. obligation *propter rem*. **Opp.** obligation personnelle.

Angl. obligation *propter rem*, real obligation+.

OBLIGATION RELATIVE

(*Obl.*) Syn. obligation de moyens. « On trouve parfois la [...] distinction [entre obligations de moyens et obligations de résultat] sous un vocable différent : obligations de prudence et diligence ou obligations relatives (moyens) et obligations déterminées ou obligations absolues (résultat) » (Baudouin, *Obligations*, n° 25, p. 39).

Opp. obligation absolue.

Angl. general obligation of prudence and diligence, obligation of diligence, obligation of means+, relative obligation.

OBLIGATIONS *n.f.pl.*

V. statut des obligations.
Angl. obligations.

OBLIGATION SIMPLE

(*Obl.*) Syn. obligation pure et simple. « L'obligation affectée d'une modalité, lorsque celle-ci consiste en un terme suspensif ou une condition suspensive, diffère de l'obligation simple (on dit aussi "pure et simple") en ce que *son exécution n'est pas immédiatement exigible* » (Mazeaud et Chabas, *Leçons*, t. 2, vol. 1, n° 1013, p. 1095).
Angl. pure and simple obligation+, simple obligation.

OBLIGATION SOLIDAIRE

(*Obl.*) Obligation comportant plusieurs créanciers ou plusieurs débiteurs, chaque créancier pouvant exiger le paiement de la totalité de la créance, chaque débiteur étant tenu pour la totalité de la dette. « L'obligation solidaire est celle dont les sujets multiples sont considérés comme s'ils étaient uniques par l'effet du lien personnel qui les unit » (Tancelin, *Obligations*, n° 983, p. 563).
Occ. Art. 1107 C. civ.
Opp. obligation conjointe, obligation *in solidum*. **V.a.** obligation indivisible, obligation plurale, solidarité.
Angl. joint and several obligation(x), solidary obligation+.

OBLIGATION SOUS CONDITION

(*Obl.*) Syn. obligation conditionnelle. « Le vendeur qui stipule que le titre de propriété ne passera que si le prix est payé au complet ou si tel événement se produit assume une obligation sous condition suspensive » (Baudouin, *Obligations*, n° 762, p. 462).
Angl. conditional obligation.

OBLIGATION SUCCESSIVE

(*Obl.*) Syn. obligation continue. « [...] le créancier d'une obligation successive ou continue n'est pas obligé de mettre son débiteur en demeure après chaque échéance » (Baudouin, *Obligations*, n° 674, p. 400).
Angl. continuous obligation+, obligation of successive performance, successive obligation.

OBLIGATOIRE *adj.*

(*Obl.*) Qui a le caractère d'une obligation juridique. « [...] le déclin de la théorie de l'autonomie de la volonté s'est traduit dans le domaine des effets du contrat par des atteintes de plus en plus graves au principe de la force obligatoire de celui-ci » (Marty et Raynaud, *Obligations*, t. 1, n° 245, p. 258). *Caractère, disposition obligatoire.*
Occ. Art. 15, 429 C. civ.
V.a. obligationnel.
Angl. obligatory.

OBLIGÉ, ÉE *n.*

(*Obl.*) Syn. débiteur.
Rem. Le terme *obligé* ne semble pas utilisé comme substantif dans la législation québécoise; la législation française fournit quelques exemples d'emploi (art. 2012 C. civ. fr.; art. 154 C. com. fr.).
V.a. coobligé.
Angl. debtor+, obligor.

OBLIGER *v.tr.*

(*Obl.*) Soumettre quelqu'un à une obligation. « Les tiers au contrat ne peuvent [...] pas profiter de ce contrat, pas plus qu'ils ne peuvent être obligés par lui » (Pineau et Burman, *Obligations*, n° 202, p. 284).
Occ. Art. 441*n*, 810, 1934 C. civ.
Rem. À la forme pronominale, *s'obliger* signifie se lier par convention.
Syn. engager[1].
Angl. bind, obligate+.

OBLIQUE *adj.*

(*Obl.*) V. action oblique.

OCCASIONNEL, ELLE *adj.*

V. commettant occasionnel, préposé occasionnel.

OCCULTE *adj.*

V. servitude occulte.

OCCUPATION *n.f.*

(*Biens*) Mode d'acquisition originaire de la propriété d'une chose mobilière, qui n'appartient à personne, par le fait d'en prendre possession avec l'intention de s'en rendre propriétaire. « Le droit civil maintient, résiduellement, que l'occupation fait acquérir la propriété des choses mobilières qui n'appartiennent à personne (*res nullius*) ou que leur propriétaire a (volontairement) abandonnées (*res derelicta*) » (Cornu, *Introduction*, n° 1672, p. 540).
Occ. Art. 583 C. civ.
Syn. appréhension. **V.a.** bien sans maître.
Angl. occupancy, occupation+, prehension.

OEUVRE *n.f.*

(*Obl.*) V. maître de l'oeuvre, maître d'oeuvre.

OFFICE (D') *loc.adv.*

V. d'office.

OFFICIER DE JUSTICE

(*D. jud.*) Personne qui, de par ses fonctions au sein du processus judiciaire, est appelée à participer à l'administration de la justice. « Officier public, le notaire n'est cependant pas un officier de justice. Il n'est pas un fonctionnaire de l'État. Dans l'administration de la justice, il n'est pas, comme le shérif ou le protonotaire, agent de l'administration publique » (Comtois, *Notaire*, p. 14-15).
Occ. Art. 594 al. 4, 2260 al. 2 C. civ.; art. 15, 50 C. proc. civ.; art. 4, *Loi sur les tribunaux judiciaires*, L.R.Q., chap. T-16; *Loi sur les salaires d'officiers de justice*, L.R.Q., chap. S-2; art. 1, *Loi sur les huissiers*, L.R.Q., chap. H-4.
V.a. greffier, huissier, protonotaire, shérif.
Angl. officer of justice.

OFFICIER PUBLIC

(*D. jud.*) Personne à qui l'État a délégué certains pouvoirs relevant de la puissance publique. Par ex., le notaire, l'huissier, le greffier, l'officier de l'état civil. « [...] dès qu'un acte porte apparemment la signature d'un officier public, on doit présumer que cet acte émane bien de cet officier » (Ducharme, *Preuve*, n° 53, p. 34).
Occ. Art. 1207, 1215, 1217 C. civ.; art. 870 C. proc. civ.; art. 2, *Loi sur le Notariat*, L.R.Q., chap. N-2.
Rem. L'un des pouvoirs de l'officier public est de conférer le caractère d'authenticité à un acte.
Angl. public officer.

OFFRANT, ANTE *n.*

(*Obl.*) Personne de qui émane une offre. « [...] lorsque l'offrant et l'acceptant utilisent exactement le même intermédiaire pour transmettre l'offre, d'une part, et l'acceptation, d'autre part, le contrat se forme au lieu et au moment où l'acceptant se dessaisit de son acceptation en la remettant à l'intermédiaire chargé de la communiquer à l'offrant » (Pineau et Burman, *Obligations*, n° 51, p. 79).
Syn. pollicitant. **Opp.** destinataire[1].
V.a. promettant[1].
Angl. offeror.

OFFRE *n.f.*

(*Obl.*) Proposition qu'une personne fait à une ou à plusieurs autres personnes, déterminées ou indéterminées, de conclure un contrat donné dont les éléments essentiels

sont fixés. « [...] l'offre doit contenir en principe des propositions relatives à tous les éléments essentiels du contrat, de telle sorte qu'il suffira d'une simple adhésion du destinataire pour former l'accord [...] » (Weill et Terré, *Obligations*, n° 134, p. 143). *Offre de contracter*.
Rem. 1° Le Code civil du Bas-Canada ne contient aucune disposition relative à la question de l'offre et de l'acceptation de conclure un contrat. Le Projet de loi 125, toutefois, la réglemente aux art. 1385 et s. 2° L'auteur de l'offre s'appelle l'*offrant* ou *pollicitant*; celui à qui l'offre est faite s'appelle *destinataire*. 3° Ne pas confondre l'offre avec la simple invitation à contracter ou à entrer en pourparlers, laquelle, ou bien ne constitue pas une proposition ferme, ou bien ne contient pas les éléments essentiels du contrat projeté. 4° Ne pas confondre l'offre et la promesse de contrat.
Syn. pollicitation. **V.a.** acceptation[1], contre-proposition, période précontractuelle.
Angl. offer.

OFFRE À PERSONNE DÉTERMINÉE

(*Obl.*) Offre faite à une ou à plusieurs personnes désignées. « Lorsque l'offre s'adresse à une personne déterminée, seule cette personne ou ses ayants droit peut l'accepter » (Demers, *R.D.* Vente — Doctrine — Doc. 1, n° 33).
Rem. Voir l'art. 1386, Projet de loi 125.
Opp. offre au public.
Angl. offer to a specified person.

OFFRE À PERSONNE INDÉTERMINÉE

(*Obl.*) Syn. offre au public.
Rem. Voir l'art. 1386, Projet de loi 125.
Angl. offer to an unspecified person, offer to the public+, public offer.

OFFRE AU PUBLIC

(*Obl.*) Offre faite à des personnes non désignées. Par ex., des marchandises offertes dans un magasin. « À l'offre au public, on oppose l'offre à une personne déterminée qui d'ailleurs peut s'adresser aussi bien à une qu'à plusieurs personnes individualisées [...] » (Pineau et Burman, *Obligations*, n° 39, p. 57).
Syn. offre à personne indéterminée.
Opp. offre à personne déterminée.
Angl. offer to an unspecified person, offer to the public+, public offer.

OFFRE DE RÉCOMPENSE

(*Obl.*) Syn. promesse de récompense. « Lorsque celui qui a rendu le service prévu — "l'inventeur" de l'objet perdu — a agi *en connaissance de l'offre de récompense*, il aura certes droit à celle-ci [...] ce droit sera alors [...] justifié par la technique contractuelle » (Flour et Aubert, *Obligations*, n° 496, p. 382).
Occ. Art. 1391, Projet de loi 125.
Angl. offer of reward, promise of reward+.

OFFRE EXCLUSIVE

(*Obl.*) Offre qui ne peut être faite à d'autres qu'à la personne ou au groupe de personnes à qui elle a été adressée.
Rem. L'offre exclusive est toujours une offre à personne déterminée, mais l'offre à personne déterminée n'est pas nécessairement exclusive.
Opp. offre non exclusive.
Angl. exclusive offer.

OFFRE EXPRESSE

(*Obl.*) Offre résultant d'une expression manifeste de volonté.
Rem. Certains auteurs limitent l'offre expresse à celle qui est exprimée sous forme écrite ou verbale.
Opp. offre tacite.
Angl. express offer.

OFFRE INITIALE

(*Obl.*) Offre à laquelle le destinataire propose des modifications.

Rem. 1° L'acceptation suppose l'adhésion entière du destinataire à chacun des éléments de l'offre. Si, au contraire, le destinataire soumet des modifications au contenu de l'offre, sa contre-proposition ne vaut pas acceptation, mais constitue une nouvelle offre qui rend caduque l'offre initiale (voir l'art. 1389, Projet de loi 125). 2° Cette expression sert à situer l'offre originale dans un contexte d'opposition à une contre-proposition.
Opp. contre-proposition.
Angl. initial offer.

OFFRE NON EXCLUSIVE

(*Obl.*) Offre qui peut être faite à d'autres qu'à la personne ou au groupe de personnes à qui elle a été adressée.
Rem. L'offre non exclusive peut être faite à personne déterminée ou à personne indéterminée.
Opp. offre exclusive.
Angl. non-exclusive offer.

OFFRE RÉELLE

(*Obl.*) Action par laquelle le débiteur présente à son créancier la chose due aux temps et lieu où elle est payable et le somme d'en recevoir paiement. « La procédure des offres réelles et de la consignation [...] permet d'obtenir l'effet libératoire par la seule volonté du débiteur, jointe au fait matériel du paiement, sans la volonté du créancier, ou même contre sa volonté » (Carbonnier, *Droit civil*, t. 4, n° 129, p. 572-573).
Occ. Art. 1162, 1163 C. civ.
Rem. 1° L'offre réelle, lorsqu'elle a été déclarée valable par le tribunal, équivaut à un paiement libérant le débiteur à compter du jour de l'offre. Toutefois, dans le cas d'une dette de somme d'argent, l'offre réelle, pour avoir cet effet, doit avoir été accompagnée de la consignation de la somme due. 2° Le terme s'emploie généralement au pluriel.
Angl. actual tender.

OFFRES ET CONSIGNATION

(*Obl.*) V. consignation, offre réelle.
Occ. Titre précédant l'art. 1162 C. civ.
Angl. tender and deposit.

OFFRE TACITE

(*Obl.*) Offre se déduisant d'un comportement qui indique la volonté d'offrir. Par ex., le locataire qui continue d'occuper les lieux après l'expiration du bail offre tacitement de le reconduire.
Opp. offre expresse.
Angl. implied offer+, tacit offer.

OMISSION *n.f.*

V. faute d'omission, faute par omission.
Angl. omission.

OPÉRATION CIVILE

(*Obl.* et *D. comm.*) Syn. acte civil. « La commercialité d'un acte juridique entraîne [...] d'importantes conséquences. Même en l'absence d'un Code de commerce, il y a grand intérêt à distinguer l'opération commerciale de l'opération civile » (Perrault, *Droit commercial*, t. 1, n° 276, p. 285).
Opp. opération commerciale.
Angl. civil act+, civil operation.

OPÉRATION COMMERCIALE

(*Obl.* et *D. comm.*) Syn. acte de commerce. « Il y a présomption que les actes juridiques posés par un commerçant relativement à son négoce sont des opérations commerciales » (Perrault, *Droit commercial*, t. 1, n° 282, p. 291).
Opp. opération civile.
Angl. act of commerce, commercial act+, commercial operation.

OPPOSABILITÉ *n.f.*

(*Obl.*) Caractère d'un droit ou d'un moyen de défense dont le titulaire peut se prévaloir,

particulièrement à l'encontre d'un tiers. Par ex., lorsqu'un immeuble a été vendu par le même vendeur à plus d'un acheteur, celui qui, le premier, fait enregistrer son titre d'acquisition peut opposer son droit de propriété aux autres (art. 2098 C. civ.) « *Il faut* [...] *distinguer l'effet et l'opposabilité de l'obligation : en principe, l'obligation ne lie pas les tiers, mais elle existe à leur égard* » (Mazeaud et Chabas, *Leçons*, t. 2, vol. 1, n° 744, p. 878).
Opp. inopposabilité.
Angl. opposability.

OPPOSABILITÉ DU CONTRAT

(*Obl.*) Opposabilité aux tiers des effets d'un contrat. « La "relativité" des contrats n'est pas incompatible avec l'obligation faite aux tiers de tenir compte des contrats auxquels ils ne sont pas parties. [...] L'opposabilité du contrat existe autant vis-à-vis des tiers complets, *penitus extranei* que des créanciers chirographaires des parties » (Tancelin, *Obligations*, n° 290, p. 171).
Opp. inopposabilité du contrat. **V.a.** principe de l'effet relatif des contrats.
Angl. opposability of contract.

OPPOSABLE *adj.*

(*Obl.*) Que l'on peut opposer. « Si l'obligation contractuelle est sans effet vis-à-vis des tiers, en ce sens qu'ils ne peuvent en devenir créancier ou débiteur, il n'en reste pas moins qu'elle leur est opposable » (Baudouin, *Obligations*, n° 382, p. 252).
Occ. Art. 1040*a*, 1979*h*, 2604 C. civ.
Opp. inopposable.
Angl. opposable.

OPPOSER *v.tr.*

(*Obl.*) Faire valoir à l'encontre de quelqu'un un droit ou un moyen de défense.
Occ. Art. 1191, 2064 C. civ.
Angl. oppose.

OPTION *n.f.*

(*Obl.*) Syn. promesse unilatérale de contrat. « La promesse unilatérale, selon la formule de Pothier, est "une convention par laquelle quelqu'un s'oblige envers un autre de lui vendre une chose" à telles conditions. C'est cette promesse que l'on connaît aujourd'hui sous le nom d'option, parce que le bénéficiaire a la faculté d'en user ou de n'en point user [...] » (Pineau, (1964-1965) 67 *R. du N.* 387, p. 393). *Option de vente.*
V.a. levée d'option.
Angl. option, unilateral promise to contract+.

OR *n.m.*

(*Obl.*) V. clause or, clause valeur or.

ORDINAIRE *adj.*

V. copropriété avec indivision ordinaire, copropriété ordinaire, créance ordinaire, créancier ordinaire, indivision ordinaire, obligation ordinaire.

ORDONNANCE DE PLACEMENT

(*Pers.*) Ordonnance confiant temporairement à l'adoptant, dans une étape préliminaire à l'adoption, la garde de la personne qu'il entend adopter. « Le consentement a été donné ou la déclaration d'adoptabilité prononcée, l'étape suivante consiste à obtenir une ordonnance de placement devant mener au jugement d'adoption [...] c'est au moment du placement que le juge doit vérifier la probabilité ou non que les parents biologiques reprennent la charge de l'enfant » (Ouellette, *Famille*, p. 154). ***Requête en ordonnance de placement.***
Occ. Art. 616 C. civ. Q.; art. 825.3 C. proc. civ.
Rem. Voir les art. 615 et s. C. civ. Q.
V.a. déclaration d'adoptabilité.
Angl. order of placement.

ORDONNANCEMENT JURIDIQUE

1. Syn. ordre juridique[2]. « L'ordonnancement juridique est construit à partir d'un classement et d'une systématisation de règles. Cela permet de discerner plusieurs branches du droit qui sont autant de divisions fondamentales du droit objectif » (Larroumet, *Droit civil*, t. 1, n° 68, p. 39).

2. Fait d'organiser les règles de droit en un ensemble cohérent.
Angl. legal ordering.

ORDRE *n.m.*

Syn. ordre professionnel. *Ordre des notaires du Québec* (art. 71, *Loi sur le notariat*, L.R.Q., chap. N-2).
Angl. professional corporation.

ORDRE DES AVOCATS

Syn. barreau[2]. Par ex., l'Ordre des avocats du Québec. « Malgré ses imperfections, l'Acte d'incorporation de 1849 représentait pour l'Ordre des Avocats la consécration officielle et définitive de ses droits et de ses prérogatives » (Nantel, (1923-1924) 2 *R. du D.* 337, 385, p. 388).
Occ. Art. 1 par. c; art. 3, *Loi sur le Barreau*, L.R.Q., chap. B-1.
Angl. Bar[2]+, order of advocates.

ORDRE DES NOTAIRES

Syn. chambre des notaires. Par ex., l'Ordre des notaires du Québec.
Occ. Art. 1, 71, *Loi sur le Notariat*, L.R.Q., chap. N-2.
Rem. Le nom *Chambre des notaires du Québec* est plus couramment utilisé que celui, plus ancien, d'*Ordre des notaires du Québec*.
Angl. board of notaries, chamber of notaries(x), *chambre des notaires*+, notariate[2], order of notaries, *ordre des notaires*.

ORDRE JURIDIQUE

1. Ensemble des règles de droit et des institutions qui gouvernent la vie en société d'un groupement donné.
Syn. système de droit, système juridique.
Angl. juridical system, legal order+, legal system, system of law.

2. Droit[1] dont les règles sont articulées entre elles en vue de former un ensemble cohérent. « Toutes ces règles de droit, toutes ces institutions juridiques coordonnées entre elles suivant un enchaînement logique, rationnel, forment un vaste ensemble qui est l'*ordre juridique* ou, comme disait Duguit, l'*ordonnancement juridique* — le *système juridique*, préfère-t-on dire maintenant » (Carbonnier, *Introduction*, n° 4, p. 22).
Syn. ordonnancement juridique[1].

ORDRE PROFESSIONNEL

Personne morale qui regroupe les membres d'une profession et est investie de certaines prérogatives en vue de contrôler l'exercice de celle-ci.
Occ. Art. 34, *Charte de la langue française*, L.R.Q., chap. C-11.
Syn. corporation professionnelle, ordre.
Angl. professional corporation.

ORDRE PUBLIC

Conception d'ensemble d'une société, s'exprimant dans un faisceau d'institutions fondamentales, de principes généraux et de normes impératives, destiné à protéger et à promouvoir les valeurs essentielles de la collectivité. « L'ordre public [...] intervient toujours techniquement de la même façon; *il justifie une dérogation à des règles établies* » (Lagarde, *Ordre public*, p. 1). *Atteinte à l'ordre public, règles d'ordre public, respect de l'ordre public.*
Occ. Art. 6 al. 2, 13 C. civ.
Rem. **1°** L'ordre public peut être envisagé selon ses sources ou son objet. Du point de vue des sources, l'ordre public a une origine nationale (locale) ou internationale, selon qu'il est élaboré au sein d'une société civile ou de la société internationale. Du point de vue de son objet, l'ordre public vise à réglementer soit des relations internes,

soit des relations à caractère international. **2°** L'ordre public d'origine nationale (locale) réglemente soit des relations relevant du droit interne (ordre public interne), soit des relations relevant du droit international privé (ordre public international[2]). Il s'agit, dans les deux cas, d'une notion essentiellement locale qui, au Canada, est d'origine fédérale ou provinciale selon la matière envisagée. **3°** L'ordre public peut être textuel ou virtuel. La doctrine moderne distingue, en outre, l'ordre public politique (ordre public classique) et l'ordre public économique (ordre public récemment élaboré). **4°** En ce sens, on a recours à la notion d'ordre public pour faire déclarer nulles des conventions particulières qui y contreviennent (art. 13 C. civ.).
V.a. bonnes mœurs, exception d'ordre public, loi d'ordre public.
Angl. *jus publicum*, public order+, public order and good morals, public policy(x).

ORDRE PUBLIC ABSOLU

Syn. ordre public de direction. « Le législateur a attaché à une dérogation à une clause d'ordre public absolu la plus sévère des sanctions : elle est sans effet » (*Lemay* c. *Assurance-vie Desjardins*, [1988] R.J.Q. 659 (CA), p. 662, j. J. Dugas).
Angl. absolute public order, public order of direction+.

ORDRE PUBLIC DE DIRECTION

Ordre public économique visant, dans l'intérêt général, à instaurer un régime d'économie dirigée en y rétablissant ou, le plus souvent, en y restreignant la liberté contractuelle. Par ex., en matière de maintien de la libre concurrence ou de contrôle des prix. « *L'ordre public de direction* se propose de concourir à une certaine direction de l'économie nationale, en éliminant des contrats privés tout ce qui pourrait la contrarier » (Carbonnier, *Droit civil*, t. 4, n° 32, p. 141).
Rem. **1°** L'ordre public de direction puise à deux inspirations distinctes : l'interventionnisme néo-libéral qui tend à rétablir l'économie de marché et le dirigisme qui tend à restreindre la liberté contractuelle. **2°** Les atteintes à l'ordre public de direction sont entachées de nullité absolue.
Syn. ordre public absolu. **Opp.** ordre public de protection.
Angl. absolute public order, public order of direction+.

ORDRE PUBLIC DE PROTECTION

Ordre public économique visant, dans l'intérêt particulier, à protéger, à l'occasion de relations contractuelles, la partie économiquement la plus faible. Par ex., les règles en matières de contrat d'assurance (art. 2500 C. civ.) et de protection du consommateur (art. 8, 9, *Loi sur la protection du consommateur*, L.R.Q., chap. P-40.1). « L'importance attachée à un ordre public de protection ne cesse de grandir. Cette évolution va de pair avec une transformation du droit privé des contrats qui porte celui-ci à envisager le mécanisme contractuel non plus seulement comme une relation inter-individuelle, mais aussi comme le support de rapports juridiques intéressant des ensembles de personnes : assurés, salariés, consommateurs, etc » (Weill et Terré, *Obligations*, n° 248, p. 256-257).
Rem. Les atteintes à l'ordre public de protection sont entachées de nullité relative.
Syn. ordre public relatif. **Opp.** ordre public de direction.
Angl. public order of protection+, relative public order.

ORDRE PUBLIC ÉCONOMIQUE

Ordre public visant à réglementer la production ou les échanges de biens ou de services. « *L'ordre public économique* est apparu à l'époque contemporaine. Sans doute un certain ordre public d'aspect économique n'était pas absent du C. C. de 1804 [et partant de celui de 1866], mais il était d'inspiration libérale [...] Le droit civil du XXe s. entend l'ordre public économique tout autrement :

c'est un ordre public interventionniste » (Carbonnier, *Droit civil*, t. 4, n° 32, p. 141).
Rem. 1° On distingue, au sein de l'ordre public économique, l'ordre public de direction et l'ordre public de protection. 2° L'ordre public économique est essentiellement de source législative, par ex., la réglementation du commerce des valeurs mobilières ou des contrats d'assurance, la protection des locataires ou des consommateurs.
Syn. ordre public économique et social.
Opp. ordre public politique.
Angl. economic and social public order, economic public order+.

ORDRE PUBLIC ÉCONOMIQUE ET SOCIAL

Syn. ordre public économique. « À la différence de l'ordre public traditionnel, essentiellement négatif, l'ordre public économique et social vise davantage à déterminer le contenu des contrats qu'à les interdire » (Ghestin, *Contrat*, n° 129, p. 93).
Opp. ordre public politique et moral.
Angl. economic and social public order, economic public order+.

ORDRE PUBLIC INTERNATIONAL

1. (*D. int. pub.*) Ordre public d'origine internationale qui régit les relations relevant du droit international public. Par ex., la règle du respect des traités exprimée par l'adage *pacta sunt servanda* (les contrats doivent être respectés). « Il reste que les juridictions internationales peuvent avoir à prendre en considération l'ordre public international au sens propre de l'expression, ce qu'il faut bien appeler l'ordre public international de la société internationale et que constitueraient sans doute les règles mêmes du droit des gens et "les principes généraux du droit reconnus par les nations civilisées" » (Maury, *Éviction*, p. 141).
Angl. international public order[1].

2. (*D. int. pr.*) Ordre public d'origine nationale (locale) qui régit les relations relevant du droit international privé. « On a voulu exprimer cette différence entre l'ordre public au sens du droit civil interne et du droit international privé par l'expression d'*ordre public international* opposé à l'*ordre public interne*. L'expression n'est guère heureuse parce que cet ordre public est essentiellement national et s'oppose précisément à l'ordre international régulier qui est l'application des lois compétentes » (Batiffol et Lagarde, *Droit int. privé*, t. 1, n° 366, p. 424).
Rem. En ce sens, l'ordre public est utilisé, soit pour faire échec à l'application, au Québec, d'une loi étrangère, pourtant désignée par la règle de conflit locale, mais jugée inconciliable avec l'ordre juridique du for, soit pour fonder l'application directe (immédiate) d'une règle interne du for (loi d'application immédiate).
Opp. ordre public interne. **V.a.** exception d'ordre public.
Angl. international public order[2].

ORDRE PUBLIC INTERNE

(*D. int. pr.*) Ordre public d'origine nationale (locale) qui régit les relations relevant du droit privé interne. « Le domaine de l'ordre public international est plus étroit que celui de l'ordre public interne puisque, dans une matière donnée, supposée entièrement d'ordre public au sens du droit interne, seules certaines règles ou certains principes seront d'ordre public au sens du droit international » (Mayer, *Droit int. privé*, n° 213, p. 178).
Rem. Il s'agit de ce que l'on appelle, en droit interne, tout simplement l'*ordre public*, mais envisagé dans son opposition à l'ordre public international[2].
Opp. ordre public international[2].
Angl. internal public order.

ORDRE PUBLIC JUDICIAIRE

Syn. ordre public virtuel.
Opp. ordre public législatif.
Angl. judicial public order+, virtual public order.

ORDRE PUBLIC LÉGISLATIF

Syn. ordre public textuel. « [...] il y a des textes qui nous disent expressément que tel contrat est contraire à l'ordre public; il s'agit, là, d'un ordre public législatif ou textuel » (Pineau et Burman, *Obligations*, n° 120, p. 175).
Opp. ordre public judiciaire.
Angl. legislative public order⁺, textual public order.

ORDRE PUBLIC POLITIQUE

Ordre public visant à faire respecter l'organisation des pouvoirs publics, les structures de la famille et les bonnes mœurs. « L'ordre public *classique* est un ordre public *politique*, ce mot étant pris dans un sens très général pour désigner la défense des institutions essentielles de la société contre les atteintes que pourraient leur porter les initiatives, non contrôlées, des contractants » (Flour et Aubert, *Obligations*, vol. 1, n° 280, p. 222).
Rem. L'ordre public politique est essentiellement au service de l'intérêt général et toute convention qui y contrevient est atteinte de nullité absolue (voir l'art. 13 C. civ.).
Syn. ordre public politique et moral.
Opp. ordre public économique.
Angl. political and moral public order, political public order⁺.

ORDRE PUBLIC POLITIQUE ET MORAL

Syn. ordre public politique. « Il est classique aujourd'hui de distinguer un *ordre public politique et moral*, traditionnel, et un *ordre public économique et social* beaucoup plus récent » (Ghestin, *Contrat*, n° 106, p. 99).
Opp. ordre public économique et social.
Angl. political and moral public order, political public order⁺.

ORDRE PUBLIC RELATIF

Syn. ordre public de protection. « Le législateur a imposé ses vues sur le contenu du contrat d'assurances en édictant des règles auxquelles il n'est pas permis de déroger par contrat. Il a fait de certaines de ces règles des règles d'ordre public absolu et de certaines autres des règles d'ordre public relatif : article 2500 [C. civ.]. Aux premières, il a interdit de déroger, aux secondes, il a permis de déroger si la disposition contractuelle est plus avantageuse pour le preneur ou le bénéficiaire » (*Lemay* c. *Assurance-vie Desjardins*, [1988] R.J.Q. 659 (C.A.), p. 662, j. J. Dugas).
Angl. public order of protection⁺, relative public order.

ORDRE PUBLIC TEXTUEL

Ordre public déterminé expressément par le législateur. « En édictant une règle, le législateur lui donne parfois, expressément, un caractère impératif qui interdit aux particuliers de conclure aucune convention qui lui soit contraire [...]. On est alors en présence d'un ordre public *législatif* ou *textuel* [...] » (Flour et Aubert, *Obligations*, vol. 1, n° 277, p. 220).
Rem. Les formules utilisées à cette fin sont variées : *à peine de nullité absolue* (art. 472 C. civ. Q.), *toute convention contraire est nulle* (art. 1509 C. civ.), *on ne peut déroger aux articles* (art. 1664 C. civ.), *est sans effet toute stipulation qui déroge aux prescriptions des articles* (art. 2500 C. civ.)
Syn. ordre public législatif. **Opp.** ordre public virtuel.
Angl. legislative public order⁺, textual public order.

ORDRE PUBLIC VIRTUEL

Ordre public déterminé par un tribunal lorsque la formule utilisée par le législateur ne permet pas de déceler si la disposition légale est impérative. « À défaut de précision, il appartient au juge de trancher [...] la question de savoir si la règle dont l'application est en jeu est d'ordre public ou purement supplétive [...]. Le problème se déplace : l'existence d'un ordre public virtuel

suppose que soit éclairée la notion d'ordre public » (Cornu, *Introduction*, n° 338, p. 119).
Syn. ordre public judiciaire. **Opp.** ordre public textuel.
Angl. judicial public order⁺, virtual public order.

ORIGINE *n.f.*

V. domicile d'origine.
Angl. origin.

OSTENSIBLE *adj.*

(*Obl.*) V. acte ostensible.

OUVRAGE *n.m.*

1. (*Obl.*) Activité productive de l'homme.
Occ. Art. 1666 C. civ.
V.a. louage d'ouvrage, maître de l'ouvrage.
Angl. work[1].

2. (*Biens*) Oeuvre matérielle ou intellectuelle.
Occ. Titre précédant l'art. 532 C. civ., art. 1683 C. civ.
Rem. Les constructions, les plantations et les plans d'architecte sont des types d'ouvrage.
V.a. bâtiment, édifice.
Angl. work[2].

OUVRAGE PAR DEVIS ET MARCHÉ

(*Obl.*) (X) V. marché sur devis.
Occ. Art. 1683 C. civ.
V.a. devis⁺.
Angl. work by estimate and contract.

OUVRIER, IÈRE *adj.*

(*Obl.*) Qui se rapporte aux ouvriers[2]. « L'existence du droit ouvrier fait échec [...] au dogme économique de l'école libérale; il constitue un ensemble de mesures interventionnistes » (Scelle, *Droit ouvrier*, p. 5). *Législation ouvrière.*

Rem. Dans l'expression *privilège ouvrier*, l'adjectif *ouvrier* se rapporte, exceptionnellement, au premier sens du nom.

OUVRIER, IÈRE *n.*

1. (*Obl.*) Personne participant, dans le cadre d'un contrat de louage d'ouvrage, à la réalisation d'un ouvrage[2]. « Le contrat dans lequel l'ouvrier fournit la matière est à la fois une entreprise et une vente, et produit les effets combinés des deux contrats » (Planiol et Ripert, *Traité*, t. 11, n° 912, p. 148).
Occ. Art. 1695 C. civ.
Rem. Dans ce sens large, l'ouvrier comprend l'architecte, le constructeur, l'entrepreneur, ainsi que l'ouvrier au sens 2.
Angl. workman[1].

2. (*Obl.*) Personne qui, dans le cadre d'un contrat de travail, exerce une activité manuelle. « [...] si, peu à peu, la législation du travail s'est étendue aux salariés du commerce, de l'agriculture, voire à ceux de l'État, il n'en reste pas moins qu'elle a été conçue dès le début comme propre aux seuls ouvriers d'usine, aux salariés de la grande industrie [...] » (Scelle, *Droit ouvrier*, p. 2).
Occ. Art. 1054 C. civ.
Opp. employeur°. **V.a.** privilège de l'ouvrier.
Angl. workman[2].

OYANT, ANTE *n.*

(*D. jud.*) Personne à qui un compte est rendu ou qui demande qu'on lui rende compte. « La demande en reddition de compte est formée par l'oyant [...] ou même par le rendant lui-même, car tout débiteur peut offrir sa libération » (*Rép. proc. civ.*, v° Compte (Reddition de), n° 16).
Occ. Art. 535, 536 C. proc. civ.
Rem. De l'ancien français *oïr*, du latin *audire* : entendre, écouter.
Syn. oyant compte. **Opp.** rendant.
V.a. action en reddition de compte, reddition de compte.

OYANT COMPTE

(*D. jud.*) *Rare*. Syn. oyant.

P

PACTE *n.m.*

(*Obl.*) Syn. contrat^A. « [En droit romain] si le *pacte nu*, c'est-à-dire dépourvu des formes requises (*nudum pactum*), laisse le créancier dépourvu d'action civile, on admet qu'il fait naître une obligation naturelle [...] Au Bas-Empire, certains pactes furent assortis de sanctions civiles » (Mazeaud et Chabas, *Leçons*, t. 2, vol. 1, n° 60, p. 53).
Rem. 1° En droit civil, le terme est surtout employé dans les expressions *pacte de préférence*, *pacte commissoire*, *pacte compromissoire*, *pacte de* quota litis et *pacte sur succession future*, où le mot *pacte* désigne parfois une entente particulière à l'intérieur d'un contrat. On le trouve aussi sous sa forme latine dans la maxime *pacta sunt servanda* qui traduit la notion de la force obligatoire du contrat. 2° Le terme est davantage utilisé en droit international public pour désigner les conventions entre États comme le pacte Atlantique, le pacte de Varsovie, les pactes d'alliance et de non-agression.
Angl. agreement, contract^A+, pact.

PACTE COMMISSOIRE

1. (*Obl.*) Syn. clause résolutoire de plein droit. « Est [...] valable [...] la convention [...] aux termes de laquelle la résolution sera encourue de plein droit en cas d'inexécution totale ou partielle, sans qu'il soit nécessaire de la faire prononcer par le tribunal : c'est le *pacte commissoire* [...] » (Mazeaud et Chabas, *Leçons*, t. 2, vol. 1, n° 1104, p. 1163).
Angl. clause of resolution of right, express clause of resolution, express resolutory clause, *pacte commissoire*[1], resolutory clause of right+, stipulation of resolution upon non-performance[1].

2. (*Obl.* et *Sûr.*) Clause d'un contrat de nantissement attribuant au créancier la propriété de la chose engagée au cas de non paiement à l'échéance. « L'article 1971 C.c. permet au créancier de stipuler qu'à défaut de paiement il aura droit de garder le gage [...] Contrairement au droit français qui interdit le pacte commissoire, la liberté des conventions admet cette stipulation dans le nantissement avec dépossession [...] Dans les législations récentes en matière de nantissement sans dépossession (par ex., les nantissements commercial, agricole et forestier), le législateur interdit [...] le pacte commissoire (arts. 1979*d* et 1979*k* C.c.) » (Ciotola, *Sûretés*, p. 92).
Rem. Le pacte commissoire donne au contrat de nantissement le caractère de contrat pignoratif.
Angl. *pacte commissoire*[2], stipulation of resolution upon non-performance[2]+.

PACTE COMPROMISSOIRE

(*Obl.*) Syn. clause compromissoire.
Angl. arbitration clause, undertaking to arbitrate+.

PACTE *DE QUOTA LITIS* (latin)

(*Obl.* et *D. jud.*) Convention par laquelle une partie à un procès s'engage à payer à son avocat, à titre de rémunération, une

partie des sommes qu'il réussira à obtenir. « Le retrait litigieux n'est admis que contre la vente [...]. Si l'opération est un pacte *de quota litis* par lequel le titulaire du droit litigieux a promis à son mandataire une partie du profit réalisé, le mandataire, n'ayant pas acheté le droit litigieux, ne spécule pas sur l'issue du procès; le débiteur ne pourra donc pas exercer le retrait » (Planiol et Ripert, *Traité*, t. 10, n° 317, p. 401).
Rem. Jusqu'en 1956, le pacte *de quota litis* était prohibé par la réglementation du Barreau du Québec.
Angl. contingency fee agreement, *quota litis* agreement⁺.

PACTE DE PRÉFÉRENCE

(*Obl.*) Convention par laquelle une personne s'engage envers son cocontractant, pour le cas où elle déciderait de passer un contrat déterminé, de le lui proposer en priorité. Par ex., la clause de préemption. « [...] le jugement [entrepris] relève, au regard de la situation de fait, que les parties ont désiré ne pas s'en remettre à la règle générale voulant que les obligations et les droits de créance procédant d'un pacte de préférence soient transmissibles » (*St-Laurent* c. *Ouellette*, [1984] C.A. 124, p. 131, j. A. Monet).
Occ. Art. 1393, Projet de loi 125.
V.a. clause d'agrément, droit de préférence[1]. **F.f.** clause de premier refus.
Angl. first refusal agreement⁺, first refusal clause, promise of first option.

PAIEMENT *n.m.*

(*Obl.*) Exécution d'une obligation quel qu'en soit l'objet. Par ex., l'acheteur qui verse le prix et le vendeur qui livre la chose vendue effectuent l'un et l'autre un paiement. « Si l'on oppose le paiement à l'exécution forcée, le premier est l'oeuvre de la volonté du débiteur et il est assez naturel de le considérer dès lors comme un *acte juridique* » (Marty, Raynaud et Jestaz, *Obligations*, t. 2, n° 194, p. 177). *Paiement d'une dette.*
Occ. Art. 1139 C. civ.
Rem. 1° Le terme *paiement*, en langue juridique, a un sens plus large que dans la langue courante où il désigne uniquement l'exécution d'une obligation de somme d'argent. 2° On trouve aussi la graphie *payement*.
Syn. acquittement, payement, règlement[3].
V.a. condition de paiement, dation en paiement, imputation des paiements, indication de paiement, indivisibilité de paiement, indivisibilité du paiement, modalité de paiement, titre de paiement.
Angl. payment.

PAIEMENT ANTICIPÉ

(*Obl.*) Syn. paiement par anticipation.
Angl. payment in advance.

PAIEMENT À TERME

(*Obl.*) Paiement devant s'effectuer à une date ultérieure à la naissance de l'obligation.
Opp. paiement au comptant. **V.a.** obligation à terme, paiement différé⁺.
Angl. payment with a term.

PAIEMENT (AU) COMPTANT

(*Obl.*) Paiement devant s'effectuer sans délai. « La clause "paiement comptant" [...] manifeste la volonté du vendeur de ne faire aucun crédit à l'acheteur, impliquant que la livraison doit se faire à l'acheteur contre paiement [...] » (Malaurie, *Rép. droit com.*, v° Ventes commerciales, n° 483).
Rem. Ne pas confondre avec paiement en espèces qui n'est qu'une forme de paiement au comptant.
Opp. paiement à terme. **V.a.** comptant, paiement en espèce.
Angl. cash payment[2].

PAIEMENT AVEC SUBROGATION

(*Obl.*) Opération juridique par laquelle une créance est transmise avec ses accessoires

au tiers qui l'a payée ou qui a prêté au débiteur l'argent pour la payer. « L'effet extinctif du paiement est fortement atténué au cas de paiement avec subrogation car, dans ce cas, l'obligation survit au paiement encore que le créancier soit désintéressé et ait perdu son droit » (Marty et Raynaud, *Obligations* (1962), n° 607, p. 642).
Occ. Titre précédant l'art. 1154 C. civ.
V.a. subrogation personnelle.
Angl. payment with subrogation.

PAIEMENT DE L'INDU

(*Obl.*) Paiement d'une prestation non due fait par erreur. « Pour qu'il y ait répétition basée sur le paiement de l'indu [...] il ne doit pas exister de relations contractuelles ou légales de débiteur à créancier entre le *solvens* et l'*accipiens* à l'égard du paiement fait [...] » (Baudouin, *Obligations*, n° 518, p. 318).
Rem. Le paiement de l'indu est analysé comme un quasi-contrat et est traité aux art. 1047 à 1052 du Code civil.
Syn. paiement indu. **V.a.** enrichissement sans cause, gestion d'affaire, répétition de l'indu, restitution de l'indu.
Angl. payment of a thing not due.

PAIEMENT DIFFÉRÉ

(*Obl.*) Paiement reporté à une date ultérieure à celle qui était prévue à l'origine.
Rem. Dans la *Loi sur la protection du consommateur*, le terme *paiement différé* est employé à tort comme synonyme de *paiement à terme* (art. 84, L.R.Q., chap. P-40.1).
V.a. paiement à terme.
Angl. deferred payment.

PAIEMENT DIVISÉ

(*Obl.*) Syn. paiement partiel.
Occ. Art. 1116 C. civ.
Angl. partial payment.

PAIEMENT ÉCHELONNÉ

(*Obl.*) Syn. paiement périodique.
Occ. Art. 696.4 C. proc. civ.
Angl. instalment, periodical payment, periodic payment+.

PAIEMENT EN ESPÈCES

(*Obl.*) Paiement s'effectuant en une monnaie qui a cours légal. « Le créancier n'est jamais tenu d'accepter un chèque à la place d'un paiement en espèces [...] » (Baudouin, *Obligations*, n° 617, p. 371).
Opp. paiement en nature[2]. **V.a.** obligation pécuniaire, paiement au comptant+.
Angl. cash payment[1], payment in cash+, payment in *specie*.

PAIEMENT EN NATURE

1. (*Obl.*) Syn. exécution en nature.
Angl. payment in kind[1], performance in kind, specific performance+.

2. (*Obl.*) Paiement ayant pour objet autre chose qu'une somme d'argent. Par ex., la livraison de la chose vendue, l'exécution du travail promis.
Opp. paiement en espèces. **V.a.** obligation en nature.
Angl. payment in kind[2].

PAIEMENT FRACTIONNÉ

(*Obl.*) Syn. paiement partiel. « [...] *le paiement est indivisible* [...] ce qui signifie qu'un débiteur est tenu de se libérer en une seule fois de tout ce qu'il doit; *il ne peut pas obliger le créancier à accepter un paiement fractionné* » (Mazeaud et Chabas, *Leçons*, t. 2, vol. 1, n° 887, p. 999).
Angl. partial payment.

PAIEMENT INDU

(*Obl.*) Syn. paiement de l'indu.
Angl. payment of a thing not due.

PAIEMENT INTÉGRAL

(*Obl.*) Paiement de la totalité de la dette. « Si la dette est commerciale, elle ne se

divise pas; le créancier peut demander le paiement intégral à chacun des débiteurs [...] » (Starck, Roland et Boyer, *Obligations*, t. 2, n° 1109, p. 386).
Opp. paiement partiel.
Angl. full payment.

PAIEMENT LIBÉRATOIRE

(*Obl.*) Paiement qui a pour effet de libérer le débiteur.
Rem. Pour qu'il y ait paiement libératoire, il faut par exemple payer entre les mains du créancier ou de son représentant.
Angl. liberative payment, liberatory payment+.

PAIEMENT PAR ANTICIPATION

(*Obl.*) Paiement effectué avant l'échéance de l'obligation. « [...] l'emprunteur prudent va tenter d'insérer, dans le contrat, une clause autorisant un paiement par anticipation » (Pineau et Burman, *Obligations*, n° 271, p. 360).
Occ. Art. 1620 C. civ.
Syn. paiement anticipé.
Angl. payment in advance.

PAIEMENT PARTIEL

(*Obl.*) Paiement d'une fraction de la dette. « Le créancier peut [...] refuser de recevoir des paiements partiels et le tribunal ne peut forcer le créancier à le faire » (Baudouin, *Obligations*, n° 620, p. 373).
Rem. Voir l'art. 1149 C. civ.
Syn. paiement divisé, paiement fractionné.
Opp. paiement intégral. **V.a.** indivisibilité du paiement.
Angl. partial payment.

PAIEMENT PÉRIODIQUE

(*Obl.*) Paiement distribué dans le temps, à intervalles réguliers.
Occ. Art. 13, *Loi sur l'assurance automobile*, L.R.Q., chap. A-25.
Syn. paiement échelonné, versement².
Opp. paiement unique. **V.a.** annuité, mensualité.
Angl. instalment, periodical payment, periodic payment+.

PAIEMENT UNIQUE

(*Obl.*) Paiement d'une dette qui se fait en une seule fois.
Occ. Art. 13, *Loi sur l'assurance automobile*, L.R.Q., chap. A-25.
Opp. paiement périodique.
Angl. lump sum payment.

PAISIBLE *adj.*

V. possession paisible.

PAR CONCURRENCE *loc.adv.*

(*Obl.*) Syn. par contribution. « Lorsque le créancier a divisé sa créance et en a accordé des parts à plusieurs cessionnaires, chaque titulaire d'une fraction de la créance est payé par concurrence, compte tenu toutefois des dispositions de l'art. 1988 du Code civil » (Pourcelet, *Vente*, p. 231).
Occ. Art. 1988 C. civ.
Angl. contribution (by), *pro rata*, rateably+.

PAR CONTRIBUTION *loc.adv.*

D'une manière proportionnelle. Par ex., le prix de la vente en justice des biens d'un débiteur insolvable est distribué par contribution entre ses créanciers chirographaires, chacun recevant une somme proportionnelle au montant de sa créance (art. 1981 C. civ.). « Dans un tel cas, [lorsqu'un des débiteurs solidaires a acquitté la dette et que l'un de ses codébiteurs est insolvable] la perte est répartie par contribution entre tous les codébiteurs, y compris le *solvens* [...] » (Baudouin, *Obligations*, n° 800, p. 485).
Occ. Art. 1118, 1981, 1987 C. civ.
Syn. par concurrence. **V.a.** marc la livre (au).
Angl. contribution (by), *pro rata*, rateably+.

PARENT, ENTE *n.* et *adj.*

1. (*Pers.* et *Succ.*) Personne unie à une autre par un lien de parenté. « Il n'existe pas de communauté de sang entre alliés. Ils ne sont donc pas parents et l'expression "parents par alliance", souvent employée pour les désigner, est peu exacte » (*Rép. droit civ.*, v° Parenté-alliance, n° 59). *Parent en ligne directe; grands-parents.*
Occ. Art. 273, 598 C. civ.
V.a. ascendant, collatéral°, descendant.
Angl. relation, relative⁺.

2. (*Pers.*) Père ou mère d'une personne.
Occ. Art. 604, 606 C. civ. Q.
V.a. enfant[1], responsabilité des parents.
Angl. parent.

PARENT ADOPTIF

(*Pers.*) Personne devenue parente d'une autre par suite d'une adoption. « L'adoption fait naître une obligation alimentaire réciproque entre l'enfant et ses parents adoptifs ainsi que les ascendants de ceux-ci » (Azard et Bisson, *Droit civil*, t. 1, n° 116, p. 186).
V.a. adoptant, filiation adoptive.
Angl. adoptive parent(<)⁺, adoptive relation, adoptive relative⁺.

PARENTAL, ALE *adj.*

(*Pers.*) Relatif aux parents[2]. *Exercice et jouissance de l'autorité parentale.*
Occ. Art. 648 C. civ. Q.
V.a. autorité parentale.
Angl. parental.

PARENTÉ *n.f.*

(*Pers.*) Rapport juridique existant entre personnes dont l'une descend ou est réputée descendre de l'autre ou qui ont ou sont réputées avoir un auteur commun. Par ex., père et fille, soeur et frère. « Sont parents toutes les personnes qui ont une souche commune : dans le domaine successoral, le Code civil a fixé un terme à la parenté en édictant que les parents au-delà du 12ᵉ degré ne succédaient pas (art. 635) » (Pineau, *Famille*, n° 2, p. 1). *Lien de parenté, degré de parenté.*
Occ. Art. 250, 615 C. civ.
Rem. **1°** La parenté se détermine par ligne, soit directe ou collatérale, ainsi que par degrés. **2°** L'adoption crée un lien de parenté à l'égard de la famille adoptive et rompt le lien de parenté à l'égard de la famille d'origine (art. 627 C. civ. Q.).
V.a. alliance, filiation.
Angl. relationship[1].

PARFAIT, AITE *adj.*

V. délégation parfaite, obligation parfaite, représentation parfaite, solidarité parfaite.

PARI *n.m.*

(*Obl.*) Contrat aléatoire par lequel les parties en désaccord sur un fait donné s'engagent à fournir une prestation à celle d'entre elles dont l'opinion sera reconnue exacte. « Le pari est assimilé au jeu, et constitue lui aussi un contrat. [...] la doctrine, en général, décide que le jeu et le pari sont l'un et l'autre, des contrats consensuels, synallagmatiques, à titre onéreux et aléatoires, c'est-à-dire, en ce dernier cas, dont les effets, quant aux avantages et aux pertes, dépendent d'un événement incertain » (Roch et Paré, dans *Traité*, t. 13, p. 569).
Occ. Art. 1927 C. civ.
Syn. contrat de pari. **V.a.** dette de jeu, jeu⁺, loterie.
Angl. bet, betting⁺, wager, wagering.

PAR INDIVIS *loc.adv.*

(*Biens*) De façon indivise. *Propriétaires possédant un bien par indivis.*
Occ. Art. 300, 565 C. civ.
Syn. indivisément.

PARTAGE *n.m.*

(*Biens* et *Succ.*) Acte juridique qui met fin à l'indivision[1] en attribuant à chaque indi-

visaire un droit exclusif sur une portion matérielle du bien ou des biens indivis. « Le partage est l'aboutissement normal de la dévolution successorale en faveur de plus d'un héritier. Chacun des cohéritiers se trouve dans l'indivision; chacun d'eux est copropriétaire des objets de la succession. Or, l'indivision est considérée comme un état indésirable auquel on met fin par un partage » (Mayrand, *Successions*, p. 265).
Occ. Art. 442*p*, 689, 747, 885 C. civ.
Rem. **1°** Les règles relatives au partage se trouvent au titre *Des Successions* (art. 689 et s. C. civ.); elles s'appliquent toutefois aux cas où le partage met fin à une indivision provenant d'une autre source. **2°** Le partage peut être amiable, judiciaire ou mixte; il peut être aussi définitif ou provisionnel, intégral ou partiel.
V.a. action en partage, attribution[1].
Angl. partition.

PARTAGE (À L')AMIABLE

(*Biens* et *Succ.*) Partage qui résulte de l'accord de tous les indivisaires. « Le partage amiable est la convention par laquelle les copartageants se répartissent, d'un commun accord, l'hérédité » (Terré et Lequette, *Successions*, n° 928, p. 893).
Rem. Voir l'art. 693 C. civ.
Opp. partage judiciaire, partage mixte.
Angl. amicable partition.

PARTAGEANT, ANTE *n.* et *adj.*

(*Biens* et *Succ.*) Syn. copartageant. « L'égalité entre partageants est sanctionnée par la garantie des lots » (*Dict. de droit*, v° Partage, n° 4).
Angl. copartitioner+, partitioner.

PARTAGE DÉFINITIF

(*Biens* et *Succ.*) Partage complet et final qui met fin à l'indivision[1]. « On devrait réserver, pour parler nettement, le nom de partage au partage définitif, qui fait cesser l'indivision entièrement et pour le fond même du droit » (Planiol et Ripert, *Traité*, t. 4, n° 504, p. 703).
Occ. Art. 691, 692 C. civ.
Opp. partage provisionnel.
Angl. definitive partition, final partition+.

PARTAGÉ, ÉE *p.p.adj.*

V. garde partagée, responsabilité partagée.

PARTAGE EN JUSTICE

(*Biens* et *Succ.*) Syn. partage judiciaire. « Le partage en justice, qui a lieu au moyen d'une action en partage, est la règle lorsque l'un des héritiers ne consent ni au partage amiable ni au partage mixte » (Faribault, dans *Traité*, t. 4, p. 408).
Angl. judicial partition.

PARTAGE GLOBAL

(*Biens* et *Succ.*) Syn. partage intégral. « *Partage partiel et partage global.* — Une seule demande [...] suffit à provoquer le partage dès lors que celui-ci, global, vise à la répartition de l'ensemble de l'hérédité » (Terré et Lequette, *Successions*, n° 848, p. 820).
Angl. complete partition, total partition+.

PARTAGE INTÉGRAL

(*Biens* et *Succ.*) Partage qui porte sur tous les biens faisant l'objet d'une indivision[1]. « Le *partage intégral* comprend tous les biens sur lesquels porte l'indivision [...] En règle générale, le partage doit être intégral et doit faire cesser toute indivision entre les copropriétaires. Il faut éviter la multiplicité des partages » (Mayrand, *Successions*, n° 305, p. 268).
Syn. partage global. **Opp.** partage partiel.
Angl. complete partition, total partition+.

PARTAGE JUDICIAIRE

(*Biens* et *Succ.*) Partage qui résulte d'un jugement rendu sur une action en partage.

« Le partage judiciaire est compliqué, long et coûteux. Il est impossible d'y échapper quand il y a désaccord » (Brière, *Successions*, n° 319, p. 199).
Rem. Voir l'art. 693 C. civ. et les art. 808 et s. C. proc. civ.
Syn. partage en justice. **Opp.** partage amiable, partage mixte.
Angl. judicial partition.

PARTAGE MIXTE

(*Biens* et *Succ.*) Partage volontaire soumis à une surveillance judiciaire. « [...] dans le cas où il y a simplement des incapables ou des absents, il suffit d'un contrôle de la justice [...] C'est pourquoi une réforme, intervenue en 1924, a aménagé une troisième forme de partage, forme intermédiaire entre [le partage amiable et le partage judiciaire], dite *partage mixte* ou *partage volontaire en justice* » (Brière, *Successions*, n° 319, p. 199).
Rem. **1°** Voir l'art. 693 C. civ. et les art. 894, 895 C. proc. civ. **2°** Cette forme de partage n'existe pas en droit français.
Syn. partage volontaire en justice.
Opp. partage amiable, partage judiciaire.
Angl. mixed partition.

PARTAGE PARTIEL

(*Biens* et *Succ.*) Partage qui ne porte que sur un des biens ou sur quelques-uns des biens faisant l'objet d'une indivision[1]. « Le *partage partiel* n'est admis qu'à titre exceptionnel lorsque, pour diverses raisons, il est avantageux pour tous les copropriétaires à un moment où le maintien de l'indivision de certains biens est nécessaire » (Mayrand, *Successions*, n° 305, p. 268).
Opp. partage intégral.
Angl. partial partition.

PARTAGE PROVISIONNEL

(*Biens* et *Succ.*) Partage temporaire qui se rapporte uniquement à la jouissance et à la possession des biens indivis sans mettre fin à l'indivision[1]. « *Le partage provisionnel* [...] est un partage de jouissance, non de propriété. Il fait acquérir la propriété des fruits, mais celle du fonds demeure indivise » (Mayrand, *Successions*, n° 304, p. 267).
Occ. Art. 691 C. civ.
Opp. partage définitif.
Angl. provisional partition.

PARTAGE VOLONTAIRE EN JUSTICE

(*Biens* et *Succ.*) Syn. partage mixte. « *Partage mixte ou volontaire en justice.* On désigne sous ce nom un partage qui est fait volontairement par tous les cohéritiers, y compris les mineurs [...] et les absents, mais sous la surveillance de la justice » (Faribault, dans *Traité*, t. 4, p. 410).
Angl. mixed partition.

PARTICULIER, IÈRE *adj.*

V. conditions particulières, légataire particulier, legs particulier, loi particulière, titre particulier.

PARTIE *n.f.*

Personne qui, en y étant personnellement intéressée, se trouve en rapport juridique avec une ou plusieurs autres. « Dans un premier temps, l'une des parties fait une offre de contracter [...] Dans un second temps, l'autre partie décide d'accepter l'offre, et son acceptation suffit [...] à lier les parties » (Baudouin, *Obligations*, n° 102, p. 97). *Être partie à un contrat; les parties au contrat, au procès; les parties contractantes; la partie lésée* (art. 1066 C. civ.).
Occ. Art. 984 C. civ.
Opp. tiers.
Angl. party.

PARTIE COMMUNE

(*Biens*) Partie d'un immeuble en copropriété relativement à laquelle les coproprié-

taires sont dans l'indivision. « [...] une *doctrine* que l'on peut considérer comme *classique* affirme que chaque copropriétaire est à la fois propriétaire exclusif de son appartement et copropriétaire des parties communes, celles-ci étant soumises à une indivision forcée à raison de leur affectation à l'usage commun des divers appartements et de l'impossibilité de les partager sans paralyser complètement cet usage » (Marty et Raynaud, *Biens*, n° 240, p. 301).
Occ. Art. 441*b*, 441*c* à 441*e* C. civ.
Rem. Voir l'art. 441*f* C. civ.
Syn. partie indivise. **Opp.** partie exclusive.
Angl. common part, common portion+, common share, undivided part, undivided share.

PARTIE DIVISE

(*Biens*) Syn. partie exclusive. «*Le régime des parties divises.* [...] tout le monde s'accorde à reconnaître des droits privatifs au propriétaire d'un étage ou d'un appartement » (Marty et Raynaud, *Biens*, n° 251, p. 350).
Occ. Art. 441*p* C. civ.
Opp. partie indivise.
Angl. divided portion, exclusive portion+, private portion, specific portion.

PARTIE EXCLUSIVE

(*Biens*) Partie d'un immeuble en copropriété sur laquelle un copropriétaire a un droit de propriété exclusif. « Chaque copropriétaire peut en principe jouir et disposer librement de sa partie exclusive » (Beaudoin et Morin, (1970) 30 *R. du B.* 4, n° 4, p. 7).
Occ. Art. 441*b*, 441*d*, 441*h* C. civ.
Rem. Le copropriétaire d'un immeuble n'est pas, relativement à son appartement, dans l'indivision; il en est le seul propriétaire.
Syn. partie divise, partie privative.
Opp. partie commune.
Angl. divided portion, exclusive portion+, private portion, specific portion.

PARTIE INDIVISE

(*Biens*) Syn. partie commune.
Occ. Art. 1555 C. civ.
Opp. partie divise.
Angl. common part, common portion+, common share, undivided part, undivided share.

PARTIEL, ELLE *adj.*

V. causalité partielle, incapacité partielle, paiement partiel, renvoi partiel.

PARTIE PRIVATIVE

(*Biens*) Syn. partie exclusive. «*Les parties privatives* [...] *sont "la propriété exclusive de chaque copropriétaire"* » (Mazeaud et Chabas, *Leçons*, t. 2, vol. 2, n° 1326, p. 49).
Angl. divided portion, exclusive portion+, private portion, specific portion.

PART VIRILE

Fraction obtenue en divisant également un tout entre plusieurs personnes. « [L'indivision] se manifeste par le droit de chaque indivisaire dans une fraction des biens indivis (la 1/2, le 1/3, le 1/5, etc. ...). Cette fraction peut constituer une part virile, c'est-à-dire que la part de chacun est la même. Mais, il peut s'agir aussi de parts inégales (par exemple, l'une peut avoir le 1/3 et l'autre les 2/3) » (Larroumet, *Droit civil*, t. 2, n° 290 *bis*, p. 180).
Rem. Du latin *virilis*, de *vir* : homme.
Syn. portion virile.
Angl. equal portion, equal share+, lawful portion, lawful share.

PASSAGE *n.m.*

V. droit de passage, servitude de passage.
Angl. way.

PASSAGER, ÈRE *n.*

(*Obl.*) Partie à un contrat de transport de personnes que le transporteur s'engage à

déplacer d'un lieu à un autre. « [...] la nature du lien contractuel entre le voiturier et le passager exige [...] la présence, dans le cercle contractuel, d'une obligation de sécurité [...] » (Crépeau, (1960-1961) 7 *McGill L.J.* 225, p. 240).
Occ. Art. 1682, 2461, 2462 C. civ.
Syn. voyageur[1]. **V.a.** contrat de transport de passagers.
Angl. passenger.

PASSIF, IVE *adj.*

V. indivisibilité passive, servitude passive, solidarité passive, sujet passif.

PASSIF *n.m.*

(*Biens*) Ensemble des obligations[3] d'une personne ayant une valeur pécuniaire. « [Le] passif est *indissolublement lié à l'actif.* Toute transmission du patrimoine se traduit par une acquisition, à la fois, de biens et de dettes : ainsi en est-il en matière de succession, au profit et à la charge de l'héritier » (Flour et Aubert, *Obligations*, n° 29, p. 19).
Occ. Art. 884 C. civ.
Rem. Le passif constitue l'une des deux composantes du patrimoine, l'autre étant l'actif.
Opp. actif.
Angl. liabilities.

PATERNEL, ELLE *adj.*

(*Pers.*) V. filiation paternelle, puissance paternelle.

PATERNITÉ *n.f.*

1. État, qualité de père.
Opp. maternité[1].
Angl. paternity[1].

2. (*Pers.*) Lien de parenté qui unit le père à son enfant[1]. « En raison des difficultés d'une preuve *directe* de la réalité et de la date de la paternité, de l'impossibilité dans laquelle le législateur s'est trouvé d'exiger une preuve directe, certaine, de la paternité, le droit a recouru à un système de présomptions » (Weill et Terré, *Personnes*, n° 498, p. 495).
Occ. Art. 575, 577, 580, 589 C. civ. Q.
Opp. maternité[2]. **V.a.** action en contestation de paternité, action en désaveu de paternité, contestation de paternité, désaveu de paternité, filiation[1+], filiation paternelle, présomption de paternité, reconnaissance de maternité ou de paternité.
Angl. paternal filiation, paternity[2+].

PATRIMOINE *n.m.*

Ensemble des biens[1] et des obligations[3] d'une personne ayant une valeur pécuniaire. « La distinction du droit réel et du droit personnel forme l'arête du droit du patrimoine [...] » (Carbonnier, *Droit civil*, t. 3, n° 12, p. 61).
Occ. Art. 743 C. civ.
Rem. **1°** En doctrine classique, toute personne a un patrimoine et n'en a qu'un seul. Le patrimoine est indivisible et intransmissible entre vifs. Il constitue une universalité de droit : l'actif (les biens) répond du passif (les charges). **2°** Du latin *patrimonium* (de *pater* : père) : patrimoine; ensemble de biens appartenant au *pater familias*.
V.a. universalité de droit.
Angl. patrimony.

PATRIMOINE SOCIAL

(*Obl.*) Patrimoine d'une société[2] dotée de la personnalité morale. « Les apports de tous les associés n'ont pas nécessairement une valeur pécuniaire égale mais, une fois fournis, ils cessent d'appartenir aux associés et ils forment le patrimoine social de la société, c'est-à-dire les biens dont la société est propriétaire pour elle-même » (Bohémier et Côté, *Droit commercial*, t. 2, p. 17).
Rem. Le patrimoine social est constitué des apports des associés et des droits que la société acquiert, ainsi que des obligations qu'elle contracte durant son existence.
Syn. fonds commun, fonds social.
Angl. partnership patrimony.

PATRIMONIAL, ALE *adj.*

Qui se rapporte au patrimoine. « Les droits patrimoniaux, que l'on appelle aussi "biens", tels que le droit de propriété ou les droits de créance, sont dans le "commerce juridique" » (Starck, *Introduction*, n° 167, p. 175).
Opp. extrapatrimonial. **V.a.** dommage patrimonial, droit patrimonial, préjudice patrimonial.
Angl. patrimonial.

PAULIEN, IENNE *adj.*

(*Obl.*) V. action paulienne, fraude paulienne.

PAYÉ, ÉE *n.*

(*Obl.*) *Néol.* Syn. *accipiens*.
Angl. *accipiens*+, payee.

PAYEMENT *n.m.*

(*Obl.*) Syn. paiement.
Angl. payment.

PAYER *v.tr.*

(*Obl.*) Effectuer un paiement. « Le paiement pour être juridiquement valable doit se conformer aux exigences de la loi (*art. 1139 et s. C.c.*). Celui qui paye (*solvens*), comme celui qui reçoit le paiement (*accipiens*) doivent justifier de leur qualité réciproque à donner et à recevoir » (Baudouin, *Obligations*, n° 606, p. 367).
Syn. acquitter, régler[1].
Angl. acquit[1], pay+, settle[1].

PAYEUR, EUSE *n.*

(*Obl.*) *Néol.* Syn. *solvens*.
Angl. payer, *solvens*+.

PÉCUNIAIRE *adj.*

V. dommage pécuniaire, intérêt pécuniaire, obligation pécuniaire, préjudice pécuniaire.

PÉNAL, ALE *adj.*

(*Obl.*) V. clause pénale, droit pénal, responsabilité pénale.

PENDANT, ANTE *adj.*

(*Obl.*) V. condition pendante.

PENDENTE CONDITIONE *loc.adv.* (latin)

(*Obl.*) Locution indiquant la période durant laquelle la condition est pendante. « [...] *pendente conditione*, l'obligation n'existe pas encore [...] » (Mazeaud et Chabas, *Leçons*, t. 2, vol. 1, n° 1031, p. 1100).
V.a. condition pendante.
Angl. *pendente conditione.*

PENITUS EXTRANEUS *loc.nom.m.* (latin)

(*Obl.*) Tiers complètement étranger à un contrat en ce qu'il n'y a participé ni par lui-même ni par représentant et qu'il n'est ni ayant cause ni créancier de l'une ou de l'autre des parties. « Il s'agira ici des tiers *penitus extranei*. Ce sont les tiers véritables. Il est des ayants cause dont on dit, en certains cas, qu'ils sont tiers par rapport à la convention qu'a passée leur auteur. Mais ils n'ont pas véritablement la qualité de tiers » (Carbonnier, *Droit civil*, t. 4, n° 56, p. 229).
Rem. **1°** Le *penitus extraneus* (littéralement : entièrement étranger) peut être qualifié de tiers absolu ou tiers complet par opposition à l'ayant cause et au créancier qui, tout en étant des tiers relativement au contrat, ont, par ailleurs, des rapports juridiques avec un contractant. **2°** Voir les art. 1023, 1028 et 1030 C. civ. **3°** Les auteurs utilisent généralement cette expression au pluriel : *penitus extranei*.
Angl. *penitus extraneus.*

PÈRE *n.m.*

(*Pers.*) Ascendant masculin au premier degré. « Le souci du législateur est de

donner un père à l'enfant, non plus pour garantir sa légitimité, mais pour assurer sa subsistance; il veut par ailleurs éviter qu'il en ait deux : abondance de pères peut nuire! » (Ouellette, *Famille*, p. 93). *En bon père de famille.*
Occ. Art. 578 C. civ. Q.
Rem. Voir les art. 574 et s. C. civ. Q.
Opp. mère. **V.a.** parent[2].
Angl. father.

PÈRE DE FAMILLE

V. bon père de famille, destination du père de famille, servitude par destination du père de famille.

PÉREMPTION *n.f.*

Anéantissement d'un acte ou d'un droit résultant de l'inaction du bénéficiaire pendant un certain temps. « Après trente ans à compter de la date de leur enregistrement, les privilèges et hypothèques sont éteints, sauf renouvellement [...] L'enregistrement est radié sur production d'une réquisition notariée en minute par une personne intéressée, faisant état de la péremption [...] » (Lamontagne, *R.D.*, Titres immobiliers — Doctrine — Doc. 13, n° 160). *Péremption des privilèges et des hypothèques*; *péremption de l'instance* (art. 2226 C. civ.); *invoquer la péremption.*
Occ. Art. 266 à 269 C. proc. civ.
Rem. 1° Voir l'art. 2081*a* C. civ. 2° Du latin *peremptio*, de *perimere* : détruire, anéantir.
V.a. caducité, déchéance[1], prescription extinctive.
Angl. peremption.

PÉREMPTION D'INSTANCE

(*D. jud.*) Anéantissement d'une instance résultant du défaut, pendant un an, du demandeur de poursuivre les procédures commencées. « La péremption d'instance trouve son fondement juridique dans l'intention présumée du poursuivant d'abandonner sa poursuite [...] » (Anctil, *Commentaires*, t. 1, p. 360).
Occ. Titre précédant l'art. 265 C. proc. civ.
Rem. La péremption d'instance n'a pas lieu de plein droit; elle doit être prononcée par le tribunal à la demande du défendeur (art. 265, 268 C. proc. civ.).
Angl. peremption of suit.

PÉRIMÉ, ÉE *adj.*

Qui est frappé de péremption. « [...] la péremption ne pourra pas courir [...] dans le cas où la faute n'est pas imputable au demandeur, mais au défendeur [...]. Ainsi le défendeur qui obtient la permission d'interroger le poursuivant et qui n'y procède pas, ne pourra pas laisser écouler le délai de péremption et faire une demande pour faire déclarer la cause périmée [...] » (Anctil, *Commentaires*, t. 1, p. 367). *Requête périmée, poursuite périmée.*
Occ. Art. 2233*a*, 2265 C. civ.; art. 265 C. proc. civ.
Angl. perempted.

PÉRIODE PRÉCONTRACTUELLE

(*Obl.*) Période d'élaboration du contrat qui se situe entre le moment où une proposition initiale de contracter est faite et le moment de la conclusion du contrat. « [...] le contractant doit s'engager en connaissance de cause. Pour ce faire, il doit dans la période précontractuelle avoir en mains tous les éléments d'information importants à sa prise de décision » (Baudouin, *Obligations*, n° 225, p. 163).
Rem. La proposition initiale de contracter peut être une invitation à entrer en pourparlers ou une offre véritable.
V.a. faute précontractuelle, obligation précontractuelle, responsabilité précontractuelle.
Angl. precontractual period.

PÉRIODIQUE *adj.*

V. dommage périodique, paiement périodique.

PERPÉTUEL, ELLE *adj.*

1. Qui est établi pour une durée illimitée. « La servitude réelle doit être consentie dans l'idée de durer un temps illimité parce qu'elle est rattachée à un héritage et non à un individu et que le fonds est de nature perpétuelle. La servitude réelle est donc **perpétuelle** mais non pas éternelle. Elle peut durer indéfiniment ou jusqu'à son abandon » (Goulet, Robinson et Shelton, *Domaine privé*, p. 224). *Concession perpétuelle.*
Occ. Art. 352 C. civ.
Rem. Le droit de propriété est perpétuel.
Opp. temporaire. **V.a.** copropriété perpétuelle, droit perpétuel, rente perpétuelle.
Angl. perpetual[1].

2. Qui ne s'éteint pas par le non-usage; imprescriptible. « [...] le caractère perpétuel de la propriété signifie que le droit de propriété ne peut pas être perdu par non usage et qu'il doit durer autant que dure la chose sur laquelle il porte » (Larroumet, *Droit civil*, t. 2, n° 257, p. 150).
Rem. En ce sens, le droit de propriété est perpétuel, alors que ses démembrements ne le sont pas.
Angl. perpetual[2].

3. Syn. viager. « [...] l'employeur ne pourrait pas décider unilatéralement de renvoyer son employé (sans juste cause), sous le prétexte qu'il s'agit d'un contrat perpétuel; lorsqu'il a accepté l'engagement de l'employé, lui-même a accepté d'utiliser les services dudit employé jusqu'à la mort de celui-ci [...] » (Pineau et Burman, *Obligations*, n° 196, p. 276).
Rem. L'emploi de ce terme est réservé à certaines expressions telle *peine perpétuelle* et *engagement perpétuel.*
Angl. life.

PERPÉTUEL (EN) *loc.adv.*

Syn. perpétuellement.
Occ. Art. 1789, 1790 C. civ.
Angl. in perpetuity, perpetually+.

PERPÉTUELLE DEMEURE (À) *loc.adv.*

(*Biens*) En permanence et pour un temps indéfini. « Une machine [...] placée pour l'exploitation d'un fonds, avec l'idée de la laisser tant qu'elle sera en état de fonctionner de façon utile ou profitable, [bien] que l'on puisse prévoir un temps où elle sera désuète, ne cesse pas pour cette raison d'être affectée à l'immeuble à perpétuelle demeure au sens légal de cette expression » (*Sherbrooke (Cité de)* c. *Commissaires d'écoles de Sherbrooke*, [1957] R.C.S. 476, p. 495, j. R. Taschereau). *Attaché à perpétuelle demeure.*
Occ. Art. 377, 379, 380 C. civ.
Angl. for a permanency.

PERPÉTUELLEMENT *adv.*

D'une manière perpétuelle. « [...] le droit de conserver une chose est un aspect de la libre transmissibilité et rien ne s'oppose à ce que la chose soit perpétuellement conservée par le propriétaire ou ses héritiers. Cela est matériellement possible » (Larroumet, *Droit civil*, t. 2, n° 253, p. 149).
Syn. perpétuel (en).
Angl. in perpetuity, perpetually+.

PERPÉTUITÉ *n.f.*

Qualité de ce qui est perpétuel. « La servitude a un caractère de perpétuité : elle reste attachée au fonds dominant et au fonds servant, malgré les changements de propriétaires » (Martineau, *Biens*, p. 132).
Rem. Du latin *perpetuitas* : continuité.
Angl. perpetuity.

PERSONNALISME *n.m.*

(*D. int. pr.*) Doctrine favorisant l'extension du statut personnel. Par ex., le personnalisme de Mancini. « [...] dans le système pur de la personnalité des lois, ce sont *toutes* les matières qui sont soumises à la loi personnelle, alors que le personnalisme admet

des exceptions nombreuses » (Mayer, *Droit int. privé*, n° 50, p. 32).
Rem. 1° Cette doctrine a connu sa vogue au début du siècle. 2° Selon cette tendance, la loi personnelle est rattachée à la nationalité, non au domicile.
Opp. territorialisme[1]. **V.a.** personnalité des lois[1].
Angl. personalism.

PERSONNALITÉ *n.f.*

(*Pers.*) Syn. personnalité juridique[1]. « Il est de tradition de rattacher à la personnalité la notion de *patrimoine* [...] » (Planiol et Ripert, *Traité*, t. 1, n° 8, p. 8).
V.a. droit de la personnalité.
Angl. juridical personality[1]+, personality.

PERSONNALITÉ CIVILE

(*Pers.*) Syn. personnalité morale.
Angl. artificial personality, civil personality, jural personality, juridical personality[2], legal personality+.

PERSONNALITÉ DES LOIS

1. (*D. int. pr.*) Principe selon lequel, sur un même territoire, les individus se trouvent régis en toutes matières, ou en certaines d'entre elles, par la loi de leur groupe ethnique. « [...] le système de la personnalité des lois exclut par essence tout conflit de lois véritable, car il est impensable *a priori* d'appliquer à un individu la loi d'un autre groupe ethnique que le sien » (Mayer, *Droit int. privé*, n° 50, p. 32).
Rem. Ce système a prévalu en Europe, notamment durant le Haut Moyen Âge, à une époque où l'État n'existait pas encore.
Opp. territorialité des lois[1]. **V.a.** extraterritorialité[1], loi extraterritoriale[1].
Angl. personality of laws[1].

2. (*D. int. pr.*) Syn. extraterritorialité[2]. « [...] on qualifia de *personnelles*, c'est-à-dire attachées à la personne, les dispositions coutumières de nature à s'étendre au-delà du territoire. Telle a été la genèse de la personnalité des lois qui forme l'un des éléments de la théorie des statuts [...] » (Lainé, *Introduction*, t. 1, p. 64).
Angl. extraterritoriality[2]+, personality of laws[2].

PERSONNALITÉ FICTIVE

(*Pers.*) Syn. personnalité morale.
Angl. artificial personality, civil personality, jural personality, juridical personality[2], legal personality+.

PERSONNALITÉ JURIDIQUE

1. (*Pers.*) Aptitude à être sujet de droit. « La personnalité juridique est inhérente à l'être humain » (Cornu, *Introduction*, n° 472, p. 162).
Occ. Art. 18 C. civ.
Rem. 1° La personnalité juridique est reconnue aux personnes physiques; elle est attribuée aux personnes morales. 2° Les opinions sont partagées quant à savoir à quel moment un individu acquiert la personnalité juridique : soit à la conception, soit au moment de la naissance.
Syn. personnalité.
Angl. juridical personality[1]+, personality.

2. (*Pers.*) Syn. personnalité morale.
Angl. artificial personality, civil personality, jural personality, juridical personality[2], legal personality+.

PERSONNALITÉ MORALE

(*Pers.*) Personnalité de la personne morale. « Il n'existe donc pas une personnalité morale, mais *une gamme de personnalités morales*, dont l'étendue varie avec l'approbation donnée par le législateur au but qu'elles poursuivent, ou avec la forme qu'elles adoptent » (Mazeaud et Chabas, *Leçons*, t. 1, vol. 2, n° 758, p. 858).
Syn. personnalité civile, personnalité fictive, personnalité juridique[2].
Angl. artificial personality, civil personality, jural personality, juridical personality[2], legal personality+.

PERSONNE *n.f.*

(*Pers.*) Titulaire de droits ou d'obligations. « Nous sommes des citoyens, des administrés, des contribuables, des justiciables, des consommateurs; au regard du droit civil, nous sommes des *personnes* [...] » (Cornu, *Introduction*, n° 453, p. 153).
Occ. Art. 3, *Charte des droits et libertés de la personne*, L.R.Q., chap. C-12.
Rem. **1°** On distingue la personne physique et la personne morale (art. 356 C. civ.). **2°** Du latin *persona* : masque de l'acteur, rôle, caractère (au théâtre), d'où le rôle que joue la personne sur la scène juridique.
Syn. personne juridique[1], sujet de droit. **Opp.** objet de droit. **V.a.** contrat de transport de personnes, droits de la personne, erreur sur la personne, interposition de personnes, offre à personne déterminée, offre à personne indéterminée, responsabilité du fait des personnes, tutelle à la personne.
Angl. juridical person[1], person[+], subject of law, subject of rights.

PERSONNE CIVILE

(*Pers.*) Syn. personne morale. « La loi crée, dans certains cas, des *personnes fictives ou civiles* » (Mignault, *Droit civil*, t. 1, p. 129).
Angl. artificial person, civil person, fictitious person, ideal person, juridical person[2], legal person[+], moral person.

PERSONNE FICTIVE

(*Pers.*) Syn. personne morale.
Occ. Art. 356 C. civ.
Angl. artificial person, civil person, fictitious person, ideal person, juridical person[2], legal person[+], moral person.

PERSONNE INTERPOSÉE

(*Obl.*) Personne qui, dans une opération de simulation, figure en apparence comme partie à un acte juridique, alors que c'est une autre qui y est véritablement partie. « Une personne figurant comme partie à l'acte apparent, il est convenu, par la contre-lettre, qu'une autre recueillera le profit ou subira la charge de l'opération. On dit que la première est personne interposée, par rapport à la seconde » (Flour et Aubert, *Obligations*, vol. 1, n° 379, p. 315-316).
Occ. Art. 774 C. civ.
V.a. interposition de personnes.
Angl. interposed person[+], person interposed.

PERSONNE JURIDIQUE

1. (*Pers.*) Syn. personne.
Angl. juridical person[1], person[+], subject of law, subject of rights.

2. (*Pers.*) Syn. personne morale. « [...] lorsqu'il est doté de la personnalité morale, un groupement est reconnu comme une personne juridique [...] » (Cornu, *Introduction*, n° 801, p. 266).
Angl. artificial person, civil person, fictitious person, ideal person, juridical person[2], legal person[+], moral person.

PERSONNEL, ELLE *adj.*

1. (*Obl.*) Qui permet d'exiger une prestation, à propos d'un droit[2] à caractère patrimonial. « [...] le droit personnel se manifeste à travers un rapport d'obligation qui comporte deux sujets : un créancier, le sujet actif, et un débiteur, le sujet passif. C'est la raison pour laquelle on qualifie le plus souvent le droit personnel de droit de créance » (Larroumet, *Droit civil*, t. 1, n° 512, p. 311).
Opp. réel[1]. **V.a.** action personnelle, droit personnel, obligationnel, obligation personnelle.
Angl. personal[1].

2. Relatif à une personne, par opposition à une autre.
V.a. dommage personnel, fait personnel, faute personnelle, garantie du fait personnel, préjudice personnel, responsabilité du

fait personnel, responsabilité personnelle, sûreté personnelle.
Angl. personal[2].

3. (*D. int. pr.*) Relatif à l'état des personnes.
Opp. réel[3]. **V.a.** loi personnelle, statut personnel.
Angl. personal[3].

4. Relatif à une personne, par opposition à un bien.
Opp. réel[4]. **V.a.** caution personnelle, servitude personnelle, subrogation personnelle.
Angl. personal[4].

5. Attaché exclusivement à la personne du titulaire et, partant, intransmissible.
V.a. charge personnelle, *intuitus personae*.
Angl. personal[5].

6. **F.f.** louage de services personnels.
Angl. personal[6](x).

PERSONNE MORALE

(*Pers.*) Personne autre qu'une personne physique « Le statut juridique des personnes morales [...] s'inspire, dans une mesure assez large quoique variable, de celui des personnes physiques, qui sont les sujets de droits par excellence » (Azard et Bisson, *Droit civil*, t. 1, n° 13, p. 11).
Occ. Art. 1380 par. 3 C. civ. Q.; art. 16, *Charte de la langue française*, L.R.Q., chap. C-11.
Rem. Un certain nombre de textes emploient le terme *personne morale* plutôt que *corporation* (ainsi, la *Loi modifiant la Loi sur les corporations commerciales canadiennes*, S.C. 1978-79, chap. 9, annexe, art. 3); cela ne crée guère de difficultés dans un système qui ne reconnaîtrait pas la personnalité morale à d'autres sujets qu'aux corporations. Mais le droit québécois reconnaît d'autres personnes morales que les corporations, à savoir la société en nom collectif et la société en commandite.
Syn. personne civile, personne fictive, personne juridique[2]. **Opp.** personne physique.
Angl. artificial person, civil person, fictitious person, ideal person, juridical person[2], legal person+, moral person.

PERSONNE PHYSIQUE

(*Pers.*) Être humain. « Il est certain qu'il y a entre la condition des personnes morales et celle des personnes physiques de nombreux points communs, ne fussent que ceux tenant à la qualité commune de sujets actifs et passifs de droits » (Marty et Raynaud, *Personnes*, n° 823, p. 925).
Opp. personne morale.
Angl. natural person, physical person+.

PERSONNE RAISONNABLE

(*Obl.*) Type abstrait d'une personne qui, dans l'exécution de ses devoirs, agit avec prudence et diligence.
Occ. Art. 1348 C. civ. Q.
Syn. bon père de famille, *bonus pater familias*. **V.a.** obligation de moyens.
Angl. *bon père de famille*, *bonus pater familias*, prudent administrator(<)+, reasonable person+.

PERTE *n.f.*

1. Fait de ne plus avoir quelque chose. *Perte de la possession.*
Angl. loss[1].

2. (*Obl.*) Appauvrissement du patrimoine. « L'indemnité doit représenter aussi exactement que possible le dommage réel subi par le créancier. Ce dommage peut se composer de deux éléments [...] d'une part, la *perte faite*, c'est-à-dire l'appauvrissement subi par le patrimoine du créancier; d'autre part, le *gain manqué* » (Ripert et Boulanger, *Traité*, t. 2, n° 826, p. 305).
Occ. Art. 1073 C. civ.
Opp. gain. **V.a.** *damnum emergens*, dommages-intérêts.
Angl. loss[2].

PERTE DE LA CHOSE DUE

(*Obl.*) Destruction ou disparition de la chose qui constitue l'objet de la prestation. « [...] l'impossibilité d'exécution par suite de force majeure éteint l'obligation sans qu'il y ait lieu à dommages-intérêts (c'est la solution que donne l'a. 1302 [art. 1200 C. civ.] pour une hypothèse concrète : la perte de la chose due) » (Carbonnier, *Droit civil*, t. 4, n° 82, p. 341).
Rem. **1°** La perte de la chose due par suite d'un cas fortuit libère en principe le débiteur de son obligation; toutefois, dans les contrats synallagmatiques, la question se pose de savoir si le cocontractant demeure tenu d'exécuter l'obligation corrélative. C'est la théorie des risques. **2°** La perte de la chose due peut être totale ou partielle. À la perte partielle, on assimile la détérioration de la chose.
V.a. théorie des risques⁺.
Angl. loss of a thing due.

PERTE D'UNE CHANCE

(*Obl.*) Disparition d'une éventualité favorable. Par ex., une chance d'obtenir un emploi, une chance de guérison, une chance d'obtenir des secours alimentaires. « Même si le dommage éventuel ne peut pas être réparé, tous les auteurs admettent que la perte d'une chance peut constituer un dommage véritable susceptible de réparation » (Pineau et Ouellette, *Responsabilité*, p. 20).
Rem. La perte d'une chance de gain peut en soi constituer, dans le patrimoine, une valeur certaine qui doit être évaluée d'après un calcul des probabilités en tenant compte de l'aléa influant sur la réalisation de l'avantage escompté.
Angl. loss of a chance.

PÉTITOIRE *n.m.*

(*Biens*) Syn. action pétitoire. « [...] la séparation entre le possessoire et le pétitoire et l'interdiction de cumuler l'un et l'autre [...] s'opposent à ce que le jugement possessoire ait une autorité quelconque au pétitoire exercé ultérieurement [...] » (Solus et Perrot, *Droit judiciaire*, t. 1, n° 214 bis, p. 191).
Occ. Art. 772 C. proc. civ.
Rem. Du latin *petitorius*, de *petere* : chercher à obtenir; demander.
Angl. petitory action.

PHYSIQUE *adj.*

V. cause physique, garde physique.

PIERRE-BORNE *n.f.*

(*Biens*) Syn. borne.
Angl. boundary-marker⁺, boundary-stone.

PIGNORATIF, IVE *adj.*

(*Obl.*) Qui a trait au gage ou à l'antichrèse.
Rem. Du latin *pignus* : gage.
V.a. contrat pignoratif.
Angl. pignorative.

PLAN *n.m.*

Document donnant la représentation graphique, à une certaine échelle, d'un objet, d'une construction, d'un terrain ou d'un ensemble de constructions ou de terrains. « Le plan, qui est généralement préparé par un architecte, indique l'aspect détaillé de l'édifice ou de l'ouvrage, tandis que le devis contient la description, l'étendue, les dimensions et les proportions des travaux à faire, la quantité et la qualité des matériaux à employer, et le prix probable de ces matériaux et de la main d'oeuvre » (Faribault, dans *Traité*, t. 12, p. 449). *Plan d'architecte, plan cadastral, plan et devis, dresser un plan.*
Occ. Art. 1690, 2166, 2167 C. civ.
V.a. cadastre.
Angl. plan.

PLEIN DROIT (DE) *loc.adv.*

(*Obl.*) V. de plein droit.

PLEINE PROPRIÉTÉ

(*Biens*) Syn. droit de propriété. « L'usufruit étant éteint, le nu-propriétaire a désormais la pleine propriété » (Marty et Raynaud, *Biens*, n° 82, p. 130).
Rem. On emploie ce terme uniquement lorsqu'on veut l'opposer à propriété démembrée, en particulier à nue-propriété.
Angl. full ownership, ownership, property^3, right of ownership$^+$.

PLEIN PROPRIÉTAIRE

(*Biens*) Titulaire de la pleine propriété. « L'usufruitier peut *renoncer à l'usufruit*. Cette renonciation peut être consentie à titre gratuit ou à titre onéreux. C'est au nu-propriétaire qui devient plein propriétaire qu'elle profite » (Mazeaud et Chabas, *Leçons*, t. 2, vol. 2, n° 1682, p. 357).
Opp. nu-propriétaire.
Angl. full owner.

PLENO JURE *loc.adv.* (latin)

Syn. de plein droit.
Angl. *de plano*, *pleno jure*, right (of)$^+$.

PLURAL, ALE *adj.*

V. obligation plurale.

PLURILATÉRAL, ALE *adj.*

(*Obl.*) V. acte plurilatéral.

PLUS-VALUE *n.f.*

(*Biens*) Augmentation de la valeur d'un bien d'une date à une autre. « **Plus-value** — Il peut arriver que l'acheteur souffre un dommage du fait qu'il est privé, par l'éviction, d'une chose dont la valeur avait augmenté depuis la vente; cette augmentation peut résulter, soit d'améliorations réalisées par l'acquéreur, soit d'un événement fortuit indépendant de son fait, telle l'ouverture d'une rue [...] » (Planiol et Ripert, *Traité*, t. 10, n° 117, p. 126).
Occ. Art. 2010, 2013, 2013*b* C. civ.
Rem. **1°** Voir les art. 417 al. 3 et 1514 C. civ. **2°** La plus-value peut résulter de diverses causes : améliorations apportées au bien ou à l'environnement dans lequel il se trouve, travaux publics, phénomènes économiques.
Opp. moins-value. **V.a.** améliorations utiles, impenses utiles.
Angl. additional value$^+$, increased value.

POINT DE LOCALISATION

(*D. int. pr.*) Syn. facteur de rattachement.
Angl. connecting circumstances, connecting criterion, connecting element, connecting factor$^+$, connecting point, element of localization, point of localization.

POINT DE RATTACHEMENT

(*D. int. pr.*) Syn. facteur de rattachement. « La "circonstance de rattachement" est [...] de manière apparemment anarchique, appelée "élément", "facteur", "critère" ou encore "point" de rattachement, cette dernière expression étant [...] d'origine allemande [...] » (Francescakis, dans *Encyclopédie*, v° Conflits de lois, n° 155).
Angl. connecting circumstances, connecting criterion, connecting element, connecting factor$^+$, connecting point, element of localization, point of localization.

POLICE *n.f.*

V. loi de police, loi de police et de sûreté.

POLITIQUE *adj.*

V. capacité politique, droit politique, ordre public politique, ordre public politique et moral.

POLLICITANT, ANTE *n.*

(*Obl.*) Syn. offrant. « [...] s'il y a offre véritable, l'acceptation forme le contrat et le pollicitant est, alors, lié et tenu d'exécuter » (Pineau et Burman, *Obligations*, n° 36, p. 53).
Angl. offeror.

POLLICITATION *n.f.*

(*Obl.*) Syn. offre. « [...] l'une des parties va prendre l'initiative en proposant à l'autre de contracter [...] la proposition est une offre — ou pollicitation [...] » (Pineau et Burman, *Obligations*, n° 34, p. 51-52).
Angl. offer.

POLLICITÉ, ÉE *n.*

(*Obl.*) *Néol.* Syn. destinataire[1].
Angl. offeree.

PORTABLE *adj.*

(*Obl.*) Qui doit être payé au domicile du créancier. « [...] le principe veut que le paiement se fasse au domicile du débiteur : on dit qu'il est quérable et non point portable » (Pineau et Burman, *Obligations*, n° 238, p. 326). *Dette portable.*
Occ. Art. 2219 C. civ.
Rem. **1°** Voir l'art. 1152 C. civ. **2°** Dans des cas d'exception, le débiteur doit aller porter ce qu'il doit.
Opp. quérable. **V.a.** créance portable, dette portable.
Angl. portable.

PORTE-FORT *n.inv.*

1. (*Obl.*) Syn. promesse de porte-fort. *Des porte-fort.*
Angl. *porte-fort*[1], promise for another[2](x), promise of *porte-fort*+.

2. (*Obl.*) Partie à une promesse de porte-fort qui promet à l'autre qu'un tiers s'obligera envers cette dernière. « Si le tiers refuse de s'engager, le porte-fort doit en principe des dommages-intérêts, car sa propre obligation a été inexécutée » (Colin et Capitant, *Traité*, t. 2, n° 1001, p. 558).
Syn. promettant[3].
Angl. *porte-fort*[2]+, promisor[3].

PORTER FORT (SE) *v.pronom.*

(*Obl.*) Promettre à une personne qu'un tiers s'obligera envers elle. « Celui qui se porte fort n'engage pas autrui, il promet personnellement d'obtenir l'engagement ou le fait d'un tiers » (Marty et Raynaud, *Obligations*, t. 1, n° 276, p. 292).

PORTION VIRILE

Syn. part virile. « [...] la rédaction de notre article [art. 738 C. civ.] échappe au reproche que l'on adresse à la rédaction de l'article 873 du code Napoléon. Ce dernier article dit que les héritiers sont tenus personnellement *pour leur part et portion virile.* Cette expression est inexacte, car, prise au pied de la lettre, elle signifierait que les dettes se divisent également parmi les héritiers d'après leur nombre, *pro numero virorum* » (Mignault, *Droit civil*, t. 3, p. 584-585).
Angl. equal portion, equal share+, lawful portion, lawful share.

POSITIF, IVE *adj.*

V. condition positive, droit positif.

POSSÉDER *v.tr.*

(*Biens*) Avoir la possession. « Puisque la possession se présente comme l'exercice de fait d'un droit réel, il s'ensuit que seules peuvent être possédées les choses qui peuvent faire l'objet du droit dont la possession constitue l'exercice » (Martineau, *Prescription*, n° 50, p. 51). *Posséder pour autrui; posséder pour soi.*
Occ. Art. 2194, 2195 C. civ.
Angl. possess.

POSSESSEUR, EURE *n.*

(*Biens*) Personne qui a la possession. « [...] le propriétaire du terrain devient propriétaire de tous les ouvrages au fur et à mesure de l'avancement des travaux, qu'il soit ou non possesseur du terrain [...] » (Mazeaud et Chabas, *Leçons*, t. 2. vol. 2, n° 1592, p. 285).
Occ. Art. 417, 1745 C. civ.
F.f. détenteur[3].
Angl. holder[3](x), possessor+.

POSSESSEUR ACTUEL

(*Biens*) Personne qui a la possession actuelle. « Le possesseur doit prouver la continuité de sa possession [...] il faut qu'il démontre qu'il est un possesseur actuel, c'est-à-dire qu'il prouve sa possession au moment où la prescription s'est accomplie » (Mignault, *Droit civil*, t. 9, p. 362).
Occ. Art. 2199 C. civ.
Angl. actual possessor, present possessor+.

POSSESSEUR À TITRE DE PROPRIÉTAIRE

(*Biens*) Personne qui a la possession[1] à titre de propriétaire. « [...] un usurpateur s'empare de mauvaise foi de la chose d'autrui, mais il se conduit en propriétaire, il accomplit à l'égard de cette chose des actes de maître, c'est un possesseur à titre de propriétaire » (Mignault, *Droit civil*, t. 9, p. 367-368).
Occ. Art. 2058 C. civ.
Angl. possessor holding as owner, possessor holding as proprietor+.

POSSESSEUR DE BONNE FOI

(*Biens*) Personne qui a une possession de bonne foi. « La possession, quand elle n'est pas viciée, produit toujours un certain nombre d'effets juridiques, que le possesseur soit de bonne ou de mauvaise foi. Mais *plusieurs effets sont réservés au possesseur de bonne foi* » (Mazeaud et Chabas, *Leçons*, t. 2, vol. 2, n° 1447, p. 174).
Occ. Art. 411, 417, 2268 C. civ.
Opp. possesseur de mauvaise foi.
Angl. good faith possessor, possessor in good faith+.

POSSESSEUR DE MAUVAISE FOI

(*Biens*) Personne qui a une possession de mauvaise foi. « [...] la possession qui dure trente ans rend le possesseur titulaire du droit qu'il se trouvait, de fait, à exercer. C'est la prescription acquisitive de trente ans qui profite aussi bien au possesseur de mauvaise foi qu'au possesseur de bonne foi (art. 2242 C.C.) » (Martineau, *Prescription*, n° 105, p. 100).
Occ. Art. 417 C. civ.
Opp. possesseur de bonne foi.
Angl. bad faith possessor, possessor in bad faith+.

POSSESSEUR PRÉCAIRE

(*Biens*) Syn. détenteur[2]. « Le fait de *ne pas posséder à titre de propriétaire* constitue non pas seulement un vice, mais l'absence de la possession; faute d'*animus domini*, l'occupant n'est que détenteur; le détenteur, ou possesseur précaire, n'est pas possesseur » (Mazeaud et Chabas, *Leçons*, t. 2, vol. 2, n° 1434, p. 169).
Occ. Art. 2206 C. civ.
Angl. detentor[2], holder[2]+, precarious holder, precarious possessor.

POSSESSION *n.f.*

1. (*Biens*) Exercice de fait, par le possesseur ou par une autre personne, d'un droit réel dont il se prétend titulaire. « Une analyse traditionnelle distingue dans la possession deux éléments : le *corpus* ou élément matériel, l'*animus* ou élément psychologique [...] L'*animus*, suivant l'opinion la plus courante, est l'*animus domini*, la volonté de se comporter sur la chose comme un propriétaire [...] » (Carbonnier, *Droit civil*, t. 3, n° 41, p. 183-184). *Entrer en possession, prendre possession, rentrer en possession,*

reprendre possession; prise de possession, mise en possession, possession vaut titre.
Occ. Art. 2192 C. civ.
Rem. Autrefois, lorsque la possession portait sur un droit réel autre que la propriété, on l'appelait *quasi-possession.*
Syn. possession *animo domini*, possession à titre de propriétaire, possession civile, possession juridique. **Opp.** détention[2]. **V.a.** jonction des possessions, vice de la possession.
Angl. civil possession, juridical possession, legal possession, possession[1+], possession *animo domini*, possession as owner.

2. (*Biens*) (X) V. détention[1]. « On appelle *possession*, dans le sens le plus large de cette expression, l'état ou la relation de fait qui donne à une personne la possibilité physique, actuelle et exclusive, d'exercer sur une chose des actes matériels d'usage, de jouissance, ou de transformation » (Aubry et Rau, *Droit civil*, t. 2, n° 74, p. 115).
Occ. Art. 2203 C. civ.
Rem. L'emploie du terme *possession* dans ce sens est incorrect puisque la possession requiert l'*animus*.
Angl. actual possession, detention[1+], possession[2](x).

POSSESSION ACTUELLE

1. (*Biens*) Possession[1] présente, par opposition à la possession passée ou future. « Le possesseur qui invoque une prescription de trente ans fait la preuve de sa possession actuelle et il établit qu'il possédait il y a trente ans ou plus — *anciennement*, selon l'expression du Code [art. 2199 C. civ.]; ce possesseur est présumé avoir possédé de façon continue pendant toute la période intermédiaire » (Martineau, *Prescription*, n° 90, p. 86).
Rem. Voir l'art. 2199 C. civ.
Angl. present possession.

2. (*Biens*) (X) *Angl.* V. détention[1].
Occ. Art. 1027, 1478, 1493, 2268 C. civ.
Rem. À l'art. 1141 C. civ. fr., qui est à l'origine de l'art. 1027 C. civ., on retrouve l'expression juste *possession réelle.*
Angl. actual possession, detention[1+], possession[2](x).

POSSESSION *ANIMO DOMINI* (latin)

(*Biens*) Syn. possession[1]. « En fait, les expressions possession *à titre de propriétaire* et possession *animo domini* désignent simplement la véritable possession, comportant ses éléments constitutifs essentiels; plus précisément, ces expressions se réfèrent à l'existence de l'*animus* » (Martineau, *Prescription*, n° 54, p. 55).
Angl. civil possession, juridical possession, legal possession, possession[1+], possession *animo domini*, possession as owner.

POSSESSION *ANIMO SOLO* (latin)

(*Biens*) Possession[1] dans laquelle le possesseur d'un immeuble cesse d'accomplir les actes matériels qui constituent l'élément matériel de la possession (*corpus*), tout en conservant l'intention de posséder (*animus*). « **La discontinuité et la possession "*solo animo*"**. [...] Aux termes d'une règle, qui remonte au droit romain, [...] il est possible de posséder un immeuble *solo animo*, [...] tant qu'une autre personne *n'a pas accompli pendant une année* des actes de maître sur l'immeuble » (Mazeaud et Chabas, *Leçons*, t. 2, vol. 2, p. 178).
Rem. **1°** La notion de possession *animo solo* n'est admise qu'en matière immobilière. **2°** Lorsqu'il est établi qu'on a commencé à avoir la possession d'un immeuble, on ne perd pas cette possession par le seul fait de ne pas accomplir les actes matériels qui constituent le *corpus*; on continue alors à posséder *animo solo*. **3°** Lorsqu'un tiers s'empare de l'immeuble, le possesseur dépouillé ne perd sa possession qu'à l'expiration d'une année à compter du début de l'occupation du tiers. Pendant cette année, il possède *animo solo* et est admis à exercer les actions possessoires qui protègent sa

possession (art. 770 à 772 C. proc. civ.). **4°** On écrit indifféremment *possession* animo solo ou *possession* solo animo.
V.a. interruption naturelle[1].
Angl. *animo solo* possession, possession *animo solo*+.

POSSESSION À TITRE DE PROPRIÉTAIRE

(*Biens*) Syn. possession[1]. « Lorsque l'*animus* s'unit au *corpus*, on qualifie souvent la possession qui en résulte de possession *animo domini* ou de possession *à titre de propriétaire* » (Martineau, *Prescription*, n° 54, p. 54).
Rem. Voir l'art. 2193 C. civ.
Angl. civil possession, juridical possession, legal possession, possession[1]+, possession *animo domini*, possession as owner.

POSSESSION CIVILE

(*Biens*) Syn. possession[1]. « La possession qui [...] est protégée par la loi et qui, notamment, sert de base à la prescription acquisitive, est qualifiée de possession juridique ou de possession civile » (Martineau, *Prescription*, n° 40, p. 41).
Opp. possession naturelle.
Angl. civil possession, juridical possession, legal possession, possession[1]+, possession *animo domini*, possession as owner.

POSSESSION CLANDESTINE

(*Biens*) Possession[1] entachée de clandestinité. « La possession des meubles est susceptible d'être viciée par clandestinité : le voleur qui dissimule la chose volée, est un possesseur clandestin. Il est plus difficile d'imaginer une possession clandestine des immeubles [...] » (Mazeaud et Chabas, *Leçons*, t. 2, vol. 2, n° 1436, p. 170).
Opp. possession publique. **V.a.** possession viciée.
Angl. clandestine possession.

POSSESSION CONTINUE

(*Biens*) Possession[1] qui se manifeste au moyen d'actes que le possesseur accomplit de façon régulière, sans intervalle anormal, comme le ferait le titulaire du droit. « La possession continue correspond à l'usage normal, à l'utilisation naturelle régulière et ordinaire des choses » (Cornu, *Introduction*, n° 1146, p. 360).
Occ. Art. 924, Projet de loi 125.
Rem. **1°** Pour que la possession soit continue, il n'est pas nécessaire qu'il n'y ait aucune intermittence dans l'accomplissement des actes de possession. Il suffit que le possesseur ait accompli de tels actes dans toutes les occasions où, habituellement, ils sont accomplis. À cette fin, on tient compte de la nature et de la destination de la chose possédée. **2°** Voir les art. 2193, 2199 C. civ.
Opp. possession discontinue. **V.a.** possession utile.
Angl. continuous possession.

POSSESSION *CORPORE ALIENO* (latin)

(*Biens*) Caractère de la possession[1] lorsque le possesseur possède par l'entremise d'un autre. Par ex., dans le cas d'une chose donnée à bail, le locataire est un détenteur qui tient matériellement la chose pour le compte du locateur; le locateur possède par l'intermédiaire du locataire. « La possession "corpore alieno" — [...] *il n'est pas nécessaire que le possesseur exerce lui-même le corpus*. On dit alors qu'il possède *corpore alieno* » (Mazeaud et Chabas, *Leçons*, t. 2, vol. 2, n° 1420, p. 158).
Angl. *corpore alieno* possession.

POSSESSION DE BONNE FOI

(*Biens*) Possession[1] de celui qui se croit titulaire du droit qu'il exerce de fait. « [...] il convient de distinguer entre les effets attachés en principe à toute possession, abstraction faite de la bonne ou mauvaise

foi du possesseur et les effets spéciaux de la possession de bonne foi » (Marty et Raynaud, *Biens*, n° 26, p. 24).
Rem. On rattache trois effets particuliers à la possession de bonne foi. D'abord, en matière immobilière, le possesseur d'un immeuble corporel, aux conditions prévues à l'art. 2251 C. civ., peut bénéficier d'une prescription abrégée de dix ans. Ensuite, en matière mobilière, on reconnaît une prescription abrégée de trois ans; le possesseur peut même, dans les circonstances prévues à l'art. 2268 C. civ., devenir immédiatement propriétaire, indépendamment de la prescription. Enfin, selon l'art. 411 C. civ., le possesseur acquiert la propriété des fruits de la chose possédée.
Opp. possession de mauvaise foi. **V.a.** bonne foi[2].
Angl. good faith possession, possession in good faith+.

POSSESSION DE MAUVAISE FOI

(*Biens*) Possession[1] de celui qui sait n'être pas titulaire du droit qu'il exerce de fait. « La possession de mauvaise foi produit trois effets : 1° *elle confère au possesseur toutes les actions possessoires* ; 2° *elle donne le rôle de défendeur dans l'action en revendication* par laquelle sera tranchée la question de propriété; 3° *elle fait acquérir par la prescription trentenaire la propriété de la chose possédée* » (Mazeaud et Chabas, *Leçons*, t. 2, vol. 2, n° 1450, p. 175).
Opp. possession de bonne foi. **V.a.** mauvaise foi[2].
Angl. bad faith possession, possession in bad faith+.

POSSESSION D'ÉTAT

(*Pers.*) Situation juridique d'une personne qui exerce de fait des prérogative rattachées à un état civil donné et se comporte comme le titulaire véritable de ces prérogatives. « À la différence des présomptions relatives à la durée de la grossesse dont l'application tend à rechercher la vérité biologique, la possession d'état correspond à une réalité sociologique qui peut être différente. [...] chaque fois que les liens du sang sont trop douteux pour asseoir une filiation, la loi se réfère à d'autres liens, affectifs, tissés par la vie quotidienne, qui normalement constituent l'apparence de l'état d'une personne » (Bénabent, *Famille*, n° 411, p. 320). *Possession constante d'état* (art. 572 C. civ. Q.).
Occ. Art. 422, 587, 588, 591 C. civ. Q.
Rem. **1°** Le Code civil distingue la possession d'état d'époux et la possession d'état d'enfant. **2°** Traditionnellement, la possession d'état s'établissait par la réunion de trois éléments constitutifs : le nom ou *nomen*, fait de porter le nom qui correspond à l'état que l'on prétend avoir, le comportement ou *tractatus*, fait de se comporter comme mari et femme ou fait, pour l'enfant, d'être traité par ses prétendus parents comme leur propre enfant, et la renommée ou *fama*, fait d'être considéré par la société et la famille comme possédant l'état que l'on prétend avoir. Depuis que l'enfant peut porter le nom de son père ou de sa mère et que l'épouse conserve son nom, le premier élément, le nom, a perdu de son importance.
V.a. action en contestation d'état, action en réclamation d'état.
Angl. possession of status.

POSSESSION D'ÉTAT D'ENFANT

(*Pers.*) Situation juridique d'une personne qui exerce de fait les prérogatives rattachées à une filiation donnée et se comporte comme le titulaire véritable de ces prérogatives. « Traditionnellement, pour qu'il y ait possession d'état d'enfant, on exigeait la réunion de trois éléments : [...] le premier était le **nom**, l'enfant devant porter le nom de son père. Cet élément a toutefois perdu de son importance puisque l'enfant peut porter indifféremment le nom de son père ou le nom de sa mère d'après la nouvelle législation [...] Le deuxième élément est le **traitement** : l'enfant doit être traité par les parents prétendus comme s'il était leur pro-

pre enfant [...] Enfin, le dernier élément est la **réputation**. L'ensemble de l'entourage doit considérer que l'enfant est celui des personnes qui l'ont traité comme leur enfant » (Castelli, *Famille*, p. 158).
Rem. **1°** Voir l'art. 573 C. civ. Q. **2°** La possession d'état d'enfant est une présomption légale qui vient au deuxième rang après l'acte de naissance pour prouver la filiation. **3°** Cette présomption ne joue que si la possession d'état d'enfant est constante (art. 572 al. 2 C. civ. Q.).
Angl. possession of status of a child.

POSSESSION D'ÉTAT D'ÉPOUX

(*Pers.*) Situation juridique d'une personne qui exerce de fait les prérogatives rattachées à l'état civil d'époux et se comporte comme le titulaire véritable de ces prérogatives. « **La possession d'état d'époux n'a [...] qu'un effet, c'est celui de permettre de suppléer au défaut de forme de l'acte.** Cette situation suppose que l'on a un acte de mariage qui présenterait un défaut de forme tel qu'il ne serait pas valable » (Castelli, *Famille*, p. 40).
Occ. Art. 422 C. civ. Q.
Angl. possession of status of a spouse.

POSSESSION DISCONTINUE

(*Biens*) Possession[1] exercée au moyen d'actes accomplis par le possesseur, de façon irrégulière, avec des intervalles anormaux. « *Possession discontinue.* — La possession est discontinue lorsque le possesseur n'accomplit les actes de maître sur la chose, le *corpus*, que par intermittence [...] plus exactement *quand il n'accomplit pas ces actes avec la même régularité qu'un propriétaire* » (Mazeaud et Chabas, *Leçons*, t. 2, vol. 2, n° 1442, p. 173).
Opp. possession continue. **V.a.** possession viciée.
Angl. discontinuous possession.

POSSESSION ÉQUIVOQUE

(*Biens*) Possession[1] qui se manifeste au moyen d'actes susceptibles d'être interprétés de diverses façons et ne révélant pas nécessairement chez le possesseur la prétention à un droit exclusif. Par ex., si quelqu'un ne fait que passer régulièrement sur un terrain voisin du sien, son comportement n'indique pas nécessairement la volonté d'exercer le droit de propriété sur ce terrain, mais peut correspondre à l'exercice d'une servitude de passage; sa possession, relativement au droit de propriété est équivoque. « *Possession équivoque ou non équivoque.* L'équivoque plane sur la possession lorsque les faits de possession ne livrent pas, de façon explicite et certaine, le titre auquel ils sont accomplis. Les tiers peuvent s'y tromper. La possession n'est pas univoque. On peut l'interpréter de diverses façons. Le comportement du possesseur est ambigu : À quel titre agit-il? » (Cornu, *Introduction*, n° 1150, p. 361).
Opp. possession non équivoque. **V.a.** possession viciée.
Angl. equivocal possession.

POSSESSION IMMÉMORIALE

(*Biens* et *Prescr.*) Possession[1] dont le début remonte à une époque tellement lointaine qu'aucune personne vivante ne peut attester son origine. « Sous l'ancien droit, il fallait, dans certains cas, une possession de cent ans ou une possession immémoriale pour mettre définitivement le possesseur à l'abri de toute revendication. Depuis le Code, la prescription de trente ans est la prescription de droit commun et c'est celle qui s'applique à tous les cas pour lesquels on exigeait, auparavant, une prescription de plus longue durée » (Martineau, *Prescription*, n° 108, p. 103).
Rem. Voir les art. 549, 2245, 2270 C. civ.
Angl. immemorial possession.

POSSESSION JURIDIQUE

(*Biens*) Syn. possession[1]. « [...] dans tout le Projet de Code civil le mot "possession" désigne exclusivement la possession juridique et il n'est jamais employé pour désigner la possession qualifiée de précaire ou de

naturelle; dans ce dernier cas, on emploie exclusivement le terme "détention" » (O.R.C.C., *Commentaires*, t. 1, p. 391).
Opp. possession naturelle.
Angl. civil possession, juridical possession, legal possession, possession[1]+, possession *animo domini*, possession as owner.

POSSESSION NATURELLE

(*Biens*) Syn. détention[2]. « [...] les expressions *possession naturelle* ou *possession précaire* désignent une réalité distincte qui se nomme la *détention* » (Martineau, *Prescription*, n° 40, p. 41).
Opp. possession civile, possession juridique.
Angl. detention[2]+, precarious detention(x), precarious possession, simple detention.

POSSESSION NON ÉQUIVOQUE

(*Biens*) Possession[1] qui se manifeste au moyen d'actes révélant hors de tout doute la volonté du possesseur d'être titulaire du droit qu'il exerce de fait.
Rem. Voir l'art. 2193 C. civ.
Opp. possession équivoque. **V.a.** possession utile.
Angl. unequivocal possession.

POSSESSION NON INTERROMPUE

(*Biens*) (X) V. interruption de la prescription.
Rem. **1°** Même si l'art. 2193 C. civ., qui énumère les qualités que la possession doit avoir, mentionne que la possession doit être non interrompue, cette expression doit être évitée. On y fait allusion à la notion d'interruption de la prescription (art. 2222 et s. C. civ.) et non à celle d'interruption de la possession (il s'agirait plutôt de discontinuité de la possession, ce que prévoit déjà l'art. 2193 C. civ.). **2°** Certains estiment que l'expression *interruption de la possession* peut être légitimement employée en matière d'accession.
Angl. interruption (of prescription)+, uninterrupted possession(x).

POSSESSION PAISIBLE

(*Biens*) Possession[1] obtenue sans que le possesseur ait eu recours à des voies de fait ou à des menaces. « [...] des arrêts ont admis qu'une possession, paisible à son début, n'est pas viciée si le possesseur résiste par la force à celui qui veut l'expulser, fût-ce au vrai propriétaire » (Colin et Capitant, *Traité*, t. 2, n° 397, p. 219).
Occ. Art. 762 C. civ.
Rem. Voir l'art 2193 C. civ.
Opp. possession violente. **V.a.** possession utile.
Angl. peaceable possession.

POSSESSION PRÉCAIRE

(*Biens*) Syn. détention[2]. « La possession précaire ou simple détention ne produit pas les effets de la possession [...] » (Planiol et Ripert, *Traité*, t. 3, n° 163, p. 178).
Occ. Art. 777 C. civ.
Angl. detention[2]+, precarious detention(x), precarious possession, simple detention.

POSSESSION PUBLIQUE

(*Biens*) Possession[1] qui s'exerce au vu et au su des personnes à qui elle peut être opposée.
Occ. Art. 808 C. civ.
Opp. possession clandestine. **V.a.** possession utile.
Angl. public possession.

POSSESSION RÉELLE

(*Biens*) Syn. détention[1].
Rem. Voir l'art. 2099 C. civ.
Angl. actual possession, detention[1]+, possession[2](x).

POSSESSION UTILE

(*Biens*) Possession[1] comportant les qualités requises par la loi pour produire des

effets juridiques. « *Possession utile et possession vicieuse.* La possession est dite utile, *utile ad usucapionem*, c'est-à-dire qu'elle peut fonder une prescription acquisitive, quand elle présente certaines qualités, qu'énumère l'a. 2229 [art. 2193 C. civ.]. De l'énumération [...] il faut retrancher deux termes : non interrompue, à titre de propriétaire [...] Restent donc quatre qualités (paisible, publique, continue, non équivoque), qui sont comme le revers de quatre vices » (Carbonnier, *Droit civil*, t. 3, n° 42, p. 185-186).
Occ. Art. 2198, 2203, 2251 C. civ.
Rem. Malgré la formulation de l'art. 2193 C. civ., les qualités qu'il mentionne sont requises non seulement pour que la possession puisse servir de fondement à l'usucapion, mais aussi pour qu'elle puisse produire les autres effets que la loi y attache.
Opp. possession viciée. **V.a.** possession continue, possession non équivoque, possession paisible, possession publique.
Angl. effective possession.

POSSESSION VICIÉE

(*Biens*) Possession[1] qui ne comporte pas toutes les qualités requises par la loi pour produire des effets juridiques.
Rem. **1°** La possession qui n'est pas continue, paisible, publique, non équivoque est une possession entachée d'un vice, une possession viciée. **2°** On rencontre la forme *possession vicieuse.*
Opp. possession utile. **V.a.** possession clandestine, possession discontinue, possession équivoque, possession violente, vice de la possession.
Angl. defective possession+, vitiated possession.

POSSESSION VIOLENTE

(*Biens*) Possession[1] obtenue au moyen de voies de fait ou de menaces. « La possession est violente lorsque le possesseur est entré *et* se maintient en possession par violence continue. Le vice originaire de violence n'est pas indélébile. Une possession, violente à ses origines, peut fonder une prescription une fois que la violence a cessé, si le propriétaire reste dans l'inaction [...] » (Cornu, *Introduction*, n° 1147, p. 360).
Rem. Voir les art. 2197, 2198 C. civ.
Opp. possession paisible. **V.a.** possession viciée.
Angl. violent possession.

POSSESSOIRE *n.m.*

(*Biens*) Syn. action possessoire.
Occ. Art. 772 C. proc. civ.
V.a. constitut possessoire.
Angl. possessory action.

POTESTATIF, IVE *adj.*

(*Obl.*) Qui dépend de la volonté d'une personne.
Syn. facultatif. **V.a.** condition potestative, condition purement potestative, condition simplement potestative.
Angl. facultative, potestative+.

POUR ACQUIT *loc.adv.*

V. acquit (pour).

POURPARLERS *n.m.pl.*

(*Obl.*) Échange de vues dans le but de conclure un contrat. « Il faut que le contenu de l'acceptation soit identique à celui de l'offre. Si l'acceptation a été assortie de réserves [...] le contrat ne se forme pas : le destinataire de l'offre a formulé, en réalité, des contrepropositions, est devenu pollicitant à son tour et doit attendre l'acceptation de l'autre partie. Ainsi s'amorcent les pourparlers, qui préparent le contrat, mais ne sont pas encore le contrat » (Carbonnier, *Droit civil*, t. 4, n° 17, p. 83). *Invitation à entrer en pourparlers.*
Rem. **1°** Malgré son étymologie, le terme *pourparlers* peut s'appliquer aux échanges de vues exprimés par écrit. **2°** Le terme

s'emploie presque toujours au pluriel.
V.a. période précontractuelle.
Angl. negotiation.

POUVOIR EN BLANC

(*Obl.*) Mandat[2] accordé à un mandataire qui doit être désigné par une autre personne que le mandant. « L'*acceptation* par le mandataire de l'offre que lui adresse le mandant, est nécessaire à la conclusion du contrat de mandat. [...] Parfois le mandant ne connaît pas le mandataire lorsqu'il fait son offre; il donne pouvoir à quelqu'un qui sera désigné par une autre personne ("*pouvoir en blanc*") » (Mazeaud et Chabas, *Leçons*, t. 3, vol. 2, 2e part., n° 1390-1, p. 853).
Angl. *pouvoir en blanc.*

PRAETER LEGEM *loc.adv.* (latin)

À côté, au delà de la loi[1], à propos de l'application d'une coutume ou d'un usage. Par ex., la coutume comme source du droit, à côté de la loi[2]. « En fait, les cas d'intervention d'une coutume *praeter legem* sont très rares en droit civil parce que, quand une question soulève des conflits d'intérêts importants, elle est réglée par la loi ou par la jurisprudence avant qu'une coutume ait eu le temps de se former » (Weill et Terré, *Introduction*, n° 192, p. 201).
Opp. *contra legem, secundum legem.*
Angl. *praeter legem.*

PRATICIEN, IENNE *n.*

Personne qui s'adonne à la pratique[1] de sa profession. Par ex., le notaire, l'avocat, le médecin, l'arpenteur-géomètre. « Quand nous nous référons au praticien, nous avons en vue le notaire dans le sens véritable du terme : conseiller juridique et rédacteur des conventions entre particuliers. L'avocat est aussi un praticien du droit. Mais, par vocation, l'avocat a comme première mission le règlement des conflits et des litiges » (Comtois (1974-1975) *R. du N.* 151).
Occ. Art. 44.1, 415, 425, 810 C. proc. civ.; art 2, *Loi sur le Notariat*, L.R.Q., chap. N-2.
Rem. Ce terme est utilisé pour désigner la personne chargée d'établir ou de vérifier les comptes ou les chiffres lorsqu'il s'agit de matières qui comportent une reddition de compte ou un règlement de compte, qui exigent des calculs ou qui se rapportent à un partage de biens (art. 414 al. 2 C. proc. civ.).
Angl. practitioner.

PRATIQUE *n.f.*

1. Application concrète des règles d'une discipline relevant d'une profession. Par ex., la pratique du droit. « Le contrat est sans doute la principale "source" de la pratique en droit québécois. Loi entre les parties, [sous réserve du respect de l'ordre public et des bonnes mœurs] il est privilégié pour répondre aux besoins grandissants et diversifiés des justiciables » (Ouellette, (1984) 14 *R.D.U.S.* 455, p. 460).
Occ. Art. 279 C. proc. civ.
V.a. praticien.
Angl. practice[1].

2. (*D. jud.*) (X) *Angl.* V. procédure[1]. Par ex., les *Règles de pratique de la Cour supérieure du Québec en matières civiles.*
Angl. practice[2], procedure[1+].

PRÉCAIRE *adj.*

(*Biens*) Qui présente le caractère de précarité. « Souvent [...] on donne aux détenteurs le nom de possesseurs précaires ou possesseurs à titre précaire » (Planiol et Ripert, *Traité*, t. 3, n° 159, p. 175).
Occ. Art. 2206 C. civ.
V.a. détenteur précaire, détention précaire, possesseur précaire, possession précaire.
Angl. precarious.

PRÉCAIREMENT *adv.*

(*Biens*) À titre précaire. « [...] le titre du détenteur précaire peut consister dans un

contrat ou dans un testament ou résulter d'une disposition de la loi ou d'une décision judiciaire. Ainsi, le locataire ou l'emprunteur détiennent précairement en vertu d'un contrat [...] » (Martineau, *Prescription*, n° 65, p. 64).
Occ. Art. 2203 C. civ.
Angl. precariously.

PRÉCARITÉ *n.f.*

(*Biens*) Attribut de la détention[2], consistant en la reconnaissance du droit d'autrui. « La précarité résulte [...] de l'existence d'une obligation de restitution contractée par le détenteur relativement à la chose qu'il détient [...] » (Planiol et Ripert, *Traité*, t. 3, n° 164, p. 178-179).
Occ. Art. 2206 C. civ.
Rem. Du latin *precarius* (rac. *prex* : prière) : obtenu par prière; donné par complaisance, d'où mal assuré, passager.
Angl. precariousness, precarity+.

PRÉCEPTE JURIDIQUE

Syn. règle de droit. « [...] le précepte juridique n'est ni une règle de salut, ni une loi d'amour : c'est un facteur d'ordre, un régulateur de la vie sociale [...] » (Cornu, *Introduction*, n° 23, p. 21).
Angl. juridical precept, juridical rule+, law[3], legal rule.

PRÉCONTRACTUEL, ELLE *adj.*

(*Obl.*) V. faute précontractuelle, responsabilité précontractuelle.

PRÉDIAL, ALE *adj.*

V. servitude prédiale.
Rem. Du latin *praedium* : héritage, propriété, bien-fonds.

PRÉEMPTER *v.tr.*

(*Obl.*) Exercer le droit de préemption.
Angl. preempt.

PRÉEMPTEUR, EUSE *n.*

(*Obl.*) *Néol.* Celui qui acquiert par voie de préemption. « Informé de la cession du bien concerné le titulaire du droit de préemption peut acheter à la place du cessionnaire [...] Le préempteur peut ainsi se substituer à l'acquéreur dans le contrat de vente » (Ghestin, *Contrat*, n° 902, p. 1044).
Angl. preemptor.

PRÉEMPTION *n.f.*

(*Obl.*) Acte juridique par lequel une personne exerce un droit d'acheter un bien par préférence, c'est-à-dire un droit de préemption[1].
Rem. Du latin *prae* : devant, et *emptio* : achat.
V.a. clause de préemption, droit de préemption.
Angl. preemption.

PRÉFÉRENCE *n.f.*

V. droit de préférence, pacte de préférence.
Angl. preference.

PRÉFÉRENTIEL, IELLE *adj.*

V. attribution préférentielle, droit préférentiel de souscription.

PRÉFIX, IXE *adj.*

Vieilli. Fixé à l'avance.
Rem. Cet adjectif ne s'emploie que dans l'expression *délai préfix*.

PRÉJUDICE *n.m.*

(*Obl.*) Syn. dommage. « L'indemnité doit être proportionnée au préjudice subi, non à la gravité de la faute commise » (*Corriveau* c. *Pelletier*, [1981] C.A. 347, p. 354, j. A. Mayrand). *Causer (un) préjudice; réparer un préjudice.*
Occ. Art. 2563 C. civ.
Angl. damage+, harm, injury, loss[3], prejudice, wrong[2].

PRÉJUDICE ACTUEL

(*Obl.*) Syn. dommage actuel.
Opp. préjudice futur.
Angl. present damage.

PRÉJUDICE CERTAIN

(*Obl.*) Syn. dommage certain. « Seul le préjudice certain fait l'objet d'une réparation civile » (Nadeau et Nadeau, *Responsabilité*, n° 580, p. 543).
Angl. certain damage.

PRÉJUDICE COLLECTIF

(*Obl.*) Syn. dommage collectif. « [...] le préjudice collectif n'est pas la simple somme de préjudices subis individuellement [...] » (Planiol et Ripert, *Traité*, t. 6, n° 661, p. 928).
Angl. collective damage.

PRÉJUDICE CORPOREL

Syn. dommage corporel.
Occ. Art. 2260*a* C. civ.
Angl. bodily injury+, corporal damage, corporal injury, personal injury[2].

PRÉJUDICE D'AFFECTION

(*Obl.*) Préjudice moral qui consiste en une atteinte aux sentiments d'affection d'une personne à l'égard de la victime de la faute d'un tiers. Par ex., le chagrin provoqué par la mort ou par l'invalidité d'un être cher. « Elle [la Cour de cassation] admet l'indemnisation du préjudice moral par ricochet (préjudice d'affection) » (Le Tourneau, *Responsabilité*, n° 537, p. 179).
V.a. *solatium doloris*[1].
Angl. injury to feelings[2]+, *solatium*.

PRÉJUDICE D'AGRÉMENT

(*Obl.*) Préjudice moral qui consiste en une privation des joies que l'on peut attendre de l'existence. Par ex., privation des joies découlant d'une activité intellectuelle, culturelle, sportive ou sociale; ennuis, inconvénients, frustrations résultant d'une atteinte à l'intégrité corporelle d'une personne. « Un autre chef de dommage dont l'importance s'est beaucoup accrue ces dernières années est le "préjudice d'agrément" [...] Il se définit aujourd'hui comme "la diminution des plaisirs de la vie causée notamment par l'impossibilité ou la difficulté de se livrer à certaines activités normales d'agrément" [...] » (Viney, *Responsabilité*, n° 265, p. 325-326).
Angl. loss of amenities.

PRÉJUDICE DIRECT

(*Obl.*) Syn. dommage direct. « Seul le préjudice direct pourra être réparé car, seul, il est rattaché par ce lien de cause à effet à l'acte illicite imputé au responsable » (Le Tourneau, *Responsabilité*, n° 623, p. 203).
Opp. préjudice indirect. **V.a.** préjudice initial.
Angl. direct damage.

PRÉJUDICE ÉCONOMIQUE

(*Obl.*) Syn. dommage matériel. « Le préjudice corporel est constitutif, très souvent, d'un préjudice économique, à raison de son retentissement sur la capacité de travail de la victime » (Le Tourneau, *Responsabilité*, n° 612, p. 200).
Angl. corporeal damage, material damage+, patrimonial damage, pecuniary damage.

PRÉJUDICE ESTHÉTIQUE

(*Obl.*) Préjudice moral qui consiste en une atteinte à l'apparence physique d'une personne. Par ex., le préjudice subi par la victime d'un accident du fait d'une cicatrice au visage. « Par sa nature extra patrimoniale, le préjudice esthétique se prête mal à une analyse quantitative » (Drouin-Barakett et Jobin, (1976) 17 *C. de D.* 965, p. 968).
Syn. dommage esthétique.
Angl. aesthetic damage+, aesthetic harm, aesthetic injury, aesthetic prejudice.

PRÉJUDICE ÉVENTUEL

(*Obl.*) Syn. dommage éventuel. « Que, pour être réparable, le préjudice doive être certain, relève tout simplement du bon sens. Vouloir indemniser un préjudice éventuel, ce serait prendre le risque d'enrichir sans cause la victime » (Chartier, *Réparation du préjudice*, n° 15, p. 21).
Opp. préjudice virtuel.
Angl. possible damage.

PRÉJUDICE EXTRAPATRIMONIAL

(*Obl.*) Syn. dommage moral. « Si l'on hésite dans certains cas à permettre la réparation d'un préjudice, c'est que ce préjudice n'entraîne pour la victime aucune conséquence pécuniaire, aucune diminution de son patrimoine. Là est le critère de la distinction. Il faut donc dire : le préjudice matériel, c'est le préjudice patrimonial; le préjudice moral, c'est le préjudice extrapatrimonial, "non-économique" » (Mazeaud et Tunc, *Traité*, t. 1, n° 293, p. 394).
Opp. préjudice patrimonial.
Angl. extrapatrimonial damage, injury to feelings[1], moral damage[+], non-pecuniary damage.

PRÉJUDICE EXTRAPÉCUNIAIRE

(*Obl.*) Syn. dommage moral. « Mais le dommage subi peut être, selon les cas, d'une nature très différente. Tantôt il atteint la victime pécuniairement; il se traduit par une diminution de son patrimoine. Tantôt, au contraire, il n'entraîne pas de perte en argent; la victime est frappée moralement, par exemple dans son honneur ou dans ses affections. Dans le premier cas, il y a préjudice matériel ou pécuniaire ou patrimonial; dans le second, préjudice moral ou extrapécuniaire ou extrapatrimonial » (Mazeaud et Tunc, *Traité*, t. 1, n° 214, p. 266).
Opp. préjudice pécuniaire.
Angl. extrapatrimonial damage, injury to feelings[1], moral damage[+], non-pecuniary damage.

PRÉJUDICE FUTUR

(*Obl.*) Syn. dommage futur. « Mais il importe peu que le préjudice [...] soit déjà réalisé ou qu'il doive seulement se produire dans l'avenir. Certes, lorsque le préjudice est actuel, la question ne se pose pas : son existence ne fait pas de doute. Mais un préjudice futur peut fort bien présenter les mêmes caractères de certitude » (Mazeaud et Tunc, *Traité*, t. 1, n° 216, p. 268).
Opp. préjudice actuel.
Angl. future damage.

PRÉJUDICE ILLICITE

(*Obl.*) Syn. dommage illicite.
Angl. illicit damage.

PRÉJUDICE INDIRECT

(*Obl.*) Syn. dommage indirect. « Si le préjudice indirect ne doit pas être réparé par le débiteur, c'est qu'il n'a pas un lien de causalité suffisant avec la faute commise par ce débiteur : avec l'inexécution de l'obligation » (Mazeaud, *Traité*, t. 2, n° 1670, p. 785-786).
Opp. préjudice direct. **V.a.** préjudice par ricochet.
Angl. indirect damage.

PRÉJUDICE INITIAL

(*Obl.*) Syn. dommage initial. « Lorsque la victime immédiate n'a subi que des blessures, entraînant une incapacité de travail, elle perçoit une indemnité compensatrice [...] Du fait même qu'il a été effacé, le préjudice initial ne "ricoche" pas [...] » (Flour et Aubert, *Obligations*, vol. 2, n° 644, p. 158).
Opp. préjudice par ricochet. **V.a.** préjudice direct.
Angl. initial damage.

PRÉJUDICE LICITE

(*Obl.*) Syn. dommage licite.
Angl. licit damage.

PRÉJUDICE MATÉRIEL

(*Obl.*) Syn. dommage matériel. « Lorsque ces "dommages par ricochet" consistent en un préjudice matériel, il n'est pas douteux que ceux qui en souffrent peuvent agir de leur propre chef en responsabilité » (Mazeaud, *Traité*, t. 2, n° 1873, p. 948).
Opp. préjudice moral.
Angl. corporeal damage, material damage+, patrimonial damage, pecuniary damage.

PRÉJUDICE MORAL

(*Obl.*) Syn. dommage moral. « Le principe du refus de l'indemnisation du préjudice moral pour lui-même subsiste donc en ce qui concerne le sentiment d'affection familiale » (Tancelin, *Jurisprudence*, p. 488).
Opp. préjudice matériel.
Angl. extrapatrimonial damage, injury to feelings[1], moral damage+, non-pecuniary damage.

PRÉJUDICE NON PÉCUNIAIRE

(*Obl.*) Syn. dommage moral. « La difficulté d'évaluer en argent un préjudice non pécuniaire tient à ce qu'il n'existe entre l'argent et ce préjudice aucune commune mesure » (*Corriveau* c. *Pelletier*, [1981] C.A. 347, p. 354, j. A. Mayrand).
Rem. Malgré la vogue récente de ce terme par suite de son emploi dans la version française d'arrêts rendus par la Cour suprême dans des affaires ne relevant pas du droit civil, notamment dans l'affaire *Arnold* c. *Teno*, [1978] 2 R.C.S. 287, p. 320, on ne voit pas pourquoi il faudrait abandonner la terminologie traditionnelle du droit civil, qui emploie plutôt *préjudice moral* ou *dommage moral*.
Opp. préjudice pécuniaire.
Angl. extrapatrimonial damage, injury to feelings[1], moral damage+, non-pecuniary damage.

PRÉJUDICE PAR RICOCHET

(*Obl.*) Syn. dommage par ricochet. « On remarquera enfin que rien ne s'oppose à ce que les parents puissent cumuler les avantages de l'action héréditaire et ceux de l'action propre pour préjudice par ricochet » (Mazeaud et Chabas, *Leçons*, t. 2, vol. 1, n° 607, p. 705).
Opp. préjudice initial. **V.a.** préjudice indirect.
Angl. rebounding damage+, ricochet damage.

PRÉJUDICE PATRIMONIAL

(*Obl.*) Syn. dommage matériel. « On entend par *préjudice matériel* celui qui se traduit par une perte évaluable pécuniairement, le *préjudice patrimonial* [...] » (Mazeaud et Chabas, *Leçons*, t. 2, vol. 1, n° 417, p. 405).
Opp. préjudice extrapatrimonial.
Angl. corporeal damage, material damage+, patrimonial damage, pecuniary damage.

PRÉJUDICE PÉCUNIAIRE

(*Obl.*) Syn. dommage matériel. « Il est rare qu'un préjudice moral ne soit pas doublé d'un préjudice matériel. Une blessure cause des souffrances à la victime : préjudice moral, mais aussi un préjudice pécuniaire : frais médicaux, incapacité de travail » (Mazeaud et Chabas, *Leçons*, t. 2, vol. 1, n° 417, p. 405).
Opp. préjudice extrapécuniaire, préjudice non pécuniaire.
Angl. corporeal damage, material damage+, patrimonial damage, pecuniary damage.

PRÉJUDICE PERSONNEL

(*Obl.*) Syn. dommage personnel[1]. « Il me paraît [...] conforme aux principes de notre droit civil qu'une personne puisse exiger réparation du préjudice personnel que lui cause un cocontractant ou l'auteur d'un délit en blessant son conjoint » (*Hôpital Notre-Dame de l'Espérance* c. *Laurent*, [1974] C.A. 543, p. 548, j. A. Mayrand).
Angl. personal damage+, personal harm, personal injury[1], personal prejudice.

PRÉJUDICE PSYCHOLOGIQUE

(*Obl.*) Syn. dommage psychologique. « L'incapacité partielle permanente dont souffre la demanderesse provient de l'anxiété qui diminue la jouissance de la vie : c'est le préjudice psychologique » (*Lacombe* c. *Avril*, [1983] C.S. 592, p. 594, j. C. Benoît).
Angl. psychological damage+, psychological harm.

PRÉJUDICE RÉFLÉCHI

(*Obl.*) Syn. dommage par ricochet. « Qu'un père de famille soit tué : ses proches — veuve, enfants mineurs — perdent les ressources que leur procurait son activité. On dira qu'ils subissent un préjudice "par ricochet", encore appelé préjudice "réfléchi" » (Flour et Aubert, *Obligations*, vol. 2, n° 634, p. 147).
Angl. rebounding damage+, ricochet damage.

PRÉJUDICE VIRTUEL

(*Obl.*) Syn. dommage virtuel.
Opp. préjudice éventuel.
Angl. probable damage.

PRÉLIMINAIRE *adj.*

(*D.jud.*) V. exception préliminaire, moyen préliminaire.

PRENDRE ACTE *loc.verb.*

(*Obl.*) Constater un fait, spécialement une déclaration d'une partie au cours d'un procès.
Angl. acknowledge[2].

PRENEUR, EUSE *n.*

(*Obl.*) Syn. locataire[1]. « À l'expiration de l'emphytéose, le preneur doit remettre au bailleur l'immeuble qu'il en avait reçu ainsi que les constructions et améliorations qu'il s'était engagé à y faire » (Montpetit et Taillefer, dans *Traité*, t. 3, p. 537).
Occ. Art. 573 C. civ.
Rem. Bien que d'un usage peu fréquent au Québec, ce terme s'emploie en matière de baux d'immeubles. Le Code civil ne l'utilise, en ce sens, qu'à propos du bail emphytéotique.
Opp. bailleur.
Angl. lessee[1]+, tenant(<)+.

PRENEUR À BAIL

(*Obl.*) Syn. locataire[1].
Angl. lessee[1]+, tenant(<)+.

PRENEUR PRIMITIF

(*Obl.*) Syn. locataire principal.
Angl. original lessee, principal lessee+.

PRÉPOSÉ, ÉE *n.*

(*Obl.*) Personne qui, sous l'autorité et le contrôle d'une autre, le *commettant*, exerce les fonctions que ce dernier lui a confiées. « Ce qui caractérise le lien de commettant à préposé, c'est [...] le pouvoir de direction, de surveillance et de contrôle, qui appartient au premier sur le second; c'est l'autorité et la subordination corrélative » (Carbonnier, *Droit civil*, t. 4, n° 101, p. 432).
Rem. **1°** Le dommage imputable au préposé dans l'exécution de ses fonctions entraîne, non seulement sa propre responsabilité, mais aussi celle du commettant. **2°** Le terme *préposé* comprend les domestiques et ouvriers mentionnés à l'art. 1054 C. civ.
V.a. employé°, ouvrier[2].
Angl. employee[1].

PRÉPOSÉ HABITUEL

(*Obl.*) Préposé qui travaille ordinairement sous les ordres d'un commettant, bien qu'il puisse, pour un temps, être subordonné à l'autorité d'un autre commettant. « La Cour de cassation a posé un principe : si, pour un temps ou pour une opération déterminée, le commettant met son préposé habituel à la disposition d'une autre personne [...] la responsabilité se déplace et n'incombe plus qu'au second commettant » (Le Tourneau, *Responsabilité*, n° 2157, p. 691).

Opp. préposé occasionnel[2]. **V.a.** commettant habituel.
Angl. habitual employee.

PRÉPOSÉ OCCASIONNEL

1. (*Obl.*) Préposé pour une fonction de courte durée. « Les relations de travail ne sont pas [...] nécessaires à l'existence du lien de préposition. Ainsi, il a été jugé maintes fois que celui qui agit *occasionnellement*, moyennant rémunération ou, même [...] sans rémunération, pour le compte d'un *ami* devient son préposé, dans le cadre de la fonction ainsi assumée. Il en est de même de l'épouse qui agit pour le compte de son époux [...], de l'enfant qui agit pour remplir une mission que lui confie son père [...] Dans ces divers cas on se trouve en présence de ce qu'on appelle des "*préposés occasionnels*" qui ne sont pas économiquement ou socialement subordonnés. On y retrouve, cependant, à la fois les idées de fonction et de subordination juridique » (Starck, *Obligations*, t. 1, n° 663, p. 318).
V.a. commettant occasionnel[1].
Angl. occasional employee[1], temporary employee[1]+.

2. (*Obl.*) Préposé qui est temporairement placé par son commettant habituel au service d'un autre commettant. « Puisqu'une personne peut être le préposé occasionnel d'une autre, il n'est pas impossible qu'un individu préposé habituel de telle personne soit momentanément le préposé d'une tierce personne » (Pineau et Ouellette, *Responsabilité*, p. 101).
Opp. préposé habituel. **V.a.** commettant occasionnel[2].
Angl. occasional employee[2], temporary employee[2]+.

PRÉPOSITION *n.f.*

V. lien de préposition, rapport de préposition.
Angl. *préposition.*

PRESCRIPTIBILITÉ *n.f.*

(*Prescr.*) Caractère de ce qui est prescriptible.
Opp. imprescriptibilité.
Angl. prescriptibility.

PRESCRIPTIBLE *adj.*

(*Prescr.*) Qui peut faire l'objet d'une prescription.
Occ. Art. 2245, 2265 C. civ.
Opp. imprescriptible.
Angl. prescriptible.

PRESCRIPTION *n.f.*

(*Prescr.*) Moyen d'acquérir[1] ou de se libérer par un certain laps de temps et sous les conditions déterminées par la loi. « [...] la prescription, dans sa généralité, présente cette double particularité qu'elle est à la fois un mode d'acquérir, c'est la *prescription acquisitive* et un moyen de se libérer, et alors on l'appelle la *prescription libératoire* ou *extinctive* » (Mignault, *Droit civil*, t. 9, p. 335). *Acquérir, interrompre, suspendre la prescription; renoncer à la prescription acquise; l'accomplissement de la prescription; la prescription court à compter de ...; prescription décennale.*
Occ. Art. 2183 C. civ.
V.a. accomplissement de la prescription, courte prescription, interruption de la prescription, renonciation à la prescription, suspension de la prescription.
Angl. prescription.

PRESCRIPTION ABRÉGÉE

(*Prescr.*) Prescription acquisitive ou extinctive qui s'accomplit par un délai de moins de trente ans. « La prescription [acquisitive] abrégée de dix ans [...] ne joue qu'en matière immobilière; pour les meubles, le législateur a prévu une prescription abrégée de trois ans [...] » (Martineau, *Prescription*, n° 112, p. 107).
Rem. Les prescriptions acquisitives abrégées sont prévues aux art. 2251 et 2268 C.

civ.; les prescriptions extinctives abrégées sont régies par les art. 2251, 2258 à 2262 C. civ.
Opp. prescription de droit commun.
V.a. courte prescription.
Angl. abridged prescription.

PRESCRIPTION ACCOMPLIE

(*Prescr.*) Syn. prescription acquise. « La prescription accomplie n'opère pas de plein droit [...] Pour qu'elle produise ses effets, il faut : 1° *Que le débiteur l'invoque* [...]; 2° *Que le débiteur n'y renonce pas* [...] » (Carbonnier, *Droit civil*, t. 4, n° 139, p. 618).
Angl. acquired prescription+, completed prescription, prescription acquired.

PRESCRIPTION ACQUISE

(*Prescr.*) Prescription qui est réalisée, le temps requis par la loi étant écoulé. « La renonciation à la prescription acquise est valable. Elle apparaît comme le refus par le possesseur de se prévaloir d'un moyen d'enrichissement que la loi lui donne » (Ripert et Boulanger, *Traité*, t. 2, n° 2745, p. 956).
Occ. Art. 2184, 2186, 2229, 2246 C. civ.
Syn. prescription accomplie. **V.a.** accomplissement de la prescription.
Angl. acquired prescription+, completed prescription, prescription acquired.

PRESCRIPTION ACQUISITIVE

(*Prescr.*) Prescription par laquelle on acquiert la propriété, ainsi que certains autres droits réels, par suite d'une possession[1] prolongée pendant un temps déterminé par la loi. « Le but de la prescription acquisitive est [...] de consolider les situations de fait qui se sont prolongées; la simple situation de fait devient, en plus, une situation de droit [...] Le possesseur qui n'était pas propriétaire le devient » (Martineau, *Prescription*, n° 10, p. 17).
Occ. Art. 2183 C. civ.
Syn. usucapion. **Opp.** prescription extinctive.
Angl. acquisitive prescription+, positive prescription, usucapion.

PRESCRIPTION COURTE

(*Prescr.*) Syn. courte prescription. « [...] la prescription courte s'accomplit même à l'encontre des incapables, elle doit être appliquée d'office par le tribunal, et quand elle est acquise elle éteint si complètement la dette que cette dette ne peut renaître que par l'effet d'une obligation nouvelle » (Mignault, *Droit civil*, t. 9, p. 518).
Angl. short prescription.

PRESCRIPTION DE DROIT COMMUN

(*Prescr.*) Prescription acquisitive ou extinctive qui s'accomplit par un délai de trente ans. « *La prescription de trente ans est la prescription de droit commun : elle s'applique sauf disposition contraire fixant un délai plus bref* » (Mazeaud et Chabas, *Leçons*, t. 2, vol. 1, n° 1173, p. 1210).
Rem. Voir l'art. 2242 C. civ.
Opp. prescription abrégée.
Angl. prescription of common law, prescription of *droit commun*, prescription of the general law+.

PRESCRIPTION EXTINCTIVE

(*Prescr.*) Prescription ayant pour effet d'éteindre un droit[2] par suite du défaut par son titulaire de l'exercer pendant le temps fixé par la loi. « [...] ce sont des raisons d'utilité pratique et d'intérêt social qui ont incité le législateur à reconnaître la prescription extinctive même si celle-ci, à première vue, semble constituer une spoliation » (Martineau, *Prescription*, n° 233, p. 241).
Occ. Art. 2183 C. civ.
Rem. Dans certains cas, la prescription n'éteint que le droit d'action, ne laissant subsister que le droit seul.

Syn. prescription libératoire. **Opp.** délai préfix, prescription acquisitive. **V.a.** péremption.
Angl. extinctive prescription+, liberative prescription, negative prescription.

PRESCRIPTION LIBÉRATOIRE

(*Prescr.*) Syn. prescription extinctive. « Les actions en justice tombent également sous le coup de la prescription libératoire » (Martineau, *Prescription*, n° 237, p. 243).
Occ. Art. 2183 C. civ.
Angl. extinctive prescription+, liberative prescription, negative prescription.

PRESCRIRE *v.tr.*

(*Prescr.*) Acquérir[1] ou éteindre un droit par la prescription. « L'interruption détruit la prescription commencée et fait perdre à celui qui était en voie de prescrire le bénéfice du temps écoulé jusque là » (Martineau, *Prescription*, n° 308, p. 324). *Prescrire contre son titre* (art. 2209 C. civ.); *prescrire la propriété d'un bien.*
Occ. Art. 2242, 2251 C. civ.
Rem. La forme pronominale *se prescrire* est passive et signifie être acquis ou éteint par la prescription. Par ex., l'action en nullité relative se prescrit par dix ans.
V.a. usucaper.
Angl. prescribe.

PRÉSENT, ENTE *adj.*

V. bien présent, dommage présent.

PRÉSIDENT DE LA COUR

(*D. jud.*) Juge[1] appelé à présider une audience à laquelle plusieurs juges participent.
Angl. presiding judge[2].

PRÉSIDENT DU TRIBUNAL

(*D. jud.*) Syn. tribunal[2].
Occ. Art. 4 par. e C. proc. civ.
Rem. Cette expression est utilisée même lorsqu'un juge siège seul.
V.a. juge en chef.
Angl. court[2]+, presiding judge[1].

PRÉSOMPTION DE PATERNITÉ

(*Pers.*) Présomption légale en vertu de laquelle un enfant né pendant le mariage ou dans les trois cents jours après sa dissolution ou son annulation est présumé avoir pour père le mari de sa mère. « Dans le droit ancien [...] on se demandait s'il ne suffisait pas que l'enfant naquît dans le mariage pour que la présomption de paternité jouât. Cette question trouve une réponse claire dans le droit nouveau : la naissance dans le mariage suffit à déclencher le jeu de la présomption [...] (art. 574 C.C.Q.) » (Pineau, *Famille*, n° 266, p. 208).
Occ. Titre précédant l'art. 574 C. civ. Q., art. 575 C. civ. Q.
Rem. **1°** La présomption de paternité est un des moyens de preuve prévus par le législateur pour établir la filiation paternelle. **2°** Voir les art. 574 à 576 C. civ. Q. **3°** La présomption de paternité peut être écartée par la preuve contraire (art. 581 C. civ. Q.). **4°** La présomption de paternité reprend l'adage romain *pater is est quem nuptiae demonstrant* (le père est celui que les justes noces désignent).
V.a. action en contestation de paternité, action en désaveu de paternité.
Angl. presumption of paternity.

PRESTATION *n.f.*

(*Obl.*) Ce à quoi s'est engagé le débiteur, c'est-à-dire à donner, à faire ou à ne pas faire quelque chose. « Ce n'est pas une chose qui est l'objet de l'obligation, mais une prestation » (Mazeaud et Chabas, *Leçons*, t. 2, vol. 1, n° 232, p. 225). *Exécuter une prestation.*
Occ. Art. 2203 al. 3 C. civ.; art. 8, *Loi sur la protection du consommateur*, L.R.Q., chap. P-40.1.

Rem. **1°** La prestation constitue l'objet de l'obligation. **2°** Du latin *praestare* : exécuter; fournir.
Syn. chose[2]. **V.a.** contre-prestation, objet de la prestation, objet du contrat.
Angl. prestation+, thing[2].

PRESTATION DES DÉTENTEURS PRÉCAIRES

(*Prescr.*) Prestation que le détenteur[2] doit en vertu du titre[1] établissant sa détention. Par ex., le loyer du locataire, la redevance annuelle de l'emphytéote. « Exceptionnellement, un certain nombre de droits patrimoniaux échappent à la prescription extinctive : 1° le droit de propriété; 2° la prestation des détenteurs précaires [...] » (Martineau, *Prescription*, n° 238, p. 244).
Rem. Voir l'art. 2203 al. 3 C. civ. Par application de cette disposition, un emphytéote, par exemple, qui n'a pas payé pendant trente ans la redevance convenue, n'est pas libéré de son obligation de payer à l'avenir. Les versements échus et non payés peuvent être prescrits en vertu de l'art. 2250 C. civ., mais le propriétaire ne perd pas le droit de percevoir les échéances futures.

PRESTER *v.tr.*

(*Obl.*) *Rare.* Fournir une prestation. « [...] tout rapport de droit se noue [...] autour d'un objet [...] Or, si cet objet peut être une *chose*, corporelle ou incorporelle, rien n'empêche qu'il consiste dans un *acte*, positif ou négatif, à prester par une personne déterminée [...] » (Dabin, *Droit subjectif*, p. 199).

PRÉSUMÉ, ÉE *p.p.adj.*

V. bail présumé.

PRÊT *n.m.*

(*Obl.*) Contrat réel par lequel une partie, le *prêteur*, par la remise d'une chose à l'autre, l'*emprunteur*, lui accorde la faculté de s'en servir pendant un temps limité, à charge de restitution en nature ou, dans certains cas, par équivalent. « Le *droit romain* connaissait deux sortes de prêts : le *mutuum* ou *prêt de consommation*, le *commodat* ou *prêt à usage* » (Mazeaud et Chabas, *Leçons*, t. 3, vol. 2, 2e part., n° 1432, p. 888).
Occ. Art. 1762 C. civ.
Rem. **1°** Lorsque le prêt porte sur des choses non consomptibles ou considérées telles par les parties, le contrat s'appelle prêt à usage; l'emprunteur doit restituer la chose elle-même. Lorsque, au contaire, il porte sur des choses que l'emprunteur consomme à l'usage, le contrat s'appelle prêt de consommation; l'emprunteur doit restituer l'équivalent. **2°** Le prêt est en principe gratuit, ce qui le distingue du louage de choses; dans le cas du prêt de consommation, notamment le prêt d'argent, on peut cependant stipuler une contrepartie.
Syn. contrat de prêt. **V.a.** emprunt.
Angl. contract of loan, loan+.

PRÊT À INTÉRÊT

(*Obl.*) Prêt d'argent comportant une contrepartie, appelée *intérêt*[1]. « Anciennement on regardait le prêt à intérêt comme immoral, et il fut même prohibé tant par les lois civiles que par les lois canoniques » (Mignault, *Traité*, t. 8, p. 130).
Occ. Titre précédant l'art. 1785 C. civ.
Angl. loan upon interest.

PRÊT À USAGE

(*Obl.*) Prêt à titre gratuit portant sur une chose non consomptible ou envisagée comme telle par les parties. « [...] le *prêt à usage* se distingue du *dépôt* en ce que le dépositaire, qui rend un service, n'a pas le droit de se servir de la chose déposée, tandis que l'emprunteur, qui reçoit un service, a le droit de faire usage de la chose prêtée » (Mignault, *Traité*, t. 8, p. 110).
Occ. Art. 1763 C. civ.
Rem. Ce contrat comporte l'obligation de restitution en nature.

Syn. commodat. **Opp.** prêt de consommation.
Angl. *commodatum*, loan for use+.

PRÊT D'ARGENT

(*Obl.*) Prêt de consommation portant sur une somme d'argent. « [...] *les prêts les plus nombreux et les plus importants sont des prêts à intérêt*, donc des prêts d'argent consentis à titre onéreux. Le prêt d'argent, ne faisant naître d'obligations qu'à la charge de l'emprunteur, est considéré comme un *contrat unilatéral* [...] » (Mazeaud et Chabas, *Leçons*, t. 3, vol. 2, 2e part., n° 1463, p. 907).
Occ. Art. 1040*c* C. civ.; art. 66, *Loi sur la protection du consommateur*, L.R.Q., chap. P-40.1.
V.a. dépôt3, prêt à intérêt.
Angl. loan of money.

PRÊT DE CONSOMMATION

(*Obl.*) Prêt d'une chose consomptible. « Dans le prêt de consommation, l'emprunteur devient propriétaire des choses prêtées et doit restituer des choses semblables; il est donc débiteur d'une quantité, et par suite les risques sont pour son compte » (Baudry-Lacantinerie et Wahl, *Traité*, t. 23, n° 602, p. 364-365).
Occ. Art. 1762 C. civ.
Rem. **1°** Ce contrat peut être gratuit ou onéreux. **2°** Les parties peuvent, par convention, conférer le caractère non consomptible à une chose consomptible par nature. Le contrat est alors un prêt à usage.
Syn. *mutuum*. **Opp.** prêt à usage. **V.a.** prêt d'argent, quasi-usufruit.
Angl. loan for consumption+, *mutuum*.

PRÊTE-NOM *n.*

1. (*Obl.*) Mandataire qui, en traitant avec un tiers pour le compte du mandant, ne révèle pas sa qualité, mais laisse croire qu'il agit pour son propre compte. « Dans un contrat conclu par un "*prête-nom*", celui-ci intervient comme s'il était partie contractante, alors qu'il n'est qu'un mandataire traitant pour le compte de son mandant » (Mazeaud et Chabas, *Leçons*, t. 2, vol. 1, n° 807, p. 934).
Rem. Voir l'art. 1716 C. civ.
V.a. représentation imparfaite.
Angl. nominee(x), *prête-nom*1 +, undisclosed mandatary.

2. (*Obl.*) Syn. contrat de prête-nom. « Quant au prête-nom, ce contrat est une forme de mandat parfaitement reconnu dans notre droit » (Roch et Paré, dans *Traité*, t. 13, p. 70).
Angl. clandestine mandate, contract of *prête-nom*+, *prête-nom*2, secret mandate.

PRÊTER *v.tr.*

(*Obl.*) Consentir un prêt. « [...] il est évident que l'on peut prêter des choses dont on n'est pas propriétaire, telles que des choses dont on a l'usufruit. On peut même prêter la chose d'autrui, en ce sens que ce contrat, non avenu à l'égard du propriétaire de la chose, est valable entre les parties » (Mignault, *Droit civil*, t. 8, p. 109-110).
Occ. Art. 1769 C. civ.
Opp. emprunter.
Angl. lend.

PRÊTEUR, EUSE *n.* et *adj.*

(*Obl.*) Personne qui consent un prêt. « Le prêteur ne concède à l'emprunteur que l'usage de la chose qui forme la matière du contrat. Il en résulte que le prêteur conserve, abstraction faite de cet usage, tous les droits qui lui appartenaient sur la chose avant le contrat » (Aubry et Rau, *Droit civil*, t. 6, n° 109, p. 162).
Occ. Art. 1040*c*, 1763 C. civ.
Opp. emprunteur.
Angl. lender.

PRÊT HYPOTHÉCAIRE

(*Sûr.*) Prêt, généralement d'argent, garanti par hypothèque. « En général, l'hypothè-

que est créée au moment de la naissance de la créance et, dans la grande majorité des cas, pour garantir un prêt : d'où le nom de *prêt hypothécaire* » (Ripert et Boulanger, *Traité*, t. 3, n° 74, p. 27).
Syn. crédit hypothécaire, prêt sur hypothèque.
Angl. hypothecary loan+, loan on hypothec.

PRETIUM DOLORIS *loc.nom.m.* (latin)

(*Obl.*) Dommages-intérêts alloués à la victime en réparation de la douleur qu'on lui a causée. « Étrange paradoxe! On refuse aux héritiers le prix de la douleur (*solatium doloris*) qu'ils éprouvent personnellement au décès d'un être cher, mais on leur accorde le prix de la douleur (*pretium doloris*) éprouvée par le *de cujus*; il y a d'une part douleur sans réconfort, d'autre part enrichissement sans douleur » (Mayrand, (1962) 22 *R. du B.* 1, p. 15).
V.a. dommage moral.
Angl. *pretium doloris.*

PRÉTORIEN, IENNE *adj.*

V. droit prétorien.

PRÊT SUR HYPOTHÈQUE

(*Sûr.*) Syn. prêt hypothécaire.
Angl. hypothecary loan+, loan on hypothec.

PRÊT USURAIRE

(*Obl.*) Prêt d'argent comportant pour l'emprunteur des obligations excessives. « Si le prêt usuraire est déguisé [...] les intérêts excessifs sont [...] sujets à restitution » (Baudry-Lacantinerie et Wahl, *Traité*, t. 23, n° 893, p. 505).
Rem. **1°** Voir les art. 1040*c*, 1149 C. civ. **2°** Des lois fixent parfois un taux maximum d'intérêt; est alors usuraire un prêt prévoyant des intérêts à un taux supérieur au taux ainsi fixé (par ex., la *Loi sur les petits prêts*, S.R.C. 1970, chap. S-11; la *Loi sur les prêteurs sur gage*, S.R.C. 1970, chap. P-5).
V.a. intérêt usuraire, taux d'intérêt usuraire, usure.
Angl. usurious loan.

PRÉVISIBILITÉ *n.f.*

(*Obl.*) Qualité de ce qui est prévisible. « La notion même de prévisibilité est influencée par le climat contractuel : c'est au jour du contrat qu'il faut se reporter et se demander ce que le débiteur a prévu ou dû prévoir [...] » (Marty et Raynaud, *Obligations*, t. 1, n° 592, p. 748).
Opp. imprévisibilité+. **V.a.** dommage prévisible.
Angl. foreseeability.

PRÉVISIBLE *adj.*

(*Obl.*) Susceptible d'être prévu.
Opp. imprévisible. **V.a.** dommage prévisible.
Angl. foreseeable.

PRÉVU, UE *adj.*

(*Obl.*) V. dommage prévu.
Opp. imprévu.

PRIMA FACIE *loc.adv.* (latin)

De prime apparence, de prime abord. « L'article 1220 C. civ. contient une longue énumération de certains écrits faits hors de la province qui font preuve *prima facie* de leur contenu, c'est-à-dire qui font autorité jusqu'à preuve du contraire » (Nadeau et Ducharme, *Traité*, t. 9, n° 335, p. 257).
Occ. Art. 1220 al. 1 C. civ.
Angl. *prima facie.*

PRIMITIF, IVE *adj.*

V. assignation primitive, bail primitif, locataire primitif, locateur primitif, preneur primitif.

PRIMORDIAL, ALE *adj.*

V. acte primordial, droit primordial, titre primordial.

PRINCIPAL, ALE *adj.*

Qui est le plus important, le premier parmi d'autres. « Quant aux choses qui s'unissent accessoirement à une autre chose, il y a [...] *accession* [...] La chose accessoire a cessé [...] d'appartenir à son ancien propriétaire [...] elle est entrée dans le patrimoine du propriétaire de la chose principale à laquelle elle accède » (Mignault, *Droit civil*, t. 2, p. 479).
Occ. Art. 430 à 433 C. civ.
Opp. accessoire. **V.a.** bail principal, bailleur principal, contrat principal, dol principal, droit réel principal, erreur sur la considération principale, intervention principale, locataire principal, locateur principal, mandataire principal, résidence principale, victime principale.
Angl. principal.

PRINCIPAL *n.m.*

1. (*Biens*) Bien qui, par son volume, sa valeur économique ou sociale, a prépondérance sur un bien accessoire auquel il communique sa condition juridique. « Une maxime domine le rapport de principal à accessoire : que l'accessoire suit le sort du principal (*accessorium sequitur principale*) — maxime du sens commun, et aussi règle de droit, sous-entendue par plusieurs textes du C.C. » (Carbonnier, *Droit civil*, t. 3, n° 22, p. 99).
Rem. **1°** Voir les art. 430, 433 C. civ. **2°** Du latin *principalis* (de *princeps* : premier).
Opp. accessoire. **V.a.** accession.
Angl. principal[1].

2. Syn. capital[2].
Angl. capital[2]+, capital sum, principal[2].

PRINCIPE *n.m.*

Fondement d'une règle de droit. « C'est le plus souvent à l'interprète que revient le soin de dégager les principes d'où procèdent les règles juridiques » (Boulanger, dans *Études Ripert*, t. 1, 51, n° 7, p. 57). *Il est de principe que ...*
Syn. principe juridique. **V.a.** arrêt de principe, décision de principe.
Angl. juridical principle, legal principle, principle+.

PRINCIPE DE LA RELATIVITÉ DES CONTRATS

(*Obl.*) Syn. principe de l'effet relatif des contrats. « Les tiers *penitus extranei*, c'est-à-dire complètement étrangers, qui ne sont pas les ayants cause d'une des parties, ne peuvent subir les effets du contrat. C'est à eux que s'applique pleinement [...] le principe de la relativité des contrats » (Weill et Terré, *Obligations*, n° 515, p. 540).
Angl. principle of the relativity of contract, privity of contract(x), relativity of contract+.

PRINCIPE DE LA RELATIVITÉ DES CONVENTIONS

(*Obl.*) Syn. principe de l'effet relatif des contrats. « Le principe de la relativité des conventions ne s'applique pas lorsqu'un contrat est invoqué en tant que situation juridique » (Starck, Roland et Boyer, *Obligations*, t. 2, n° 1211, p. 422).
Angl. principle of the relativity of contract, privity of contract(x), relativity of contract+.

PRINCIPE DE LA RELATIVITÉ DU LIEN OBLIGATOIRE

(*Obl.*) Syn. principe de l'effet relatif des contrats. « *Les exceptions au principe de la relativité du lien obligatoire* Il faut envisager une exception réelle : la stipulation pour autrui; une exception apparente : la promesse pour autrui [...] » (Pineau et Burman, *Obligations*, n° 210, p. 294).
Angl. principle of the relativity of contract, privity of contract(x), relativity of contract+.

PRINCIPE DE L'EFFET RELATIF DES CONTRATS

(*Obl.*) Principe selon lequel le contrat ne crée de droits et d'obligations qu'entre les parties contractantes et non à l'égard des tiers. « La source formelle du principe de l'effet relatif des contrats est l'article 1023 C.c. [...] complété par les articles 1028 et 1030 C.c. [...] Pour être lié par une convention [...] une entente [...] est indispensable. Par voie de conséquence, celui qui n'a pas posé cet acte de volonté contractuelle ne peut ni se prétendre créancier d'une obligation qui n'a pas été contractée envers lui, ni être tenu d'exécuter une obligation provenant d'un contrat auquel il n'a pas été partie » (Baudouin, *Obligations*, n° 380, p. 251-252).
Rem. Le principe de l'effet relatif du contrat s'inspire de la maxime romaine *res inter alios acta, aliis neque nocere, neque prodesse potest*, qui signifie que la convention faite entre deux personnes ne peut ni nuire, ni être utile aux autres. Cette maxime est généralement utilisée dans sa forme abrégée *res inter alios acta*.
Syn. principe de la relativité des contrats, principe de la relativité des conventions, principe de la relativité du lien obligatoire, principe de l'effet relatif des conventions, principe de l'effet relatif du lien obligatoire.
V.a. action directe[1], opposabilité du contrat, promesse de porte-fort, stipulation pour autrui.
Angl. principle of the relativity of contract, privity of contract(x), relativity of contract⁺.

PRINCIPE DE L'EFFET RELATIF DES CONVENTIONS

(*Obl.*) Syn. principe de l'effet relatif des contrats. « Le *principe* de l'effet relatif des conventions revêt ici toute sa portée. Le contrat ne pourra profiter aux tiers ni leur nuire, car c'est une chose qui s'est passée entre d'autres personnes [...] et le bon sens, avant même l'individualisme, demande que chacun s'occupe de ses affaires, non de celles d'autrui » (Carbonnier, *Droit civil*, t. 4, n° 56, p. 230).
Angl. principle of the relativity of contract, privity of contract(x), relativity of contract⁺.

PRINCIPE DE L'EFFET RELATIF DU LIEN OBLIGATOIRE

(*Obl.*) Syn. principe de l'effet relatif des contrats. « La stipulation pour autrui et l'action directe constituent deux exceptions fondamentales au principe de l'effet relatif du lien obligatoire » (Mazeaud et Chabas, *Leçons*, t. 2, vol. 1, n° 766, p. 903).
Angl. principle of the relativity of contract, privity of contract(x), relativity of contract⁺.

PRINCIPE JURIDIQUE

Syn. principe. « Les principes juridiques sont invoqués par les tribunaux lorsque ne découvrant pas de loi applicable ils ont besoin de justifier une solution pour qu'elle ne paraisse pas arbitraire » (Ripert, *Forces créatrices*, n° 132, p. 326-327).
Angl. juridical principle, legal principle, principle⁺.

PRINCIPES *n.m.pl.*

Ensemble de règles juridiques. « Cette fois, la notion de principe est liée à l'ordre juridique positif [...] Ce qu'on nomme principes n'est qu'un groupe, ou, si l'on préfère, un ensemble systématique de règles » (Boulanger, dans *Études Ripert*, t. 1, 51, n° 4, p. 55).
Occ. Art. 1941 C. civ.
Angl. principles.

PRINCIPES GÉNÉRAUX DU DROIT

Préceptes juridiques fondamentaux qui traduisent les valeurs essentielles d'un système de droit[1]. Par ex., *audi alteram partem* (principe du respect des droits de la défense); *fraus omnia corrumpit* (la fraude vicie tout); nul ne peut s'enrichir sans cause

aux dépens d'autrui. « On en appelle volontiers, dans une discussion juridique, aux "principes généraux du droit" » (Boulanger, dans *Études Ripert*, t. 1, 51, n° 1, p. 51).
Occ. Art. 38, *Statut de la Cour de justice internationale*.
Rem. Les principes généraux du droit, qui se trouvent « en suspension dans l'*esprit* de notre droit » (Carbonnier, *Introduction*, n° 139, p. 227), ont une double vocation en droit positif : d'une part, ils constituent le fondement de règles juridiques, qui les appliquent ou y dérogent; d'autre part, dans le silence ou l'obscurité de la loi, ils sont appelés à commander l'application d'une règle nouvelle ou l'interprétation d'une règle existante.
V.a. maxime juridique, règle de droit.
Angl. general principles of law+, super-eminent principles.

PRIORITÉ *n.f.*

V. cession de priorité, cession de priorité d'hypothèque.
Angl. priority.

PRIVATIF, IVE *adj.*

(*Biens*) Qui appartient à un seul propriétaire. « [...] le propriétaire d'un mur privatif contre lequel le voisin a appuyé une construction peut obliger celui-ci à en acquérir la mitoyenneté » (Mazeaud et Chabas, *Leçons*, t. 2, vol. 2, n° 1321, p. 44). *Mur privatif, propriété privative.*
Occ. Art. 1003, Projet de loi 125.
Rem. Le propriétaire d'un mur privatif est parfois appelé *propriétaire privatif*.
V.a. mitoyen, partie privative, propriétaire privatif.
Angl. private[2].

PRIVÉ, ÉE *adj.*

Qui régit les rapports des personnes entre elles.
Syn. civil[1]. **V.a.** droit international privé, droit privé, loi d'intérêt privé.
Angl. civil[1], private[1]+.

PRIVILÈGE *n.m.*

(*Sûr.*) Sûreté réelle que la loi attache à des créances déterminées et qui permet au créancier qui en est bénéficiaire d'être payé par préférence à d'autres créanciers sur le prix de la vente en justice des biens sur lesquels elle porte. « Le privilège résulte de la loi; l'hypothèque peut être légale, judiciaire ou conventionnelle [...] Le privilège porte sur les meubles, les immeubles ou les deux à la fois. Les hypothèques ne portent que sur les immeubles » (Ciotola, *Sûretés*, p. 225).
Occ. Art. 1982, 1983, 1993 C. civ.
Rem. **1°** Les privilèges sont mobiliers ou immobiliers, généraux ou spéciaux. **2°** La loi attache un privilège à une créance en raison de la cause ou nature de celle-ci; par exception, la créance du créancier gagiste est privilégiée quelle qu'en soit la nature. **3°** Le privilège ne comporte pas dessaisissement du débiteur, sauf le privilège du créancier gagiste et des créanciers qui ont un droit de rétention. **4°** Le créancier privilégié est payé par préférence aux créanciers chirographaires; de plus, en matière immobilière, il est payé avant les créanciers hypothécaires. Entre eux, les créanciers privilégiés sont payés dans l'ordre de préférence établi aux articles 1994 et 2009 C. civ., sous réserve d'autres dispositions législatives fédérales ou provinciales. **5°** Anciennement, le terme *privilège* s'écrivait *privilége*, forme que l'on trouve dans le Code civil du Bas-Canada, qui suit en cela le Code civil français.
V.a. droit de rétention, hypothèque, nantissement[2].
Angl. privilege.

PRIVILÈGE DE LA CONSTRUCTION

(*Sûr.*) Syn. privilège ouvrier. « Le privilège de la construction ne peut grever qu'un

immeuble saisissable; on doit donc distinguer entre les immeubles du domaine public et ceux du domaine privé. Les immeubles qui appartiennent à la Couronne font partie du domaine public et ne peuvent être affectés d'un privilège car ils jouissent de l'insaisissabilité et de l'imprescriptibilité » (Ciotola, *Sûretés*, p. 336).
Angl. construction privilege.

PRIVILÈGE DE L'ARCHITECTE

(*Sûr.*) Privilège ouvrier accordé à l'architecte.
Rem. Voir l'art. 2013*f* C. civ.
V.a. ingénieur[+].
Angl. architect's privilege.

PRIVILÈGE DE L'OUVRIER

(*Sûr.*) Privilège ouvrier accordé à l'ouvrier[2].
Rem. Voir l'art. 2013*d* C. civ.
Angl. workman's privilege.

PRIVILÈGE DU CONSTRUCTEUR

(*Sûr.*) Privilège ouvrier accordé au constructeur.
Rem. Voir l'art. 2013*f* C. civ.
Angl. builder's privilege.

PRIVILÈGE DU FOURNISSEUR DE MATÉRIAUX

(*Sûr.*) Privilège ouvrier accordé au fournisseur de matériaux.
Rem. Voir l'art. 2013*e* C. civ.
Angl. privilege of the supplier of materials.

PRIVILÈGE IMMOBILIER

(*Sûr.*) Privilège portant sur un ou des immeubles déterminés ou sur l'ensemble des immeubles du débiteur. « Les privilèges immobiliers sont soit généraux, soit spéciaux. Généraux, ils grèvent l'ensemble des biens immeubles du débiteur [...]. Spéciaux, ils grèvent les immeubles à titre spécifique [...] » (Ciotola, *Sûretés*, p. 326).
Rem. Voir les art. 1992, 2009 à 2015 C. civ.
Opp. privilège mobilier.
Angl. immoveable privilege.

PRIVILÈGE IMMOBILIER GÉNÉRAL

(*Sûr.*) Privilège immobilier portant sur l'ensemble des immeubles du débiteur. « [...] les privilèges immobiliers généraux [...] sont ceux qui affectent tous les immeubles d'un débiteur » (C.F.P.B.Q., *Sûretés*, p. 123).
Rem. **1°** Les privilèges immobiliers généraux sont ceux visés par les paragraphes 2, 3 et 9 de l'art. 2009 C. civ. Ce sont, en fait, des privilèges mobiliers généraux qui ne portent sur les immeubles qu'à titre subsidiaire; ils ne grèvent les immeubles qu'en cas d'insuffisance des meubles. **2°** On rencontre aussi la forme *privilège général immobilier*.
Opp. privilège immobilier spécial.
Angl. general immoveable privilege.

PRIVILÈGE IMMOBILIER SPÉCIAL

(*Sûr.*) Privilège immobilier portant sur un ou des immeubles déterminés. « Les privilèges immobiliers spéciaux sont ainsi qualifiés parce qu'ils garantissent des créances déterminées et portent sur certains immeubles également déterminés [...] » (Marty, Raynaud et Jestaz, *Sûretés*, n° 243, p. 156).
Rem. **1°** Les privilèges immobiliers spéciaux sont ceux visés par les paragraphes 1, 4, 5, 7 et 8 de l'art. 2009 C. civ. **2°** On rencontre aussi la forme *privilège spécial immobilier*.
Opp. privilège immobilier général.
Angl. special immoveable privilege.

PRIVILÈGE MOBILIER

(*Sûr.*) Privilège portant sur un ou des meubles déterminés ou sur l'ensemble des

meubles du débiteur. « Les privilèges mobiliers sont généraux ou spéciaux selon qu'ils portent sur la totalité des biens meubles ou sur certains biens meubles seulement (art. 1993 C.c.) » (Ciotola, *Sûretés*, p. 235).
Rem. Voir les art. 1992, 1993 à 2008 C. civ.
Opp. privilège immobilier.
Angl. moveable privilege.

PRIVILÈGE MOBILIER GÉNÉRAL

(*Sûr.*) Privilège mobilier portant sur l'ensemble des meubles du débiteur. « Par opposition aux privilèges mobiliers généraux qui affectent tous les biens meubles du débiteur, les privilèges mobiliers spéciaux ne touchent que certains biens » (Ciotola, *Sûretés*, p. 242).
Rem. **1°** Certains privilèges mobiliers généraux portent exclusivement sur les meubles (par ex., l'art. 1994 par. 7 et 10 C. civ.). D'autres portent sur les meubles et subsidiairement sur les immeubles qu'ils ne grèvent qu'au cas d'insuffisance des meubles (art. 1994 par. 5, 6 et 9; art. 2009 par. 2, 3 et 9 C. civ.). **2°** On rencontre aussi la forme *privilège général mobilier*.
Opp. privilège mobilier spécial.
Angl. general moveable privilege.

PRIVILÈGE MOBILIER SPÉCIAL

(*Sûr.*) Privilège mobilier portant sur un ou des meubles déterminés. « Les privilèges mobiliers spéciaux sont apparus en raison de l'interdiction de l'hypothèque mobilière. Cependant, comme la tendance actuelle favorise l'établissement d'une telle hypothèque, ils sont appelés à disparaître » (Ciotola, *Sûretés*, p. 242).
Rem. **1°** Selon le dernier alinéa de l'art. 1994 C. civ., les privilèges mobiliers spéciaux sont ceux visés par les paragraphes 1, 2, 3, 4, 8 et 8*a* du même article. **2°** On rencontre aussi la forme *privilège spécial mobilier*.
Opp. privilège mobilier général.
Angl. special moveable privilege.

PRIVILÈGE OUVRIER

(*Sûr.*) Privilège[2] accordé par le Code civil à l'ouvrier[2], au fournisseur de matériaux, au constructeur, ainsi qu'à l'architecte, sur l'immeuble à la construction duquel ils ont collaboré. « Cette appellation de *privilège ouvrier* est le nom populaire pour désigner le privilège [...] Le langage populaire, en étendant le sens du mot *ouvrier* de façon à désigner tout le privilège, désigne figurativement tous ceux qui ont une part dans l'ouvrage entrepris, tous ceux qui travaillent, pour ainsi dire, à *ouvrer* une construction » (Pelland, (1932-1933) 11 *R. du D.* 552).
Rem. **1°** Voir l'art. 2013 C. civ. **2°** Le terme *privilège ouvrier* a été introduit en 1933 par G.-M. Giroux dans sa thèse intitulée *Le privilège ouvrier*. **3°** Les expressions *privilège de l'ouvrier*, *privilège d'ouvrier* et *privilège des ouvriers*, parfois employées pour désigner le privilège ouvrier, ne devraient s'appliquer qu'au seul privilège accordé aux ouvriers[2].
Syn. privilège de la construction. **V.a.** privilège de l'architecte, privilège de l'ouvrier, privilège du constructeur, privilège du fournisseur de matériaux.
Angl. construction privilege.

PRIVILÉGIÉ, ÉE *adj.*

V. créance privilégiée, créancier privilégié.

PRIX *n.m.*

(*Obl.*) Contrepartie, généralement en argent, de la prestation en nature fournie en vertu d'un contrat à titre onéreux. « Le prix de la vente doit être déterminable sans nouvel accord des parties, ni substitution du juge à leurs volontés » (Ghestin, *Contrat*, n° 522, p. 578). *Prix courant; prix des services.*
Occ. Art. 1472 C. civ.
Rem. **1°** Le prix est généralement une somme d'argent, mais peut comporter des prestations en nature telles que le logement, le chauffage, l'éclairage, la nourriture ou autres effets mobiliers. Ces prestations en

nature peuvent s'ajouter à la prestation en argent ou en constituer à elles seules le prix. Dans le contrat de vente, le prix doit nécessairement consister en une somme d'argent, aux termes de l'art. 1472 du Code civil; lorsque la contrepartie consiste principalement en une prestation en nature, il s'agit d'un échange dont le régime suit celui de la vente. **2°** Pour différents contrats nommés, le prix porte des noms distincts tels que *loyer* ou *prix de location* (dans le bail), *fermage* (dans le contrat du même nom), *salaire* ou *gage* (dans le contrat de travail), *honoraires* ou *rémunération* (dans un contrat de services), *fret* (dans un contrat de transport de marchandises), *prime* (dans le contrat d'assurance), *canon*, *rente* ou *redevance* (dans le bail emphytéotique), *intérêt* (dans le prêt d'argent).
Angl. price.

PRIX DE LOCATION

(*Obl.*) Syn. loyer.
Rem. Ce terme s'emploie plutôt à propos de location de meubles.
Angl. rent[1].

PRIX DÉRISOIRE

(*Obl.*) Prix qui est tellement inférieur à la valeur de la contrepartie reçue qu'il équivaut à absence de prix. « La vente consentie à un prix dérisoire est nulle en tant que vente, d'une *nullité absolue*, car l'obligation de l'acheteur se trouve, faute de prix, sans objet, et l'obligation du vendeur est *sans cause* » (Mazeaud et Chabas, *Leçons*, t. 3, vol. 2, 1e part., n° 875, p. 150).
Angl. derisory price.

PROBANT, ANTE *adj.*

V. forme probante.

PROBATOIRE *adj.*

V. formalité probatoire, forme probatoire.

PROBLÈME DE QUALIFICATION

(*D. int. pr.*) Problème de l'insertion, dans les catégories de rattachement du for, d'une institution étrangère, inconnue dans l'ordre juridique de celui-ci. Par ex., le problème de la qualification du *trust* de common law dans les catégories du droit civil. « [...] la majorité de la doctrine, dans les systèmes de droit civil et de common law, semble s'orienter vers une conception assez souple des problèmes de qualifications donnant aux qualifications de la loi étrangère une influence destinée au moins à assouplir les qualifications du droit international privé du for » (Groffier, *Précis*, n° 59, p. 63-64).
Rem. La doctrine emploie quelquefois cette expression pour désigner ce qui, en réalité, constitue un conflit de qualifications.

PROCÉDURE *n.f.*

1. (*D. jud.*) Ensemble des règles établissant la marche à suivre pour faire apparaître le droit et en assurer la sanction. Par ex., les *Règles de procédure de la Cour d'appel en matière civile*. « [...] pour pouvoir juger objectivement, l'autorité à besoin non seulement d'une organisation bien structurée, mais également d'une procédure qui permette à la personne qui détient cette autorité de bien comprendre les versions présentées par chacune des parties au litige » (Barakett, Beausoleil, Ferland et Reid, *Droit judiciaire I*, t.1, p. 110).
Occ. Art. 6, 650*a*, 861 C. civ.; art. 2, 834.1, 1001 C. proc. civ.
Rem. Ce vocable s'emploie généralement au singulier, puisqu'il s'agit d'un terme collectif.
V.a. statut de la procédure. **F.f.** pratique[2].
Angl. practice[2], procedure[1+].

2. (X) *Angl.* V. acte de procédure.
Angl. act of procedure, procedure[2], proceeding[+].

PROCÉDURE CIVILE

(*D. jud.*) Branche de la procédure[1] ayant pour objet de déterminer les règles d'une

instance en matières civiles. Par ex., le *Code de procédure civile.* « [...] la procédure civile règle l'action en justice et le déroulement du procès devant les tribunaux civils : destinée à assurer la protection judiciaire des droits privés, on l'a toujours dite *ancilla juris,* précisant parfois la "servante du droit civil" (du droit privé) » (Cornu, *Introduction,* n° 30, p. 24).
V.a. droit judiciaire privé.
Angl. civil procedure+, private judicial law.

PROCÈS *n.m.*

1. (*D. jud.*) Instruction du litige. « Le procès, réduit à l'essentiel, oppose deux plaideurs devant un juge relativement à un objet [...] » (Cornu et Foyer, *Procédure civile,* p. 356).
Occ. Art. 285 C. proc. civ.
Angl. trial[1].

2. (*D. jud.*) Syn. instance. *Intenter un procès, issue du procès.*
Occ. Art. 1918 C. civ.; art. 2 C. proc. civ.
Angl. action[3], law suit[2], suit[2+], trial[2].

PROCÈS-VERBAL DE CARENCE

(*D. jud.*) Procès-verbal par lequel l'officier de justice atteste qu'il n'a trouvé aucun bien saisissable. « Etant "un fait comptable", l'insolvabilité peut être prouvée par tout moyen de preuve, même la preuve testimoniale. La saisie des biens du débiteur accompagnée d'un procès-verbal de carence, la production d'un bilan financier déficitaire sont autant de faits qui permettent de l'établir » (Baudouin, *Obligations,* n° 591, p. 357).
Syn. procès-verbal de *nulla bona.*
Angl. return of *nulla bona.*

PROCÈS-VERBAL DE *NULLA BONA* (latin)

(*D. jud.*) Syn. procès-verbal de carence.
Rem. L'expression latine, qui signifie « aucun bien », a été empruntée à la procédure anglaise.
Angl. return of *nulla bona.*

PROCÈS-VERBAL DE PORTE CLOSE

(*D. jud.*) Procès-verbal dressé par l'officier de justice qui ne peut pénétrer dans un local où se trouvent des biens qu'il est chargé de saisir ou de mettre sous scellés.
Rem. Voir l'art. 582 C. proc. civ.
Angl. return of locked doors.

PROCÈS-VERBAL DE RÉCOLEMENT

(*D. jud.*) Procès-verbal dressé par l'officier de justice qui a procédé au récolement des meubles saisis.
Rem. Au Québec, ce procès-verbal n'est dressé qu'au cas de remplacement du gardien des biens saisis (art. 585 C. proc. civ.). Dans la procédure française, il est dressé immédiatement avant la vente en justice des biens saisis, afin de vérifier que ces biens ont tous été représentés par le gardien. Cette vérification se fait, au Québec, par le moyen de la quittance donnée au gardien.
Angl. minutes of verification.

PROCÈS-VERBAL DE SAISIE

(*D. jud.*) Procès-verbal dressé par l'officier de justice qui a procédé à la saisie. « Clôture du procès-verbal de saisie. Ce procès-verbal doit être signé séance tenante, de l'huissier et du gardien » (Vincent, *Voies d'exécution,* n° 205, p. 164).
Occ. Art. 599, 664 C. proc. civ.
Angl. minutes of seizure.

PROCÈS-VERBAL DE VENTE

(*D. jud.*) Procès-verbal dressé par l'officier de justice qui a procédé à la vente de biens en justice.
Occ. Art. 609 C. proc. civ.
Angl. minutes of sale.

PROCURATION *n.f.*

A. (*Obl.*) Pouvoir de représentation conféré par le mandat[1]. « [...] la procuration est le pouvoir donné par le mandant au mandataire; le mandat est le contrat qui confère ce pouvoir; en d'autres termes, la procuration est l'un des effets du mandat » (Rodière, *Rép. droit civ.*, v° Mandat, n° 1).
Rem. Du latin *procuratio* (de *procuratum*, supin de *procurare* : s'occuper de, administrer) : administration, gestion, soin.
Syn. mandat conventionnel. **V.a.** mariage par procuration.
Angl. conventional mandate, power of attorney, procuration[A+].

B. (*Obl.*) Écrit constatant ce pouvoir. « [...] le mot procuration, qui était employé autrefois comme synonyme de l'expression contrat de mandat, n'est plus utilisé dans la pratique que pour désigner l'écrit qui constate l'offre du mandant ou le contrat de mandat » (Mazeaud et Chabas, *Leçons*, t. 3, vol. 2, 2e part., n° 1390, p. 853).
Occ. Art. 1220, 1756 C. civ.
Angl. power of attorney, procuration[B+].

PROCURATION GÉNÉRALE

(*Obl.*) Procuration relative à toutes les affaires du mandant.
Occ. Art. 61, 409, 629 C. proc. civ.
Opp. procuration spéciale. **V.a.** mandat général.
Angl. general authorization, general power, general power of attorney, general procuration[+].

PROCURATION SPÉCIALE

(*Obl.*) Procuration relative à une affaire particulière du mandant. « Un avocat n'a pas le pouvoir de faire une transaction sans une procuration spéciale du client » (Roch et Paré, dans *Traité*, t. 13, p. 30).
Occ. Art. 40 C. civ.; art. 61, 409, 629 C. proc. civ.
Opp. procuration générale. **V.a.** mandat spécial.
Angl. special authorization, special power, special power of attorney, special procuration[+].

PROCUREUR, EURE *n.*

(*Obl.*) Syn. mandataire. « [...] un empêchement [à la nomination d'un curateur] se trouve si l'absent a laissé un procureur. Ayant par là manifesté la façon dont il voulait administrer lui-même son patrimoine, le tribunal n'a pas à s'immiscer dans cette situation » (Trudel, dans *Traité*, t. 1, p. 275). *Désavouer un procureur* (art. 243 C. proc. civ.), *procureur* ad litem (art. 243 C. proc. civ.), *constitution d'un nouveau procureur* (art. 248 C. proc. civ.).
Occ. Art. 87, 365, 442*i* C. civ.; art. 62, titre précédant l'art. 248 C. proc. civ.
Rem. Le terme *procureur* s'applique tant aux avocats qu'aux notaires, dans leurs sphères de compétence professionnelle respectives.
Angl. attorney, mandatary[+].

PROCUREUR DE LA COURONNE

(*D. jud.*) (X) V. substitut du procureur général.
Angl. Attorney General's prosecutor, Crown attorney, Crown prosecutor[+].

PROCUREUR GÉNÉRAL

(*D. jud.*) Ministre de la Couronne chargé d'agir ou d'intervenir en justice au nom de l'État. « Depuis la Confédération, ce sont les procureurs généraux des provinces qui, en pratique, ont vu à "l'administration de la justice" au sens le plus large de l'expression » (*Di Iorio* c. *Gardien de la prison de Montréal*, [1978] 1 R.C.S. 152, p. 200, j. B. Dickson).
Occ. Art. 94.3, 95, 99 C. proc. civ.
Rem. Au fédéral et au Québec, le ministre de la Justice est d'office procureur général (*Loi sur le ministère de la Justice*, L.R.C. 1985, chap. J-2 et *Loi sur le ministère de la Justice*, L.R.Q., chap. M-19).

V.a. substitut du procureur général.
Angl. Attorney General.

PRODUIT *n.m.*

(*Biens*) Ce qui provient de la chose sans périodicité et qui en altère ou en épuise la substance. « Les auteurs ne manquent pas de souligner l'importance de la distinction entre fruits et produits en matière d'usufruit, l'usufruitier ne pouvant devenir propriétaire que des fruits » (Cantin Cumyn, *Droits des bénéficiaires*, n° 107, p. 75).
Occ. Art. 414 C. civ.
Rem. Parfois, la loi soumet certains produits au régime des fruits (art. 455, 460 C. civ.).
Opp. fruit.
Angl. product.

PROFESSIONNEL, ELLE *adj.*

V. corporation professionnelle, faute professionnelle, ordre professionnel, responsabilité professionnelle.

PROGRESSIF, IVE *adj.*

V. dommage progressif.

PROHIBITIF, IVE *adj.*

V. loi prohibitive.

PROLONGATION *n.f.*

1. (*Obl.*) Syn. prorogation[1].
Occ. Art. 2645 C. civ.
Angl. extension[1], prolongation[1], prorogation[1]+.

2. (*Obl.*) Syn. prorogation[2].
Occ. Art. 1658.1 C. civ.
Angl. extension[2], prolongation[2], prorogation[2]+.

PROLONGER *v.tr.*

(*Obl.*) Syn. proroger.
Angl. extend, prorogue+.

PROMESSE BILATÉRALE (DE CONTRAT)

(*Obl.*) Syn. promesse synallagmatique de contrat. « [...] Mignault en vint à soutenir que les textes québécois et français ne différaient qu'en apparence, car le codificateur québécois songeait à la promesse unilatérale lorsqu'il disposait que la simple promesse ne valait pas vente alors que le codificateur français édictait que valait vente la promesse bilatérale » (Pineau, (1964-1965) 67 *R. du N.* 387, p. 390-391).
Angl. bilateral promise to contract+, synallagmatic promise to contract.

PROMESSE BILATÉRALE DE VENTE

(*Obl.*) Syn. promesse synallagmatique de vente.
Angl. bilateral promise of sale+, synallagmatic promise of sale.

PROMESSE D'ACHAT

(*Obl.*) Promesse de vente[1] envisagée du côté d'un promettant-acheteur. « Ce qui a été dit au sujet de la promesse synallagmatique et de la promesse unilatérale de vendre trouve ici son application. Ou bien les parties s'engagent pour l'avenir à passer un contrat de vente ou bien la vente est parfaite dès l'acceptation donnée par le propriétaire à la promesse d'achat » (Pourcelet, *Vente*, p. 37).
Syn. promesse d'acheter. **Opp.** promesse de vente[2].
Angl. promise to purchase.

PROMESSE D'ACHETER

(*Obl.*) Syn. promesse d'achat. « De même qu'on peut faire une promesse de vendre qui ne soit pas un contrat de vente, on peut faire aussi une *promesse d'acheter* » (Pothier, *Oeuvres*, t. 3, n° 489, p. 194).
Opp. promesse de vendre.
Angl. promise to purchase.

PROMESSE (DE CONTRAT)

(*Obl.*) Contrat de caractère préalable par lequel une des parties ou les deux s'engagent à conclure ultérieurement un contrat dont on fixe immédiatement les conditions. « Quand un contrat est solennel, il est délicat de prendre parti sur la valeur d'une promesse de contrat qui ne revêtirait pas les même formes » (Marty et Raynaud, *Obligations*, t. 1, n° 61, p. 55).
Rem. Lorsqu'une seule des parties contractantes s'engage, la promesse est unilatérale; lorsque les deux parties s'engagent, elle est synallagmatique.
Syn. avant-contrat, promesse de contracter. **V.a.** bénéficiaire d'une promesse, offre.
Angl. pre-contract, promise to contract+.

PROMESSE DE CONTRACTER

(*Obl.*) Syn. promesse de contrat. « L'offre est une simple proposition de contracter qui n'oblige pas son auteur, tandis que la promesse de contracter est une convention par laquelle une personne s'engage vis-à-vis d'une autre personne à conclure ultérieurement un autre contrat, si cette autre personne accepte de le conclure » (Pineau et Burman, *Obligations*, n° 41, p. 60).
Angl. pre-contract, promise to contract+.

PROMESSE DE PORTE-FORT

(*Obl.*) Convention par laquelle une des parties, le *porte-fort* ou *promettant*[3], promet à l'autre, le *bénéficiaire*, qu'un tiers s'obligera envers cette dernière. « Sous la forme technique qu'elle revêt dans la pratique, la promesse de porte-fort est la *promesse qu'un tiers ratifiera le contrat conclu pour son compte* [...] Elle suppose qu'une personne a pris l'initiative de *représenter* un tiers dans la conclusion d'un contrat *sans avoir reçu l'habilitation préalable*. L'efficacité de la représentation dépend alors de la ratification que donnera le tiers. La promesse de porte-fort est l'engagement de procurer cette ratification » (Ripert et Boulanger, *Traité*, t. 2, n° 615, p. 231).
Rem. **1°** La promesse de porte-fort engage celui qui la fait et non le tiers. Ce dernier est libre de s'obliger envers le bénéficiaire. S'il le fait, le promettant a rempli son obligation envers le bénéficiaire; sinon, le porte-fort sera tenu de dommages-intérêts pour n'avoir pas exécuté son obligation. **2°** Contrairement à la lettre de l'art. 1028 C. civ., le porte-fort ne promet pas que le tiers remplira (c'est-à-dire exécutera) l'obligation, ce qui constituerait un cautionnement, mais promet seulement que le tiers l'assumera. **3°** En pratique, le porte-fort est généralement un représentant du tiers qui, en concluant pour le compte de celui-ci un acte juridique avec le bénéficiaire, dépasse les bornes de ses pouvoirs de représentation; il promet alors à son cocontractant que le tiers consentira à ratifier cet acte.
Syn. porte-fort[1]. **V.a.** principe de l'effet relatif des contrats, promesse pour autrui.
Angl. *porte-fort*[1], promise for another[2](x), promise of *porte-fort*+.

PROMESSE DE RÉCOMPENSE

(*Obl.*) Offre par laquelle l'offrant propose de donner une chose ou une somme d'argent à qui fournira une prestation déterminée. « La promesse de récompense n'est qu'une offre particulière, généralement faite au public, à personne indéterminée » (Mazeaud et Chabas, *Leçons*, t. 2, vol. 1, n° 366, p. 336).
Syn. offre de récompense.
Angl. offer of reward, promise of reward+.

PROMESSE DE VENDRE

(*Obl.*) Syn. promesse de vente[2]. « Pothier distingue le contrat de vente de la promesse de vendre : "Le contrat de vente est un contrat synallagmatique par lequel chacune des parties s'oblige l'une envers l'autre; mais la promesse de vente est une convention par laquelle il n'y a que celui qui promet

de vendre qui s'engage [...]" » (Pineau, (1964-1965) 67 *R. du N.* 387, p. 395).
Opp. promesse d'acheter.
Angl. promise of sale[2+], promise to sell.

PROMESSE DE VENTE

1. (*Obl.*) Promesse de conclure une vente déterminée. « [...] la promesse de vente est un contrat qui n'est pas un contrat de vente, mais seulement une étape avant de parvenir à la vente [...] » (Pineau, (1964-1965) 67 *R. du N.* 387, p. 392).
Occ. Art. 1477, 1478 C. civ.
Rem. Lorsque l'engagement de conclure un contrat de vente est pris par le vendeur éventuel, on parle de *promesse de vendre* ou de *promesse de vente*[2]; lorsqu'il est pris par l'acheteur éventuel, on parle plutôt de *promesse d'achat* ou de *promesse d'acheter*.
Angl. promise of sale[1].

2. (*Obl.*) Promesse de vente[1] envisagée du côté d'un promettant-vendeur. « [...] seule est synallagmatique la promesse de vente à laquelle se joint une promesse d'acheter » (Pineau, (1964-1965) 67 *R. du N.* 387, p. 394).
Syn. promesse de vendre. **Opp.** promesse d'achat.
Angl. promise of sale[2+], promise to sell.

PROMESSE POUR AUTRUI

(*Obl.*) Contrat ayant pour effet d'obliger un tiers à l'égard d'un des contractants. « La promesse pour autrui est interdite par l'article 1028 C.c. : on ne peut par contrat engager d'autres que soi-même. Cette règle a son fondement dans la liberté individuelle » (Tancelin, *Obligations,* n° 298, p. 175).
Rem. **1°** La prohibition de la promesse pour autrui est une application du principe de l'effet relatif des contrats selon lequel le contrat ne crée d'obligations qu'à la charge des contractants et non à celle des tiers. **2°** La promesse pour autrui ne doit pas être confondue avec la promesse de porte-fort. Celui qui se porte fort n'engage pas le tiers; il s'oblige personnellement à obtenir que le tiers consente à s'obliger. Le tiers n'est pas engagé par cette promesse; il ne le sera que s'il accepte de s'obliger. **3°** Certains emploient l'expression *promesse pour autrui* comme synonyme de *promesse de porte-fort*.
V.a. promesse de porte-fort.
Angl. promise for another[1].

PROMESSE SYNALLAGMATIQUE (DE CONTRAT)

(*Obl.*) Promesse de contrat par laquelle les deux parties s'engagent l'une à l'égard de l'autre à conclure ultérieurement un contrat dont elles fixent immédiatement les conditions. « [...] dans la promesse unilatérale de vente, seul le vendeur s'engage à vendre; dans la promesse synallagmatique le vendeur s'engage à vendre et l'acheteur s'engage à acheter [...] » (Marty et Raynaud, *Obligations,* t. 1, n° 126, p. 124).
Syn. promesse bilatérale de contrat. **Opp.** promesse unilatérale de contrat.
Angl. bilateral promise to contract[+], synallagmatic promise to contract.

PROMESSE SYNALLAGMATIQUE DE VENTE

(*Obl.*) Promesse synallagmatique de conclure une vente déterminée. « [...] la promesse synallagmatique de vente est un avant-contrat distinct de la vente [...]. On diffère dans le temps, non pas le moment de l'exécution du contrat, mais le moment de sa formation » (Pourcelet, *Vente,* p. 22).
Syn. promesse bilatérale de vente. **Opp.** promesse unilatérale de vente.
Angl. bilateral promise of sale[+], synallagmatic promise of sale.

PROMESSE UNILATÉRALE (DE CONTRAT)

(*Obl.*) Promesse de contrat par laquelle une personne s'engage envers une autre à

conclure ultérieurement un contrat déterminé, si le bénéficiaire en exprime par la suite la volonté. « La promesse unilatérale de contrat *se distingue d'une part des pourparlers et de l'offre* et *d'autre part du contrat définitif* » (Ghestin, *Contrat*, n° 231, p. 255).
Rem. Le bénéficiaire de la promesse accepte de considérer le marché qui lui est proposé sans toutefois s'engager immédiatement; il bénéficie d'une option.
Syn. option. **Opp.** promesse synallagmatique de contrat.
Angl. option, unilateral promise to contract+.

PROMESSE UNILATÉRALE DE VENTE

(*Obl.*) Promesse unilatérale de conclure une vente déterminée. « [...] la promesse unilatérale de vente s'analyse en un contrat unilatéral : seul le promettant s'oblige [...] la promesse unilatérale s'analyse en un véritable contrat [...] car il y a un accord de volontés entre le promettant et le bénéficiaire de la promesse qui accepte la faculté qui lui est donnée de considérer la proposition [...] » (Pourcelet, *Vente*, p. 25).
Opp. promesse synallagmatique de vente.
Angl. unilateral promise of sale.

PROMETTANT, ANTE *n.*

1. (*Obl.*) Auteur d'une promesse. « [...] le promettant [...] se trouve obligé de vendre si le bénéficiaire de la promesse consent à acheter » (Mignault, *Droit civil*, t. 7, p. 24).
Opp. bénéficiaire d'une promesse.
V.a. offrant.
Angl. promisor[1].

2. (*Obl.*) Partie qui, dans une stipulation pour autrui, s'engage envers le stipulant à exécuter une prestation au profit du tiers bénéficiaire. « Le contrat est passé entre le promettant et le stipulant : le "promettant" est celui qui s'engage envers le tiers, le "stipulant" est celui qui "reçoit" cet engagement; quant au "tiers", on le désigne par le terme : "bénéficiaire" de la stipulation pour autrui » (Starck, Roland et Boyer, *Obligations*, t. 2, n° 1243, p. 432).
Occ. Art. 1440, Projet de loi 125.
Angl. promisor[2].

3. (*Obl.*) Syn. porte-fort[2]. « Si le tiers accepte de se lier, le promettant a alors exécuté son obligation qui du même coup se trouve éteinte » (Baudouin, *Obligations*, n° 400, p. 260).
Angl. *porte-fort*[2]+, promisor[3].

PROMETTANT-ACHETEUR *n.m.*

(*Obl.*) Partie qui, dans une promesse de vente[1], s'engage à acheter. « Le promettant-acheteur n'acquiert aucun droit réel sur la chose et le propriétaire en recevant la promesse s'engage seulement à l'examiner [...] » (Pourcelet, *Vente*, p. 37).
Opp. promettant-vendeur.
Angl. promising buyer.

PROMETTANT-VENDEUR *n.m.*

(*Obl.*) Partie qui, dans une promesse de vente[1], s'engage à vendre. « La promesse unilatérale de vente n'étant pas une vente mais un avant-contrat, n'opère aucun transfert de propriété : en conséquence, le promettant-vendeur reste propriétaire de l'objet de la promesse [...] » (Pourcelet, *Vente*, p. 26).
Opp. promettant-acheteur.
Angl. promising vendor.

PROMISSOIRE *adj.*

F.f. billet promissoire.

PROPRIÉTAIRE *n.*

(*Biens*) Titulaire du droit de propriété.
Occ. Art. 379, 409 C. civ.
Rem. En matière de bail, le terme s'emploie couramment pour désigner le locateur, puisque, le plus souvent, il est effectivement le propriétaire : « [...] le locataire n'est pas

investi, par le bail, d'un droit réel sur la chose louée; il est titulaire d'un droit de créance à l'égard du propriétaire (lequel lui doit diverses prestations dont l'usage du logement) » (Cornu, *Introduction*, n° 1003, p. 315).
Syn. maître. **V.a.** plein propriétaire, possesseur à titre de propriétaire, possession à titre de propriétaire.
Angl. owner+, proprietor.

PROPRIÉTAIRE DIVIS

(*Biens*) Titulaire d'un droit de propriété divise.
Syn. propriétaire privatif.
Angl. exclusive owner.

PROPRIÉTAIRE INDIVIS

(*Biens*) Syn. copropriétaire. « [...] être propriétaire indivis, c'est être propriétaire d'une part arithmétique, d'une quote-part de la chose indivise. Cette quote-part a pour particularité de n'être pas localisée sur la chose [...] » (Atias, *Biens*, n° 101, p. 142).
V.a. propriété indivise.
Angl. communist, co-owner+, coproprietor, undivided owner2.

PROPRIÉTAIRE PRIVATIF

(*Biens*) Syn. propriétaire divis.
Angl. exclusive owner.

PROPRIÉTAIRE SUPERFICIAIRE

(*Biens*) Syn. superficiaire. « [...] dans la superficie, tout comme dans la servitude réelle, le propriétaire de l'immeuble dominant, le propriétaire superficiaire, acquiert un droit dans le fonds, ayant pour objet l'utilisation par lui du fonds d'autrui — principalement le droit d'y appuyer ses ouvrages — [...] » (Cardinal, *Superficie*, n° 54, p. 134).
Angl. superficiary+, superficiary owner.

PROPRIÉTÉ *n.f.*

1. (*Biens*) Syn. droit de propriété. « La propriété doit [...] comme tout autre droit, comme la liberté elle-même, fléchir devant l'intérêt de la société à laquelle elle doit son inviolabilité » (Mignault, *Droit civil*, t. 2, p. 467).
Occ. Titre précédant l'art. 406 C. civ., art. 407, 408 C. civ.
Opp. droit réel démembré. **V.a.** acte translatif de propriété, contrat translatif de propriété, titre de propriété, titre translatif de propriété.
Angl. full ownership, ownership, property3, right of ownership+.

2. (*Biens*) Objet du droit de propriété, notamment les immeubles.
Occ. Art. 1516, 1571*c* C. civ.
Angl. property4.

PROPRIÉTÉ DIVISE

(*Biens*) Droit de propriété existant au profit d'un seul titulaire, par opposition à celui existant au profit de plusieurs. « La propriété divise, c'est le domaine normal qu'une seule personne exerce sur un objet dont elle est totalement propriétaire. La propriété indivise est le droit de propriété accordé à plusieurs personnes, en même temps, sur une seule et même chose » (Cardinal, *Droit de propriété*, p. 232).
Rem. La propriété divise constitue la situation normale alors que la propriété indivise est considérée comme une situation d'exception. Pour cette raison, l'expression *propriété divise* n'est utilisée que dans le contexte d'une opposition à la propriété indivise ou copropriété. Autrement, on emploie le terme *propriété* sans qualificatif.
Syn. propriété privative. **Opp.** propriété indivise.
Angl. divided ownership, exclusive ownership+.

PROPRIÉTÉ DU DESSOUS

(*Biens*) Propriété de ce qui se trouve sous la surface du sol. « *Propriété du dessous.*

— Le propriétaire du sol est propriétaire du *tréfonds* et cette propriété lui est indispensable, comme celle du dessus, pour planter et construire » (Planiol et Ripert, *Traité*, t. 3, n° 253, p. 253).
Occ. Art. 414 C. civ.
Opp. propriété du dessus.
Angl. ownership of what is below.

PROPRIÉTÉ DU DESSUS

(*Biens*) Propriété de l'espace qui se trouve au-dessus du sol. « Le propriétaire du sol a le droit d'utiliser l'espace au-dessus de son sol. Sans doute l'air est chose commune, mais la propriété du dessus est indispensable pour l'utilisation de la propriété de la surface » (Planiol et Ripert, *Traité*, t. 3, n° 251, p. 251).
Occ. Art. 414 C. civ.
Opp. propriété du dessous.
Angl. ownership of what is above.

PROPRIÉTÉ INDIVISE

(*Biens*) Syn. copropriété. « [...] au décès d'une personne qui a plusieurs héritiers, ses biens deviennent, jusqu'au partage, la propriété indivise de ceux-ci » (Atias, *Biens*, n° 96, p. 138).
Opp. propriété divise.
Angl. co-ownership+, ownership in indivision, right of co-ownership, undivided ownership.

PROPRIÉTÉ PRIVATIVE

(*Biens*) Syn. propriété divise. « Le partage, c'est l'acte qui met fin à l'indivision en attribuant à chacun des héritiers une part distincte du patrimoine du *de cujus*, c'est-à-dire en répartissant matériellement les biens du *de cujus* entre les héritiers. On dit qu'il substitue une propriété privative à la propriété indivise » (Brière, *Successions*, n° 308, p. 192).
Angl. divided ownership, exclusive ownership+.

PROPRIÉTÉ SUPERFICIAIRE

(*Biens*) Droit de propriété portant sur des édifices, ouvrages ou plantations situés sur un immeuble par nature appartenant à autrui ou à l'intérieur d'un tel immeuble. « [...] le droit de superficie n'est pas exclusivement un droit de propriété [...] ce droit se caractérise toujours par l'union de deux droits; l'un principal, un droit réel, absolu, la propriété superficiaire; le second, accessoire du premier, un droit au site, dont la nature varie suivant les cas » (Cardinal, *Superficie*, n° 59, p. 147).
Rem. Ce terme, qui n'apparaît pas dans les textes législatifs actuels, est employé à l'art. 1150 C. civ. Q. (L.Q. 1987, chap. 18, art. 1 n.e.v.), repris à l'art. 1108 du Projet de loi 125.
V.a. droit de superficie, superfices.
Angl. superficiary ownership.

PROPRIO MOTU *loc.adv.* (latin)

De son propre mouvement, de sa propre initiative. « À défaut de semblable allégation dans la défense, le tribunal peut-il *proprio motu* déclarer la nullité du contrat sans cause? » (Trudel, dans *Traité*, t. 7, p. 142).
Syn. *suo motu*. **V.a.** d'office.
Angl. *proprio motu*+, *suo motu*.

PROPTER REM *loc.adv.* (latin)

(*Obl.* et *Biens*) En raison de la chose. « [Le propriétaire du fonds servant] peut [...] s'engager par une convention expresse à faire les travaux nécessaires à l'exercice et à la conservation de la servitude; mais comme il n'est toujours tenu que *propter rem*, à l'occasion du fonds asservi, il peut, en l'abandonnant, s'affranchir de son obligation » (Mignault, *Droit civil*, t. 3, p. 7).
V.a. obligation *propter rem*.
Angl. *propter rem*.

PROROGATION *n.f.*

1. (*Obl.*) Action de reporter l'échéance d'un terme à une date ultérieure à celle qui

avait été convenue. *Prorogation de terme* (art. 1961 C. civ.); *prorogation d'un délai* (anc. art. 1346 C. civ. [1866-1981]), *d'une échéance.*
Occ. Art. 2573 C. civ.
Syn. prolongation[1].
Angl. extension[1], prolongation[1], prorogation[1]+.

2. (*Obl.*) Action de prolonger la durée d'une situation juridique au delà de la date d'expiration fixée. *Prorogation d'un bail, d'un mandat.*
Syn. prolongation[2].
Angl. extension[2], prolongation[2], prorogation[2]+.

PROROGER *v.tr.*

(*Obl.*) Effectuer une prorogation. *Proroger un bail, une échéance; délai prorogé.*
Syn. prolonger.
Angl. extend, prorogue+.

PROTECTION *n.f.*

V. incapacité de protection, ordre public de protection.
Angl. protection.

PROTONOTAIRE *n.*

(*D.jud.*) Officier de justice qui est responsable de l'administration du greffe de la Cour supérieure en matière civile et qui, en outre, accomplit des actes d'officier public et exerce certains pouvoirs judiciaires. « [...] le protonotaire exerce un certain nombre de pouvoirs judiciaires que le code lui attribue généralement. [...] il possède les pouvoirs du juge en chambre dans le cas où la loi le déclare expressément. [...] Finalement, [...] le protonotaire possède les pouvoirs du juge en chambre lorsque le juge est absent ou incapable d'agir ou qu'un retard risquerait d'entraîner la perte d'un droit ou de causer un dommage sérieux » (Audet, (1980) 40 *R. du B.* 179, p. 183).
Occ. Art. 42, 306 C. civ.; art. 411 C. civ. Q.; art. 4 par. f, 41, 43, 44 C. proc. civ.; art. 4, 54, *Loi sur les tribunaux judiciaires,* L.R.Q., chap. T-16.
Rem. 1° Certains critiquent l'emploi du terme *protonotaire* dans ce sens. Ce terme fait toutefois partie du vocabulaire juridique québécois depuis 1793.
V.a. greffier, protonotaire spécial.
Angl. prothonotary.

PROTONOTAIRE SPÉCIAL

(*D. jud.*) Protonotaire à qui la loi[2] confère des pouvoirs judiciaires accrus.
Occ. Art. 4 par. k, 44.1, 195 C. proc. civ.
Angl. special prothonotary.

PRUDENCE *n.f.*

V. obligation générale de prudence et de diligence.
Angl. prudence.

PSYCHOLOGIQUE *adj.*

V. dommage psychologique, imputabilité psychologique, préjudice psychologique.

PUBLIC, IQUE *adj.*

V. droit international public, droit public, liberté publique, officier public, ordre public, possession publique.

PUBLIC *n.m.*

V. offre au public.
Angl. public.

PUBLICITÉ *n.f.*

1. Caractère de ce qui est placé à la disposition du public pour lui permettre d'en prendre connaissance. Par ex., la publicité des registres de l'état civil.
Angl. publicity[1].

2. Ensemble de moyens permettant au public de prendre connaissance de certains

actes ou faits juridiques. Par ex., le système de l'enregistrement des droits réels.
V.a. formalité de publicité, publicité foncière.
Angl. publicity[2].

PUBLICITÉ FONCIÈRE

(*Biens*) Ensemble de règles juridiques visant à faire connaître aux tiers, et par là même à leur rendre opposables, certains actes juridiques relatifs à des immeubles.
« [...] la publicité foncière, qui ne produit aucun effet dans les rapports des parties à un contrat translatif ou constitutif de droit réel immobilier, est indispensable pour permettre à celui auquel un droit réel a été transféré ou constitué de l'opposer aux tiers [...] » (Larroumet, *Droit civil*, t. 2, n° 389, p. 234).
Rem. La théorie de la publicité foncière se trouve au titre *De l'enregistrement des droits réels* (art. 2082 et s. C. civ.).
V.a. enregistrement⁺.
Angl. registration of rights affecting immoveables.

PUISSANCE PATERNELLE

(*Pers.*) *Vieilli.* Ensemble des droits et devoirs qu'ont les père et mère à l'égard de leur enfant[1] jusqu'à sa majorité ou son émancipation, mais qu'en principe, seul le père exerce ou remplit durant le mariage.
« Jusqu'à une modification apportée en 1977 au Code civil du Bas-Canada, l'article 243 attribuait ce qu'on nommait alors la "puissance paternelle" à la fois au père et à la mère, mais — pendant que durait le mariage — seul le père en avait l'exercice [...] Cette puissance paternelle fut donc remplacée, en 1977, par l'autorité parentale dont l'énoncé de principe a été repris, dans le Code civil du Québec, dans l'article 648 C.C.Q. : "Les père et mère exercent ensemble l'autorité parentale". C'est donc dire qu'appartiennent à l'un et à l'autre non seulement le droit, mais encore l'exercice de ce droit » (Pineau, *Famille*, n° 330, p. 280).
Rem. En 1977, on a substitué à la puissance paternelle (anc. art. 242 et s. C. civ. [1866-1977]) l'autorité parentale (art. 645 et s. C. civ. Q.).
Angl. paternal authority.

PUR, PURE *adj.*

V. acte de pure administration, acte de pure faculté, de pur agrément.

PUR ET SIMPLE *loc.adj.*

1. (*Obl.*) Sans modalité.
Occ. Art. 1095, 1096, 1104 C. civ.
Opp. modal. **V.a.** droit pur et simple, obligation pure et simple.
Angl. pure and simple[1]⁺, unconditional[1], unconditional[2](<)⁺.

2. (*Succ.*) Sans réserve. Par ex., l'acceptation pure et simple d'une succession.
Angl. pure and simple[2]⁺, unconditional[3].

PUTATIF, IVE *adj.*

Qui est réputé être ce qu'il n'est pas.
Rem. Du latin ecclésiastique *putativus*, de *putare* : estimer, supposer.
V.a. mariage putatif, titre putatif.
Angl. putative.

Q

QUALIFICATION *n.f.*

1. Opération consistant à déterminer la nature juridique d'une chose, d'un fait, d'un rapport de droit ou d'une règle juridique pour les classer dans une catégorie juridique. Par ex., le fait de considérer une antenne de télévision comme un immeuble par nature; le fait de déterminer qu'un fait dommageable constitue une faute contractuelle ou extracontractuelle; le fait de classer les règles relatives à l'adoption dans l'état des personnes. « [...] la "qualification" est une opération intellectuelle commune à toutes les branches du droit et nécessairement pratiquée dans toutes même lorsqu'elle ne l'est pas consciemment et avec toute la rigueur voulue » (Francescakis, dans *Encyclopédie*, v° Qualifications, n° 3). *Procédé de la qualification, qualification* lege fori, *qualification selon la loi étrangère, qualification secondaire.*
Occ. Art. 3055, Projet de loi 125.
Rem. En droit international privé, la qualification d'un rapport de droit, qui consiste à le relier à une catégorie de rattachement, permet de déterminer la règle de conflit applicable et, par conséquent, le système juridique qui devrait le régir. À cet égard, « [l]a qualification comporte [...] deux phases : une phase préparatoire d'analyse qui, le cas échéant, prendra en considération la loi étrangère et une phase de jugement selon la loi du for » (Batiffol et Lagarde, *Droit int. privé*, t. 1, n° 294, p. 343).
V.a. dépeçage, localisation, problème de qualification.
Angl. characterization[1].

2. Résultat de la qualification[1]. Par ex., la qualification contractuelle d'un litige relatif au contenu d'un régime matrimonial; la qualification mobilière d'une antenne de télévision. « Les tribunaux ont longtemps hésité entre une qualification "capacité" et une qualification "régime matrimonial" des restrictions à la capacité des époux en tant que personnes mariées » (Groffier, *Précis*, n° 46, p. 48).
Rem. Alors que les qualifications sont le produit normal de tout raisonnement juridique, le problème spécifique du droit international privé est celui d'un conflit de qualifications.
Angl. characterization[2].

QUALIFIER *v.tr.*

Effectuer une qualification. Par ex., considérer les règles relatives à la saisie comme une matière procédurale; considérer l'obligation alimentaire comme une matière personnelle à caractère patrimonial. « [...] le droit étant un ensemble de règles générales, le travail quotidien du juriste consiste à déterminer la catégorie générale applicable à un cas concret : c'est qualifier le cas concret » (Batiffol et Lagarde, *Droit int. privé*, t. 1, n° 298, p. 350). *Qualifier* lege fori; *qualifier* lege causae.
Angl. characterize.

QUALITÉ MARCHANDE

(*Obl.*) Qualité moyenne, qui n'est ni la meilleure ni la plus mauvaise. « [Si l'objet de l'obligation est] une chose de genre sans que la qualité en soit déterminée [...], le

débiteur n'est pas tenu de la donner de la meilleure espèce, mais il ne pourra l'offrir de la plus mauvaise. La chose doit être de qualité marchande [...] » (Pineau et Burman, *Obligations*, n° 233, p. 322).
Occ. Art. 1151 C. civ.
Rem. En France, on emploie l'expression *qualité loyale et marchande.*
Angl. marketable quality, merchantable quality+.

QUANTI MINORIS *loc.adj.* (latin)

(*Obl.*) V. action *quanti minoris*.

QUASI CONTRACTUEL, ELLE *adj.*

(*Obl.*) Qui résulte d'un quasi-contrat; qui se rapporte à un quasi-contrat. « Ainsi, les règles de la responsabilité délictuelle et quasi délictuelle doivent être étendues à la responsabilité quasi contractuelle et à la responsabilité légale proprement dite » (Mazeaud et Tunc, *Traité*, t. 1, n° 103, p. 113).
Opp. délictuel, quasi délictuel. **V.a.** contractuel, obligation quasi contractuelle, responsabilité quasi contractuelle.
Angl. quasi-contractual.

QUASI-CONTRAT *n.m.*

(*Obl.*) Fait licite, volontairement accompli par une personne capable, qui fait naître à sa charge ou à la charge d'une autre personne des obligations analogues à celles qui découlent d'un contrat alors qu'aucune convention n'est intervenue entre elles. « Certes, le quasi-contrat suppose l'existence d'un acte de volonté, mais il n'y a pas là un véritable acte juridique : il n'y a pas contrat, puisqu'il n'y a aucun accord entre le créancier et le débiteur; il n'y a pas acte juridique unilatéral, puisque l'acte voulu n'a pas été fait en vue d'engendrer des obligations ou des effets de droit : c'est la loi qui est la source de ces obligations, parce qu'elle les considère comme justes » (Pineau et Burman, *Obligations*, n° 160, p. 228).
Occ. Art. 983, 1042 C. civ.
Rem. Le Code civil reconnaît deux types de quasi-contrat : la gestion d'affaire (art. 1043) et le paiement de l'indu (art. 1047); la jurisprudence en a créé un troisième : l'enrichissement sans cause.
Opp. délit, quasi-délit. **V.a.** contrat.
Angl. quasi-contract.

QUASI DÉLICTUEL, ELLE *adj.*

(*Obl.*) Qui résulte d'un quasi-délit; qui se rapporte à un quasi-délit. « En matière quasi délictuelle, c'est la loi [...] qui fixe la diligence dont le défendeur doit faire preuve; il doit se conduire comme un individu avisé, prudent, diligent [...] Au contraire, dans le domaine contractuel, en principe la matière est laissée à la volonté des parties [...] » (Mazeaud et Tunc, *Traité*, t. 1, n° 681-2, p. 766). *Fait quasi délictuel; en matière quasi délictuelle.*
Opp. délictuel, quasi contractuel. **V.a.** contractuel, faute quasi délictuelle, responsabilité quasi délictuelle.
Angl. quasi-delictual.

QUASI-DÉLIT *n.m.*

(*Obl.*) Fait illicite et dommageable ayant le caractère d'une faute d'imprudence ou de négligence. « Le quasi-délit est le fait par lequel une personne, sans malignité, mais par une imprudence qui n'est pas excusable, cause quelque tort à un autre » (Pothier, *Oeuvres*, t. 2, n° 116, p. 57).
Occ. Art. 1007 C. civ.
Opp. délit, quasi-contrat. **V.a.** contrat, faute non intentionnelle, imprudence, négligence[1].
Angl. quasi-delict+, quasi-offence.

QUASI EX CONTRACTU *loc.adv.* (latin)

(*Obl.*) Provenant d'un quasi-contrat.
V.a. *ex contractu, ex delicto, ex lege, quasi ex delicto.*
Angl. *quasi ex contractu.*

QUASI EX DELICTO *loc.adv.* (latin)

(*Obl.*) Provenant d'un quasi-délit.
V.a. *ex contractu, ex delicto, ex lege, quasi ex contractu.*
Angl. *quasi ex delicto.*

QUASI-POSSESSEUR, EURE *n.*

(*Biens*) Celui qui a la quasi-possession.
Angl. quasi-possessor.

QUASI-POSSESSION *n.f.*

(*Biens*) Possession[1] d'un droit réel autre que le droit de propriété. « Il n'y a plus à distinguer la *possession* et la *quasi-possession*, comme on le faisait dans l'ancien droit » (Mignault, *Droit civil*, t. 9, p. 358).
Angl. quasi-possession.

QUASI-USUFRUIT *n.m.*

(*Biens*) Usufruit portant sur des biens consomptibles. « Le quasi-usufruit — ou usufruit des choses consomptibles — présente des différences avec l'usufruit véritable. Le quasi-usufruitier se trouve à avoir l'"abusus"; il est donc propriétaire [...] Le nu-propriétaire n'a pas, en réalité, le droit de propriété puisque les trois éléments de ce droit sont réunis dans la personne de l'usufruitier. Il est seulement créancier de l'usufruitier et pourra exercer sa créance à la fin de l'usufruit » (Martineau, *Biens*, p. 135).
Rem. **1°** Voir l'art. 452 C. civ. **2°** L'usufruit proprement dit confère à son titulaire l'*usus* et le *fructus* mais non l'*abusus*, car l'usufruitier doit conserver la substance de la chose soumise à son droit. Par contre, le quasi-usufruit confère à son titulaire toutes les prérogatives du droit de propriété, car on ne peut se servir de choses consomptibles sans les détruire ou les aliéner. Le quasi-usufruitier acquiert donc la propriété de ces choses, à charge de rendre des choses semblables ou leur valeur à la fin de l'usufruit. **3°** Le quasi-usufruit se rencontre normalement, non pas à l'état isolé, mais à l'occasion d'un usufruit établi sur une universalité dans laquelle se trouvent des biens consomptibles.
V.a. prêt de consommation.
Angl. quasi-usufruct.

QUASI-USUFRUITIER, IÈRE *n.*

(*Biens*) Titulaire d'un droit de quasi-usufruit. « À la différence de l'usufruit proprement dit, le quasi-usufruit, qui, sous ce rapport, présente une grande analogie avec le prêt de consommation, transfère au quasi-usufruitier la propriété des choses formant l'objet de son droit » (Aubry et Rau, *Droit civil*, t. 2, n° 454, p. 707).
Angl. quasi-usufructuary.

QUÉRABLE *adj.*

(*Obl.*) Qui doit être payé au domicile du débiteur. « En l'absence de stipulation contraire, le paiement est quérable et non portable, c'est-à-dire qu'il doit être effectué au domicile du débiteur » (Baudouin, *Obligations*, n° 623, p. 374). *Créance quérable.*
Occ. Art. 2219 C. civ.
Rem. **1°** Voir l'art. 1152 C. civ. **2°** En principe, le créancier doit aller quérir c'est-à-dire chercher son dû. **3°** Du verbe *quérir*, du latin *quaerere* : aller chercher.
Opp. portable. **V.a.** créance quérable, dette quérable.
Angl. seekable.

QUITTANCE *n.f.*

(*Obl.*) Écrit par lequel le créancier reconnaît avoir reçu paiement de sa créance. « Dans les faits, le plus souvent, la volonté de subroger est exprimée dans la quittance que le tiers *solvens* obtient du créancier au moment où il paie » (Pineau et Burman, *Obligations*, n° 241, p. 329). *Donner quittance* (art. 1844 C. civ.).
Occ. Art. 1161 C. civ.; art. 1341 C. civ. Q.

V.a. décharge[B], reçu[1], titre de paiement.
Angl. acquittance.

QUITTANCER *v.tr.*

(*Obl.*) Donner quittance.
Angl. acquit[2].

QUITTANCE SUBROGATIVE

(*Obl.*) Syn. quittance subrogatoire. « Le plus souvent la quittance subrogative est établie au moment du paiement et elle constate la simultanéité du paiement et de la subrogation » (Marty, Raynaud et Jestaz, *Obligations*, t. 2, n° 390, p. 354).
Angl. subrogatory acquittance.

QUITTANCE SUBROGATOIRE

(*Obl.*) Quittance constatant une subrogation conventionnelle. « Le plus souvent, la convention de subrogation est constatée dans la quittance remise par le créancier au tiers solvens, appelée *quittance subrogatoire* [...] » (Mazeaud et Chabas, *Leçons*, t. 2, vol. 1, n° 849, p. 958).
Syn. quittance subrogative.
Angl. subrogatory acquittance.

QUITUS *n.m.* (latin)

(*Obl.*) Syn. décharge. *Donner quitus.*
Rem. 1° L'expression ne semble pas être employée chez les auteurs. 2° Du latin médiéval *quitus*, latin classique *quietus* : tranquille.
Angl. discharge[1+], quit, *quitus*.

QUOTE-PART *n.f.*

(*Biens*) Fraction représentant le droit individuel d'une personne qui se trouve dans l'indivision[1]. « Chaque coïndivisaire a une *quote-part* de la chose indivise qui s'exprime par une fraction : la moitié, le tiers, le quart ... Le droit portant sur cette fraction abstraite est un droit individuel; il varie suivant que l'indivision porte sur la pleine propriété, la nue-propriété ou l'usufruit » (Marty et Raynaud, *Biens*, n° 60-2, p. 76).
Occ. Art. 441*d*, 780, 868, 873 C. civ.
Angl. aliquot part, aliquot portion, aliquot share[+].

QUOTITÉ *n.f.*

(*Obl.*) Quantité, montant. « Il ne suffit pas de déterminer la chose dans son espèce, *il faut encore la déterminer dans sa quotité, c'est-à-dire dans sa quantité.* Le vendeur ne s'engagerait pas sérieusement s'il promettait seulement de livrer "du blé", car il serait libéré en livrant une quantité infime » (Mazeaud et Chabas, *Leçons*, t. 2, vol. 1, n° 237, p. 229).
Occ. Art. 1060, 2203 C. civ.

R

RACHAT DE RENTE

(*Obl.*) Acte juridique par lequel le débirentier se libère de son obligation en remettant au crédirentier une somme d'argent dont le montant est déterminé par la loi ou par les parties.
Occ. Art. 393 C. civ.
Rem. Lorsque la rente a été établie en raison du paiement d'un capital au débirentier, ce dernier opère le rachat de la rente en remettant ce capital. Si la rente a été établie en raison de la cession au débirentier de choses dont la valeur a été établie entre les parties, le débirentier opère le rachat en remettant cette valeur. Dans les autres cas, le débirentier remet une somme qui produira des intérêts équivalents aux arrérages de la rente.
Angl. redemption of rent.

RADIATION *n.f.*

(*Sûr.* et *Enr.*) Suppression de l'enregistrement d'un droit. « On a défini la radiation l'anéantissement juridique d'une inscription. On explique que cet anéantissement est *juridique*, parce que, *matériellement*, l'inscription existe encore, mais on inscrit en marge de l'enregistrement de l'acte une note indiquant que cet enregistrement est rayé, et ainsi le registre est conforme à la réalité de choses et fait voir que le droit a existé, mais que son existence a pris fin » (Mignault, *Droit civil*, t. 9, p. 271). *Radiation d'une hypothèque*; *demande de radiation*; *jugement en radiation*; *requête en radiation.*
Occ. Art. 2149, 2150, 2151 C. civ.; art. 805 C. proc. civ.
Rem. On distingue la radiation volontaire, la radiation judiciaire et la radiation légale.
V.a. mainlevée.
Angl. cancellation[3]+, radiation.

RADIATION FORCÉE

(*Sûr.*) Syn. radiation judiciaire. « Lorsque, sans motif suffisant, on refuse de consentir, après mise en demeure, à la radiation d'un droit réel, l'intervention de la justice devient nécessaire afin que l'enregistrement de ce droit soit radié malgré le refus du titulaire d'y consentir. C'est ce qu'on appelle la radiation forcée [...] » (Mignault, *Droit civil*, t. 9, p. 283).
Angl. forced cancellation, forced radiation, judicial cancellation+, judicial radiation.

RADIATION JUDICIAIRE

(*Sûr.*) Radiation qui résulte d'une décision judiciaire. « Si le créancier refuse ou est incapable (ex.: l'absence) de consentir à la radiation, on peut alors s'adresser au tribunal pour obtenir une radiation judiciaire, soit au moyen d'une action en radiation suivant l'article 2150 C.c. ou bien en présentant une requête en radiation tel que prévu à l'article 805 C.p.c. » (C.F.P.B.Q., *Sûretés*, p. 220).
Syn. radiation forcée. **Opp.** radiation légale, radiation volontaire.
Angl. forced cancellation, forced radiation, judicial cancellation+, judicial radiation.

RADIATION LÉGALE

(*Sûr.*) Radiation qui résulte de la loi seule. « Ce terme de radiation légale n'est consa-

cré par aucun texte de notre droit ni employé par aucun des auteurs [...] mais nous avons cru l'introduire, car il y a plusieurs cas où la radiation ne résulte ni du consentement du créancier, ni des juges des tribunaux, mais de la loi seule » (Lavallée, (1929-1930) 32 *R. du N.* 100, p. 105).
Rem. Voir les art. 2081*a*, 2103 par. 4, 2151 al. 4, 2157 et 2157*b* C. civ.
Opp. radiation judiciaire, radiation volontaire.
Angl. legal cancellation+, legal radiation.

RADIATION VOLONTAIRE

(*Sûr.*) Radiation qui résulte du consentement du titulaire du droit enregistré. « D'ordinaire la radiation volontaire est consentie par un acte unilatéral émané de celui dont le droit a cessé d'exister. Ainsi le créancier hypothécaire donne une quittance à son débiteur qui a payé la dette [...] Cependant, il est évident que le consentement à la radiation peut résulter d'une convention ordinaire [...] » (Mignault, *Droit civil*, t. 9, p. 273).
Rem. La radiation volontaire peut être en forme authentique ou sous seing privé (art. 2151 C. civ.).
Opp. radiation judiciaire, radiation légale.
Angl. voluntary cancellation+, voluntary radiation.

RADIER *v.tr.*

(*Sûr.* et *Enr.*) Opérer une radiation. « Radier un acte, c'est le désenregistrer. Le droit peut subsister entre les parties, mais est sans effet à l'égard des tiers [...] » (Lamontagne, *R.D.* Titres immobiliers — Doctrine — Doc. 13, n° 6).
Angl. cancel[3]+, radiate.

RAISONNEMENT *A CONTRARIO* (latin)

Mode de raisonnement permettant d'écarter, dans une situation non prévue, le régime juridique d'une situation expressément prévue par la loi, lorsque les raisons qui ont inspiré ce régime font défaut dans le premier cas. « [...] le raisonnement *a contrario* ne permet pas, à lui seul, de conclure à la non-application de la loi à une situation déterminée qu'elle ne vise pas alors qu'elle en envisage expressément une série d'autres voisines. Il faut, en réalité, dans un tel cas, rechercher le caractère de l'énumération légale : ce n'est que si elle est *limitative*, *exhaustive*, que l'argument *a contrario* pourra produire son effet; non si elle est simplement *indicative* » (Aubert, *Introduction*, n° 125, note 13, p. 121).
Opp. raisonnement *a fortiori*, raisonnement *a pari*.
Angl. reasoning *a contrario*.

RAISONNEMENT *A FORTIORI* (latin)

Mode de raisonnement permettant d'étendre à une situation non prévue le régime juridique d'une situation expressément prévue par la loi, lorsque les motifs qui ont inspiré ce régime s'appliquent pour des raisons encore plus fortes dans le premier cas.
Opp. raisonnement *a contrario*, raisonnement a *pari*.
Angl. reasoning *a fortiori*.

RAISONNEMENT *A PARI* (latin)

Mode de raisonnement par analogie permettant d'étendre à une situation non prévue le régime juridique d'une situation expressément prévue par la loi, lorsque les raisons qui ont inspiré ce régime s'appliquent avec égale force dans le premier cas. « Lorsque les raisons mêmes qui avaient déterminé le législateur (raisonnement *a pari*) ou des raisons plus fortes encore (raisonnement *a fortiori*) se retrouvent à l'égard d'une situation voisine de celle expressément visée par la loi, celle-ci lui est étendue » (Ghestin et Goubeaux, *Introduction*, n° 144, p. 105).
Opp. raisonnement *a contrario*, raisonnement *a fortiori*.
Angl. reasoning *a pari*+, reasoning by analogy.

RAISON SOCIALE

1. (*Obl.* et *D. comm.*) Nom de la société commerciale[1] constituée en vertu du *Code civil du Bas Canada.* « La raison sociale joue le rôle de patronyme pour une société. C'est son nom légal. C'est sous ce nom que les actes juridiques sont passés et que les contrats sont conclus. C'est sous sa raison sociale que la société pourra ester en justice » (Simon, *Nom commercial*, p. 10).
Occ. Art. 1865, 1870, 1877 C. civ.; art. 115(6) C. proc. civ.; art. 10, *Loi sur les déclarations des compagnies et sociétés*, L.R.Q., chap. D-1.
Rem. 1° La raison sociale peut consister dans le nom de tous les associés ou de l'un ou de plusieurs de ceux-ci; elle peut aussi consister dans le nom de tiers ou dans une désignation quelconque. 2° Les termes *raison sociale*, *dénomination sociale* et *nom commercial* sont parfois employés indifféremment l'un pour l'autre.
V.a. dénomination sociale, nom commercial+.
Angl. firm, firm name[1]+.

2. (*Obl.* et *D. comm.*) Nom, autre que le sien, utilisé par un commerçant faisant affaires seul. « L'article 1834 (a) C.c.B.-C., parlant d'une personne exerçant son commerce seule, exige [...] que cette personne produise une déclaration lorsqu'elle fait affaires sous une *raison sociale* » (Simon, *Nom commercial*, p. 10).
Occ. Art. 10 par. 1, *Loi sur les déclarations des compagnies et sociétés*, L.R.Q., chap. D-1.
V.a. nom commercial+.
Angl. firm, firm name[2]+.

RANG *n.m.*

(*Sûr.*) Position d'un privilège ou d'une hypothèque dans un ordre de priorité entre ces sûretés. « La priorité de l'enregistrement détermine le rang de priorité et de collocation entre les créanciers hypothécaires (art. 2130, al. 2, 3 et 4 C. civ.). Ainsi, la date de l'enregistrement détermine le rang des hypothèques » (Ciotola, *Sûretés*, p. 390).
Occ. Art. 1985, 2013*c*, 2130 C. civ.
Rem. 1° Sous réserve d'autres dispositions législatives fédérales ou provinciales, l'art. 1994 C. civ. fixe l'ordre de priorité des privilèges mobiliers, tandis que l'art. 2009 C. civ. fait de même pour les privilèges immobiliers. 2° Les hypothèques prennent rang selon leur date d'enregistrement (art. 2130 C. civ.).
V.a. cession de rang, cession du rang hypothécaire.
Angl. rank.

RAPPORT DE CAUSALITÉ

(*Obl.*) Syn. lien de causalité. « Un dommage résulte habituellement de plusieurs séries de faits. Une fois établies les circonstances primaires, la détermination d'un rapport de causalité entre un ou plusieurs faits fautifs et le dommage suppose une sélection, une appréciation et une qualification des faits prouvés » (*Morin* c. *Blais*, [1977] 1 R.C.S. 570, p. 578, j. J. Beetz).
Angl. causality, causal relation, causation+.

RAPPORT DE PRÉPOSITION

(*Obl.*) Syn. lien de préposition. « Il y a rapport de préposition lorsqu'une personne, faisant appel pour son compte personnel aux services d'une autre, est en droit de lui donner des ordres et des instructions sur la manière de remplir les fonctions qu'elle lui a confiées » (Aubry et Rau, *Droit civil*, t. 6, n° 425, p. 658).
Angl. employer-employee relationship+, *lien de préposition*, master-servant relationship.

RATIFICATION *n.f.*

1. (*Obl.*) Acte juridique unilatéral par lequel le représenté accepte une opération juridique accomplie en sa faveur par le représentant qui a outrepassé ses pouvoirs, et s'oblige à la respecter. « Le géré ne

pourra pas [...] se prévaloir du caractère inutile de la gestion pour refuser l'indemnisation [du gérant] lorsqu'il aura ratifié la gestion; on enseigne [...] que la ratification [...] a pour effet de transformer rétroactivement la gestion en un contrat de mandat [...] » (Pineau et Burman, *Obligations*, n° 171, p. 239).
Rem. La ratification peut être expresse ou tacite.
V.a. promesse de porte-fort.
Angl. ratification[1].

2. (*Obl.*) Syn. confirmation. « Pour qu'il y ait confirmation (ou ratification) d'un contrat annulable, l'auteur de la confirmation doit avoir connaissance du vice dont l'acte est atteint et l'intention de le réparer » (Larouche, *Obligations*, n° 171, p. 196).
Occ. Art. 1214 C. civ.
Rem. La doctrine française réserve le terme *ratification* au domaine de la représentation (voir toutefois l'art. 1338 C. civ. fr. correspondant à l'art. 1214 C. civ.). Au Québec, on emploie ce terme aussi à propos de la renonciation à invoquer la nullité relative.
Angl. confirmation+, ratification[2].

RATIFIER *v.tr.*

1. (*Obl.*) Effectuer une ratification[1]. « [...] le représenté est tenu de ce qui a été fait en son nom par le représentant au delà de ses pouvoirs, chaque fois qu'il l'a ratifié expressément ou tacitement [...] ou qu'il y a eu gestion utile [...] » (Weill et Terré, *Obligations*, n° 82, p. 80).
Occ. Art. 2139, Projet de loi 125.
Angl. ratify[1].

2. (*Obl.*) Syn. confirmer. « L'incapacité d'exercice étant une mesure de protection, la sanction est en principe une nullité relative, ce qui permet à l'incapable dont l'incapacité a été levée de ratifier ou de confirmer l'acte » (Baudouin, *Obligations*, n° 244, p. 177). *Contrat ratifié.*
Angl. confirm+, ratify[2].

RATIONE LOCI *loc.adv.* (latin)

(*D. jud.*) En raison du lieu.
V.a. compétence *ratione loci*, compétence *ratione personae vel loci*, compétence territoriale.
Angl. *ratione loci.*

RATIONE MATERIAE *loc.adv.* (latin)

(*D. jud.*) En raison de la matière.
Occ. Art. 164 C. proc. civ.
V.a. compétence d'attribution, compétence *ratione materiae*, incompétence *ratione materiae*.
Angl. *ratione materiae.*

RATIONE PERSONAE *loc.adv.* (latin)

(*D. jud.*) En raison de la personne.
V.a. compétence *ratione personae*, compétence *ratione personae vel loci*, compétence territoriale.
Angl. *ratione personae.*

RATIONE PERSONAE VEL LOCI *loc.adv.* (latin)

(*D. int. pr.* et *D. jud.*) En raison de la personne ou du lieu.
V.a. compétence *ratione personae vel loci*.
Angl. *ratione personae vel loci.*

RATTACHEMENT *n.m.*

(*D. int. pr.*) Constatation du lien existant entre une situation et un ou plusieurs systèmes juridiques et soumission de la situation à un ou plusieurs de ces systèmes juridiques. « Le défaut de rattachement peut provenir de trois causes. Soit le rattachement *n'existe pas* en l'espèce [...] Soit le rattachement existe, mais *est inconnu* [...] Soit il est connu, mais *n'est pas de nature à désigner un ordre juridique* [...] » (Mayer, *Droit int. privé*, n° 181, p. 114-115).
V.a. catégorie de rattachement, conflit de rattachements, facteur de rattachement, localisation, règle de rattachement.
Angl. connection.

RÉALISATION DE LA CONDITION

(*Obl.*) Fait, pour une condition[1], de s'accomplir. « La condition peut se réaliser de deux façons. Lorsqu'elle consiste en la survenance d'un événement, l'arrivée de celui-ci opère réalisation de la condition et rend l'obligation pure et simple. Lorsqu'elle consiste au contraire en la non-survenance d'un événement, elle est réputée réalisée lorsqu'il est certain que le fait ne se produira pas, ou lorsque le temps imparti pour sa survenance s'est complètement écoulé » (Baudouin, *Obligations*, n° 771, p. 466-467).
Syn. accomplissement de la condition, arrivée de la condition. **Opp.** défaillance de la condition. **V.a.** condition négative, condition positive.
Angl. accomplishment of the condition, fulfilment of the condition+, realization of the condition.

RÉCÉPISSÉ *n.m.*

(*Obl.*) Écrit par lequel une personne reconnaît avoir reçu pour communication ou en dépôt des pièces ou des objets.
Occ. Art. 83 C. proc. civ.
V.a. reçu[2].
Angl. receipt[2](>).

RÉCEPTION *n.f.*

(*Obl.*) Acte juridique unilatéral par lequel l'acquéreur, après examen de la chose livrée, la reconnaît conforme à ce qui a été convenu. « La réception définitive exonère le vendeur des vices et non-conformités ostensibles » (Le Tourneau, dans *Ventes internationales*, 232, n° 91, p. 265). *Procès-verbal de réception*; *réception des travaux.*
Occ. Art. 1680 C. civ.
Rem. La réception a lieu relativement à des objets complexes réalisés dans le cadre d'un contrat d'entreprise ou d'une vente à livrer, ainsi que pour les biens achetés sur catalogue, sur plan ou d'après un échantillon.
Syn. acceptation[3].
Angl. acceptance[3], reception+.

RECEVOIR *v.tr.*

(*Obl.*) Opérer la réception. « L'entrepreneur a un intérêt évident à provoquer la réception dès l'achèvement des travaux; en effet elle *purge les vices apparents* (mais non les vices cachés), elle marque le *point de départ des délais de garantie*, elle lui permet de réclamer le solde du prix. Aussi l'entrepreneur peut-il contraindre le maître à recevoir les travaux; mais celui-ci, s'il a des motifs légitimes, a le droit de refuser son *quitus* ou de *n'accepter les travaux que sous réserves* » (Mazeaud et Chabas, *Leçons*, t. 3, vol. 2, 2e part., n° 1365-2, p. 792-793). *Recevoir des travaux.*
Syn. accepter[2].
Angl. accept[2], receive+.

RÉCIPROQUE *adj.*

V. obligation réciproque.

RÉCLAMATION D'ÉTAT

(*Pers.*) Syn. action en réclamation d'état. « Lorsqu'une filiation douteuse aura été contestée avec succès ou lorsque aucune filiation n'est encore établie, il y a possibilité de se prévaloir de l'action en réclamation d'état. [...] La contestation et la réclamation d'état pourront d'ailleurs être jointes en une seule action et entendues en même temps » (Pilon, *Législation*, p. 76).
Occ. Titre précédant l'art. 587 C. civ. Q.
Angl. action to claim status+, claim status.

RÉCOGNITIF ou RECOGNITIF, IVE *adj.*

Qui sert à reconnaître.
Rem. Du latin *recognitus*, participe passé de *recognoscere* : reconnaître.
V.a. acte récognitif, titre récognitif.

RÉCOLTE PENDANTE PAR RACINES

(*Biens*) Syn. fruits tenant par racines.
Occ. Art. 378 C. civ.
Angl. crops uncut, fruits attached by roots+.

RÉCOMPENSE *n.f.*

V. offre de récompense, promesse de récompense.
Angl. reward.

RECONDUCTION *n.f.*

V. tacite reconduction.
Angl. renewal.

RECONNAISSANCE DE DETTE

(*Obl.*) Acte[2] par lequel une personne admet être débitrice d'une autre. « L'écrit devant servir de commencement de preuve par écrit doit en être un qui soit valide. C'est ainsi qu'on a jugé que des lettres de change, billets ou reconnaissances de dette, éteints par prescription ne peuvent constituer des commencements de preuve par écrit pouvant donner lieu à la preuve orale de prêts antérieurs » (Nadeau et Ducharme, dans *Traité*, t. 9, n° 469, p. 363).
Rem. Voir les art. 2227, 2228, 2231 C. civ.
Angl. acknowledgement of debt.

RECONNAISSANCE DE MATERNITÉ OU DE PATERNITÉ

(*Pers.*) Acte[2] par lequel une personne admet être la mère ou le père d'un enfant[1]. « La reconnaissance de maternité ou de paternité a si peu de poids qu'elle ne peut "contredire ... une filiation déjà établie et non infirmée en justice" (art. 580 C.C.Q.). [...] La reconnaissance de maternité résulte de la déclaration faite par une femme qu'elle est la mère de l'enfant, de même que la reconnaissance de paternité résulte de la déclaration faite par une homme qu'il est le père de l'enfant (art. 578 C.C.Q.) » (Pineau, *Famille*, n° 267, p. 210).
Occ. Art. 579, 580 C. civ. Q.
Rem. **1°** La reconnaissance de maternité ou de paternité constitue un mode de preuve de la filiation seulement si cette dernière n'a pu être établie autrement par l'acte de naissance, la possession d'état ou la présomption de paternité (art. 577 C. civ. Q.). **2°** La reconnaissance de maternité ou de paternité n'est opposable qu'à son auteur (art. 579 C. civ. Q.). **3°** En droit français, la reconnaissance de maternité ou de paternité ne vise que l'enfant naturel, comme il en était au Québec avant la réforme de 1970 (anc. art. 240 C. civ. [1866-1970]).
Syn. reconnaissance volontaire. **V.a.** action en réclamation d'état, enfant reconnu.
Angl. acknowledgement of maternity or of paternity⁺, voluntary acknowledgement.

RECONNAISSANCE D'ENFANT NATUREL

(*Pers.*) *Vieilli.* Acte[2] par lequel une personne reconnaît pour sien un enfant naturel.
Rem. Cette notion, prévue à l'anc. art. 240 C. civ. (1866-1970), est abolie par le Code civil du Québec qui ne fait aucune distinction entre l'enfant légitime et l'enfant naturel, et est remplacée par la reconnaissance de maternité ou de paternité. En droit français, la reconnaissance d'enfant naturel demeure le principal mode d'établissement de la filiation naturelle.
Angl. acknowledgement of a natural child.

RECONNAISSANCE VOLONTAIRE

(*Pers.*) Syn. reconnaissance de maternité ou de paternité. « Il est ici [art. 577 C. civ. Q.] clairement indiqué que la reconnaissance volontaire est le dernier moyen de preuve qui peut être utilisé uniquement dans la mesure où aucune autre preuve n'est susceptible d'être administrée : l'enfant n'a pas de titre de naissance, ne peut aucunement démontrer qu'il a une possession d'état à l'égard de telle ou telle personne, et ne peut faire jouer la présomption de paternité [...] » (Pineau, *Famille*, n° 267, p. 210).
Occ. Art. 577 C. civ. Q.
Angl. acknowledgement of maternity or of paternity⁺, voluntary acknowledgement.

RECONNU, UE *p.p.adj.*

(*Pers.*) V. enfant reconnu.

RECOURS COLLECTIF

(*D. jud.*) Voie de droit par laquelle une personne, le *représentant*, peut agir en demande, sans mandat, pour le compte d'un groupe de personnes, après autorisation du tribunal. « Le recours collectif n'est pas un droit (*jus*); c'est un moyen [...] Ce n'est qu'un mécanisme particulier qui vient s'appliquer, pour la "collectiviser", à une façon déjà existante d'exercer un droit déjà existant » (Bouchard, (1980) 21 *C. de D.* 855, p. 864). *Exercer un recours collectif.*
Occ. Art. 999, 1003 C. proc. civ.
Angl. class action.

RECOURS EN CONTESTATION DE PATERNITÉ

(*Pers.*) Syn. action en contestation de paternité.
Angl. action in contestation of paternity+, contestation of paternity.

RECOURS EN DÉSAVEU

(*Pers.*) Syn. action en désaveu de paternité.
Occ. Art. 581, 583, 586 C. civ. Q.
Angl. action in disavowal, action in disavowal of paternity+, disavowal of paternity.

REÇU *n.m.*

1. (*Obl.*) Écrit attestant un paiement.
Syn. acquit. **V.a.** décharge[B], quittance, titre de paiement.
Angl. receipt[1].

2. (*Obl.*) Écrit par lequel une personne reconnaît avoir reçu une chose.
Rem. Dans le cas de pièces ou d'objets reçus pour communication ou en dépôt, on emploie plutôt *récépissé*.
Angl. receipt[2].

RÉCURRENT, ENTE *adj.*

V. dommage récurrent.

REDDITION DE COMPTE

(*Obl.* et *D. jud.*) Présentation à une personne d'un compte de la gestion faite pour elle. « L'action en reddition de compte peut donner naissance à deux instances, la première sur le droit d'obtenir une reddition d'un compte, la seconde sur le contenu du compte » (Anctil, *Commentaires*, t. 2, p. 114).
Occ. Titre précédant l'art. 532 C. proc. civ.; art. 1405 al. 2 C. civ. Q.
V.a. action en reddition de compte, affirmation, débats.
Angl. accounting.

REDEVANCE *n.f.*

(*Obl.*) Somme d'argent qui doit être payée à échéances fixes. « La constitution de rente est un contrat par lequel l'une des parties s'engage envers l'autre [...] à payer une redevance annuelle [...] » (*Dict. de droit*, v° Rente constituée, n° 1).
Occ. Art. 567, 2210 C. civ.
V.a. arrérages[1], rente emphytéotique.
Angl. dues.

RÉDHIBITION *n.f.*

(*Obl.*) Résolution[1] de la vente d'une chose atteinte d'un vice caché. « [...] pour obtenir la rédhibition, l'acheteur n'est pas tenu de prouver qu'il n'aurait pas contracté s'il avait connu le vice, il lui suffit, aux termes mêmes du *Code* [art. 1522 et 1526 C. civ.], de démontrer qu'il n'aurait pas contracté à des conditions aussi onéreuses » (Jobin, (1973) 14 *C. de D.* 343, p. 345).
V.a. action rédhibitoire.
Angl. redhibition.

RÉDHIBITOIRE *adj.*

(*Obl.*) V. action rédhibitoire, vice rédhibitoire.

Rem. Du latin *redhibitorius*, de *redhibere* : rendre, restituer. Spéc. rendre au vendeur un objet acheté; reprendre un objet vendu.

RÉEL, ELLE *adj.*

1. (*Biens*) Qui s'exerce directement sur une chose, à propos d'un droit[2] à caractère patrimonial. « Le droit réel, qui porte sur une chose corporelle, constitue très certainement la forme la plus ancienne de l'accaparement des richesses [...] » (Larroumet, *Droit civil*, t. 1, n° 485, p. 300). *Contenu réel d'un contrat.*
Rem. Du latin *res* : chose.
Opp. obligationnel+, personnel[1]. **V.a.** action réelle, droit réel, obligation réelle.
Angl. real[1].

2. (*Obl.*) Dont la formation, à propos d'un acte juridique, dépend de la remise d'une chose.
Opp. consensuel, solennel. **V.a.** contrat réel, formaliste.
Angl. real[2].

3. (*D. int. pr.*) Relatif à la condition des biens.
Opp. personnel[3]. **V.a.** loi réelle, statut réel.
Angl. real[3].

4. Relatif à un bien, par opposition à une personne.
Opp. personnel[4]. **V.a.** caution réelle, charge réelle, servitude réelle, sûreté réelle.
Angl. real[4].

5. Qui est appuyé par la présentation effective de l'objet dû.
V.a. offre réelle.
Angl. real[5].

6. Véritable.
V.a. acte réel, domicile réel, indivisibilité réelle, possession réelle, tradition réelle, volonté réelle.

RÉFLÉCHI, IE *adj.*

(*Obl.*) V. dommage réfléchi, préjudice réfléchi.

RÉGIME FONCIER

(*Biens*) Ensemble des règles juridiques relatives aux immeubles. « Au titre du droit des biens, le régime foncier ne saisit l'immeuble [...] que comme portion du sol, parcelle de territoire [...] » (Cornu, *Introduction*, n° 1341, p. 423).

RÉGIMES DE PROTECTION DES MAJEURS

(*Pers.*) Mesures de protection d'un majeur inapte à prendre soin de sa personne ou à administrer ses biens, prononcées par le tribunal et destinées à assurer la protection de sa personne, l'administration de son patrimoine et l'exercice de ses droits civils[5].
Occ. Titre précédant l'art. 325 C. civ., art. 325 C. civ.
Rem. **1°** Depuis avril 1990, l'interdiction est abrogée et remplacée par un régime de protection du majeur proportionné à l'inaptitude mentale ou physique de la personne. **2°** Aux art. 325 et s., le Code civil établit trois régimes de protection du majeur inapte : la curatelle au majeur lorsque l'inaptitude du majeur à prendre soin de lui-même ou à administrer ses biens est totale et permanente (art. 333 C. civ.); la tutelle au majeur lorsque l'inaptitude est partielle ou temporaire (art. 334 C. civ.); et la nomination d'un conseiller au majeur si celui-ci a besoin d'être assisté ou conseillé pour certains actes ou pour un certain temps (art. 335 C. civ.).
V.a. curatelle, tutelle.
Angl. protective supervision of persons of full age.

RÈGLE D'APPLICATION IMMÉDIATE

(*D. int. pr.*) Syn. loi d'application immédiate. « [...] par la règle de conflit, le législateur du for s'efforce, en se référant à une loi interne, de rendre bonne justice aux intérêts privés, tandis que par la règle d'application immédiate, il assimile la relation internationale à une relation interne

parce que, dans sa finalité, la loi doit s'appliquer à l'une comme à l'autre sans aucune distinction » (Graulich, dans *Mélanges Dabin*, 629, p. 633).
Angl. law of immediate application+, law of police, law of public order, law of public policy, norm of necessary application, rule of immediate application, rule of necessary application.

RÈGLE D'APPLICATION NÉCESSAIRE

(*D. int. pr.*) Syn. loi d'application immédiate. « On utilisera de préférence l'expression "règles d'application nécessaire", qui évoque le fait que *chacune de ces règles est applicable* (au moins dans le for de l'État dont elle émane) *même si l'ordre juridique auquel elle appartient n'est pas désigné par la règle de conflit, dès lors que l'État qui l'a édictée estime nécessaire de déroger à son profit à la compétence de toute loi étrangère* » (Mayer, *Droit int. privé*, n° 121, p. 78).
Angl. law of immediate application+, law of police, law of public order, law of public policy, norm of necessary application, rule of immediate application, rule of necessary application.

RÈGLE DE COMPÉTENCE JUDICIAIRE

(*D. int. pr.*) Syn. règle de conflit de juridictions. « La distinction des règles de *compétence judiciaire* et de *compétence législative* est [...] le fondement même de la conception actuelle du droit international privé » (Batiffol et Lagarde, *Droit int. privé*, t. 2, n° 668, p. 446).
Angl. rule of conflict of jurisdictions+, rule of judicial competence, rule of jurisdictional competence.

RÈGLE DE COMPÉTENCE JURIDICTIONNELLE

(*D. int. pr.*) Syn. règle de conflit de juridictions. « Les règles de compétence juridictionnelle se trouvent en partie dans le Code de procédure civile aux articles 68 et s. [...] » (Groffier, *Précis*, n° 253, p. 250).
Angl. rule of conflict of jurisdictions+, rule of judicial competence, rule of jurisdictional competence.

RÈGLE DE CONFLIT

(*D. int. pr.*) Règle qui détermine soit le système juridique devant régir un litige comportant un élément d'extranéité, soit le tribunal ayant compétence pour l'entendre. Par ex., la règle qui soumet l'état et la capacité d'une personne à la loi de son domicile (art. 6 al. 4 C. civ.); la règle qui, en matière immobilière, attribue compétence au tribunal du lieu de situation du bien en litige (art. 73 C. proc. civ.). « [...] le jeu normal de la règle de conflit peut se trouver entravé soit par la difficulté de déterminer ou de connaître la loi étrangère applicable, soit par l'incompatibilité de son contenu avec des conceptions jugées fondamentales de la loi du for [...] » (Batiffol et Lagarde, *Droit int. privé*, t. 1, n° 323, p. 378).
Rem. On distingue les règles de conflits de lois et les règles de conflits de juridictions.
Opp. règle matérielle². **V.a.** localisation.
Angl. conflict rule.

RÈGLE DE CONFLIT DE JURIDICTIONS

(*D. int. pr.*) Règle de conflit qui désigne le tribunal ayant compétence pour connaître d'un litige comportant un élément d'extranéité. Par ex., la règle qui établit, en matière personnelle, la compétence du tribunal du domicile du défendeur (art. 68 par. 1 C. proc. civ.). « Les règles de conflits de juridictions sont bien mal dénommées. En effet [...] elles ne sont pas des règles de conflit, mais des règles matérielles en ce sens qu'elles ne se contentent pas de désigner la loi qui détermine la compétence juridictionnelle. Elles la déterminent elles-mêmes » (Loussouarn et Bourel, *Droit int. privé*, n° 438, p. 684).

Rem. La résolution d'un conflit de juridictions suppose l'application d'une règle qui désigne directement le tribunal compétent, sans poser la question de savoir quel système juridique sera appelé à fournir les règles de compétence; dans le conflit de lois, au contraire, la règle de conflit détermine le système juridique appelé à fournir la règle applicable plutôt que cette règle même. En raison de cette différence de nature avec les règles de conflit de lois, de nombreux auteurs préfèrent le terme *règle de compétence judiciaire*.
Syn. règle de compétence judiciaire, règle de compétence juridictionnelle. **Opp.** loi d'application immédiate, règle de conflit de lois.
Angl. rule of conflict of jurisdictions+, rule of judicial competence, rule of jurisdictional competence.

RÈGLE DE CONFLIT DE LOIS

(*D. int. pr.*) Règle de conflit qui désigne le système juridique devant régir un litige comportant un élément d'extranéité. Par ex., la règle qui soumet les immeubles à la loi du lieu de leur situation. « Les règles de conflit de lois sont des *règles de conflit* que l'on oppose aux règles substantielles, en ce sens qu'elles se bornent à déterminer la loi applicable sans trancher le litige au fond » (Loussouarn et Bourel, *Droit int. privé*, n° 9, p. 8).
Rem. La règle de conflit de lois peut être bilatérale ou unilatérale.
Syn. règle de rattachement. **Opp.** loi d'application immédiate, règle de conflit de juridictions.
Angl. connecting rule, rule of conflict of laws+.

RÈGLE DE DROIT

Règle qui fait partie du droit positif. « Les règles de droit se distinguent des règles morales qui s'imposent à la conscience mais ne comportent pas de sanction de l'autorité publique » (*Dict. de droit*, v° Droit, n° 2).
Rem. La règle de droit peut être impérative ou supplétive.
Syn. loi[3], précepte juridique, règle juridique. **Opp.** fait[3]. **V.a.** principes généraux du droit.
Angl. juridical precept, juridical rule+, law[3], legal rule.

RÈGLE DE RATTACHEMENT

(*D. int. pr.*) Syn. règle de conflit de lois. « L'ensemble des conflits possibles de lois au Québec est ainsi résolu par un petit nombre de règles de rattachement » (Castel, *Droit int. privé*, p. 41).
Angl. connecting rule, rule of conflict of laws+.

RÈGLE IMPÉRATIVE

Syn. loi impérative. « Les dernières décennies, marquées davantage par la supériorité de l'intérêt général sur les intérêts privés, ont vu se multiplier les règles impératives [...] » (Weill et Terré, *Introduction*, n° 161, p. 164).
Opp. règle supplétive.
Angl. imperative law[2]+, imperative rule.

RÈGLE INTERNE

(*D. int. pr.*) Syn. loi interne[3]. « [...] le juge peut substituer à la règle interne invoquée non seulement une autre règle interne, mais aussi, éventuellement, une règle d'un autre ordre juridique si celui-ci se trouve être compétent [...] » (Mayer, *Droit int. privé*, n° 83, p. 55).
Angl. dispositive rule[1], internal law[3]+, internal rule, material rule[1], substantive law[3], substantive norm, substantive rule[1].

RÈGLE JURIDIQUE

Syn. règle de droit.
Angl. juridical precept, juridical rule+, law[3], legal rule.

RÈGLE MATÉRIELLE

1. (*D. int. pr.*) Syn. loi interne[3]. « L'expression générique "règles matérielles ou règles substantielles" traduit une idée fondamentale : il s'agit de règles régissant directement le fond du droit » (Loussouarn et Bourel, *Droit int. privé*, n° 69, p. 74).
Angl. dispositive rule[1], internal law[3+], internal rule, material rule[1], substantive law[3], substantive norm, substantive rule[1].

2. (*D. int. pr.*) Loi interne[3] édictée pour régir directement des situations comportant un élément d'extranéité. Par ex., l'art. 348*a* C. civ. qui organise la représentation au Québec de l'incapable étranger. « La plupart de ces règles matérielles sont obligatoires [...] » (Talpis, (1977) *C.P. du N.* 115, n° 20, p. 132).
Rem. 1° D'aucuns estiment que les règles matérielles, tout comme les lois d'application immédiate, règlent directement les relations internationales sans l'intermédiaire d'une règle de conflit. D'autres soutiennent, au contraire, qu'elles ne peuvent s'en dispenser. D'autres, enfin, affirment que seules certaines de ces règles se passent de la méthode conflictuelle. 2° Les règles matérielles ont principalement leur source dans les conventions internationales.
Syn. règle substantielle[2]. **Opp.** règle de conflit. **V.a.** loi d'application immédiate.
Angl. dispositive rule[2], material rule[2+], substantive rule[2].

RÈGLEMENT *n.m.*

1. (*D. adm.*) Loi[1] édictée par l'Administration, en vertu d'une loi habilitante. « Sous réserve de la prérogative royale, mais conformément au principe de légalité, l'Administration n'est donc habilitée en principe à édicter des règlements que si un texte de loi l'y autorise [...] » (Pépin et Ouellette, *Principes*, p. 84). *Édicter, faire, prendre un règlement.*
Rem. 1° Le règlement se distingue de la loi[2] qui, elle, est édictée par le législateur. 2° L'expression *adopter un règlement*, la plus usuelle dans les textes québécois, est critiquable en ce que le terme *adopter* laisse supposer l'existence d'une assemblée délibérante, alors que le Conseil des ministres est conçu sur le modèle d'un organe collégial plutôt que d'une assemblée délibérante.
Opp. loi[2]. **V.a.** arrêt de règlement, arrêté ministériel, décret[2].
Angl. regulation.

2. (*D. comm.*) Ensemble des règles concernant l'organisation interne et le fonctionnement d'un groupement.
Occ. Art. 91 par. 2, *Loi sur les compagnies*, L.R.Q., chap. C-38.
Rem. En droit des sociétés commerciales canadiennes, on oppose le règlement, qui a une portée générale, à la résolution, qui a une portée particulière.
Angl. by-law.

3. (*Obl.*) Syn. paiement. « *Paiement par chèque.* — Le principe est que les créanciers ne sont pas tenus d'accepter ce mode de règlement [...] » (Carbonnier, *Droit civil*, t. 4, n° 129, p. 578).
Occ. Art. 1040*c* C. civ.
Angl. payment.

4. Action de résoudre une affaire. *Règlement d'un conflit, règlement d'une succession.*
Occ. Art. 304 al. 5, 599*a* C. civ.
Angl. settlement[1].

RÈGLEMENT HORS COUR

(*Obl.* et *D. jud.*) Transaction dans le cas d'un procès commencé. « Dans le présent cas [...] si l'on avait voulu que le demandeur s'oblige à déplacer sa maison, il aurait fallu que ceci soit clairement indiqué dans la déclaration de règlement hors cour qui est une transaction selon l'article 1918 du *Code civil* » (*Lussier* c. *P.G. Québec*, [1979] C.S. 538, p. 539, j. A. Desmeules).
Angl. out-of-court settlement(>), settlement[2](>), transaction(>)[+].

RÉGLER *v.tr.*

1. (*Obl.*) Syn. payer. *Régler en espèces.*
Angl. acquit[1], pay+, settle[1].

2. Résoudre une affaire. *Régler une succession.*
Occ. Art. 519, 599, 926 al. 2 C. civ.
Angl. settle[2].

RÈGLE SUBSTANTIELLE

1. (*D. int. pr.*) Syn. loi interne[3]. « Toutes les fois où un litige présente un nombre d'éléments étrangers, le droit international privé entre en jeu pour choisir la règle substantielle qui doit s'appliquer au problème » (Groffier, *Précis*, n° 11, p. 21).
Angl. dispositive rule[1], internal law[3]+, internal rule, material rule[1], substantive law[3], substantive norm, substantive rule[1].

2. (*D. int. pr.*) Syn. règle matérielle[2]. « La source internationale de ces règles substantielles n'empêche pas qu'elles sont devenues le droit de l'État signataire où elles sont invoquées [...] » (Batiffol et Lagarde, *Droit int. privé*, t. 1, n° 253, p. 301).
Angl. dispositive rule[2], material rule[2]+, substantive rule[2].

RÈGLE SUPPLÉTIVE

Syn. loi supplétive.
Angl. suppletive law[2].

RÉGULIER, IÈRE *adj.*

(*Succ.*) V. héritier régulier, successeur régulier.

RÉINTÉGRANDE *n.f.*

(*Biens*) Action possessoire par laquelle le possesseur cherche à recouvrer l'immeuble dont il a été dépossédé. « La réintégrande a pour but de sanctionner les *actes de dépossession par lesquels une personne prétend se faire justice à elle-même en recourant à une voie de fait* » (Mazeaud et Chabas, *Leçons*, t. 2, vol. 2, n° 1466, p. 188).
Occ. Art. 770 C. proc. civ.
Rem. Du latin *reintegrare* (rac. *integer* : entier, intact) : restaurer, rétablir.
Syn. action en réintégrande. **V.a.** complainte.
Angl. action for repossession.

RELAIS *n.m.*

(*Biens*) Accroissement abandonné à la rive par un retrait d'eau. *Lais et relais de la mer* (art. 2213 C. civ.).
Occ. Art. 421 C. civ.
V.a. alluvion, atterrissement, lais.
Angl. ground left dry.

RELATIF, IVE *adj.*

1. Opposable à certaines personnes seulement, à propos d'un droit[2]. « Le droit personnel est relatif, en ce sens que le créancier ne peut faire valoir son droit qu'à l'égard du débiteur [...] » (Colin et Capitant, *Traité*, t. 2, n° 3, p. 3).
Opp. absolu[1]. **V.a.** compétence relative, droit relatif[1], nullité relative, obligation relative, ordre public relatif.
Angl. relative[1].

2. (*Biens*) Limité en ce qu'il ne comporte qu'une partie des prérogatives possibles, à propos d'un droit réel principal. « La servitude réelle est donc un droit réel principal relatif, un démembrement de la propriété » (Caron, (1962) 42 *Thémis* 123, p. 125).
Opp. absolu[2]. **V.a.** droit relatif[2].
Angl. relative[2].

3. Susceptible d'abus, à propos de l'exercice d'un droit[2], d'un pouvoir. « En principe, tous les droits sont susceptibles d'abus : ils sont *relatifs* (on dit aussi : contrôlés) » (Mazeaud et Chabas, *Leçons*, t. 2, vol. 1, n° 459, p. 471).
Syn. contrôlé. **Opp.** absolu[3]. **V.a.** droit relatif[3].
Angl. relative[3].

RELATION CAUSALE

(*Obl.*) Syn. lien de causalité. « Le lien de causalité a en quelque sorte une vie autonome, il obéit à des règles qui lui sont propres, et il se détache de la notion de faute. On peut, en effet, concevoir l'existence d'une faute sans que celle-ci soit liée au fait dommageable par une relation causale » (Baudouin, *Droit civil*, p. 854).
Angl. causality, causal relation, causation⁺.

RELATIVITÉ DES CONTRATS

(*Obl.*) V. principe de la relativité des contrats. « La relativité des actes juridiques n'est pas une sanction de ces actes : c'est une limitation apportée à leur effet par la loi. La relativité des contrats ne met pas obstacle à leur opposabilité de principe aux tiers. Les tiers sont tenus de respecter les contrats conclus par les parties » (Tancelin, *Obligations*, n° 203, p. 118).

RELATIVITÉ DES CONVENTIONS

(*Obl.*) V. principe de la relativité des conventions. « Justifiée, voire nécessaire, en tant qu'elle protège les personnes en défendant qu'elles ne soient engagées par la volonté d'autrui, la relativité des conventions n'a pas de raison d'être lorsqu'il s'agit de droits créés au profit d'un tiers. C'est ce qui explique, en définitive, la validité *de principe* de toute stipulation pour autrui » (Starck, Roland et Boyer, *Obligations*, t. 2, n° 1250, p. 434).

RELATIVITÉ DU LIEN OBLIGATOIRE

(*Obl.*) V. principe de la relativité du lien obligatoire. « *Exceptions à la relativité du lien obligatoire du côté actif : la stipulation pour autrui, l'action directe* [...] L'article 1121 [art. 1029 C. civ.] est le texte qui vise la *stipulation pour autrui*; il admet, dans certains cas exceptionnels, *qu'un tiers devienne créancier par la volonté des parties contractantes*. Dans quelques espèces, le législateur, *en dehors de la volonté du créancier et du débiteur*, attribue à un tiers le bénéfice d'une *créance*, en lui conférant une *action directe* contre le débiteur » (Mazeaud et Chabas, *Leçons*, t. 2, vol. 1, n° 766, p. 903).

RELIQUAT *n.m.*

(*Obl.* et *D. jud.*) Solde dû après la clôture d'un compte.
Occ. Art. 313, 2030 C. civ.; art. 538 C. proc. civ.
V.a. reddition de compte.
Angl. balance².

RÉMÉRÉ *n.m.*

(*Obl.*) Syn. faculté de réméré. « [...] la vente à réméré produit, en principe, les *effets d'une vente sous condition résolutoire* [...] Lorsque *le réméré est exercé*, la vente est rétroactivement résolue; il n'y a eu aucune vente ni *aucun transfert de propriété* » (Mazeaud et Chabas, *Leçons*, t. 3, vol. 2, 1ᵉ part., n° 920, p. 204). *Cause de réméré.*
Rem. Du latin médiéval *reemere*, de *redimere* : racheter.
V.a. vente à réméré⁺.
Angl. option to repurchase, redemption², right of redemption⁺.

REMETTRE *v.tr.*

(*Obl.*) Effectuer la remise.
Occ. Art. 1810 C. civ.
Angl. hand over⁺, remit.

REMISE *n.f.*

1. (*Obl.*) Action de mettre un meuble corporel entre les mains de quelqu'un.
Occ. Art. 1150 C. civ.
V.a. délivrance, enlèvement, livraison, tradition réelle, versement¹.
Angl. handing over⁺, remittance.

2. (*Obl.*) Renonciation à un avantage auquel on avait droit. Par ex., la remise de

la solidarité (art. 1114 C. civ.), la remise du privilège ou de l'hypothèque (art. 2081 C. civ.).
Occ. Art. 1181 C. civ.
Angl. release[1].

REMISE DE DETTE

(*Obl.*) Convention par laquelle le créancier, avec l'accord du débiteur, renonce gratuitement à tout ou partie de sa créance. « *La remise de dette est une convention* : elle suppose *l'accord des volontés du créancier et du débiteur.* La volonté unilatérale du créancier, renonçant à sa créance, serait donc insuffisante pour éteindre l'obligation [...] » (Mazeaud et Chabas, *Leçons*, t. 2, vol. 1, n° 1195, p. 1236).
Occ. Art. 1182 C. civ.
Rem. La renonciation peut aussi avoir lieu à titre onéreux; elle est alors désignée sous une appellation différente : *dation en paiement, novation par changement de débiteur.*
Syn. remise d'une obligation.
Angl. release of debt, release of obligation+.

REMISE DE SOLIDARITÉ

(*Obl.*) Remise[2] à propos de la solidarité. « Le créancier peut consentir une *remise de solidarité*. Cette remise peut être [...] générale ou absolue et profiter ainsi à tous les débiteurs, ou, au contraire, spéciale ou relative et ne profiter qu'à un débiteur ou à certains d'entre eux » (Marty, Raynaud et Jestaz, *Obligations*, t. 2, n° 116, p. 104).
Rem. **1°** Voir les art. 1114 à 1116 C. civ. **2°** Il ne faut pas confondre remise de solidarité et remise de dette. Dans la remise de dette, le créancier renonce à tout ou partie de sa créance; dans la remise de solidarité, le créancier de plusieurs débiteurs solidaires ne renonce à aucune partie de sa créance, mais uniquement au bénéfice que lui confère la solidarité. **3°** Le débiteur à qui le créancier fait remise de solidarité n'est plus tenu de la totalité de la dette, mais seulement de sa part.
V.a. remise de dette.
Angl. release from solidarity.

REMISE D'UNE OBLIGATION

(*Obl.*) Syn. remise de dette.
Occ. Art. 1181 C. civ.
Angl. release of debt, release of obligation+.

REMISE EN ÉTAT

(*Obl.*) Action de replacer quelque chose dans son état antérieur. « [En matière de résolution judiciaire] le tribunal, tout comme dans le cas d'une demande en nullité, doit effectuer la remise en état des parties et s'efforcer de les replacer dans la situation où elles étaient avant d'avoir contracté » (Baudouin, *Obligations*, n° 457, p. 287). *Remise en état primitif* (art. 1624 C. civ.), *la remise en état des parties.*
Syn. *restitutio in integrum*[1]. **V.a.** restitution[1], *statu quo.*
Angl. *restitutio in integrum*[1], restitution[3], restoration+.

RENDANT, ANTE *n.*

(*D. jud.*) Personne qui rend compte ou à qui on demande de rendre compte. « Le rendant est tenu de produire les pièces justificatives de recettes et dépenses » (*Rép. proc. civ.*, v° Compte (Reddition de), n° 23).
Occ. Art. 537 C. proc. civ.
Syn. rendant compte. **Opp.** oyant.
V.a. comptable, reddition de compte.
Angl. accounting party.

RENDANT COMPTE

(*D.jud.*) Syn. rendant. « Le rendant compte n'est déchargé de son obligation que lorsqu'il existe un compte définitif ou que la prescription est acquise » (*Rép. proc. civ.*, v° Compte (Reddition de), n° 1).
Occ. Art. 570 anc. C. proc. civ. (1897-1965).
Angl. accounting party.

RENONÇANT, ANTE *n.* et *adj.*

Personne qui opère une renonciation. « Le seul résultat de la renonciation est de priver le renonçant du droit ou de la prérogative dont il est titulaire » (Bredin, dans *Travaux Henri Capitant*, t. 13, 355, p. 364).
Occ. Art. 654 C. civ.
Syn. renonciateur. **Opp.** renonciataire.
Angl. party renouncing+, renunciant.

RENONCER *v.tr.*

Opérer une renonciation. « *Il est* [...] *interdit au débiteur de renoncer d'avance à la prescription* [...]; une telle renonciation serait frappée d'une nullité d'ordre public [...] » (Mazeaud et Chabas, *Leçons*, t. 2, vol. 1, n° 1189, p. 1227).
Occ. Art. 1115, 1759, 2184 C. civ.; art. 262, *Loi sur la protection du consommateur*, L.R.Q., chap. P-40.1.
V.a. abandonner, abdiquer.
Angl. renounce.

RENONCER (À LA PRESCRIPTION) *v.tr.*

(*Prescr.*) Procéder à la renonciation de la prescription.
V.a. interrompre la prescription, suspendre la prescription.

RENONCIATAIRE *n.*

Bénéficiaire d'une renonciation.
Opp. renonçant.

RENONCIATEUR, TRICE *n.*

Syn. renonçant.
Angl. party renouncing+, renunciant.

RENONCIATION *n.f.*

Acte abdicatif portant notamment sur un droit réel ou personnel, sur la possession d'un bien ou sur une prétention juridique. Par ex., la renonciation à la qualité d'héritier, à une servitude, à la prescription, à un moyen de défense. « [...] la renonciation au droit de propriété sur un meuble constitue un *abandon*, la chose devenant *res nullius* [...] » (Weill et Terré, *Introduction*, n° 349, p. 342).
Occ. Art. 1755, 2185 C. civ.
Rem. Le terme *renonciation* semble être employé pour toutes sortes d'actes abdicatifs. Toutefois, dans des contextes précis, on utilisera plutôt des termes comme *délaissement* (d'un bien), ou *désistement* (d'un acte de procédure).
V.a. déguerpissement[1], délaissement[1], remise de dette, répudiation.
Angl. abandonment.

RENONCIATION (À LA PRESCRIPTION)

(*Prescr.*) Renonciation au droit d'invoquer une prescription acquisitive ou extinctive. « La renonciation à une prescription acquise [...] est un acte abdicatif et unilatéral. [...] le renonçant abdique [...] le droit d'invoquer la prescription » (Marty et Raynaud, *Biens*, n° 197, p. 254).
Occ. Art. 2185 C. civ.
Rem. Selon l'art. 2184 C. civ., la renonciation anticipée est prohibée : ainsi un débiteur ne pourrait pas, lors de la création de l'obligation, s'engager à ne pas invoquer, éventuellement, la prescription qui pourrait s'accomplir à son bénéfice. Par contre, on peut renoncer à une prescription accomplie de même qu'au bénéfice du temps écoulé dans le cas d'une prescription en cours; cette dernière renonciation constitue, aux termes de l'art. 2227 C. civ., une forme d'interruption civile de prescription.
V.a. interruption de la prescription, suspension de la prescription.
Angl. renunciation (of prescription).

RENSEIGNEMENT *n.m.*

V. obligation de renseignement.

RENSEIGNER *v.tr.*

V. obligation de renseigner.
Angl. inform.

RENTE *n.f.*

1. (*Obl.*) Droit personnel permettant à une personne d'exiger d'une autre qu'elle lui fournisse de façon périodique une somme d'argent ou certaines denrées. « Les sommes payables annuellement au créancier ou *crédi-rentier* par le débiteur ou *débi-rentier*, sont appelées *arrérages*; ainsi, une rente produit des *arrérages*, une créance, des *intérêts* » (Mignault, *Droit civil*, t. 2, p. 443). *Rente créée en perpétuel, en viager.*
Occ. Art. 388, 389, 1789, 1902 C. civ.
Rem. Quant à leur nature, on distingue les rentes constituées et les rentes foncières; quant à leur durée, on oppose les rentes perpétuelles aux rentes temporaires.
V.a. bail à rente, constitution de rente.
Angl. annuity[1]+, pension, rent[2].

2. (*Obl.*) Arrérages[1] payables par le débirentier. « Une rente est une redevance due annuellement par une personne appelée *débirentier* à une personne appelée *crédirentier, cette redevance étant acquittée sous forme d'arrérages* » (Fournier, *Rép. droit civ.*, v° Rentes, n° 1). *Verser une rente, servir une rente.*
Occ. Art. 704, 947 C. civ.
Angl. rent[3].

RENTE À TERME

(*Obl.*) Rente temporaire dont la durée est fixée par l'écoulement d'un laps de temps déterminé.
Rem. Voir l'art. 1789 C. civ.
Syn. rente constituée à terme, rente non viagère. **Opp.** rente viagère.
Angl. fixed term annuity, rent constituted for a term, rent for a term, rent other than for life, rent with a term, term annuity+.

RENTE CONSTITUÉE

(*Obl.*) Rente[1] établie en raison de l'aliénation par le crédirentier d'une somme d'argent au débirentier. « Quant à la rente constituée, [...] elle avait comme source le versement d'une somme d'argent au débirentier » (Montpetit et Taillefer, dans *Traité*, t. 3, p. 62).
Occ. Art. 388, 389, 1791 C. civ.
Rem. La rente constituée est habituellement établie à titre onéreux, mais elle peut l'être à titre gratuit, c'est-à-dire sans que le crédirentier fournisse un capital au débirentier (art. 1788 C. civ.).
Opp. rente foncière. **V.a.** constitution de rente.
Angl. constituted rent.

RENTE CONSTITUÉE À TERME

(*Obl.*) Syn. rente à terme.
Rem. Voir l'art. 1789 C. civ.
Angl. fixed term annuity, rent constituted for a term, rent for a term, rent other than for life, rent with a term, term annuity+.

RENTE CONSTITUÉE EN PERPÉTUEL

(*Obl.*) Syn. rente perpétuelle. « Il est [...] de l'essence de la rente constituée en perpétuel qu'elle soit rachetable par le débiteur [...] » (Mignault, *Droit civil*, t. 8, p. 137).
Occ. Art. 1790 C. civ.
Angl. perpetual annuity+, perpetual rent, rent constituted in perpetuity, rent in perpetuity.

RENTE CONSTITUÉE EN VIAGER

(*Obl.*) Syn. rente viagère. « Une rente, constituée en viager et à fonds perdu, ne peut être considérée comme un contrat usuaire, quelqu'exorbitante qu'en soit sa prestation » (Mignault, *Droit civil*, t. 8, p. 284, note 3).
Angl. life-annuity+, life-rent, rent constituted for life.

RENTE EMPHYTÉOTIQUE

(*Biens*) Redevance annuelle que paie l'emphytéote.

Occ. Art. 574 C. civ.
Rem. Dans la pratique, on emploie aussi, plus simplement, le terme *redevance*.
Syn. canon[2]. **V.a.** bail emphytéotique.
Angl. canon[2], emphyteutic rent+.

RENTE EN PERPÉTUEL

(*Obl.*) Syn. rente perpétuelle.
Rem. Voir l'art. 1789 C. civ.
Angl. perpetual annuity+, perpetual rent, rent constituted in perpetuity, rent in perpetuity.

RENTE EN VIAGER

(*Obl.*) Syn. rente viagère.
Angl. life-annuity+, life-rent, rent constituted for life.

RENTE FONCIÈRE

(*Obl.*) Rente[1] établie en raison de l'aliénation par le crédirentier d'un immeuble au débirentier. « [...] la rente foncière, qu'on nommait autrefois *bail à rente*, est celle qui est établie comme prix de la cession d'un immeuble » (Mignault, *Droit civil*, t. 2, p. 442-443).
Occ. Art. 391 C. civ.
Opp. rente constituée. **V.a.** bail à rente.
Angl. ground-rent.

RENTE NON VIAGÈRE

(*Obl.*) Syn. rente à terme.
Angl. fixed term annuity, rent constituted for a term, rent for a term, rent other than for life, rent with a term, term annuity+.

RENTE PERPÉTUELLE

(*Obl.*) Rente[1] établie pour une période de temps illimitée. « [Quant] aux rentes perpétuelles, l'article 1789 dit que lorsque la rente est en perpétuel, elle est essentiellement rachetable par le débiteur » (Mignault, *Droit civil*, t. 8, p. 136).
Occ. Art. 388 C. civ.
Syn. rente constituée en perpétuel, rente en perpétuel. **Opp.** rente temporaire.
Angl. perpetual annuity+, perpetual rent, rent constituted in perpetuity, rent in perpetuity.

RENTE TEMPORAIRE

(*Obl.*) Rente[1] établie pour un temps limité. « La rente temporaire est appelée *viagère* lorsque sa durée, au lieu d'être fixée à un certain nombre d'années, est limitée à l'existence d'une ou de plusieurs personnes » (Mignault, *Droit civil*, t. 3, p. 443).
Occ. Art. 394 C. civ.
Rem. La rente temporaire est viagère ou à terme.
Opp. rente perpétuelle.
Angl. temporary annuity+, temporary rent.

RENTE VIAGÈRE

(*Obl.*) Rente temporaire dont la durée est fixée au temps de la vie du crédirentier ou d'un tiers. « La rente viagère peut [...] être constituée sur plusieurs têtes [...] » (Mignault, *Droit civil*, t. 8, p. 286).
Occ. Art. 393, 1901, 1905 C. civ.
Syn. rente constituée en viager, rente en viager. **Opp.** rente à terme.
Angl. life-annuity+, life-rent, rent constituted for life.

RENVOI *n.m.*

(*D. int. pr.*) Opération par laquelle, dans une situation comportant un élément d'extranéité, le choix de la loi applicable étant confié à la règle de conflit de la loi étrangère désignée par celle du for, conduit, par suite d'un refus de compétence du système désigné, à l'application d'une loi autre que cette loi étrangère. Par ex., le fait pour le juge québécois de soumettre à la loi québécoise la validité formelle d'un testament rédigé à New York par un Québécois pour la raison que la règle de conflit new yorkaise, elle-même compétente selon la règle de conflit québécoise, ne se reconnaît pas compétente et désigne la loi québécoise du domicile du testateur. « Admettre ou répudier le renvoi signifie donc affirmer ou nier qu'un système donné doive attacher des conséquences au fait que ses règles de conflit conduisent parfois à une loi étrangère qui [...] "refuse" d'être appliquée » (Francescakis, *Théorie du renvoi*, n° 80, p. 81). *Appliquer, refuser le renvoi.*

Rem. **1°** La question du renvoi fait l'objet d'un débat : alors que la jurisprudence québécoise a déjà appliqué le renvoi, la majorité de la doctrine québécoise le rejette. Toutefois, le Projet de loi 125 paraît l'admettre. **2°** Le refus du renvoi consiste à appliquer, en vertu d'une règle de conflit du for, les règles matérielles d'une loi interne[2] étrangère. **3°** L'acceptation du renvoi peut se faire sous la forme du renvoi simple ou du double renvoi. **4°** La doctrine s'accorde en tout cas pour exclure le renvoi dans les matières relevant de l'autonomie de la volonté.

V.a. conflit de systèmes, théorie du renvoi.

Angl. renvoi.

RENVOI AU DEUXIÈME DEGRÉ

(*D. int. pr.*) Syn. renvoi au second degré. « L'admission du renvoi au deuxième degré s'accompagne logiquement de celle du renvoi aux troisième, quatrième, *n*-ième degré, qui entrent en jeu lorsque la loi tierce renvoie à une quatrième loi, la quatrième à une cinquième et ainsi de suite jusqu'à ce que l'une des lois se déclare compétente et soit appliquée » (Mayer, *Droit int. privé*, n° 226, p. 142).

Angl. renvoi in the second degree.

RENVOI AU PREMIER DEGRÉ

(*D. int. pr.*) Renvoi simple en vertu duquel la règle de conflit étrangère, désignée par celle du for, rend applicable la loi du for. Par ex., le fait que la loi française du domicile du propriétaire d'un meuble situé au Québec, applicable en vertu de l'art. 6 al. 2 C. civ, désigne à son tour la loi québécoise du lieu de situation du bien pour régir une question de droit réel. « Le renvoi au premier degré a une origine jurisprudentielle » (Loussouarn et Bourel, *Droit int. privé*, n° 200, p. 302).

Rem. **1°** Le renvoi au premier degré permet au juge saisi d'appliquer sa propre loi interne. **2°** Au Québec, c'est la seule forme de renvoi que l'on retrouve en jurisprudence.

Opp. renvoi au second degré.

Angl. renvoi in the first degree.

RENVOI AU SECOND DEGRÉ

(*D. int. pr.*) Renvoi simple en vertu duquel la règle de conflit étrangère, désignée par celle du for, rend applicable la loi[4] d'un pays tiers. Par ex., le fait que la loi française du domicile du propriétaire d'un meuble situé en Ontario, applicable en vertu de l'art 6. al. 2 C. civ., désigne à son tour la loi ontarienne du lieu de situation du meuble pour régir une question de droit réel. « [...] lorsque la loi tierce accepte la compétence, le renvoi au second degré est un instrument appréciable d'harmonisation des solutions » (Loussouarn et Bourel, *Droit int. privé*, n° 202, p. 311).

Rem. Sous cette forme plus rare du renvoi, que la jurisprudence québécoise n'a pas encore examinée, on peut, dans une perspective de coordination des systèmes en présence, admettre ce renvoi s'il conduit à une « acceptation de désignation », c'est-à-dire lorsque deux systèmes successivement désignés admettent la même règle de conflit, ce qui permet d'appliquer la règle interne de la loi désignée en dernier lieu. À défaut d'une telle acceptation, on peut envisager plusieurs solutions : rejeter le renvoi au second degré, c'est-à-dire appliquer la règle interne de cette dernière loi; rejeter le renvoi, c'est-à-dire appliquer la règle interne du système juridique désigné par le for; déclarer la loi du for compétente à titre subsidiaire.

Syn. renvoi au deuxième degré.

Opp. renvoi au premier degré.

Angl. renvoi in the second degree.

RENVOI PARTIEL

(*D. int. pr.*) Syn. renvoi simple. « Si le tribunal du Québec accepte ce renvoi, il appliquera alors sa propre loi interne à la solution de la question : c'est ce qu'on appelle le renvoi partiel au premier degré » (Deschênes, *Théorie du renvoi*, 265, p. 268).
Opp. renvoi total.
Angl. partial renvoi, simple renvoi⁺.

RENVOI SIMPLE

(*D. int. pr.*) Renvoi qui donne lieu à l'application de la règle de conflit étrangère désignée par celle du for, mais non de l'ensemble du sytème de conflits de l'État ainsi désigné. Par ex., le fait pour le juge québécois d'appliquer la loi interne[3] française à la question de la succession mobilière d'un Français domicilié en Italie lors de son décès parce que la loi italienne, désignée par la règle de conflit québécoise, aurait renvoyé à la loi française de sa nationalité. « Le renvoi simple peut être au deuxième degré, ou à un degré plus éloigné lorsque la règle de conflit étrangère [...] renvoie à une loi tierce qui elle-même peut renvoyer à la loi d'un autre système et ainsi de suite » (Groffier, *Précis*, n° 65, p. 70).
Syn. renvoi partiel. **Opp.** double renvoi.
V.a. théorie du renvoi.
Angl. partial renvoi, simple renvoi⁺.

RENVOI TOTAL

(*D. int. pr.*) Syn. double renvoi. « En présence de ces trois solutions : refus du renvoi, acceptation du renvoi partiel et acceptation du renvoi total, quelle ligne de conduite faut-il adopter? » (Deschênes, *Théorie du renvoi*, 265, p. 269).
Opp. renvoi partiel.
Angl. double renvoi⁺, total renvoi.

RÉPARATION *n.f.*

(*Obl.*) Action de remédier à un préjudice. « Le *principe directeur* est *l'adéquation de la réparation au préjudice* » (Carbonnier, *Droit civil*, t. 4, n° 111, p. 496). *Créance de réparation; réparation du dommage; demander, exiger réparation; une faute dommageable ouvre droit à réparation.*
Occ. Art. 24, *Charte canadienne des droits et libertés*, Loi de 1982 sur le Canada, Annexe B, 1982 (R.U.) chap. 11.
Rem. **1°** L'art. 1382 du Code civil français oblige l'auteur d'un dommage à le « réparer ». Bien que le texte correspondant, l'art. 1053 du Code civil, n'emploie pas ce terme, la notion de réparation occupe la même place centrale qu'en droit français. **2°** On distingue la réparation en nature et la réparation par équivalent.
Syn. indemnisation[2]. **V.a.** grosses réparations, menues réparations, menues réparations d'entretien.
Angl. reparation[1].

RÉPARATION EN NATURE

(*Obl.*) Réparation par la remise des choses en l'état. « [...] il [le juge] décidera les mesures propres à placer le demandeur dans la même situation que celle où le défendeur n'aurait pas commis la faute. De l'acte illicite, il ne restera que le souvenir; ses effets seront effacés; le dommage disparaîtra réellement. C'est la réparation en nature » (Mazeaud et Chabas, *Traité*, t. 3, vol. 1, n° 2302, p. 614).
Rem. La réparation en nature consiste dans l'exécution forcée de l'obligation elle-même s'il s'agit d'une obligation positive et, s'il s'agit d'une obligation négative, dans une abstention ou dans la destruction de ce qui a été fait en violation de l'obligation.
Opp. réparation par équivalent. **V.a.** exécution en nature.
Angl. reparation in kind.

RÉPARATION FORFAITAIRE

(*Obl.*) Réparation au moyen d'un forfait, qui ne correspond pas nécessairement au préjudice réellement subi. « Si l'on élargit la responsabilité en l'affranchissant de la

faute, il peut sembler réciproque de ne plus accorder une réparation intégrale. C'est l'esprit de la législation des accidents du travail : en contrepartie de la garantie dont elle fait bénéficier les salariés, elle ne leur attribue qu'une réparation *forfaitaire* [...] » (Carbonnier, *Droit civil*, t. 4, n° 112, p. 498).
Opp. réparation intégrale.
Angl. predetermined compensation(<)[+], predetermined reparation[+].

RÉPARATION INTÉGRALE

(*Obl.*) Réparation égale au préjudice réellement subi. « En l'absence de règles d'évaluation précises permettant de le discipliner, le principe de la réparation intégrale reste donc une pure directive d'équité qui dissimule mal un abandon total à l'appréciation judiciaire » (Viney, *Responsabilité*, n° 65, p. 87).
Syn. *restitutio in integrum*[2]. **Opp.** réparation forfaitaire.
Angl. full compensation(<)[+], full reparation[+], *restitutio in integrum*[2].

RÉPARATION PAR ÉQUIVALENT

(*Obl.*) Réparation par le moyen d'un avantage équivalent à ce que la victime a perdu. « [...] le juge ne cherchera pas à effacer le dommage subi par la victime. Mais il s'efforcera de le compenser; il prendra des mesures destinées à procurer à la victime un avantage qui soit l'équivalent du préjudice souffert; il condamnera, par exemple, le responsable à verser une certaine somme d'argent à la victime, des dommages-intérêts. Le préjudice ne disparaîtra pas; mais il sera compensé. C'est la réparation par équivalent » (Mazeaud et Chabas, *Traité*, t. 3, vol. 1, n° 2302, p. 614).
Syn. compensation[1]. **Opp.** réparation en nature. **V.a.** dommages-intérêts, exécution par équivalent.
Angl. compensation[1][+], indemnification[1], reparation by equivalence.

RÉPARATIONS DE MENU ENTRETIEN

(*Obl.*) Syn. réparations locatives.
Angl. lessee's repairs[+], minor repairs, minor repairs for maintenance.

RÉPARATIONS D'ENTRETIEN

(*Biens*) Réparations résultant de l'usage normal d'une chose.
Occ. Art. 468 C. civ.
Rem. Dans l'usufruit, ces réparations sont à la charge de l'usufruitier.
Opp. grosses réparations[1]. **V.a.** réparations locatives.
Angl. repairs for maintenance.

RÉPARATIONS LOCATIVES

(*Obl.*) Réparations d'entretien, généralement mineures, d'une chose louée. Par ex., la peinture, les réparations aux portes et serrures.
Occ. Art. 1627 C. civ.
Rem. **1°** La loi (art. 1627 C. civ.) met les réparations locatives à la charge du locataire, sauf conventions contraires. **2°** Avant la réforme du Code civil en 1973, au titre du louage de choses, l'anc. art. 1635 (1866-1973), suivant en cela l'exemple de l'art. 1754 C. civ. fr., énumérait les réparations réputées locatives.
Syn. menues réparations, menues réparations d'entretien, réparations de menu entretien. **Opp.** grosses réparations[2].
Angl. lessee's repairs[+], minor repairs, minor repairs for maintenance.

RÉPARER *v.tr.*

(*Obl.*) Effectuer la réparation d'un préjudice. « Puisqu'il s'agit de réparer non de punir, il est rationnel que la gravité de la faute soit sans influence sur le quantum des dommages-intérêts » (Carbonnier, *Droit civil*, t. 4, n° 111, p. 496).
Occ. Art. 2562 C. civ.
Syn. indemniser[2]. **V.a.** compenser[1].
Angl. indemnify[2], repair[+].

RÉPÉTER *v.tr.*

(*Obl.*) Réclamer, exiger, demander. « Celui qui paye sciemment ce qu'il ne doit pas, n'a pas le droit de répéter [...] » (Weill et Terré, *Obligations*, n° 807, p. 901). *Répéter les dommages-intérêts* (art. 1109 C. civ.), *répéter les frais* (art. 323 C. proc. civ.), *répéter l'indu, répéter une chose* (art. 1598 C. civ.).
Rem. **1°** Ce verbe est souvent employé absolument. **2°** Du latin *repetere* : faire revenir, réclamer.
Angl. recover.

RÉPÉTITION *n.f.*

(*Obl.*) Fait de répéter.
Occ. Art. 472, 958 C. civ.
V.a. action en répétition d'enrichissement sans cause.
Angl. recovery.

RÉPÉTITION DE L'INDU

(*Obl.*) Fait de demander la restitution de ce qui a été payé indûment. « La répétition de l'indu se présente [...] comme la conséquence de la nullité du contrat de paiement faute de cause, car l'extinction d'une dette est la cause du paiement et le paiement de l'indu est sans cause [...] » (Marty et Raynaud, *Obligations*, 1962, n° 623, p. 656).
V.a. action en répétition de l'indu, paiement de l'indu, restitution de l'indu.
Angl. recovery of a thing not due.

REPRENDRE *v.tr.*

(*Obl.*) Effectuer la reprise. « [...] le propriétaire d'un logement, à la fin du bail, peut le reprendre pour s'y loger ou loger un membre de sa famille [...] » (Morel, *Louage*, n° 962).
Syn. reprendre possession.
Angl. repossess+, retake possession.

REPRENDRE POSSESSION *loc.verb.*

(*Obl.*) (Q) Syn. reprendre.
Occ. Art. 1659 C. civ.; art. 138, *Loi sur la protection du consommateur*, L.R.Q., chap. P-40.1.
V.a. reprise de possession+.
Angl. repossess+, retake possession.

REPRÉSENTANT, ANTE *n.*

(*Obl.*) Personne qui accomplit un acte juridique au nom et pour le compte d'une autre, le *représenté*. Par ex., le tuteur, le curateur, le mandataire. « [...] le représentant, ne jouant qu'un rôle d'intermédiaire, n'est pas personnellement partie à l'acte, il n'en subit pas les effets » (Weill et Terré, *Obligations*, n° 79, p. 77).
Occ. Art. 2103, 2491, 2517 C. civ.
Opp. représenté. **V.a.** mandant, représentation.
Angl. representative.

REPRÉSENTANT LÉGAL

1. (*Obl.*) Représentant dont le pouvoir résulte d'une disposition de la loi. Par ex., le tuteur, le curateur.
V.a. représentation légale.
Angl. legal representative[1].

2. (*Obl.*) (X) *Angl.* V. ayant cause à titre universel, ayant cause universel. « [L'article 1030 C. civ.] est la reproduction presque textuelle de l'article 1122 du code Napoléon, lequel dit "ayant-cause" [alors que] notre article [dit] "représentants légaux". L'expression "ayant-cause" paraît plus exacte et est assurément plus française » (Mignault, *Droit civil*, t. 5, note b, p. 280).
Occ. Art. 1028, 1030 C. civ.
Rem. Dans ce sens, le terme est un calque de l'anglais *legal representative*.
Angl. legal representative[2], successor by general title+, universal successor+.

REPRÉSENTATION *n.f.*

(*Obl.*) Fait pour une personne, le *représentant*, d'accomplir un acte juridique au nom et pour le compte d'une autre personne,

le *représenté*, dans le patrimoine de laquelle se produisent directement les effets de cet acte. Par ex., la représentation du mineur par le tuteur, du mandant par le mandataire. « [...] *en cas de représentation, la manifestation de volonté n'émane pas de la partie liée par le contrat, mais de la personne qui la représente; la volonté du représentant lie le représenté*» (Mazeaud et Chabas, *Leçons*, t. 2, vol. 1, n° 147, p. 135). *Engagement par représentation.*
Rem. La représentation peut être conventionnelle, légale ou judiciaire; elle peut être volontaire ou forcée.
Syn. représentation immédiate, représentation parfaite. **V.a.** mandat.
Angl. perfect representation, representation+.

REPRÉSENTATION CONTRACTUELLE

(*Obl.*) Syn. représentation conventionnelle. « La représentation est *contractuelle*, lorsque le représentant tient ses pouvoirs de représentation d'un contrat avec le représenté » (Weill et Terré, *Introduction*, n° 321, p. 317).
Angl. contractual representation, conventional representation+.

REPRÉSENTATION CONVENTIONNELLE

(*Obl.*) Représentation exercée en vertu d'un contrat de mandat intervenu entre le représentant, le *mandataire*, et le représenté, le *mandant*. « Le plus souvent [...] le pouvoir de représenter découle de la volonté du représenté : il s'agit d'une représentation conventionnelle [...] » (Pineau et Burman, *Obligations*, n° 53, p. 83).
Syn. représentation contractuelle. **Opp.** représentation judiciaire, représentation légale. **V.a.** mandat conventionnel, représentation volontaire.
Angl. contractual representation, conventional representation+.

REPRÉSENTATION FORCÉE

(*Obl.*) Représentation dans laquelle le représentant tient son pouvoir de représenter en dehors de la volonté du représenté. Par ex., la tutelle. « Dans la *représentation forcée*, les pouvoirs sont donnés au représentant *par la loi* ou *par le tribunal* » (Mazeaud et Chabas, *Leçons*, t. 2, vol. 1, n° 150, p. 136).
Opp. représentation volontaire. **V.a.** représentation judiciaire, représentation légale.
Angl. forced representation.

REPRÉSENTATION IMMÉDIATE

(*Obl.*) Syn. représentation. « *Représentation immédiate (parfaite).* — C'est l'hypothèse ordinaire, celle du mandat notamment. Les effets de la représentation sont complets [...] » (Carbonnier, *Droit civil*, t. 4, n° 53, p. 222).
Opp. représentation médiate.
Angl. perfect representation, representation+.

REPRÉSENTATION IMPARFAITE

(*Obl.*) Fait d'accomplir en son nom personnel un acte juridique pour le compte d'autrui sans dévoiler sa qualité de représentant. Par ex., le cas du prête-nom. « Si [le représentant] laissait ignorer sa qualité d'intermédiaire, il n'y aurait plus représentation. En effet, il peut y avoir *mandat sans représentation*; on parle parfois de *représentation imparfaite* [...] » (Weill et Terré, *Obligations*, n° 80, p. 77).
Rem. Cette situation, qui n'est pas, à proprement parler, une représentation, peut se rencontrer en matière de mandat lorsqu'il est convenu que le mandataire agira en son propre nom, sans révéler l'identité du mandant. Les effets de l'acte juridique conclu entre le tiers et le mandataire (prête-nom) se produisent dans la personne de ce dernier et non dans celle du mandant. Il en est de même lorsque le mandataire, de son propre chef, a agi en son nom personnel (art. 1716 C. civ.).

Syn. représentation médiate. **Opp.** représentation parfaite. **V.a.** contrat de prête-nom.
Angl. imperfect representation.

REPRÉSENTATION JUDICIAIRE

(*Obl.*) Représentation dans laquelle le pouvoir de représenter est accordé au représentant par une décision judiciaire. « Le tribunal peut être amené à charger une personne d'administrer et de gérer, pendant une durée déterminée, telles affaires : il s'agit, alors, d'une représentation judiciaire [...] » (Pineau et Burman, *Obligations*, n° 53, p. 83).
Opp. représentation conventionnelle, représentation légale. **V.a.** mandat judiciaire, représentation forcée.
Angl. judicial representation.

REPRÉSENTATION LÉGALE

(*Obl.*) Représentation dans laquelle le pouvoir de représenter est accordé au représentant par une disposition de la loi. « La loi prévoit [...] qu'un mineur doit être représenté, dans l'accomplissement de certains actes juridiques, par un tuteur [...] : il s'agit, là, d'une représentation légale » (Pineau et Burman, *Obligations*, n° 53, p. 83).
Opp. représentation conventionnelle, représentation judiciaire. **V.a.** mandat légal, représentation forcée.
Angl. legal representation.

REPRÉSENTATION MÉDIATE

(*Obl.*) Syn. représentation imparfaite. « *Représentation médiate (imparfaite).* [...] Le représenté n'a pas de lien direct avec le cocontractant du représentant; car il n'est pas partie au contrat. C'est en la personne du représentant que naissent les droits et les obligations. Mais, en vertu de leurs rapports internes, le représentant et le représenté sont réciproquement tenus de s'en faire raison » (Carbonnier, *Droit civil*, t. 4, n° 53, p. 223).
Opp. représentation immédiate.
Angl. imperfect representation.

REPRÉSENTATION PARFAITE

(*Obl.*) Syn. représentation.
Rem. L'expression *représentation parfaite*, qui désigne la représentation véritable, n'est utilisée qu'en opposition à l'expression *représentation imparfaite*.
Opp. représentation imparfaite.
Angl. perfect representation, representation+.

REPRÉSENTATION VOLONTAIRE

(*Obl.*) Représentation dans laquelle le représentant tient son pouvoir de représenter de la volonté du représenté. « Le représentant tient ses pouvoirs soit en dehors de la volonté du représenté : *représentation forcée*, soit de la volonté du représenté : *représentation volontaire ou conventionnelle* » (Mazeaud et Chabas, *Leçons*, t. 2, vol. 1, n° 150, p. 136).
Opp. représentation forcée. **V.a.** représentation conventionnelle.
Angl. voluntary representation.

REPRÉSENTÉ, ÉE *n.* et *adj.*

(*Obl.*) Personne au nom et pour le compte de laquelle une autre personne, le *représentant*, accomplit un acte juridique. « [...] les droits et obligations résultant [du] contrat passé par le représentant se retrouvent directement dans le patrimoine du représenté, comme s'il avait été personnellement partie au contrat » (Pineau et Burman, *Obligations*, n° 52, p. 82).
Opp. représentant. **V.a.** mandataire, représentation.
Angl. person represented.

REPRÉSENTER *v.tr.*

(*Obl.*) Accomplir un acte juridique au nom et pour le compte d'une autre personne.

« Un contrat peut être conclu par une personne qui n'est pas elle-même partie contractante, mais qui agit pour le compte d'une autre qui, elle, est partie contractante; on dit qu'elle représente cette dernière [...] » (Pineau et Burman, *Obligations*, n° 52, p. 82).
Occ. Art. 290 C. civ.
Angl. represent.

REPRISE *n.f.*

(*Obl.*) Fait, pour le propriétaire d'un bien qu'une autre personne détient en vertu notamment d'un bail ou d'un contrat de vente à tempérament, de recouvrer le contrôle matériel de ce bien, mettant ainsi fin à ce titre de détention. « La reprise ne peut être exercée par le bailleur que pour se loger lui-même ou loger son conjoint, ses ascendants, ses descendants [...] » (Aubry et Rau, *Droit civil*, t. 5-2, n° 158, p. 230).
Syn. reprise de possession. **V.a.** droit de reprise, éviction[1].
Angl. repossession+, retaking of possession.

REPRISE DE DETTE

(*Obl.*) Contrat par lequel une personne prend à sa charge la dette d'une autre à l'égard d'un tiers.
Rem. 1° La reprise de dette n'opère pas libération du débiteur originaire à moins que le créancier n'y consente expressément. 2° Du point de vue du débiteur originaire, l'opération s'appelle *cession de dette*.
Angl. assumption of debt.

REPRISE DE POSSESSION

(*Obl.*) (Q) Syn. reprise. « La procédure de reprise de possession commence par un avis du locateur au locataire, pour annoncer son intention. Si le bail est de durée déterminée, le délai d'avis est de six mois ou d'un mois avant le terme du bail, selon que le bail est d'une durée de plus de six mois ou moins [...] » (Jobin, *Louage*, n° 350, p. 763).
Occ. Art. 1659.1 C. civ.; annexe 6, *Loi sur la protection du consommateur*, L.R.Q., chap. P-40.1.
Rem. Les mots *de possession* sont superflus.
Angl. repossession+, retaking of possession.

REPRISE FORCÉE

(*Obl.*) Reprise ordonnée en justice. « La reprise forcée d'un bien est celle qui a lieu à la suite d'un jugement rendu par suite du refus de l'acquéreur par vente conditionnelle de le remettre sur demande et sans contestation » (*I.A.C. Ltée* c. *Leblanc*, [1980] C.S. 614, p. 616, j. F. Chevalier).
Occ. Art. 141, *Loi sur la protection du consommateur*, L.R.Q., chap. P-40.1.
Angl. forced repossession.

RÉPUDIATION *n.f.*

(*Obl.*) Renonciation à un droit résultant d'une libéralité. « [...] la répudiation que le légataire fait du legs est encore un cas de caducité. Car on ne peut le forcer d'accepter la libéralité qui lui est offerte et sa répudiation enlève tout effet au legs » (Mignault, *Droit civil*, t. 4, p. 434). *Répudiation d'une donation, d'un legs, d'une succession.*
Occ. Art. 792, 933 C. civ.
Angl. repudiation.

RÉPUDIER *v.tr.*

(*Obl.*) Opérer la répudiation. « L'autorisation du juge sur avis du conseil de famille est [...] nécessaire au tuteur pour que celui-ci puisse accepter ou répudier une succession échue au mineur [...] » (Pineau et Burman, *Obligations*, n° 100, p. 140).
Occ. Art. 301, 965 C. civ.
Angl. repudiate.

REQUÉRANT, ANTE *n.* et *adj.*

(*D. jud.*) Personne qui forme une requête. « [...] les allégations servent à préciser ce

que désire obtenir le requérant, mais on doit se souvenir que les conclusions doivent être complètes puisque le juge ou le tribunal ne peut accorder plus que ce qui est demandé [...] » (Barakett, Beausoleil, Ferland et Reid, *Droit judiciaire I*, t. 1, p. 161). *Partie requérante.*
Occ. Art. 454 C. proc. civ.
Opp. intimé².
Angl. applicant⁺, petitioner.

REQUÊTE *n.f.*

(*D.jud.*) Acte de procédure par lequel sont formulées une demande en cours d'instance et, exceptionnellement, une demande introductive d'instance. « [...] la requête constitue le mode usuel de formation de la demande, dans les matières non-contentieuses » (Barakett, Beausoleil, Ferland et Reid, *Droit judiciaire I*, t. 1, p. 158). *Former, présenter une requête.*
Occ. Art. 88, 453 C. proc. civ.
Rem. **1°** En principe, la requête ne peut être contestée qu'oralement. **2°** En règle générale, la requête doit être accompagnée d'une déclaration sous serment et signifiée avec un avis de la date de présentation. **3°** L'auteur de la requête est le *requérant*; son adversaire, l'*intimé*.
Opp. action⁴.
Angl. motion.

RESCINDABLE *adj.*

(*Obl.*) Susceptible de rescision. *Acte, contrat rescindable.*

RESCINDER *v.tr.*

(*Obl.*) Prononcer la rescision. *Rescinder un contrat.*
Occ. Art. 655, 1000 C. civ.
Angl. rescind⁺, set aside(>)⁺.

RESCISION *n.f.*

1. (*Obl.*) Nullité relative pour cause de lésion. « Les rédacteurs du *Code civil* frappent l'acte lésionnaire d'une *nullité relative*, qui porte le nom de rescision » (Mazeaud et Chabas, *Leçons*, t. 2, vol. 1, n° 221, p. 209). *Rescision de contrat.*
Occ. Art. 1003, 1561 C. civ.
Rem. Du latin *rescindere* : séparer en déchirant; annuler, détruire.
Syn. restitution². **V.a.** restitution¹.
Angl. rescission¹⁺, restitution².

2. (*Obl.*) Syn. nullité relative.
Occ. Art. 1925, 2258 C. civ.
Rem. Bien que traditionnellement le mot *rescision* soit réservé à la nullité pour lésion, le Code civil l'emploie parfois pour désigner une nullité relative résultant d'une autre cause. En revanche, il emploie aussi le mot *nullité* en matière de lésion (art. 1001, 1002 C. civ.).
V.a. action en rescision.
Angl. relative nullity⁺, rescission².

RES COMMUNIS *loc.nom.f.* (latin)

(*Biens*) Syn. chose commune.
Angl. *res communis*, thing in common⁺.

RES DERELICTA *loc.nom.f.* (latin)

(*Biens*) Syn. chose abandonnée.
Angl. abandoned thing⁺, *res derelicta.*

RÉSERVE D'AGRÉMENT

(*Obl.*) Syn. faculté d'agrément. « [...] toute proposition de contracter faite au public comporte, *ipso facto*, une réserve tacite d'agrément, chaque fois qu'elle concerne un contrat où la considération de la personne est déterminante : contrat conclu *intuitu personae* » (Flour et Aubert, *Obligations*, vol. 1, n° 141, p. 101).

RÉSIDENCE *n.f.*

(*Pers.*) Lieu où une personne habite. « La résidence s'acquiert par l'habitation [...] Le domicile est indépendant de la résidence et il se conserve par la seule intention » (Jetté, (1923-1924) 2 *R. du D.* 210, p. 212).

Occ. Art. 85, 93 C. civ.; art. 68 C. proc. civ.
Rem. **1°** La résidence, notion de pur fait, s'oppose au domicile, notion juridique. **2°** Alors qu'une personne ne peut avoir qu'un seul domicile, elle peut, en revanche, avoir plusieurs résidences.
V.a. domicile.
Angl. residence.

RÉSIDENCE FAMILIALE

(*Pers.*) Résidence principale de la famille[5]. « L'une des applications du principe de l'égalité des époux est le choix de concert de la résidence familiale » (Guy, (1981) *C.P. du N.* 1, p. 12).
Occ. Art. 444 C. civ. Q.
Rem. La résidence familiale, choisie de concert par les époux, fait l'objet de mesures de protection particulières liées à la déclaration de résidence (art. 451 et s. C. civ. Q.).
V.a. domicile conjugal.
Angl. family residence.

RÉSIDENCE HABITUELLE

(*Pers.*) Syn. résidence principale. « La résidence *habituelle* ajoute à la résidence une notion de stabilité et de durée » (Groffier, *Précis*, n° 24, p. 29).
Occ. Art. 2529 C. civ.; art. 2, *Convention de La Haye sur la loi applicable aux régimes matrimoniaux*, 1976.
Rem. **1°** Au Québec, c'est surtout en matière de cautionnement pour frais que les tribunaux ont eu recours à la notion de résidence habituelle. **2°** En droit international privé, les Conventions de La Haye, adoptées depuis la Deuxième Guerre mondiale, ont pour la plupart adopté la notion de résidence habituelle comme facteur de rattachement en remplacement du domicile.
Angl. habitual residence, principal residence+, usual residence.

RÉSIDENCE PRINCIPALE

(*Pers.*) Résidence qui constitue le lieu d'habitation le plus important. « Il est possible qu'il existe parfois des controverses quant à ce qui constitue la résidence principale, surtout lorsque des gens possèdent deux résidences et que leur style de vie les amène à vivre autant à un endroit qu'à l'autre » (Auger, (1981) *C.P. du N.* 33, p. 54).
Rem. **1°** Pour déterminer l'importance du lieu d'habitation, on prend en considération divers éléments, tels la durée, la stabilité, les liens affectifs ou familiaux, la concentration d'intérêts. **2°** L'art. 81 C. civ. Q. (L.Q. 1987, chap. 18, art. 1 n.e.v.), qui est repris à l'art. 77 du Projet de loi 125, introduit la notion de résidence principale lorsqu'il y a pluralité de résidences. **3°** Les art. 449 et s. C. civ. Q. utilisent l'expression *résidence principale* de la famille là où on attendrait le terme *résidence familiale* d'ailleurs employé dans l'intitulé de la section dont font partie ces articles.
Syn. résidence habituelle. **V.a.** résidence familiale.
Angl. habitual residence, principal residence+, usual residence.

RÉSILIABLE *adj.*

(*Obl.*) Susceptible de résiliation.
Angl. resiliable.

RÉSILIATION *n.f.*

1. (*Obl.*) Anéantissement non rétroactif d'un contrat résultant de la volonté des parties ou, dans certains cas, de la loi. « La résiliation diffère de la nullité et de la résolution en ce qu'elle n'a pas d'effet rétroactif. Elle met fin au contrat et donc aux obligations qu'il contient pour l'avenir, sans toucher aux effets que le contrat a produits dans le passé » (Baudouin, *Obligations*, n° 301, p. 211).
Rem. **1°** La résiliation résultant de l'accord de volontés des parties ou de la volonté unilatérale de l'une d'elles est dite *résiliation volontaire*. La résiliation résultant de la loi est dite *résiliation forcée*. **2°** Du latin *resilire* : sauter en arrière; renoncer, se dédire.

V.a. action en résiliation, annulation, nullité, rescision, résolution. **F.f.** cancellation[2].
Angl. resiliation[1].

2. (*Obl.*) Résolution[1] d'un contrat à exécution successive. « Comme le louage est un contrat de durée successive, le jugement en résiliation ne produit pas d'effet rétroactif à la formation du bail. En règle générale, la résiliation prend effet au jour du jugement final » (Jobin, *Louage*, n° 176, p. 430). *Résiliation du bail, du contrat de travail.*
Occ. Art. 1610, 1628 C. civ.
Rem. La résiliation est une résolution non rétroactive à cause de la nature même du contrat à exécution successive; celui-ci a produit des effets qui ne peuvent être effacés rétroactivement. Le contrat prend alors fin pour l'avenir seulement.
V.a. action en résiliation. **F.f.** cancellation[2].
Angl. resiliation[2].

RÉSILIATION AMIABLE

(*Obl.*) Syn. résiliation bilatérale. « *La résiliation amiable (on dit aussi : conventionnelle) est [...], en principe, possible* » (Mazeaud et Chabas, *Leçons*, t. 2, vol. 1, n° 722, p. 856).
Angl. amicable resiliation, bilateral resiliation+, conventional resiliation, revocation[2].

RÉSILIATION BILATÉRALE

(*Obl.*) Résiliation volontaire résultant de l'accord de volontés des parties à un contrat. « Les parties ayant par leur seule volonté le pouvoir de créer des obligations contractuelles peuvent également, par consentement mutuel, mettre fin à leur engagement (*résiliation bilatérale*) » (Baudouin, *Obligations*, n° 301, p. 210).
Syn. résiliation amiable, résiliation conventionnelle, révocation[2]. **Opp.** résiliation unilatérale.
Angl. amicable resiliation, bilateral resiliation+, conventional resiliation, revocation[2].

RÉSILIATION CONVENTIONNELLE

(*Obl.*) Syn. résiliation bilatérale. « *Résiliation conventionnelle.* — La résiliation se fait par une nouvelle convention qui a pour objet la destruction de la première [...] On appelle assez souvent cette résiliation la *résiliation amiable* » (Ripert et Boulanger, *Traité*, t. 2, n° 481, p. 188).
Angl. amicable resiliation, bilateral resiliation+, conventional resiliation, revocation[2].

RÉSILIATION FORCÉE

(*Obl.*) Résiliation[1] résultant de la loi. « Il y a résiliation forcée d'un contrat à exécution successive si l'objet vient à disparaître : par exemple, la perte de la chose louée met fin au contrat de location » (Ripert et Boulanger, *Traité*, t. 2, n° 488, p. 190).
Rem. Par exception, la loi prévoit, dans des cas peu nombreux, qu'un contrat sera résilié par le décès d'une des parties. Il s'agit des contrats *intuitu personae* : louage d'ouvrage (art. 1692 C. civ.), société (art. 1894 C. civ.), mandat (art. 1755 C. civ.). La loi prévoit aussi que le contrat à exécution successive prend fin par la perte de l'objet (art. 1649 C. civ.).
Opp. résiliation volontaire.
Angl. forced resiliation.

RÉSILIATION UNILATÉRALE

(*Obl.*) Résiliation volontaire résultant de la décision d'une seule des parties à un contrat. « Dans certains cas, la volonté d'une seule partie est suffisante pour mettre fin au contrat (*résiliation unilatérale*). Il en est ainsi du contrat de louage de service personnel pour un laps de temps indéfini, [...] du contrat de société dont la durée n'est pas fixée et du contrat de mandat » (Baudouin, *Obligations*, n° 301, p. 210).
Opp. résiliation bilatérale.
Angl. unilateral resiliation.

RÉSILIATION VOLONTAIRE

(*Obl.*) Résiliation[1] résultant de l'accord de volontés des parties ou, dans certains cas,

de la décision unilatérale de l'une d'elles. « [...] les parties peuvent, d'un commun accord, décider de mettre fin à leurs rapports contractuels. C'est la *résiliation volontaire* qui ne comporte *aucune rétroactivité* » (*Dict. de droit*, v° Contrats et conventions, n° 27).
Rem. Tout comme pour former un contrat, pour y mettre fin il faut un accord de volontés (*résiliation bilatérale* ou *amiable*). Exceptionnellement, la loi permet à une partie seulement d'y mettre fin (*résiliation unilatérale*), comme dans le cas du contrat de louage de services pour une durée indéterminée (art. 1668 C. civ.), du bail à durée indéterminée (art. 1630 C. civ.), du mandat (art. 1756, 1759 C. civ.) ou du marché à forfait (art. 1691 C. civ.).
Opp. résiliation forcée.
Angl. voluntary resiliation.

RÉSILIER *v.tr.*

1. (*Obl.*) Opérer une résiliation[1]. « Il importe [...] de ne pas confondre le cas où le maître de l'ouvrage résilie par sa seule volonté le contrat intervenu et celui où, vu le défaut de son cocontractant de parfaire l'ouvrage, il résout celui-ci » (Baudouin, *Obligations*, n° 301, p. 211). *Résilier un bail à durée indéterminée* (art. 1630 C. civ.), *une vente.*
Occ. Art. 1691 C. civ.
Angl. resiliate[1].

2. (*Obl.*) Prononcer la résiliation[2]. *Un bail résilié pour le défaut d'une partie d'exécuter ses obligations.*
Occ. Art. 1656.2 C. civ.
Rem. Voir l'art. 1633 C. civ.
Angl. resiliate[2+], set aside(>)[+].

RES NULLIUS *loc.nom.f.* (latin)

(*Biens*) Syn. bien sans maître.
Angl. *res nullius*[+], thing without an owner.

RÉSOLUBLE *adj.*

(*Obl.*) Susceptible de résolution. *Droit résoluble.*
Occ. Art. 2038 C. civ.

RÉSOLUTION *n.f.*

1. (*Obl.*) Anéantissement d'un contrat synallagmatique à titre de sanction du défaut par une partie d'exécuter ses obligations. « [...] la résolution [...] n'est pas comme la nullité, la sanction d'un vice affectant l'acte juridique dans sa formation et dans son être. Elle est la conséquence de faits postérieurs à la naissance de l'acte juridique, et essentiellement de l'inexécution des obligations qui en découlent » (Marty et Raynaud, *Introduction*, n° 162, p. 292). *Demander la résolution du contrat; jugement de résolution.*
Occ. Art. 1065, 1541 C. civ.
Rem. 1° En principe, la résolution a un effet rétroactif. Cet effet rétroactif ne s'opère pas dans le cas d'un contrat à exécution successive; la résolution est alors appelée *résiliation*[2] (art. 1610, 1628 C. civ.). **2°** La résolution est, en principe, prononcée par décision judiciaire; dans certains cas, toutefois, la résolution a lieu de plein droit, sans intervention du tribunal. Par ex., dans le cas prévu à l'art. 1544 C. civ., ainsi que dans celui d'une clause du contrat qui prévoit expressément cette résolution automatique. **3°** La résolution n'a lieu, en règle générale, que pour les contrats synallagmatiques; par exception, certains contrats unilatéraux peuvent être résolus, comme le contrat de gage (art. 1975 C. civ.). **4°** Du latin *resolutio* (de *resolutum*, supin de *resolvere* : résoudre) : action de dénouer; relâchement; annulation.
V.a. action en résolution, annulation, nullité. **F.f.** cancellation[2].
Angl. resolution[1].

2. (*Obl.*) Extinction rétroactive d'une obligation[2] ou d'un droit[2] assorti d'une condition résolutoire par l'effet de la réalisation de cette condition. « Si le propriétaire sous condition résolutoire avait grevé le bien d'hypothèque ou d'un autre droit ou s'il l'a revendu, tous ces actes sont, à leur tour, résolus [...] Une résolution entraîne une cascade de résolutions » (Starck, Roland et Boyer, *Obligations*, t. 2, n° 1076, p. 376).

Faculté de résolution.
Occ. Art. 1088 C. civ.
Rem. La résolution a lieu de plein droit, par ex., art. 62, 76, *Loi sur la protection du consommateur*, L.R.Q., chap. P-40.1.
F.f. cancellation².
Angl. resolution².

RÉSOLUTION DE PLEIN DROIT

(*Obl.*) Résolution¹ qu'il n'est pas nécessaire de faire prononcer par le tribunal, mais qui résulte de la seule inexécution d'une obligation. « La résolution judiciaire ou la résolution de plein droit n'empêche [...] pas le créancier de demander, en outre, des dommages-intérêts si la destruction du contrat lui fait subir un préjudice[...] » (Pineau et Burman, *Obligations*, n° 318, p. 405).
Opp. résolution judiciaire⁺. **V.a.** clause résolutoire de plein droit.
Angl. resolution as of right, resolution *de jure*, resolution of right⁺.

RÉSOLUTION JUDICIAIRE

(*Obl.*) Résolution¹ prononcée par le tribunal. « Le débiteur est responsable de l'inexécution de son obligation. Le créancier peut alors demander au tribunal de supprimer le contrat, d'en prononcer la résolution. La *résolution judiciaire* entraîne l'extinction des deux obligations nées du contrat synallagmatique » (Mazeaud et Chabas, *Leçons*, t. 2, vol. 1, n° 1086, p. 1148).
Rem. En principe, la résolution est judiciaire. Exceptionnellement, elle a lieu de plein droit lorsqu'une disposition de la loi le prévoit (par ex. l'art. 1544 C. civ.) ou lorsque le contrat contient une clause expresse à cet effet.
Opp. résolution de plein droit.
Angl. judicial resolution.

RÉSOLUTOIRE *adj.*

(*Obl.*) V. action résolutoire, condition résolutoire.

RÉSOUDRE *v.tr.*

(*Obl.*) Prononcer ou opérer la résolution. « [...] le contrat est exceptionnellement résolu de plein droit lorsque le débiteur se refuse catégoriquement à exécuter, ou lorsque son inaction cause au créancier un préjudice auquel il doit remédier d'urgence [...] » (Pineau et Burman, *Obligations*, n° 316, p. 403).
Occ. Art. 1022 C. civ.; art. 58, *Loi sur la protection du consommateur*, L.R.Q., chap. P-40.1.
V.a. révoquer⁺.
Angl. resolve⁺, set aside(>)⁺.

RES PERIT CREDITORI *loc.nom.m.* (latin)

(*Obl.*) Locution signifiant que la perte de la chose est subie par le créancier de l'obligation dont un cas fortuit a empêché l'exécution. « Le problème des risques du contrat ne se pose réellement que dans les contrats qui imposent des obligations réciproques aux parties, c'est-à-dire les contrats synallagmatiques ou bilatéraux. Dans les contrats unilatéraux comme il n'y a pas par hypothèse de contrepartie à l'obligation dont on suppose que l'objet est perdu par cas fortuit, le problème des risques est résolu simplement par l'article 1200 C.c., qui dispose que "l'obligation est éteinte"; "le créancier ne peut donc prétendre à rien, le risque est pour lui : *res perit creditori*" » (Tancelin, *Obligations*, n° 268, p. 158).
Rem. **1°** En droit romain, cette locution exprimait une règle de la théorie des risques et s'appliquait aux contrats synallagmatiques. Ainsi, lorsque la chose vendue était détruite par cas fortuit avant livraison, le vendeur était libéré mais l'acheteur, créancier de l'obligation de livrer, devait payer le prix : *res perit creditori*. En droit moderne, l'acheteur, en ce cas, ne doit le prix que s'il est devenu propriétaire avant la perte de la chose : *res perit domino*. **2°** De nos jours, la locution *res perit creditori* n'est utilisée qu'en matière de contrats unilatéraux. Par

exemple, si la chose périt par cas fortuit entre les mains d'un emprunteur ou d'un dépositaire, ce dernier est libéré de son obligation; le créancier n'a aucun recours contre son débiteur et on dira *res perit creditori*.
V.a. *res perit debitori*, théorie des risques⁺.
Angl. *res perit creditori.*

RES PERIT DEBITORI *loc.nom.m.* (latin)

(*Obl.*) Locution exprimant la règle selon laquelle, dans un contrat synallagmatique, le débiteur libéré de son obligation par suite d'un cas fortuit qui en a rendu l'exécution impossible supporte les conséquences de l'inexécution, en ce sens qu'il ne peut exiger de son cocontractant l'accomplissement de l'obligation corrélative. « En vertu de la théorie des risques, lorsqu'un contractant est empêché par un cas de force majeure, d'exécuter ses obligations, le cocontractant est dispensé d'exécuter les siennes. *Res perit debitori* : les risques sont à la charge du débiteur de l'obligation inexécutée » (Pineau et Burman, *Obligations*, n° 322, p. 407).
Rem. **1°** La règle *res perit debitori*, qui fait partie de la théorie des risques, reçoit application dans les contrats synallagmatiques non translatifs de propriété. **2°** Voir les art. 1200, 1202 C. civ. **3°** Les parties sont libres de déroger à cette règle.
V.a. *res perit creditori*, *res perit domino*, théorie des risques⁺.
Angl. *res perit debitori.*

RES PERIT DOMINO *loc.nom.m.* (latin)

(*Obl.*) Locution exprimant la règle selon laquelle, dans un contrat synallagmatique, les conséquences de l'inexécution d'une obligation attribuable à un cas fortuit sont supportées par le contractant qui est propriétaire au moment de la survenance du cas fortuit. « [...] dans les contrats synallagmatiques créant une obligation de livrer un corps certain, les risques sont pour le créancier de la livraison lorsqu'il est devenu propriétaire : *res perit domino* » (Mazeaud et Chabas, *Leçons*, t. 2, vol. 1, n° 1107, p. 1169).
Rem. **1°** La règle *res perit domino*, qui fait partie de la théorie des risques, reçoit application dans les contrats synallagmatiques translatifs de propriété. L'acquéreur d'une chose individualisée en devient propriétaire, en principe, au moment de la conclusion du contrat (art. 1025 C. civ.). Si la chose périt par cas fortuit avant l'exécution par l'aliénateur de son obligation de livrer, ce dernier en est libéré. Les conséquences de cette inexécution sont supportées par l'acquéreur en tant que propriétaire; il doit donc payer le prix de l'acquisition bien qu'il ne reçoive rien. Par contre, si les parties ont convenu de retarder le transfert de propriété et que l'aliénateur soit encore propriétaire lorsque survient le cas fortuit, c'est lui qui, en principe, subit la perte : il est libéré de son obligation de livrer, mais ne peut exiger de l'acquéreur le paiement du prix. **2°** Les parties sont libres de déroger à cette règle.
V.a. *res perit creditori*, *res perit debitori*, risque de la chose, théorie des risques⁺.
Angl. *res perit domino.*

RESPONSABILITÉ *n.f.*

1. (*Obl.*) Obligation[1] pour une personne de répondre de certains actes.
Angl. liability[1] ⁺, responsibility.

2. (*Obl.*) Syn. responsabilité civile. « Vers la fin du siècle dernier, on a senti l'insuffisance d'une responsabilité fondée exclusivement sur la faute, la nécessité de ne pas laisser sans réparation des dommages survenus fortuitement » (Carbonnier, *Droit civil*, t. 4, n° 87, p. 365). *Dégager sa responsabilité; encourir une responsabilité; engager sa responsabilité; enonérer de responsabilité; poursuivre en responsabilité; rechercher en responsabilité.*

V.a. action en responsabilité, clause limitative de responsabilité, clause de limitation de responsabilité, clause de responsabilité atténuée, clause de responsabilité limitée.
Angl. civil liability+, civil responsibility, liability[2].

RESPONSABILITÉ ABSOLUE

(*Obl.*) (X) *Angl.* V. responsabilité objective.
Occ. Titre précédant l'art. 4, *Loi sur la responsabilité nucléaire*, L.R.C. 1985, 1er Suppl., chap. N-28.
Angl. absolute liability, no-fault liability, objective liability(x), strict liability+.

RESPONSABILITÉ CAUSALE

(*Obl.*) Syn. responsabilité objective. « La responsabilité fondée sur le *risque* est une responsabilité *objective, causale* [...] » (Carbonnier, *Droit civil*, t. 4, n° 86, p. 359).
Angl. absolute liability, no-fault liability, objective liability(x), strict liability+.

RESPONSABILITÉ CIVILE

(*Obl.*) Responsabilité juridique liée à la réparation du préjudice causé à autrui. « [...] le droit de la responsabilité civile est l'instrument qui permet de réaliser l'équilibre entre la liberté de l'homme et ses devoirs dans la vie quotidienne en société » (Tunc, *Responsabilité*, n° 124, p. 99).
Occ. Art. 2494, 2600 C. civ.
Rem. **1°** On connaît deux régimes de responsabilité civile : la responsabilité contractuelle et la responsabilité extracontractuelle. **2°** Les éléments classiques de la responsabilité civile sont la faute, le dommage et le lien de causalité.
Syn. responsabilité[2]. **Opp.** responsabilité pénale. **V.a.** action en responsabilité civile.
Angl. civil liability+, civil responsibility, liability[2].

RESPONSABILITÉ COLLECTIVE

(*Obl.*) Responsabilité civile imposée aux membres d'un groupe par suite de la commission d'une faute commune[1].
Opp. responsabilité personnelle[2]. **V.a.** faute collective.
Angl. collective liability.

RESPONSABILITÉ CONJOINTE

(*Obl.*) Responsabilité civile de plusieurs débiteurs dont chacun ne peut être tenu que de sa part de la dette.
Opp. responsabilité *in solidum*, responsabilité solidaire. **V.a.** obligation conjointe, solidairement+.
Angl. joint liability+, joint responsibility.

RESPONSABILITÉ CONTRACTUELLE

(*Obl.*) Responsabilité civile découlant de l'inexécution d'une obligation née d'un contrat. « Sans contrat préalable, pas de responsabilité contractuelle » (Mazeaud et Tunc, *Traité*, t. 1, n° 109, p. 137).
Occ. Art. 2600 C. civ.
Opp. responsabilité extracontractuelle.
V.a. obligation contractuelle, responsabilité délictuelle, responsabilité légale[2], responsabilité quasi contractuelle, responsabilité quasi délictuelle.
Angl. contractual liability+, contractual responsibility.

RESPONSABILITÉ DE L'ARTISAN

(*Obl.*) Responsabilité civile encourue par l'artisan en raison du dommage causé par l'apprenti pendant qu'il est sous sa surveillance.
Rem. **1°** Voir l'art. 1054 al. 5 C. civ. **2°** Le régime de la responsabilité de l'artisan est le même que celui de la responsabilité des parents.
V.a. responsabilité du fait d'autrui+.
Angl. liability of artisans.

RESPONSABILITÉ DÉLICTUELLE

(*Obl.*) Responsabilité extracontractuelle qui naît d'un délit.
Opp. responsabilité légale[2], responsabilité quasi contractuelle, responsabilité quasi délictuelle. **V.a.** responsabilité contractuelle.
Angl. delictual liability⁺, delictual responsibility.

RESPONSABILITÉ DE L'INSTITUTEUR

(*Obl.*) Responsabilité civile encourue par l'instituteur en raison du dommage causé par l'élève pendant qu'il est sous sa surveillance. « En dehors du lieu des classes et des récréations, lorsque l'élève est sorti de l'établissement, la responsabilité de l'instituteur disparaîtra pour faire alors réapparaître la responsabilité des parents » (Nadeau et Nadeau, dans *Traité*, t. 8, n° 390, p. 344).
Rem. **1°** Voir l'art. 1054 al. 5 C. civ. **2°** Le régime de la responsabilité de l'instituteur est le même que celui de la responsabilité des parents.
V.a. responsabilité du fait d'autrui⁺.
Angl. liability of schoolteachers.

RESPONSABILITÉ DE PLEIN DROIT

(*Obl.*) Syn. responsabilité objective. « Déclin de la responsabilité individuelle, progrès des responsabilités "objectives" ou "de plein droit" : telles sont en effet les deux tendances jumelles dont les progrès ont frappé tous les observateurs » (Viney, *Responsabilité*, n° 18, p. 20).
Angl. absolute liability, no-fault liability, objective liability(x), strict liability⁺.

RESPONSABILITÉ DES PARENTS

(*Obl.*) Responsabilité civile encourue par le titulaire de l'autorité parentale en raison du dommage causé par l'enfant mineur sujet à cette autorité.
Rem. **1°** La responsabilité des parents a été remplacée en 1977 par la responsabilité du titulaire de l'autorité parentale (art. 1054 al. 2 C. civ.). **2°** Le titulaire de l'autorité parentale est légalement présumé responsable; il peut toutefois s'exonérer en prouvant absence de faute de sa part.
V.a. responsabilité du fait d'autrui⁺.
Angl. liability of parents.

RESPONSABILITÉ DU COMMETTANT

(*Obl.*) Responsabilité civile encourue par le commettant en raison du dommage causé par la faute de son préposé dans l'exercice de ses fonctions.
Rem. **1°** Voir l'art. 1054 al. 7 C. civ. **2°** Contrairement à la responsabilité des parents, du tuteur, du curateur et de l'instituteur, celle du commettant n'est pas fondée sur sa propre faute, de sorte que l'absence de faute ne l'exonère pas. **3°** Pour établir la responsabilité du commettant, il suffit de prouver la faute du préposé, un lien de préposition entre le commettant et le préposé et le fait que le préposé a agi dans l'exécution de ses fonctions.
V.a. responsabilité du fait d'autrui.
Angl. liability of the committent, liability of employers⁺, liability of masters.

RESPONSABILITÉ DU CURATEUR

(*Obl.*) Responsabilité civile encourue par le curateur en raison du dommage causé par la personne majeure dont il a la garde[3].
Rem. **1°** Voir les art. 1054 al. 4 et 1054.1 C. civ. **2°** Jusqu'en 1990, le régime de la responsabilité du curateur à l'insensé était le même que celui de la responsabilité des parents. **3°** Depuis avril 1990, le curateur au majeur protégé ne peut être tenu responsable que s'il a lui-même commis une faute lourde ou intentionnelle dans l'exercice de la garde (art. 1054.1 C. civ.).
V.a. responsabilité du fait d'autrui⁺.
Angl. liability of curators.

RESPONSABILITÉ DU FABRICANT

(*Obl.*) Responsabilité civile encourue par le fabricant d'une chose mobilière en raison d'un défaut de conception, de fabrication, de conservation ou de présentation du produit ou encore d'un manquement à l'obligation de renseignement. « [...] le champ d'application de la responsabilité du fabricant apparaît très étendu. Il ne semble pas y avoir de limites quant aux produits qui peuvent être incriminés et, le fabricant [...] peut se voir confronté avec un demandeur qui va de l'acheteur direct au tiers utilisateur » (Côté, (1975) 35 *R. du B.* 3, p. 23).
Rem. **1°** Voir les art. 1053, 1054 al. 1 et 1522 à 1530 C. civ., ainsi que l'art. 53 de la *Loi sur la protection du consommateur*, L.R.Q., chap. P-40.1. **2°** La responsabilité du fabricant est contractuelle ou extracontractuelle. La Cour suprême, dans l'arrêt *General Motors Products of Canada Ltd* c. *Kravitz*, [1979] 1 R.C.S. 790, a consacré l'existence d'un recours contractuel direct de l'acheteur contre le fabricant, vendeur non immédiat, sur la base des règles de la garantie légale contre les vices cachés. **3°** La jurisprudence a donné un sens large au mot fabricant. Ainsi, on a déjà assimilé l'embouteilleur de boisson gazeuse à un fabricant (*Cohen* c. *Coca-Cola Ltd*, [1967] R.C.S. 469).
Syn. responsabilité du fait des produits, responsabilité du manufacturier.
Angl. manufacturer's liability^{+}, product liability.

RESPONSABILITÉ DU FAIT D'AUTRUI

(*Obl.*) Responsabilité civile encourue par une personne en raison du dommage causé par une autre personne. « Il n'y a véritablement responsabilité du fait d'autrui que dans les cas où le fait illicite d'une personne met en jeu, provisoirement ou définitivement, à la charge d'une autre, une responsabilité supplémentaire, destinée à augmenter, au profit de la victime, les chances de réparation » (Weill et Terré, *Obligations*, n° 644, p. 657).
Rem. **1°** Cette responsabilité peut être contractuelle ou extracontractuelle. Le Code civil ne mentionne explicitement que la responsabilité extracontractuelle (art. 1054 C. civ.). En matière contractuelle, la jurisprudence a reconnu la responsabilité du fait d'autrui selon la maxime *qui facit per alium facit per se* : le contractant est responsable de la faute commise par la personne qu'il s'est substituée pour faire exécuter son obligation contractuelle (*Hôpital Notre-Dame de l'Espérance* c. *Laurent*, [1974] C.A. 543). **2°** En matière extracontractuelle, dans la plupart des cas, la personne responsable peut s'exonérer en prouvant qu'elle n'a pu empêcher, par des moyens raisonnables, le fait qui a causé le dommage (art. 1054 al. 6 C. civ., *Montreal (City of)* c. *Watt and Scott Ltd*, [1922] 2 A.C. 555).
Syn. responsabilité pour autrui, responsabilité pour le fait d'autrui. **Opp.** responsabilité du fait des choses, responsabilité du fait personnel. **V.a.** responsabilité de l'artisan, responsabilité de l'instituteur, responsabilité des parents, responsabilité du commettant, responsabilité du curateur, responsabilité du tuteur, responsabilité indirecte.
Angl. liability for damage caused by another(<)$^{+}$, vicarious liability(<)$^{+}$, vicarious responsibility(<).

RESPONSABILITÉ DU FAIT DES ANIMAUX

(*Obl.*) Responsabilité civile encourue par une personne en raison du dommage causé par le fait d'un animal dont elle a la garde[3]. « La responsabilité du fait des animaux suppose que l'animal est placé sous la maîtrise et sous le contrôle de son gardien [...] En conséquence, elle incombe, soit à son propriétaire, soit à la personne qui se sert de l'animal, pendant qu'elle en fait usage [...] » (Nadeau et Nadeau, *Responsabilité*, n° 484, p. 460).
Rem. **1°** Voir l'art. 1055 al. 1 et 2 C. civ.

2° On enseigne généralement que le gardien de l'animal doit prouver un cas fortuit[1] pour s'exonérer de sa responsabilité.
V.a. fait de l'animal, responsabilité du fait des choses.
Angl. liability for damage caused by animals.

RESPONSABILITÉ DU FAIT DES BÂTIMENTS

(*Obl.*) Responsabilité civile encourue par le propriétaire d'un bâtiment en raison du dommage causé par sa ruine lorsqu'elle résulte d'un défaut d'entretien ou d'un vice de construction. « La responsabilité pour les bâtiments est attachée exclusivement à la propriété et non à la garde de l'immeuble. Sur ce point l'article 1055, alinéa 3 C.c. se sépare donc nettement des articles 1054, alinéa 1 et 1055, alinéas 1 et 2 C.c. La responsabilité du fait des bâtiments ne peut donc pas être transférée indépendamment de la propriété à laquelle elle est attachée » (Tancelin, *Obligations*, n° 509, p. 308).
Rem. **1°** Voir l'art. 1055 al. 3 C. civ. **2°** Lorsque le demandeur a établi que la ruine a été causée par un défaut d'entretien ou un vice de construction, certains auteurs estiment que le propriétaire ne dispose d'aucun moyen d'exonération, alors que d'autres admettent le cas fortuit.
V.a. bâtiment+, responsabilité du fait des choses, ruine+.
Angl. liability for damage caused by buildings.

RESPONSABILITÉ DU FAIT DES CHOSES

(*Obl.*) Responsabilité civile encourue par une personne en raison du dommage causé par le fait de la chose dont elle a la garde[3] ou dont elle est propriétaire. « La jurisprudence, après avoir découvert le régime général de la responsabilité du fait des choses, a été amenée peu à peu à en définir les conditions d'exercice. La tâche la plus difficile a sans doute été la délimitation des champs d'application respectifs de ce régime particulier et de celui du régime général de l'article 1053 C.c. » (Baudouin, *Responsabilité*, n° 594, p. 301).
Rem. Pour toutes les choses autres que le bâtiment en ruine, c'est le gardien qui est responsable du dommage (art. 1054 al. 1 et 1055 al. 1 et 2 C. civ.); pour le bâtiment en ruine, c'est le propriétaire qui est responsable (art. 1055 al. 3 C. civ.).
Opp. responsabilité du fait d'autrui, responsabilité du fait personnel. **V.a.** responsabilité du fait des animaux, responsabilité du fait des bâtiments, responsabilité du fait des choses inanimées, responsabilité indirecte.
Angl. liability for damage caused by things.

RESPONSABILITÉ DU FAIT DES CHOSES INANIMÉES

(*Obl.*) Responsabilité civile encourue par le gardien d'une chose en raison du dommage causé par le fait autonome de cette chose, en dehors du régime de responsabilité particulier concernant les animaux et les bâtiments en ruine. « À l'époque de la codification, les choses dont on avait la garde et dont le gardien était responsable se limitaient aux animaux et aux bâtiments qui tombaient en ruine [...] Les codificateurs ne se sont donc jamais préoccupés de l'article 1054 al. 1 C. c. quant aux dommages causés par les choses. C'est plus tard qu'on le "découvrit". Aussi devrait-on traiter chronologiquement de la responsabilité du fait des animaux, du fait des bâtiments et du fait des choses inanimées » (Pineau et Ouellette, *Responsabilité*, p. 115).
Rem. La responsabilité du fait des choses inanimées est présumée : le gardien peut s'exonérer en prouvant qu'il n'a pu éviter le dommage par des moyens raisonnables (art. 1054 al. 6 C. civ.).
V.a. responsabilité du fait des choses.
Angl. liability for damage caused by inanimate things.

RESPONSABILITÉ DU FAIT DES PERSONNES

(*Obl.*) Syn. responsabilité du fait personnel. « La faute demeure bien l'élément générateur de la responsabilité du fait des personnes » (Marty et Raynaud, *Obligations*, t. 1, n° 453, p. 506).
Angl. personal liability².

RESPONSABILITÉ DU FAIT DES PRODUITS

(*Obl.*) Syn. responsabilité du fabricant. « Sans doute l'apparition, comme ensemble normatif particulier, de la responsabilité du fait des produits dans les pays industrialisés au début des années soixante-dix serat-elle suivie d'un alignement progressif de situations auparavant ignorées, sans exclure pour autant tout retour aux conditions du droit commun malgré une confirmation formelle de l'autonomie du concept » (Fallon, *Accidents de la consommation*, n° 136, p. 229).
Angl. manufacturer's liability⁺, product liability.

RESPONSABILITÉ DU FAIT PERSONNEL

(*Obl.*) Responsabilité civile fondée sur la faute civile de l'auteur du dommage. « La responsabilité du fait personnel peut être soit délictuelle ou quasi délictuelle, soit contractuelle » (Mazeaud, *Traité*, t. 1, n° 366, p. 451).
Syn. responsabilité du fait des personnes, responsabilité personnelle¹. **Opp.** responsabilité du fait d'autrui, responsabilité du fait des choses, responsabilité indirecte.
Angl. personal liability².

RESPONSABILITÉ DU MANUFACTURIER

(*Obl.*) Syn. responsabilité du fabricant. « Jusqu'au milieu des années soixante, la jurisprudence québécoise sur la responsabilité du manufacturier fut inspirée par la dualité classique entre fabricant-vendeur et fabricant-non-vendeur, [...] Depuis 1965, la jurisprudence a eu tendance à fusionner les deux systèmes de responsabilité [contractuelle et quasi délictuelle] [...] » (Haanappel, (1979-80) 25 *R.D. McGill* 300, p. 302).
Angl. manufacturer's liability⁺, product liability.

RESPONSABILITÉ DU TUTEUR

(*Obl.*) Responsabilité civile encourue par le tuteur en raison du dommage causé par la personne dont il a la garde³.
Rem. **1°** Voir les art. 1054 al. 3 et 1054.1 C. civ. **2°** Le régime de la responsabilité du tuteur au mineur non émancipé est identique à celui de la responsabilité des parents. **3°** Depuis avril 1990, le tuteur au majeur protégé ne peut être tenu responsable que s'il a lui-même commis une faute lourde ou intentionnelle dans l'exercice de la garde (art. 1054.1 C. civ.).
V.a. responsabilité du fait d'autrui⁺.
Angl. liability of tutors.

RESPONSABILITÉ EXTRACONTRACTUELLE

(*Obl.*) Responsabilité civile découlant de la violation d'une obligation indépendante de toute relation contractuelle entre l'auteur et la victime du dommage. « Il serait à la vérité plus exact de distinguer de la responsabilité contractuelle la responsabilité extracontractuelle, dont le domaine est plus vaste que celui de la responsabilité délictuelle et quasi délictuelle » (Mazeaud et Chabas, *Leçons*, t. 2, vol. 1, n° 376, p. 350).
Rem. La responsabilité extracontractuelle comprend les responsabilités quasi contractuelle, délictuelle, quasi délictuelle et légale².
Syn. responsabilité légale¹. **Opp.** responsabilité contractuelle. **V.a.** obligation extracontractuelle.
Angl. extracontractual liability⁺, legal liability¹, tort²(x).

RESPONSABILITÉ INDIRECTE

(*Obl.*) Responsabilité civile d'une personne qui est tenue de réparer le dommage causé par celui dont elle a le contrôle ou par la chose qu'elle a sous sa garde. « [...] ces responsabilités indirectes ne diffèrent de la responsabilité du fait personnel que par un renversement *de la charge de la preuve* » (Flour et Aubert, *Obligations*, vol. 2, n° 572, p. 81).
Rem. **1°** Voir l'art. 1054 C. civ. **2°** Le caractère indirect de la responsabilité met ici en lumière le fait que la personne responsable n'est pas l'auteur du dommage.
Opp. responsabilité du fait personnel.
V.a. responsabilité du fait d'autrui, responsabilité du fait des choses.
Angl. indirect liability+, indirect responsibility.

RESPONSABILITÉ *IN SOLIDUM*

(latin)

(*Obl.*) Responsabilité civile de plusieurs débiteurs tenus chacun pour le tout envers le même créancier bien qu'il n'y ait ni solidarité ni indivisibilité.
Opp. responsabilité conjointe, responsabilité solidaire. **V.a.** obligation *in solidum*.
Angl. *in solidum* liability, liability *in solidum*+.

RESPONSABILITÉ JURIDIQUE

(*Obl.*) Responsabilité[1] d'une personne devant le droit[1]. « La responsabilité juridique suppose donc nécessairement l'existence d'un préjudice » (Mazeaud et Tunc, *Traité*, t. 1, n° 8, p. 5).
Opp. responsabilité morale. **V.a.** responsabilité civile, responsabilité pénale.
Angl. juridical responsibility.

RESPONSABILITÉ LÉGALE

1. (*Obl.*) Syn. responsabilité extracontractuelle. Par ex., la responsabilité d'une municipalité pour les « dommages causés par les chiens aux moutons ou autres animaux de ferme dans son territoire » (art. 15, *Loi sur les abus préjudiciables à l'agriculture*, L.R.Q., chap. A-2). « [...] nous n'envisagerons que la responsabilité délictuelle et la responsabilité contractuelle; mais on saura que ce qui sera dit de la responsabilité délictuelle pourra être appliqué à tous les cas de responsabilité légale *lato sensu* » (Mazeaud et Tunc, *Traité*, t. 1, n° 103, p. 113).
Rem. On emploie aussi les expressions *responsabilité légale au sens large*, *responsabilité légale* lato sensu.
V.a. obligation légale[1].
Angl. extracontractual liability+, legal liability[1], tort[2](x).

2. (*Obl.*) Responsabilité extracontractuelle découlant de l'inexécution d'une obligation qui résulte de l'opération de la loi seule. Par ex., la responsabilité résultant de l'inexécution de certaines obligations des propriétaires de terrains adjacents. « Ainsi, les règles de la responsabilité délictuelle et quasi délictuelle doivent être étendues [...] à la responsabilité légale proprement dite » (Mazeaud et Tunc, *Traité*, t. 1, n° 103, p. 113).
Rem. **1°** Cette responsabilité, expressément prévue à l'art. 1057 C. civ., sanctionne l'inexécution d'une obligation née « de l'opération seule et directe de la loi, sans qu'il intervienne aucun acte, et indépendamment de la volonté de la personne obligée, ou de celle en faveur de qui l'obligation est imposée ». **2°** On emploie aussi les expressions *responsabilité légale proprement dite*, *responsabilité légale* stricto sensu.
Opp. responsabilité délictuelle, responsabilité quasi contractuelle, responsabilité quasi délictuelle. **V.a.** obligation légale[2], responsabilité contractuelle.
Angl. legal liability[2].

RESPONSABILITÉ LIMITÉE

(*Obl.*) V. clause de responsabilité limitée.

RESPONSABILITÉ MORALE

Responsabilité[1] d'une personne devant sa conscience. « [...] si le dommage est causé sans faute aucune — ou même par quelque faute extrêmement légère — l'idée de responsabilité morale s'évanouit, selon cette conception » (Starck, Roland et Boyer, *Obligations*, t. 1, n° 7, p. 8).
Rem. **1°** La responsabilité morale n'entraîne pas en elle-même une responsabilité civile. **2°** Diverses convictions, y compris des croyances religieuses, peuvent éclairer la conscience.
Opp. responsabilité juridique. **V.a.** obligation morale.
Angl. moral responsibility.

RESPONSABILITÉ OBJECTIVE

(*Obl.*) Responsabilité civile fondée, non pas sur la faute de l'auteur, mais uniquement sur le lien causal entre le dommage réalisé et le risque causé. Par ex., le propriétaire d'une automobile pour le dommage matériel causé à autrui (art. 108, *Loi sur l'assurance automobile*, L.R.Q., chap. A-25). « La théorie du risque créé a pour résultat pratique d'établir une responsabilité objective » (Nadeau et Nadeau, *Responsabilité*, n° 58, p. 44).
Syn. responsabilité causale, responsabilité de plein droit, responsabilité sans faute.
Opp. responsabilité subjective. **V.a.** cause matérielle. **F.f.** responsabilité absolue, responsabilité stricte.
Angl. absolute liability, no-fault liability, objective liability(x), strict liability[+].

RESPONSABILITÉ PARTAGÉE

(*Obl.*) Responsabilité civile encourue par plusieurs personnes, chacune ayant contribué au dommage.
Rem. La responsabilité peut être partagée entre les coauteurs d'un dommage ou entre la victime et l'auteur du dommage.
V.a. faute commune.
Angl. shared liability.

RESPONSABILITÉ PÉNALE

Responsabilité juridique liée à l'imposition d'une peine à celui qui s'est rendu coupable d'un acte considéré comme nuisible à la société. « La responsabilité pénale exige la recherche de la culpabilité de l'agent ou, au moins, la constatation du caractère socialement dangereux que cet individu ou son acte peut présenter » (Mazeaud et Tunc, *Traité*, t. 1, n° 10, p. 6).
Opp. responsabilité civile.
Angl. penal liability.

RESPONSABILITÉ PERSONNELLE

1. (*Obl.*) Syn. responsabilité du fait personnel. « Le fait, au sens le plus large, susceptible d'entraîner la responsabilité personnelle de son auteur, n'est pas un fait quelconque : il doit constituer de la part de son auteur, une faute » (Marty et Raynaud, *Obligations*, t. 1, n° 453, p. 506).
Angl. personal liability[2].

2. (*Obl.*) Responsabilité civile qu'encourt une personne en raison de son fait personnel, du fait d'autrui ou du fait de la chose.
Occ. Art. 36, *Loi sur les compagnies*, L.R.Q., chap. C-38.
Opp. responsabilité collective.
Angl. personal liability[1].

RESPONSABILITÉ POUR AUTRUI

(*Obl.*) Syn. responsabilité du fait d'autrui. « [...] la responsabilité pour autrui n'exclut jamais la responsabilité du droit commun; elle se superpose à elle [...] *La victime a une faculté de choix.* Elle est libre de poursuivre l'auteur direct, ou le responsable pour autrui ou encore de les assigner ensemble [...] » (Le Tourneau, *Responsabilité*, n° 2071, p. 667).
Angl. liability for damage caused by another(<)[+], vicarious liability(<)[+], vicarious responsibility(<).

RESPONSABILITÉ POUR LE FAIT D'AUTRUI

(*Obl.*) Syn. responsabilité du fait d'autrui. « La garde, au sens large du terme (c'est-à-dire le pouvoir de surveillance et de contrôle sur autrui) reste le fondement juridique de la responsabilité pour le fait d'autrui » (Baudouin, *Responsabilité*, n° 397, p. 218).
Angl. liability for damage caused by another(<)$^{+}$, vicarious liability(<)$^{+}$, vicarious responsibility(<).

RESPONSABILITÉ PRÉCONTRACTUELLE

(*Obl.*) Responsabilité civile découlant de la violation d'une obligation précontractuelle.
Rem. La responsabilité précontractuelle est de nature extracontractuelle.
V.a. faute précontractuelle, période précontractuelle.
Angl. precontractual liability.

RESPONSABILITÉ PROFESSIONNELLE

(*Obl.*) Responsabilité civile découlant d'une faute professionnelle. Par ex., responsabilité du chirurgien qui oublie une compresse dans le corps de son patient. « L'étude des responsabilités professionnelles rentre dans le cadre de la responsabilité civile ordinaire. La généralité des dispositions de l'art. 1053 C. civ. est telle qu'elle ne peut manquer de couvrir la responsabilité du professionnel [...] » (Nadeau et Nadeau, *Responsabilité*, n° 269, p. 279).
Rem. La responsabilité professionnelle peut être contractuelle ou extracontractuelle.
Angl. professional liability.

RESPONSABILITÉ QUASI CONTRACTUELLE

(*Obl.*) Responsabilité extracontractuelle résultant de la violation d'une obligation quasi contractuelle. Par ex., la responsabilité découlant de l'inexécution des devoirs résultant de la gestion d'affaire (art. 1043 C. civ.). « Il n'existe pas de règles visant la responsabilité quasi contractuelle [...] On appliquera les règles de la responsabilité délictuelle et quasi délictuelle, puisqu'elles constituent le droit commun de la responsabilité civile » (Mazeaud et Chabas, *Leçons*, t. 2, vol. 1, n° 392, p. 368).
Opp. responsabilité délictuelle, responsabilité légale[2], responsabilité quasi délictuelle.
V.a. obligation quasi contractuelle, responsabilité contractuelle.
Angl. quasi-contractual liability^{+}, quasi-contractual responsibility.

RESPONSABILITÉ QUASI DÉLICTUELLE

(*Obl.*) Responsabilité extracontractuelle qui naît d'un quasi-délit.
Opp. responsabilité délictuelle, responsabilité légale[2], responsabilité quasi contractuelle. **V.a.** responsabilité contractuelle.
Angl. quasi-delictual liability^{+}, quasi-delictual responsibility.

RESPONSABILITÉ SANS FAUTE

(*Obl.*) Syn. responsabilité objective. « [...] ils [les tribunaux] sont arrivés à admettre, à côté de la responsabilité [...] fondée sur la faute, une responsabilité sans faute [...] » (Weill et Terré, *Introduction*, n° 111, p. 113).
Rem. On évitera de confondre la responsabilité sans faute, dans laquelle une personne est tenue à la réparation d'un dommage causé sans sa faute, et un régime d'indemnisation sans égard à la faute, qui ne fait que reconnaître un droit à la réparation sans créer de responsabilité correspondante, comme c'est le cas pour l'indemnisation des victimes de dommages corporels selon la *Loi sur l'assurance automobile* (L.R.Q., chap. A-25).
Angl. absolute liability, no-fault liability, objective liability(x), strict liability^{+}.

RESPONSABILITÉ SOLIDAIRE

(*Obl.*) Responsabilité civile de plusieurs débiteurs, chacun étant tenu de la totalité de la dette envers le même créancier. « [...] si plusieurs organes ont commis des fautes distinctes qui ont concouru à la réalisation du même dommage, ils encourent une responsabilité solidaire vis-à-vis des victimes » (Viney, *Responsabilité*, n° 858, p. 950).
Opp. responsabilité conjointe, responsabilité *in solidum*. **V.a.** obligation solidaire, solidairement+.
Angl. solidary liability.

RESPONSABILITÉ STRICTE

(*Obl.*) (X) V. responsabilité objective.
Rem. En droit pénal, le terme *responsabilité stricte* est utilisé à propos des infractions contre le bien-être public (voir *R.* c. *Sault St-Marie*, [1978] 2 R.C.S. 1299, p. 1325-1326).
Angl. absolute liability, no-fault liability, objective liability(x), strict liability+.

RESPONSABILITÉ SUBJECTIVE

(*Obl.*) Responsabilité civile fondée sur la faute[2] de l'auteur du dommage.
Rem. La responsabilité subjective constitue le régime de droit commun de la responsabilité civile.
Opp. responsabilité objective.
Angl. subjective liability.

RESPONSABLE *adj.*

(*Obl.*) Qui répond de son fait personnel et même, en certains cas, du fait d'un tiers ou d'une chose. « [...] une personne est responsable chaque fois qu'elle doit réparer un dommage; c'est bien le sens étymologique du terme : le responsable, c'est celui qui répond » (Mazeaud et Tunc, *Traité*, t. 1, n° 3, p. 2). *Être tenu civilement responsable* (art. 52 C. civ.).
Occ. Art. 1053, 1054, 1055 C. civ.
Opp. non responsable. **V.a.** responsabilité.
Angl. liable+, responsible.

RESPONSABLE *n.*

(*Obl.*) Personne dont la responsabilité[2] est engagée. « Il n'y a pas un responsable chaque fois qu'il y a un dommage » (Mazeaud et Tunc, *Traité*, t. 1, n° 4, p. 3).
Opp. non-responsable.

RESTITUABLE *adj.*

1. (*Obl.*) Que l'on doit restituer[1]. *Fruits, sommes restituables.*
Angl. restitutive.

2. (*Obl.*) Susceptible d'être restitué[2]. « [...] le mineur non émancipé est restituable, pour cause de lésion, contre tous les actes qu'il fait seul, car tous les actes indistinctement excèdent les bornes de sa capacité [...] » (Mignault, *Droit civil*, t. 5, p. 243).
Occ. Art. 319, 1004 à 1008 C. civ.
Angl. relievable.

RESTITUER

1. *v.tr.* (*Obl.*) Effectuer une restitution[1]. « La rescision a un effet rétroactif, l'acte étant censé n'avoir pas été passé, chaque contractant devant restituer les prestations reçues; ainsi l'acheteur restitue l'immeuble, le vendeur le prix » (Weill et Terré, *Obligations*, n° 213, p. 225).
Occ. Art. 419, 1047, 1807 C. civ.
Angl. restore.

2. *v.intr.* (*Obl.*) Prononcer la restitution[2].
Occ. Art. 1011, 1012 C. civ.
Rem. L'expression *se faire restituer contre son contrat* signifie obtenir d'être libéré des obligations découlant d'un contrat.
Angl. relieve[2].

RESTITUTIO IN INTEGRUM
loc.nom.f. (latin)

1. (*Obl.*) Syn. remise en état. « Il est clair [...] que la *restitutio in integrum* doit être possible, mais la règle qui gouverne en ce cas [art. 1065 C. civ.], est la même que celle que l'on trouve à l'article 1088 C.C., c'est-à-dire que la condition résolutoire, lorsqu'elle est accomplie, oblige chacune des parties à rendre ce qu'elle a reçu et remet les choses au même état que si le contrat n'avait pas existé » (*Lortie* c. *Bouchard*, [1952] 1 R.C.S. 508, p. 520, j. R. Taschereau).
Angl. *restitutio in integrum*[1], restitution[3], restoration+.

2. (*Obl.*) Syn. réparation intégrale. « Le mode de réparation le plus adéquat serait celui que l'on désigne par les termes : "réparation en nature", la victime se trouvant alors remise dans le *statu quo ante*, le dommage étant ainsi effacé ... Mais cette *restitutio in integrum*, mode idéal de réparation, n'est pas fréquent, parce qu'il est généralement irréalisable » (Starck, Roland et Boyer, *Obligations*, t. 2, n° 1047, p. 467).
Angl. full compensation(<)+, full reparation+, *restitutio in integrum*[2].

RESTITUTION *n.f.*

1. (*Obl.*) Fait[1] de rendre à quelqu'un ce qu'on a reçu de lui ou ce qu'on lui a injustement pris. « Dans le cas d'un contrat à exécution successive, il est évident que l'une des prestations n'est pas susceptible de faire l'objet d'une restitution : [...] l'employeur ne peut restituer le travail fourni par l'ouvrier » (Pineau et Burman, *Obligations*, n° 144, p. 205). *Restitution de la chose déposée, des fruits, du prix.*
Occ. Art. 1190, 1510, 1809 C. civ.
Rem. Du latin *restitutio*, de *statuere* : établir.
V.a. action en restitution[1], remise en état.
Angl. restitution[1].

2. (*Obl.*) Syn. rescision[1]. « Les personnes visées par l'article 1118 [art. 1001 C. civ.] sont les *mineurs*. Il s'agit d'une application de la règle traditionnelle : *restituitur minor, non tanquam minor, sed tanquam laesus* (la restitution a lieu au profit du mineur, non en cette qualité, mais en tant que lésé) » (Ghestin, *Contrat*, n° 545, p. 444).
Occ. Art. 2258 C. civ.
Rem. Le Code civil français emploie indifféremment les termes *nullité*, *rescision* et *restitution* lorsqu'il s'agit d'attaquer un contrat entaché d'erreur, de dol ou de violence (art. 887, 892, 1110, 1111, 1115, 1117 C. civ. fr.); toutefois, ce sont toujours les termes *rescision* et *restitution* qui sont utilisés lorsqu'il s'agit d'attaquer un contrat pour cause de lésion (art. 887 al. 2, 1305 à 1313 C. civ. fr.). Dans notre Code civil, le terme *restitution* ne semble se rapporter qu'à la lésion du mineur (art. 1004 à 1008, 2258 C. civ.); cependant, les termes *nullité* et *rescision* sont aussi employés pour désigner cette notion (art. 1001 à 1003 C. civ.).
V.a. action en restitution[2].
Angl. rescission[1]+, restitution[2].

RESTITUTION DE L'INDU

(*Obl.*) Restitution[1] de ce qui a été payé indûment.
V.a. paiement de l'indu, répétition de l'indu.
Angl. restitution of a thing not due.

RÉSULTAT *n.m.*

V. obligation de résultat.
Angl. result.

RETENIR *v.tr.*

(*Sûr.*) Exercer le droit de rétention. « [Le langage du Code civil] est flottant, comme on peut s'en aviser en lisant les textes où il emploie le mot "retenir" (il ne parle jamais de "rétention") [...] » (Rodière, D. 1965.79, p. 80).

Occ. Art. 417 C. civ.; art. 179, *Loi sur la protection du consommateur*, L.R.Q., chap. P-40.1.
Angl. retain.

RÉTENTEUR, TRICE *n.*

(*Sûr.*) Titulaire du droit de rétention. « [Les créanciers] ont intérêt à ce que le rétenteur renonce à son droit de rétention dans tous les cas où la chose retenue a une valeur supérieure au montant de la créance du rétenteur [...] » (Mazeaud et Chabas, *Leçons*, t. 3, vol. 1, n° 124, p. 142).

RÉTENTION *n.f.*

(*Sûr.*) Fait d'exercer le droit de rétention. « [On peut] observer que toujours c'est en *vue d'obtenir le payement d'une obligation de donner* que la rétention est permise, et toujours par le refus de restituer un bien corporel — par *l'inexécution d'une obligation de délivrance* — qu'elle se manifeste » (Catala-Franjou, *Rev. trim. dr. civ.* 1967, 9, p. 11).
Angl. retention.

RÉTICENCE *n.f.*

(*Obl.*) Fait pour une personne de garder volontairement le silence sur des circonstances qu'une autre personne aurait intérêt à connaître. « La doctrine classique, enseigne que la simple réticence n'est pas constitutive de dol. L'évolution récente de la loi et de la jurisprudence québécoise oblige désormais à mettre en doute cette affirmation » (Baudouin, *Obligations,* n° 157, p.126).
Occ. Art. 2486, 2487 C. civ.
Rem. Même si, en principe, la réticence n'est pas constitutive de dol[1], plusieurs textes de loi en font, dans certains domaines, une forme de dol entraînant la nullité du contrat, et certains parlent alors de *réticence dolosive.* Par ex., les art. 216, 219, 228 de la *Loi sur la protection du consommateur,* L.R.Q., chap. P-40.1; l'art. 2487 C. civ. en matière d'assurance.
V.a. dol[1], manoeuvre dolosive.
Angl. concealment+, reticence.

RÉTICENCE DOLOSIVE

(*Obl.*) Réticence constitutive de dol[1]. « La complexité des techniques et de la réglementation rend aujourd'hui particulièrement nécessaire l'exacte information des parties. Très souvent, l'une d'elles est un professionnel averti, qui peut être tenté, par son silence, de profiter de l'ignorance de l'autre. Ainsi, s'explique l'importance prise récemment par la notion de réticence dolosive, parallèlement au développement dans la législation et la jurisprudence d'une *obligation d'information* destinée à faire mieux respecter le *principe de bonne foi* dans les relations contractuelles » (Ghestin, *Contrat*, n° 430, p. 342).
Syn. réticence frauduleuse. **V.a.** obligation de renseignement.
Angl. deceitful concealment, fraudulent concealment+.

RÉTICENCE FRAUDULEUSE

(*Obl.*) Syn. réticence dolosive.
Occ. Art. 2486, 2626 C. civ.
Angl. deceitful concealment, fraudulent concealment+.

RETIREMENT *n.m.*

(*Obl.*) Syn. enlèvement.
Angl. removal.

RETIRER *v.tr.*

1. (*Obl.*) Syn. enlever.
Angl. remove.

2. (*Obl.*) Syn. rétracter. « Certains auteurs ont [...] invoqué les principes généraux de la responsabilité délictuelle pour justifier les obligations imposées à l'offrant

qui entend retirer son offre avant l'expiration du délai qu'il aurait dû respecter » (Marty et Raynaud, *Obligations*, t. 1, n° 113, p. 109).
Angl. retract+, withdraw[1].

RÉTRACTATION *n.f.*

(*Obl.*) Révocation[1], spécialement à propos d'une offre. « [...] l'acceptation n'est efficace que si elle intervient avant la caducité ou la rétractation de l'offre [...] » (Marty et Raynaud, *Obligations*, t. 1, n° 114, p. 111).
Syn. retrait[1].
Angl. retraction+, withdrawal.

RÉTRACTER *v.tr.*

(*Obl.*) Opérer la rétractation. « Pour eux [certains auteurs] l'offre n'est pas nécessairement obligatoire, son auteur a donc le droit de la rétracter tant qu'elle n'est pas acceptée [...] » (Marty et Raynaud, *Obligations*, n° 113, p. 110).
Syn. retirer[2]. **V.a.** révoquer.
Angl. retract+, withdraw[1].

RETRAIRE *v.tr.*

(*Obl.*) Exercer le retrait[2]. *Retraire un immeuble.*
Rem. Bien que l'on utilise le substantif *retrayé* pour désigner la personne contre qui le retrait est exercé, le participe passé de retraire est *retrait* (art. 524, *Loi sur les cités et villes*, L.R.Q., chap. C-19), et non *retrayé*.
F.f. retrayer.
Angl. redeem.

RETRAIT *n.m.*

1. (*Obl.*) Syn. rétractation. « Le retrait de l'offre peut s'effectuer automatiquement quand l'offre est temporaire, c'est-à-dire lorsque le pollicitant fixe un délai pendant lequel le destinataire de l'offre pourra réfléchir et accepter. Si le destinataire ne répond pas dans le délai imparti, l'offre est retirée » (Pineau et Burman, *Obligations*, n° 40, p. 58).
Angl. retraction+, withdrawal.

2. (*Obl.*) Acte unilatéral par lequel une personne, le *retrayant*, exerce la faculté de se substituer à l'acquéreur d'un droit[2], le *retrayé*, à charge de lui rembourser ce qu'il a déboursé pour l'acquérir. « Le retrait n'est pas un contrat; c'est un acte unilatéral, qui ne dépend que de la volonté de celui qui le pose, et auquel la loi attribue des effets juridiques » (*Clough* c. *Corp. du Comté de Shefford*, [1944] B.R. 39, p. 48, j. J.-A. Prévost).
Rem. Voir les art. 710 et 1582 C. civ.
Angl. redemption[1].

RETRAIT CONVENTIONNEL

(*Obl.*) Syn. faculté de réméré. « Le réméré apparaît [...] extérieurement comme une faculté de rachat; en réalité, l'opération par laquelle le vendeur à réméré reprend la chose vendue est très différente d'un rachat et elle a mérité que certains auteurs la considèrent comme un retrait conventionnel » (Planiol et Ripert, *Traité*, t. 10, n° 187, p. 223).
Angl. option to repurchase, redemption[2], right of redemption+.

RETRAIT LITIGIEUX

(*Obl.*) Retrait[2] exercé contre l'acquéreur d'un droit litigieux par celui à qui ce droit peut être opposé. « D'une façon générale, l'exercice du retrait litigieux permet au cédé de se libérer à l'égard du cessionnaire qui se trouve en quelque sorte exproprié de sa créance litigieuse » (Pourcelet, *Vente*, p. 246).
V.a. créance litigieuse.
Angl. redemption of litigious rights.

RETRAYANT, ANTE *n.* et *adj.*

(*Obl.*) Personne qui exerce le retrait[2].
Angl. redeemer.

RETRAYÉ, ÉE *n.* et *adj.*

(*Obl.*) Personne contre qui le retrait[2] est exercé.

RETRAYER *v.tr.*

(*Obl.*) (X) V. retraire.
Rem. Ce barbarisme est formé fautivement à partir de *retrayé.*
Angl. redeem.

RÉTROACTIF, IVE *adj.*

Qui a le caractère de la rétroactivité. « La loi rétroactive est exceptionnelle. Le besoin de sécurité dans la vie juridique s'oppose à ce que des actes accomplis sous l'empire d'une loi soient, après coup, appréciés par rapport à des règles qui n'existaient pas jusqu'alors » (Côté, *Interprétation*, p. 104).
V.a. effet rétroactif.
Angl. retroactive+, retrospective.

RÉTROACTIVEMENT *adv.*

Avec rétroactivité. « La condition résolutoire [...] anéantit rétroactivement un lien d'obligation existant en l'éteignant, comme si celui-ci n'avait jamais existé » (Baudouin, *Obligations*, n° 763, p. 463).
Angl. retroactively+, retrospectively.

RÉTROACTIVITÉ *n.f.*

Fiction consistant à reporter dans le passé soit l'application d'une loi, soit les effets d'un acte ou d'une situation juridique. Par ex., la rétroactivité d'une loi, d'un jugement, de la réalisation d'une condition. « [...] la rétroactivité [...] c'est le report de l'application d'une loi à une date antérieure à sa promulgation, ou [...] une fiction de la préexistence de la loi » (Roubier, *Droit transitoire*, p. 10).
Occ. Art. 941 C. civ.
V.a. effet rétroactif.
Angl. retroactivity.

RÉTROACTIVITÉ DE LA CONDITION

(*Obl.*) Fiction consistant à reporter dans le passé les effets de la réalisation ou de la défaillance d'une condition[1]. « [...] la règle légale de la rétroactivité de la condition n'est *pas impérative*; elle peut donc être écartée par les parties qui peuvent valablement convenir que l'obligation ne produira la plénitude de ses effets qu'à partir du jour de la réalisation de la condition » (Marty, Raynaud et Jestaz, *Obligations*, t. 2, n° 83, p. 75).
Rem. En matière contractuelle, la rétroactivité de la condition en fait remonter les effets au jour de la conclusion du contrat. Au cas de défaillance de la condition suspensive ou de réalisation de la condition résolutoire, l'obligation est réputée n'avoir jamais existé; tout se passe comme s'il n'y avait jamais eu de contrat. Dans le cas contraire de réalisation de la condition suspensive ou de défaillance de la condition résolutoire, l'obligation est censée avoir été pure et simple dès le jour de la conclusion du contrat; tout se passe comme s'il n'y avait jamais eu de condition.
Angl. retroactivity of a condition.

RÉTROAGIR *v.intr.*

Avoir un effet rétroactif. « Une loi peut, sans rétroactivité, atteindre des droits acquis et elle peut même rétroagir en respectant les droits acquis » (Côté, *Interprétation*, p. 120).
Angl. retroact.

REVENDICATION *n.f.*

1. (*Biens*) Action par laquelle le propriétaire demande la reconnaissance de son droit de propriété sur un bien et la restitution de celui-ci par le possesseur.
Occ. Art. 2268 C. civ.
Rem. Du latin *rei vindicatio* (de *res* : chose, et *vindicare* : demander en justice; réclamer à titre de propriétaire) : action de réclamer une chose.

Syn. action en revendication. **V.a.** action pétitoire.
Angl. action in revendication, revendication[1]+.

2. (*Obl.*) Action par laquelle le vendeur d'un meuble livré à l'acheteur qui l'a encore en sa possession demande la reconnaissance de son droit sur ce meuble et la restitution de celui-ci.
Occ. Art. 1543, 1999 C. civ.
Angl. revendication[2].

REVENDIQUANT, ANTE *n.* et *adj.*

(*Biens* et *Obl.*) Personne qui agit en revendication.
Angl. person revendicating.

REVENDIQUER *v.tr.*

(*Biens* et *Obl.*) Agir en revendication. « En principe, le propriétaire est admis à revendiquer son meuble entre les mains d'un possesseur tant que ce dernier ne peut pas invoquer une prescription qui se serait accomplie à son profit » (Martineau, *Prescription*, n° 160, p. 159).
Angl. revendicate.

RÉVÉRENCIEL, IELLE *adj.*

V. crainte révérencielle.

RÉVISER *v.tr.*

Procéder à une révision.
Angl. revise.

RÉVISION *n.f.*

Examen d'un acte ou d'un texte juridique pour y apporter, le cas échéant, des modifications. Par ex., la révision d'un traité, la révision du Code civil, la révision de la *Loi sur la protection du consommateur*.
Rem. On trouve également la graphie *revision*.
V.a. clause de révision, révision du contrat.
Angl. revision.

RÉVISION DU CONTRAT

(*Obl.*) Action de modifier les termes d'un contrat. « Le mandat classique des tribunaux s'oppose à la révision du contrat; il n'en demeure pas moins que le droit privé québécois est témoin d'un interventionnisme judiciaire accru [...] » (Ciotola, (1986) 20 *R.J.T.* 169, p. 190).
Rem. **1°** En principe, la révision du contrat n'a lieu que par l'accord de volontés des parties. Celles-ci, par un nouveau contrat, modifient un contrat antérieur (art. 1022 C. civ.). Elles peuvent aussi insérer dans leur contrat une clause de révision prévoyant des modifications au contrat dans le cas où surviendraient certaines circonstances (art. 1658.13 C. civ.). **2°** Le juge ne peut réviser un contrat que dans les cas exceptionnels où la loi l'y autorise (art. 322, 1040*c* C. civ.; art. 8, 272, *Loi sur la protection du consommateur*, L.R.Q., chap. P- 40.1).
V.a. clause de révision, théorie de l'imprévision.
Angl. revision of contract.

RÉVOCABILITÉ *n.f.*

(*Obl.*) Caractère de ce qui est révocable.
Opp. irrévocabilité. **V.a.** mutabilité.
Angl. revocability.

RÉVOCABLE *adj.*

(*Obl.*) Susceptible de révocation. *Donation révocable, mandat révocable.*
Occ. Art. 783, 930 C. civ.
Opp. irrévocable.
Angl. revocable.

RÉVOCATION *n.f.*

1. (*Obl.*) Anéantissement d'un acte juridique résultant d'une décision unilatérale, en parlant d'une offre, d'une libéralité, d'un mandat, ainsi que d'un aveu judiciaire. « La révocation [d'une donation pour cause d'ingratitude] étant une punition infligée au donataire, les dispositions législatives qui

la régissent doivent recevoir l'interprétation restrictive » (Mignault, *Droit civil*, t. 4, p. 173). *Emporter révocation* (art. 2558 C. civ.); *entraîner la révocation* (art. 2558 C. civ.); *valoir révocation* (art. 1757 C. civ.); *révocation d'un mandataire* (1757 C. civ.); *révocation d'un testament* (art. 895 C. civ.); *révocation d'une donation pour cause d'ingratitude* (art. 814 C. civ.); *révocation d'une stipulation pour autrui*.
Occ. Art. 930, 1755, 2542 C. civ.
V.a. action en révocation, annulation, rétractation. **F.f.** cancellation[2].
Angl. revocation[1].

2. (*Obl.*) Syn. résiliation bilatérale.
Angl. amicable resiliation, bilateral resiliation⁺, conventional resiliation, revocation[2].

RÉVOCATOIRE *adj.*

(*Obl.*) Qui opère révocation. *Acte, disposition révocatoire.*
V.a. action en révocation⁺, action révocatoire.
Angl. revocatory.

RÉVOQUER *v.tr.*

(*Obl.*) Opérer une révocation. « [...] le donateur peut se réserver le droit de révoquer la donation pour des causes qui ne dépendent pas de sa seule volonté, car alors il n'est pas maître de rendre sa libéralité inefficace » (Mignault, *Droit civil*, t. 4, p. 169). *Révoquer une donation, un mandat, une offre, un testament.*
Occ. Art. 1756 C. civ.
Rem. L'art 1022 al. 3 C. civ. emploie mal à propos le terme *résoudre*, alors qu'il conviendrait d'employer le terme *révoquer*, au sens de révocation[2], comme le fait le Code civil français à l'art. 1134 al. 2.
V.a. rétracter.
Angl. revoke.

RICOCHET *n.m.*

(*Obl.*) V. dommage par ricochet, préjudice par ricochet, victime par ricochet.

RISQUE *n.m.*

V. acceptation de risques, théorie des risques.
Angl. risk.

RISQUE DE LA CHOSE

(*Obl.*) Perte subie par l'une des parties lorsqu'une chose faisant l'objet du contrat périt par suite d'un cas fortuit. « Si une chose est détruite par la foudre ou une inondation, son propriétaire en supporte la perte, le risque est pour le propriétaire : *res perit domino*. Cette règle très simple donne la solution à une question [...] qui est celle du *risque de la chose* » (Marty et Raynaud, *Obligations*, t. 1, n° 313, p. 324).
Occ. Art. 1025 C. civ.
V.a. *res perit domino*⁺, théorie des risques.
Angl. risk of the thing.

RISQUE DU CONTRAT

(*Obl.*) Perte subie par l'une des parties lorsqu'une obligation d'un contrat synallagmatique ne peut être exécutée par suite d'un cas fortuit. « [...] lorsqu'un débiteur contractuel est dans l'impossibilité d'exécuter sa dette, il n'encourt aucune responsabilité; mais il reste à préciser qui des deux parties au contrat supportera en définitive les conséquences de cette impossibilité d'exécution : c'est le problème *du risque du contrat* » (Marty et Raynaud, *Obligations*, t. 1, n° 313, p. 324).
V.a. théorie des risques⁺.
Angl. risk of the contract.

RISQUE LOCATIF

(*Obl.*) Risque qui incombe au locataire dans l'éventualité de sa responsabilité, envers le locateur, résultant d'un incendie de la chose louée. « Comme l'immeuble loué n'appartient pas au locataire, ce dernier ne peut l'assurer pour se protéger contre l'incendie.

Il ne peut qu'assurer le risque locatif [...] » (Faribault, dans *Traité*, t. 12, p. 180).
Angl. lessee's risk.

RUINE *n.f.*

(*Obl.*) Désagrégation totale ou partielle des éléments qui composent un bâtiment. « La ruine du bâtiment semble impliquer la nécessité d'une chute, c'est-à-dire d'une certaine action dynamique de la chose. C'est dans ce sens d'ailleurs que la jurisprudence s'est orientée [...] » (Baudouin, *Responsabilité*, n° 682, p. 343).
V.a. responsabilité du fait des bâtiments.
Angl. ruin.

S

SAISI, IE *n.* et *adj.*

(*D. jud.*) Personne sur qui une saisie est pratiquée. « Ce dernier [le débiteur] reste propriétaire des biens saisis mais en perd la possession qui est transmise au créancier saisissant. Ce principe joue même si le saisi a été constitué gardien [...] » (Vincent, *Voies d'exécution*, n° 206, p. 164).
Occ. Art. 574, 578 C. proc. civ.
Opp. saisissant. **V.a.** tiers saisi.
Angl. judgment debtor.

SAISIE *n.f.*

(*D. jud.*) Mise d'un bien sous main de justice en vue de le bloquer entre les mains du détenteur, le plus souvent dans l'intention de le faire vendre en justice. « [...] c'est au moment de la saisie qu'il faut se placer pour savoir s'il y a opposition possible » (*Blackburn* c. *Elmhurst Investment and Loan Corp.*, [1971] C.S. 240, p. 242, j. G. Roberge). *Pratiquer une saisie.*
Occ. Art. 562 C. proc. civ.
Rem. 1° La personne qui pratique la saisie est le *saisissant*; la personne dont les biens sont saisis est le *saisi*. Le cas échéant, la saisie peut être pratiquée entre les mains d'un tiers, le *tiers-saisi*. 2° On distingue la saisie avant jugement, simple mesure de protection pour la durée de l'instance, et la saisie-exécution[1], qui vise à faire vendre en justice les biens saisis.
V.a. saisie-arrêt.
Angl. attachment, seizure+.

SAISIE APRÈS JUGEMENT

(*D. jud.*) Syn. saisie-exécution[1].
Occ. Art. 737 C. proc. civ.
Angl. seizure after judgment, seizure in execution[1] +.

SAISIE-ARRÊT *n.f.*

(*D. jud.*) Saisie par laquelle le créancier empêche un tiers, le *tiers saisi*, qui est débiteur de son débiteur, d'effectuer le paiement à ce dernier des sommes qu'il lui doit ou de lui remettre des biens mobiliers lui appartenant, en vue de se faire payer lui-même sur ces sommes ou biens. « Si la saisie-arrêt est une saisie des créances il faut bien préciser [...] qu'il ne s'agit pas uniquement de créances de sommes d'argent mais aussi de créances de livraison d'un bien mobilier corporel » (Donnier, *Rép. proc. civ.*, v° Saisie-arrêt, n° 7).
Occ. Art. 627 C. proc. civ.; *Loi sur la saisie-arrêt et la distraction de pensions*, L.R.C. 1985, chap. G-2.
Rem. 1° Le Code de procédure civile emploie, à l'art. 625, le terme *saisie en main tierce* pour désigner la saisie-arrêt : les deux termes sont rendus en anglais par *seizure by garnishment*. À partir de ce terme, qui constitue une sorte de périphrase, la pratique a formé le terme *saisie-arrêt en main tierce*, qui constitue une expression redondante. 2° Au Québec, le terme *saisie-arrêt* s'entend également d'une saisie de créances avant jugement, alors que, dans la procédure civile française, la *saisie-arrêt* ne s'entend que de la saisie qui constitue une mesure d'exécution.
V.a. bref de saisie-arrêt.
Angl. garnishment, seizure by garnishment+.

SAISIE AVANT JUGEMENT

(*D. jud.*) Saisie pratiquée par le demandeur, en cours d'instance, afin d'éviter que le débiteur aliène ses biens ou en diminue la valeur. « La saisie avant jugement peut porter sur les immeubles ou sur les meubles » (Anctil, *Commentaires*, t. 2, p. 382).
Occ. Art. 737 C. proc. civ.
Rem. **1°** Dans la procédure civile française, on l'appelle *saisie conservatoire.* **2°** Cette saisie regroupe diverses saisies particulières que prévoyait l'ancien Code de procédure civile : arrêt simple, arrêt en mains tierces, saisie-revendication, saisie-gagerie et saisie conservatoire.
Opp. saisie-exécution[1].
Angl. seizure before judgment.

SAISIE-EXÉCUTION *n.f.*

1. (*D. jud.*) Mesure d'exécution forcée par laquelle un créancier, muni d'un jugement exécutoire, fait saisir les biens, meubles ou immeubles, de son débiteur et les fait vendre en justice pour obtenir paiement. « La première phase de saisie est la *phase conservatoire.* [...] La deuxième phase des saisies-exécution aboutit à la vente » (Fenaux, *Rép. proc. civ.*, v° Saisie, n° 73-74). *Pratiquer une saisie-exécution.*
Occ. Art. 567 C. proc. civ.
Rem. **1°** La saisie-exécution ne comprend pas la saisie pratiquée en exécution d'un jugement sur action réelle où le bien saisi n'est pas vendu en justice. **2°** Dans ce sens large, rarement employé dans la procédure civile française, la saisie-exécution peut porter aussi bien sur un immeuble que sur un meuble.
Syn. saisie après jugement. **Opp.** saisie avant jugement. **V.a.** saisie-exécution immobilière, saisie-exécution mobilière.
Angl. seizure after judgment, seizure in execution[1]+.

2. (*D. jud.*) *Rare.* Mesure d'exécution forcée par laquelle un créancier, muni d'un jugement exécutoire, fait saisir les meubles de son débiteur qui ne se trouvent pas entre les mains de tiers, et les fait vendre en justice pour obtenir paiement. « La saisie type est une saisie mobilière, connue sous le nom de *saisie-exécution* proprement dite » (Fenaux, *Rép. proc. civ.*, v° Saisie, n° 71).
Rem. Ce sens étroit, qui est le plus fréquent en France, remonte à l'ancienne procédure. Au Québec, il a presque complètement disparu devant le sens large, à moins qu'on en voie des traces dans un texte comme l'art. 596 C. proc. civ., où le terme s'entend de la seule saisie mobilière.
Angl. seizure in execution[2].

SAISIE-EXÉCUTION IMMOBILIÈRE

(*D. jud.*) Saisie-exécution[1] portant sur un immeuble. « Le législateur permet de cumuler la saisie-exécution mobilière et la saisie-exécution immobilière [...] » (Anctil, *Commentaires*, t. 2, p. 175).
Occ. Art. 674 C. proc. civ.
Rem. En procédure civile française, ce type de saisie s'appelle *saisie immobilière.* On trouve un emploi de ce dernier terme à l'art. 660 C. proc. civ., où l'on se serait attendu au terme *saisie-exécution immobilière,* étant donné que l'intitulé précédant cet article se lit : « De la saisie-exécution des immeubles ».
Syn. saisie immobilière. **Opp.** saisie-exécution mobilière. **V.a.** bref de saisie-exécution immobilière.
Angl. seizure in execution of immoveables+, seizure of immoveables.

SAISIE-EXÉCUTION MOBILIÈRE

(*D. jud.*) Saisie-exécution[1] portant sur un meuble. « En matière de saisie-exécution mobilière, le législateur accorde au juge une certaine discrétion pour rendre des ordonnances spéciales dérogeant à la loi, notamment quant à l'heure et au lieu de la vente, quant au paiement et à la représentation des biens » (Anctil, *Commentaires*, t. 2, p. 175).

Occ. Art. 563 C. proc. civ.
Rem. La saisie-exécution mobilière porte le plus souvent sur les biens meubles du débiteur qui sont en sa possession, mais elle s'étend aussi aux biens qui sont en la possession du créancier ou d'un tiers qui consent à la saisie (art. 569 C. proc. civ.).
Opp. saisie-exécution immobilière.
V.a. bref de saisie-exécution mobilière.
Angl. seizure in execution of moveables+, seizure of moveable property.

SAISIE-GAGERIE *n.f.*

(*D. jud.*) Saisie conservatoire pratiquée par le locateur sur les biens grevés d'un privilège en garantie de ses droits à l'égard du locataire. « Si, parmi les meubles garnissant les lieux loués, il en est qui appartiennent à des *tiers* [...] ils seront soumis à la saisie-gagerie » (Vincent, *Voies d'exécution*, n° 154, p. 129).
Occ. Art. 954 anc. C. proc. civ. (1897-1965).
Rem. Ce type de saisie conservatoire fait désormais partie des saisies avant jugement (art. 734 par. 2 C. proc. civ.); dans le Code de procédure civile antérieur à 1965, elle constituait un type distinct de saisie conservatoire, comme c'est encore le cas dans la procédure française.
Angl. attachment for rent.

SAISIE IMMOBILIÈRE

(*D. jud.*) Syn. saisie-exécution immobilière. « En principe, *tout créancier*, qu'il soit chirographaire, hypothécaire ou privilégié, peut faire procéder à une saisie immobilière; les causes de préférence entre eux n'intéressent que la distribution des deniers et non le droit de saisir » (Guigue, *Rép. proc. civ.*, v° Saisie immobilière, n° 15).
Rem. Le terme saisie immobilière, bien qu'il soit employé à l'art. 660 C. proc. civ., n'est pas le terme habituellement employé dans notre Code de procédure civile, qui parle plutôt de saisie-exécution immobilière. Par contre, c'est le terme retenu par la procédure française.
V.a. bref de saisie immobilière.
Angl. seizure in execution of immoveables+, seizure of immoveables.

SAISIE-REVENDICATION *n.f.*

(*D. jud.*) Saisie conservatoire pratiquée par celui qui a le droit de rentrer en possession d'un meuble corporel. « La saisie-revendication [...] à la différence des autres saisies conservatoires [...] ne tend pas au recouvrement d'une créance et n'aboutit pas à la vente des objets saisis [...] Elle a pour but la sauvegarde d'un *droit réel* [...] et vise la remise de l'objet [...] » (Vincent, *Voies d'exécution*, n° 168, 169, p. 143).
Occ. Art. 947 anc. C. proc. civ. (1897-1965).
Rem. Ce type de saisie conservatoire fait désormais partie des saisies avant jugement (art. 734 par. 1 C. proc. civ.); dans le Code de procédure civile antérieur à 1965, elle constituait un type distinct de saisie conservatoire, comme c'est encore le cas dans la procédure française.
Angl. attachment in revendication, seizure in revendication+.

SAISIR *v.tr.*

(*D. jud.*) Pratiquer une saisie. « Tout créancier est en droit de saisir les biens de son débiteur [...] qu'il soit chirographaire ou nanti d'une sûreté [...] » (Vincent, *Voies d'exécution*, n° 70, p. 60).
Occ. Art. 568 C. proc. civ.
Rem. On dit habituellement *saisir un bien*, mais on peut aussi dire *saisir une personne*, au sens de saisir ses biens. « Tout débiteur peut être saisi » (Vincent, *Voies d'exécution*, n° 76, p. 65).
Angl. seize.

SAISIR-ARRÊTER *loc.verb.tr.*

(*D. jud.*) Pratiquer une saisie-arrêt. « La créance saisie-arrêtée est placée sous la main de la Justice. Le tiers saisi en devient le gardien » (Vincent, *Voies d'exécution*, n° 277, p. 238).
Occ. Art. 569 C. proc. civ.

SAISIR-EXÉCUTER *loc.verb.tr.*

(*D. jud.*) Procéder à une saisie-exécution. « La règle qui permet au créancier de saisir-exécuter tous les meubles de son débiteur, reçoit exception à l'égard de certains meubles » (Pothier, *Oeuvres*, t. 10, n° 449, p. 203).
Occ. Art. 569 C. proc. civ.
Angl. seize in execution.

SAISIR-GAGER *v.tr.*

(*D. jud.*) Mettre sous main de justice par voie de saisie-gagerie. « Le bailleur peut aussi saisir-gager les meubles de son locataire pour des créances qui, sans être des loyers et fermages, sont néanmoins nées à raison du bail : réparations locatives, dommages et intérêts pour abus de jouissance, remboursement d'avances faites par le bailleur » (Robert, *Rép. proc. civ.*, v° Saisie-gagerie, n° 17).
Angl. attach for rent.

SAISIR-REVENDIQUER *v.tr.*

(*D. jud.*) Mettre sous main de justice par voie de saisie-revendication. « Lorsqu'une personne a vendu un meuble avec condition résolutoire pour défaut de paiement à l'échéance, elle peut saisir-revendiquer ce bien si la condition s'est réalisée puisque elle est redevenue propriétaire » (Légier, *Rép. proc. civ.*, v° Saisie-revendication, n° 8).
Occ. Art. 946 anc. C. proc. civ. (1897-1965).
Angl. attach in revendication, seize in revendication+.

SAISISSABILITÉ *n.f.*

(*D. jud.*) Qualité d'un bien susceptible de saisie. « La saisissabilité est donc la règle, l'insaisissabilité l'exception » (Vincent, *Voies d'exécution*, n° 86, p. 73).
Opp. insaisissabilité.
Angl. seizability.

SAISISSABLE *adj.*

(*D. jud.*) Susceptible de saisie.
Opp. insaisissable.
Angl. seizable.

SAISISSANT, ANTE *n.* et *adj.*

(*D. jud.*) Personne qui pratique une saisie. « Il semble, d'après la jurisprudence, que l'huissier soit considéré comme un mandataire, ce qui a permis, à l'occasion, d'établir la responsabilité du saisissant pour les fautes de l'huissier » (Lauzon, *Exécution des jugements*, p. 65).
Occ. Art. 607 C. proc. civ.
Rem. **1°** Le plus souvent, il s'agit du créancier; dans le cas de l'exécution à la suite d'une action réelle, le saisissant est le titulaire d'un droit réel sur le bien saisi. **2°** Le Code de procédure civile désigne parfois, à tort, sous le nom d'*officier saisissant* l'officier qui procède à la saisie (art. 586 C. proc. civ.).
Opp. saisi. **V.a.** tiers-saisi.
Angl. seizing creditor.

SALAIRE *n.m.*

(*Obl.*) Rémunération due par l'employeur à l'employé en vertu d'un contrat de travail. « Le salaire est le prix que l'employeur s'engage à remettre à l'ouvrier ou à l'employé en échange du travail fourni par celui-ci. Ce prix consiste normalement en une somme d'argent; il peut cependant comporter des prestations en nature telles que la nourriture, le logement, le chauffage, l'éclairage » (Planiol et Ripert, *Traité*, t. 11, n° 813, p. 54).

Occ. Art. 1569*b*, 1669, 1686 C. civ.; art. 641, 642, 652 C. proc. civ.
Rem. 1° L'art. 1722 C. civ. appelle *salaire* la rémunération payée par le mandant au mandataire; l'usage est aujourd'hui de désigner cette rémunération *commission*, *honoraire*. 2° Du latin *salarium* : indemnité versée au soldat pour acheter son sel.
V.a. commission[1], honoraires°.
Angl. salary⁺, wages.

SALARIÉ, ÉE *adj.*

(*Obl.*) Qui reçoit un salaire; qui donne lieu au paiement d'un salaire. Par ex., un travailleur salarié, une activité salariée. « L'article [1722 C. civ.] pose les règles générales qui régissent le recours du mandataire pour le remboursement de ses déboursés et le paiement de son salaire dans le cas du mandat salarié » (Roch et Paré, dans *Traité*, t. 13, p. 82).
Occ. Art. 1759 C. civ.

SALARIÉ, ÉE *n.*

(*Obl.*) Personne physique qui reçoit un salaire. « La définition du salarié a été interprétée par les tribunaux comme ne visant que le travailleur en relation de subordination juridique avec l'utilisateur de ses services » (Blouin, (1974) 20 *McGill L.J.* 429).
Occ. Art. 1 par. *l*, *Code du travail*, L.R.Q., chap. C-27; art. 1 par. 10, *Loi sur les normes du travail*, L.R.Q., chap. N-1.1.
V.a. employé°, ouvrier.
Angl. employee[2].

SECRET, ÈTE *adj.*

(*Obl.*) V. acte secret.

SÉCULIER, IÈRE *adj.*

(*Pers.*) Syn. civil[6].
V.a. droit séculier.
Angl. civil[6]⁺, secular.

SECUNDUM LEGEM *loc.adv.* (latin)

Selon la loi[1], à propos de l'application d'une coutume ou d'un usage. « *Coutume secundum legem.* — Dans un certain nombre de cas, des règles de nature coutumière, ainsi que des usages, spécialement des usages locaux, s'appliquent en vertu d'une prescription formelle du législateur ou de l'autorité réglementaire » (Weill et Terré, *Introduction*, n° 191, p. 200).
Rem. Voir le recours, prévu par le législateur, à la coutume ou aux usages, notamment dans le cas des funérailles (art. 21 C. civ.), dans celui des clauses implicites du contrat (art. 1024 C. civ.) et à propos de la gratuité du mandat (art. 1702 C. civ.).
Opp. *contra legem*, *praeter legem*.
Angl. *secundum legem*.

SEING PRIVÉ *loc.adv.*

(*Preuve*) V. acte sous seing privé.

SÉQUESTRE *n.m.*

1. (*Obl.*) Dépôt[1] d'une chose litigieuse par les parties au litige, entre les mains d'un tiers, le *séquestre*, jusqu'au règlement définitif de leurs prétentions. « Contrairement au dépôt simple, le séquestre n'est pas essentiellement gratuit » (Roch et Paré, dans *Traité*, t. 13, p. 311). *Mise sous séquestre*.
Occ. Art. 1817 C. civ.
Rem. 1° Le séquestre peut porter sur des meubles ou des immeubles. 2° Il peut être onéreux ou gratuit, conventionnel ou judiciaire.
Opp. dépôt simple.
Angl. sequestration.

2. (*Obl.*) Dépositaire, dans le cas d'un séquestre[1]. « L'expression séquestre est employée pour désigner l'acte lui-même ou la personne à qui la chose est confiée » (Roch et Paré, dans *Traité*, t. 13, p. 308).
Occ. Art. 2294, Projet de loi 125.
Angl. sequestrator.

SÉQUESTRE CONVENTIONNEL

1. (*Obl.*) Séquestre[1] résultant de la convention entre, d'une part, les personnes qui se disputent une chose litigieuse et, d'autre part, celui à qui elles remettent cette chose en dépôt. « Le séquestre conventionnel étant effectué par deux ou plusieurs personnes afin précisément que la chose séquestrée soit retenue par le dépositaire jusqu'à la fin de la contestation quant à sa possession, il s'ensuit que le dépositaire ne peut se décharger de la responsabilité qu'il a assumée avant que cette contestation soit terminée » (Mignault, *Droit civil*, t. 8, p. 172).
Occ. Art. 1818 C. civ.
Opp. séquestre judiciaire[1].
Angl. conventional sequestration.

2. (*Obl.*) Séquestre[2] nommé par convention. « En cas de mort ou de cessation de fonctions du séquestre conventionnel, il appartient aux tribunaux, faute d'accord des parties, de lui choisir un remplaçant jusqu'à la fin du procès » (Planiol et Ripert, *Traité*, t. 11, n° 1193, p. 534).
Opp. séquestre judiciaire[2].
Angl. conventional sequestrator.

SÉQUESTRE JUDICIAIRE

1. (*Obl.* et *D. jud.*) Séquestre[1] ordonné par la justice. « Le principe général est [...] qu'il y a lieu au séquestre judiciaire lorsque le juge estime que la conservation des droits des parties l'exige. Le tribunal a entière discrétion pour décider s'il y a lieu ou non, suivant les circonstances, de nommer un séquestre » (Anctil, *Commentaires*, t. 2, p. 400).
Occ. Art. 1823 C. civ.; titre précédant l'art. 742 C. proc. civ.
Syn. dépôt judiciaire[2]. **Opp.** séquestre conventionnel[1].
Angl. judicial deposit[2], judicial sequestration[+].

2. (*Obl.* et *D. jud.*) Séquestre[2] nommé par l'autorité judiciaire. « À proprement parler le séquestre judiciaire n'est pas un administrateur; il est essentiellement un dépositaire, avec des pouvoirs toutefois plus amples que ceux du dépositaire ordinaire » (Mignault, *Droit civil*, t. 8, p. 177).
Opp. séquestre conventionnel[2].
Angl. judicial sequestrator.

SÉQUESTRER *v.tr.*

(*Obl.*) Mettre sous séquestre[1]. « [...] bien qu'il y ait lieu à séquestrer lorsqu'un immeuble est en litige entre plusieurs parties dans une instance, la Cour peut, suivant les circonstances, au lieu d'ordonner un séquestre, donner la possession de la chose en litige à l'une des parties, en par elle donnant bonne et suffisante caution » (Anctil, *Commentaires*, t. 2, p. 400).
Occ. Art. 745 à 748 C. proc. civ.
Angl. sequestrate.

SERVANT *adj.m.*

V. fonds servant.

SERVICE *n.m.*

1. (*Obl.*) Prestation fournie en exécution d'une obligation de faire résultant d'un contrat de services. *Fournir des services.*
Occ. Art. 1666 C. civ.
V.a. louage de services.
Angl. service[1].

2. (*Obl.*) Fait pour une personne, autrement qu'en vertu d'un contrat de travail, de mettre à la disposition d'un consommateur son activité, son art ou son industrie, ou encore de lui procurer la jouissance temporaire d'un objet matériel.
Occ. Art. 40, *Loi sur la protection du consommateur*, L.R.Q., chap. P-40.1.
Rem. La *Loi sur la protection du consommateur* oppose les biens aux services, usage probablement emprunté aux économistes. Pour les économistes, les biens visent la propriété des biens de consommation et les services, toute autre prestation destinée à la

consommation. Pour les juristes, les contrats relatifs aux services, en ce sens large, que l'on pourrait appeler contrats visant à la prestation de services, appartiennent à différents types de contrats reconnus en droit commun, dont en particulier le contrat de services, le contrat d'entreprise et le contrat de louage de choses.
Angl. service².

SERVICES FONCIERS

(*Biens*) Syn. servitude réelle. « Le Code civil a pris soin de bannir la notion de servitude personnelle qui risquait de rappeler les institutions abolies de la féodalité; certes, l'usufruit n'est pas supprimé, mais il est distingué des servitudes qui ne sont que réelles en ce sens qu'elles ne profitent qu'à un fonds, et c'est pourquoi elles sont encore qualifiées de "*services* fonciers" [...] » (Marty et Raynaud, *Biens*, n° 137, p. 186).
Angl. praedial services, praedial servitude, real servitude⁺, servitude².

SERVITUDE *n.f.*

1. (*Biens*) Droit réel démembré portant sur un bien d'autrui. « La servitude implique [...], comme tout autre droit, une idée complexe, un *droit* d'un côté, une *charge* de l'autre. De même qu'une *obligation* a pour corrélatif indispensable une *créance*, la *charge* qui constitue la servitude a pour corrélatif nécessaire un *droit réel* » (Mignault, *Droit civil*, t. 3, p. 2).
Rem. Ce terme englobe les servitudes personnelles aussi bien que les servitudes réelles, celles-ci étant le plus souvent appelées simplement *servitudes*.
Angl. servitude¹.

2. (*Biens*) Syn. servitude réelle. « Quant aux servitudes réelles, on les désigne *brevitatis causa* sous le nom de servitudes, les termes de servitudes prédiales ou services fonciers n'étant plus guère utilisés » (Larroumet, *Droit civil*, t. 2, n° 764, p. 412).
Occ. Art. 501 C. civ.
Rem. On distingue, selon l'origine, les servitudes naturelles, les servitudes légales et les servitudes établies par le fait de l'homme (art. 500 C. civ.).
Angl. praedial services, praedial servitude, real servitude⁺, servitude².

SERVITUDE ACTIVE

(*Biens*) Servitude² envisagée par rapport au fonds dominant. « La déclaration de l'existence d'une servitude active, dans un acte concernant l'héritage auquel elle serait due, ne peut être opposée au propriétaire de l'héritage prétendu grevé, qui n'a pas été partie dans cet acte [...] » (Montpetit et Taillefer, dans *Traité*, t. 3, p. 465-466).
Occ. Art. 522 C. civ.
Rem. La servitude active constitue un droit et non une charge, par ex., le droit de passage au profit d'un fonds.
Opp. servitude passive.
Angl. active servitude.

SERVITUDE ADMINISTRATIVE

(*Biens*) Syn. servitude légale². « Le règlement de zonage impose une limitation au droit de propriété. [...] Chacun des immeubles visés par le règlement est à la fois fonds dominant et fonds servant d'une servitude administrative réciproque » (*Kraus* c. *Nakis Holding Ltd*, [1969] C.S. 261, p. 263-264, j. A. Mayrand).
Angl. administrative servitude, legal servitude²⁺, public law servitude.

SERVITUDE AFFIRMATIVE

(*Biens*) Syn. servitude positive. « Parfois la propriété est entamée en ce que certains de ses attributs sont accordés à des tiers. Le propriétaire perd l'exclusivité de sa chose. Il doit souffrir, chez lui, qu'un autre fasse quelque chose (passer, puiser, extraire); il doit souffrir, sur son fonds, l'intervention active d'un tiers (servitude affirmative) » (Cornu, *Introduction*, n° 1431, p. 451-452).
Angl. positive servitude.

SERVITUDE APPARENTE

(*Obl.*) Servitude² dont l'existence est révélée par des signes extérieurs. « Constitue une servitude apparente le droit de passage dont le signe extérieur et apparent est une porte dans la clôture qui sépare le fonds dominant du fonds servant » (Montpetit et Taillefer, dans *Traité*, t. 3, p. 460).
Occ. Art. 548 C. civ.
Rem. Pour fins d'application de l'art 1519 C. civ., relatif à la dénonciation par le vendeur des servitudes non apparentes, la jurisprudence assimile aux servitudes apparentes les charges qui constituent le régime normal de la propriété et que nul n'est censé ignorer; alors qu'elle assimile aux servitudes non apparentes celles qui font échec à ce régime et qui sont imposées, notamment, par les nombreux règlements d'urbanisme.
Opp. servitude non apparente.
Angl. apparent servitude.

SERVITUDE CONTINUE

(*Biens*) Servitude² qui s'exerce sans le fait actuel du titulaire. Par ex., une servitude de vue. « Pour qu'une servitude soit continue, il n'est pas nécessaire qu'elle soit exercée sans interruption ni que l'usage en soit continu et incessant, il suffit que cet usage puisse l'être : ainsi la servitude d'égoût est continue, quoiqu'il ne pleuve pas continuellement [...]. La servitude continue n'a pas besoin du fait actuel de l'homme pour s'exercer : voilà le critère qui nous la fait reconnaître » (Montpetit et Taillefer, dans *Traité*, t. 3, p. 457).
Occ. Art. 547 C. civ.
Opp. servitude discontinue.
Angl. continuous servitude.

SERVITUDE CONTRACTUELLE

(*Biens*) Syn. servitude conventionnelle. « Selon la Cour Suprême [*Roberge* c. *Martin*, [1926] S.C.R. 191], les servitudes établies par destination du père de famille ne seraient pas des servitudes contractuelles » (Martineau, *Biens*, p. 160).
Occ. Art. 2116*a* C. civ.
Angl. contractual servitude, conventional servitude⁺.

SERVITUDE CONVENTIONNELLE

(*Biens*) Servitude² établie par convention. « Nombreuses sont les servitudes purement conventionnelles où le fonds servant et le fonds dominant sont réciproquement l'objet d'une servitude » (Comtois, dans *Mélanges Bissonnette*, 231, p. 236).
Rem. Par extension, cette expression recouvre également des servitudes créées par d'autres actes juridiques, tel le testament.
Syn. servitude contractuelle. **V.a.** servitude du fait de l'homme, servitude par destination du père de famille.
Angl. contractual servitude, conventional servitude⁺.

SERVITUDE DE DROIT PUBLIC

(*Biens*) Syn. servitude légale².
Angl. administrative servitude, legal servitude²⁺, public law servitude.

SERVITUDE DE PASSAGE

(*Biens*) Servitude² par laquelle est établi, au profit d'un fonds, un passage sur un autre fonds. « Si le terrain servant d'assiette à une servitude de passage est exproprié pour être transformé en chemin public, la servitude de passage ne peut être exercée sur une autre partie du fonds servant » (Montpetit et Taillefer, dans *Traité*, t. 3, p. 475).
Syn. droit de passage.
Angl. right of passage, right of way, servitude of passage, servitude of right of way⁺.

SERVITUDE DE PROSPECT

(*Biens*) Servitude² permettant au propriétaire du fonds dominant d'avoir une vue illimitée sur le fonds servant et interdisant, à cette fin, au propriétaire du fonds servant

de faire des constructions ou des plantations qui gêneraient cette vue. « La servitude peut [...] ne procurer qu'un simple *agrément* supplémentaire à l'usage du fonds dominant (servitude dite de *prospect*, de ne pas bâtir afin de ne pas obstruer les vues sur l'horizon) » (Colin et Capitant, *Traité*, t. 2, n° 335, p. 186).
Rem. 1° Pour avoir vue sur l'horizon, le propriétaire devra éventuellement obtenir une servitude de prospect des propriétaires de tous les fonds qui peuvent la lui obstruer. 2° Du latin *prospectus*, participe passé de *prospicere* : regarder devant soi.
V.a. servitude *non aedificandi*, servitude *non altius tollendi*.
Angl. servitude of prospect.

SERVITUDE DE VUE

1. (*Biens*) Servitude du fait de l'homme autorisant le propriétaire d'un fonds à avoir des vues ou des jours non conformes aux conditions prescrites par la loi. « L'effet de la servitude de vue est de neutraliser la prohibition de l'article 536 C. c. et de permettre, en conséquence, à son titulaire, le propriétaire du fonds dominant, de donner suite à son projet d'avoir un mur percé de vues droites à une distance de moins de six pieds de la ligne séparative des deux fonds » (Martineau, (1980-81) 15 *R.J.T.* 101, p. 102).
Rem. 1° Voir les art. 533 à 538 C. civ. 2° Généralement, la servitude de vue permet de pratiquer des vues droites ou obliques à des distances moindres que celles prévues aux art. 536 et 537 C. civ. ; l'expression *servitude de vue* désigne aussi la servitude qui permet de pratiquer des jours ne répondant pas aux prescriptions des articles 534 et 535 C. civ. **3°** Le propriétaire du fonds servant doit s'abstenir de nuire à l'exercice de la servitude accordée au propriétaire du fonds dominant (art. 552, 557 C. civ.; *Turcotte* c. *Gamache*, [1955] B.R. 681).
Angl. right of view, servitude of right of view[1] +.

2. (*Biens*) Servitude légale[2] interdisant au propriétaire d'un fonds d'avoir des vues ou des jours sur un fonds voisin à moins d'observer les conditions prescrites par la loi.
Rem. 1° Voir les art. 533 à 538 C. civ. **2°** Bien que les restrictions édictées par ces articles se trouvent au chapitre *Des servitudes établies par la loi*, la doctrine et la jurisprudence considèrent qu'elles ne constituent pas de véritables servitudes, mais font partie du régime de droit commun de la propriété; une véritable servitude de vue (servitude de vue[1]) consiste dans une dérogation apportée à ces prohibitions ou restrictions (voir *Duchesneau* c. *Poisson*, [1950] B.R. 453).
Angl. servitude of right of view[2].

SERVITUDE DISCONTINUE

(*Biens*) Servitude[2] dont l'exercice requiert le fait actuel du titulaire. Par ex., une servitude de passage. « Tandis que la servitude discontinue s'éteint, parce que le propriétaire du fonds dominant demeure dans un état passif pendant trente ans, la servitude continue ne s'éteint que si l'un des deux propriétaires pose un fait actif bien déterminé » (Montpetit et Taillefer, dans *Traité*, t. 3, p. 492).
Occ. Art. 547 C. civ.
Opp. servitude continue.
Angl. discontinuous servitude.

SERVITUDE DU FAIT DE L'HOMME

(*Biens*) Servitude[2] qui a pour source la volonté de l'homme. « [...] les servitudes *du fait de l'homme* sont généralement établies par des *titres* qui en fixent la nature et l'objet [...] » (Ripert et Boulanger, *Traité*, t. 2, n° 3167, p. 1098).
Rem. La volonté se manifeste expressément par contrat ou testament ou, tacitement, par la destination du père de famille (art. 551 C. civ.).
Syn. servitude établie par le fait de l'homme. **Opp.** servitude légale, servitude naturelle. **V.a.** servitude convention-

nelle, servitude par destination du père de famille.
Angl. servitude by act of man+, servitude established by act of man.

SERVITUDE ÉTABLIE PAR LE FAIT DE L'HOMME

(*Biens*) Syn. servitude du fait de l'homme.
Occ. Titre précédant l'art. 545 C. civ.
Angl. servitude by act of man+, servitude established by act of man.

SERVITUDE FONCIÈRE

(*Biens*) Syn. servitude réelle. « On qualifie parfois les servitudes de *foncières* (parce qu'elles sont relatives aux fonds), ou de *prédiales* (en tant qu'elles concernent des fonds, des immeubles, *praedia*) ou de *réelles* (parce qu'elles concernent essentiellement les choses, non les personnes), afin de les différencier de l'usufruit, de l'usage et de l'habitation où les Romains, et, après eux, nos anciens auteurs voyaient des servitudes *personnelles* [...] » (Weill, *Sûretés*, n° 619, p. 528).
Angl. praedial services, praedial servitude, real servitude+, servitude².

SERVITUDE LÉGALE

1. (*Biens*) Servitude² établie par la loi. Par ex., le droit de passage en faveur d'un fonds enclavé constitue une servitude légale. « [...] la distinction entre servitudes naturelles et servitudes légales ne semble exister que dans les mots : en effet les deux sortes de servitudes sont établies par la loi; c'est la loi qui détermine qu'un droit réel est une servitude à cause de la situation naturelle des lieux » (Montpetit et Taillefer, dans *Traité*, t. 3, p. 316).
Opp. servitude du fait de l'homme.
Angl. legal servitude¹.

2. (*Biens*) Limitation du droit de propriété d'un fonds imposée par la loi dans l'intérêt public. « Le règlement de zonage [...] qui défend d'occuper [un] immeuble [...] comme place d'affaires, constitue une "charge" au sens de l'article 1508 du Code civil. Il crée une sorte de servitude légale, puisqu'il est l'oeuvre du législateur provincial, qui a délégué à cette fin ses pouvoirs à l'autorité municipale. Le règlement de zonage impose une limitation au droit de propriété [...] » (*Kraus* c. *Nakis Holding Ltd*, [1969] C.S. 261, p. 263, j. A. Mayrand).
Rem. Selon la plupart des auteurs, en l'absence d'un fonds dominant, le terme *servitude* serait impropre; il faudrait parler de *charge* plutôt que de *servitude légale*.
Syn. servitude administrative, servitude de droit public. **Opp.** servitude du fait de l'homme, servitude naturelle.
Angl. administrative servitude, legal servitude²+, public law servitude.

SERVITUDE NATURELLE

(*Biens*) Servitude² que la loi considère comme dérivant de la situation des lieux. Par ex., servitude d'écoulement des eaux. « **Les servitudes naturelles** ont, de leur côté, quelque titre à être reclassées dans la catégorie générale des servitudes légales, puisqu'elles sont sinon établies, du moins consacrées par la loi » (Cornu, *Introduction*, n° 1421, p. 449).
Opp. servitude du fait de l'homme, servitude légale².
Angl. natural servitude.

SERVITUDE NÉGATIVE

(*Biens*) Servitude² qui interdit au propriétaire du fonds servant d'accomplir sur son fonds certains actes qu'il aurait normalement le droit de faire. Par ex., servitude *non aedificandi*, servitude *non altius tollendi*. « Dans d'autres cas, le droit de propriété est atténué en ce que le propriétaire perd, lui-même, sur son fonds, l'exercice de tel ou tel des attributs de la propriété. La servitude (négative) l'empêche de faire, chez lui, certaines choses. [...] Elle atténue sa

propriété, en l'amputant de certaines des prérogatives qui y sont normalement attachées » (Cornu, *Introduction*, n° 1431, p. 452).
Opp. servitude positive.
Angl. negative servitude.

SERVITUDE *NON AEDIFICANDI* (latin)

(*Biens*) Servitude² interdisant au propriétaire du fonds servant de bâtir sur son terrain ou sur une partie déterminée de celui-ci. « La servitude [...] ne crée [...] que des obligations passives, consistant soit en une prohibition, comme dans le cas de la servitude *non aedificandi*, soit en la contrainte de subir l'usage partiel du fonds servant par le propriétaire du fonds dominant [...] » (Lluelles, (1982-1983) 85 *R. du N.* 251, p. 256, note 13).
Rem. 1° La servitude *non aedificandi* est une servitude négative, continue et non apparente. 2° Du latin *aedificare* : bâtir, édifier.
V.a. servitude de prospect, servitude *non altius tollendi.*
Angl. *non aedificandi* servitude.

SERVITUDE *NON ALTIUS TOLLENDI* (latin)

(*Biens*) Servitude² interdisant au propriétaire du fonds servant de bâtir au-delà d'une certaine hauteur. « Des propriétaires peuvent *convenir* de ne pas construire ou de ne pas dépasser une certaine hauteur, créant ainsi volontairement à la charge de leurs fonds, de véritables servitudes *non aedificandi* ou *non altius tollendi* » (Mazeaud et Chabas, *Leçons*, t. 2, vol. 2, n° 1388-2, p. 120-121).
Rem. 1° La servitude *non altius tollendi* est une servitude négative, continue et non apparente. 2° Du latin *tollere* : porter, élever; et de *altius* : plus haut.
V.a. servitude de prospect, servitude *non aedificandi.*
Angl. *non altius tollendi* servitude.

SERVITUDE NON APPARENTE

(*Biens*) Servitude² dont aucun signe extérieur ne laisse présumer l'existence. « [...] une servitude de ne pas construire est une servitude non apparente, de la même façon que la servitude de puisage ou la servitude de passage, lorsque celle-ci ne suppose pas un chemin ou un autre aménagement desservant le fonds dominant » (Larroumet, *Droit civil*, t. 2, n° 841, p. 537).
Occ. Art. 548, 1519 C. civ.
Syn. servitude occulte. **Opp.** servitude apparente⁺.
Angl. unapparent servitude.

SERVITUDE OCCULTE

(*Biens*) Syn. servitude non apparente.
Angl. unapparent servitude.

SERVITUDE PAR DESTINATION DU PÈRE DE FAMILLE

(*Biens*) Servitude du fait de l'homme qui s'établit lorsque cessent d'appartenir au même propriétaire les fonds entre lesquels celui-ci avait créé ou maintenu un aménagement matériel qui aurait constitué une servitude si les fonds avaient alors appartenu à des propriétaires différents. « La servitude par destination du père de famille n'est pas une servitude contractuelle. Elle résulte d'un fait, c'est-à-dire de l'arrangement effectué par le propriétaire de deux fonds ou de deux parties d'un même fonds, par lequel il destine l'un des fonds ou une partie distincte d'un même fonds au service de l'autre » (*Roberge* c. *Martin*, [1926] R.C.S. 191, p. 193, j. P.-B. Mignault).
Rem 1° L'art. 551 C. civ. exige que l'aménagement existant entre les deux lots soit constaté par écrit. 2° Le terme *père de famille* est synonyme de *propriétaire.* L'art. 1224 C. civ. Q. (L.Q. 1987, chap. 18, art. 1 n.e.v.), repris à l'art. 1181 du Projet de loi 125, parle de *servitude par destination du propriétaire.*
V.a. servitude conventionnelle.
Angl. servitude by destination of proprietor.

SERVITUDE PASSIVE

(*Biens*) Servitude[2] envisagée par rapport au fonds servant. « [...] la distinction entre servitudes positives et servitudes passives est importante en pratique pour déterminer le contenu exact des obligations du débiteur de la servitude, ce qui conditionne aussi l'étendue des prérogatives du propriétaire du fonds dominant. En effet, si l'obligation est positive, il est en droit de réclamer au débiteur l'exécution de la prestation promise [...] » (Larroumet, *Droit civil*, t. 2, n° 836, p. 534).

Occ. Art. 522 C. civ.

Rem. La servitude passive constitue une charge et non un droit, par ex., la servitude de passage grevant le fonds servant.

Opp. servitude active.

Angl. passive servitude.

SERVITUDE PERSONNELLE

(*Biens*) Servitude[1], essentiellement temporaire, établissant une charge sur le bien d'une personne au profit d'une autre. « Cette expression, "servitudes personnelles", n'a pas été conservée dans notre Code pour des raisons historiques, *mais l'institution est demeurée* » (Cardinal, (1964-1965) 67 *R. du N.* 443, p. 444).

Occ. Charron, (1982) 42 *R. du B.* 446.

Rem. Les servitudes personnelles comprennent l'usufruit, l'usage et l'habitation ainsi que, selon certains auteurs, l'emphytéose et « toute autre charge imposée sur un immeuble en faveur de la personne seulement ou de ses héritiers [...] » (*Code civil du Bas Canada*, Troisième Rapport des Commissaires, p. 382).

Opp. servitude réelle.

Angl. personal servitude.

SERVITUDE POSITIVE

(*Biens*) Servitude[2] qui autorise le propriétaire du fonds dominant à faire des actes déterminés sur le fonds servant. Par ex., servitude de passage, servitude d'aqueduc. « Quand on considère l'objet des différentes servitudes, on voit que certaines d'entre elles autorisent le propriétaire du fonds dominant à accomplir directement des actes d'usage sur le fonds servant [...]. Ce sont des *servitudes positives*, qui consistent à *conférer à un autre propriétaire une partie des avantages* qui résultent de la propriété du fonds » (Ripert et Boulanger, *Traité*, t. 2, n° 3082, p. 1070).

Syn. servitude affirmative. **Opp.** servitude négative.

Angl. positive servitude.

SERVITUDE PRÉDIALE

(*Biens*) Syn. servitude réelle.

Angl. praedial services, praedial servitude, real servitude⁺, servitude[2].

SERVITUDE RÉELLE

(*Biens*) Servitude[1] constituant sur un immeuble, le fonds servant, une charge au profit d'un autre immeuble, le fonds dominant, appartenant à un propriétaire différent. « [...] les rédacteurs du Code civil n'ont pas énuméré limitativement les servitudes réelles : il appartient aux parties de décider des utilisations d'un fonds au profit d'un autre fonds; toutes sortes de servitudes [...] peuvent être constituées sur un fonds dans l'intérêt d'un autre fonds » (Mazeaud et Chabas, *Leçons*, t. 2, vol. 2, n° 1703, p. 374). *Établir une servitude* (art. 500 C. civ.).

Occ. Art. 499, 2116*b* C. civ.

Rem. La servitude réelle, contrairement à la servitude personnelle, est perpétuelle, sauf disposition contraire.

Syn. services fonciers, servitude[2], servitude foncière, servitude prédiale. **Opp.** servitude personnelle.

Angl. praedial services, praedial servitude, real servitude⁺, servitude[2].

SERVITUDE RURALE

(*Biens*) Servitude[2] établie au profit d'un fonds de terre. Par ex., droit de passage au

profit d'un terrain voisin. « [...] les servitudes rurales sont établies pour l'usage d'un fonds de terre, qu'il soit situé à la ville ou à la campagne » (Montpetit et Taillefer, dans *Traité*, t. 3, p. 455).
Occ. Art. 546 C. civ.
Opp. servitude urbaine+.
Angl. rural servitude.

SERVITUDE URBAINE

(*Biens*) Servitude[1] établie au profit d'un bâtiment. Par ex., servitude de vue[1]. « [...] le code civil [...] distingue [...] les servitudes urbaines, établies pour l'usage des bâtiments (quel que soit le lieu de leur implantation : ville ou campagne), et les servitudes rurales, établies pour l'usage des fonds de terre [...] » (Weill, Terré et Simler, *Biens*, n° 807, p. 757).
Occ. Art. 546 C. civ.
Rem. **1°** C'est le fonds dominant qui est considéré pour déterminer si une servitude est urbaine ou rurale. **2°** Cette distinction, importante en droit romain, ne présente plus aucun intérêt.
Opp. servitude rurale.
Angl. urban servitude.

SHÉRIF *n.* (anglais)

(*D. jud.*) Officier de justice dont les fonctions principales consistent, en matière civile, à saisir des immeubles en exécution des jugements et à les vendre en justice et, en matière pénale, à dresser la liste des personnes susceptibles de constituer le jury dans un procès aux assises. « *Les shérifs* [...] ont compétence en matière de signification d'acte de procédure (art. 120 C.P.) mais, en pratique, seuls les huissiers effectuent cette tâche » (Barakett, Beausoleil, Ferland et Reid, *Droit judiciaire 1*, t. 1, p. 98-99). *Vente par shérif*.
Occ. Art. 1485, 2155, 2161*d* C. civ.; art. 50, 660 C. proc. civ.; art. 4, 54, *Loi sur les tribunaux judiciaires*, L.R.Q., chap. T-16; *Loi sur les shérifs*, L.R.Q., chap. S-7.
Angl. sheriff.

SIGNIFICATION *n.f.*

(*D. jud.*) Notification d'un acte[2] adressée à une personne selon les formalités prescrites par la loi[2]. « [...] en principe, un acte de procédure n'a d'efficacité que si la partie adverse en a pris officiellement connaissance au moyen d'une signification faite régulièrement » (Barakett, Beausoleil, Ferland et Reid, *Droit judiciaire I*, t. 1, p. 181).
Occ. Art. 78, 123, 141, 144, 473 C. proc. civ.
Rem. En règle générale, la signification se fait par huissier (art. 120 C. proc. civ.), à personne ou à domicile, en laissant copie de l'acte. Exceptionnellement, elle peut se faire par avis public, par la poste ou autrement (art. 138 C. proc. civ.).
Angl. service[3].

SIMPLE *adj.*

V. acte de simple tolérance, caution simple, contrat simple, dépôt simple, intérêt simple, obligation à modalité simple, obligation pure et simple, obligation simple, renvoi simple.

SIMPLE DÉTENTION

(*Biens*) Syn. détention[2]. « [...] la précarité est la négation de la possession. La précarité consiste dans la simple détention » (Martineau, *Biens*, p. 53).
Angl. detention[2]+, precarious detention(x), precarious possession, simple detention.

SIMPLE EXPECTATIVE

Espérance de l'acquisition d'un droit[2]. Par ex., l'espérance qu'a une personne d'être avantagée par testament. « Les simples expectatives ne justifient pas l'accomplissement d'actes conservatoires; elle ne sont point transmissibles [...] » (Weill et Terré, *Introduction*, n° 355, p. 347).
Rem. La simple expectative ne fait pas partie du patrimoine d'une personne.
Syn. droit virtuel. **Opp.** droit actuel.

V.a. droit éventuel[1].
Angl. expectancy, expectation, mere expectancy+, mere expectation, potential right.

SIMULATION *n.f.*

(*Obl.*) Opération par laquelle les parties conviennent de dissimuler leur volonté véritable, destinée à demeurer secrète, derrière un acte ostensible qui ne sera qu'une apparence. « Toute opération de simulation comprend [...] deux actes distincts : d'une part un acte apparent qui représente ce que les parties veulent faire croire aux tiers, et d'autre part un acte secret ou *contre-lettre* qui reflète leur véritable intention » (Baudouin, *Obligations*, n° 419, p. 270).
Occ. Art. 1447, Projet de loi 125.
Rem. **1°** La simulation peut prendre l'une des formes suivantes : l'acte déguisé, l'acte fictif, l'interposition de personnes. **2°** La simulation peut avoir pour but de frauder la loi, mais peut aussi avoir un but légitime.
V.a. action en déclaration de simulation, apparence[2], mariage simulé.
Angl. simulation.

SIMULÉ, ÉE *p.p.adj.*

(*Obl.*) V. acte simulé, contrat simulé, mariage simulé.

SIMULTANÉ, ÉE *adj.*

V. fautes simultanées.

SINE QUA NON *loc.adj.* (latin)

V. *causa sine qua non*, cause *sine qua non*, condition *sine qua non.*
Angl. *sine qua non*.

SOCIÉTAIRE *n.*

(*Obl.*) Syn. associé. « [...] dans l'affaire *Wibert* c. *Cantin* [[1973] C.A. 917], la Cour d'appel a statué très clairement que la preuve testimoniale pouvait être utilisée par les sociétaires d'une société commerciale pour faire la preuve de la convention de société » (Bohémier et Côté, *Droit commercial*, t. 2, p. 21).
Angl. partner.

SOCIÉTÉ *n.f.*

1. (*Obl.* et *D. comm.*) Contrat par lequel deux ou plusieurs personnes conviennent de mettre en commun quelque chose dans le but de réaliser un bénéfice appréciable en argent qu'elles se partageront. « Puisque la société se forme par le seul consentement des parties, on doit insister sur l'importance de l'existence d'une intention réelle de conclure un tel contrat chez toutes les parties [...]. Pour qualifier le contrat, il faut donc toujours chercher à identifier l'intention réelle des parties au-delà des liens apparents qui les unissent » (Bohémier et Côté, *Droit commercial*, t. 2, p. 16).
Occ. Art. 1832, 1833, 1892 C. civ.
Rem. **1°** Les parties au contrat de société se nomment *associés*. **2°** L'apport que chaque partie doit mettre en commun peut consister en toutes sortes de biens : immeuble, créance, somme d'argent, marchandises, clientèle, marque de commerce, brevet d'invention, droit d'usufruit. L'apport peut aussi consister dans le crédit, l'habileté ou l'industrie de l'associé (art. 1830 C. civ.). **3°** Le partage des bénéfices, qui est de l'essence de ce contrat, entraîne normalement la participation aux pertes; une clause peut toutefois prévoir qu'un associé est exempté de participer aux pertes (art. 1831 C. civ.). **4°** Les sociétés peuvent être universelles ou particulières, civiles ou commerciales (art. 1857 C. civ.).
Syn. contrat de société.
Angl. contract of partnership, partnership[1]+, partnership agreement.

2. (*Obl.*) Groupement des personnes parties à un contrat de société. « La société est probablement l'une des plus anciennes formes de groupement de personnes. Si l'on s'accorde généralement pour attribuer cer-

tains traits de la personnalité morale à la société, il est bien établi que la société, qu'elle soit civile ou commerciale, ne constitue pas une personne morale parfaite au sens où l'est une corporation » (Bohémier et Côté, *Droit commercial*, t. 2, p. 10).
Occ. Art. 1831, 1834, 1839, 1840 C. civ.
Angl. partnership[2].

SOCIÉTÉ ANONYME

(*Obl.* et *D. comm.*) Société commerciale[1] qui n'a pas de nom collectif ou raison sociale et dans laquelle les associés sont solidairement responsables des obligations de la société. « La caractéristique particulière de la société anonyme est l'absence de nom ou de raison sociale qui servirait à son identification. Par ailleurs, elle fonctionne selon les mêmes principes que la société en nom collectif. Elle n'est à peu près pas utilisée dans le commerce » (Bohémier et Côté, *Droit commercial*, t. 2, p. 22).
Occ. Titre précédent l'art. 1870 C. civ.
Rem. **1°** Voir l'art. 1870 C. civ. **2°** Les activités de la société anonyme sont exercées par l'un ou l'autre des associés agissant en son nom personnel. **3°** La société anonyme de l'art. 1870 C. civ. n'est pas celle du droit français; cette dernière ressemble à notre société par actions. La société anonyme de l'art. 1870 C. civ. présente une certaine analogie avec la société en participation de l'art. 1871 C. civ. fr.
Opp. société en commandite, société en nom collectif, société par actions[1].
Angl. anonymous partnership.

SOCIÉTÉ CIVILE

(*Obl.*) Société dont l'objet principal est l'accomplissement d'actes civils. « [...] la société civile est la société de droit commun. Par conséquent, en l'absence d'une preuve claire et sans équivoque [...], on doit la considérer comme étant civile » (Bohémier et Côté, *Droit commercial*, t. 2, p. 20).
Rem. Voir l'art. 1863 C. civ.
Opp. société commerciale[1+].
Angl. civil partnership.

SOCIÉTÉ COMMERCIALE

1. (*Obl.* et *D. comm.*) Société dont l'objet principal est l'accomplissement d'actes de commerce. « On ne peut [...] prétendre que la société commerciale soit une personne morale parfaite ou complète. Cependant, on peut certainement conclure que la société commerciale est une entité distincte de ses membres ou encore qu'elle est une personne morale imparfaite » (Bohémier et Côté, *Droit commercial*, t. 2, p. 28).
Occ. Art. 1854, 1863, 1864 C. civ.; art. 115 al. 6 C. proc. civ.
Rem. **1°** Le Code civil reconnaît quatre sortes de sociétés commerciales : la société en nom collectif, la société anonyme, la société en commandite et la société par actions[1]. **2°** Dans la société commerciale, les associés sont solidairement responsables des dettes de la société, il en va autrement dans la société civile (art. 1854 C. civ.). **3°** Le Projet de loi 125 suit la proposition du *Projet de Code civil* et supprime la distinction entre sociétés civiles et sociétés commerciales; les règles réservées jusqu'ici aux sociétés commerciales s'appliqueront aux sociétés civiles.
Opp. société civile.
Angl. commercial partnership.

2. (*D. comm.*) *Vieilli.* Société par actions[1] constituée en vertu de la *Loi sur les sociétés commerciales canadiennes*. « [Les] sociétés par actions sont normalement désignées sous les mots utilisés dans les lois constitutives, *i.e.* "compagnies" [L.R.Q., chap. C-38] ou "sociétés commerciales" [S.C. 1974-75-76, chap. 33, mod. par S.C. 1978, chap. 9] » (Smith, *Droit commercial*, vol. 2, p. 382).
Rem. Les sociétés désignées sous le nom de *société commerciale*, en vertu de l'ancienne *Loi sur les sociétés commerciales canadiennes* (S.C. 1974-75-76, chap. 33, mod. par S.C. 1978, chap. 9), sont maintenant connues sous le nom de *société par actions*, en vertu de la *Loi sur les sociétés par actions*, L.R.C. 1985, chap. C-44.
Angl. business corporation.

SOCIÉTÉ EN COMMANDITE

(*Obl.* et *D. comm.*) Société commerciale[1] constituée de deux sortes d'associés, les commandités qui sont solidairement tenus des dettes sociales et les commanditaires qui ne sont tenus que jusqu'à concurrence de leur apport, et dont la formation est soumise à l'enregistrement d'un écrit. « La société en commandite [...] résulte d'une part de la convention entre les associés et d'autre part de l'enregistrement de la déclaration prévue à la *Loi sur les déclarations des compagnies et sociétés*. À défaut de l'enregistrement de la déclaration prévue à cette dernière loi, la société est réputée être une société en nom collectif » (Bohémier et Côté, *Droit commercial*, t. 2, p. 22-23).
Occ. Art. 1871, 1877 C. civ.; art. 16, 18, 18.1, *Loi sur les déclarations des compagnies et sociétés*, L.R.Q., chap. D-1.
Rem. **1°** La société en commandite, à la différence des autres sociétés, est un contrat formaliste; elle ne se forme qu'au moment de l'enregistrement de la déclaration prévue par la *Loi sur les déclarations des compagnies et sociétés*, L.R.Q., chap. D-1. Cet enregistrement se fait au bureau du protonotaire du district où se trouve l'établissement principal de la société. **2°** L'apport des commanditaires est fait en argent ou en biens; celui des commandités peut aussi consister dans leur crédit, leur habileté ou leur industrie conformément aux règles générales.
Opp. société anonyme, société en nom collectif, société par actions[1].
Angl. limited partnership[+], partnership *en commandite*.

SOCIÉTÉ EN NOM COLLECTIF

(*Obl.* et *D. comm.*) Société commerciale[1] faisant affaires sous un nom collectif ou raison sociale et dans laquelle les associés sont solidairement responsables des obligations de la société. « La société en nom collectif est la société commerciale de droit commun; en l'absence d'autres indications, toute société doit donc être considérée comme une société en nom collectif » (Bohémier et Côté, *Droit commercial*, t. 2, p. 21).
Occ. Art. 1864, 1865 C. civ.
Rem. **1°** Le nom de la société, ou raison sociale, consiste ordinairement dans le nom des associés ou de l'un ou de quelques-uns de ceux-ci; il peut aussi consister dans le nom de tiers ou dans une désignation quelconque. **2°** Le nom, ou raison sociale, distingue la société en nom collectif de la société anonyme. Ce n'est toutefois pas un élément exclusif à la société en nom collectif, car la plupart des sociétés civiles, de même que les sociétés commerciales en commandite et par actions, ont aussi une raison sociale. **3°** Dans une société en nom collectif, trois types d'associés peuvent se rencontrer : les associés ordinaires, les associés en participation ou associés inconnus et les associés nominaux.
Opp. société anonyme, société en commandite, société par actions[1].
Angl. general partnership.

SOCIÉTÉ LÉONINE

(*Obl.*) Société dans laquelle un associé est exclu du partage des bénéfices. « [...] ce que les jurisconsultes romains appelaient la société léonine est impossible dans notre droit » (Mignault, *Droit civil*, t. 8, p. 183).
Rem. En vertu de l'art. 1831 al. 2 C. civ., la société léonine est nulle.
V.a. clause léonine[+].
Angl. leonine partnership.

SOCIÉTÉ PAR ACTIONS

1. (*Obl.* et *D. comm.*) Société commerciale[1] dont le capital est divisé en actions. « L'article 1889 du Code civil [...] prévoit deux modes de formation de ces sociétés. Le premier réfère aux corporations et le second semble créer un genre de "société par actions non incorporée" dont on ne connaît jusqu'à présent aucun exemple pratique » (Bohémier et Côté, *Droit commercial*, t. 2, p. 23-24).

Occ. Art. 1864, 1889, 1890, 1891 C. civ.
Rem. **1°** Les sociétés par actions sont formées soit avec la sanction de l'autorité publique, soit par la seule convention des parties. **2°** Les sociétés par actions formées avec la sanction de l'autorité publique le sont en vertu d'une charte royale ou d'une loi provinciale ou fédérale; elles constituent des corporations. **3°** Les sociétés par actions formées en vertu de la législation québécoise portent le nom de *compagnies* selon la *Loi sur les compagnies* (L.R.Q., chap. C-38); celles créées par la législation fédérale étaient désignées par l'expression *sociétés commerciales* selon la *Loi sur les sociétés commerciales canadiennes* (S.C. 1974-75-76, chap. 33, mod. par S.C. 1978, chap. 9). **4°** La responsabilité des associés est limitée au montant des actions qu'ils souscrivent. **5°** En droit français, ces sociétés s'appellent *sociétés anonymes*. **6°** Quant aux sociétés par actions formées sans la sanction de l'autorité publique, les codificateurs doutaient qu'il y en eût au moment de la codification; selon les auteurs, il ne semble pas y en avoir non plus de nos jours.
Opp. société anonyme, société en commandite, société en nom collectif.
Angl. joint-stock company.

2. (*D. comm.*) Société par actions[1] constituée en vertu de la *Loi sur les sociétés par actions*.
Occ. *Loi sur les sociétés par actions*, L.R.C. 1985, chap. C-44.
Rem. **1°** Les sociétés par actions[1], autrefois désignées sous le nom de *sociétés commerciales*, en vertu de l'ancienne *Loi sur les sociétés commerciales canadiennes* (S.C. 1974-75-76, chap. 33, mod. par S.C. 1978, chap. 9), sont désormais connues sous le nom de *sociétés par actions*, en vertu de la *Loi sur les sociétés par actions*, L.R.C. 1985, chap. C-44. **2°** Les sociétés par actions[1] formées selon la législation du Québec sont désignées sous le nom de *compagnies* (*Loi sur les compagnies*, L.R.Q., chap. C-38).
Angl. business corporation.

SOCIÉTÉ PARTICULIÈRE

(*Obl.*) Société formée pour un objet déterminé tel une entreprise spécifique ou l'exercice en commun d'un métier ou d'une profession. « Presque toutes les sociétés qu'on rencontre dans la pratique sont des sociétés particulières » (Mignault, *Droit civil*, t. 8, p. 223).
Occ. Art. 1862 C. civ.
V.a. société universelle⁺.
Angl. particular partnership.

SOCIÉTÉ UNIVERSELLE

(*Obl.*) Société dans laquelle sont mis en commun soit tous les biens présents et à venir des associés, soit tous les gains réalisés par les associés pendant le cours de la société ainsi que les meubles et la jouissance des immeubles leur appartenant au moment du contrat. « Le Code civil définit la société universelle aux articles 1858 à 1861 en référant à la nature de l'apport des associés. En pratique, ce genre de société n'est jamais utilisé [...] » (Bohémier et Côté, *Droit commercial*, t. 2, p. 19).
Occ. Art. 1858 à 1861 C. civ.
Rem. **1°** On distingue la société universelle de tous biens et la société universelle des gains. **2°** Le Code et les auteurs semblent opposer la société universelle à la société particulière. En fait, ces notions sont fondées sur des critères différents : dans la société universelle, on tient compte de la nature de l'apport des associés, alors que dans la société particulière on tient compte de l'objet en vue duquel la société est formée. **3°** Le *Projet de Code civil* proposait la suppression de ces deux notions. Voir aussi les art. 2174 et s., Projet de loi 125.
V.a. société particulière.
Angl. universal partnership.

SOCIÉTÉ UNIVERSELLE DES GAINS

(*Obl.*) Société dans laquelle sont mis en commun tous les gains réalisés par les associés pendant le cours de la société, ainsi que les meubles et la jouissance des

immeubles leur appartenant au moment du contrat.
Occ. Art. 1861 C. civ.
Angl. universal partnership of gains.

SOCIÉTÉ UNIVERSELLE DE TOUS BIENS

(*Obl.*) Société dans laquelle sont mis en commun tous les biens présents et à venir des associés.
Occ. Art. 1859 C. civ.
Angl. universal partnership of property.

SOLATIUM DOLORIS *loc.nom.m.* (latin)

1. (*Obl.*) Préjudice d'affection éprouvé en raison du décès d'un être cher. « Les raisons invoquées par la Cour suprême pour rejeter l'indemnisation du *solatium doloris* ne sont pas satisfaisantes. L'origine britannique de l'article 1056 C. c. ne justifie aucunement l'emprunt de l'interprétation étrangère [...] » (Baudouin, *Responsabilité*, n° 918, p. 429).
Rem. Ce terme a été introduit en droit québécois sous l'influence de règles de droit anglais reliées à l'interprétation de l'art. 1056 C. civ. (*Canadian Pacific Ry. Co.* c. *Robinson*, (1886-1888) 14 R.C.S. 105). On notera que ce terme s'emploie, au Québec, surtout pour le cas où la victime immédiate décède, tandis que le terme *préjudice d'affection* couvre également le cas où la victime immédiate survit.
Angl. *solatium doloris*[1].

2. (*Obl.*) Dommages-intérêts alloués en réparation du *solatium doloris*[1].
V.a. *pretium doloris.*
Angl. *solatium doloris*[2].

SOLENNEL, ELLE *adj.*

(*Obl.*) Dont la validité dépend de l'observation de formalités requises par la loi. *Formes solennelles.*
Opp. consensuel, réel[2]. **V.a.** acte solennel, contrat solennel, formaliste.
Angl. solemn.

SOLENNITÉ *n.f.*

(*Obl.*) Syn. formalité substantielle. « Toutefois, il n'y a pas solennité par cela seul que la loi exige une rédaction écrite de certains contrats, si elle ne l'exige pas à peine de nullité » (Carbonnier, *Droit civil*, t. 4, n° 41, p. 170).
Angl. essential formality+, formality *ad solemnitatem*, solemn form, solemnity.

SOLIDAIRE *adj.*

1. (*Obl.*) Assorti de solidarité. « [...] dans les rapports des codébiteurs entre eux, l'obligation qui était solidaire devient conjointe. Le débiteur poursuivi, qui a payé la totalité, devra diviser son recours contre chacun des autres codébiteurs et ne pourra exiger de chacun que sa part personnelle [...] » (Pineau et Burman, *Obligations*, n° 298, p. 386). *Condamnation solidaire*; *engagement solidaire.*
Occ. Art. 1104, 1106, 1107 C. civ.
V.a. créance solidaire, dette solidaire, obligation solidaire, responsabilité solidaire, solidairement+.
Angl. joint and several[1](x), solidary[1]+.

2. (*Obl.*) Lié par une obligation solidaire. « Dans les rapports du créancier et des débiteurs solidaires, les effets de la solidarité s'expliquent à la fois par l'*unité d'objet* de l'obligation et par la *pluralité des liens* » (Tancelin, *Obligations*, n° 1005, p. 572).
Occ. Art. 1101, 1109, 1111 C. civ.
V.a. caution solidaire, cautionnement solidaire.
Angl. joint and several[2](x), solidary[2]+.

SOLIDAIREMENT *adv.*

(*Obl.*) Avec solidarité. « *Lorsque l'obligation naît d'un même contrat, le créancier exigera presque toujours que les codébiteurs s'engagent solidairement* » (Mazeaud et Chabas, *Leçons*, t. 2, vol. 1, n° 1056, p. 1119).
Occ. Art. 1117, 1120 C. civ.

Rem. On rencontre, dans les contrats et même dans les textes législatifs (art. 1688, 1865 C. civ.), l'expression *conjointement et solidairement* pour marquer l'intention de s'engager de façon solidaire. La réunion de ces deux adverbes constitue une contradiction. En effet, l'obligation conjointe est celle qui comporte plusieurs débiteurs dont chacun ne peut être tenu que pour sa part de la dette, alors que l'obligation solidaire est celle qui comporte plusieurs débiteurs dont chacun est tenu pour la totalité de la dette à l'égard du créancier. Dans cette expression, le mot *conjointement* est incorrectement employé dans le sens de tous ensemble. Le terme *solidairement* suffit à marquer l'engagement solidaire.
F.f. conjointement et solidairement.
Angl. jointly and severally(x), solidarily+.

SOLIDARITÉ *n.f.*

(*Obl.*) Modalité d'une obligation selon laquelle, en cas de pluralité de créanciers d'une même créance, chacun peut en exiger le paiement entier du débiteur ou, en cas de pluralité de débiteurs d'une même dette, chacun peut être tenu de la payer en entier. « Tout système juridique adoptant le principe de division des obligations plurales au nom de la liberté individuelle et ayant le souci en même temps de fournir au créancier le maximum de sécurité, comprend la solidarité dans son arsenal juridique à côté des sûretés proprement dites » (Tancelin, *Obligations*, n° 985, p. 563).
Occ. Art. 1100, 1103 C. civ.
Rem. **1°** La solidarité entre cocréanciers est dite *solidarité active*; celle entre les codébiteurs est dite *solidarité passive.* **2°** La solidarité ne se présume pas (art. 1105 C. civ.); elle résulte soit d'un acte juridique (solidarité conventionnelle), soit de la loi (solidarité légale). **3°** Le paiement fait à l'un des créanciers solidaires libère le débiteur à l'égard de tous les créanciers; le paiement effectué par un débiteur solidaire libère les autres envers le créancier. **4°** En droit romain, la solidarité était désignée sous le nom de *corréalité* et les anciens auteurs français utilisaient le terme *solidité.*
Syn. corréalité, solidarité parfaite, solidité. **V.a.** indivisibilité+, obligation solidaire, remise de solidarité, sûreté personnelle+.
Angl. correality, perfect solidarity, solidarity+.

SOLIDARITÉ ACTIVE

(*Obl.*) Solidarité entre créanciers. « Par la solidarité active [...] *les créanciers se donnent mutuellement mandat de se représenter.* Chaque créancier solidaire représente donc les autres à l'égard du débiteur. Il en résulte que *chacun d'eux peut réclamer le paiement du tout au débiteur,* et que *le débiteur, en payant l'un, se libère à l'égard des autres* » (Mazeaud et Chabas, *Leçons*, t. 2, vol. 1, n° 1055, p. 1118).
Rem. **1°** La solidarité active, qui ne peut être que conventionnelle, est rare en pratique. **2°** La solidarité active est régie par les art. 1100 à 1102 C. civ.
Opp. solidarité passive. **V.a.** indivisibilité active.
Angl. active solidarity.

SOLIDARITÉ CONVENTIONNELLE

(*Obl.*) Solidarité établie par convention ou par testament. « Bien que la solidarité conventionnelle soit surtout stipulée dans des contrats, rien ne s'oppose à ce qu'elle le soit également dans un testament » (Faribault, dans *Traité*, t. 8-bis, n° 245, p. 179).
Rem. Alors que la solidarité passive peut être conventionnelle ou légale, la solidarité active ne peut être que conventionnelle.
Opp. solidarité légale.
Angl. conventional solidarity.

SOLIDARITÉ IMPARFAITE

(*Obl.*) Syn. obligation *in solidum.* « Dans les hypothèses où l'idée de représentation mutuelle ne paraît pas concevable, on a parlé

d'une "solidarité imparfaite", notion qu'on semble abandonner pour la remplacer par celle d' "obligation *in solidum*" : c'est une opération qui produit seulement les effets principaux de la solidarité et non point les effets secondaires, mais qui est distincte en tant que telle de la solidarité » (Pineau et Burman, *Obligations*, n° 297, p. 384).
Opp. solidarité parfaite.
Angl. imperfect solidarity, *in solidum* obligation, obligation *in solidum*+.

SOLIDARITÉ LÉGALE

(*Obl.*) Solidarité établie par une disposition de la loi. Par ex., la solidarité entre les coauteurs d'un délit ou d'un quasi-délit (art. 1106 C. civ.), la solidarité entre les codébiteurs d'une dette commerciale (art. 1105 C. civ.). « La solidarité est dite légale lorsqu'elle existe de plein droit "en vertu d'une disposition légale" [...] » (Planiol et Ripert, *Traité*, t. 7, n° 1067, p. 423).
Opp. solidarité conventionnelle+.
Angl. legal solidarity.

SOLIDARITÉ PARFAITE

(*Obl.*) Syn. solidarité. « [...] en France, jurisprudence et doctrine admettent que, entre les auteurs d'un délit ou quasi-délit, il n'existe pas de solidarité parfaite mais seulement une solidarité imparfaite (obligation *in solidum*) » (Baudouin, *Obligations*, n° 790, p. 477).
Rem. L'expression *solidarité parfaite*, qui désigne la solidarité véritable produisant tous ses effets, n'est utilisée qu'en opposition à l'expression *solidarité imparfaite* dont la notion, voisine mais distincte de la solidarité, est mieux connue sous l'appellation d'*obligation* in solidum.
Opp. solidarité imparfaite.
Angl. correality, perfect solidarity, solidarity+.

SOLIDARITÉ PASSIVE

(*Obl.*) Solidarité entre débiteurs. « La solidarité passive, c'est-à-dire celle qui permet à un créancier ayant plusieurs débiteurs d'une même dette de réclamer à chacun d'eux la totalité, est, à la différence de la solidarité active, une institution des plus pratiques » (Weill et Terré, *Obligations*, n° 929, p. 923).
Rem. 1° La solidarité passive peut être conventionnelle ou légale alors que la solidarité active ne peut être que conventionnelle. 2° La solidarité passive est régie par les art. 1103 à 1120 C. civ.
Opp. solidarité active. **V.a.** indivisibilité passive.
Angl. passive solidarity.

SOLIDITÉ *n.f.*

(*Obl.*) *Vieilli.* Syn. solidarité. « [...] la solidité de la part des débiteurs consiste en ce que l'obligation d'une même chose est contractée par chacun pour le total, aussi totalement que si chacun d'eux en était le seul débiteur [...] » (Pothier, *Oeuvres*, t. 2, n° 261, p. 122).
Rem. Ce terme ne s'emploie plus dans la langue juridique moderne.
Angl. correality, perfect solidarity, solidarity+.

SOLO CONSENSU *loc.adv.* (latin)

(*Obl.*) Par le seul échange des consentements. « Ainsi, à la veille de la codification, le principe du transfert *solo consensu* était pratiquement admis » (Pineau et Burman, *Obligations*, n° 152, p. 218).
Angl. *solo consensu.*

SOLVENS *n.* (latin)

(*Obl.*) Personne qui effectue un paiement. « [...] un créancier payé est, en règle générale, un créancier satisfait, quel que soit le *solvens* : son débiteur ou un tiers [...] » (Pineau et Burman, *Obligations*, n° 230, p. 318).
Rem. 1° Équivalent suggéré : *payeur*. 2° Du latin *solvere* : payer.
Opp. *accipiens.*
Angl. payer, *solvens*+.

SOMPTUAIRE *adj.*

1. Relatif aux dépenses, spécialement de luxe.
Angl. sumptuary[1].

2. (*Biens*) (X) V. voluptuaire.
Rem. Le mot latin *sumptus*, dont est dérivé *somptuaire*, signifie dépense. L'emploi de *somptuaire* dans des expressions comme *dépense somptuaire* est donc pléonastique.
F.f. améliorations somptuaires, dépenses somptuaires.
Angl. sumptuary[2], voluptuary+.

SOULTE *n.f.*

(*Obl.* et *Succ.*) Somme d'argent qui compense, dans un partage, l'inégalité de valeur des lots ou, dans un contrat d'échange, le déséquilibre en valeur des choses échangées. « Lorsque les choses échangées ne sont pas d'égale valeur, la différence est compensée par la stipulation d'une *soulte*. Celle-ci est nécessairement une *somme d'argent*, que l'un des coéchangistes doit à l'autre » (Mazeaud et Chabas, *Leçons*, t. 3, vol. 2, n° 1035, p. 370).
Occ. Art. 2014, 2104 C. civ.; art. 460 C. civ. Q.
Angl. balance[1]+, *soulte*.

SOUS-ACQUÉREUR, ÉRESSE *n.*

(*Obl.*) Acquéreur d'un bien par rapport à l'un des auteurs de son auteur. Par ex., le consommateur qui achète une voiture à un concessionnaire est sous-acquéreur par rapport au fabricant. « Dire que le sous-acquéreur a une action directe contre le fabricant c'est dire qu'il peut intenter *directement* contre lui une action qui lui a été *transmise* par son vendeur soit comme accessoire de la chose, soit comme créance » (Malinvaud, D.1974.1.138, p. 139).
F.f. acquéreur subséquent.
Angl. sub-acquirer, subsequent acquirer+, subsequent purchaser(<)+.

SOUS-ACQUISITION *n.f.*

(*Obl.*) Acquisition que fait le sous-acquéreur par rapport à celle de l'un de ses auteurs.
Angl. sub-acquisition, subsequent acquisition+.

SOUS-BAIL *n.m.*

A. (*Obl.*) Syn. sous-location.
Angl. sub-lease[A].

B. (*Obl.*) Écrit constatant la sous-location.
Rem. En pratique, cet écrit s'appelle *bail* aussi bien que *sous-bail*.
Angl. sub-lease[B].

SOUSCRIPTION *n.f.*

V. droit préférentiel de souscription.

SOUS-CONTRACTANT, ANTE *n.*

(*Obl.*) Partie à un sous-contrat.
Angl. subcontracting party.

SOUS-CONTRACTEUR, EURE *n.*

(*Obl.*) (X) *Angl.* V. sous-entrepreneur.
Angl. subcontractor.

SOUS-CONTRAT *n.m.*

(*Obl.*) Contrat dans lequel un des contractants est partie à un contrat initial et dont l'objet vise l'exécution totale ou partielle de ce contrat initial. Par ex., le contrat de sous-entreprise, la sous-location, le sous-mandat. « Le sous-contrat ni la substitution n'emportent aucun transfert du contrat principal, ce ne sont que procédés d'exécution » (Carbonnier, *Droit civil*, t. 4, n° 127, p. 566).
Occ. Art. 2013*f* C. civ.
Angl. subcontract[1].

SOUS-ENTREPRENEUR, EURE *n.*

(*Obl.*) Entrepreneur qui, en vertu d'un contrat conclu avec l'entrepreneur princi-

pal, se charge de l'exécution de la totalité ou d'une partie du contrat d'entreprise intervenu entre ce dernier et le maître de l'ouvrage. « [...] l'entrepreneur principal [...] fait exécuter les travaux, objet du contrat principal d'entreprise, ou partie de ceux-ci, par un ou plusieurs sous-entrepreneurs liés à lui par des contrats qui sont également des contrats d'entreprise » (Mazeaud et Chabas, *Leçons*, t. 3, vol. 2, 2e part., n° 1379, p. 830).
Occ. Art. 2013*a* al. 3, 2013*f* al. 3, C. civ.
Syn. entrepreneur en sous-ordre, sous-traitant. **Opp.** entrepreneur principal. **V.a.** contrat de sous-entreprise. **F.f.** sous-contracteur.
Angl. subcontractor.

SOUS-ENTREPRISE *n.f.*

(*Obl.*) Syn. contrat de sous-entreprise. « La sous-entreprise présente des dangers et pour le maître de l'ouvrage et pour le sous-traitant » (Mazeaud et Chabas, *Leçons*, t. 3, vol. 2, 2e part., n° 1379, p. 831).
Angl. subcontract².

SOUS-LOCATAIRE *n.*

(*Obl.*) Personne qui prend une chose en sous-location. « [...] si le sous-locataire devait bénéficier de la même protection que celle accordée au locataire, c'est ce dernier qui, se trouvant dans la position d'un locateur vis-à-vis le sous-locataire, porterait le poids de cette protection » (Jobin, *Louage*, n° 28, p. 97).
Occ. Art. 1620 C. civ.
Opp. sous-locateur. **V.a.** locataire principal.
Angl. sub-lessee.

SOUS-LOCATEUR, TRICE *n.*

(*Obl.*) (Q) Personne qui donne en sous-location la chose dont elle est locataire.
Opp. sous-locataire. **V.a.** locateur principal, sous-locataire.
Angl. sub-lessor.

SOUS-LOCATION *n.f.*

(*Obl.*) Contrat par lequel, avec le consentement du locateur, le locataire, appelé à cette fin *locataire principal* ou *sous-locateur*, donne à bail à un tiers, le *sous-locataire*, la totalité ou une partie de la chose louée.
Occ. Art. 1619, 1650.5, 1655 C. civ.
Rem. Contrairement au cessionnaire de bail, le sous-locataire n'a pas, sauf disposition expresse de la loi (art. 1620, 1655.1 C. civ.), de lien contractuel avec le locateur.
Syn. sous-bail^A. **V.a.** cession de bail, sous-contrat.
Angl. sub-lease^A.

SOUS-LOUER *v.tr.*

1. (*Obl.*) Donner en sous-location.
Occ. Art. 1619 C. civ.
Angl. sub-lease¹⁺, sublet¹.

2. (*Obl.*) Prendre en sous-location.
Angl. sub-lease²⁺, sublet².

SOUS-MANDANT, ANTE *n.*

(*Obl.*) Personne qui, étant mandataire dans un contrat de mandat, agit comme mandant dans un contrat de sous-mandat.
Syn. mandataire principal.
Angl. principal mandatary, sub-mandator⁺.

SOUS-MANDAT *n.m.*

(*Obl.*) Contrat de mandat par lequel une personne, le *mandataire principal* ou *sous-mandant*, confie à une autre, le *sous-mandataire*, l'exécution totale ou partielle d'un mandat initial qu'elle avait elle-même conclu à titre de mandataire. « La substitution de mandataire produit entre le mandataire et le substitué tous les effets du mandat; car ce n'est qu'un sous-mandat » (Mignault, *Droit civil*, t. 8, p. 24).
V.a. sous-contrat.
Angl. sub-mandate.

SOUS-MANDATAIRE *n.*

(*Obl.*) Personne que le mandataire s'est substituée pour l'exécution du mandat[1]. « Le mandataire est responsable de la gestion du sous-mandataire dans les circonstances prévues par l'art. 1994 [art. 1711 C. civ.] » (Le Tourneau, *Responsabilité*, n° 1361, p. 431).
Angl. sub-mandatary.

SOUS-TRAITANCE *n.f.*

(*Obl.*) Syn. contrat de sous-entreprise. « La sous-traitance dans le domaine de la construction est une pratique très courante, car il est rare qu'une même entreprise soit en mesure d'exécuter par ses propres moyens tous les travaux nécessaires à la réalisation de l'ouvrage promis [...] » (Rousseau-Houle, *Contrats de construction*, p. 200).
Angl. subcontract[2].

SOUS-TRAITANT, ANTE *n.*

(*Obl.*) Syn. sous-entrepreneur. « L'indépendance des deux contrats conclus respectivement par le maître de l'ouvrage avec l'entrepreneur principal et par ce dernier avec le sous-traitant conduit logiquement à considérer que le maître de l'ouvrage et le sous-traitant sont des tiers dans leurs relations réciproques » (Rousseau-Houle, *Contrats de construction*, p. 203).
Occ. Art. 3 par. *n*, *Règlement sur les contrats de construction du gouvernement*, R.R.Q., 1981, chap. A-6, r. 7.
Angl. subcontractor.

SOUS-TRAITÉ *n.m.*

(*Obl.*) Syn. contrat de sous-entreprise. « Les rapports du maître [de l'ouvrage] et de l'entrepreneur principal [...] demeurent ceux d'un contrat de louage d'ouvrage, sans être altérés par l'existence d'un sous-traité [...] » (Mazeaud et Chabas, *Leçons*, t. 3, vol. 2, 2e part., n° 1397-3, p. 833).
Angl. subcontract[2].

SOUS-TRAITER *v.intr.*

(*Obl.*) Conclure un contrat de sous-entreprise. « [...] la liberté de sous-traiter du titulaire d'un marché de travaux ne peut être limitée que par une clause contractuelle interdisant l'opération ou par l'importance de l'*intuitu personae* dans certains cas particuliers » (Rousseau-Houle, *Contrats de construction*, p. 201).
Rem. On trouve parfois la forme transitive, notamment dans l'expression *sous-traiter une affaire*.
Angl. subcontract.

SOUTÈNEMENTS *n.m.pl.*

(*D. jud.*) Acte de procédure dans lequel le rendant répond aux débats. « La contestation est liée par la production des soutènements, en ce sens que le litige est alors prêt pour la contestation orale devant le juge [...] » (Lauzon, *Exécution des jugements*, p. 33).
Occ. Art. 537 C. proc. civ.
V.a. reddition de compte.
Angl. answer.

SPÉCIAL, ALE *adj.*

V. droit spécial, incapacité spéciale, loi spéciale, mandat spécial, privilège immobilier spécial, privilège mobilier spécial, procuration spéciale, protonotaire spécial.

SPÉCIFICATEUR, TRICE *n.*

(*Biens*) Auteur d'une spécification. « [L'art 436 C. civ.] prévoit le cas où le spécificateur a utilisé de la matière qui lui appartenait et de la matière qui appartenait à un autre » (Montpetit et Taillefer, dans *Traité*, t. 3, p. 203).

SPÉCIFICATION *n.f.*

(*Biens*) Fait de former par son travail une chose mobilière avec une matière appartenant à autrui. Par ex., construire un meuble

avec du bois appartenant à autrui; faire une statue avec le marbre appartenant à une autre personne. « Il semble que la spécification ne soit pas une *accession* : car on n'y rencontre pas l'union d'une chose à une autre. Par son travail, l'ouvrier a créé avec une matière une chose nouvelle; mais il n'a pas joint deux choses en un seul tout. Cependant, comme son travail est représenté dans la chose nouvelle par la valeur qu'il lui a donnée, [...] il y a accession en ce sens que deux valeurs se trouvent réunies et confondues en une seule qui les représente toutes deux » (Mignault, *Droit civil*, t. 2, p. 518).
Rem. 1° La spécification est considérée comme une forme d'accession mobilière. 2° Voir les art. 434 à 436 C. civ.
V.a. adjonction, mélange.
Angl. specification.

STATU QUO (ANTE) *loc.nom.m.* (latin)

État antérieur. « Le demandeur [en nullité] ne peut réussir que s'il peut remettre au défendeur tout ce qu'il a obtenu comme résultat du contrat intervenu. Il est, en effet, de principe, que par le jugement à intervenir les parties doivent être remises dans le même état, comme si le contrat n'avait jamais existé. Chaque partie doit rendre ce qu'elle a reçu et le *statu quo* antérieur doit être rétabli » (*Lortie* c. *Bouchard*, [1952] 1 R.C.S. 508, p. 519-520, j. R. Taschereau).
V.a. remise en état.
Angl. *statu quo (ante)*.

STATUT *n.m.*

1. (*D. int. pr.*) Ensemble des règles régissant la condition juridique d'une personne ou d'un bien.
Rem. On distingue traditionnellement le statut réel, le statut personnel et le statut mixte. Aujourd'hui, par extension, on parle aussi du statut des obligations et du statut de la procédure.
V.a. théorie des statuts.
Angl. status²(x), statut¹⁺.

2. (*D. int. pr.*) Ensemble des matières soumises à la loi qui régit la condition juridique d'une personne ou d'un bien.
Angl. status³(x), statut²⁺.

3. (X) *Angl.* V. loi².
Occ. Art. 4 C. civ.
Rem. Au Québec, le recueil annuel des lois s'est appelé *Statuts du Québec* jusqu'en 1969, où l'on a donné comme titre à ce recueil *Lois du Québec*; à la refonte de 1977, le titre *Statuts refondus du Québec* a fait place à celui de *Lois refondues du Québec*. De même, le recueil des lois du Parlement canadien a porté le titre *Statuts du Canada* jusqu'en 1987 où il a pris le titre de *Lois du Canada*; à la refonte de 1985, le titre *Statuts révisés du Canada* de la collection des lois refondues a fait place à celui de *Lois révisées du Canada*.
Angl. act³, legislation², statute⁺.

STATUTAIRE *adj.*

V. droit statutaire.

STATUT DE LA PROCÉDURE

1. (*D. int. pr.*) Ensemble de règles juridiques qui régissent la procédure. Par ex., les règles relatives au déroulement de l'instance. « [...] les catégories de rattachement correspondaient [...] aux grandes divisions du droit privé [...] le statut personnel, le statut réel, le statut des obligations et le statut de la procédure » (Groffier, *Précis*, n° 13, p. 22).
Opp. statut des obligations¹, statut personnel¹, statut réel¹.
Angl. statut of procedure¹.

2. (*D. int. pr.*) Ensemble des matières soumises aux règles de conflit régissant la procédure.
Opp. statut des obligations², statut personnel², statut réel².
Angl. statut of procedure².

STATUT DES OBLIGATIONS

1. (*D. int. pr.*) Ensemble des règles de conflits qui régissent les actes et les faits

juridiques. Par ex., les art. 6 al. 3, 7, 7.1 et 8 C. civ. « Le statut des obligations comprend les règles de conflit relatives à une très vaste catégorie d'actes personnels » (Groffier, *Précis*, n° 179, p. 181).
Opp. statut de la procédure[1], statut personnel[1], statut réel[1].
Angl. statut of obligations[1].

2. (*D. int. pr.*) Ensemble des matières soumises aux règles de conflits régissant les actes et les faits juridiques. Par ex., les obligations contractuelles ou extracontractuelles, la forme des actes, les régimes matrimoniaux. « C'est la source du droit et non plus comme en matière de droit des personnes, le sujet de droit, qui dicte le rattachement au statut des obligations » (Loussouarn et Bourel, *Droit int. privé*, n° 362, p. 576).
Opp. statut de la procédure[2], statut personnel[2], statut réel[2].
Angl. statut of obligations[2].

STATUT MIXTE

(*D. int. pr.*) Statut[1] qui régit à la fois la condition juridique d'une personne et d'un bien. « La classe des statuts mixtes qu'il [d'Argentré] dégagea lorsque personnes et choses sont à la fois concernées, vient renforcer la prépondérance des lois réelles » (Castel, *Droit int. privé*, p. 10).
Rem. Le statut mixte a une portée territoriale ou extra territoriale selon la prépondérance qu'il convient d'attacher au caractère réel ou personnel de la règle envisagée. Par ex., la règle ancienne de la prohibition des donations entre époux (anc. art. 1265 C. civ. [1866-1970]).
Opp. statut personnel[1], statut réel[1].
Angl. mixed statut.

STATUT PERSONNEL

1. (*D. int. pr.*) Statut[1] qui régit la condition juridique d'une personne. « Ainsi cette distinction, entre les lois appelées statuts réels et statuts personnels, n'a été établie que pour régler les difficultés, les conflits soulevés entre des habitants de territoires régis par des lois différentes [...] » (Jetté, (1923) 1 *R. du D.* 193, p. 195).
Rem. Le statut personnel a une portée extraterritoriale, c'est-à-dire qu'il suit la personne à travers ses déplacements. Par. ex., les règles touchant l'état et la capacité de contracter (art. 6 al. 4 C. civ.).
Syn. loi personnelle. **Opp.** statut de la procédure[1], statut des obligations[1], statut mixte, statut réel[1]. **V.a.** personnalisme.
Angl. personal law, personal statut[1]+.

2. (*D. int. pr.*) Statut[2] soumis à la loi qui régit la condition juridique d'une personne. Par ex., la minorité, la tutelle, les relations de famille. « Le statut personnel comprend les matières qui sont soumises à la loi qui suit la personne [...] » (Castel, *Droit int. privé*, p. 157).
Rem. Aux termes de l'art. 6 al. 4 C. civ., c'est la loi du domicile d'une personne qui s'applique aux matières relevant de son statut personnel.
Opp. statut de la procédure[2], statut des obligations[2], statut réel[2]. **V.a.** personnalisme.
Angl. personal statut[2].

STATUT RÉEL

1. (*D. int. pr.*) Statut[1] qui régit la condition juridique d'un bien. « Et d'abord, les lois réelles (ou statuts réels) sont *celles qui ont principalement pour objet les biens et qui ne parlent de la personne qu'accessoirement, qui ne la considèrent que pour atteindre leur but final* » (Jetté, (1923) 1 *R. du D.* 193, p. 197).
Rem. Le statut réel a une portée territoriale, c'est-à-dire qu'il ne s'applique qu'aux biens situés effectivement ou fictivement dans le lieu soumis à ces règles. Par ex., les lois régissant le régime des servitudes (art. 6 al. 1 C. civ.).
Syn. loi réelle. **Opp.** statut de la procédure[1], statut des obligations[1], statut mixte, statut personnel[1].
Angl. real law, real statut[1]+.

2. (*D. int. pr.*) Statut[2] soumis à la loi qui régit la condition juridique d'un bien. « [...] le régime des droits réels est la matière par excellence du statut réel » (Batiffol et Lagarde, *Droit int. privé,* t. 1, n° 282, p. 329).
Rem. Aux termes de l'art. 6 al. 1 et 2 C. civ., c'est la loi de la situation réelle ou fictive des biens qui s'applique aux matières relevant du statut réel.
Opp. statut de la procédure[2], statut des obligations[2], statut personnel[2].
Angl. real statut[2].

2. (*Obl.*) Fait pour une personne d'obtenir d'une autre un engagement. « Le terme stipulation a un sens technique précis : stipuler, c'est obtenir un engagement, devenir créancier, par opposition à promettre qui signifie s'engager, devenir débiteur. Stipulation et promesse sont les deux termes complémentaires essentiels du vocabulaire du droit contractuel » (Tancelin, *Obligations*, n° 300, p. 177).
Occ. Art. 1029 C. civ.
V.a. stipulation pour autrui.
Angl. stipulation[2].

STATUT SPÉCIAL

(X) *Angl.* V. loi d'exception[1].
Occ. Art. 1785 par. 2, 1989, 2006*a* C. civ.
Angl. *lex specialis*[3], special act[2], special law[3], special statute+.

STIPULANT, ANTE *n.*

(*Obl.*) Partie qui, dans une stipulation pour autrui, obtient du promettant[2] qu'il s'engage à exécuter une prestation au profit du tiers bénéficiaire. « Le problème se limite [...] à déterminer si le stipulant peut poursuivre directement le promettant en exécution des obligations dont le tiers bénéficiaire est créancier. La doctrine et la jurisprudence françaises donnent une réponse positive à la question [...] cette solution nous paraît valable » (Baudouin, *Obligations,* n° 419, p. 248).
Occ. Art. 1443, Projet de loi 125.
Angl. stipulator.

STIPULATION *n.f.*

1. Syn. clause. « [...] par une extension abusive [...] on désigne aussi par stipulation les dispositions d'une loi : la généralisation de cet emploi n'est pas une raison suffisante pour l'accepter » (Tancelin, *Obligations*, n° 300, p. 177).
Occ. Art. 812, 1061, 1510 C. civ.
V.a. condition[2], loi[1]+.
Angl. clause[1]+, stipulation[1].

STIPULATION D'ARRHES

(*Obl.*) Stipulation[2] obligeant l'une des parties à verser à l'autre une somme, les *arrhes*, et accordant à chaque partie la faculté de se dédire, la première en perdant la somme versée, la seconde en remboursant la somme et en versant l'équivalent. Par ex., dans le cas de promesse de vente (art. 1477 C. civ.). « L'article 1590 [art. 1477 C. civ.] prévoit la stipulation d'arrhes comme une clause accessoire à une faculté réciproque de dédit [...] » (Decottignies, *Rép. droit civ.*, v° Arrhes, n° 9).
Rem. 1° Si la faculté de dédit n'est pas exercée, les arrhes sont imputées sur le prix total comme si elles constituaient un acompte. 2° En droit québécois, à la différence du droit français, le terme *arrhes* ne s'entend que de l'argent, la *stipulation d'arrhes* est restreinte à la vente et la faculté de dédit qu'elle comporte est nécessairement réciproque.
Syn. convention d'arrhes. **V.a.** dédit[2], faculté de dédit.
Angl. agreement for earnest, stipulation as to earnest+.

STIPULATION DE DÉDIT

(*Obl.*) Syn. clause de dédit. « [...] une certaine incertitude demeure lorsque la promesse est assortie d'une stipulation de *dédit* ou *d'arrhes* » (Mazeaud et Chabas, *Leçons*, t. 3, vol. 2, 1e part., n° 790-2, p. 74).

Angl. forfeit clause, stipulation as to withdrawal, withdrawal clause+.

STIPULATION DE NON-GARANTIE

(*Obl.*) Syn. clause de non-garantie. « Une stipulation de non garantie [...] ne relève pas le vendeur de son obligation de rembourser le prix d'achat à l'acheteur évincé. Elle le dispense seulement de lui payer des dommages-intérêts. Il est obligé de restituer le prix, car, s'il en était autrement, il le retiendrait sans cause, puisqu'il l'aurait reçu comme l'équivalent d'une propriété qu'il n'a pu livrer » (Faribault, dans *Traité*, t. 11, n° 277, p. 247).
Occ. Art. 1510 C. civ.
Rem. On rencontre parfois la graphie *stipulation de non garantie.*
Angl. clause excluding warranty+, non-warranty clause, stipulation excluding warranty.

STIPULATION POUR AUTRUI

(*Obl.*) Contrat par lequel une partie, le *stipulant*, obtient de l'autre, le *promettant*[2], qu'elle s'engage à exécuter une prestation au profit d'un tiers, le *tiers bénéficiaire.* « [...] on peut, dans certaines conditions, stipuler au profit de quelqu'un d'autre [que soi-même ou ses ayants cause universel ou à titre universel]. C'est dire qu'un tiers, s'il ne peut pas devenir débiteur par la volonté des parties contractantes, peut, au contraire, de par leur volonté concordante, devenir créancier : on est en présence de la stipulation pour autrui » (Pineau et Burman, *Obligations*, n° 211, p. 294).
Occ. Titre précédant l'art. 1440, Projet de loi 125.
Rem. **1°** La stipulation pour autrui constitue une dérogation au principe de l'effet relatif des contrats selon lequel un contrat ne crée de droits et d'obligations que pour les parties contractantes (art. 1023, 1028 à 1030 C. civ.). **2°** La stipulation pour autrui fait naître un droit direct au profit du tiers bénéficiaire.
V.a. action directe[2], principe de l'effet relatif des contrats, stipulation[2].
Angl. stipulation in favour of another.

STIPULER *v.tr.*

1. Énoncer une disposition[2] dans un acte juridique. « [...] une loi dispose, édicte ou statue, mais ne stipule pas » (Tancelin, *Obligations*, n° 300, p. 177). *Le contrat stipule que ...*
Occ. Art. 779, 1091, 1549 C. civ.
Angl. stipulate[1].

2. (*Obl.*) Obtenir un engagement d'une personne. « Le terme de stipulation est [...] entendu dans son sens précis par lequel il s'oppose à celui de promesse. Si promettre c'est s'engager, stipuler c'est obtenir un engagement; tandis que la promesse est le fait du débiteur, la stipulation est normalement le fait du créancier » (Marty et Raynaud, *Obligations*, t. 1, n° 279, p. 296).
Occ. Art. 1019, 1029, 1030 C. civ.
Angl. stipulate[2].

STRICT, STRICTE *adj.*

V. responsabilité stricte.

STRICTO SENSU *loc.adj.* (latin)

Au sens strict, restreint. « L'article 450 C. civ. [art. 290 C. civ.] [...] vise un cas de responsabilité légale *stricto sensu* : le tuteur a l'obligation d'administrer les biens de son pupille; s'il manque à son obligation, il engage sa responsabilité [...] » (Mazeaud et Tunc, *Traité*, t. 1, n° 103, p. 111). *Obligation légale* stricto sensu, *responsabilité légale* stricto sensu.
Opp. *lato sensu.*
Angl. *stricto sensu.*

STRUCTURE *n.f.*

V. garde de la structure.

SUBJECTIF, IVE *adj.*

(*Obl.*) V. droit subjectif, faute subjective, indivisibilité subjective, responsabilité subjective.

SUBPOENA *n.m.* (latin)

(*D. jud.*) Syn. bref de *subpoena*. « [...] un délai de douze heures doit s'écouler entre la signification du subpoena et l'heure fixée pour la comparution » (Barakett, Beausoleil, Ferland et Reid, *Droit judiciaire I*, t. 1, p. 272).
Rem. Du latin *sub* et *poena* : sous peine de.
Angl. *subpoena*, writ of *subpoena*+.

SUBPOENA DUCES TECUM
loc.nom.m. (latin)

(*D. jud.*) Syn. bref de *subpoena duces tecum*. « Il [le bref] pourra aussi ordonner de produire un document avec ou sans la nécessité d'un témoignage [art. 281] : subpoena duces tecum; il s'agit du seul moyen, sauf le cas de l'action en faux, permettant de forcer quelqu'un à déposer un document [...] » (Anctil, *Commentaires*, vol. 1, p. 398).
Angl. *duces tecum*, *subpoena duces tecum*, writ of *subpoena duces tecum*+.

SUBROGATIF, IVE *adj.*

(*Obl.*) Syn. subrogatoire.
V.a. quittance subrogative.
Angl. subrogate, subrogatory+.

SUBROGATION *n.f.*

(*Obl.*) Substitution, dans un rapport juridique, d'une personne à une autre ou parfois d'une chose à une autre. « Dans son sens le plus général, le mot "subrogation" exprime une idée de remplacement » (Carbonnier, *Droit civil*, t. 4, n° 130, p. 579).
Occ. Art. 1154 C. civ.
Rem. 1° On distingue la subrogation personnelle et la subrogation réelle. 2° Du latin *subrogare* : élire en remplacement ou en plus.
V.a. paiement avec subrogation.
Angl. subrogation.

SUBROGATION CONVENTIONNELLE

(*Obl.*) Subrogation personnelle qui résulte d'une convention intervenue entre le tiers payeur (*solvens*) et le créancier ou encore entre le débiteur et le tiers qui lui prête l'argent pour payer le créancier. « La subrogation, qu'elle soit légale ou conventionnelle, rend le *solvens* subrogé, créancier du débiteur au même titre et avec les mêmes garanties, droits et privilèges que ceux que détenait le créancier subrogeant » (Baudouin, *Obligations*, n° 667, p. 394).
Occ. Art. 1155 C. civ.
Opp. subrogation légale.
Angl. contractual subrogation, conventional subrogation+.

SUBROGATION LÉGALE

(*Obl.*) Subrogation personnelle qui résulte du seul effet de la loi. « [...] il y a deux sources de subrogation et non point deux "espèces" de subrogation; en effet, que la subrogation soit conventionnelle ou légale, les effets sont strictement les mêmes » (Pineau et Burman, *Obligations*, n° 243, p. 335).
Occ. Art. 1154 C. civ.
Opp. subrogation conventionnelle.
Angl. legal subrogation.

SUBROGATION PERSONNELLE

(*Obl.*) Substitution d'un créancier à un autre dans un rapport d'obligation. « Dans un rapport de droit, une personne peut [...] être substituée à une autre personne : la "remplaçante" aura les droits que possédait la personne remplacée. C'est la subrogation

personnelle : le paiement avec subrogation en est un cas [...] » (Pineau et Burman, *Obligations*, n° 240, p. 327).
Rem. **1°** La subrogation personnelle peut être légale ou conventionnelle. **2°** Dans la théorie des obligations, la subrogation personnelle se présente sous la forme du paiement avec subrogation.
V.a. bénéfice de subrogation, exception de subrogation.
Angl. personal subrogation.

SUBROGATOIRE *adj.*

(*Obl.*) Relatif à la subrogation.
Syn. subrogatif. **V.a.** action subrogatoire, quittance subrogatoire.
Angl. subrogate, subrogatory+.

SUBROGÉ, ÉE *n.* et *adj.*

(*Obl.*) Personne substituée à une autre par subrogation.
Occ. Art. 1986 C. civ.
Opp. subrogeant.
Angl. subrogate+, subrogated party.

SUBROGEANT, ANTE *n.* et *adj.*

(*Obl.*) Personne qui accorde la subrogation. « Le *solvens* subrogé a contre le débiteur les mêmes droits que le subrogeant [...] » (Baudouin, *Obligations*, n° 667, p. 394). *Créancier subrogeant.*
Opp. subrogé.
Angl. subrogator.

SUBROGER *v.tr.*

(*Obl.*) Substituer une personne ou une chose à une autre par subrogation. « Le tiers-détenteur poursuivi a droit de demander d'être subrogé aux droits et actions du créancier [...] » (art. 2070 C. civ.). *Subroger le prêteur dans les droits du créancier* (art. 1155 par. 2 C. civ.).
Angl. subrogate.

SUBROGÉ-TUTEUR, SUBROGÉE-TUTRICE *n.*

(*Pers.*) Personne chargée de surveiller l'administration du tuteur et d'agir quand les intérêts du mineur sont en opposition à ceux du tuteur. « Comme la tutelle, la fonction du subrogé tuteur est une charge qu'on ne peut refuser qu'autant qu'on se trouve dans un cas d'excuse légitime » (Mignault, *Droit civil*, t. 2, p. 178).
Occ. Art. 250, 267, 336.3 C. civ.
Rem. **1°** L'étendue des pouvoirs du subrogé-tuteur est prévue aux art. 267 et s. C. civ.; il ne peut remplacer le tuteur et agir en justice pour le compte du mineur. **2°** Les art. 241 et s. C. civ. Q., instaurés par la *Loi portant réforme au Code civil du Québec du droit des personnes, des successions et des biens* (L.Q. 1987, chap. 18, art. 1 n.e.v.), confieront au conseil de tutelle les fonctions exercées par le subrogé-tuteur. Ces dispositions sont reprises aux art. 223 et s. du Projet de loi 125. **3°** On rencontre également la graphie *subrogé tuteur*.
V.a. conseil de famille.
Angl. subrogate-tutor.

SUBSTANCE *n.f.*

V. erreur sur la substance.

SUBSTANTIF, IVE *adj.*

V. droit substantif.

SUBSTANTIEL, ELLE *adj.*

V. droit substantiel, formalité substantielle, loi substantielle, norme substantielle, règle substantielle.

SUBSTITUÉ, ÉE *n.*

(*Succ.*) Syn. appelé. « [...] l'appelé ou substitué est celui qui a droit de recueillir après celui au profit de qui la substitution a été faite » (Lalonde, dans *Traité*, t. 6, p. 43).
Angl. substitute.

SUBSTITUT DU PROCUREUR GÉNÉRAL

(*D. jud.*) Représentant du procureur général qui agit comme avocat en matière criminelle.
Occ. *Loi sur les substituts du procureur général*, L.R.Q., chap. S-35.
F.f. procureur de la Couronne.
Angl. Attorney General's prosecutor, Crown attorney, Crown prosecutor⁺.

SUBSTITUTION *n.f.*

(*Succ.* et *Obl.*) Double libéralité[1] en vertu de laquelle une personne, le *grevé*, reçoit des biens à titre de propriétaire, par donation ou testament, à charge de les remettre, à son décès ou à une date différente, à une autre, l'*appelé*. « [...] il y a dans la substitution deux libéralités. Une première libéralité est faite au grevé. Cette libéralité est directe mais elle est assortie d'une condition résolutoire : le droit du grevé devra un jour prendre fin. Quant à la libéralité faite à l'appelé, elle est indirecte ou oblique, car, bien que cet appelé reçoive les biens directement du donateur, il ne les recueille et n'en prend possession que par le truchement du grevé, de façon indirecte ou oblique » (Comtois, *R.D.* Libéralités — Doctrine — Doc. 1, n° 581).
Occ. Art. 772, 925, 926, 929, 930, 2207 C. civ.
Rem. L'expression *ouverture de la substitution* désigne le moment où la libéralité devient efficace pour l'appelé (art. 961 à 965 C. civ.).
V.a. grevé de substitution.
Angl. substitution.

SUCCESSEUR, EURE *n.*

(*Obl.*) Syn. ayant cause.
Occ. Art. 908 C. civ.
Rem. Le terme *successeur* s'emploie le plus souvent dans le cas d'une transmission à cause de mort.
Angl. successor.

SUCCESSEUR À TITRE PARTICULIER

(*Obl.*) Syn. ayant cause à titre particulier. « *Successeurs à titre particulier. Créances.* — L'acquéreur d'un bien particulier ne succède pas par ce seul fait aux droits résultant au profit de son auteur des conventions conclues par celui-ci relativement au bien transmis » (Planiol et Ripert, *Traité*, t. 6, n° 331, p. 421).
Occ. Art. 2198, 2200 C. civ.
Angl. acquirer by particular title, assignee by particular title, particular successor, successor by particular title⁺.

SUCCESSEUR À TITRE UNIVERSEL

(*Obl.*) Syn. ayant cause à titre universel.
Occ. Art. 2198, 2200, 2268 C. civ.
Angl. assignee by general title, legal representative[2], successor by general title⁺.

SUCCESSEUR IRRÉGULIER

(*Succ.*) Héritier à qui est dévolue une succession irrégulière. « Avant 1915, le conjoint était considéré comme un successeur irrégulier au même titre que le souverain. La Loi Pérodeau a mis fin à cette anomalie et le conjoint fait maintenant partie des héritiers *ab intestat* à titre régulier, tout comme les parents du *de cujus* » (Mayrand, *Successions*, n° 19, p. 17).
Rem. Voir les art. 598, 636 à 640 C. civ.
Syn. héritier irrégulier. **Opp.** héritier légitime[1].
Angl. irregular heir, irregular successor⁺.

SUCCESSEUR RÉGULIER

(*Succ.*) Syn. héritier légitime[1].
Opp. successeur irrégulier.
Angl. heir at law[2], lawful heir[1]⁺, regular heir, regular successor.

SUCCESSEUR UNIVERSEL

(*Obl.*) Syn. ayant cause universel. « Les héritiers et successeurs à cause de mort,

universels ou à titre universel, succèdent à la fois aux obligations et aux créances de leur auteur [...] » (Planiol et Ripert, *Traité*, t. 6 n° 329, p. 419).
Angl. assignee by universal title, legal representative², successor by universal title, universal successor⁺.

SUCCESSIF, IVE *adj.*

(*Obl.*) V. cautionnement à exécution successive, cautionnement successif, cession de droits successifs, contrat à exécution successive, contrat successif, droit successif, fautes successives, obligation successive, vente de droits successifs.
Angl. successive.

SUCCESSION *n.f.*

1. (*Succ.*) Transmission à une ou plusieurs personnes, les *héritiers*, du patrimoine d'une personne décédée, le *de cujus*. « [...] la succession n'est pas seulement un mode d'acquisition des biens, elle fait aussi acquérir des dettes. C'est à proprement parler un mode d'acquisition des patrimoines, *i.e.* de l'actif et du passif d'une personne » (Mayrand, *Successions*, n° 11, p. 9). *Ouverture d'une succession*; *être appelé, venir à une succession.*
Occ. Art. 583, 596, 597, 600, 601 C. civ.
Rem. 1° La succession est un mode d'acquisition à cause de mort et à titre gratuit. 2° La succession est *ab intestat* (art. 597 C. civ.) ou testamentaire. 3° Le mot *succession* sert souvent à désigner la succession *ab intestat* seule; la succession testamentaire est alors simplement appelée *testament* (art. 583 C. civ.).
Syn. héritage².
Angl. succession¹.

2. (*Succ.*) Patrimoine d'une personne transmis par suite de son décès. « C'est [...] le patrimoine du *de cujus*, c'est-à-dire l'ensemble des biens et dettes que l'on a en vue, lorsqu'on parle d'une "succession importante" ou d'une "succession insolvable" » (Mayrand, *Successions*, n° 15, p. 13). *Recueillir une succession, partage de la succession, revenus de la succession.*
Occ. Art. 596, 626, 629 C. civ.
Syn. hérédité, héritage³.
Angl. estate, inheritance, succession²⁺.

3. (*Succ.*) Ensemble des personnes qui recueillent le patrimoine du défunt. « Aux deux significations du mot *succession* décrites à l'article 596 C. C., on peut en ajouter une troisième que l'on rencontre souvent dans le langage courant. Quand on dit que l'on va intenter une action contre "la succession X", l'on entend par le mot *succession* les héritiers de X » (Mayrand, *Successions*, n° 16, p. 13).
Occ. Art. 624*d* C. civ.
Angl. succession³.

SUCCESSION *AB INTESTAT* (latin)

(*Succ.*) Succession¹ qui est réglée par les dispositions de la loi. « La succession *ab intestat* [...] est réglée par la loi en dehors de la volonté du *de cujus*, soit qu'il ait omis de l'exprimer, soit qu'elle ne puisse produire d'effet » (Mazeaud, *Leçons*, t. 4, vol. 2, n° 658, p. 4).
Occ. Art. 597, 598, 606, 864, 866, 867 C. civ.
Rem. 1° La succession *ab intestat* opère en l'absence de testament ou lorsque le *de cujus* n'a pas disposé par testament de tous ses biens (art. 597 al. 1 C. civ.); en ce dernier cas, la succession est pour partie *ab intestat* et pour partie testamentaire (art. 864 C. civ.). 2° La succession *ab intestat* se divise en succession légitime et en succession irrégulière (art. 598 C. civ.). L'expression *succession légitime* était anciennement employée parfois comme synonyme de succession *ab intestat*. 3° La succession *ab intestat* est désignée à l'occasion sous le seul nom de *succession*. 4° Du latin *successio ab intestato* (de *ab* : de, et *intestatus* : qui n'a pas testé) : succession d'une personne qui n'a pas fait de testament.

Syn. succession légale, succession légitime². **Opp.** succession testamentaire.
Angl. abintestate succession⁺, *ab intestat* succession, intestate succession, legal succession, legitimate succession².

SUCCESSION IRRÉGULIÈRE

(*Succ.*) Succession *ab intestat* déférée à l'État. « Les articles 598 et 606 C. C. ont divisé les successions *ab intestat* en successions légitimes, dévolues au conjoint et aux parents, et en successions irrégulières dévolues au souverain. Le souverain ne recueille qu'à défaut d'héritier légitime » (Mayrand, *Successions*, n° 198, p. 168).
Occ. Art. 598 C. civ., titre précédant l'art. 636 C. civ.
Rem. La succession irrégulière est recueillie par le souverain du chef de la province.
Opp. succession légitime¹. **V.a.** succession en déshérence°, succession vacante°.
Angl. irregular succession.

SUCCESSION LÉGALE

(*Succ.*) Syn. succession *ab intestat*. « À défaut de testament ou si celui-ci ne règle que partiellement la dévolution successorale, c'est la loi elle-même qui organise la succession et celle-ci est dite *légale* ou *ab intestat* » (Marty et Raynaud, *Successions*, n° 5, p. 5).
Angl. abintestate succession⁺, *ab intestat* succession, intestate succession, legal succession, legitimate succession².

SUCCESSION LÉGITIME

1. (*Succ.*) Succession *ab intestat* déférée au conjoint survivant et aux parents du *de cujus* selon l'ordre établi par la loi². « [...] on compte quatre ordres de succession légitime [...] 1. le conjoint et les descendants; 2. le conjoint, les père et mère, les frères et soeurs de même que les neveux et nièces au 1er degré [...]; 3. les ascendants autres que les père et mère [...]; 4. les collatéraux autre que ceux du 2e ordre [...] » (Mayrand, *Successions*, n° 127, p. 111).
Rem. Voir les art. 598, 606, 607 C. civ.
Opp. succession irrégulière.
Angl. lawful succession, legitimate succession¹⁺.

2. (*Succ.*) *Vieilli.* Syn. succession *ab intestat*. « La succession peut être testamentaire ou *ab intestat*. Cette dernière est aussi souvent appelée succession légitime » (Faribault, dans *Traité*, t. 4, p. 107).
Angl. abintestate succession⁺, *ab intestat* succession, intestate succession, legal succession, legitimate succession².

SUCCESSION TESTAMENTAIRE

(*Succ.*) Succession¹ qui est réglée selon la volonté du *de cujus* exprimée dans un testament. « [...] c'est le testament qui permet d'organiser une dévolution successorale différente de la succession légale : *la succession testamentaire* » (Marty et Raynaud, *Successions*, n° 539, p. 417).
Occ. Art. 597, 924 C. civ.
Rem. **1°** La donation à cause de mort contenue dans un contrat de mariage, appelée *institution contractuelle*, participe de la nature de la succession testamentaire (art. 597 C. civ.). **2°** Une succession est pour partie *ab intestat* et pour partie testamentaire lorsque le testateur ne dispose pas de tous ses biens (art. 864 C. civ.).
Opp. succession *ab intestat*. **V.a.** héritier testamentaire.
Angl. testamentary succession.

SUFFISANT, ANTE *adj.*

(*D. jud.*) V. intérêt suffisant.

SUI GENERIS *loc.adj.* (latin)

(*Obl.*) Qui revêt une forme singulière n'entrant dans aucune des catégories reçues. « C'est un droit de propriété *sui generis*, dont le législateur a implicitement mais nécessairement voulu la création lorsqu'il

a introduit la fiducie en droit civil » (*Royal Trust Co.* c. *Tucker*, [1982] 1 R.C.S. 250, p. 272-273, j. J. Beetz).
V.a. contrat *sui generis*.
Angl. *sui generis*.

SUITE *n.f.*

V. droit de suite.

SUIVRE *v.tr.*

(*Biens*) Exercer le droit de suite. « Le créancier hypothécaire jouit, de son côté, du droit de suivre l'immeuble hypothéqué entre les mains d'un tiers acquéreur (auquel le débiteur propriétaire de l'immeuble hypothéqué l'aurait cédé); c'est entre les mains de ce tiers qu'il peut le saisir, le faire vendre, pour se payer sur le prix [...] » (Cornu, *Introduction*, n° 993, p. 313).
Angl. follow.

SUJET ACTIF

(*Pers.*) Sujet de droit, en tant que titulaire d'une prérogative. « Une personne juridique est un sujet de droit — C'est un sujet *actif* et elle peut ainsi être titulaire d'un droit et l'exercer; c'est un sujet *passif* et elle peut être tenue d'une obligation » (Marty et Raynaud, *Personnes*, n° 2, p. 1).
Rem. Le sujet actif se dénomme, selon la nature du droit, *créancier*, *propriétaire*, *usufruitier*; en l'absence d'un titre précis, on le nomme *titulaire*.
Opp. sujet passif.
Angl. active subject.

SUJET DE DROIT

(*Pers.*) Syn. personne. « [...] c'est autour du sujet de droit et par rapport à lui que s'organisent les droits subjectifs, pouvoirs, qui sont destinés à la réalisation de ses fins et mis à sa disposition par le droit objectif » (Marty et Raynaud, *Introduction*, n° 141, p. 263).
Rem. 1° Seule la personne, physique ou morale, est sujet de droit, et toute personne l'est. 2° Dans un rapport juridique, on distingue deux sujets de droit : le sujet actif et le sujet passif.
Opp. objet de droit.
Angl. juridical person[1], person+, subject of law, subject of rights.

SUJET PASSIF

(*Pers.*) Sujet de droit, en tant que débiteur d'une prestation. « Les *personnes*, ce sont les êtres susceptibles de devenir les sujets des droits : sujets actifs, s'ils en sont titulaires, par exemple le propriétaire, le créancier; sujets passifs, si le droit est exercé contre eux, par exemple le débiteur, duquel le créancier peut exiger la prestation due » (Weill et Terré, *Introduction*, n° 65, p. 78).
Rem. Le sujet passif s'appelle toujours *débiteur*.
Opp. sujet actif.
Angl. passive subject.

SUMMA DIVISIO *loc.nom.f.* (latin)

Division la plus compréhensive; classification fondamentale. « Cette classification [des biens en meubles ou immeubles] embrassant la totalité des biens est, selon l'expression latine, une *summa divisio*, ce qui signifie que rien ne lui échappe : l'un des deux termes "meuble" ou "immeuble" s'applique nécessairement à tous les biens » (Starck, *Introduction*, n° 235, p. 102).
Angl. *summa divisio*.

SUO MOTU *loc.adv.* (latin)

Syn. *proprio motu*. « La prescription établie par l'article 1530 [C. civ.] doit être plaidée par le vendeur, et le juge ne peut l'appliquer *suo motu* [...] » (Mignault, *Droit civil*, t. 7, p. 120).
Angl. *proprio motu+*, *suo motu*.

SUPERFICES *n.m.pl.*

(*Biens*) Édifices, ouvrages ou plantations faisant l'objet du droit de propriété du

superficiaire. « En principe, tout ce qui se trouve sur le sol appartient au propriétaire du sol par l'effet de l'accession [...] Le droit de superficie déroge à ce principe, en séparant la propriété des superfices de celle du sol » (Planiol et Ripert, *Traité*, t. 3, n° 330, p. 324).
Syn. superficie[2]. **V.a.** droit de superficie, propriété superficiaire.
Angl. superficies[2].

SUPERFICIAIRE *n.*

(*Biens*) Titulaire du droit de superficie. « Le droit de superficie suppose [...] essentiellement un droit principal, qui est la propriété des *superfices*, et un droit accessoire, qui donne au superficiaire un droit exclusif à un site déterminé. Car si l'objet de la propriété superficiaire est, de par sa définition même, un immeuble, ce droit ne saurait se concevoir sans une relation nécessaire et permanente avec un fonds de terre déterminé » (Cardinal, *Superficie*, n° 40, p. 103).
Rem. Ce terme, qui n'apparaît pas dans les textes législatifs actuels, est employé aux art. 1150, 1153 et 1154 C. civ. Q. (L.Q. 1987, chap. 18, art. 1 n.e.v.), qui sont repris aux art. 1108, 1110 et 1111 du Projet de loi 125.
Syn. propriétaire superficiaire. **Opp.** tréfoncier.
Angl. superficiary+, superficiary owner.

SUPERFICIE *n.f.*

1. (*Biens*) Syn. droit de superficie. « La superficie, qui est tout d'abord un droit de propriété, ne s'éteint vraiment que lorsqu'il y a perte totale de la chose qui en forme l'objet » (Cardinal, *Superficie*, n° 93, p. 199).
Angl. right of superficies+, superficies[1].

2. (*Biens*) Syn. superfices. « Le mot "superficie" ne désigne [...] pas la surface géométrique du sol, mais les objets qui se trouvent sur le sol; c'était le sens du mot "superficies" en latin » (Planiol et Ripert, *Traité*, t. 3, n° 330, note 6, p. 324).
Angl. superficies[2].

SUPPLÉTIF, IVE *adj.*

V. droit supplétif, loi supplétive, règle supplétive.

SÛRETÉ *n.f.*

1. (*Sûr.*) Droit[2] accessoire à une créance dont il garantit l'exécution. « *Un créancier qui bénéficie d'une "sûreté", est mieux protégé contre l'insolvabilité de son débiteur* [...] Les sûretés présentent également un *intérêt primordial pour le débiteur* : celui-ci ne trouvera de *crédit* (de "confiance") auprès de contractants éventuels, que si ces derniers sont certains d'être payés à l'échéance [...] » (Mazeaud et Chabas, *Leçons*, t. 3, vol. 1, n° 2, p. 5-6). *Constituer une sûreté; donner, fournir* (*une*) *sûreté; pour sûreté de.*
Occ. Art. 1092 C. civ.; art. 36, *Loi sur la protection du consommateur*, L.R.Q., chap. P-40.1.
Rem. Les sûretés sont personnelles ou réelles, conventionnelles ou légales.
Syn. garantie[2].
Angl. security[1].

2. V. loi de police et de sûreté.
Angl. safety.

SÛRETÉ PERSONNELLE

(*Sûr.*) Sûreté résultant de l'engagement personnel d'un tiers à côté du débiteur principal. « Techniquement, la sûreté personnelle consiste dans l'adjonction au droit de gage général du débiteur d'un droit de gage général sur les biens d'autres personnes, voire de plusieurs droits de ce même type » (Weill, *Sûretés*, n° 4, p. 5).
Rem. Les sûretés personnelles se limitent au cautionnement[1]. Dans la doctrine moderne, la solidarité n'est pas analysée comme une sûreté personnelle.
Opp. sûreté réelle.
Angl. personal security.

SÛRETÉ RÉELLE

(*Sûr.*) Sûreté consistant en un droit réel établi sur un bien. « *Il n'existe pas d'autres sûretés réelles que celles qui sont énumérées par la loi* » (Mazeaud et Chabas, *Leçons*, t. 3, vol. 1, n° 5, p. 8).
Rem. **1°** La personne qui établit la sûreté réelle s'appelle le *constituant*. **2°** Certaines sûretés réelles présupposent, en principe, que le constituant se dessaisisse du bien grevé (le nantissement, le droit de rétention), d'autres non (l'hypothèque). **3°** La sûreté réelle est un droit réel accessoire emportant, selon le cas, le droit de rétention, le droit de préférence ou le droit de suite. **4°** Les sûretés réelles sont le nantissement, l'hypothèque, le privilège et, selon une partie de la doctrine, le droit de rétention. Certaines lois, comme la *Loi sur les banques*, édictent d'autres sûretés réelles.
Opp. sûreté personnelle.
Angl. real security.

SURVEILLANCE *n.f.*

V. faute dans la surveillance.
Angl. supervision.

SUSPENDRE (LA PRESCRIPTION) *v.tr.*

(*Prescr.*) Entraîner la suspension de la prescription. « [...] le code civil a admis [...] que l'usucapion peut être non plus brisée, interrompue, mais simplement paralysée, retardée [...] : on a estimé qu'il était injuste de porter atteinte à un propriétaire qui ne serait pas à même d'interrompre la prescription menaçante; c'est pourquoi on suspend le cours des événements jusqu'au moment où il sera à même de défendre ses intérêts » (Weill, Terré et Simler, *Biens*, n° 460, p. 399).
V.a. interrompre la prescription, renoncer à la prescription.

SUSPENSIF, IVE *adj.*

(*Obl.*) V. condition suspensive, effet suspensif, terme suspensif.

SUSPENSION (DE LA PRESCRIPTION)

(*Prescr.*) Arrêt temporaire du cours de la prescription, acquisitive ou extinctive, pour des causes définies par la loi, sans anéantissement du temps écoulé jusque là. Par ex., lorsque la prescription ne court pas contre les mineurs et les majeurs protégés, non plus qu'entre époux, il y a alors suspension de la prescription. « [...] *la suspension de la prescription est un simple temps d'arrêt dans l'écoulement du délai*; elle n'efface pas le temps accompli; pendant que joue la cause de suspension, le délai ne court pas; mais dès que cesse cette cause, la prescription reprend au point où elle en était restée [...] » (Mazeaud et Chabas, *Leçons*, t. 2, vol. 1, n° 1177, p. 1214-1215).
Occ. Art. 2239 C. civ.
Rem. Voir les art. 2232 à 2239 C. civ.
V.a. interruption de la prescription, renonciation à la prescription.
Angl. suspension (of prescription).

SYMBOLIQUE *adj.*

V. tradition symbolique.

SYNALLAGMATIQUE *adj.*

(*Obl.*) Bilatéral.
Rem. Du grec *sunallagmatikos*, de *sunalagma* : contrat (rac. *sunallatein* : unir).
V.a. contrat synallagmatique, contrat synallagmatique imparfait, promesse synallagmatique de contrat.
Angl. synallagmatic.

SYSTÈME DE DROIT

Syn. ordre juridique[1]. « [...] le droit objectif est systématisé selon un certain ordonnancement. En d'autres termes, le droit objectif correspond à un système de droit » (Larroumet, *Droit civil*, t. 1, n° 13, p. 11).
Angl. juridical system, legal order+, legal system, system of law.

SYSTÈME DE LA DÉCLARATION

(*Obl.*) Syn. théorie de la déclaration. « Suivant le système de *la déclaration*, il suffit que l'acceptant ait *exprimé* sa volonté : pratiquement, qu'il ait rédigé sa lettre ou son télégramme. Mais cette opinion se heurte à une difficulté d'application insurmontable : on ne peut ni prouver le moment où une lettre a été écrite, ni surtout empêcher son signataire de la détruire » (Flour et Aubert, *Obligations*, vol. 1, n° 166, p. 120).
Angl. theory of declaration.

SYSTÈME DE LA RÉCEPTION

(*Obl.*) Syn. théorie de la réception. « Suivant le système de *la réception*, le contrat est conclu dès que le pollicitant a eu *la possibilité* de prendre connaissance de l'acceptation : pratiquement, dès que la lettre lui est parvenue. La seule réception doit faire présumer l'information » (Flour et Aubert, *Obligations*, vol. 1, n° 167, p. 121).
Angl. theory of reception.

SYSTÈME DE L'ÉMISSION

(*Obl.*) Syn. théorie de l'expédition. « *Le système de l'émission* considère le contrat comme formé au moment et au lieu de l'acceptation, puisque c'est l'acceptation de l'offre qui réalise la convention » (Marty et Raynaud, *Obligations*, t. 1, n° 121, p. 117).
Angl. theory of expedition.

SYSTÈME DE L'EXPÉDITION

(*Obl.*) Syn. théorie de l'expédition. « Système de l'expédition : il ne suffit pas que la lettre ou le télégramme soit rédigé; il faut que l'acceptant se soit dessaisi de sa lettre d'acceptation : le contrat se forme, alors, non point au moment où il manifeste sa volonté en rédigeant la lettre d'acceptation, mais au moment où il expédie celle-ci, où il la remet au service postal » (Pineau et Burman, *Obligations*, n° 49, p. 75).
Angl. theory of expedition.

SYSTÈME DE L'INFORMATION

(*Obl.*) Syn. théorie de l'information. « [...] le système de l'information soulève [...] une question difficile de preuve. Comment démontrer que l'offrant a eu en fait connaissance de la réponse de l'acceptant? Aussi les tenants du système admettent-ils en général qu'il suffit que la lettre d'acceptation ait été reçue (système de la *réception*) à la résidence habituelle de l'offrant, l'acceptant ne pouvant souffrir de la négligence manifestée par celui-ci dans la prise de connaissance de son courrier » (Colin et Capitant, *Traité*, t. 2, n° 642, p. 363).
Angl. theory of information.

SYSTÈME JURIDIQUE

Syn. ordre juridique[1]. « L'expérience est faite depuis un temps notable qu'un système juridique doit escompter l'observation spontanée de ses prescriptions par la majorité des citoyens : la sanction, ni même sa simple menace, ne suffisent » (Batiffol, *Problèmes*, p. 149).
Angl. juridical system, legal order+, legal system, system of law.

T

TACITE *adj.*

V. abrogation tacite, acceptation tacite, consentement tacite, mandat tacite, manifestation de volonté tacite, nullité tacite, offre tacite.

TACITE RECONDUCTION

(*Obl.*) Renouvellement d'un contrat à exécution successive résultant du fait que les parties en continuent l'exécution après l'expiration du terme convenu. « [...] pour qu'il y ait tacite reconduction, il faut l'accord de chacune des parties intéressées, et cet accord tacite résulte du fait que le locataire a continué de jouir de la chose louée pendant un certain temps, après l'expiration du bail, sans opposition ou protestation de la part du locateur » (Mignault, *Droit civil*, t. 7, p. 248).
Occ. Art. 579, 1667 C. civ.
Rem. 1° La loi prévoit expressément la tacite reconduction en matière de bail immobilier (art. 1641 C. civ.) et de louage de services personnels (art. 1667 C. civ.). Dans les autres contrats à exécution successive, elle pourra résulter d'une clause du contrat. **2°** Comparer le régime légal de prolongation des baux résidentiels prévu aux art. 1658 et s. C. civ.
V.a. bail par tacite reconduction.
Angl. tacit renewal.

TAUX DE CRÉDIT

(*Obl.*) Pourcentage annuel permettant d'établir la somme que le consommateur doit payer comme coût du crédit[3] que lui accorde le contrat. « Le contrat doit comporter un seul taux de crédit pour toute la durée du contrat tant sur le capital que sur les arriérés » (L'Heureux, *Consommation*, n° 89, p. 78).
Occ. Art. 72, *Loi sur la protection du consommateur*, L.R.Q., chap. P-40.1.
Angl. credit rate.

TAUX D'INTÉRÊT

(*Obl.* et *D. comm.*) Pourcentage qui représente le montant de l'intérêt[1] produit par une somme de cent dollars pour une période de temps déterminée. Par ex., un taux d'intérêt de 10% l'an, de 2% par mois. « La crise récente des taux d'intérêt a généralisé une technique de financement inconnue autrefois, mais que les banques ont commencé à développer vers les années 1975 : le prêt à taux flottant ou, selon une expression peut-être plus juridique, à taux variable » (Desjardins, (1982-1983) 17 *R.J.T.* 325 p. 325).
Occ. Art. 1056*c* al. 2, 1078.1 C. civ.
Angl. interest rate+, rate of interest.

TAUX D'INTÉRÊT CONVENTIONNEL

(*Obl.* et *D. comm.*) Taux d'intérêt déterminé par les parties.
Rem. Voir l'art. 1785 C. civ.; l'art. 3, *Loi sur l'intérêt*, L.R.C. 1985, chap. I-15.
Opp. taux d'intérêt légal.
Angl. conventional interest rate+, rate of conventional interest.

TAUX D'INTÉRÊT LÉGAL

(*Obl.* et *D. comm.*) Taux d'intérêt fixé par la loi.

Rem. Voir l'art. 1785 C. civ.; l'art. 3, *Loi sur l'intérêt*, L.R.C. 1985, chap. I-15.
Opp. taux d'intérêt conventionnel.
Angl. legal interest rate+, rate of legal interest.

TAUX D'INTÉRÊT USURAIRE

(*Obl.* et *D. comm.*) Taux d'intérêt excessif.
Rem. **1°** Voir les art. 1040*c*, 1149 C. civ. **2°** Des lois fixent parfois un taux maximum d'intérêt; est alors usuraire un taux d'intérêt supérieur au taux ainsi fixé (par ex., la *Loi sur les petits prêts*, S.R.C. 1970, chap. S-11; la *Loi sur les prêteurs sur gage*, S.R.C. 1970, chap. P-5).
V.a. intérêt usuraire, prêt usuraire, usure.
Angl. usurious interest rate.

TÉMOIN *n.m.*

(*Biens*) Syn. borne.
Angl. boundary-marker+, boundary-stone.

TEMPORAIRE *adj.*

Qui est d'une durée limitée. « L'usufruit, étant établi au profit d'une personne, est essentiellement temporaire [...] alors que les servitudes, étant établies au profit d'un fonds, en constituent un accessoire ayant vocation à la perpétuité » (Weill, Terré et Simler, *Biens*, n° 804, p. 753). *Aberration temporaire, fonction temporaire, dépossession temporaire, résidence temporaire.*
Occ. Art. 82, 394, 442*l*, 986, 1626 C. civ.
Opp. perpétuel[1]. **V.a.** copropriété temporaire, droit temporaire, rente temporaire, viager.
Angl. temporary.

TEMPORAIREMENT *adv.*

D'une manière temporaire. « [...] la situation de l'usufruitier est très supérieure à celle du nu-propriétaire. *C'est l'usufruitier qui a la chose entre les mains.* L'usufruitier n'est pas une personne à laquelle le propriétaire serait seulement tenu de remettre les revenus de la chose; le nu-propriétaire est temporairement dépouillé » (Mazeaud et Chabas, *Leçons*, t. 2, vol. 2, n° 1648, p. 334).
Occ. Art. 386, 947, 2182 C. civ.
Angl. temporarily.

TENANTS ET ABOUTISSANTS

(*Biens*) Fonds qui sont adjacents à un fonds de terre et qui en constituent les limites. « Autrefois [avant l'avènement du cadastre, en 1860] on décrivait les immeubles en indiquant leurs tenants et aboutissants » (Mignault, *Droit civil*, t. 9, p. 304).
Occ. Art. 2168 C. civ.
Angl. conterminous lands, coterminous lands+.

TERME *n.m.*

1. (*Obl.*) Événement futur et de réalisation certaine auquel on subordonne soit l'exigibilité, soit l'extinction d'un droit[2] ou d'une obligation[2]. Par ex., une dette payable au décès du créancier, une dette payable dans trois mois, un bail conclu pour deux ans. « Si l'obligation à terme n'est pas exigible avant l'arrivée du terme, elle n'en existe pas moins dès l'accord des parties [...] l'adage "qui a terme ne doit rien" n'est donc pas rigoureusement exact » (Mazeaud et Chabas, *Leçons*, t. 2, vol. 1, n° 1020, p. 1096-1097). *Le bénéficiaire du terme; l'expiration du terme.*
Occ. Art. 1089 C. civ.
Rem. **1°** Le terme se caractérise par la certitude de l'échéance, alors que l'avènement de la condition est douteux. **2°** On distingue le terme suspensif et le terme extinctif. **3°** Ne pas confondre le terme suspensif et la condition suspensive : celle-ci suspend la naissance d'un droit, alors que celui-là n'en suspend que l'exigibilité et n'affecte pas son existence.
V.a. arrivée du terme, avènement du terme, condition[1], déchéance du terme, échéance

du terme, modalité de l'obligation, terme de droit+, terme de grâce.
Angl. term[1].

2. Mot, expression. *Aux termes de tel article, de la loi, du contrat; en termes exprès.*
Occ. Art. 1703 C. civ.
Angl. term[2].

3. (X) *Angl.* V. condition[2].
Rem. L'expression *termes et conditions* (du contrat) est un calque de l'anglais *terms and conditions.* Il en va de même de la formule abrégée les *termes du contrat,* employée autrement qu'au sens 2.
Angl. condition[2]+, term[3].

TERME (À) *loc.adv.*

Dont l'exigibilité ou l'extinction dépend de l'échéance d'un terme[1]. *Prix payable à terme.*
Occ. Art. 1090 C. civ.
Opp. comptant (au). **V.a.** conditionnel, modal, obligation à terme, paiement à terme.
Angl. term (with a).

TERME CERTAIN

(*Obl.*) Terme[1] dont la date d'arrivée est déterminée dès la naissance du droit[2] ou de l'obligation[2]. Par ex., le 25 août prochain; dans six mois à compter de ... « *Le terme est certain* — il serait préférable de dire : *connu* — lorsque *le jour de l'arrivée de l'événement est connu* » (Mazeaud et Chabas, *Leçons,* t. 2, vol. 1, n° 1017, p. 1096).
Rem. **1°** Le terme consiste toujours dans un événement certain, c'est-à-dire devant nécessairement arriver. Le terme est dit certain dans les cas où l'on sait quand l'événement arrivera. **2°** La plupart des auteurs estiment qu'il serait préférable de parler de *terme connu,* de *terme déterminé* ou de *terme fixe.*
Opp. terme incertain.
Angl. certain term.

TERME CONVENTIONNEL

(*Obl.*) Terme[1] établi par la volonté des parties. Par ex., dans un contrat de vente, le terme accordé à l'acheteur pour le paiement du prix.
Opp. terme judiciaire, terme légal.
V.a. terme de droit.
Angl. contractual term, conventional term+.

TERME DE DROIT

(*Obl.*) Terme[1] dont le bénéficiaire se prévaut à titre de droit[2] et non de faveur. « [...] le terme conventionnel ou légal constitue un droit pour celui qui en bénéficie et est, à ce titre qualifié de *terme de droit* » (Marty, Raynaud et Jestaz, *Obligations,* t. 2, n° 48, p. 48).
Rem. Le terme de droit est en général appelé *terme* tout court, étant donné que son opposé, terme de grâce, est exceptionnel.
Opp. terme judiciaire. **V.a.** terme conventionnel, terme légal.
Angl. term of right.

TERME DE GRÂCE

(*Obl.*) Syn. terme judiciaire. « [...] le terme judiciaire, aussi appelé parfois *terme de grâce,* est le délai que peut accorder, dans certaines circonstances, un tribunal au débiteur pour s'acquitter de son obligation déjà échue » (Baudouin, *Obligations,* n° 750, p. 456).
Angl. judicial term+, term of grace.

TERME EXTINCTIF

(*Obl.*) Terme[1] auquel est subordonnée l'extinction d'un droit[2] ou d'une obligation[2]. « Le louage de chose pour une période déterminée [...] comprend un terme extinctif qui, lorsqu'il arrive, met fin aux obligations réciproques du locateur et du locataire » (Baudouin, *Obligations,* n° 749, p. 456).
Occ. Art. 1513, Projet de loi 125.
Rem. Le terme extinctif, contrairement à la condition résolutoire, n'a pas d'effet rétroactif.

Opp. terme suspensif.
Angl. extinctive term.

TERME INCERTAIN

(*Obl.*) Terme[1] dont la date d'arrivée n'est pas déterminée lors de la naissance du droit[2] ou de l'obligation[2]. Par ex., à la mort de telle personne. « [...] la réalisation du terme est toujours certaine [...] mais il peut y avoir incertitude sur le moment de cette réalisation et c'est alors qu'on parle de terme incertain pour viser l'incertitude non du terme lui-même mais de son échéance » (Marty, Raynaud et Jestaz, *Obligations*, t. 2, n° 48, p. 46).
Rem. La plupart des auteurs estiment qu'il serait préférable de parler de *terme inconnu* ou de *terme indéterminé.*
Syn. terme inconnu, terme indéterminé.
Opp. terme certain.
Angl. uncertain term+, undetermined term, unspecified term.

TERME INCONNU

(*Obl.*) Syn. terme incertain.
Angl. uncertain term+, undetermined term, unspecified term.

TERME INDÉTERMINÉ

(*Obl.*) Syn. terme incertain.
Angl. uncertain term+, undetermined term, unspecified term.

TERME JUDICIAIRE

(*Obl.*) Terme suspensif que le juge peut accorder au débiteur, dans certaines circonstances exceptionnelles, pour lui permettre d'exécuter une obligation échue. « Le *terme judiciaire* se ramène généralement au terme ou délai de grâce [...] » (Marty, Raynaud et Jestaz, *Obligations*, t. 2, n° 48, p. 48).
Rem. Voir l'art. 1149 al. 3 c. civ.
Syn. délai de grâce, terme de grâce.
Opp. terme conventionnel, terme de droit, terme légal.
Angl. judicial term+, term of grace.

TERME LÉGAL

(*Obl.*) Terme suspensif établi par la loi pour l'exécution de certaines obligations. Par ex., le délai de six mois que l'art. 294 C. civ. accorde au tuteur pour placer les deniers provenant de la vente d'effets mobiliers du mineur.
Rem. Il s'agit de cas rares où la loi, en créant une obligation, fixe un délai pour son exécution.
Opp. terme conventionnel, terme judiciaire. **V.a.** terme de droit.
Angl. legal term.

TERME SUSPENSIF

(*Obl.*) Terme[1] auquel est subordonnée l'exigibilité d'un droit[2] ou d'une obligation[2]. « Le terme suspensif retarde le moment où le créancier peut exiger le paiement de la part du débiteur » (Baudouin, *Obligations*, n° 750, p. 456).
Opp. terme extinctif. **V.a.** condition suspensive.
Angl. suspensive term.

TERRITORIAL, ALE *adj.*

(*D. int. pr.*) V. compétence territoriale, incompétence territoriale, loi territoriale.

TERRITORIALISME *n.m.*

1. (*D. int. pr.*) Doctrine favorisant l'utilisation de facteurs de rattachement à caractère territorial. Par ex., le territorialisme de d'Argentré, de Niboyet. « [...] le territorialisme, en retrécissant l'empire du statut personnel, n'empêche aucunement l'application des lois étrangères toutes les fois qu'il s'agit de délits ou de contrats localisés à l'étranger » (Batiffol et Lagarde, *Droit int. privé*, t. 1, n° 222, p. 267).
Opp. personnalisme. **V.a.** territorialité des lois[1].
Angl. territorialism[1].

2. (*D. int. pr.*) Tendance jurisprudentielle ou doctrinale à favoriser l'application de la

loi du for. Par ex., la doctrine d'Ehrenzweig. « [...] territorialisme n'équivaut à particularisme, et n'exprime donc une tendance définie que pour les questions relatives aux immeubles en raison de la coïncidence de la compétence judiciaire et de la compétence législative dans ce cas » (Batiffol et Lagarde, *Droit int. privé*, t. 1, n° 222, p. 267).
Angl. territorialism[2].

TERRITORIALITÉ DES LOIS

1. (*D. int. pr.*) Principe selon lequel on reconnaît à tout État une vocation naturelle à régir les situations juridiques localisées dans les limites de son territoire. Par ex., le rattachement à la loi québécoise des immeubles situés au Québec. « Il nous semble en effet que la Cour suprême du Canada a méconnu la règle fondamentale du droit international privé québécois : la territorialité des lois, en ne faisant pas appel, pour la solution du litige [délit commis hors du Québec], à l'article 6, alinéa 3, du Code civil [...] » (Crépeau, (1961) 39 *R. du B. Can.* 3, p. 12).
Rem. **1°** Voir les art. 6 à 8 C. civ. **2°** Le Moyen Âge a donné naissance au système de la territorialité absolue (territorialité des lois[2]) : l'individu était régi en toutes matières par la loi du territoire où il se trouvait et le juge n'appliquait que la loi de son pays. Aujourd'hui règne la territorialité relative (territorialité des lois[1]) : chaque juge applique tantôt les lois de son pays, tantôt les lois étrangères. **3°** Le principe de la territorialité des lois implique normalement la bilatéralisation des règles de conflit. Ainsi, vu la règle unilatérale de l'art. 6 al. 1 C. civ., les immeubles situés hors du Québec seraient régis par la loi du lieu de leur situation.
Opp. extraterritorialité[1], personnalité des lois[1]. **V.a.** loi territoriale[1], territorialisme[1].
Angl. territoriality of laws[1].

2. (*D. int. pr.*) Principe selon lequel l'application de certaines lois est réservée aux seules autorités de l'État qui les a adoptées. Par ex., la législation relative à la nationalité (*Loi sur la citoyenneté*, L.R.C. 1985, chap. C-29). « [...] l'époque féodale a connu, sur le terrain du conflit des lois, un système [...] généralement dénommé de la territorialité des lois. Sur chaque territoire une loi et une seule est appliquée, quels que soient les personnes en cause, les biens en jeu, les actes en litige : la loi édictée ou admise par l'autorité locale » (Batiffol et Lagarde, *Droit int. privé*, t. 1, n° 13, p. 12).
Opp. extraterritorialité[2]. **V.a.** loi territoriale[2], territorialisme[2].
Angl. territoriality of laws[2].

TESTAMENT *n.m.*

A. (*Succ.*) Acte unilatéral à cause de mort, solennel et à titre gratuit par lequel une personne, le *testateur*, dispose de la totalité ou d'une partie de ses biens ou de quelque bien particulier, en faveur d'une ou de plusieurs personnes, les *légataires*. « [...] les formes testamentaires ne sont pas entièrement libres : elles sont toutes déterminées par la loi. Le testateur ne peut que choisir une de ces formes; il ne peut en inventer d'autres. Le testament n'est donc pas un acte juridique purement consensuel : il y a nullité quand le testateur n'a pas adopté une des formules légales (art. 855 [C. civ.]) » (Brière, *Libéralités*, n° 280, p. 159).
Occ. Art. 754, 756, 831, 842 C. civ.
Rem. **1°** Jusqu'à son décès, le testateur peut révoquer le testament qu'il a fait (art. 756 C. civ.). **2°** Le Code civil reconnaît trois formes de testament : le testament authentique (art. 843 C. civ.), le testament olographe (art. 850 C. civ.) et le testament suivant la forme dérivée de la loi d'Angleterre (art. 851 C. civ.).
V.a. disposition par testament, legs, libéralité[1], succession[1].
Angl. testament[A], will[A+].

B. (*Succ.*) Écrit constatant cet acte. *Enregistrement, dépôt d'un testament.*
Occ. Art. 2111 C. civ.
Angl. testament[B], will[B+].

TESTAMENTAIRE *adj.*

(*Succ.*) Qui est institué ou effectué par testament, qui se rapporte au testament. « **Les dispositions testamentaires** — Il s'agit de déterminer le contenu du testament, *i.e.* les dispositions qu'on peut y insérer. Il y a des dispositions de deux sortes; les unes ont pour objet la transmission des biens du testateur; il s'agit principalement des legs (articles 863 à 891 [C. civ.]); les autres ont trait à la nomination d'un ou plusieurs exécuteurs testamentaires (articles 905 à 924 [C. civ.]) » (Brière, *Libéralités*, n° 332, p. 184). *Administrateur testamentaire, exécuteur testamentaire.*
Occ. Art. 597, 853, 873, 900, 905 C. civ.
V.a. disposition testamentaire, héritier testamentaire, hypothèque testamentaire, succession testamentaire, tutelle testamentaire.
Angl. testamentary.

TESTATEUR, TRICE *n.*

(*Succ.*) Auteur d'un testament. « [...] il est nécessaire et suffisant, pour la validité du testament, que le testateur soit capable au moment de la rédaction de l'acte. Peu importe qu'il devienne incapable par la suite [...] » (Brière, *Libéralités*, n° 274, p. 156).
Occ. Art. 756, 835, 838, 839 C. civ.
Opp. légataire. **V.a.** *de cujus.*
Angl. testator.

TESTER *v.intr.*

(*Succ.*) Léguer par testament[A]; faire un testament[A]. « Le mineur ne peut tester, même s'il est émancipé (article 833 [C. civ.]) [...] Il s'agit d'une incapacité de jouissance, puisque le tuteur ou curateur ne peut tester pour le mineur ni autoriser le mineur à tester (art. 834, al. 1 [C. civ.]) » (Brière, *Libéralités*, n° 269, p. 154).
Occ. Art. 833, 834, 837 C. civ.
V.a. disposer[1.A].
Angl. bequeath(<)[+], will(<).

TEXTUEL, ELLE *adj.*

V. ordre public textuel.

THÉORIE DE LA CAUSALITÉ ADÉQUATE

(*Obl.*) Théorie selon laquelle, parmi tous les faits qui ont causé un dommage, le droit ne retient comme véritable cause que celui ou ceux qui devaient produire ce dommage dans le cours normal des choses. « [...] la jurisprudence dominante applique la théorie de la causalité adéquate en opposant la cause déterminante à ce qu'elle appelle l'occasion du dommage » (Tancelin, *Obligations*, n° 603, p. 360).
Opp. théorie de l'équivalence des conditions. **V.a.** causalité adéquate, cause adéquate, théorie de la causalité immédiate, théorie de la causalité partielle.
Angl. doctrine of adequate causation.

THÉORIE DE LA CAUSALITÉ IMMÉDIATE

(*Obl.*) Théorie selon laquelle, parmi tous les faits qui ont causé un dommage, le droit ne retient comme véritable cause que celui qui précède immédiatement et déclenche le dommage. « Les décisions recensées qui appliquent la théorie de la causalité immédiate sont peu convaincantes du fait de leur rareté, de la fréquence des dissidences et surtout du caractère mitigé de leur argumentation qui doit autant à la théorie de la causalité adéquate qu'à celle de la causalité immédiate » (Tancelin, *Obligations*, n° 602, p. 359).
Syn. théorie de la *causa proxima.*
V.a. cause immédiate, théorie de la causalité adéquate.
Angl. doctrine of *causa proxima*, doctrine of proximate causation[+].

THÉORIE DE LA CAUSALITÉ PARTIELLE

(*Obl.*) Théorie selon laquelle la causalité d'un événement est partagée entre deux ou

plusieurs faits qui ont généré le dommage. « Le partage de la responsabilité que comporte la théorie de la causalité partielle peut être considéré comme le pendant en matière de responsabilité objective, du partage de la responsabilité en cas de fautes communes dans la conception subjective de la responsabilité » (Tancelin, *Obligations*, n° 617, p. 368).
V.a. causalité partielle, théorie de la causalité adéquate.
Angl. doctrine of partial causation.

THÉORIE DE LA *CAUSA PROXIMA* (latin)

(*Obl.*) Syn. théorie de la causalité immédiate. « Ce serait une solution trop simple pour être toujours exacte que de s'attacher à l'*événement qui est chronologiquement le dernier*, et qui a précédé immédiatement le dommage (théorie de la *causa proxima*) » (Ripert et Boulanger, *Traité*, t. 2, n° 1004, p. 381).
V.a. *causa proxima*.
Angl. doctrine of *causa proxima*, doctrine of proximate causation+.

THÉORIE DE LA DÉCLARATION

(*Obl.*) Théorie selon laquelle un contrat entre non-présents se forme au temps et au lieu où le destinataire de l'offre manifeste sa volonté de l'accepter. « Il s'agit de savoir si [la] formation [du contrat] se contente de la coexistence des deux volontés concordantes [...] Dans [cette] hypothèse le contrat est formé dès que l'acceptation est manifestée, c'est la théorie de la déclaration » (Ghestin, *Contrat*, n° 248, p. 274).
Rem. **1°** Dans cette théorie, il suffit que l'acceptant ait extériorisé sa volonté, par exemple en signant sa lettre ou en rédigeant son télégramme d'acceptation. **2°** À cause des difficultés de preuve auxquelles elle donne lieu, cette théorie n'est retenue ni par la doctrine, ni par la jurisprudence. **3°** Certains auteurs font de la théorie de la déclaration une théorie générale regroupant la théorie de la déclaration proprement dite ci-dessus définie et la théorie de l'expédition.
Syn. système de la déclaration. **V.a.** théorie de la réception, théorie de l'expédition, théorie de l'information.
Angl. theory of declaration.

THÉORIE DE LA DÉCLARATION DE VOLONTÉ

(*Obl.*) Théorie qui fait prévaloir la volonté déclarée sur la volonté interne. « Contre cette thèse [celle de la volonté réelle] a été élaborée une autre théorie : celle dite de la *déclaration de volonté* [...] Selon cette dernière, il faut donner la préférence à la *volonté déclarée*, exprimée, car c'est la seule que l'on peut connaître avec certitude » (Starck, Roland et Boyer, *Obligations*, t. 2, n° 146, p. 50-51).
Rem. De source allemande, cette théorie n'est pas reçue en droit civil français et québécois; elle vient, cependant, tempérer la théorie dominante de la volonté réelle.
Opp. théorie de la volonté réelle.
Angl. doctrine of the declaration of will.

THÉORIE DE LA RÉCEPTION

(*Obl.*) Théorie selon laquelle un contrat entre non-présents se forme au temps et au lieu où l'acceptation du destinataire de l'offre parvient à l'offrant, alors même qu'il n'en a pas pris connaissance. « Dans le cas [...] où offre et acceptation sont faites par des moyens différents, le contrat n'est réputé parfait qu'au moment où l'acceptation est reçue par le pollicitant lui-même ou par son mandataire autorisé (*théorie de la réception*)» (Baudouin, *Obligations*, n° 116, p. 106).
Rem. **1°** La jurisprudence applique la théorie de la réception lorsque l'offre et l'acceptation sont transmises par des intermédiaires différents; par ex., l'offre est transmise par messager et l'acceptation par la poste : le contrat se forme au temps et au lieu où l'offrant reçoit la lettre d'accep-

tation, même s'il n'en a pas encore pris effectivement connaissance. 2° Pour certains auteurs, cette expression est un terme générique englobant la théorie de l'information et la théorie de la réception proprement dite. Pour d'autres, la théorie de la réception n'est qu'une variante de la théorie de l'information : l'offrant est présumé prendre connaissance de l'acceptation dès sa réception. 3° Voir l'art. 19, L.V., *Projet de Code civil*; l'art. 1384, Projet de loi 125.
Syn. système de la réception. **Opp.** théorie de l'expédition. **V.a.** théorie de la déclaration, théorie de l'information.
Angl. theory of reception.

THÉORIE DE LA VOLONTÉ RÉELLE

(*Obl.*) Théorie qui fait prévaloir la volonté interne sur la volonté déclarée. « [...] la question est au fond de savoir si la déclaration de volonté doit être considérée comme la traduction infaillible de la volonté interne (théorie de la déclaration de volonté) ou si, au contraire, elle ne fournit pas simplement le moyen de retrouver la volonté réelle [...] (théorie de la volonté réelle) » (Ripert et Boulanger, *Traité*, t. 2, n° 143, p. 62).
Opp. théorie de la déclaration de volonté.
Angl. doctrine of the internal will.

THÉORIE DE L'ÉMISSION

(*Obl.*) Syn. théorie de l'expédition. « [...] la Cour Suprême [...] a paru tout d'abord — en 1901 — appliquer la théorie de l'émission [arrêt *Magann* c. *Auger*, (1901) 31 R.C.S. 186]; mais expliquant en 1928 sa décision antérieure, elle a accepté plutôt la théorie de la réception comme règle de principe [arrêt *Charlebois* c. *Baril*, [1928] R.C.S. 88], conservant toutefois la théorie de l'émission pour le cas exceptionnel où l'acceptation a été remise à l'agent autorisé de l'offrant » (Larouche, *Obligations*, t. 1, n° 113, p. 126-127).
Rem. Pour certains auteurs, cette expression ne désigne pas uniquement la théorie de l'expédition; ce serait un terme générique englobant aussi la théorie de la déclaration. Pour d'autres, *théorie de l'émission* est synonyme de *théorie de la déclaration*. Enfin, d'autres n'emploient pas cette expression.
Angl. theory of expedition.

THÉORIE DE L'ENGAGEMENT PAR VOLONTÉ UNILATÉRALE

(*Obl.*) Théorie selon laquelle la volonté d'une seule personne peut créer à sa charge une obligation envers une autre personne sans que soit nécessaire l'acceptation de cette dernière. « La théorie de l'engagement par volonté unilatérale a été soutenue tout d'abord par des auteurs germaniques [...] Elle a été proposée en France surtout par Saleilles [...] Mais bien que des auteurs importants aient accueilli favorablement cette théorie, elle n'a jamais pénétré véritablement dans notre droit » (Weill et Terré, *Obligations*, n° 25, p. 27).
Rem. 1° Les partisans de cette théorie reconnaissent comme source d'obligations, à côté du contrat, l'engagement par volonté unilatérale ou engagement unilatéral. Alors que le contrat est un acte bilatéral, un accord des volontés du créancier et du débiteur, l'engagement unilatéral constitue un acte unilatéral, résultant de la volonté du seul débiteur; cette volonté unique suffit pour créer une obligation à sa charge. 2° Les partisans de cette théorie l'ont utilisée pour expliquer certaines opérations juridiques telles l'offre de contracter, la promesse de récompense, la stipulation pour autrui. Leurs adversaires soutiennent que ces opérations peuvent s'expliquer par les techniques contractuelles classiques. 3° En France, la majorité des auteurs rejette cette théorie et la jurisprudence semble n'en avoir fait aucune application. Il en est de même au Québec où la question a, d'ailleurs, été très peu discutée.
Syn. théorie de l'engagement unilatéral.
V.a. acte unilatéral.
Angl. doctrine of undertaking by unilateral will+, doctrine of unilateral undertaking.

THÉORIE DE L'ENGAGEMENT UNILATÉRAL

(*Obl.*) Syn. théorie de l'engagement par volonté unilatérale. « La théorie de l'engagement unilatéral vient de la doctrine allemande [...] Consacrée jusqu'à un certain point par les codes germaniques, elle n'a pas véritablement été formellement reconnue dans les systèmes civilistes d'inspiration française » (Baudouin, *Obligations*, n° 487, p. 303).
Angl. doctrine of undertaking by unilateral will+, doctrine of unilateral undertaking.

THÉORIE DE L'ÉQUIVALENCE DES CONDITIONS

(*Obl.*) Théorie selon laquelle tous les faits indispensables à la réalisation d'un dommage sont des causes de ce dommage, chacun d'eux entraînant la responsabilité de son auteur. « Pour logique qu'elle soit, il peut être fait grief à la théorie de l'*équivalence des conditions* de n'être, précisément, que cela : de ressortir à une logique purement abstraite, dans un domaine où — comme toujours, en droit — l'objectif doit être de concilier et harmoniser les intérêts en présence » (Flour et Aubert, *Obligations*, vol. 2, n° 666, p. 183).
Rem. Cette théorie n'est pas retenue en droit positif; on lui préfère celle de la causalité adéquate.
Opp. théorie de la causalité adéquate.
V.a. causalité matérielle, cause matérielle, condition *sine qua non*+.
Angl. doctrine of the equivalence of conditions.

THÉORIE DE L'EXPÉDITION

(*Obl.*) Théorie selon laquelle un contrat entre non-présents se forme au temps et au lieu où le destinataire de l'offre confie son acceptation à un intermédiaire chargé de la transmettre à l'offrant. « [...] en 1901, la Cour suprême fut saisie du problème dans l'affaire *Magann* c. *Auger*. Elle [...] adopt[a] la *théorie de l'expédition*, selon laquelle le contrat est parfait dès le moment où l'acceptant se départit de son acceptation » (Baudouin, *Obligations*, n° 115, p. 105).
Rem. La jurisprudence applique la théorie de l'expédition lorsque l'offre et l'acceptation sont transmises par le même intermédiaire; par ex., l'offre et l'acceptation sont faites par la poste : le contrat se forme au temps et au lieu où l'acceptant se dessaisit de son acceptation en la remettant à la poste.
Syn. système de l'émission, système de l'expédition, théorie de l'émission.
Opp. théorie de la réception. **V.a.** théorie de la déclaration, théorie de l'information.
Angl. theory of expedition.

THÉORIE DE L'IMPRÉVISION

(*Obl.*) Théorie selon laquelle le juge est admis à réviser les termes d'un contrat dans le but de rétablir l'équilibre entre les prestations des parties lorsque des événements imprévisibles lors de la conclusion du contrat ont considérablement aggravé, pour une partie, les conditions d'exécution de ses obligations. « Une admission en bloc de la théorie de l'imprévision nuirait à la stabilité du régime contractuel. Elle ne peut, au fond, servir que de mécanisme d'appoint ou de secours dans des situations exceptionnelles et particularisées » (Baudouin, *Obligations*, n° 357, p. 240).
Rem. Cette théorie n'est pas reconnue en droit québécois.
V.a. clause de révision, révision du contrat.
Angl. doctrine of imprevision, doctrine of unforeseen circumstances+.

THÉORIE DE L'INFORMATION

(*Obl.*) Théorie selon laquelle un contrat entre non-présents se forme au temps et au lieu où l'offrant prend effectivement connaissance de l'acceptation. « La théorie de l'information fut admise par une certaine jurisprudence au début de la codification : le contrat est parfait à partir de l'instant où

l'acceptation de l'offre est connue du pollicitant » (Baudouin, *Obligations*, n° 114, p. 105).
Rem. **1°** À cause des difficultés de preuve auxquelles elle donne lieu, cette théorie n'est pas retenue par la doctrine et la jurisprudence. **2°** Certains auteurs font de la théorie de l'information une théorie générale regroupant la théorie de la réception et la théorie de l'information proprement dite ci-dessus définie.
Syn. système de l'information. **V.a.** théorie de la déclaration, théorie de la réception, théorie de l'expédition.
Angl. theory of information.

THÉORIE DES IMPENSES

(*Biens*) Théorie selon laquelle le propriétaire d'un immeuble, qui va en reprendre possession et profiter des impenses effectuées par le possesseur actuel, est tenu d'indemniser ce dernier en fonction de sa bonne foi et selon la nature de ces impenses. « Au Moyen-Age la théorie des impenses prend un aspect exclusivement coutumier et le régime romain [...] est schématisé en trois propositions : "les impenses nécessaires sont intégralement remboursées; les impenses utiles sont remboursées à concurrence de la plus-value qu'elles ont procurée au bien; les impenses voluptuaires ne sont jamais remboursées" » (Fayard, *Impenses*, n° 4, p. 4).
Rem. Dans le droit actuel, le régime des impenses est prévu à l'art. 417 C. civ.
Angl. doctrine of disbursements.

THÉORIE DES RISQUES

(*Obl.*) Théorie qui détermine laquelle des parties à un contrat synallagmatique supporte les conséquences de l'inexécution d'une obligation par suite d'un cas fortuit. « Si l'un des contractants, en raison d'un cas fortuit ou d'une force majeure, n'est plus en mesure de fournir la prestation promise, le cocontractant reste-t-il quand même tenu d'exécuter la sienne? En d'autres termes, qui assume les risques du contrat (*Théorie des risques*)? » (Baudouin, *Obligations*, n° 433, p. 276).
Rem. **1°** La théorie des risques se rencontre en matière de contrats synallagmatiques. Un des contractants est empêché par cas fortuit d'exécuter son obligation; en principe, il en est libéré (art. 1200, 1202 C. civ.) La question des risques est de savoir si le cocontractant est également libéré de l'obligation corrélative ou s'il est quand même tenu de l'exécuter. **2°** Selon la théorie des risques, dans un contrat synallagmatique non translatif de propriété, les risques sont à la charge du débiteur de l'obligation dont l'exécution est rendue impossible par cas fortuit; il est en principe libéré de son obligation, mais ne peut exiger de son cocontractant l'accomplissement de l'obligation corrélative (*res perit debitori*). Par ailleurs, s'il s'agit d'un contrat synallagmatique translatif de propriété, les risques sont, en principe, à la charge du contractant qui est propriétaire au moment où survient le cas fortuit (*res perit domino*). **3°** Dans un contrat unilatéral (par ex. le prêt à usage, le dépôt), un seul contractant est obligé. S'il est empêché par cas fortuit d'exécuter son obligation, il en est libéré. La question des risques ne se pose pas puisque le cocontractant n'est tenu d'aucune obligation corrélative. Comme le débiteur de l'obligation inexécutée est libéré, le créancier perd la chose faisant l'objet du contrat (*res perit creditori*). **4°** Les règles relatives aux risques ont un caractère supplétif et les parties ont la liberté d'y déroger.
V.a. impossibilité d'exécution, perte de la chose due, risque de la chose, risque du contrat.
Angl. doctrine of risks.

THÉORIE DES STATUTS

(*D. int. pr.*) Doctrine, née au Moyen Âge en Italie du nord, selon laquelle les lois particulières à chaque ville (*statuta*), par opposition au droit romain qui constituait le droit supérieur et commun, étaient clas-

sées en statuts réels ou statuts personnels, afin de fixer l'étendue, territoriale ou extraterritoriale, de leur application. « [...] la théorie des statuts constitue la base historique du droit international privé du Québec à la veille du Code civil » (Castel, *Droit int. privé*, p. 20).
Angl. theory of statut.

THÉORIE DU RENVOI

(*D. int. pr.*) Théorie selon laquelle, dans une situation comportant un élément d'extranéité, on tient compte de l'existence de la règle de conflit étrangère désignée par celle du for pour en tirer la désignation ultérieure de la loi applicable. « La théorie du renvoi existe, son application est répandue, une importante partie de la littérature juridique québécoise la favorise et la Cour d'appel de la Province de Québec l'a sanctionnée à l'unanimité dans une décision que la Cour Suprême du Canada a confirmée [...] » (Deschênes, *Théorie du renvoi*, 265, p. 285).
Angl. doctrine of renvoi.

TIERS *n.m.*

(*Obl.*) Personne étrangère à un rapport juridique. « Certains contrats ont une importance tellement grande en raison des obligations qu'ils contiennent que la loi a voulu, pour protéger soit les contractants eux-mêmes, soit les tiers, que leur volonté soit exprimée en respectant un certain formalisme écrit » (Baudouin, *Obligations*, n° 67, p. 73).
Occ. Art. 1023, 1027, 2098 C. civ.
Opp. partie. **V.a.** autrui, garantie du fait des tiers, *penitus extraneus*.
Angl. third party, third person+.

TIERS-ACQUÉREUR, TIERCE-ACQUÉRESSE *n.*

(*Obl.* et *Prescr.*) Acquéreur d'un bien par rapport à des personnes autres que son auteur ou les auteurs de ce dernier. « [...] la prescription décennale en faveur des tiers acquéreurs est libératoire en même temps qu'acquisitive. Elle procure en effet l'extinction des servitudes, charges et hypothèques qui grevaient l'immeuble acquis (art. 2251) » (Mignault, *Droit civil*, t. 9, p. 508).
Occ. Art. 2116*a*, 2253 C. civ.; titre précédant l'art. 2251 C. civ.
Rem. On écrit aussi *tiers acquéreur*.
Angl. third party acquirer.

TIERS BÉNÉFICIAIRE

(*Obl.*) Personne au profit de laquelle le promettant[2], dans une stipulation pour autrui, s'engage vis-à-vis du stipulant. « Le tiers bénéficiaire ne devient pas créancier du stipulant, puisque le droit au bénéfice de la stipulation lui échoit directement et non par l'intermédiaire de ce dernier » (Baudouin, *Obligations*, n° 413, p. 266).
Occ. Art. 1440 al. 2, 1441, 1442, Projet de loi 125.
Angl. third party beneficiary.

TIERS-DÉTENTEUR, TIERCE-DÉTENTRICE *n.*

(*Sûr.*) Propriétaire d'un immeuble grevé d'un privilège ou d'une hypothèque, qui n'est pas personnellement obligé au paiement de la dette. « [Le] tiers détenteur n'est pas un débiteur, il n'est tenu que comme propriétaire de l'immeuble hypothéqué, *propter rem* : ce n'est pas lui qui doit, c'est l'immeuble » (Planiol et Ripert, *Traité*, t. 13, n° 1073, p. 413).
Occ. Art. 2053, 2054, 2066 C. civ.
Rem. **1°** Le tiers-détenteur est généralement l'acquéreur d'un immeuble déjà grevé d'un privilège ou d'une hypothèque. Le terme peut désigner aussi le propriétaire d'un immeuble qui l'a grevé d'une hypothèque pour garantir la dette d'autrui (caution réelle). **2°** On écrit aussi *tiers détenteur*.
Angl. holder[5], third party holder+.

TIERS-SAISI, TIERCE-SAISIE *n.*

(*D. jud.*) Personne qui est le débiteur du débiteur saisi et entre les mains de qui une

créance est saisie-arrêtée. « [...] la déclaration affirmative apparaît bien comme une pièce maîtresse de la saisie-arrêt puisque son défaut peut aller jusqu'à rendre le tiers saisi débiteur personnel du saisissant qui lui est totalement étranger » (Donnier, *Rép. proc. civ.*, v° Saisie-arrêt, n° 287).
Occ. Art. 625 C. proc. civ.
Rem. Le Code de procédure civile écrit ce terme avec un trait d'union, contrairement au Code de procédure civile français qui l'omet.
V.a. saisi, saisissant.
Angl. garnishee.

TITRE *n.m.*

1. Fondement juridique d'un droit, d'une possession ou d'une détention. Par ex., un acte juridique, la loi. « [...] dans le cas d'un locataire [...] son titre — la cause, le principe de son occupation, ce en vertu de quoi il a commencé son occupation —, c'est le bail [...] » (Martineau, *Prescription*, n° 75, p. 72). *Possession vaut titre.*
Occ. Art. 2208, 2242 C. civ.
V.a. interversion de titre, juste titre, tradition par interversion de titre.
Angl. title[1].

2. A. (*Obl.*) Syn. acte juridique. « [...] les servitudes s'acquièrent *par titre*. C'est [...] comme si [la loi] disait : les servitudes peuvent s'acquérir soit par l'effet d'une *convention* (à titre gratuit ou à titre onéreux) faite avec le propriétaire du fonds que l'on veut asservir, soit par l'effet d'un *testament* » (Mignault, *Droit civil*, t. 3, p. 148).
Occ. Art. 412, 549, 2254 C. civ.
Angl. act[2.A], juridical act+, juridical fact[3], *negotium*, title[2.A].

2. B. (*Obl.*) Syn. acte instrumentaire. « Les transferts de droit réels immobiliers donnent lieu [...] le plus souvent à l'établissement de titres, surtout depuis que la loi impose la publicité foncière » (Marty et Raynaud, *Biens*, n° 221, p. 277). *Examen de titres*; *fournir, produire titres.*
Occ. Art. 1181, 1227, 1476, 2249 C. civ.
V.a. action en passation de titre, titre de créance, titre de propriété.
Angl. act[2.B], *acte*, attesting deed+, deed[1], *instrumentum*, title[2.B].

TITRE CONSTITUTIF

(*Obl.*) Syn. acte constitutif. « Quant au titre constitutif de la servitude, il peut s'agir, soit d'un acte à titre gratuit, soit d'un acte à titre onéreux [...] Le titre constitutif peut être un acte unilatéral ([...] servitude établie par testament du propriétaire du fonds servant), comme il peut être un contrat (donation, contrat à titre onéreux) » (Larroumet, *Droit civil*, t. 2, n° 852, p. 545).
Occ. Art. 550, 554 C. civ.
Rem. Ce terme s'emploie surtout à propos des servitudes.
V.a. titre translatif.
Angl. constitutive act, constitutive title+.

TITRE DE CRÉANCE

(*Preuve*) Titre[2.B] destiné à prouver un droit de créance. « Dans la [...] situation [...] où l'*accipiens* est le véritable créancier, mais où le *solvens* n'est pas le véritable débiteur, [...] pour que le recours en répétition de l'indu soit admissible. Il faut que l'*accipiens* n'ait pas détruit son titre de créance » (Pineau et Burman, *Obligations*, n° 178, p. 247).
Occ. Art. 2124 C. civ.
Rem. Voir l'art. 1494 C. civ.
Angl. title of creance.

TITRE DE PAIEMENT

(*Obl.*) Écrit constatant un paiement.
V.a. décharge[B], quittance, reçu[1].
Angl. title of payment.

TITRE DE PROPRIÉTÉ

(*Preuve*) Titre[2.B] destiné à prouver un droit de propriété. « [...] la délivrance devant

avoir pour but de remettre entre les mains de l'acheteur les moyens de tirer tout le profit utile de sa propriété nouvelle, elle ne se réalisera que si le vendeur remet à l'acheteur tous les instruments de propriété dont il dispose : clefs permettant l'accès, titres de propriété permettant de prouver l'existence du droit acquis » (Planiol et Ripert, *Traité*, t. 10, n° 73, p. 77).
Rem. Voir l'art. 1499 C. civ.
Angl. title of ownership.

TITRE GRATUIT (À) *loc.adj.*

(*Obl.*) V. acte à titre gratuit, contrat à titre gratuit, disposition à titre gratuit.
Angl. gratuitous title (by).

TITRE INTERVERTI

(*Biens* et *Prescr.*) Titre[1] faisant l'objet d'une interversion de titre.
Angl. interverted title.

TITRE NOUVEL

(*Presc.* et *Preuve*) Acte récognitif destiné à interrompre une prescription. « L'article 2257 C. C. vise à protéger le titulaire d'une servitude, charge ou hypothèque contre une prescription décennale qui pourrait courir contre lui à la suite d'une aliénation de l'immeuble sur lequel porte son droit. Cette disposition lui permet d'exiger un titre nouveau de tout acquéreur de l'immeuble. Par ce titre "nouvel", l'acquéreur reconnaît l'existence de la servitude, charge ou hypothèque, [ce qui] a pour effet d'interrompre la prescription décennale de l'acquéreur » (Martineau, *Prescription*, n° 260, p. 267).
Occ. Art. 2249, 2257 C. civ.
Angl. deed of renewal, renewal-deed, renewal-title⁺.

TITRE ONÉREUX (À) *loc.adj.*

(*Obl.*) V. acte à titre onéreux.
Angl. onerous title (by).

TITRE PARTICULIER (À) *loc.adj.*

V. acquéreur à titre particulier, ayant cause à titre particulier, ayant droit à titre particulier, légataire à titre particulier, legs à titre particulier, successeur à titre particulier, transmission à titre particulier, usufruit à titre particulier, usufruitier à titre particulier.
Angl. particular title (by).

TITRE PRIMORDIAL

(*Preuve*) Syn. acte primordial. « L'acte recognitif dont traite l'art. 1213 C. C. est celui qui a pour objet la reconnaissance d'un droit déjà constaté dans un acte antérieur. C'est pourquoi cet article exige que l'acte recognitif relate la substance du titre primordial » (Ducharme, *Preuve*, n° 193, p. 97).
Occ. Art. 1213 C. civ.
Angl. original act, original deed, original title, primordial act, primordial deed, primordial title⁺.

TITRE PUTATIF

(*Obl.* et *Prescr.*) Titre[2.A] à l'existence duquel un possesseur croit alors qu'il n'existe pas en réalité. « *Titre putatif* — C'est celui qui n'existe que dans la *pensée* du possesseur. [...] L'exemple classique est celui du testament révoqué, sans qu'on le sache, par un second testament [...] qui n'est découvert que plus tard; le légataire particulier mis en possession de son legs ne pourra se prévaloir de la prescription abrégée [de dix ans], parce que son titre (le premier testament) n'existait pas réellement » (Carbonnier, *Droit civil*, t. 3, n° 65, p. 300).
Rem. Le titre putatif ne donne pas lieu à la prescription abrégée de 10 ans de l'art. 2251 C. civ.
Angl. putative title.

TITRE RÉCOGNITIF

(*Preuve*) Syn. acte récognitif. « Lorsque le titre original de la servitude est perdu ou

détruit, on peut le remplacer par un autre titre, où l'existence de la servitude est reconnue, et qu'on appelle pour cela titre recognitif » (Montpetit et Taillefer, dans *Traité*, t. 3, p. 465).
Angl. act of recognition⁺, deed of recognition.

TITRE TRANSLATIF

(*Obl.*) Syn. acte translatif. « Quant aux jugements, ils ne constituent pas, en règle générale, des titres translatifs : ils sont déclaratifs, non translatifs de droits » (Rodys, dans *Traité*, t. 15, p. 279).
V.a. titre constitutif.
Angl. translatory act, translatory title⁺.

TITRE TRANSLATIF DE PROPRIÉTÉ

(*Obl.* et *Prescr.*) Syn. acte translatif de propriété. « Bien que la vente d'une chose d'autrui soit nulle (art. 1487), la vente *a non domino* constitue un titre translatif de propriété pouvant servir de base à la prescription contre le véritable propriétaire alors même qu'elle n'a pas été enregistrée » (Rodys, dans *Traité*, t. 15, p. 278).
Occ. Art. 2206, 2251 C. civ.
Rem. Ce terme s'emploie surtout en matière de prescription.
Angl. lawful title, translatory act of ownership, translatory title of ownership⁺.

TITRE UNIVERSEL (À) *loc.adj.*

(*Obl.*) V. ayant cause à titre universel, ayant droit à titre universel, légataire à titre universel, legs à titre universel, successeur à titre universel, transmission à titre universel, usufruit à titre universel.
Angl. general title (by).

TITULAIRE *n.* et *adj.*

Personne sur la tête de qui repose un droit.
Angl. holder[4], titulary⁺.

TOLÉRANCE *n.f.*

(*Biens*) V. acte de simple tolérance, acte de tolérance, bail par tolérance, jour de tolérance.
Angl. sufferance.

TORT *n.m.*

1. (*Obl.*) Syn. faute[1]. « Quand il y a réconcilation, c'est que l'époux offensé a consenti à *pardonner* : il a oublié les torts de l'autre [...] » (Ripert et Boulanger, *Traité*, t. 1, n° 1457, p. 570). *Aux torts de ...*
Occ. Anc. art. 208 C. civ. (1969-1982).
Angl. fault[1]⁺, wrong[1].

2. (*Obl.*) Syn. dommage. « Personne ne peut être l'auteur de pareilles infortunes, sans être tenu de payer une compensation proportionnée au tort qui a été causé par sa propre négligence » (*Driver* c. *Coca-Cola Ltd*, [1961] R.C.S. 201, p. 207, j. R. Taschereau).
Angl. damage⁺, harm, injury, loss[3], prejudice, wrong[2].

TOTAL, ALE *adj.*

V. incapacité totale, renvoi total.

TRADITIO BREVI MANU *loc.nom.f.* (latin)

(*Obl.*) Syn. tradition par interversion de titre.
Angl. *brevi manu* tradition, tradition by interversion of title⁺.

TRADITIO LONGA MANU *loc.nom.f.* (latin)

(*Obl.*) Syn. tradition symbolique.
Angl. *longa manu* tradition, symbolic tradition⁺.

TRADITION *n.f.*

(*Obl.*) Délivrance[1] d'une chose matérielle qui fait l'objet d'une obligation de donner.

« Il faut se garder de confondre la délivrance avec le transfert de propriété qui est réalisé indépendamment de la tradition ou de la remise matérielle de la chose à l'acheteur (art. 1025 et 1472 [C. civ.]) » (Pourcelet, *Vente*, p. 105).
Occ. Art. 795 C. civ.
Rem. **1°** La tradition constitue soit un mode d'exécution d'une obligation de délivrance (art. 1478 C. civ.), soit une condition de formation du contrat (art. 776 al. 2 C. civ.). **2°** En droit français, le terme *tradition* s'entend parfois, en un sens plus étendu, de la délivrance d'une chose matérielle nécessaire à la formation des contrats réels (art. 1919 C. civ. fr.). **3°** Du latin *traditio* : action de livrer, de transmettre.
V.a. enlèvement, livraison.
Angl. tradition.

TRADITION ACTUELLE

(*Obl.*) (X) *Angl.* V. tradition réelle.
Occ. Art. 1025 C. civ.
Angl. actual tradition+, effective tradition, real tradition.

TRADITION DE BRÈVE MAIN

(*Obl.*) Syn. tradition par interversion de titre. « [Dans le cas de constitut possessoire] [...] on se passe de toute traditio même symbolique. Il en va de même en ce qui concerne la tradition de brève main (*traditio brevi manu*) : il s'agit de la situation dans laquelle l'acquéreur détient déjà la chose qui lui est transmise à titre de propriétaire, par exemple parce qu'il en est usufruitier ou locataire » (Larroumet, *Droit civil*, t. 2, n° 366, p. 223).
Angl. *brevi manu* tradition, tradition by interversion of title+.

TRADITION DE LONGUE MAIN

(*Obl.*) Syn. tradition symbolique. « [...] sans revenir sur la nécessité de la *traditio*, on l'assouplit en n'exigeant pas la remise de la chose elle-même. Ce fut le cas de la tradition symbolique [...] encore appelée tradition de longue main ou *traditio longa manu* » (Larroumet, *Droit civil*, t. 2, n° 366, p. 223).
Angl. *longa manu* tradition, symbolic tradition+.

TRADITION FEINTE

(*Obl.*) Tradition opérée par le seul consentement des parties, sans dépossession de l'aliénateur.
Rem. La tradition feinte se réalise par le constitut possessoire.
Syn. tradition fictive. **Opp.** tradition par interversion de titre, tradition réelle, tradition symbolique.
Angl. feigned tradition, fictitious tradition+.

TRADITION FICTIVE

(*Obl.*) Syn. tradition feinte.
Angl. feigned tradition, fictitious tradition+.

TRADITION PAR INTERVERSION DE TITRE

(*Obl.*) Tradition opérée par la modification du titre de celui qui détient déjà la chose. Par ex., dans le cas d'un locataire qui achète de son locateur un meuble loué de lui.
Syn. *traditio brevi manu*, tradition de brève main. **Opp.** tradition feinte, tradition réelle, tradition symbolique.
Angl. *brevi manu* tradition, tradition by interversion of title+.

TRADITION RÉELLE

(*Obl.*) Tradition qui s'opère par la remise[1] de la chose. « L'effort de la technique juridique a consisté à assouplir les formes de la tradition et les textes romains fournissent déjà de nombreux exemples de transferts de propriété opérés sans tradition réelle » (Ripert et Boulanger, *Traité*, t. 2, n° 2441, p. 855).
Occ. Art. 808 C. civ.

Opp. tradition feinte, tradition par interversion de titre, tradition symbolique. **F.f.** tradition actuelle.
Angl. actual tradition+, effective tradition, real tradition.

TRADITION SYMBOLIQUE

(*Obl.*) Tradition qui s'opère par la remise d'un objet qui symbolise la chose à délivrer. Par ex., la clé du lieu où se trouve la chose. « Au Bas Empire, la tradition symbolique s'opère [...] par la simple remise des titres de propriété » (Mazeaud et Chabas, *Leçons*, t. 2, vol. 2, n° 1614, p. 305).
Syn. *traditio longa manu*, tradition de longue main. **Opp.** tradition feinte, tradition par interversion de titre, tradition réelle.
Angl. *longa manu* tradition, symbolic tradition+.

TRAITE *n.f.*

(*D. comm.*) Syn. lettre de change. « [...] le législateur permet d'employer indifféremment "lettre de change" ou "lettre". [...] En pratique, on appelle également parfois cet instrument "traite", "draft" » (Perrault, *Droit commercial*, t. 3, n° 113, p. 184).
Angl. bill, bill of exchange+, draft.

TRANSACTION *n.f.*

(*Obl.*) Contrat par lequel les parties mettent fin à un procès commencé ou préviennent une contestation à naître au moyen de concessions réciproques ou unilatérales. « La transaction est un *contrat* au sens précis du terme, puisqu'elle crée une obligation, obligation de ne pas faire : celle de ne pas recourir à justice ou de ne pas continuer une procédure en cours » (Mazeaud et Chabas, *Leçons*, t. 3, vol. 2, n° 1634, p. 1083).
Occ. Art. 1918, 1920, 1925 C. civ.
Rem. **1°** La transaction est judiciaire ou extrajudiciaire selon qu'elle sert à terminer un procès commencé ou qu'elle vise à empêcher l'introduction d'une action en justice. **2°** Ne pas confondre avec compromis. **3°** Dans la langue courante, le terme *transaction* est aussi employé pour désigner une convention quelconque et, particulièrement, une opération commerciale (voir par ex., les art. 1202*b*, 1569*e*, 2712 C. civ.).
V.a. règlement hors cour.
Angl. out-of-court settlement, settlement², transaction+.

TRANSFÉRER *v.tr.*

(*Obl.* et *D comm.*) Opérer le transfert.
Occ. Art. 1022 C. civ.
Angl. convey², transfer+.

TRANSFERT *n.m.*

1. (*Obl.*) Transmission d'un droit², surtout à propos de la transmission entre vifs du droit de propriété. « [...] le droit québécois ne fait pas de la livraison une condition nécessaire au transfert du droit de propriété entre les parties » (Baudouin, *Obligations*, n° 470, p. 294-295).
Rem. Le terme *transfert* s'emploie aussi à propos d'une obligation ou d'une charge.
Syn. translation. **V.a.** aliénation, cession, disposition¹, mutation, transport.
Angl. conveyance², transfer¹+.

2. A. (*D. comm.*) (X) V. cession, dans le cas des valeurs mobilières et des effets de commerce.
Rem. La *Loi sur les compagnies* (L.R.Q., chap. C-38, art. 71 par. 1), la *Loi sur les sociétés par actions* (L.R.C. (1985), chap. C-44, art. 48(1)) et la *Loi sur les lettres de change* (L.R.C. (1985), chap. B-4, art. 60 (1)), sous l'influence de l'anglais, emploient le terme dans ce sens étendu; toutefois, à cause de l'absence de termes dérivés de transfert pour désigner l'auteur ou le bénéficiaire de cette transmission, ces textes emploient *cédant* et *cessionnaire*. Par contre, la *Loi sur les valeurs mobilières* (L.R.Q., chap. V-1.1) emploie correctement le terme *cession*, notamment à l'art. 5 dans la définition de société fermée.
Angl. assignment¹+, cession, conveyance³, transfer².A.

2. B. (*D. comm.*) Mode de transmission des titres nominatifs, qui s'effectue par l'inscription, sur un registre tenu par l'émetteur, du nom du cessionnaire et la radiation de celui du cédant.
Rem. Cette inscription rend la cession opposable à l'émetteur.
Angl. transfer[2.B].

TRANSIGER *v.intr.*

(*Obl.*) Effectuer une transaction. « On peut transiger, en principe, sur tout litige, qu'il concerne l'existence d'un droit quelconque, sa validité, ses modalités, ou son étendue » (Planiol et Ripert, *Traité*, t. 11, n° 1575, p. 1024).
Occ. Art. 307, 1919, 1925 C. civ.
Angl. settle[3], transact[+].

TRANSITOIRE *adj.*

V. disposition transitoire.

TRANSLATIF, IVE *adj.*

(*Obl.*) Qui a pour objet de faire passer un droit[2] d'un titulaire à un autre. « [...] on ne saurait considérer comme justes titres [...] [les conventions] qui ne sont que déclaratives et non translatives de propriété, c'est-à-dire les transactions et les partages [...] » (Aubry et Rau, *Droit civil*, t. 2, n° 311, p. 493-494).
Opp. abdicatif, attributif[1], constitutif, déclaratif. **V.a.** acte translatif, acte translatif de propriété, contrat translatif, contrat translatif de propriété, effet translatif, titre translatif, titre translatif de propriété.
Angl. translatory.

TRANSLATION *n.f.*

(*Obl.*) Syn. transfert[1].
Angl. conveyance[2], transfer[1+].

TRANSMETTRE *v.tr.*

(*Obl.* et *Succ.*) Opérer la transmission.
Occ. Art. 599 C. civ.
Angl. transmit.

TRANSMISSIBILITÉ *n.f.*

(*Obl.* et *Succ.*) Qualité d'un bien ou d'une dette susceptible de transmission.
Opp. intransmissiblité.
Angl. transmissibility.

TRANSMISSIBLE *adj.*

(*Obl.* et *Succ.*) Susceptible de transmission. « Les droits sont en principe transmissibles, ou comme on le dit encore, *in commercio*, dans le commerce juridique » (Marty et Raynaud, *Introduction*, n° 171, p. 303).
Opp. intransmissible. **V.a.** aliénable, cessible, disponible[1].
Angl. transmissible.

TRANSMISSION *n.f.*

(*Obl.* et *Succ.*) Passage d'une personne à une autre, de biens[1] ou de charges[1], notamment par suite du décès. « L'idée de succession implique celle de transmission. La succession est, en effet, un mode de transfert des biens, des droits et obligations du défunt : c'est en cela que les héritiers lui "succèdent" » (Brière, *Successions*, n° 107, p. 125). *Transmission du patrimoine.*
Occ. Art. 596 C. civ.
Rem. **1°** Celui dont le bien ou la dette est transmis s'appelle l'*auteur*; le bénéficiaire de la transmission s'appelle l'*ayant cause*.
2° Dans son sens général, la transmission se rapproche de la disposition[1], sauf que celle-ci suppose nécessairement un acte juridique, alors que la transmission peut résulter de la loi seule, par ex., la succession légale.
V.a. acquisition[1], aliénation, cession, disposition[1], mutation, transfert[1], transport[3].
Angl. transmission.

TRANSMISSION À TITRE PARTICULIER

(*Obl.* et *Succ.*) Transmission d'un bien déterminé ou déterminable.

Rem. Ce terme peut aussi s'employer dans le cas d'une cession de dette.
Opp. transmission à titre universel, transmission universelle. **V.a.** ayant cause à titre particulier, legs à titre particulier, usufruit à titre particulier.
Angl. transmission by particular title.

TRANSMISSION À TITRE UNIVERSEL

(*Obl.* et *Succ.*) Transmission, à cause de mort, d'une quote-part du patrimoine d'une personne, d'une universalité ou d'une quote-part d'une universalité de ce patrimoine.
Opp. transmission à titre particulier, transmission universelle. **V.a.** ayant cause à titre universel, legs à titre universel, usufruit à titre universel.
Angl. transmission by general title.

TRANSMISSION UNIVERSELLE

(*Obl.* et *Succ.*) Transmission, à cause de mort, de la totalité du patrimoine.
Opp. transmission à titre particulier, transmission à titre universel. **V.a.** ayant cause universel, legs universel, usufruit universel.
Angl. universal transmission.

TRANSPORT *n.m.*

1. (*Obl.*) Action de déplacer une personne ou une chose d'un lieu à un autre. « [...] le transporteur avec qui l'expéditeur a contracté peut fort bien ne pas être celui qui, dans les faits, exécute le transport [...] » (Pineau, *Transport*, n° 13, p. 15).
Angl. carriage[1]+, conveyance[1], transport[1], transportation.

2. (*Obl.*) Syn. contrat de transport. « Le contrat de transport est celui par lequel, moyennant une [...] rémunération, un transporteur se charge de faire parcourir un itinéraire déterminé [...] à une chose ou une personne. — On distingue donc deux catégories de transports : le transport de marchandises et le transport de personnes » (*Dict. de droit*, t. 1, v° Contrat de transport, n° 1).
Angl. carriage[2], contract of carriage+, contract of transport, contract of transportation, transport[2].

3. (*Obl.*) Syn. cession.
Occ. Art. 1192 C. civ.
Angl. assignment[1]+, cession, conveyance[3], transfer[2.A].

TRANSPORT-CESSION *n.m.*

(*Obl.*) Syn. cession de créance.
Angl. assignment of creance+, transfer of creance, transfer of debt.

TRANSPORT DE CHOSES

(*Obl.*) Syn. contrat de transport de marchandises. « Dans le *transport de choses*, l'obligation du transporteur [...] relativement à la garde (1672-1678 c.c.) et à la livraison de la chose qui lui est confiée, est normalement contractuelle » (Larouche, *Obligations*, t. 1, n° 271, p. 340).
Angl. carriage of goods, carriage of merchandises, contract for the carriage of goods+, contract for the carriage of merchandises, contract for the transport of goods, contract for the transport of merchandises, transport of goods, transport of merchandises.

TRANSPORT DE CRÉANCE

(*Obl.*) Syn. cession de créance.
Occ. Art. 2127 C. civ.
Angl. assignment of creance+, transfer of creance, transfer of debt.

TRANSPORT DE DETTE

(*Obl.*) Syn. cession de dette.
Rem. Les art. 1174 et 1571*a* du Code civil emploient erronnément les termes *transport de dette* et *vente de dette* pour désigner une cession de créance, ce qui s'explique par le fait que la version anglaise emploie *debt* comme équivalent de *créance* (art. 1570 C. civ.).
Angl. assignment of debt.

TRANSPORT DE MARCHANDISES

(*Obl.*) Syn. contrat de transport de marchandises. « La stipulation pour autrui existe [...] dans l'hypothèse du transport de marchandises. Le contrat est passé entre l'*expéditeur* et le *transporteur* au profit du destinataire » (Starck, Roland et Boyer, *Obligations*, t. 2, n° 1256, p. 436).
Opp. transport de personnes.
Angl. carriage of goods, carriage of merchandises, contract for the carriage of goods+, contract for the carriage of merchandises, contract for the transport of goods, contract for the transport of merchandises, transport of goods, transport of merchandises.

TRANSPORT DE PERSONNES

(*Obl.*) Syn. contrat de transport de personnes. « [...] le législateur québécois n'a pas cru devoir insérer dans le Code, en matière de transport de personnes, un article semblable à l'article 1675 du Code civil [...] » (Crépeau, (1960-1961) 7 *McGill L.J.* 225, p. 237).
Occ. Art. 1681 C. civ.
Opp. transport de marchandises.
Angl. carriage of persons, contract for the carriage of passengers, contract for the carriage of persons+, contract for the transport of passengers, contract for the transport of persons, transport of persons.

TRANSPORTER *v.tr.*

1. (*Obl.*) Effectuer un transport[1]. « [...] le contrat [de transport] dont traitent les articles 1672 C. c. et suivants est le "louage d'ouvrage", à titre onéreux, visant "le service des voituriers, tant par terre que par eau, lorsqu'ils se chargent du transport des personnes et des choses" (art. 1666 (2) C. c.). [...] il ne peut évidemment s'adresser qu'à ceux qui font profession de transporter et non point au simple individu qui, à l'occasion, accepte, moyennant rémunération, de déplacer un objet quelconque » (Pineau, *Transport*, n° 10, p. 14).
Occ. Art. 1673, 1677, 1809 C. civ.
Angl. convey[1]+, transport.

2. (*Obl.*) Syn. céder.
Occ. Art. 1201 C. civ.
Angl. assign+, cede.

TRANSPORTEUR, EURE *n.*

(*Obl.*) Partie à un contrat de transport qui s'engage à déplacer une personne ou une chose d'un lieu à un autre. « Le *contrat de transport de marchandises* comporte une stipulation [...] exigée du transporteur par l'expéditeur en faveur du destinataire » (Mazeaud et Chabas, *Leçons*, t. 2, vol. 1, n° 774, p. 907).
Syn. voiturier. **V.a.** destinataire[2], expéditeur, passager.
Angl. carrier.

TRAVAIL *n.m.*

(*Obl.*) V. contrat de travail.
Angl. employment.

TRÉFONCIER, IÈRE *adj.*

(*Biens*) Relatif à un immeuble par nature grevé d'un droit de superficie. « [...] notre article 415 C.c. [...] donne ouverture à l'existence légale de deux propriétés superposées : la propriété tréfoncière d'une part, la propriété superficiaire de l'autre » (Cardinal, *Superficie*, n° 29, p. 81).
Rem. L'adjectif *tréfoncier* n'est employé que dans le contexte des rapports du propriétaire d'un immeuble avec un superficiaire.

TRÉFONCIER, IÈRE *n.*

(*Biens*) Propriétaire d'un immeuble par nature grevé d'un droit de superficie. « Malgré l'existence du droit de superficie, le tréfoncier n'en conserve pas moins les droits d'un propriétaire sur sa chose, il conserve la pleine propriété du tréfonds sauf quant au droit réel qui en est détaché pour

l'utilité des superfices » (Cardinal, *Superficie*, n° 112, p. 222).
Rem. Le terme *tréfoncier* n'est employé que dans le contexte des rapports du propriétaire d'un immeuble avec un superficiaire.
Opp. superficiaire.
Angl. owner of the sub-soil.

TRÉFONDS *n.m.*

(*Biens*) Partie du sol située sous la surface. « Le maître du sol l'est aussi du tréfonds [...] Cette propriété suivant l'ancienne notion s'étend à une profondeur indéfinie » (Cardinal, *Superficie*, n° 27, p. 76).
Rem. Voir l'art. 414 C. civ.
V.a. fonds.
Angl. sub-soil.

TRIBUNAL *n.m.*

1. Organe investi par l'État de la mission de juger les procès. « Le rôle des tribunaux en tant qu'arbitres des litiges, interprètes du droit et défenseurs de la Constitution, exige qu'ils soient complètement séparés, sur le plan des pouvoirs et des fonctions, de *tous* les autres participants au système judiciaire » (*R.* c. *Beauregard*, [1986] 2 R.C.S. 56, p. 73, j. B. Dickson). *La saisine du tribunal, le Tribunal de la jeunesse.*
Occ. Art. 22 C. proc. civ.; *Loi sur les tribunaux judiciaires*, L.R.Q., chap. T-16.
Syn. cour[1]+, for, juridiction[1]. **V.a.** juge[1].
Angl. court[1]+, Court of Justice, forum.

2. Juge[1] qui siège en audience.
Occ. Art. 4 par. *e*, 453 C. proc. civ.
Syn. cour[2], président du tribunal. **Opp.** juge en chambre.
Angl. court[2]+, presiding judge[1].

TRIBUNAL DE DROIT COMMUN

(*D. jud.*) Tribunal compétent pour connaître de toute affaire que la loi n'a pas expressément attribuée à un autre tribunal. « Le droit du citoyen de s'adresser aux tribunaux de droit commun est la règle générale et toute restriction à l'exercice de ce droit constitue une exception et doit s'interpréter strictement » (*Association des policiers de la Cité de Giffard* c. *Giffard (Cité de)*, [1968] B.R. 863, p. 866-867, j. L. Tremblay).
Occ. Art. 31 C. proc. civ.
Rem. La Cour supérieure est le tribunal de droit commun en première instance.
Syn. juridiction de droit commun.
Opp. tribunal d'exception.
Angl. court of original general jurisdiction+, original jurisdiction.

TRIBUNAL D'EXCEPTION

(*D. jud.*) Tribunal qui ne peut connaître que des affaires qui lui ont été expressément attribuées par la loi. Par ex., la Cour du Québec, le Tribunal de la jeunesse.
Opp. tribunal de droit commun.
Angl. court of limited jurisdiction.

TRIBUNAL JUDICIAIRE

Tribunal compétent en matière civile ou pénale.
Rem. En ce qui concerne les tribunaux relevant de la compétence législative du Québec, l'organisation judiciaire est définie par la *Loi sur les tribunaux judiciaires* (L.R.Q., chap. T-16). Quant aux tribunaux relevant de la compétence législative de l'État central, il faut consulter la loi constitutive de la Cour fédérale (L.R.C. 1985, chap. F-7) et de la Cour suprême (L.R.C. 1985, chap. S-26).
Opp. tribunal administratif°. **F.f.** cour de justice[2].
Angl. court[1](>)+, Court of Justice(>), forum(>).

TROC *n.m.*

(*Obl.*) Syn. échange.
Angl. barter, contract of exchange, exchange+.

TROQUER *v.tr.*

(*Obl.*) Syn. échanger.
Angl. barter, exchange+.

TROUBLE DE DROIT

(*Obl.* et *Biens*) Atteinte à l'exercice d'un droit sur une chose qui consiste dans le fait pour une personne de se prétendre titulaire d'un droit dans cette chose. « [...] *lorsque le trouble causé par un tiers est un trouble de droit, le vendeur, sous certaines conditions, est tenu à garantie.* C'est que ce tiers se prévaut d'un droit sur la chose vendue, droit réel ou personnel [...] il se prétend propriétaire ou usufruitier; il invoque ou conteste une servitude; il s'affirme locataire; [...] il prétend être créancier hypothécaire » (Mazeaud et Chabas, *Leçons,* t. 3, vol. 2, n° 958, p. 279).
Opp. trouble de fait. **V.a.** garantie du fait des tiers, garantie du fait personnel.
Angl. disturbance of law.

TROUBLE DE FAIT

(*Obl.* et *Biens*) Atteinte à l'exercice d'un droit sur une chose qui consiste dans l'accomplissement d'actes matériels par une personne ne prétendant à aucun droit dans cette chose. « À la différence de la garantie du fait personnel, il faut, quant à la garantie du fait des tiers, [...] distinguer entre le trouble de fait et le trouble de droit. *Si le trouble que cause un tiers à l'acheteur est seulement de fait,* ce tiers ne se prévalant d'aucun droit, *le vendeur n'a pas à intervenir.* Il est, en effet, totalement étranger à ce trouble [...] Il appartient à l'acheteur de se défendre seul » (Mazeaud et Chabas, *Leçons,* t. 3, vol. 2, n° 958, p. 279).
Opp. trouble de droit. **V.a.** garantie du fait des tiers, garantie du fait personnel.
Angl. disturbance of fact.

TROUBLE DE VOISINAGE

(*Obl.* et *Biens*) Trouble de fait subi à raison des agissements d'un voisin qui dépassent les rapports normaux de voisinage. Par ex., tapage nocturne. « *La notion de trouble de voisinage* [...] *implique* [...] *celle d'empiètement* [...]; toutes les fois où le trouble a consisté dans un empiètement, la responsabilité du propriétaire est engagée dès que le préjudice a dépassé la mesure ordinaire des obligations du voisinage » (Mazeaud et Chabas, *Leçons,* t. 2, vol. 2, n° 1341, p. 80).
Rem. Voir l'art. 975, Projet de loi 125.
V.a. abus de droit.
Angl. neighbourhood disturbance.

TUTELLE *n.f.*

(*Pers.*) Régime légal de protection du mineur non émancipé ou du majeur inapte, de manière partielle ou temporaire, à prendre soin de lui-même ou à administrer ses biens. « La tutelle est une charge *publique et gratuite, imposée à une personne capable de prendre soin de la personne d'un incapable et de la représenter dans les actes de la vie civile* » (Mignault, *Droit civil,* t. 2, p. 154).
Occ. Titre précédant l'art. 249 C. civ.
Rem. **1°** Jusqu'en avril 1990, le régime de tutelle ne s'appliquait qu'au mineur non émancipé. **2°** Pour ce qui est du mineur non émancipé, on distingue la tutelle à la personne et la tutelle aux biens. **3°** La tutelle est dative (art. 249 C. civ.). Toutefois, l'art. 193 C. civ. Q. (L.Q. 1987, chap. 18, art. 1 n.e.v.), repris à l'art. 179 du Projet de loi 125, distingue la tutelle légale et la tutelle dative.
V.a. conseil de famille, curatelle, régimes de protection des majeurs.
Angl. tutorship.

TUTELLE À LA PERSONNE

(*Pers.*) Tutelle destinée à assurer la protection d'un mineur non émancipé ou d'un majeur protégé.
Rem. **1°** Voir les art. 290 et 328 C. civ. **2°** À défaut d'un titulaire, l'autorité parentale est confiée au tuteur à la personne du mineur.

Opp. tutelle aux biens.
Angl. tutorship to the person.

TUTELLE AUX BIENS

(*Pers.*) Tutelle qui pourvoit à l'administration des biens[2] d'un mineur non émancipé ou d'un majeur protégé.
Rem. **1°** Voir les art. 264, 290 et 328 C. civ. **2°** L'art. 204 C. civ. Q. (L.Q. 1987, chap. 18, art. 1 n.e.v.), repris à l'art. 190 du Projet de loi 125, prévoit la possibilité de confier la tutelle aux biens d'un mineur à une personne morale.
Opp. tutelle à la personne.
Angl. tutorship to property.

TUTELLE DATIVE

(*Pers.*) Tutelle déférée par l'autorité judiciaire.
Rem. **1°** Voir les art. 249 et s. C. civ., l'art. 334 C. civ., ainsi que les art. 872 et s. C. proc. civ. **2°** Les art. 193, 216 et 223 C. civ. Q. (L.Q. 1987, chap. 18, art. 1 n.e.v.), repris aux art. 179, 201 et 206 du Projet de loi 125, prévoient que la tutelle dative sera déférée par les père et mère ou par l'autorité judiciaire.
Opp. tutelle légale. **V.a.** tutelle testamentaire.
Angl. dative tutorship.

TUTELLE DE FAIT

(*Pers.*) Exercice de la tutelle par une personne qui n'en est pas titulaire. « L'intérêt de la notion de tutelle de fait est de permettre au mineur de bénéficier des avantages d'une tutelle régulière, alors que théoriquement devraient jouer les principes moins avantageux du mandat ou de la gestion d'affaires, sans avoir par ailleurs à souffrir de la gestion du tuteur de fait » (Marty et Raynaud, *Personnes*, n° 599, p. 701).
Rem. La tutelle de fait peut résulter de la continuation d'une tutelle qui a pris fin.
Angl. *de facto* tutorship.

TUTELLE LÉGALE

(*Pers.*) Tutelle déférée par la loi. Par ex., la tutelle d'office du directeur de la protection de la jeunesse (art. 72, *Loi sur la protection de la jeunesse*, L.R.Q., chap. P-34.1). « L'art. 249 C.C. ne reflète [...] pas tout à fait le droit actuel, car il existe des tutelles légales, par exemple, la tutelle des enfants trouvés, la tutelle des enfants immigrants, la tutelle des enfants indiens » (O.R.C.C., *Commentaires*, t. 1, p. 54).
Rem. Contrairement au Code civil français, le Code civil du Bas-Canada ne prévoit pas de tutelle légale des parents[2] sur les biens de leur enfant. Toutefois, les art. 208 et s. C. civ. Q. (L.Q. 1987, chap. 18, art. 1 n.e.v.), repris aux art. 193 et s. du Projet de loi 125, instituent cette forme de tutelle en prévoyant que les père et mère seront, de plein droit, les tuteurs légaux de leur enfant mineur.
Opp. tutelle dative. **V.a.** tutelle testamentaire.
Angl. legal tutorship.

TUTELLE TESTAMENTAIRE

(*Pers.*) Tutelle attribuée par testament.
Rem. Contrairement au Code civil français, le Code civil du Bas-Canada ne prévoit pas de tutelle testamentaire. Toutefois, l'art. 216 C. civ. Q. (L.Q. 1987, chap. 18, art. 1 n.e.v.), repris à l'art. 201 du Projet de loi 125, institue cette forme de tutelle comme modalité de la tutelle dative.
V.a. tutelle dative, tutelle légale.
Angl. testamentary tutorship.

TUTEUR, TUTRICE *n.*

(*Pers.*) Personne à qui la tutelle est confiée. « Lorsque les formalités préliminaires, essentiellement la prestation de serment et l'inventaire, ont été accomplies, le tuteur peut gérer sans danger les intérêts matériels de son pupille » (Azard et Bisson, *Droit civil*, n° 150, p. 298).
Occ. Art. 264, 334 C. civ.

Rem. Le tuteur au mineur non émancipé représente le mineur dans tous les actes de la vie civile; il a la pleine administration de ses biens (art. 290 C. civ.). Le tuteur au majeur protégé représente le majeur dans l'exercice de ses droits civils[5]; il a la simple administration de ses biens (art. 334 et 334.1 C. civ.).
V.a. conseil judiciaire, curateur, responsabilité du tuteur, subrogé-tuteur.
Angl. guardian²(x), tutor⁺.

TUTEUR *AD HOC* (latin)

(*Pers.*) Tuteur désigné pour une fin particulière. Par ex., lorsque l'action en désaveu ou en contestation de paternité est dirigée contre l'enfant et, selon le cas, contre la mère ou le père présumé, on nomme à l'enfant un tuteur *ad hoc* (art. 583 C. civ. Q.). « [...] la nomination d'un tuteur *ad hoc*, en dehors des cas spécialement mentionnés par le législateur, est illégale et [...] ce tuteur ne peut prétendre représenter le mineur ou exercer en son nom aucune fonction » (Mignault, *Droit civil*, t. 2, p. 176).
Occ. Art. 269 C. civ.; art. 816.1 C. proc. civ.
Rem. Le tuteur *ad hoc* est habituellement chargé de représenter le mineur quand un litige ou un conflit d'intérêts oppose ce dernier à son tuteur.
Syn. tuteur spécial.
Angl. *ad hoc* tutor⁺, special tutor.

TUTEUR À LA PERSONNE

(*Pers.*) Tuteur chargé de prendre soin de la personne du mineur non émancipé ou du majeur protégé. « Il est logique que le tuteur à la personne soit au courant de l'administration des biens du mineur, puisqu'il doit assurer l'entretien de celui-ci à même ces biens » (O.R.C.C., *Commentaires*, t. 1, p. 58).
Rem. Voir l'art. 264 C. civ.
Syn. tuteur honoraire. **Opp.** tuteur aux biens. **V.a.** tutelle à la personne.
Angl. tutor to the person.

TUTEUR AUX BIENS

(*Pers.*) Tuteur chargé d'administrer les biens du mineur non émancipé ou de majeur protégé. « [...] on peut nommer un tuteur *aux biens*. Dans ce cas, le tuteur n'aura pas l'obligation de prendre soin de la *personne* du mineur et ne sera pas investi des droits qui en découlent » (Mignault, *Droit civil*, t. 2, p. 199).
Syn. tuteur onéraire. **Opp.** tuteur à la personne. **V.a.** tutelle aux biens.
Angl. tutor to property.

TUTEUR DATIF

(*Pers.*) Tuteur désigné par l'autorité judiciaire sur avis du conseil de famille. « La tutelle est une charge évidemment *personnelle* [...] Il est bien normal que la tutelle soit personnelle, vu le mode de choix du tuteur datif » (Azard et Bisson, *Droit civil*, n° 151, p. 308).
Rem. Le tuteur datif est choisi par le juge ou le protonotaire siégeant dans le district du domicile du mineur (art. 249 C. civ.).
Opp. tuteur légal. **V.a.** tuteur testamentaire.
Angl. dative tutor.

TUTEUR DE FAIT

(*Pers.*) Personne qui, sans être tuteur, en exerce la fonction. « [...] les incapacités dont souffre un tuteur relativement à l'acquisition des biens de son pupille doivent continuer lorsque, privé de sa charge, il assume effectivement la tutelle et prolonge indéfiniment son administration par suite d'une erreur, de son ignorance de la loi ou pour toute autre cause : le mineur avait besoin de cette protection contre son tuteur de droit; il n'en a pas moins besoin contre son tuteur de fait » (*Denis-Cossette* c. *Germain*, [1982] 1 R.C.S. 751, p. 763, j. J. Beetz).
Rem. Certains estiment que l'héritier du tuteur qui administre la tutelle après la mort de son auteur (art. 266 C. civ.), n'est pas un tuteur de fait, car la loi le charge spé-

cifiquement de continuer la gestion d'affaires jusqu'à la nomination d'un nouveau tuteur.
Angl. *de facto* tutor.

TUTEUR HONORAIRE

(*Pers.*) *Vieilli.* Syn. tuteur à la personne.
Angl. tutor to the person.

TUTEUR LÉGAL

(*Pers.*) Tuteur désigné par la loi.
Opp. tuteur datif. **V.a.** tutelle légale, tuteur testamentaire.
Angl. legal tutor.

TUTEUR ONÉRAIRE

(*Pers.*) *Vieilli.* Syn. tuteur aux biens.
Angl. tutor to property.

TUTEUR SPÉCIAL

(*Pers.*) Syn. tuteur *ad hoc.* « [...] si un litige éclate entre le mineur et son tuteur, la loi prévoit (art. 269) la nomination d'un tuteur spécial (ou *ad hoc*), dont la mission sera précisément de plaider contre le tuteur et pour le compte du pupille » (Azard et Bisson, *Droit civil*, t. 1, n° 149, p. 293).
Occ. Art. 693 C. civ.
Angl. *ad hoc* tutor+, special tutor.

TUTEUR TESTAMENTAIRE

(*Pers.*) Tuteur désigné par testament.
V.a. tutelle testamentaire, tuteur datif, tuteur légal.
Angl. testamentary tutor.

U

UBERRIMA FIDES *loc.nom.f.* (latin)

La plus grande bonne foi, spécialement à propos du contrat d'assurance. « Il y a un point sur lequel l'unanimité est faite sur les contrats d'assurance : c'est celui de la bonne foi [...] La plus grande bonne foi ou *uberrima fides* doit exister, et ce, tant de la part de l'assuré que des assureurs » (*Labrecque* c. *Equitable Cie d'assurances générales*, [1976] C.S. 619, p. 632, j. T. McNicoll).
Angl. *uberrima fides*.

UNILATÉRAL, ALE *adj.*

(*Obl.*) V. acte unilatéral, acte unilatéral collectif, acte unilatéral individuel, contrat unilatéral, promesse unilatérale de contrat, résiliation unilatérale.
Angl. unilateral.

UNION CONJUGALE

(*Pers.*) Syn. mariage[1]. « De nombreuses définitions ont été données du mariage. Selon le catéchisme du Concile de Trente, c'est "l'union conjugale de l'homme et de la femme, contractée entre personnes légitimes et constituant une communauté de vie inséparable" » (Pineau, *Famille*, n°17, p. 10).
Angl. marital union, marriage[1]+.

UNION DE FAIT

(*Pers.*) État d'un homme et d'une femme vivant maritalement hors mariage[1].
Rem. Compte tenu de certaines circonstances, telle l'apparence et la durée de l'union, la loi attache des effets juridiques à l'union de fait : voir, notamment, la *Loi sur les accidents du travail et les maladies professionnelles*, L.R.Q., chap. A-3.001, art. 2.
Syn. concubinage, union libre.
Angl. common law marriage(x), concubinage, *de facto* union+.

UNION LIBRE

(*Pers.*) Syn. union de fait. « [...] avec la croissance des divorces, le mariage descend vers l'union libre et [...] avec le statut privilégié qui est maintenant celui des enfants, l'union libre monte vers le mariage » (Cossette, (1985-1986) 88 *R. du N.* 42, p. 59).
Angl. common law marriage(x), concubinage, *de facto* union+.

UNIQUE *adj.*

V. paiement unique.

UNITAIRE *adj.*

V. État unitaire.

UNIVERSALITÉ *n.f.*

Ensemble de biens, ou de biens et de charges, considérés comme formant un tout. Par ex., le patrimoine, le fonds de commerce. « Les droits, ou les biens, ne sont pas toujours envisagés séparément les uns des autres. On peut aussi les considérer comme faisant partie d'un ensemble, qui forme alors une *universalité* » (Weill et Terré, *Introduction*, n° 361, p. 352).

Occ. Art. 873 C. civ.
Rem. On distingue l'universalité de droit et l'universalité de fait.
Angl. universality.

UNIVERSALITÉ DE DROIT

Universalité de biens et de charges considérés comme formant un tout. Par ex., le patrimoine. « [...] l'universalité de fait n'est qu'un ensemble de biens; l'universalité de droit ou universalité juridique est, à la fois, un ensemble de biens et *de dettes*, comporte un passif en même temps qu'un actif, tous deux en réciproque dépendance, le passif naissant de la gestion de l'actif, l'actif affecté au paiement du passif » (Carbonnier, *Droit civil*, t. 3, n° 23, p. 105).
Syn. universalité juridique. **Opp.** universalité de fait. **V.a.** patrimoine.
Angl. juridical universality, legal universality⁺.

UNIVERSALITÉ DE FAIT

Universalité de biens considérés comme formant un tout soumis à un régime juridique particulier. « Universalité *de droit* : le patrimoine réunit à la fois des droits et des dettes; il comporte un actif et un passif inséparables l'un de l'autre. Par là, il se distingue des universalités de fait qui correspondent à des ensembles de choses ou de droits sans passif correspondant, comme c'est le cas pour une bibliothèque, un troupeau ou [...] le fonds de commerce » (Ghestin et Goubeaux, *Introduction*, n° 197, p. 155-156).
Opp. universalité de droit. **V.a.** fonds de commerce.
Angl. *de facto* universality.

UNIVERSALITÉ JURIDIQUE

Syn. universalité de droit. « La règle générale veut que les héritiers soient investis du patrimoine du défunt, c'est-à-dire de l'ensemble de ses droits et de ses obligations, appréciables en argent, dont le *de cujus* était titulaire. La totalité de ces biens constitue une universalité juridique » (*Driver* c. *Coca-Cola Ltd*, [1961] R.C.S. 201, p. 204, j. R. Taschereau).
Angl. juridical universality, legal universality⁺.

UNIVERSEL, ELLE *adj.*

V. ayant cause universel, ayant droit universel, légataire universel, legs universel, successeur universel, titre universel (à), transmission universelle, usufruit universel.
Angl. universal title (by).

USAGE *n.m.*

1. Pratique ancienne et constante, suivie dans un lieu ou milieu particulier, susceptible d'acquérir un caractère obligatoire. « La place importante qui est réservée à l'usage en droit commercial lui a permis d'évoluer de façon constante, d'être mieux adapté aux besoins changeants du commerce » (L'Heureux, *Droit commercial*, n° 18, p. 12).
Occ. Art. 21, 455, 1016, 1024, 1568 C. civ.
Rem. **1°** L'usage ne comporte pas, comme la coutume, l'élément psychologique de la conviction de son caractère obligatoire. **2°** En matière contractuelle, notamment dans les affaires commerciales, l'usage, provenant de clauses habituelles aujourd'hui sous-entendues, constitue généralement une source supplétive d'obligations qui ne s'appliquera qu'à défaut de stipulations contraires (on parle alors d'*usages conventionnels*). **3°** Il sert également à l'interprétation des contrats. **4°** L'usage se développe dans un lieu restreint ou dans un milieu professionnel ou commercial particulier. C'est ainsi qu'on parle des *usages locaux*, des *usages professionnels* et des *usages du commerce*. **5°** On constate que les auteurs et la jurisprudence, comme aussi le législateur, utilisent parfois les termes *coutume* et *usage* indifféremment.
V.a. certificat d'usage, coutume[1].
Angl. usage.

2. (*Biens*) Utilisation. *Bien consomptible par le premier usage.*
Occ. Art. 454, 1762 C. civ.
V.a. disposition[1.B], jouissance[1], prêt à usage.
Angl. use[1].

3. (*Biens*) Syn. droit d'usage[1].
Occ. Art. 487 C. civ.
Angl. right of use, use[2+].

4. (*Biens*) Syn. *usus*.
Angl. *jus utendi, usus*[+].

USAGER, ÈRE *n.*

(*Biens*) Personne qui a l'usage[2].
Angl. user.

USUCAPER *v.tr.*

(*Prescr.*) Acquérir par usucapion. « [...] *un simple détenteur* [...] *ne parvient jamais à usucaper*, sauf s'il justifie d'une interversion de titre [...] » (Mazeaud et Chabas, *Leçons*, t. 2, vol. 2, n° 1485, p. 203-204). *Usucaper la propriété.*
Rem. La forme transitive du verbe usucaper est souvent employée absolument.
V.a. prescrire.
Angl. usucapt.

USUCAPION *n.f.*

(*Prescr.*) Syn. prescription acquisitive. « Le Code civil a traité dans le même titre de la *prescription acquisitive* et de la *prescription extinctive* [...] Pour les distinguer, on donne parfois à la première le nom ancien d'*usucapion* » (Ripert et Boulanger, *Traité*, t. 2, n° 2007, p. 709).
Rem. Du latin *usus* : usage, et *capere* : prendre.
Angl. acquisitive prescription[+], positive prescription, usucapion.

USUFRUCTUAIRE *adj.*

(*Biens*) Relatif à l'usufruit.
Occ. Anc. art. 1280 par. 4 C. civ. (1866-1981).
Syn. usufruitier.
Angl. usufructuary.

USUFRUIT *n.m.*

(*Biens*) Droit réel démembré, essentiellement temporaire, conférant à son titulaire, l'usufruitier, la jouissance d'un bien appartenant à une autre personne, le nu-propriétaire, ainsi que la faculté d'en percevoir les fruits, à charge d'en conserver la substance. « Dans notre droit, l'usufruit est présumé viager; pour qu'il ne le soit pas, il faut une stipulation expresse à l'effet contraire » (Martineau, *Biens*, p. 149).
Occ. Art. 443 C. civ.
Rem. **1°** L'usufruitier possède les deux premières prérogatives du propriétaire, l'*usus* et le *fructus*, mais non l'*abusus*. **2°** Selon l'origine, on distingue l'usufruit contractuel, l'usufruit testamentaire, l'usufruit légal et l'usufruit judiciaire (art 444 C. civ.); selon l'objet, l'usufruit à titre particulier, l'usufruit à titre universel et l'usufruit universel. Quant à sa durée, l'usufruit est temporaire et, le plus souvent, viager. **3°** Du latin *ususfructus*, de *usus* : usage, et *fructus* : fruit; revenu.
Syn. droit d'usufruit. **V.a.** droit d'habitation, droit d'usage[1], quasi-usufruit.
Angl. right of usufruct, usufruct[+].

USUFRUIT À TITRE PARTICULIER

(*Biens*) Usufruit portant sur un bien déterminé. « L'usufruit à titre particulier affecte un ou quelques biens particularisés. L'usufruit constitué par un contrat est habituellement de cette sorte » (Cantin Cumyn, *R.D.* Biens — Doctrine — Doc. 3, n° 32).
Rem. Voir l'art. 473 C. civ.
Opp. usufruit à titre universel, usufruit universel. **V.a.** transmission à titre particulier.
Angl. usufruct by particular title.

USUFRUIT À TITRE UNIVERSEL

(*Biens*) Usufruit portant sur une quote-part du patrimoine du constituant, une universa-

lité ou une quote-part d'une universalité de ce patrimoine. « Parfois, une estimation est nécessaire : ainsi, lorsqu'un usufruit à titre universel est constitué sur tous les immeubles ou sur tous les meubles, on estime la valeur des biens soumis à l'usufruit par rapport à l'ensemble de la succession, et c'est dans une mesure correspondante que l'usufruitier supportera les intérêts du passif » (Weill, Terré et Simler, *Biens*, n° 759, p. 719).
Rem. **1°** Voir les art. 472, 474 et 876 C. civ. **2°** On rencontre aussi la tournure *legs à titre universel en usufruit* ou *d'usufruit*.
Opp. usufruit à titre particulier, usufruit universel. **V.a.** transmission à titre universel.
Angl. usufruct by general title.

USUFRUIT CONTRACTUEL

(*Biens*) Usufruit établi par contrat. « *Usufruit contractuel, testamentaire et légal.* — L'usufruit naît tantôt d'un *contrat*, tantôt d'un *testament*, tantôt de la *loi* » (Mazeaud et Chabas, *Leçons*, t. 2, vol. 2, n° 1656, p. 339).
Rem. Voir l'art. 444 C. civ.
Syn. usufruit conventionnel. **Opp.** usufruit judiciaire, usufruit légal, usufruit testamentaire.
Angl. contractual usufruct+, conventional usufruct.

USUFRUIT CONVENTIONNEL

(*Biens*) Syn. usufruit contractuel. « L'usufruit conventionnel est en principe constitué par tout contrat susceptible de transférer le droit de propriété. Il peut donc être établi à titre onéreux par le contrat de vente ou d'échange, ou à titre gratuit par le contrat de donation » (Cantin Cumyn, *R.D.* Biens — Doctrine — Doc. 3, n° 29).
Angl. contractual usufruct+, conventional usufruct.

USUFRUITIER, IÈRE *adj.*

(*Biens*) Syn. usufructuaire.
Angl. usufructuary.

USUFRUITIER, IÈRE *n.*

(*Biens*) Titulaire d'un droit d'usufruit. « Le droit de l'usufruitier s'exerce en parallèle à celui du nu-propriétaire sans qu'il n'y ait de rapport de dépendance entre eux » (Cantin Cumyn, *R.D.* Biens — Doctrine — Doc. 3, n° 6).
Occ. Art. 447 C. civ.
V.a. produit+.
Angl. usufructuary.

USUFRUITIER À TITRE PARTICULIER

(*Biens*) Titulaire d'un usufruit à titre particulier. « L'usufruitier à titre particulier *n'est pas en principe tenu de contribuer aux dettes* [...] il en est différemment pour l'usufruitier à titre universel [...] » (Marty et Raynaud, *Biens*, n° 77, p. 121).
Occ. Art. 473 C. civ.
Opp. usufruitier à titre universel, usufruitier universel. **V.a.** ayant cause à titre particulier.
Angl. usufructuary by particular title.

USUFRUITIER À TITRE UNIVERSEL

(*Biens*) Titulaire d'un usufruit à titre universel.
Rem. **1°** Voir les art. 472, 474 et 876 C. civ. **2°** On rencontre aussi la tournure *légataire à titre universel en usufruit* ou *d'usufruit*.
Opp. usufruitier à titre particulier, usufruitier universel. **V.a.** ayant cause à titre universel.
Angl. usufructuary by general title.

USUFRUITIER UNIVERSEL

(*Biens*) Titulaire d'un usufruit universel. « [...] vis-à-vis les tiers créanciers, l'usufruitier universel et celui à titre universel sont tenus personnellement au paiement des dettes [...] en proportion de ce qu'ils reçoivent » (Montpetit et Taillefer, dans *Traité*, t. 3, p. 274-275).

Rem. 1° Voir les art. 472, 474 et 876 C. civ. 2° On rencontre aussi la tournure *légataire universel en usufruit* ou *d'usufruit*.
Opp. usufruitier à titre universel, usufruitier à titre particulier. **V.a.** ayant cause universel.
Angl. universal usufructuary.

USUFRUIT JUDICIAIRE

(*Biens*) Usufruit établi par jugement.
Rem. 1° Les art. 458 à 462 C. civ. Q. permettent au tribunal d'attribuer à un conjoint un droit d'usage ou d'habitation sur certains biens. Les droits d'usage et d'habitation étant considérés comme des usufruits à échelle réduite, on peut, dans ce sens, parler d'*usufruit judiciaire*. 2° Voir l'art. 488 C. civ. et l'art. 1163 C. civ. Q. (L.Q. 1987, chap. 18, art. 1 n.e.v.), repris à l'art. 1120 du Projet de loi 125.
Opp. usufruit contractuel, usufruit légal, usufruit testamentaire.
Angl. judicial usufruct.

USUFRUIT LÉGAL

(*Biens*) Usufruit établi par la loi. « [...] dans la plupart des cas, les usufruits ne sont point à terme [...] C'est le cas, notamment, pour le plus important des usufruits légaux, celui de l'art. 767 C. civ. [art. 1426 C. civ.] au profit du conjoint survivant » (Larroumet, *Droit civil*, t. 2, n° 503, p. 296).
Rem. Voir l'art. 444 C. civ.
Opp. usufruit contractuel, usufruit judiciaire, usufruit testamentaire.
Angl. legal usufruct.

USUFRUIT TESTAMENTAIRE

(*Biens*) Usufruit établi par testament. « Il est fréquent qu'un individu lègue tout ou partie de ses biens en usufruit [...] L'usufruit testamentaire est une libéralité courante (notamment entre conjoints) » (Cornu, *Introduction*, n° 1300, p. 404).
Rem. 1° Voir l'art. 444 C. civ. 2° L'usufruit testamentaire peut être un usufruit à titre particulier, un usufruit à titre universel ou encore un usufruit universel.
Opp. usufruit contractuel, usufruit judiciaire, usufruit légal.
Angl. testamentary usufruct+, usufruct by testamentary disposition.

USUFRUIT UNIVERSEL

(*Biens*) Usufruit portant sur la totalité du patrimoine du constituant. « L'usufruit universel et à titre universel résulte généralement d'un testament même s'il peut aussi être constitué par donation, notamment une donation à cause de mort dans un contrat de mariage » (Cantin Cumyn, *R.D.* Biens — Doctrine — Doc. 3 n° 32).
Rem. 1° Voir les art. 472, 474 et 876 C. civ. 2° On rencontre aussi la tournure *legs universel en usufruit* ou *d'usufruit*.
Opp. usufruit à titre particulier, usufruit à titre universel. **V.a.** transmission universelle.
Angl. universal usufruct+, usufruct by universal title.

USUFRUIT VIAGER

(*Biens*) Usufruit s'éteignant par le décès de l'usufruitier. « L'usufruit viager [...] consenti : *à un seul usufruitier*, s'éteint à la mort de cette personne [;] *à plus d'un usufruitier*, *conjointement*, s'éteint à la mort du dernier des usufruitiers conjoints [;] *à plus d'un usufruitier* mais *successivement* [...] s'éteint à la mort du dernier des usufruitiers successifs » (Goulet, Robinson et Shelton, *Domaine privé*, p. 158).
Occ. Art. 2081*a* C. civ.
Rem. 1° Voir l'art. 479 C. civ. 2° En droit français, l'usufruit est essentiellement viager; il n'est jamais transmissible aux héritiers de l'usufruitier, alors même que celui-ci meurt avant l'arrivée du terme qui aurait été convenu. 3° Au Québec, l'usufruit est naturellement viager; il est possible, au moyen d'une clause expresse, de le

rendre transmissible aux héritiers de l'usufruitier. 4° Si l'usufruitier est une personne morale, la durée de l'usufruit est limitée à trente ans (art. 481 C. civ.).
Angl. life-usufruct.

USURAIRE *adj.*

V. intérêt usuraire, prêt usuraire, taux d'intérêt usuraire.

USURE *n.f.*

(*Obl.*) Fait d'exiger des intérêts à un taux excessif.
Rem. Du latin *usura* (de *usus* : usage) : intérêt de l'argent.
V.a. intérêt usuraire, prêt usuraire, taux d'intérêt usuraire.
Angl. usury.

USUS *n.m.* (latin)

(*Biens*) Attribut du droit de propriété qui confère au propriétaire le pouvoir d'user de la chose. « L'usufruitier bénéficie de deux des prérogatives du droit de propriété : l'*usus* et le *fructus* » (Mazeaud et Chabas, *Leçons*, t. 2, vol. 2, n° 1669, p. 350).
Rem. Bien que *usus* soit le terme généralement utilisé, on emploie aussi les expressions *droit d'usage*[2] et *usage*[4].
Syn. droit d'usage[2], *jus utendi*, usage[4].
Opp. *abusus, fructus.*
Angl. *jus utendi, usus*+.

UTILE *adj.*

V. améliorations utiles, dépenses utiles, impenses utiles, possession utile.

V

VACANT, ANTE *adj.*

(*Biens*) V. bien vacant, chose vacante.

VALABLE *adj.*

1. (*Obl.*) Syn. valide. « L'acte confirmé devient inattaquable et il est considéré comme ayant toujours été valable » (Pineau et Burman, *Obligations*, n° 141, p. 204). *Acte, consentement valable.*
Occ. Art. 1145 C. civ.; art. 625 C. proc. civ.
Rem. L'expression *bon et valable*, fréquente dans les actes de procédure, constitue un archaïsme pléonastique. L'adjectif *valable* employé seul suffit.
Angl. valid.

2. (*Obl.*) **F.f.** considération valable.

VALABLEMENT *adv.*

(*Obl.*) De façon valable. « Le contrat ratifié est donc censé avoir été valablement fait au jour de sa conclusion » (Baudouin, *Obligations*, n° 318, p. 219).
Occ. Art. 1143, 1234 C. civ.
Syn. validement.
Angl. validly.

VALEUR *n.f.*

V. clause valeur or, dette de valeur.

VALEUR ACTUELLE

(*Obl.* et *D. mun.*) (X) *Angl.* V. valeur réelle.
Rem. Ce terme est un calque de l'anglais *actual value*. En français, la *valeur actuelle* signifie la valeur présente.
Angl. actual value+, market value, real value.

VALEUR LOCATIVE

(*Obl.*) Valeur correspondant au loyer que l'on pourrait espérer retirer de la location d'un bien selon les conditions du marché.
Occ. Art. 1634 C. civ.
Angl. rental value.

VALEUR MARCHANDE

(*Obl.* et *D. mun.*) Syn. valeur réelle. « La loi de 1971 [sur l'évaluation foncière] édictait qu'un immeuble devait être évalué à sa valeur "marchande", alors que le projet de loi 33 [devenu la *Loi modifiant la Loi sur l'évaluation foncière*, L.Q. 1973, chap. 31, qui est aujourd'hui remplacée par la *Loi sur la fiscalité municipale*, L.R.Q., chap. F-2.1] établit qu'un immeuble doit être évalué à sa valeur "réelle". En réalité, comme l'indique une nombreuse jurisprudence, ces deux expressions sont synonymes » (Schmidt, (1974) 20 *McGill L.J.* 587, p. 588).
Angl. actual value+, market value, real value.

VALEUR RÉELLE

(*Obl.* et *D. mun.*) Valeur correspondant au prix qu'une personne accepterait de payer pour l'acquisition d'un bien ou l'obtention d'un service dans des conditions normales

de concurrence. « La valeur réelle est le prix qu'un vendeur qui n'est pas obligé de vendre et qui n'est pas dépossédé malgré lui mais qui désire vendre, réussira à avoir d'un acheteur qui n'est pas obligé d'acheter mais qui veut acheter » (*Gouin* c. *St-Lambert (Cité de)*, [1929] 67 C.S. 216, p. 220, j. J.B. Archambault).
Occ. Art. 43, *Loi sur la fiscalité municipale*, L.R.Q., chap. F-2.1.
Syn. valeur marchande, valeur vénale.
F.f. valeur actuelle.
Angl. actual value+, market value, real value.

VALEUR VÉNALE

(*Obl.* et *D. mun.*) Syn. valeur réelle. « C'est la *valeur vénale*, "objective" qui est l'élément de référence de la lésion et non la valeur "subjective" que peut attribuer à la prestation l'un ou l'autre des contractants. Il y a lésion lorsque le prix s'éloigne de cette valeur vénale » (Starck, Roland et Boyer, *Obligations*, t. 2, n° 743, p. 266).
Angl. actual value+, market value, real value.

VALIDATION *n.f.*

(*Obl.*) Action de valider; son résultat.
V.a. confirmation.
Angl. validation.

VALIDE *adj.*

(*Obl.*) Qui remplit les conditions[5] requises pour produire ses effets. « Si [...] la considération de la personne n'était pas un élément déterminant du consentement [...] l'erreur sur la personne n'entraînerait pas l'annulation de ce contrat qui, par conséquent, demeurerait valide [...] » (Pineau et Burman, *Obligations*, n° 66, p. 93-94). *Acte, contrat valide.*
Occ. Art. 1488 C. civ.
Syn. valable[1]. **Opp.** invalide.
Angl. valid.

VALIDEMENT *adv.*

(*Obl.*) Syn. valablement.
Occ. Art. 776, 2023 C. civ.
Angl. validly.

VALIDER *v.tr.*

(*Obl.*) Rendre ou déclarer valide.
Occ. Art. 762 C. civ.
Rem. Lorsqu'on renonce à demander l'annulation d'un acte juridique atteint de nullité relative, on emploie les termes *confirmer* et *ratifier*[2] plutôt que *valider*.
Opp. invalider. **V.a.** confirmer.
Angl. validate.

VALIDITÉ *n.f.*

(*Obl.*) Caractère d'un acte[2] qui remplit toutes les conditions[5] nécessaires pour produire ses effets. « [...] le droit québécois s'inscrit dans la tradition consensualiste d'après laquelle le seul consentement oblige sans qu'en principe l'accomplissement d'une formalité quelconque soit nécessaire à la validité même de l'engagement » (Baudouin, *Obligations*, n° 89, p. 89). *Condition de validité; validité d'un contrat.*
Occ. Art. 984 C. civ.
Opp. invalidité.
Angl. validity.

VENDEUR, ERESSE *n.* et *adj.*

(*Obl.*) Partie qui, dans une vente, transfère la propriété d'un bien. « On peut convenir [...] que le transfert de propriété n'aura lieu que le jour de la livraison, ou au jour du paiement. En ce cas, si la destruction de la chose survient antérieurement, l'acheteur n'a pas à en payer le prix. Les risques sont pour le vendeur, débiteur de la chose » (Starck, Roland et Boyer, *Obligations*, t. 2, n° 1670, p. 577).
Occ. Art. 1506 C. civ.
Opp. acheteur. **V.a.** aliénateur.
Angl. seller, vendor+.

VENDEUR À RÉMÉRÉ

(*Obl.*) Vendeur qui, dans un contrat de vente, se réserve la faculté de réméré. « [...] le vendeur à réméré conserve, malgré la vente, un droit réel dans la chose, un *jus in re* et non pas seulement un *jus ad rem* » (Mignault, *Droit civil*, t. 7, p. 154).
Opp. acheteur à réméré.
Angl. vendor with right of redemption.

VENDRE *v.tr.*

(*Obl.*) Effectuer une vente, du point de vue du vendeur. « Erreur sur la nature de la convention : Une personne livre un bien à une autre; la première entend vendre ce bien et la seconde entend le recevoir à titre de prêt ou à titre de location : il n'y a pas eu concours de volontés; le contrat ne se forme donc pas » (Pineau et Burman, *Obligations*, n° 59, p. 87). *Promesse de vendre.*
Occ. Art. 1474 C. civ.
Opp. acheter.
Angl. sell.

VENIR (À) *loc.adj.*

V. bien à venir.

VENTE *n.f.*

(*Obl.*) Contrat par lequel une personne, le *vendeur*, transfère à une autre, l'*acheteur*, un bien[1] moyennant un prix en argent. « Le contrat de vente est formé dès qu'il y a accord des parties sur la chose et sur le prix » (Pourcelet, *Vente*, p. 13).
Occ. Art. 1472 C. civ.
Syn. contrat de vente. **Opp.** achat.
V.a. aliénation, cession, location-vente.
Angl. contract of sale, sale+.

VENTE À CRÉDIT

(*Obl.*) Vente dans laquelle l'obligation de l'acheteur de payer le prix est assortie d'un terme suspensif. « Il importe que la créance du vendeur soit fortement garantie; c'est rendre service aux acheteurs que d'organiser solidement ces garanties du vendeur : sans quoi, il n'y aurait pas de ventes à crédit » (Planiol et Ripert, *Traité*, t. 10, n° 154, p. 177).
Rem. **1°** La vente à crédit est un type de vente à terme. **2°** Voir l'art. 1 par. f, *Loi sur la protection du consommateur*, L.R.Q., chap. P-40.
Opp. vente au comptant. **V.a.** vente à livrer, vente à tempérament.
Angl. sale on credit.

VENTE À L'AGRÉAGE

(*Obl.*) Syn. vente au gré de l'acheteur. « Dans certaines ventes, le consentement de l'acheteur n'est point acquis définitivement lorsque le contrat est passé; il est seulement donné en présence des marchandises. L'acheteur doit agréer celles-ci d'où leur nom de ventes *à l'agréage* » (*Dict. de droit*, v° Vente, n° 7).
Angl. sale at buyer's discretion.

VENTE À L'AGRÉMENT

(*Obl.*) Syn. vente au gré de l'acheteur.
Angl. sale at buyer's discretion.

VENTE À LA MESURE

(*Obl.*) Vente d'une chose de genre dans laquelle une opération de mesurage est nécessaire pour individualiser la chose vendue. « Il y a [...] vente à la mesure toutes les fois que l'individualisation de la chose est subordonnée à un mesurage » (Malaurie, *Rép. droit civ.*, v° Vente (éléments constitutifs), n° 746).
Syn. vente à mesurer. **V.a.** vente au compte, vente au poids, au compte ou à la mesure.
Angl. sale by measure, sale by measurement+.

VENTE ALÉATOIRE

(*Obl.*) Vente par laquelle l'acheteur acquiert la chance que la chose future faisant

l'objet du contrat vienne à existence. Par ex., l'acquisition de la chance d'une récolte de blé à venir. « [...] dans une vente aléatoire, ce qui est vendu, ce n'est pas [...] la chose espérée [...] mais l'espoir que la chose subsistera [...] » (Starck, Roland et Boyer, *Obligations*, t. 2, n° 479, p. 168).
V.a. contrat aléatoire.
Angl. aleatory sale.

VENTE À L'ESSAI

(*Obl.*) Vente soumise à la condition que l'essai de la chose vendue démontre qu'elle possède les qualités requises pour l'usage auquel l'acheteur la destine. « En principe, il ne peut y avoir vente à l'essai que si la condition de l'essai a été formellement mentionnée dans le contrat; cependant, des usages exigent que les ventes de certaines choses soient toujours conclues sous la condition de l'essai préalable, telles sont les ventes de vêtements sur mesure » (Planiol et Ripert, *Traité*, t. 10, n° 210, p. 248).
Rem. **1°** La condition à laquelle est soumise la vente à l'essai n'est pas purement potestative; si un examen objectif démontre que la chose possède les qualités voulues, la condition se trouve accomplie et l'acheteur ne peut refuser de donner suite à la vente qui devient définitive. **2°** La réalisation de la condition ayant un effet rétroactif, l'acheteur devient propriétaire pur et simple dès le jour de la conclusion du contrat. **3°** L'art. 1475 C. civ. précise que la vente à l'essai est présumée faite sous condition suspensive; les risques de perte par cas fortuit sont donc, *pendente conditione*, à la charge du vendeur. **4°** Les parties sont libres de convenir que la vente à l'essai sera faite sous condition résolutoire : les risques sont alors à la charge de l'acheteur.
V.a. vente au gré de l'acheteur+, vente conditionnelle[1].
Angl. sale upon trial.

VENTE À LIVRER

(*Obl.*) Vente dans laquelle l'obligation du vendeur de livrer la chose vendue est assortie d'un terme suspensif. « Dans la vente à livrer, le vendeur dispose d'un terme pour remettre la marchandise à l'acheteur » (Pourcelet, *Vente*, p. 96).
Rem. **1°** La vente à livrer est un type de vente à terme. **2°** Elle se rencontre le plus souvent dans les ventes portant sur des choses de genre ou des choses futures.
Opp. vente en disponible. **V.a.** vente à crédit, vente à tempérament.
Angl. sale with future delivery.

VENTE À MESURER

(*Obl.*) Syn. vente à la mesure. « Dans la "*vente à mesurer*" [...] l'individualisation de la chose de genre vendue s'effectue par une opération de mesurage postérieure à la conclusion du contrat de vente » (Mazeaud et Chabas, *Leçons*, t. 3, vol. 2, 1e part., n° 906, p. 184).
Angl. sale by measure, sale by measurement+.

VENTE À RÉMÉRÉ

(*Obl.*) Vente dans laquelle le vendeur se réserve le droit de reprendre la chose vendue en restituant à l'acheteur le prix et en lui remboursant les autres sommes prévues par la loi, dans un délai convenu. « La vente à réméré est [...] un moyen de se procurer de l'argent, en vendant une chose, mais sans perdre l'espoir de reprendre la propriété de la chose vendue » (Mignault, *Droit civil*, t. 7, p. 153).
Rem. **1°** Voir les art. 1546 à 1560 C. civ. **2°** Dans les expressions *vente à réméré* et *vente avec faculté de rachat*, les termes *réméré* et *rachat* portent à confusion en laissant entendre que la faculté du vendeur de reprendre la chose vendue constitue une deuxième vente; en réalité, il s'agit d'une vente unique qui s'analyse comme une vente sous condition résolutoire. **3°** Le délai convenu ne doit pas dépasser dix ans (art. 1548 C. civ.).
Syn. vente avec faculté de rachat. **V.a.** faculté de réméré, réméré+, vente conditionnelle[1].

Angl. sale with option to repurchase, sale with right of redemption⁺.

VENTE À TEMPÉRAMENT

(*Obl.*) Vente à crédit dans laquelle les parties stipulent que le prix est payable par versements périodiques échelonnés sur une période de temps donnée et que le transfert de propriété de la chose vendue est différé jusqu'à l'exécution par l'acheteur de son obligation en totalité ou dans la proportion convenue. « La vente à tempérament a eu une grande influence aussi bien sur l'économie des individus que sur celle de la communauté. En réalité, elle est à la fois une des meilleures et une des pires choses qui existent » (Faribault, dans *Traité*, t. 11, n° 434, p. 402).
Occ. Art. 132, 135, *Loi sur la protection du consommateur*, L.R.Q., chap. P-40.1.
Rem. Les ventes à tempérament de choses mobilières vendues par un commerçant à un consommateur sont régies par les art. 132 à 149 de la *Loi sur la protection du consommateur*, L.R.Q., chap. P-40.1.
V.a. vente à livrer, vente à terme.
F.f. vente conditionnelle².
Angl. conditional contract of sale, conditional sale²⁺, conditional sales contract, instalment sale.

VENTE À TERME

(*Obl.*) Vente dans laquelle au moins une des obligations des parties est assortie d'un terme suspensif. « La vente est *à terme* si [...] un terme est stipulé, soit au profit du vendeur pour la délivrance, soit au profit de l'acheteur pour le paiement du prix, soit au profit de l'un et de l'autre pour la délivrance et le paiement du prix qui seront effectués simultanément à l'échéance du terme convenu » (Planiol et Ripert, *Traité*, t. 10, n° 146, p. 164).
Rem. Lorsque le terme retarde l'exécution de l'obligation du vendeur de livrer, il s'agit d'une *vente à livrer*. Si c'est l'obligation de l'acheteur de payer le prix qui est assortie d'un terme, la vente est dite *vente à crédit*.
V.a. vente à tempérament.
Angl. term sale.

VENTE AU COMPTANT

(*Obl.*) Vente dans laquelle l'obligation de l'acheteur de payer le prix doit être exécutée au moment de la livraison. « [...] dans le cas d'une vente au comptant, le prix est exigible et payable au moment de la livraison de la chose; il y a concordance dans le temps de l'accomplissement des obligations du vendeur et de l'acheteur [...] » (Pourcelet, *Vente*, p. 168).
Rem. Voir l'art. 1533 C. civ.
Opp. vente à crédit.
Angl. cash sale¹.

VENTE AU COMPTE

(*Obl.*) Vente d'une chose de genre dans laquelle une opération de comptage est nécessaire pour individualiser la chose vendue. « Si je vous vends, à raison de un dollar pièce cent volumes à prendre dans ma bibliothèque, ce sera [...] une vente au compte, car, si le prix est déterminé, la chose ne l'est pas. Elle ne sera déterminée que lorsque le choix des volumes aura été effectué » (Faribault, dans *Traité*, t. 11, n° 67, p. 63).
V.a. vente à la mesure, vente au poids, au compte ou à la mesure.
Angl. sale by number.

VENTE AU GRÉ DE L'ACHETEUR

(*Obl.*) Vente conclue sur constatation par l'acheteur que la chose convient à son goût personnel. Par ex., vente à dégustation. « La vente au gré de l'acheteur ne peut s'analyser en une vente sous la condition suspensive de l'agrément, car une telle condition, qui, tenant à la seule volonté de l'acheteur, serait purement potestative, annulerait le contrat. On est en présence jusqu'à l'agrément, d'une *promesse unilatérale de vente; l'acheteur lève l'option* qui

lui est ouverte, *en donnant son agrément*, ce qui forme le contrat de vente » (Mazeaud et Chabas, *Leçons*, t. 3, vol. 2, 1e part., n° 915, p. 198).
Rem. 1° Alors que la vente à l'essai dépend d'une vérification objective des qualités de la chose vendue, la vente au gré de l'acheteur dépend de la décision arbitraire de l'acheteur qui se réserve la faculté d'agréer ou de refuser la chose. 2° Dans la vente au gré de l'acheteur, la vente n'est conclue qu'au moment de l'agrément de l'acheteur, sans effet rétroactif.
Syn. vente à l'agréage, vente à l'agrément.
V.a. agrément[1], vente à l'essai+.
Angl. sale at buyer's discretion.

VENTE AU POIDS, AU COMPTE OU À LA MESURE

(*Obl.*) Vente d'une chose de genre dans laquelle une opération de pesage, de comptage ou de mesurage est nécessaire pour individualiser la chose vendue. Par ex., vente de tant de tonnes de charbon à prendre dans une masse plus considérable. « L'article 1474 oppose la vente en bloc à la vente au poids, au compte ou à la mesure. En effet, la vente en bloc doit être considérée comme la vente d'un corps certain. Il s'agit de la vente d'une chose prise en masse (tout le blé qui se trouve dans un silo, ou toute une récolte), envisagée dans sa globalité et dont le mesurage, le comptage ou le pesage n'est pas nécessaire à son individualisation, mais constitue seulement et dans certains cas un calcul pour l'établissement du montant total à payer par l'acheteur » (Pourcelet, *Vente*, p. 88).
Rem. Voir l'art. 1474 C. civ.
Opp. vente en bloc[1]. **V.a.** vente à la mesure, vente au compte.
Angl. sale by weight, number or measure.

VENTE AVEC FACULTÉ DE RACHAT

(*Obl.*) Syn. vente à réméré. « La vente à réméré, dite aussi vente avec faculté de rachat, est une vente dans laquelle il est prévu que le vendeur pourra, s'il le désire, racheter la chose vendue à l'acquéreur, en lui remboursant le prix qu'il a payé [...] et cela même si la chose a été revendue à une autre personne par l'acquéreur [...] Il est admis que l'exercice de la faculté de rachat par le vendeur entraîne l'anéantissement rétroactif de la vente [...] Par conséquent, le réméré opère comme une condition résolutoire et il emprunte son mécanisme à la condition résolutoire » (Larroumet, *Droit civil*, t. 2, n° 322, p. 201-202).
Angl. sale with option to repurchase, sale with right of redemption+.

VENTE CONDITIONNELLE

1. (*Obl.*) Vente dont la formation est soumise à une condition[1]. « [...] la vente avec réserve de propriété jusqu'au paiement total du prix se distingue de la vente conditionnelle proprement dite dans laquelle la formation même du contrat se trouve suspendue jusqu'à l'arrivée de la condition [...] » (Pourcelet, *Vente*, p. 91).
Rem. La vente peut être soumise à une condition suspensive; c'est le cas, en principe, de la vente à l'essai (art. 1476 C. civ.). Elle peut aussi être conclue sous condition résolutoire; c'est le cas de la vente à réméré (art. 1546 C. civ.).
Angl. conditional sale[1].

2. (*Obl.*) (X) *Angl.* V. vente à tempérament. « Cette analyse [selon laquelle le transfert du droit de propriété peut être soumis à la condition suspensive du complet paiement du prix] est d'ailleurs couramment reçue en matière de vente à tempérament et de son avatar, la vente "conditionnelle", où la confusion entre les notions de condition est le résultat de la malencontreuse traduction littérale de l'expression *conditional sale*. Pourtant la notion juridique de condition n'est en rien nécessaire pour rendre compte d'une forme particulière du contrat de vente où le transfert de propriété est conventionnellement ou légalement retardé au moment du dernier versement du prix » (Tancelin, *Obligations*, n° 330, p. 194-195).

Angl. conditional contract of sale, conditional sale2+, conditional sales contract, instalment sale.

VENTE DE CRÉANCE

(*Obl.*) Cession de créance à titre onéreux.
Occ. Art. 1570 C. civ.
Rem. Aujourd'hui on utilise plutôt *cession de créance*.
Angl. sale of creance+, sale of debt.

VENTE DE DROITS LITIGIEUX

(*Obl.*) Cession de droits litigieux à titre onéreux. « La vente d'un droit litigieux permet à son titulaire de s'en débarrasser moyennant le paiement d'un prix par l'acquéreur qui, à son tour, s'efforcera à faire valoir contre le débiteur le droit que ce dernier conteste » (Pourcelet, *Vente*, p. 241).
Occ. Art. 1582 C. civ.
Rem. Aujourd'hui on utilise plutôt *cession de droits litigieux*.
V.a. créance litigieuse.
Angl. sale of litigious rights.

VENTE DE DROITS SUCCESSORAUX

(*Obl.* et *Succ.*) Syn. vente de droits successifs. « Le retrait successoral se trouve actuellement au titre *Des successions* dans le Code (a. 710 C.C.). Il semble plus logique de l'inclure dans les dispositions relatives à la vente de droits successoraux, car ici il fait le pendant avec le retrait litigieux régi par les articles suivants. Ce retrait ne peut s'exercer que dans l'hypothèse d'une vente de droits successoraux » (O.R.C.C., *Commentaires*, t. 2, p. 718).
Rem. Ce terme a été introduit dans le vocabulaire juridique par l'Office de révision du Code civil (art. 438, 441, L. V, *Projet de Code civil*) et est repris par le Projet de loi 125 aux art. 1769 et s.
Angl. sale of inheritance, sale of rights of succession+, sale of successoral rights.

VENTE DE(S) DROITS SUCCESSIFS

(*Obl.* et *Succ.*) Cession de droits successifs à titre onéreux. « La vente de droits successifs est la cession, moyennant un prix, de tous les actifs et passifs attachés à la qualité d'héritier » (Faribault, dans *Traité*, t. 4, n° 519, p. 494).
Occ. Titre précédant l'art. 1579 C. civ.
Rem. Voir les art. 1579 à 1581 C. civ.
Syn. vente de droits successoraux, vente d'hérédité.
Angl. sale of inheritance, sale of rights of succession+, sale of successoral rights.

VENTE DE GRÉ À GRÉ

(*Obl.*) Vente dont les modalités sont discutées librement par les parties contractantes.
V.a. contrat de gré à gré.
Angl. negotiated sale, sale by negotiation+, sale *de gré à gré*.

VENTE D'HÉRÉDITÉ

(*Obl.* et *Succ.*) Syn. vente de droits successifs. « La vente d'hérédité ou cession de droits successifs est l'opération par laquelle un héritier cède à un autre héritier ou à un étranger la totalité de ses droits dans une succession déterminée » (Planiol et Ripert, *Traité*, t. 10, n° 355, p. 452).
Angl. sale of inheritance, sale of rights of succession+, sale of successoral rights.

VENTE EN BLOC

1. (*Obl.*) Vente d'un ensemble individualisé de choses, soit pour un prix fixé globalement, soit pour un prix qui sera déterminé par une opération de pesage, de comptage ou de mesurage. Par ex., vente de tout le charbon situé dans l'entrepôt du vendeur pour un prix global de tant ou pour un prix de tant la tonne. « [...] il s'agit d'une vente en bloc. La chose vendue était suffisamment individualisée, le compte, le mesurage ou le pesage n'était pas nécessaire

pour la détermination des marchandises, mais seulement pour le calcul du prix total, et ce prix était arrêté dans ses éléments. Il n'y avait pas d'obstacle à la transmission de la propriété » (*Cohen* c. *Bonnier*, (1924) 36 B.R. 1, p. 14, j. A. Rivard).
Rem. Voir l'art. 1474 C. civ.
Opp. vente au poids, au compte ou à la mesure.
Angl. lump sale⁺, sale in the lump.

2. (*Obl.* et *D. comm.*) Vente par laquelle un commerçant, en dehors du cours normal de ses activités commerciales, cède la totalité ou une partie substantielle de son fonds de commerce ou un intérêt dans son commerce. « [...] une vente en bloc peut se présenter sous divers aspects. Elle peut être comprise dans un contrat de société, dans un échange ou dans une dation en paiement » (Faribault, dans *Traité*, t. 11, n° 475, p. 446).
Occ. Art. 1569*a* C. civ.
Rem. **1°** Cette vente fait l'objet d'une réglementation particulière aux art. 1569*a* à 1569*e* C. civ. **2°** L'expression *vente en bloc* désigne non seulement la vente proprement dite d'un fonds de commerce, mais toute cession à titre onéreux d'un tel fonds, quelle que soit la forme de cette cession : échange, dation en paiement, apport fourni en vertu d'un contrat de société.
Angl. bulk sale.

VENTE EN DISPONIBLE

(*Obl.*) Vente dans laquelle l'obligation du vendeur de livrer la chose vendue doit être exécutée immédiatement. « La délivrance, qui met l'acheteur en possession de la chose vendue, peut être placée à deux époques. D'abord les contractants peuvent convenir qu'elle aura lieu immédiatement ou à un très bref délai d'usage. Dans ce cas, on dit qu'il y a vente en disponible. Ils peuvent aussi la retarder jusqu'à une date qu'ils fixent d'un commun accord. On est alors en présence d'une vente à livrer » (Goré, *Rev. trim. dr. civ.* 1947, 151, p. 161).
Rem. **1°** Cette expression ne semble pas utilisée au Québec. **2°** On écrit aussi *vente de disponible* ou *vente au disponible*.
Opp. vente à livrer.
Angl. sale subject to immediate delivery.

VENTE PAR DÉCRET

(*D. jud.*) Syn. décret[4].
Occ. Art. 2177 C. civ.
Angl. sheriff's sale.

VENTE SUR ÉCHANTILLON

(*Obl.*) Vente dans laquelle le vendeur s'engage à livrer des marchandises conformes à l'échantillon soumis à l'acheteur lors de la conclusion du contrat. « La vente sur échantillon est celle dans laquelle l'acheteur n'a donné son engagement que sur la présentation d'un échantillon destiné à lui faire connaître et apprécier la qualité de la marchandise » (Planiol et Ripert, *Traité*, t. 10, n° 305, p. 379).
Angl. sale by sample.

VERBAL, ALE *adj.*

V. bail verbal, location verbale.

VÉRITABLE *adj.*

V. acte véritable, indivisibilité véritable.

VERRE DORMANT

(*Biens*) Plaque de verre fixée dans un châssis qu'on ne peut pas ouvrir. « Les jours ou jours de souffrance sont des ouvertures établies nécessairement à verre dormant, et destinées simplement à éclairer le lieu où elles sont pratiquées, sans donner naissance à l'air » (*Dict. de droit*, v° Servitudes, n° 27, p. 618).
Occ. Art. 534 C. civ.
V.a. jour⁺.
Angl. fixed glass.

VERSEMENT *n.m.*

1. (*Obl.*) Action d'effectuer la remise[1] d'une somme d'argent. *Versement des intérêts, d'une indemnité, d'une rente.*
Occ. Art. 1877 par. 5 C. civ.

2. (*Obl.*) Syn. paiement périodique.
Occ. Art. 1149 C. civ.
Angl. instalment, periodical payment, periodic payment+.

VIAGER, ÈRE *adj.*

Dont la durée est fixée au temps de la vie d'une personne déterminée. Par ex., le caractère viager d'une rente. « [...] l'usufruit est présumé viager [...]; si l'usufruitier décède avant l'arrivée du terme, l'usufruit s'éteint sauf si on a expressément stipulé qu'il continuerait jusqu'à l'arrivée du terme nonobstant la mort de l'usufruitier » (Martineau, *Biens*, p. 149).
Occ. Art. 453, 472, 1793, 1915, 2123, 2473 C. civ.
Rem. L'emploi de ce terme est réservé à certaines expressions telles *rente viagère, droit viager*.
Syn. perpétuel[3]. **V.a.** temporaire.
Angl. life.

VICE APPARENT

(*Obl.*) Défaut du bien vendu ou loué qu'un examen ordinaire permet de déceler.
Occ. Art. 1523 C. civ.
Syn. défaut apparent. **Opp.** vice caché+.
Angl. apparent defect.

VICE CACHÉ

(*Obl.*) Défaut du bien vendu ou loué qu'un examen ordinaire ne permet pas de déceler. « Le fait pour l'acheteur de dire qu'il accepte l'objet vendu tel que vu et constaté, ne fait pas présumer qu'il connaît et accepte les vices cachés de l'objet vendu » (Rousseau-Houle, *Précis*, p. 117).
Occ. Art. 1524 C. civ.; art. 53, *Loi sur la protection du consommateur*, L.R.Q., chap. P-40.1.
Rem. En droit québécois, pour la plupart des biens, on entend par *examen ordinaire* celui que fait l'acheteur ou le locataire lui-même; pour les autres, notamment les immeubles anciens, l'examen ordinaire est celui qu'effectue un expert.
Syn. défaut caché, vice rédhibitoire. **Opp.** vice apparent. **V.a.** garantie des vices cachés.
Angl. hidden defect, latent defect+, redhibitory defect.

VICE DE CONSTRUCTION

(*Obl.*) Défaut dans la construction d'un édifice de nature à causer la perte totale ou partielle de celui-ci. « Il n'est pas nécessaire de préciser ici ce qu'il faut entendre par défaut d'entretien ou par vice de construction; les termes sont suffisamment clairs; il appartient aux juges de dire, d'après les faits de la cause, si le bâtiment a été insuffisamment entretenu ou mal construit et si c'est là qu'il faut chercher la cause de la ruine » (Mazeaud, *Traité*, t. 2, n° 1050, p. 40).
Occ. Art. 441z, 1055 C. civ.
Angl. defect in construction, defect of construction+.

VICE DE FOND

Défaut d'un acte, d'un fait ou d'une situation juridiques qui ne rencontre pas les conditions de fond requises par la loi. « Les irrégularités de la représentation en justice [...] constituent donc la classe des irrégularités pour vice de fond de l'acte de procédure, en raison de l'appartenance de celui-ci à la catégorie des actes juridiques [...] » (Fauchères, *Rép. proc. civ.*, v° Défenses, exceptions, fins de non recevoir, n° 16).
Rem. Cette expression se rencontre surtout en droit procédural où on l'oppose au vice de forme des actes de procédure.
Opp. vice de forme.
Angl. defect of substance, substantive defect+.

VICE DE FORME

Défaut d'un acte juridique ou instrumentaire qui ne rencontre pas les conditions de forme requises par la loi. Par ex., donation entrevifs d'un immeuble qui n'est pas faite en forme notariée (art. 776 C. civ.); testament olographe ne portant pas la signature du testateur (art. 851 C. civ.). « À mon avis, le moyen de la nature d'une exception préliminaire de vice de forme offert par l'appelant me paraît indubitablement être un de ceux que vise l'article 2 [C. proc. civ.] [...] » (*P.G. Québec* c. *Duval*, [1975] C.A. 629, p. 630, j. R. Brossard).
Syn. défaut de forme. **Opp.** vice de fond.
Angl. defect of form+, formal defect, informality.

VICE DE LA POSSESSION

(*Biens*) Défaut résultant de l'absence d'une qualité que la loi requiert de la possession[1] pour qu'elle produise des effets juridiques. « [...] la possession doit être *continue*, *paisible*, *publique* et *non équivoque*; l'absence de chacune de ces qualités constitue un vice de la possession : *discontinuité*, *violence*, *clandestinité*, *équivoque* » (Martineau, *Prescription*, n° 86, p. 83).
Occ. Art. 2244, 2268 C. civ.
V.a. possession viciée.
Angl. defect of possession.

VICE DU CONSENTEMENT

(*Obl.*) Imperfection qui, portant atteinte à l'intégrité du consentement[1], est susceptible d'entraîner la nullité relative du contrat. « Le Code civil traite des vices du consentement non point en tant que tels, mais en tant que causes de nullité des contrats : en vertu de l'article 991, l'"erreur, la fraude, la violence ou la crainte et la lésion sont des causes de nullité de contrats" » (Pineau et Burman, *Obligations*, n° 58, p. 87).
Rem. Le vice du consentement est susceptible également de porter atteinte à la validité des actes juridiques unilatéraux.
V.a. consentement vicié, crainte, dol[1], erreur vice du consentement, intégrité du consentement.
Angl. defect of consent.

VICE RÉDHIBITOIRE

(*Obl.*) Syn. vice caché. « Les vices dont le vendeur est garant et qu'on appelle vices rédhibitoires doivent réunir les conditions suivantes. Ils doivent être cachés et affecter une qualité importante de la chose vendue. Il faut qu'ils aient existé lors de la vente et que l'acheteur en ait ignoré l'existence. Il faut enfin qu'ils n'aient pas été exclus de la garantie par une clause spéciale de l'acte de vente » (Faribault, dans *Traité*, t. 11, n° 304, p. 275).
V.a. garantie des vices cachés.
Angl. hidden defect, latent defect+, redhibitory defect.

VICIÉ, ÉE *adj.*

V. consentement vicié, possession viciée.

VICTIME *n.f.*

Personne qui subit un préjudice.
Occ. Art. 1056*b* C. civ.
V.a. faute de la victime.
Angl. victim.

VICTIME IMMÉDIATE

(*Obl.*) Syn. victime initiale. « [...] les auteurs parlent parfois de victimes par ricochet ou par contrecoup, tandis que la personne physiquement atteinte est désignée comme la victime immédiate. Ces expressions commodes ne sont pas strictement exactes; elles peuvent faire croire que seul le préjudice subi par la victime physiquement atteinte est direct et immédiat. Il n'en est rien, le préjudice résultant d'une blessure causée à une femme peut atteindre le mari de façon aussi immédiate et directe, même si l'atteinte au mari est moins visible

et moins immédiatement ressentie » (*Hôpital Notre-Dame de l'Espérance* c. *Laurent*, [1974] C.A. 543, p. 548, j. A. Mayrand).
Opp. victime médiate.
Angl. immediate victim+, initial victim, principal victim.

VICTIME INITIALE

(*Obl.*) Victime d'un préjudice susceptible de ricocher sur d'autres personnes. Par ex., un employé blessé dans un accident souffre un préjudice susceptible de rejaillir sur son employeur qui est brusquement privé de ses services. L'employé est alors la victime initiale, l'employeur, la victime par ricochet. « On peut alors poser en principe que toute personne qui souffre un dommage par suite du préjudice causé à une autre, peut actionner en responsabilité l'auteur de la faute dommageable, sans qu'il y ait lieu de rechercher si cette faute est délictuelle ou contractuelle à l'égard de la victime initiale [...] » (Mazeaud, *Traité*, t. 2, n° 1876, p. 953).
Syn. victime immédiate, victime principale. **Opp.** victime par ricochet. **V.a.** dommage initial.
Angl. immediate victim+, initial victim, principal victim.

VICTIME MÉDIATE

(*Obl.*) Syn. victime par ricochet. « S'agissant toujours de ricochet, il faut supposer que le dommage subi par une personne — victime immédiate — en fait souffrir une autre — victime médiate » (Flour et Aubert, *Obligations*, vol. 2, n° 650, p. 165).
Opp. victime immédiate.
Angl. mediate victim+, victim by ricochet.

VICTIME PAR RICOCHET

(*Obl.*) Victime d'un préjudice résultant du dommage souffert par une autre personne. Par ex., le conjoint et l'enfant d'une personne blessée dans un accident souffrent un préjudice personnel, matériel ou moral, qui est, pour chacun d'eux, la conséquence du dommage subi par la victime initiale. « Peu importe d'ailleurs que la faute du responsable soit délictuelle ou contractuelle à l'égard de la victime initiale; elle est délictuelle à l'égard de la victime "par ricochet" » (Mazeaud, *Traité*, t. 2, n° 1876, p. 952).
Rem. On ne saurait plus douter qu'en principe tant la victime par ricochet que la victime initiale ont droit à la réparation du préjudice personnel, matériel ou moral, causé par l'auteur du dommage dans les conditions susceptibles d'engager la responsabilité civile. Voir, à ce sujet, *Hôpital Notre-Dame de l'Espérance* c. *Laurent*, [1978] 1 R.C.S. 605. Toutefois, dans le cas d'un délit ou quasi-délit entraînant le décès de la victime initiale, l'art. 1056 al. 1 C. civ., contrairement au droit français, limite, pour le préjudice résultant du décès, le droit d'action en responsabilité aux seuls conjoint, ascendants et descendants de la victime initiale.
Syn. victime médiate. **Opp.** victime initiale. **V.a.** dommage par ricochet.
Angl. mediate victim+, victim by ricochet.

VICTIME PRINCIPALE

(*Obl.*) Syn. victime initiale. « [...] d'autres personnes en relation avec la victime peuvent se trouver lésées par suite de l'atteinte que porte à leurs propres intérêts, matériels ou moraux, le dommage subi par la victime principale » (Marty et Raynaud, *Obligations*, t. 1, n° 433, p. 467).
Angl. immediate victim+, initial victim, principal victim.

VIF *n.m.*

(*Obl.*) Vivant. *Le mort saisi le vif.*
V.a. acte entre vifs, entre vifs.

VIOLENCE *n.f.*

Contrainte physique ou morale illégitime provoquant chez une personne une crainte

qui la détermine à conclure un acte juridique. « La violence atteint le consentement dans son *élément de liberté* : intellectuellement, la victime perçoit très bien qu'elle conclut un "mauvais contrat"; elle s'y résout cependant, afin d'échapper à un mal plus grave dont elle est menacée pour le cas où elle refuserait de s'engager. Le véritable vice n'est donc pas la violence en soi, mais *la crainte* que celle-ci inspire [...] » (Flour et Aubert, *Obligations*, vol. 1, n° 214, p. 168-169).
Occ. Art. 991, 994, 995 C. civ.
Rem. L'art. 994 C. civ. reconnaît la violence comme cause de nullité relative du contrat.
V.a. état de nécessité[2], vice du consentement.
Angl. violence.

VIOLENT, ENTE *adj.*

V. possession violente.

VIRTUEL, ELLE *adj.*

V. dommage virtuel, droit virtuel, nullité virtuelle, ordre public virtuel, préjudice virtuel.

VOISINAGE *n.f.*

V. trouble de voisinage.

VOITURIER, IÈRE *n.*

(*Obl.*) *Vieilli*. Syn. transporteur. « Seraient [...] voituriers, ceux qui font profession de transporter des personnes ou des choses d'un lieu à un autre, comme ceux qui, par occasion, entreprennent ce transport. Ce sont surtout les premiers que le code envisage [...] » (Mignault, *Droit civil*, t. 7, p. 379).
Occ. Art. 1666 par. 2, 1672, 1676, 1678 C. civ.
V.a. contrat de voiture.
Angl. carrier.

VOLONTAIRE *adj.*

V. cautionnement volontaire, caution volontaire, dépôt volontaire, domicile volontaire, exécution volontaire, faute volontaire, intervention volontaire, radiation volontaire, reconnaissance volontaire, représentation volontaire, résiliation volontaire.

VOLONTÉ DÉCLARÉE

(*Obl.*) Volonté de conclure un acte juridique portée à la connaissance d'autrui. « La volonté exprimée, déclarée, n'a d'efficacité que dans la mesure où elle reproduit fidèlement la volonté réelle; en cas de discordance, la volonté réelle doit nécessairement l'emporter sur la déclaration de volonté; une transmission inexacte de la volonté réelle est un obstacle à la formation du contrat » (Mazeaud et Chabas, *Leçons*, t. 2, vol. 1, n° 122, p. 106).
Syn. volonté externe. **Opp.** volonté interne. **V.a.** déclaration de volonté, théorie de la déclaration de volonté+.
Angl. declared will+, externalized will.

VOLONTÉ EXTERNE

(*Obl.*) Syn. volonté déclarée. « Il est aisé de se rendre compte [...] des défauts d'un tel système [celui de la volonté déclarée]. Il aboutirait à de graves injustices, les parties pouvant se trouver liées par des obligations qu'elles n'ont pas véritablement désirées. Le système de la volonté externe opère donc un retour au formalisme, la façon d'exprimer sa volonté primant la véritable intention contractuelle » (Baudouin, *Obligations*, n° 98, p. 95).
Angl. declared will+, externalized will.

VOLONTÉ INTERNE

(*Obl.*) Volonté de conclure un acte juridique qu'une personne conçoit en son for intérieur. « L'article 1013 C.c. exprime formellement cette adhésion du droit civil québécois au système de la volonté interne

lorsqu'il énonce qu'en cas de doute sur la commune intention des parties, l'interprétation doit l'emporter sur le sens littéral des termes utilisés [...] Cependant le Code civil, la loi et la jurisprudence tempèrent l'absolutisme du principe de diverses façons » (Baudouin, *Obligations*, n° 99, p. 95-96).
Syn. volonté réelle. **Opp.** volonté déclarée. **V.a.** théorie de la déclaration de volonté+.
Angl. internal will+, true will.

VOLONTÉ RÉELLE

(*Obl.*) Syn. volonté interne. « Volonté interne et volonté déclarée forment un tout indissociable : d'une part, une déclaration de volonté ne peut produire aucun effet de droit, si elle ne correspond à aucune volonté réelle [...] d'autre part, la volonté interne n'acquiert une valeur juridique qu'à la condition de s'extérioriser » (Ripert et Boulanger, *Traité*, t. 2, n° 143, p. 62).
V.a. théorie de la volonté réelle.
Angl. internal will+, true will.

VOLUPTUAIRE *adj.*

(*Biens*) Qui, sans ajouter à la valeur d'une chose, ne fait que satisfaire les goûts personnels de l'auteur.
Rem. **1°** S'emploie avec *améliorations*, *dépenses* et *impenses*. **2°** Du latin *voluptas* : plaisir, satisfaction.
V.a. agrément[1], dépenses voluptuaires, impenses voluptuaires. **F.f.** somptuaire[2].
Angl. sumptuary[2], voluptuary+.

VOYAGEUR, EUSE *n.*

1. (*Obl.*) Syn. passager. « [...] il est certain que le voiturier qui laisserait ses voyageurs sur le quai ou les abandonnerait en cours de route, engagerait sa responsabilité contractuelle » (Crépeau, (1960-1961) 7 *McGill L.J.* 225, p. 236).
Occ. Art. 1673, 1677 C. civ.
V.a. contrat de transport de voyageurs.
Angl. passenger.

2. (*Obl.*) Personne qui, à l'occasion d'un voyage, est partie à un contrat d'hôtellerie en qualité d'hôte. « Entre l'hôtelier et le voyageur se noue un contrat [...] Le voyageur a l'obligation de payer le prix de la chambre [...] Le payement est garanti par un privilège mobilier sur les effets que le voyageur a transportés dans l'établissement. L'hôtelier a le droit de rétention » (*Dict. de droit*, v° Hôtelier-logeur, n° 5).
Occ. Art. 1814 C. civ.
Angl. traveller.

VUE *n.f.*

(*Biens*) Ouverture dans un mur munie ou non d'un verre fixé dans un châssis qu'on peut ouvrir. « Sont traitées comme des vues, encore qu'il ne s'agisse pas d'ouvertures à proprement parler, les terrasses, plateformes et ouvrages de nature à procurer la vue sur le fonds voisin » (Marty et Raynaud, *Biens*, n° 279, p. 382).
Occ. Art. 536, 537 C. civ.
Rem. **1°** Sont assimilées aux vues les portes munies de fenêtres, de même que les galeries, balcons et autres ouvrages permettant de voir chez le voisin. **2°** À moins de s'être fait consentir une servitude de vue[2], un propriétaire ne peut avoir de vue dans son mur qu'à une certaine distance du fonds voisin. La loi distingue, à cet égard, les vues droites et les vues obliques.
Opp. jour. **V.a.** servitude de vue.
Angl. view.

VUE DIRECTE

(*Biens*) Syn. vue droite. « [...] si une perpendiculaire au plan de la fenêtre atteint en quelque point le terrain du voisin, la vue est directe; sinon, elle est oblique » (Cossette, (1954) 1 *C. de D.* 95, p. 102).
Angl. direct view.

VUE DROITE

(*Biens*) Vue dont l'axe fictivement prolongé atteindrait le fonds voisin, peu im-

porte que le mur dans lequel elle est pratiquée soit ou non parallèle à la ligne de séparation des deux fonds. « [...] la vue droite est celle que, dans la direction de l'axe d'une ouverture, on peut exercer sur une partie déterminée du fonds voisin, sans être obligé de tourner la tête soit à droite soit à gauche » (Aubry et Rau, *Droit civil*, t. 2, n° 174, p. 290).
Rem. **1°** À moins de s'être fait consentir une servitude de vue², on ne peut avoir de vues droites dans un mur situé à moins de six pieds français (1,96 m) de la ligne séparative des deux fonds (art. 536 C. civ.). L'art. 1033 C. civ. Q. (L.Q. 1987, chap. 18, art. 1 n.e.v.), repris à l'art. 992 du Projet de loi 125, réduit cette distance à 1,50 m. **2°** Voir les art. 536 et 538 C. civ.
Syn. vue directe. **Opp.** vue oblique.
Angl. direct view.

VUE OBLIQUE

(*Biens*) Vue dont l'axe fictivement prolongé n'atteindrait pas le fonds voisin, peu importe que le mur dans lequel elle est pratiquée soit ou non perpendiculaire à la ligne de séparation des deux fonds. « Les *vues obliques* sont les ouvertures dont l'axe, quelque prolongé qu'il fût, n'atteindrait pas le fonds voisin, et au moyen desquelles on ne peut se procurer de vue sur ce fonds qu'en se plaçant dans une direction différente de celle de cet axe, c'est-à-dire en se tournant à droite ou à gauche » (Aubry et Rau, *Droit civil*, t. 2, n° 174, p. 291).
Rem. **1°** À moins de s'être fait consentir une servitude de vue², on ne peut avoir de vues obliques dans un mur situé à moins de deux pieds français (65 cm) de la ligne séparative des deux fonds (art. 537 C. civ.). La *Loi portant réforme au Code civil du Québec du droit des personnes, des successions et des biens* (L.Q. 1987, chap. 18, art. 1 n.e.v.) et le Projet de loi 125 ne comportent pas de restrictions dans le cas des vues obliques. **2°** Voir les art. 537 et 538 C. civ.
Opp. vue droite.
Angl. indirect view, oblique view⁺.

Lexique anglais/français

A

ABANDON[1]	abandonner(<)+, déguerpir(<)+, renoncer+
ABANDON[2]	désister (se)(>)
ABANDONED THING	chose abandonnée+, *res derelicta*
ABANDONMENT	abandon(<)+, déguerpissement(<)+, renonciation+
ABDICATION	abdication, acte abdicatif+
ABDICATIVE	abdicatif
ABDICATIVE ACT	abdication, acte abdicatif+
AB INITIO	*ab initio*
AB INTESTAT	*ab intestat*(<)+, intestat(<)+
ABINTESTATE	*ab intestat*(<)+, intestat(<)+
ABINTESTATE HEIR	héritier *ab intestat*+, héritier légal, héritier légitime[2]
ABINTESTATE SUCCESSION	succession *ab intestat*+, succession légale, succession légitime[2]
AB INTESTAT SUCCESSION	succession *ab intestat*+, succession légale, succession légitime[2]
ABRIDGED PRESCRIPTION	prescription abrégée
ABROGATION	abrogation
ABSOLUTE[1]	absolu[1]
ABSOLUTE[2]	absolu[2]
ABSOLUTE[3]	absolu[5](x)
ABSOLUTE[4]	absolu[3]+, discrétionnaire, non causé
ABSOLUTE DELAY	déchéance[2], délai de forclusion, délai préfix+
ABSOLUTE ERROR	erreur-obstacle
ABSOLUTE JURISDICTION	compétence absolue, compétence d'attribution+, compétence *ratione materiae*
ABSOLUTE LIABILITY	responsabilité absolue(x), responsabilité causale, responsabilité de plein droit, responsabilité objective+, responsabilité sans faute, responsabilité stricte(x)
ABSOLUTE NULLITY	nullité absolue
ABSOLUTE OBLIGATION	obligation absolue, obligation de résultat+, obligation déterminée
ABSOLUTE PUBLIC ORDER	ordre public absolu, ordre public de direction+
ABSOLUTE RIGHT[1]	droit absolu[1]

ABSOLUTE RIGHT²	droit absolu²
ABSOLUTE RIGHT³	droit absolu³⁺, droit discrétionnaire, droit non causé
ABSOLUTE RIGHT⁴	droit pur et simple
ABUSE OF ENJOYMENT	abus de jouissance
ABUSE OF RIGHT(S)	abus de droit
ABUSIVE CLAUSE	clause abusive
ABUSUS	*abusus*⁺, *jus abutendi*
ACCEPT¹	accepter¹
ACCEPT²	accepter², recevoir⁺
ACCEPTANCE¹	acceptation¹⁺, agrément¹
ACCEPTANCE²	acceptation²
ACCEPTANCE³	acceptation³, réception⁺
ACCEPTOR	acceptant
ACCESSION	accession
ACCESSION BY THE ACT OF MAN	accession artificielle⁺, accession industrielle
ACCESSORY	accessoire
ACCESSORY	accessoire
ACCESSORY CONTRACT	contrat accessoire
ACCESSORY INTERVENTION	intervention accessoire, intervention conservatoire⁺
ACCESSORY REAL RIGHT	droit réel accessoire⁺, droit réel de garantie
ACCIDENT	accident
ACCIDENTAL INDIVISIBILITY	indivisibilité accidentelle, indivisibilité artificielle, indivisibilité conventionnelle⁺, indivisibilité de paiement, indivisibilité subjective
ACCIPIENS	*accipiens*⁺, payé
ACCOMPLISHED CONDITION	condition accomplie
ACCOMPLISHMENT OF PRESCRIPTION	accomplissement de la prescription
ACCOMPLISHMENT OF THE CONDITION	accomplissement de la condition, arrivée de la condition, réalisation de la condition⁺
ACCOUNT	compte
ACCOUNTABLE	comptable
ACCOUNTANT	comptable
ACCOUNT BY AGREEMENT	compte à l'amiable
ACCOUNTING	reddition de compte
ACCOUNTING PARTY	rendant⁺, rendant compte
ACCRETION	accroissement
ACCRUED INTEREST	intérêt échu
ACCRUED RIGHT	droit acquis², droit actuel⁺
ACCRUING INTEREST	intérêt à échoir
ACKNOWLEDGE¹	donner acte
ACKNOWLEDGE²	prendre acte

ACKNOWLEDGED CHILD	enfant reconnu
ACKNOWLEDGEMENT OF DEBT	reconnaissance de dette
ACKNOWLEDGEMENT OF MATERNITY OR OF PATERNITY	reconnaissance de maternité ou de paternité[+], reconnaissance volontaire
ACKNOWLEDGEMENT OF A NATURAL CHILD	reconnaissance d'enfant naturel
A CONTRARIO	*a contrario*
ACQUIESCENCE IN A DEMAND	acquiescement à la demande[+], confession de jugement(x)
ACQUIESCENCE TO A JUDGMENT	acquiescement à jugement
ACQUIRE[1]	acquérir[1]
ACQUIRE[2]	acquérir[2]
ACQUIRED DOMICILE	domicile acquis
ACQUIRED PRESCRIPTION	prescription accomplie, prescription acquise[+]
ACQUIRED RIGHT[1]	droit acquis[1+], *jus quaesitum*
ACQUIRED RIGHT[2]	droit acquis[2], droit actuel[+].
ACQUIRER	acquéreur
ACQUIRER BY PARTICULAR TITLE	acquéreur à titre particulier, ayant cause à titre particulier[+], ayant cause particulier, ayant droit à titre particulier, successeur à titre particulier
ACQUISITION[1]	acquisition[1]
ACQUISITION[2]	acquisition[2]
ACQUISITIVE PRESCRIPTION	prescription acquisitive[+], usucapion
ACQUIT[1]	acquitter, payer[+], régler[1]
ACQUIT[2]	quittancer
ACQUITTANCE	quittance
ACT[1]	acte[1]
ACT[2.A]	acte[2.A], acte juridique[+], fait juridique[3], *negotium*, titre[2.A]
ACT[2.B]	acte[2.B], acte instrumentaire[+], *instrumentum*, titre[2.B]
ACT[3]	acte[3](x), droit statutaire[2](x), législation[2](x), loi[2+], statut[3](x)
ACT BY GRATUITOUS TITLE	acte à titre gratuit
ACT BY ONEROUS TITLE	acte à titre onéreux
ACTE	acte[2.B], acte instrumentaire[+], *instrumentum*, titre[2.B]
ACT IN CONTEMPLATION OF DEATH	acte à cause de mort
ACT *INTER VIVOS*	acte entre vifs
ACTION[1]	action[1+], action en justice[1]
ACTION[2]	action[2], action directe[4](x), action de justice[2], demande[+], demande en justice

ACTION[3]	action[3], instance[+], procès[2]
ACTION[4]	action[4]
ACTION *DE IN REM VERSO*	action *de in rem verso*[+], action en répétition d'enrichissement sans cause
ACTION *EN PASSATION DE TITRE*	action en passation de titre
ACTION FOR ANNULMENT	action en annulation, action en nullité[+]
ACTION FOR CANCELLATION	action en annulation, action en nullité[+]
ACTION FOR EXECUTION IN KIND	action en exécution
ACTION FOR (IN) SPECIFIC PERFORMANCE	action en exécution
ACTION FOR PERFORMANCE IN KIND	action en exécution
ACTION FOR REPOSSESSION	action en réintégrande, réintégrande[+]
ACTION IN CIVIL LIABILITY	action en réparation, action en responsabilité[+], action en responsabilité civile
ACTION IN CIVIL RESPONSIBILITY	action en réparation, action en responsabilité[+], action en responsabilité civile
ACTION IN CONTESTATION OF LEGITIMACY	action en contestation de légitimité
ACTION IN CONTESTATION OF PATERNITY	action en contestation de paternité[+], contestation de paternité, recours en contestation de paternité
ACTION IN CONTESTATION OF STATUS	action en contestation d'état[+], contestation d'état
ACTION IN DECLARATION OF SIMULATION	action en déclaration de simulation
ACTION IN DENUNCIATION OF NEW WORKS	action en dénonciation de nouvel oeuvre
ACTION IN DENUNCIATION OF *NOUVEL OEUVRE*	action en dénonciation de nouvel oeuvre
ACTION IN DISAVOWAL	action en désaveu, action en désaveu de paternité[+], désaveu de paternité, recours en désaveu
ACTION IN DISAVOWAL OF PATERNITY	action en désaveu, action en désaveu de paternité[+], désaveu de paternité, recours en désaveu
ACTION IN EXECUTION OF TITLE[1]	action en passation de titre[1]
ACTION IN EXECUTION OF TITLE[2]	action en passation de titre[2]
ACTION IN (FOR) DAMAGES	action en dommages-intérêts
ACTION IN INTERRUPTION OF PRESCRIPTION	action en interruption de prescription
ACTION IN LIABILITY	action en réparation, action en responsabilité[+], action en responsabilité civile
ACTION IN MANAGEMENT OF THE AFFAIRS OF ANOTHER	action en gestion d'affaire(s)[+], action *negotiorum gestorum*

ACTION IN NULLITY	action en annulation, action en nullité+
ACTION IN PARTITION	action en partage
ACTION IN PASSATION OF TITLE	action en passation de titre
ACTION IN RECOVERY OF A THING NOT DUE	action en répétition de l'indu+, *condictio indebiti*
ACTION IN RECOVERY OF UNJUSTIFIED ENRICHMENT	action *de in rem verso*+, action en répétition d'enrichissement sans cause
ACTION IN REPARATION	action en réparation, action en responsabilité+, action en responsabilité civile
ACTION IN RESCISSION	action en rescision+, action en restitution[2](x)
ACTION IN RESILIATION	action en résiliation
ACTION IN RESOLUTION	action en résolution+, action résolutoire
ACTION IN RESPONSIBILITY	action en réparation, action en responsabilité+, action en responsabilité civile
ACTION IN RESTITUTION[1]	action en restitution[1]
ACTION IN RESTITUTION[2] (X)	action en rescision+, action en restitution[2](x)
ACTION IN RESTITUTION[3]	action en répétition de l'indu+, *condictio indebiti*
ACTION IN REVENDICATION	action en revendication, revendication[1]+
ACTION IN REVOCATION	action en révocation
ACTION IN WARRANTY	action en garantie
ACTION ON DISTURBANCE	action en complainte, complainte+
ACTION TO ACCOUNT	action en reddition de compte
ACTION TO CLAIM STATUS	action en réclamation d'état+, réclamation d'état
ACTIVE INDIVISIBILITY	indivisibilité active
ACTIVE PARTNER	associé actif, associé ordinaire+
ACTIVE SERVITUDE	servitude active
ACTIVE SOLIDARITY	solidarité active
ACTIVE SUBJECT	sujet actif
ACTIVITY V. custody of the activity (of the thing)	
ACT *MORTIS CAUSA*	acte à cause de mort
ACT OF ADMINISTRATION	acte d'administration
ACT OF ALIENATION	acte d'aliénation
ACT OF (A) MERE SUFFERANCE	acte de simple tolérance+, acte de tolérance
ACT OF AN ANIMAL	fait de l'animal
ACT OF ANOTHER	fait d'autrui
ACT OF A THING	fait de la chose
ACT OF COMMERCE	acte commercial, acte de commerce+, opération commerciale
ACT OF CONSERVATION	acte conservatoire+, acte de conservation

ACT OF DISPOSITION	acte de disposition
ACT OF MERE ADMINISTRATION	acte de pure administration+, acte de simple administration
ACT OF NOTORIETY	acte de notoriété
ACT OF PROCEDURE	acte de procédure+, procédure[2](x)
ACT OF RECOGNITION	acte récognitif+, titre récognitif
ACT OF RENUNCIATION	abdication, acte abdicatif+
ACT OF SIMPLE ADMINISTRATION	acte de pure administration+, acte de simple administration
ACT OF STATE	fait du prince
ACT OF SUFFERANCE	acte de simple tolérance+, acte de tolérance
ACTUAL POSSESSION	détention[1]+, possession[2](x), possession actuelle[2](x), possession réelle
ACTUAL POSSESSOR	possesseur actuel
ACTUAL TENDER	offre réelle
ACTUAL TRADITION	tradition actuelle(x), tradition réelle+
ACTUAL VALUE	valeur actuelle(x), valeur marchande, valeur réelle+, valeur vénale
ACT UNDER PRIVATE WRITING	acte sous seing privé
ADAGE	adage, brocard, maxime juridique+
ADDITIONAL VALUE	plus-value
ADDRESSEE	consignataire, destinataire[2]+
ADEQUATE CAUSATION	causalité adéquate
ADEQUATE CAUSE	cause adéquate
AD HABILITATEM V. formality *ad habilitatem*	habilitant
ADHESION CONTRACT	contrat d'adhésion
AD HOC	*ad hoc*
AD HOC DECISION	arrêt d'espèce(<)+, décision d'espèce+
AD HOC TUTOR	tuteur *ad hoc*+, tuteur spécial
ADJUNCTION	adjonction
AD LITEM MANDATE	mandat *ad litem*
ADMINISTRATION V. act of administration	administration
ADMINISTRATIVE LAW	droit administratif
ADMINISTRATIVE SERVITUDE	servitude administrative, servitude de droit public, servitude légale[2]+
ADMINISTRATOR V. prudent administrator	
ADMIXTURE	confusion[2], mélange+
ADOPT	adopter
ADOPTABLE	adoptable
ADOPTED	adopté
ADOPTED CHILD	enfant adopté+, enfant adoptif

ADOPTED PERSON	adopté
ADOPTEE	adopté
ADOPTER	adoptant
ADOPTING FAMILY	famille adoptive
ADOPTION	adoption
ADOPTIVE	adoptif
ADOPTIVE ALLIANCE	alliance adoptive
ADOPTIVE CHILD	enfant adopté+, enfant adoptif
ADOPTIVE FAMILY	famille adoptive
ADOPTIVE FILIATION	filiation adoptive
ADOPTIVE PARENT	parent adoptif(>)
ADOPTIVE RELATION	parent adoptif
ADOPTIVE RELATIVE	parent adoptif
AD PROBATIONEM	*ad probationem*
AD REM V. *jus ad rem*	*ad rem*
AD SOLEMNITATEM	*ad solemnitatem*+, *ad validitatem*
ADULTERINE CHILD	enfant adultérin
ADULTERINE FILIATION	filiation adultérine
ADVANCE V. payment in advance	
AD VALIDITATEM	*ad solemnitatem*+, *ad validitatem*
ADVOCATE	avocat
AESTHETIC DAMAGE	dommage esthétique, préjudice esthétique+
AESTHETIC HARM	dommage esthétique, préjudice esthétique+
AESTHETIC INJURY	dommage esthétique, préjudice esthétique+
AESTHETIC PREJUDICE	dommage esthétique, préjudice esthétique+
AFFAIRS V. action in management of the affairs of another, management of the affairs of another	affaire
AFFECT	affecter
AFFECTATION	affectation
AFFIANT	affiant(>)(x), déclarant(>)+
AFFIDAVIT	affidavit
AFFINITY	affinité, alliance+
AFFIRMATION	affirmation
A FORTIORI	*a fortiori*
AGREEMENT	contrat^{A}+, convention, pacte
AGREEMENT FOR EARNEST	convention d'arrhes, stipulation d'arrhes+
AGGRESSIVE INTERVENTION	intervention agressive+, intervention principale
ALEATORY CONTRACT	contrat aléatoire
ALEATORY SALE	vente aléatoire

ALIENABILITY	aliénabilité
ALIENABLE	aliénable
ALIENATE	aliéner
ALIENATION	aliénation
ALIENATION FOR RENT	bail à rente
ALIENATOR	aliénateur
ALIENEE	aliénataire
ALIQUOT PART	quote-part
ALIQUOT PORTION	quote-part
ALIQUOT SHARE	quote-part
ALLIANCE	affinité, alliance+
ALLIED	allié
ALLOCATE	attribuer
ALLOCATION	attribution[1]
ALLOT	attribuer
ALLOTMENT	attribution[1]
ALLOTTEE	attributaire
ALLUVION	alluvion
ALTERNATE CUSTODY[1]	garde alternative[1]+, garde alternée, garde conjointe[3](x), garde partagée[3]
ALTERNATE CUSTODY[2]	garde alternative[2]
ALTERNATIVE OBLIGATION	obligation alternative
AMICABLE	amiable (à l')
AMICABLE ACCOUNT	compte à l'amiable
AMICABLE PARTITION	partage (à l')amiable
AMICABLE RESILIATION	résiliation amiable, résiliation bilatérale+, résiliation conventionnelle, révocation[2]
ANATOCISM	anatocisme
ANATOCISM AGREEMENT	convention d'anatocisme
ANCIEN DROIT[1]	ancien droit[1]
ANCIEN DROIT[2]	ancien droit[2]
ANIMO ET FACTO	*animo et facto*
ANIMO SOLO	*animo solo*
ANIMO SOLO POSSESSION	possession *animo solo*
ANIMUS	*animus*
ANIMUS DOMINI	*animus domini*
ANIMUS DONANDI	*animus donandi*, intention libérale+
ANIMUS NOVANDI	*animus novandi*, intention novatoire+
ANNUITY[1]	rente[1]
ANNUITY[2]	annuité
ANNUL	annuler
ANNULABILITY	annulabilité

ANNULLABLE	annulable
ANNULMENT	annulation+, cancellation[2](x)
ANONYMOUS PARTNERSHIP	société anonyme
ANOTHER	autrui
ANSWER	soutènements
ANTICHRESIS[1]	antichrèse[1]
ANTICHRESIS[2]	antichrèse[2]
ANTICIPATION V. mobilization by anticipation, moveable by anticipation	anticipation
A PARI	*a pari*
APPARENT[1]	apparent[1]
APPARENT[2]	apparent[2]
APPARENT ACT	acte apparent+, acte ostensible, acte simulé
APPARENT DEFECT	défaut apparent, vice apparent+
APPARENT MANDATE	mandat apparent
APPARENT RIGHT	droit apparent
APPARENT SERVITUDE	servitude apparente
APPEAL	appel
APPEAR	comparaître
APPEARANCE[1]	apparence[1]
APPEARANCE[2]	apparence[2]
APPEARANCE[3]	comparution[1]
APPEARANCE[4]	acte de comparution+, comparution[2]
APPEARANCE OF RIGHT	apparence de droit
APPLICANT	requérant
APPRENTICE	apprenti
APPROVAL CLAUSE	clause d'agrément
A QUO V. judgment *a quo*	*a quo*
ARBITRATE[1]	compromettre
ARBITRATE[2]	arbitrer
ARBITRATION[1]	arbitrage[1]
ARBITRATION[2]	arbitrage[2]
ARBITRATION AGREEMENT	convention d'arbitrage
ARBITRATION CLAUSE	clause compromissoire+, clause d'arbitrage, pacte compromissoire
ARCHITECT	architecte
ARCHITECT'S PRIVILEGE	privilège de l'architecte
ARREARS[1]	arrérages[1]
ARREARS[2]	arrérages[2](x), arriéré+
ARREARS (IN)	arriéré

ARRÊT DE RÈGLEMENT	arrêt de règlement
ARRIVAL OF THE TERM	arrivée du terme, avènement du terme, échéance[2]+, échéance du terme
ARTIFICE V. fraudulent artifices	
ARTIFICIAL	juridique[5], moral[5]+
ARTIFICIAL ACCESSION	accession artificielle+, accession industrielle
ARTIFICIAL INDIVISIBILITY	indivisibilité accidentelle, indivisibilité artificielle, indivisibilité conventionnelle+, indivisibilité de paiement, indivisibilité subjective
ARTIFICIAL PERSON	personne civile, personne fictive, personne juridique[2], personne morale+
ARTIFICIAL PERSONALITY	personnalité civile, personnalité fictive, personnalité juridique[2], personnalité morale+
ARTISAN	artisan
ASCENDANT	ascendant
ASCENDING	ascendant
ASSENT	consentement[1]
ASSENT	consentir(>)
ASSETS	actif
ASSIETTE	assiette
ASSIGN	céder+, transporter[2]
ASSIGNABILITY	cessibilité
ASSIGNABLE	cessible
ASSIGNED CREANCER	créancier cédé
ASSIGNED CREDITOR	créancier cédé
ASSIGNED DEBTOR	cédé, débiteur cédé+
ASSIGNEE	cessionnaire
ASSIGNEE BY GENERAL TITLE	ayant cause à titre universel+, ayant droit à titre universel, représentant légal[2](x), successeur à titre universel
ASSIGNEE BY PARTICULAR TITLE	acquéreur à titre particulier, ayant cause à titre particulier+, ayant cause particulier, ayant droit à titre particulier, successeur à titre particulier
ASSIGNEE BY UNIVERSAL TITLE	ayant cause universel+, ayant droit universel, représentant légal[2](x), successeur universel
ASSIGNMENT[1]	cession+, transfert[2.A](x), transport[3]
ASSIGNMENT[2]	affectation
ASSIGNMENT[3]	assignation[2]
ASSIGNMENT OF CONTRACT	cession de contrat
ASSIGNMENT OF CREANCE	cession de créance+, cession-transport, transport-cession, transport de créance
ASSIGNMENT OF DEBT	cession de dette+, transport de dette
ASSIGNMENT OF HYPOTHECARY RANK	cession de priorité d'hypothèque+, cession du rang hypothécaire

ASSIGNMENT OF INHERITANCE	cession de(s) droits héréditaires, cession de(s) droits successifs+, cession d'hérédité
ASSIGNMENT OF LEASE	cession de bail
ASSIGNMENT OF LITIGIOUS RIGHTS	cession de droits litigieux
ASSIGNMENT OF PREFERENCE	cession d'antériorité, cession de priorité+, cession de rang
ASSIGNMENT OF PRIORITY	cession d'antériorité, cession de priorité+, cession de rang
ASSIGNMENT OF RANK	cession d'antériorité, cession de priorité+, cession de rang
ASSIGNMENT OF RIGHTS OF INHERITANCE	cession de(s) droits héréditaires, cession de(s) droits successifs+, cession d'hérédité
ASSIGNMENT OF RIGHTS OF SUCCESSION	cession de(s) droits héréditaires, cession de(s) droits successifs+, cession d'hérédité
ASSIGNOR	cédant
ASSUMPTION OF DEBT	reprise de dette
ASSUMPTION OF RISK(S)	acceptation de(s) risque(s)
ATTACH FOR RENT	saisir-gager
ATTACH IN REVENDICATION	saisir-revendiquer
ATTACHMENT	saisie
ATTACHMENT BY GARNISHMENT	arrêt en mains tierces
ATTACHMENT FOR RENT	saisie-gagerie
ATTACHMENT IN REVENDICATION	saisie-revendication
ATTESTING DEED	acte[2.B], acte instrumentaire+, *instrumentum*, titre[2.B]
ATTORNEY	mandataire+, procureur
ATTORNEY GENERAL	procureur général
ATTORNEY GENERAL'S PROSECUTOR	procureur de la Couronne(x), substitut du procureur général+
ATTRIBUTABLE[1]	imputable[1]
ATTRIBUTABLE[2]	imputable[2]
ATTRIBUTE	attribuer
ATTRIBUTION	attribution[1]
ATTRIBUTIVE	attributif[1]
ATTRIBUTIVE ACT	acte attributif
AUTHENTIC ACT	acte authentique
AUTHENTIC DEED	acte authentique
AUTHENTIC DOCUMENT	acte authentique
AUTHENTIC INSTRUMENT	acte authentique
AUTHENTIC WRITING	acte authentique
AUTHOR	auteur
AUTONOMOUS ACT OF A THING	fait autonome de la chose

AVOID (X)	annuler
AVOIDANCE (X)	annulation[+], cancellation[2](x)
AVULSION	avulsion

B

BAD FAITH[1]	mauvaise foi[1]
BAD FAITH[2]	mauvaise foi[2]
BAD FAITH POSSESSION	possession de mauvaise foi
BAD FAITH POSSESSOR	possesseur de mauvaise foi
BAILIFF	huissier
BALANCE[1]	soulte
BALANCE[2]	reliquat
BAR[1]	barreau[1]
BAR[2]	barreau[2+], ordre des avocats
BARE OWNER	nu-propriétaire
BARE OWNERSHIP	nue-propriété
BARTER	contrat d'échange, échange[+], troc
BARTER	échanger[+], troquer
BÂTONNIER, IÈRE	bâtonnier
BENEFICIARY V. third party beneficiary	bénéficiaire
BENEFICIARY OF A PROMISE	bénéficiaire d'une promesse
BENEFIT OF DISCUSSION	bénéfice de discussion[+], droit de discussion
BENEFIT OF DIVISION	bénéfice de division
BENEFIT OF SUBROGATION	bénéfice de cession d'actions, bénéfice de subrogation[+]
BENEVOLENT CONTRACT	contrat de bienfaisance[+], contrat désintéressé
BEQUEATH	léguer[+], tester(>)[+]
BEQUEST[1]	disposition par testament, disposition testamentaire[1], legs[1+]
BEQUEST[2]	legs[2]
BEQUEST BY PARTICULAR TITLE	legs à titre particulier[+], legs particulier
BET	contrat de pari, pari[+]
BETTING	contrat de pari, pari[+]
BILATERAL ACT	acte bilatéral
BILATERAL CONTRACT	contrat bilatéral, contrat synallagmatique[+]

BILATERAL PROMISE OF SALE	promesse bilatérale de vente, promesse synallagmatique de vente^{+}
BILATERAL PROMISE TO CONTRACT	promesse bilatérale (de contrat), promesse synallagmatique (de contrat)$^{+}$
BILATERAL RESILIATION	résiliation amiable, résiliation bilatérale^{+}, résiliation conventionnelle, révocation^{2}
BILL	lettre de change^{+}, traite
BILL OF EXCHANGE	lettre de change^{+}, traite
BIND	engager^{1}, obliger^{+}
BLANC-SEING	blanc-seing
BOARD OF NOTARIES	chambre des notaires^{+}, notariat^{2}, ordre des notaires
BODILY INJURY	dommage corporel^{+}, dommage personnel^{2} (x), préjudice corporel
BON PÈRE DE FAMILLE	bon père de famille, *bonus pater familias,* personne raisonnable^{+}
BONUS PATER FAMILIAS	bon père de famille, *bonus pater familias,* personne raisonnable^{+}
BORROW	emprunter
BORROWER	commodataire(<)$^{+}$, emprunteur^{+}
BOUNDARY V. determination of boundaries, determine boundaries, set boundaries	
BOUNDARY-MARKER	borne^{+}, pierre-borne, témoin
BOUNDARY OPERATION	abornement
BOUNDARY-STONE	borne^{+}, pierre-borne, témoin
BREVI MANU TRADITION	*traditio brevi manu,* tradition de brève main, tradition par interversion de titre^{+}
BROCARD	adage, brocard, maxime juridique^{+}
BUILD	construire
BUILDER	constructeur
BUILDER'S PRIVILEGE	privilège du constructeur
BUILDING	bâtiment^{+}, bâtisse
BULK SALE	vente en bloc^{2}
BUSINESS CORPORATION	société commerciale^{2}, société par actions^{2+}
BUSINESS NAME	nom commercial
BUY	acheter
BUYER	acheteur
BUYER SUBJECT TO RIGHT OF REDEMPTION	acheteur à réméré
BY CONTRIBUTION V. contribution (by)	
BY-LAW	règlement^{2}

C

CADASTRAL	cadastral
CADASTRE	cadastre
CALL IN WARRANTY	appeler en garantie
CANCEL[1]	annuler[+], résilier[+], résoudre[+], révoquer[+]
CANCEL[2] (*)	
CANCEL[3]	radier
CANCELLATION[1]	annulation[+], cancellation[2](x), résiliation[+], résolution[+], révocation[+]
CANCELLATION[2]	cancellation[1]
CANCELLATION[3]	radiation
CANON[1]	canon[1+], décret[5]
CANON[2]	canon[2], rente emphytéotique[+]
CANONICAL LAW	droit canon, droit canonique[+], droit ecclésiastique[2]
CANON LAW	droit canon, droit canonique[+], droit ecclésiastique[2]
CAPABLE[1]	capable[1]
CAPABLE[2]	capable[2+], habile[1]
CAPABLE[3]	habile[2]
CAPACITATE	habiliter[2]
CAPACITY	capacité, capacité juridique[+], capacité légale
CAPACITY TO ACQUIRE	capacité d'acquisition, capacité de jouissance[+]
CAPACITY TO ENJOY	capacité d'acquisition, capacité de jouissance[+]
CAPACITY TO EXERCISE	capacité d'exercice
CAPITAL[1]	capital[1]
CAPITAL[2]	capital[2+], principal[2]
CAPITAL STOCK	capital-actions[+], capital social
CAPITAL SUM	capital[2+], principal[2]
CARE[1]	droit de garde[1], garde[1+], garde matérielle[2], garde physique[1]
CARE[2]	droit de garde[2], garde[2+]
CARE[3]	garde[3+], garde juridique[2]
CARRIAGE[1]	transport[1]
CARRIAGE[2]	contrat de transport[+], contrat de voiture, transport[2]
CARRIAGE OF GOODS	contrat de transport de choses, contrat de transport de marchandises[+], transport de choses, transport de marchandises

CARRIAGE OF MERCHANDISE	contrat de transport de choses, contrat de transport de marchandises+, transport de choses, transport de marchandises
CARRIAGE OF PERSONS	contrat de transport de passagers, contrat de transport de personnes+, contrat de transport de voyageurs, transport de personnes
CARRIER	transporteur+, voiturier
CAS D'ESPÈCE	cas d'espèce
CASE	cause[3]
CASH	espèces
CASH (IN)	comptant (au)
CASH PAYMENT[1]	paiement en espèces
CASH PAYMENT[2]	paiement (au) comptant
CASH SALE[1]	vente au comptant
CASH SALE[2] (*)	
CASUAL	casuel
CASUAL CONDITION	condition casuelle
CAUSA CAUSANS	*causa causans*, cause déterminante+, cause efficiente, cause génératrice
CAUSAL FAULT	faute causale
CAUSALITY	causalité, causalité juridique, lien causal, lien de causalité+, rapport de causalité, relation causale
CAUSAL RELATION	causalité, causalité juridique, lien causal, lien de causalité+, rapport de causalité, relation causale
CAUSA PROXIMA	*causa proxima*, cause immédiate+
CAUSA SINE QUA NON	*causa sine qua non*, cause *sine qua non*, condition *sine qua non*+
CAUSATION	causalité, causalité juridique, lien causal, lien de causalité+, rapport de causalité, relation causale
CAUSE[1.A]	cause[1.A]+, considération[1]
CAUSE[1.B]	cause[1.B]+, considération[1], mobile
CAUSE[2]	cause[2]
CAUSE OF INTERRUPTION	cause interruptive
CAUSE *SINE QUA NON*	*causa sine qua non*, cause *sine qua non*, condition *sine qua non*+
CEDE	céder+, transporter[2]
CEDENDARUM ACTIONUM V. *exceptio cedendarum actionum*, exception *cedendarum actionum*	*cedendarum actionum*
CERTAIN AND DETERMINATE CREANCE	créance certaine

CERTAIN AND DETERMINATE DEBT	dette certaine
CERTAIN AND DETERMINATE THING	bien non fongible, chose certaine et déterminée[+], chose individualisée, chose non fongible, corps certain (et déterminé)
CERTAIN DAMAGE	dommage certain[+], préjudice certain
CERTAIN SPECIFIC THING	bien non fongible, chose certaine et déterminée[+], chose individualisée, chose non fongible, corps certain (et déterminé)
CERTAIN TERM	terme certain
CERTIFICATE OF FOREIGN LAW	certificat de coutume[+], certificat d'usage
CESSION	cession[+], transfert[2.A](x), transport[3]
CHAMBER OF NOTARIES (X)	chambre des notaires[+], notariat[2], ordre des notaires
CHAMBRE DES NOTAIRES	chambre des notaires[+], notariat[2], ordre des notaires
CHARACTERIZATION[1]	qualification[1]
CHARACTERIZATION[2]	qualification[2]
CHARACTERIZE	qualifier
CHARGE[1]	charge[1], dette, engagement[2], obligation[3+]
CHARGE[2]	charge[2+], condition[3]
CHARGE[3]	charge[3+], charge réelle
CHARGE[4]	charge[4]
CHARGE[5]	charge[5]
CHARGE[6]	charge[6]
CHEQUE	chèque
CHIEF CONTRACTOR	entrepreneur général, entrepreneur principal[+]
CHIEF JUSTICE	juge en chef
CHILD[1]	enfant[1]
CHILD[2]	descendant[+], enfant[2]
CHILD[3]	enfant[3], mineur[+]
CHIROGRAPHIC CREANCE	créance chirographaire[+], créance ordinaire
CHIROGRAPHIC CREDITOR	créancier chirographaire[+], créancier ordinaire
CIVIL[1]	civil[1], privé[+]
CIVIL[2]	civil[2]
CIVIL[3]	civil[3]
CIVIL[4]	civil[4]
CIVIL[5]	civil[5]
CIVIL[6]	civil[6+], séculier
CIVIL[7]	civil[7]
CIVIL[8]	civil[8]
CIVIL[9]	civil[9+], juridique[6]

CIVIL[10]	civil[10]
CIVIL[11]	civil[11], juridique[2+]
CIVIL[12]	civil[12]
CIVIL[13]	civil[13]
CIVIL ACT	acte civil[+], opération civile
CIVIL CAPACITY	capacité civile[+], habilité
CIVIL CODE	code civil
CIVIL CODE OF LOWER CANADA	Code civil du Bas Canada
CIVIL CODE OF QUÉBEC	Code civil du Québec
CIVIL CONTRACT	contrat civil
CIVIL FAULT	fait[2], faute[2], faute civile[+], négligence[2](x)
CIVIL FRUIT	fruit civil
CIVIL INTERRUPTION (OF PRESCRIPTION)	interruption civile (de la prescription)[+], interruption juridique (de la prescription)
CIVIL LAW[1]	droit civil[2]
CIVIL LAW[2]	droit civil[3]
CIVIL LAW[3]	droit civil[4]
CIVIL LAW[4]	droit civil[6], droit séculier[+]
CIVIL LAW[5]	droit civil[1], droit privé[1+]
CIVIL LAW[6.A]	droit civil[7.A+], *jus civile*
CIVIL LAW[6.B]	droit civil[7.B]
CIVIL LAW[7]	droit civil[8]
CIVIL LIABILITY	responsabilité[2], responsabilité civile[+]
CIVIL LIBERTY	liberté publique
CIVIL MARRIAGE	mariage civil
CIVIL OBLIGATION	obligation civile
CIVIL OPERATION	acte civil[+], opération civile
CIVIL PARTNERSHIP	société civile
CIVIL PERSON	personne civile, personne fictive, personne juridique[2], personne morale[+]
CIVIL PERSONALITY	personnalité civile, personnalité fictive, personnalité juridique[2], personnalité morale[+]
CIVIL POSSESSION	possession[1+], possession *animo domini*, possession à titre de propriétaire, possession civile, possession juridique
CIVIL PROCEDURE	procédure civile
CIVIL RESPONSIBILITY	responsabilité[2], responsabilité civile[+]
CIVIL RIGHT	droit civil[5]
CIVIL STATUS	état civil
CLAIM OF STATUS	action en réclamation d'état[+], réclamation d'état

CLANDESTINE MANDATE	contrat de prête-nom[+], mandat clandestin, mandat dissimulé, prête-nom[2]
CLANDESTINE MARRIAGE	mariage clandestin
CLANDESTINE POSSESSION	possession clandestine
CLANDESTINITY	clandestinité
CLASS ACTION	recours collectif
CLAUSE[1]	clause[+], stipulation[1]
CLAUSE[2]	disposition[2](>)
CLAUSE ATTRIBUTING JURISDICTION	clause attributive de compétence[+], clause attributive de juridiction
CLAUSE CONFERRING JURISDICTION	clause attributive de compétence[+], clause attributive de juridiction
CLAUSE DE STYLE	clause de style[1]
CLAUSE EXCLUDING WARRANTY	clause de non-garantie[+], stipulation de non-garantie
CLAUSE IN RESTRAINT OF TRADE	clause de non-concurrence(>)[+], clause restrictive de commerce(x)
CLAUSE OF *DATION EN PAIEMENT*	clause de dation en paiement
CLAUSE OF *FOURNIR ET FAIRE VALOIR*	clause de fournir et faire valoir
CLAUSE OF GIVING IN PAYMENT	clause de dation en paiement
CLAUSE OF LIMITATION OF LIABILITY	clause de limitation de responsabilité, clause de responsabilité atténuée, clause de responsabilité limitée, clause limitative de responsabilité[+]
CLAUSE OF MOBILIZATION	clause d'ameublissement
CLAUSE OF RESOLUTION	clause de résolution, clause résolutoire[1+]
CLAUSE OF RESOLUTION OF RIGHT	clause de résolution de plein droit, clause expresse de résolution, clause résolutoire de plein droit[+], clause résolutoire expresse, pacte commissoire[1]
CLAUSE OF WARRANTY	clause de garantie
CLERK	greffier
CLIENT	donneur d'ouvrage, maître de l'ouvrage[+]
COAUTHOR	coauteur
COCONTRACTING PARTY	cocontractant
COCREDITOR	cocréancier
CODE[1]	code[1]
CODE[2]	code[2]
CODEBTOR	codébiteur[+], coobligé
CODIFICATION	codification
CODIFIED LAW	droit codifié
CODIFIER	codificateur
CODIFY	codifier
COLLATERAL	accessoire

COLLATERAL	caution[2], cautionnement[2+]
COLLECTIVE ACT	acte collectif
COLLECTIVE AGREEMENT DECREE	décret de convention collective
COLLECTIVE CONTRACT	contrat collectif
COLLECTIVE CUSTODY	garde collective, garde conjointe[4], garde cumulative[+]
COLLECTIVE DAMAGE	dommage collectif [+], préjudice collectif
COLLECTIVE FAULT	faute collective, faute commune[1+]
COLLECTIVE LIABILITY	responsabilité collective
COLLECTIVE UNILATERAL ACT	acte unilatéral collectif
COLLUSION	collusion
COLOUR OF RIGHT	apparence de droit
COMMERCE[1]	commerce[1]
COMMERCE[2]	commerce[2]
COMMERCIAL	commercial
COMMERCIAL ACT	acte commercial, acte de commerce[+], opération commerciale
COMMERCIAL CONTRACT	contrat commercial
COMMERCIALITY	commercialité
COMMERCIAL LAW	droit commercial
COMMERCIAL OPERATION	acte commercial, acte de commerce[+], opération commerciale
COMMERCIAL PARTNERSHIP	société commerciale[1]
COMMERCIAL PLEDGE	nantissement commercial
COMMINATORY	comminatoire
COMMINATORY CLAUSE	clause comminatoire
COMMISSION[1]	commission[1]
COMMISSION[2] V. fault of commission	commission[2]
COMMITTENT	commettant
COMMODATUM	commodat, prêt à usage[+]
COMMON[1]	mitoyen
COMMON[2] V. thing in common	commun
COMMON FAULT[1]	faute collective, faute commune[1+]
COMMON FAULT[2]	faute commune[2+], faute concurrente, faute contributive, faute contributoire(x)
COMMON LAW[1]	droit commun[1+], droit supplétif[2](x)
COMMON LAW[2]	common law[1+], droit coutumier[3](x)
COMMON LAW[3]	common law[2+], droit commun[2](x)
COMMON LAW[4]	common law[3]
COMMON LAW[5]	common law[4]

COMMON LAW[6]	common law[5]
COMMON LAW MARRIAGE (X)	concubinage, union de fait[+] union libre
COMMON OFFENCE	faute collective, faute commune[1+]
COMMON OWNERSHIP	droit de mitoyenneté, mitoyenneté[+]
COMMON PART	partie commune[+], partie indivise
COMMON PLEDGE	gage commun
COMMON PORTION	partie commune[+], partie indivise
COMMON SHARE	partie commune[+], partie indivise
COMMUNIST	communiste, copropriétaire[+], indivisaire[2], propriétaire indivis
COMMUTATIVE CONTRACT	contrat commutatif
COMPANY	compagnie
COMPENSABLE	compensable
COMPENSATE[1]	compenser[1]
COMPENSATE[2]	compenser[2]
COMPENSATION[1]	compensation[1], réparation par équivalent[+]
COMPENSATION[2]	compensation[3]
COMPENSATION[3] (X)	considération[2](x), considération valable(x), contrepartie[+], contre-prestation
COMPENSATORY	compensatoire
COMPENSATORY DAMAGES	dommages compensatoires, dommages-intérêts compensatoires[+]
COMPETENCE[1]	compétence[1+], juridiction[4](<), juridiction[5](x)
COMPETENCE[2]	compétence[2]
COMPLETED PRESCRIPTION	prescription accomplie, prescription acquise[+]
COMPLETE PARTITION	partage global, partage intégral[+]
COMPLETION OF PRESCRIPTION	accomplissement de la prescription
COMPLEX CONTRACT	contrat complexe[+], contrat mixte[2]
COMPLEX OBLIGATION	obligation à modalité, obligation complexe[+]
COMPOUND INTEREST	intérêt composé
COMPOUND INTEREST CONTRACT	convention d'anatocisme
COMPULSORY EXECUTION	exécution forcée
CONCEALED ACT	acte déguisé
CONCEALMENT	réticence
CONCUBINAGE	concubinage, union de fait[+], union libre
CONCUBINARY	concubin, conjoint de fait[+], époux de fait
CONCUBINE	concubin, conjoint de fait[+], époux de fait
CONCURRENT FAULT	faute commune[2+], faute concurrente, faute contributive, faute contributoire(x)
CONDEMNATION V. impleading for purposes of condemnation	condamnation

CONDICTIO INDEBITI	action en répétition de l'indu+, *condictio indebiti*
CONDITION[1]	condition[1]
CONDITION[2]	condition[2]+, terme[3](x)
CONDITION[3]	condition[4]
CONDITION[4]	condition[5]
CONDITIONAL	conditionnel
CONDITIONAL CONTRACT OF SALE	vente à tempérament+, vente conditionnelle[2](x)
CONDITIONAL OBLIGATION	obligation conditionnelle+, obligation sous condition
CONDITIONAL RIGHT	droit conditionnel
CONDITIONAL SALE[1]	vente conditionnelle[1]
CONDITIONAL SALE[2]	vente à tempérament+, vente conditionnelle[2](x)
CONDITIONAL SALES CONTRACT	vente à tempérament+, vente conditionnelle[2](x)
CONDITION AS TO FORM	condition de forme
CONDITION OF PAYMENT	condition de paiement, modalité de paiement+
CONDITION *SINE QUA NON*	*causa sine qua non*, cause *sine qua non*, condition *sine qua non*+
CONDOMINIUM	condominium, copropriété des immeubles établie par déclaration+
CONFEDERATION	confédération
CONFESSION OF JUDGMENT	acquiescement à la demande+, confession de jugement(x)
CONFESSORY ACTION	action confessoire
CONFIRM	confirmer+, ratifier[2]
CONFIRMATION	confirmation+, ratification[2]
CONFLICT OF CHARACTERIZATIONS	conflit de(s) qualifications
CONFLICT OF CONNECTING FACTORS	conflit de rattachements
CONFLICT OF JURISDICTIONS	conflit de juridictions
CONFLICT OF LAWS	conflit de lois
CONFLICT OF SYSTEMS	conflit de systèmes
CONFLICT RULE	règle de conflit
CONFLIT MOBILE	conflit mobile
CONFUSION	confusion[1]+, consolidation(<)+
CONJUGAL DOMICILE	domicile conjugal
CONJUNCTIVE OBLIGATION	obligation conjonctive
CONNECTING CATEGORY	catégorie de rattachement
CONNECTING CIRCUMSTANCES	circonstance de rattachement, critère de rattachement, élément de localisation, élément de rattachement, facteur de rattachement+, point de localisation, point de rattachement
CONNECTING CRITERION	circonstance de rattachement, critère de rattachement, élément de localisation, élément de rattachement, facteur de rattachement+, point de localisation, point de rattachement

CONNECTING ELEMENT	circonstance de rattachement, critère de rattachement, élément de localisation, élément de rattachement, facteur de rattachement+, point de localisation, point de rattachement
CONNECTING FACTOR	circonstance de rattachement, critère de rattachement, élément de localisation, élément de rattachement, facteur de rattachement+, point de localisation, point de rattachement
CONNECTING POINT	circonstance de rattachement, critère de rattachement, élément de localisation, élément de rattachement, facteur de rattachement+, point de localisation, point de rattachement
CONNECTING RULE	règle de conflit de lois+, règle de rattachement
CONNECTION	rattachement
CONSENSUAL	consensuel
CONSENSUAL ACT	acte consensuel
CONSENSUAL CONTRACT	contrat consensuel
CONSENSUALISM	consensualisme
CONSENT[1]	consentement[1]
CONSENT[2]	consentement[2]
CONSENT[3]	agrément[2], consentement[3]+
CONSENT	consentir
CONSENT FREELY GIVEN	consentement libre
CONSERVATION V. act of conservation	conservation
CONSERVATORY ACT	acte conservatoire+, acte de conservation
CONSERVATORY INTERVENTION	intervention accessoire, intervention conservatoire+
CONSIDERATION[1]	cause[1]+, considération[1]
CONSIDERATION[2] (X)	considération[2](x), considération valable(x), contrepartie+, contre-prestation
CONSIGN	consigner
CONSIGNEE	consignataire, destinataire[2]+
CONSIGNMENT	consignation
CONSIGNOR	chargeur, expéditeur+
CONSOLIDATION	confusion[1]+, consolidation(<)+
CONSOLIDATION OF DEBTS	consolidation de dettes
CONSTITUANT	constituant
CONSTITUT	constitut possessoire
CONSTITUTE[1]	constituer[1]
CONSTITUTE[2]	constituer[2]
CONSTITUTED RENT	rente constituée
CONSTITUTION[1]	constitution[1]
CONSTITUTION[2]	constitution[2]

CONSTITUTIONAL LAW	droit constitutionnel
CONSTITUTION OF RENT	constitution de rente
CONSTITUTIVE	constitutif
CONSTITUTIVE ACT	acte constitutif[+], titre constitutif
CONSTITUTIVE EFFECT	effet constitutif
CONSTITUTIVE TITLE	acte constitutif[+], titre constitutif
CONSTITUTUM POSSESSORIUM	constitut possessoire
CONSTRUCTION[1]	construction[1]
CONSTRUCTION[2]	construction[2]
CONSTRUCTION LEASE	bail à construction
CONSTRUCTION PRIVILEGE	privilège de la construction, privilège ouvrier[+]
CONSUMABLE	consomptible
CONSUMABLE PROPERTY	bien consomptible[+], chose consomptible
CONSUMABLE THING	bien consomptible[+], chose consomptible
CONSUMER	consommateur
CONSUMER CREDIT	crédit à la consommation
CONSUMPTIBILITY	consomptibilité
CONSUMPTION	consommation
V. loan for consumption	
CONTEMPLATION OF DEATH (IN)	cause de mort (à)[+], *mortis causa*
CONTERMINOUS LANDS	tenants et aboutissants
CONTEST	débattre
CONTESTATION	débats
CONTESTATION OF PATERNITY	action en contestation de paternité[+], contestation de paternité, recours en contestation de paternité
CONTESTATION OF STATUS	action en contestation d'état[+], contestation d'état
CONTINGENCIES OF LIFE	aléas de la vie
CONTINGENCY[1]	aléa[1]
CONTINGENCY[2]	aléa[2]
CONTINGENCY FEE AGREEMENT	pacte *de quota litis*
CONTINGENT RIGHT[1]	droit éventuel[2]
CONTINGENT RIGHT[2] (X)	droit éventuel[1]
CONTINUOUS DAMAGE	dommage continu
CONTINUOUS LOSS	dommage continu
CONTINUOUS OBLIGATION	obligation continue[+], obligation successive
CONTINUOUS POSSESSION	possession continue
CONTINUOUS SERVITUDE	servitude continue
CONTINUOUS SURETYSHIP	cautionnement à exécution successive[+], cautionnement continu, cautionnement successif
CONTRACT[A]	contrat[A+], convention, pacte

CONTRACT[B]	contrat[B]
CONTRACT[1]	contracter[1]
CONTRACT[2]	contracter[2]
CONTRACT BETWEEN ABSENTS	contrat à distance, contrat entre absents, contrat entre non-présents[+]
CONTRACT BETWEEN PERSONS PRESENT	contrat entre présents
CONTRACT BY CORRESPONDENCE	contrat par correspondance
CONTRACT BY GRATUITOUS TITLE	contrat à titre gratuit
CONTRACT BY NEGOTIATION	contrat de gré à gré[+], contrat de libre discussion, contrat négocié
CONTRACT BY ONEROUS TITLE	contrat à titre onéreux[+], contrat intéressé
CONTRACT BY TELEPHONE	contrat par téléphone
CONTRACT *DE GRÉ À GRÉ*	contrat de gré à gré[+], contrat de libre discussion, contrat négocié
CONTRACT FOR SERVICES	contrat de services[+], louage de services[2]
CONTRACT FOR THE CARRIAGE OF GOODS	contrat de transport de choses, contrat de transport de marchandises[+], transport de choses, transport de marchandises
CONTRACT FOR THE CARRIAGE OF MERCHANDISE	contrat de transport de choses, contrat de transport de marchandises[+], transport de choses, transport de marchandises
CONTRACT FOR THE CARRIAGE OF PASSENGERS	contrat de transport de passagers, contrat de transport de personnes[+], contrat de transport de voyageurs, transport de personnes
CONTRACT FOR THE CARRIAGE OF PERSONS	contrat de transport de passagers, contrat de transport de personnes[+], contrat de transport de voyageurs, transport de personnes
CONTRACT FOR THE TRANSPORT OF GOODS	contrat de transport de choses, contrat de transport de marchandises[+], transport de choses, transport de marchandises
CONTRACT FOR THE TRANSPORT OF MERCHANDISE	contrat de transport de choses, contrat de transport de marchandises[+], transport de choses, transport de marchandises
CONTRACT FOR THE TRANSPORT OF PASSENGERS	contrat de transport de passagers, contrat de transport de personnes[+], contrat de transport de voyageurs, transport de personnes
CONTRACT FOR THE TRANSPORT OF PERSONS	contrat de transport de passagers, contrat de transport de personnes[+], contrat de transport de voyageurs, transport de personnes

CONTRACTING PARTY	contractant
CONTRACT *INTER ABSENTES*	contrat à distance, contrat entre absents, contrat entre non-présents⁺
CONTRACT OF ADHESION	contrat d'adhésion
CONTRACT OF ALIENATION	contrat d'aliénation
CONTRACT OF ARBITRATION	convention d'arbitrage
CONTRACT OF CAPITALIZATION OF INTEREST	convention d'anatocisme
CONTRACT OF CARRIAGE	contrat de transport⁺, contrat de voiture, transport[2]
CONTRACT OF CREDIT	contrat de crédit
CONTRACT OF DEPOSIT	contrat de dépôt, dépôt[1]⁺
CONTRACT OF EMPHYTEUSIS	bail emphytéotique⁺, emphytéose[1], louage emphytéotique
CONTRACT OF EMPHYTEUTIC LEASE	bail emphytéotique⁺, emphytéose[1], louage emphytéotique
CONTRACT OF EMPLOYMENT	contrat de louage de services, contrat de travail⁺, louage de service(s) personnel(s)(x), louage de services[1]
CONTRACT OF ENTERPRISE	contrat d'entreprise⁺, entreprise
CONTRACT OF EXCHANGE	contrat d'échange, échange⁺, troc
CONTRACT OF GUARANTEE	contrat de garantie
CONTRACT OF HOSTELRY	contrat d'hôtellerie
CONTRACT OF INSTANTANEOUS EXECUTION	contrat à exécution instantanée⁺, contrat instantané
CONTRACT OF INSTANTANEOUS PERFORMANCE	contrat à exécution instantanée⁺, contrat instantané
CONTRACT OF LEASE AND HIRE	bail [A]⁺, contrat de bail , contrat de location, location, louage de choses
CONTRACT OF LEASE AND HIRE OF SERVICES	contrat de louage de services, contrat de travail⁺, louage de service(s) personnel(s)(x), louage de services[1]
CONTRACT OF LEASE AND HIRE OF WORK	contrat de louage d'ouvrage, louage d'ouvrage⁺
CONTRACT OF LOAN	contrat de prêt, emprunt⁺, prêt⁺
CONTRACT OF MANDATE	contrat de mandat, mandat[1]⁺
CONTRACT OF PARTNERSHIP	contrat de société, société[1]⁺
CONTRACT OF PAWNING	contrat de gage, gage[1]⁺
CONTRACT OF *PRÊTE-NOM*	contrat de prête-nom⁺, mandat clandestin, mandat dissimulé, prête-nom[2]
CONTRACT OF SALE	contrat de vente, vente⁺

CONTRACT OF SUCCESSIVE EXECUTION	contrat à exécution successive+, contrat successif
CONTRACT OF SUCCESSIVE PERFORMANCE	contrat à exécution successive+, contrat successif
CONTRACT OF SURETYSHIP	cautionnement conventionnel+, cautionnement volontaire
CONTRACT OF TRANSPORT	contrat de transport+, contrat de voiture, transport[2]
CONTRACT OF TRANSPORTATION	contrat de transport+, contrat de voiture, transport[2]
CONTRACTOR	contracteur(x), entrepreneur+
CONTRACT TRANSLATORY OF OWNERSHIP	contrat translatif de propriété
CONTRACTUAL	contractuel+, conventionnel
CONTRACTUAL DAMAGES	dommages conventionnels, dommages-intérêts conventionnels+
CONTRACTUAL FAULT	faute contractuelle
CONTRACTUAL INDIVISIBILITY	indivisibilité accidentelle, indivisibilité artificielle, indivisibilité conventionnelle+, indivisibilité de paiement, indivisibilité subjective
CONTRACTUAL LIABILITY	responsabilité contractuelle
CONTRACTUAL OBLIGATION	obligation contractuelle+, obligation conventionnelle
CONTRACTUAL REPRESENTATION	représentation contractuelle, représentation conventionnelle+
CONTRACTUAL RESPONSIBILITY	responsabilité contractuelle
CONTRACTUAL SERVITUDE	servitude contractuelle, servitude conventionnelle+
CONTRACTUAL SUBROGATION	subrogation conventionnelle
CONTRACTUAL TERM	terme conventionnel
CONTRACTUAL USUFRUCT	usufruit contractuel+, usufruit conventionnel
CONTRACTUAL WARRANTY	garantie contractuelle, garantie conventionnelle+, garantie de fait
CONTRA LEGEM	*contra legem*
CONTRIBUTION (BY)	marc la livre (au)+, par concurrence, par contribution+
CONTRIBUTION TO THE DEBT(S)	contribution à la dette
CONTRIBUTION (TO THE PARTNERSHIP)	apport (en société)+, mise commune, mise sociale
CONTRIBUTIVE FAULT	faute commune[2]+, faute concurrente, faute contributive, faute contributoire(x)
CONTRIBUTORY FAULT	faute commune[2]+, faute concurrente, faute contributive, faute contributoire(x)
CONVENTIONAL	contractuel+, conventionnel

CONVENTIONAL COMPENSATION	compensation conventionnelle
CONVENTIONAL DAMAGES	dommages conventionnels, dommages-intérêts conventionnels[+]
CONVENTIONAL HYPOTHEC	hypothèque conventionnelle
CONVENTIONAL INDIVISIBILITY	indivisibilité accidentelle, indivisibilité artificielle, indivisibilité conventionnelle[+], indivisibilité de paiement, indivisibilité subjective
CONVENTIONAL INTEREST	intérêt conventionnel
CONVENTIONAL INTEREST RATE	taux d'intérêt conventionnel
CONVENTIONAL MANDATE	mandat conventionnel, procuration[A+]
CONVENTIONAL OBLIGATION	obligation contractuelle[+], obligation conventionnelle
CONVENTIONAL REPRESENTATION	représentation contractuelle, représentation conventionnelle[+]
CONVENTIONAL RESILIATION	résiliation amiable, résiliation bilatérale[+], résiliation conventionnelle, révocation[2]
CONVENTIONAL SEQUESTRATION	séquestre conventionnel[1]
CONVENTIONAL SEQUESTRATOR	séquestre conventionnel[2]
CONVENTIONAL SERVITUDE	servitude contractuelle, servitude conventionnelle[+]
CONVENTIONAL SOLIDARITY	solidarité conventionnelle
CONVENTIONAL SUBROGATION	subrogation conventionnelle
CONVENTIONAL SURETY	caution conventionnelle[+], caution volontaire
CONVENTIONAL SURETYSHIP	cautionnement conventionnel[+], cautionnement volontaire
CONVENTIONAL TERM	terme conventionnel
CONVENTIONAL USUFRUCT	usufruit contractuel[+], usufruit conventionnel
CONVENTIONAL WARRANTY	garantie contractuelle, garantie conventionnelle[+], garantie de fait
CONVEY[1]	transporter[1]
CONVEY[2]	transférer
CONVEYANCE[1]	transport[1]
CONVEYANCE[2]	mutation(>)[+], transfert[1 +], translation
CONVEYANCE[3]	cession[+], transfert[2.A](x), transport[3]
CO-OWNER	communiste, copropriétaire[+], indivisaire[2], propriétaire indivis
CO-OWNERSHIP	copropriété[+], droit de copropriété, indivision[2], propriété indivise
CO-OWNERSHIP OF IMMOVEABLES ESTABLISHED BY DECLARATION	condominium, copropriété des immeubles établie par déclaration[+]
CO-OWNERSHIP WITH FORCED INDIVISION	copropriété avec indivision forcée, copropriété forcée[+], copropriété perpétuelle, indivision forcée

CO-OWNERSHIP WITH ORDINARY INDIVISION	copropriété avec indivision ordinaire, copropriété ordinaire[+], copropriété temporaire, indivision ordinaire
COPARTITIONER	copartageant[+], partageant
COPROPRIETOR	communiste, copropriétaire[+], indivisaire[2], propriétaire indivis
CORPORAL DAMAGE	dommage coporel[+], dommage personnel[2](x), préjudice corporel
CORPORAL INJURY	dommage coporel[+], dommage personnel[2](x), préjudice corporel
CORPORATE NAME	dénomination sociale(<)
CORPORATION	corporation
CORPORE ALIENO POSSESSION	possession *corpore alieno*
CORPOREAL DAMAGE	dommage économique, dommage matériel[+], dommage pécuniaire, préjudice économique, préjudice matériel, préjudice patrimonial, préjudice pécuniaire
CORPOREAL IMMOVEABLE	immeuble corporel
CORPOREAL MOVEABLE	meuble corporel
CORPOREAL PROPERTY	bien[2+], bien corporel, chose corporelle
CORPOREAL THING	bien[2+], bien corporel, chose corporelle
CORPUS	*corpus*
CORREALITY	corréalité, solidarité[+], solidarité parfaite, solidité
CORRELATIVE OBLIGATION	obligation corrélative
COSURETY	cofidéjusseur
COTERMINOUS LANDS	tenants et aboutissants
COUNCIL V. order in council	conseil
COUNTER-EXCHANGE	contre-échange
COUNTER-LETTER	acte réel, acte secret, acte véritable, contre-lettre[+]
COUNTER-OFFER	contre-offre(x), contre-proposition[+]
COUNTERPRESTATION	considération[2](x), considération valable(x), contrepartie[+], contre-prestation
COUNTER-PROPOSAL	contre-offre(x), contre-proposition[+]
COURT[1]	cour[1], cour de justice[2](<)(x), for, juridiction[1], tribunal[1+], tribunal judiciaire(<)[+]
COURT[2]	cour[2], président du tribunal, tribunal[2+]
COURT BAILIFF	huissier-audiencier
COURT OF JUSTICE	cour[1], cour de justice[2](<)(x), for, juridiction[1], tribunal[1+], tribunal judiciaire(<)[+]
COURT OF LIMITED JURISDICTION	tribunal d'exception

COURT OF ORIGINAL GENERAL JURISDICTION	juridiction de droit commun, tribunal de droit commun+
COUTUME DE LA PRÉVÔTÉ ET VICOMTÉ DE PARIS	Coutume de la prévôté et vicomté de Paris
COUTUME DE PARIS	Coutume de Paris
COVENANT IN RESTRAINT OF TRADE (X)	clause de non-concurrence(>)+, clause restrictive de commerce(x)
CREANCE	créance, dette active, droit de créance, droit personnel+, *jus in personam*
CREANCER	créancier
CREDIT[1]	crédit[1]
CREDIT[2]	crédit[2]
CREDIT[3]	crédit[3]
CREDIT[4]	créance, dette active, droit de créance, droit personnel+, *jus in personam*
CREDIT CONTRACT	contrat de crédit
CREDITOR	créancier
CREDITOR OF THE RENT	crédirentier
CREDIT RATE	taux de crédit
CRIER	huissier-audiencier
CROPS UNCUT	fruits tenant par racines+, récolte pendante par racines
CROWN ATTORNEY	procureur de la Couronne (x), substitut du procureur général+
CROWN PROSECUTOR	procureur de la Couronne(x), substitut du procureur général+
CULPA	*culpa*
CULPA IN COMMITENDO	*culpa in commitendo*, *culpa in faciendo*, faute d'action, faute de commission+, faute par action, faute par commission
CULPA IN CONTRAHENDO[1]	*culpa in contrahendo*[1]
CULPA IN CONTRAHENDO[2]	*culpa in contrahendo*[2], faute précontractuelle+
CULPA IN FACIENDO	*culpa in commitendo*, *culpa in faciendo*, faute d'action, faute de commission+, faute par action, faute par commission
CULPA IN NON FACIENDO	*culpa in non faciendo*, *culpa in omittendo*, faute d'abstention, faute d'omission+, faute par abstention, faute par omission
CULPA IN OMITTENDO	*culpa in non faciendo*, *culpa in omittendo*, faute d'abstention, faute d'omission+, faute par abstention, faute par omission
CULPA LATA	*culpa lata*, faute lourde+, négligence grossière
CULPA LEVIS	*culpa levis*, faute légère+
CULPA LEVISSIMA	*culpa levissima*, faute très légère+

CUMULATIVE CUSTODY	garde collective, garde conjointe[4], garde cumulative+
CURATOR, CURATRIX	curateur
CURATORSHIP	curatelle
CUSTODIAL FAULT	faute dans la garde
CUSTODIAN	gardien
CUSTODY[1]	droit de garde[1], garde[1]+, garde matérielle[2]
CUSTODY[2]	droit de garde[2], garde[2]+, garde juridique[1](x), garde légale[2](x), garde physique[1](x)
CUSTODY[3]	garde[3]+, garde juridique[2]
CUSTODY *DE FACTO*	garde de fait
CUSTODY IN FACT	garde de fait
CUSTODY OF THE ACTIVITY (OF THE THING)	garde du comportement
CUSTODY OF THE STRUCTURE (OF THE THING)	garde de (la) structure
CUSTOM[1]	coutume[1]
CUSTOM[2]	coutume[2]+, droit coutumier[1]
CUSTOMARY CLAUSE	clause de style[2]
CUSTOMARY LAW[1]	coutume[2]+, droit coutumier[1]
CUSTOMARY LAW[2]	droit coutumier[2]
CUSTOM OF PARIS	Coutume de Paris

D

DAMAGE	dommage+, préjudice, tort[2]
DAMAGES	dommages, dommages et intérêts, dommages-intérêts+
DAMNUM EMERGENS	*damnum emergens*
DATION	dation
DATION EN PAIEMENT CLAUSE	clause de dation en paiement
DATIVE TUTOR	tuteur datif
DATIVE TUTORSHIP	tutelle dative
DEBT[1]	charge[1], dette, engagement[2], obligation[3]+
DEBT[2]	créance, dette active, droit de créance, droit personnel +, *jus in personam*
DEBTOR	débiteur+, obligé
DEBTOR OF THE RENT	débirentier
DECEITFUL CONCEALMENT	réticence dolosive+, réticence frauduleuse

DECIDE (*)	disposer[3](x)
DECISION[A]	décision[A]
DECISION[B]	décision[B]
DECLARATION[1.A]	déclaration[1.A]
DECLARATION[1.B]	déclaration[1.B]
DECLARATION[2]	déclaration[2]
DECLARATION OF ELIGIBILITY FOR ADOPTION	déclaration d'adoptabilité
DECLARATION OF WILL	déclaration de volonté
DECLARATORY	déclaratif
DECLARATORY ACT[1]	loi déclarative, loi interprétative[1+]
DECLARATORY ACT[2]	acte déclaratif
DECLARATORY EFFECT	effet déclaratif
DECLARATORY LAW	loi déclarative, loi interprétative[1+]
DECLARED WILL	volonté déclarée[+], volonté externe
DECLINATORY EXCEPTION	exception déclinatoire, exception d'incompétence, moyen déclinatoire[+]
DECREE[1]	arrêté en conseil, décret[1+]
DECREE[2]	décret[2]
DECREE[3]	canon[1+], décret[5]
DE CUJUS	*de cujus*
DEED[1]	acte[2.B]. acte instrumentaire[+], *instrumentum,* titre[2.B]
DEED[2]	contrat[B]
DEED OF NOTORIETY	acte de notoriété
DEED OF RECOGNITION	acte récognitif[+], titre récognitif
DEED OF RENEWAL	titre nouvel
DEED UNDER PRIVATE WRITING	acte sous seing privé
DE FACTO CUSTODY	garde de fait
DE FACTO INCAPACITY	incapacité de fait, incapacité naturelle[+]
DE FACTO SPOUSE	concubin, conjoint de fait[+], époux de fait
DE FACTO TUTOR	tuteur de fait
DE FACTO TUTORSHIP	tutelle de fait
DE FACTO UNION	concubinage, union de fait[+], union libre
DE FACTO UNIVERSALITY	universalité de fait
DEFAULT	demeure[1]
DEFECT V. apparent defect, error constituting a defect of consent, hidden defect, latent defect	
DEFECT IN CONSTRUCTION	vice de construction

DEFECTIVE POSSESSION	possession viciée
DEFECT OF CONSENT	vice du consentement
DEFECT OF CONSTRUCTION	vice de construction
DEFECT OF FORM	défaut de forme, vice de forme+
DEFECT OF POSSESSION	vice de la possession
DEFECT OF SUBSTANCE	vice de fond
DEFENDANT	défendeur
DEFERRED PAYMENT	paiement différé
DEFINITIVE ACCOUNT	compte définitif
DEFINITIVE PARTITION	partage définitif
DEFINITIVE RIGHT	droit définitif
DEFRAUD	frauder
DEGREE[1]	degré[1] +, génération[2]
DEGREE[2]	degré[2]
V. renvoi in the first degree, renvoi in the second degree	
DE IN REM VERSO	*de in rem verso*
V. action *de in rem verso*	
DE JURE DOMICILE	domicile de droit, domicile légal+
DELAY	délai
DELAY OF FORFEITURE	déchéance[2], délai de forclusion, délai préfix+
DELEGATE	délégué
DELEGATE[1]	déléguer[1]
DELEGATE[2]	déléguer[2]
DELEGATEE	délégataire
DELEGATION	délégation
DELEGATOR	délégant
DE LEGE FERENDA	*de lege ferenda*
DE LEGE LATA	*de lege lata*
DELICT	délit
DELICTUAL	délictuel
DELICTUAL FAULT	faute délictuelle
DELICTUAL LIABILITY	responsabilité délictuelle
DELICTUAL RESPONSIBILITY	responsabilité délictuelle
DELIVER[1]	délivrer
DELIVER[2]	livrer
DELIVERY[1]	délivrance[1]
DELIVERY[2]	délivrance[2](x), livraison+
DEMAND	action[2], action directe[4] (x), action en justice[2], demande+, demande en justice
DEMANDABILITY	exigibilité
DEMANDABLE CREANCE	créance exigible

DENUNCIATION V. action in denunciation of new works, action in denunciation of *nouvel oeuvre*	dénonciation
DÉPEÇAGE	dépeçage
DEPENDENCIES	dépendances
DE PLANO	*de plano*, de plein droit[+], *pleno jure*
DEPONENT	affiant(x), déclarant[+]
DEPOSIT[1]	contrat de dépôt, dépôt[1+]
DEPOSIT[2]	dépôt[2], dépôt simple[+]
DEPOSIT[3]	dépôt[3+], dépôt irrégulier
DEPOSIT[4]	acompte[+], dépôt[4](x)
DEPOSIT[5]	dépôt[5]
DEPOSIT[6]	dépôt[6]
DEPOSIT[7]	consignation
DEPOSIT[1]	déposer
DEPOSIT[2]	consigner
DEPOSITARY	dépositaire
DEPOSIT OF EARTH	atterrissement
DEPOSITOR	déposant
DERISORY PRICE	prix dérisoire
DESCENDANT	descendant[+], enfant[2]
DESCENDING	descendant
DESTINATION V. immoveable by destination	destination
DESTINATION BY THE PROPRIETOR	destination du père de famille
DETENTION[1]	détention[1+], possession[2](x), possession actuelle[2](x), possession réelle
DETENTION[2]	détention[2+], détention précaire, possession naturelle, possession précaire, simple détention
DETENTOR[1]	détenteur[1]
DETENTOR[2]	détenteur[2+], détenteur précaire, possesseur précaire
DETERMINATE V. certain and determinate thing, thing certain and determinate	déterminé
DETERMINATION OF BOUNDARIES	bornage
DETERMINATION OF LAW V. immoveable by determination of law, moveable by determination of law	détermination de la loi
DETERMINE BOUNDARIES	borner

DETERMINING CAUSE	*causa causans*, cause déterminante+, cause efficiente, cause génératrice
DIES AD QUEM	*dies ad quem*
DIES A QUO	*dies a quo*
DILATORY EXCEPTION	exception dilatoire, moyen dilatoire+
DILIGENCE	diligence
V. obligation of diligence, general obligation of prudence and diligence	
DIRECT ACTION[1]	action directe[1]
DIRECT ACTION[2]	action directe[2]
DIRECT ACTION[3]	action directe[3]
DIRECT ACTION[4] (X)	action[2], action directe[4](x), action en justice[2], demande+, demande en justice
DIRECT ACTION[5]	action directe[5]+, action directe en garantie
DIRECT ACTION IN WARRANTY	action directe[5]+, action directe en garantie
DIRECT DAMAGE	dommage direct+, préjudice direct
DIRECTION	direction
V. public order of direction	
DIRECT VIEW	vue directe, vue droite+
DISAVOWAL OF PATERNITY	action en désaveu, action en désaveu de paternité+, désaveu de paternité, recours en désaveu
DISBURSEMENTS	impenses
DISCERNMENT	discernement
DISCHARGE[1.A]	décharge[A]+, quitus
DISCHARGE[1.B]	décharge[B]+, quitus
DISCHARGE[2]	libération
DISCHARGE	libérer
DISCONTINUANCE	désistement(>)
DISCONTINUE	désister (se)(>)
DISCONTINUOUS POSSESSION	possession discontinue
DISCONTINUOUS SERVITUDE	servitude discontinue
DISCOUNT	escompte
DISCRETIONARY	absolu[3]+, discrétionnaire, non causé
DISCRETIONARY RIGHT	droit absolu[3]+, droit discrétionnaire, droit non causé
DISCUSS	discuter
DISCUSSION	discussion
DISGUISED ACT	acte déguisé
DISMEMBER	démembrer
DISMEMBERED REAL RIGHT	démembrement[2], droit démembré, droit réel démembré+, droit relatif[2]

DISMEMBERED RIGHT	démembrement^{2}, droit démembré, droit réel démembré$^{+}$, droit relatif^{2}
DISMEMBERMENT^{1}	démembrement^{1}
DISMEMBERMENT^{2}	démembrement^{2}, droit démembré, droit réel démembré$^{+}$, droit relatif^{2}
DISPONIBILITY^{1}	disponibilité^{1}
DISPONIBILITY^{2}	disponibilité^{2}
DISPONIBLE RIGHT	droit disponible
DISPOSABILITY^{1}	disponibilité^{1}
DISPOSABILITY^{2}	disponibilité^{2}
DISPOSABLE^{1}	disponible^{1}
DISPOSABLE^{2}	disponible^{2}
DISPOSAL	disposition$^{1.A.2}$
DISPOSE$^{1.A}$	disposer$^{1.A}$
DISPOSE$^{1.B}$	disposer$^{1.B}$
DISPOSE^{2} (*)	disposer^{3}(x)
DISPOSITION$^{A.1}$	disposition$^{1.A.1}$
DISPOSITION$^{A.2}$	disposition$^{1.A.2}$
DISPOSITION$^{B.1}$	disposition$^{1.B.1}$
DISPOSITION$^{B.2}$	disposition$^{1.B.2}$
DISPOSITION BY GRATUITOUS TITLE	disposition à titre gratuit, libéralité$^{1+}$
DISPOSITIVE RULE^{1}	loi interne^{3+}, loi substantielle, norme substantielle, règle interne, règle matérielle^{1}, règle substantielle^{1}
DISPOSITIVE RULE^{2}	règle matérielle^{2+}, règle substantielle^{2}
DISPOSSESSION	dépossession
DISSOLUTION	dissolution
DISTURBANCE V. action on disturbance	
DISTURBANCE OF FACT	trouble de fait
DISTURBANCE OF LAW	trouble de droit
DIVEST^{1}	dépouiller, dessaisir (se)$^{1+}$
DIVEST^{2}	dessaisir (se)^{2}
DIVESTMENT^{1}	dépouillement, dessaisissement^{1+}
DIVESTMENT^{2}	dessaisissement^{2}
DIVIDED OWNERSHIP	propriété divise^{+}, propriété privative
DIVIDED PORTION	partie divise, partie exclusive^{+}, partie privative
DIVISIBILITY^{1}	divisibilité^{1}
DIVISIBILITY^{2}	divisibilité^{2}
DIVISIBLE DEBT	dette divisible

DIVISIBLE OBLIGATION	obligation divisible
DIVISION V. benefit of division	division
DOCTRINAL	doctrinal
DOCTRINE[1]	doctrine[1]
DOCTRINE[2]	doctrine[2]
DOCTRINE OF ADEQUATE CAUSATION	théorie de la causalité adéquate
DOCTRINE OF *CAUSA PROXIMA*	théorie de la causalité immédiate+, théorie de la *causa proxima*
DOCTRINE OF DISBURSEMENTS	théorie des impenses
DOCTRINE OF IMPREVISION	théorie de l'imprévision
DOCTRINE OF PARTIAL CAUSATION	théorie de la causalité partielle
DOCTRINE OF PROXIMATE CAUSATION	théorie de la causalité immédiate+, théorie de la *causa proxima*
DOCTRINE OF RENVOI	théorie du renvoi
DOCTRINE OF RISKS	théorie des risques
DOCTRINE OF THE DECLARATION OF WILL	théorie de la déclaration de volonté
DOCTRINE OF THE EQUIVALENCE OF CONDITIONS	théorie de l'équivalence des conditions
DOCTRINE OF THE INTERNAL WILL	théorie de la volonté réelle
DOCTRINE OF UNDERTAKING BY UNILATERAL WILL	théorie de l'engagement par volonté unilatérale+, théorie de l'engagement unilatéral
DOCTRINE OF UNFORESEEN CIRCUMSTANCES	théorie de l'imprévision
DOCTRINE OF UNILATERAL UNDERTAKING	théorie de l'engagement par volonté unilatérale+, théorie de l'engagement unilatéral
DOCUMENT V. authentic document	
DOLI CAPAX	*doli capax*
DOLUS	*dolus*
DOLUS BONUS	bon dol+, *dolus bonus*
DOLUS MALUS	dol[1]+, dol principal, *dolus malus*, fraude[2]
DOMESTIC COMPETENCE	compétence interne
DOMESTIC LAW[1]	droit interne[1]+, droit national
DOMESTIC LAW[2]	droit interne[2]+, droit matériel[2], droit substantiel[2]
DOMICILE	domicile
DOMICILE OF CHOICE	domicile d'acquisition, domicile de choix, domicile volontaire+
DOMICILE OF ORIGIN	domicile d'origine
DOMINANT LAND	fonds dominant+, héritage dominant

DONATION	don[1], donation+
DONEE	donataire
DON MANUEL	don manuel
DONOR	donateur
DORMANT PARTNER	associé en participation+, associé inconnu
DOUBLE MANDATE	double mandat+, mandat double
DOUBLE RENVOI	double renvoi+, renvoi total
DRAFT	lettre de change+, traite
DROIT COMMUN	droit commun[1]+, droit supplétif[2] (x)
DROIT DE SUITE	droit de suite
DUCES TECUM	bref de *subpoena duces tecum*+, *duces tecum*, *subpoena duces tecum*
DUES	redevances
DUTY TO ADVISE	devoir de conseil, obligation de conseil+

E

EARNEST	arrhes
ECCLESIASTICAL LAW	droit ecclésiastique[1]
ECONOMIC AND SOCIAL PUBLIC ORDER	ordre public économique+, ordre public économique et social
ECONOMIC PUBLIC ORDER	ordre public économique+, ordre public économique et social
EDIFICE	édifice
EDUCATION V. fault in education	éducation
EFFECT V. moveable effect	
EFFECTIVE POSSESSION	possession utile
EFFECTIVE TRADITION	tradition actuelle(x), tradition réelle+
EJECT	évincer
EJECTMENT	éviction[2](x), expulsion+
ELECTED DOMICILE	domicile d'élection, domicile élu+
ELECTION OF DOMICILE	élection de domicile
ELECTION OF DOMICILE CLAUSE	clause d'élection de domicile
ELEMENT OF LOCALIZATION	circonstance de rattachement, critère de rattachement, élément de localisation, élément de rattachement, facteur de rattachement+, point de localisation, point de rattachement

ELIGIBILITY FOR ADOPTION	adoptabilité
ELIGIBLE FOR ADOPTION	adoptable
EMANCIPATE	émanciper
EMANCIPATED MINOR	émancipé, mineur émancipé+
EMANCIPATION	émancipation
EMPHYTEUSIS[1]	bail emphytéotique+, emphytéose[1], louage emphytéotique
EMPHYTEUSIS[2]	emphytéose[2]
EMPHYTEUTIC LEASE	bail emphytéotique+, emphytéose[1], louage emphytéotique
EMPHYTEUTIC LESSEE	emphytéote
EMPHYTEUTIC LESSOR	bailleur(>), locateur[1](>)+
EMPHYTEUTIC RENT	canon[2], rente emphytéotique+
EMPLOYEE[1]	préposé
EMPLOYEE[2]	salarié
EMPLOYER	commettant
EMPLOYER-EMPLOYEE RELATIONSHIP	lien de préposition+, rapport de préposition
EMPLOYMENT	travail
V. contract of employment, non-employment clause	
ENABLING FORM	formalité habilitante+, forme habilitante
ENACTED LAW	droit écrit[1]+, droit légiféré
ENCLAVE	enclave
ENCLOSED LAND	enclave
ENCROACH	empiéter
ENCROACHMENT	empiètement
ENCUMBER	grever
ENCUMBRANCE	charge[3]+, charge réelle
ENGINEER	ingénieur
ENJOY[1]	jouir[1]
ENJOY[2]	jouir[2]
ENJOYMENT[1]	droit de jouissance, jouissance[1]+
ENJOYMENT[2]	jouissance[2]
ENLIGHTENED CONSENT	consentement éclairé
ENTERPRISE	
V. contract of enterprise	
EQUAL PORTION	part virile+, portion virile
EQUAL SHARE	part virile+, portion virile
EQUIPOLLENT	équipollent
EQUITABLE	équitable(<)
EQUITY[1]	équité[1]
EQUITY[2]	équité[2]

EQUITY[3]	equity
EQUIVALENCE V. performance by equivalence, reparation by equivalence	équivalent
EQUIVALENCE OF CONDITIONS	équivalence des conditions
EQUIVOCAL POSSESSION	possession équivoque
ERGA OMNES	*erga omnes*
ERROR	erreur
ERROR AS TO A PRINCIPAL CONSIDERATION	erreur sur la considération principale
ERROR AS TO SUBSTANCE	erreur sur la substance
ERROR AS TO THE PERSON	erreur sur la personne
ERROR CONSTITUTING A DEFECT OF CONSENT	erreur vice du consentement
ERROR OF FACT	erreur de fait
ERROR OF LAW	erreur de droit
ESCALATOR CLAUSE	clause d'échelle mobile+, clause d'indexation, clause indexée
ESCROW	entiercement
ESSENTIAL FORMALITY	formalité *ad solemnitatem*, formalité substantielle+, forme solennelle, solennité
ESTATE	hérédité, héritage[3], succession[2+]
ESTIMATE	devis
ESTIMATORY ACTION	action estimatoire+, action *quanti minoris*
EVASION OF THE LAW[1]	fraude à la loi[1]
EVASION OF THE LAW[2]	fraude à la loi[2]
EVENT V. fortuitous event	
EVENTUAL	éventuel
EVENTUALITY[1]	éventualité[2]
EVENTUALITY[2]	éventualité[3]
EVENTUAL RIGHT[1]	droit éventuel[1]
EVENTUAL RIGHT[2]	droit éventuel[2]
EVICT	évincer
EVICTION[1.A]	éviction[1.A]
EVICTION[1.B]	éviction[1.B]
EVICTION[2] (X)	éviction[2](x), expulsion+
EXCEPTIO CEDENDARUM ACTIONUM	*exceptio cedendarum actionum*, exception *cedendarum actionum*, exception de subrogation+
EXCEPTION V. imprescriptibility of exceptions	exception
EXCEPTION AS TO JURISDICTION	exception déclinatoire, exception d'incompétence, moyen déclinatoire+

EXCEPTION *CEDENDARUM ACTIONUM*	*exceptio cedendarum actionum*, exception *cedendarum actionum*, exception de subrogation+
EXCEPTION OF DISCUSSION	exception de discussion
EXCEPTION OF NON-PERFORMANCE	exception d'inexécution+, *exceptio non adimpleti contractus*
EXCEPTION OF PUBLIC ORDER	exception d'ordre public
EXCEPTION OF SUBROGATION	*exceptio cedendarum actionum*, exception *cedendarum actionum*, exception de subrogation+
EXCEPTIO NON ADIMPLETI CONTRACTUS	exception d'inexécution+, *exceptio non adimpleti contractus*
EXCEPTION TO DISMISS ACTION	exception de non-recevabilité, moyen de non-recevabilité+
EXCHANGE	contrat d'échange, échange+, troc
EXCHANGE	échanger+, troquer
EXCLUSIVE OFFER	offre exclusive
EXCLUSIVE OWNER	propriétaire divis+, propriétaire privatif
EXCLUSIVE OWNERSHIP	propriété divise+, propriété privative
EXCLUSIVE PORTION	partie divise, partie exclusive+, partie privative
EXCLUSIVITY	exclusivité
EXCLUSIVITY CLAUSE	clause d'exclusivité
EXCLUSIVITY OF SUPPLY CLAUSE	clause d'approvisionnement
EX CONTRACTU	*ex contractu*
EX DELICTO	*ex delicto*
EXECUTE	accomplir, exécuter+
EXECUTION	accomplissement, exécution+
EXECUTORY	exécutoire
EXEMPLARY DAMAGES	dommages exemplaires, dommages-intérêts exemplaires+, dommages-intérêts punitifs, dommages punitifs
EXEMPLIFICATION	*exequatur*
EXEMPT FROM SEIZURE	insaisissable
EXEMPTION CLAUSE	clause de non-responsabilité[1]+, clause d'exclusion de responsabilité, clause d'exonération de responsabilité[1], clause élusive de responsabilité, clause exonératoire de responsabilité
EXEMPTION FROM SEIZURE	insaisissabilité
EXEQUATUR	*exequatur*
EXERCISE V. capacity to exercise, incapacity to exercise	
EXERCISE OF AN OPTION	levée d'option

EXIGIBILITY	exigibilité
EXIGIBLE	exigible
EXIGIBLE CREANCE	créance exigible
EXIGIBLE DEBT	dette exigible
EX LEGE	*ex lege*
EX OFFICIO	d'office+, *ex officio*
EXONERATE	exonérer
EXONERATION	exonération
EXONERATION CLAUSE[1]	clause de non-responsabilité[1]+, clause d'exclusion de responsabilité, clause d'exonération de responsabilité[1], clause élusive de responsabilité, clause exonératoire de responsabilité
EXONERATION CLAUSE[2]	clause de non-responsabilité[2]+, clause d'exonération de responsabilité[2]
EXONERATION OF LIABILITY CLAUSE	clause de non-responsabilité[2]+, clause d'exonération de responsabilité[2]
EXPECTANCY	droit virtuel, simple expectative+
EXPECTATION	droit virtuel, simple expectative+
EXPEL	expulser
EXPENSES	impenses
EXPIRATION[1]	échéance[1]
EXPIRATION[2]	arrivée du terme, avènement du terme, échéance[2]+, échéance du terme
EXPIRATION OF THE TERM	arrivée du terme, avènement du terme, échéance[2]+, échéance du terme
EXPIRY	échéance[1]
EXPLICIT CONSENT	consentement explicite, consentement exprès+, manifestation de volonté expresse
EXPRESS ABROGATION	abrogation expresse
EXPRESS ACCEPTANCE	acceptation expresse
EXPRESS CLAUSE OF RESOLUTION	clause de résolution de plein droit, clause expresse de résolution, clause résolutoire de plein droit+, clause résolutoire expresse, pacte commissoire[1]
EXPRESS CONSENT	consentement explicite, consentement exprès+, manifestation de volonté expresse
EXPRESS MANDATE[1]	mandat exprès[1]
EXPRESS MANDATE[2]	mandat exprès[2]
EXPRESS MANIFESTATION OF INTENT	consentement explicite, consentement exprès+, manifestation de volonté expresse
EXPRESS NULLITY	nullité expresse, nullité textuelle+
EXPRESS OFFER	offre expresse

EXPRESS RESOLUTORY CLAUSE	clause de résolution de plein droit, clause expresse de résolution, clause résolutoire de plein droit+, clause résolutoire expresse, pacte commissoire[1]
EXPROPRIATE	exproprier
EXPROPRIATED[1]	exproprié[1]
EXPROPRIATED[2]	exproprié[2]
EXPROPRIATED PARTY	exproprié
EXPROPRIATING PARTY	expropriant+, expropriateur
EXPROPRIATION	expropriation+, expropriation pour cause d'utilité publique
EXPROPRIATION FOR PUBLIC UTILITY	expropriation+, expropriation pour cause d'utilité publique
EXPROPRIATOR	expropriant+, expropriateur
EXPULSION	éviction[2](x), expulsion+
EXTEND	prolonger, proroger+
EXTENSION[1]	prolongation[1], prorogation[1]+
EXTENSION[2]	prolongation[2], prorogation[2]+
EXTERNAL CAUSE	cause étrangère
EXTERNALITY	extériorité
EXTERNALIZED WILL	volonté déclarée+, volonté externe
EXTERRITORIALITY	exterritorialité
EXTINCTION	extinction
EXTINCTIVE EFFECT	effet extinctif
EXTINCTIVE PRESCRIPTION	prescription extinctive+, prescription libératoire
EXTINCTIVE TERM	terme extinctif
EXTRACONTRACTUAL	extracontractuel+, légal[5]
EXTRACONTRACTUAL FAULT	faute extracontractuelle
EXTRACONTRACTUAL LIABILITY	responsabilité extracontractuelle+, responsabilité légale[1]
EXTRACONTRACTUAL OBLIGATION	obligation extracontractuelle+, obligation légale[1]
EXTRAJUDICIAL[A]	extrajudiciaire[A]
EXTRAJUDICIAL[B]	extrajudiciaire[B]
EXTRAJUDICIAL DAMAGES	dommages extrajudiciaires, dommages-intérêts extrajudiciaires+
EXTRAPATRIMONIAL	extrapatrimonial+, moral[3]
EXTRAPATRIMONIAL DAMAGE	dommage extrapatrimonial, dommage moral+, dommage non pécuniaire, préjudice extrapatrimonial, préjudice extrapécuniaire, préjudice moral, préjudice non pécuniaire
EXTRAPATRIMONIAL RIGHT	droit extrapatrimonial
EXTRATERRITORIALITY[1]	extraterritorialité[1]
EXTRATERRITORIALITY[2]	extraterritorialité[2]+, personnalité des lois[2]

EXTRATERRITORIAL LAW[1]	loi extraterritoriale[1]
EXTRATERRITORIAL LAW[2]	loi extraterritoriale[2]

F

FACT[1]	fait[1]
FACT[2]	fait[3]
FACTUAL INCAPACITY	incapacité de fait, incapacité naturelle+
FACULTATIVE	facultatif, potestatif+
FACULTATIVE CONDITION	condition facultative, condition potestative+
FACULTATIVE OBLIGATION	obligation facultative
FAIL	défaillir
FAILED CONDITION	condition défaillie
FAILURE OF THE CONDITION	défaillance de la condition
FAIR	équitable(<)
FAITH V. bad faith, good faith	
FALSE CAUSE	cause fausse+, fausse cause
FAMILY[1]	famille[1]
FAMILY[2]	famille[2]+, famille-souche
FAMILY[3]	famille[3]
FAMILY[4]	famille[4]
FAMILY[5]	famille[5]+, famille-foyer
FAMILY[6]	famille[6]+, famille monoparentale
FAMILY COUNCIL	conseil de famille
FAMILY RESIDENCE	résidence familiale
FATHER	père
FAULT[1]	faute[1]+, tort[1]
FAULT[2]	fait[2], faute[2], faute civile+, négligence[2](x)
FAULT IN THE EDUCATION	faute dans l'éducation+, faute d'éducation
FAULT OF COMMISSION	*culpa in commitendo*, *culpa in faciendo*, faute d'action, faute de commission+, faute par action, faute par commission
FAULT OF IMPRUDENCE	faute d'imprudence, imprudence+
FAULT OF OMISSION	*culpa in non faciendo*, *culpa in omittendo*, faute d'abstention, faute d'omission+, faute par abstention, faute par omission
FAULT OF NEGLIGENCE	faute de négligence, négligence[1]+
FAULT OF SUPERVISION	faute dans la surveillance

English	Français
FAULT OF THE VICTIM	faute de la victime
FAULTY	fautif[2]
FEAR	crainte
FEDERAL[1]	fédéral[2]
FEDERAL[2]	fédéral[3]
FEDERALISM[1]	fédéralisme[1]
FEDERALISM[2]	fédéralisme[2]
FEDERAL STATE	État fédéral+, État fédératif, Fédération[2]
FEDERATION[1]	fédération[1]
FEDERATION[2]	État fédéral+, État fédératif, Fédération[2]
FEIGNED TRADITION	tradition feinte+, tradition fictive
FICTION	fiction
FICTITIOUS ACT	acte fictif
FICTITIOUS CONTRACT	contrat fictif
FICTITIOUS MARRIAGE	mariage fictif, mariage simulé+
FICTITIOUS PERSON	personne civile, personne fictive, personne juridique[2], personne morale+
FICTITIOUS TRADITION	tradition feinte+, tradition fictive
FILIATION[1]	filiation[1]
FILIATION[2]	filiation[2]
FILIATION BY BLOOD	filiation par le sang
FINAL ACCOUNT	compte définitif
FINAL PARTITION	partage définitif
FINANCIAL LEASE	crédit-bail+, leasing (x)
FIRM	raison sociale
FIRM NAME[1]	raison sociale[1]
FIRM NAME[2]	raison sociale[2]
FIRST REFUSAL AGREEMENT	clause de premier refus(x), pacte de préférence+
FIRST REFUSAL CLAUSE	clause de premier refus(x), pacte de préférence+
FIXED GLASS	verre dormant
FIXED PRICE	forfait(>)
FIXED PRICE CONTRACT	contrat à forfait+, marché à forfait
FIXED TERM ANNUITY	rente à terme+, rente constituée à terme, rente non viagère
FLOATING CHARGE	charge flottante+, charge générale
FLOATING HYPOTHEC	hypothèque flottante
FOLLOW	suivre
FOR A PERMANENCY	perpétuelle demeure (à)
FORCED CANCELLATION	radiation forcée, radiation judiciaire+

FORCED CO-OWNERSHIP	copropriété avec indivision forcée, copropriété forcée+, copropriété perpétuelle, indivision forcée
FORCED IMPLEADING (X)	intervention forcée, mise en cause[1]+, mise en cause forcée(x)
FORCED INDIVISION	copropriété avec indivision forcée, copropriété forcée+, copropriété perpétuelle, indivision forcée
FORCED INTERVENTION	intervention forcée, mise en cause[1]+, mise en cause forcée(x)
FORCED RADIATION	radiation forcée, radiation judiciaire+
FORCED REPOSSESSION	reprise forcée
FORCED REPRESENTATION	représentation forcée
FORCED RESILIATION	résiliation forcée
FORCE MAJEURE[1]	cas fortuit[1]+, force majeure[1]
FORCE MAJEURE[2]	cas fortuit[2], force majeure[2]+
FOREIGN ELEMENT	élément d'extranéité+, élément étranger
FOREIGN FACTOR	élément d'extranéité+, élément étranger
FORESEEABILITY	prévisibilité
FORESEEABLE	prévisible
FORESEEABLE DAMAGE	dommage prévisible
FORESEEN DAMAGE	dommage prévu
FORESHORE	lais
FORFEIT CLAUSE	clause de dédit+, stipulation de dédit
FORFEITURE[1]	déchéance[1]
FORFEITURE[2]	déchéance[2], délai de forclusion, délai préfix+
FORFEITURE OF THE TERM	déchéance du terme
FORM[1]	formalité+, forme[1]
FORM[2]	forme[2]
FORMAL CONTRACT	contrat solennel
FORMAL DEFECT	défaut de forme, vice de forme+
FORMALISM	formalisme
FORMALISTIC	formaliste
FORMALISTIC CONTRACT	contrat formaliste
FORMALITY	formalité+, forme[1]
FORMALITY *AD HABILITATEM*	formalité habilitante+, forme habilitante
FORMALITY *AD PROBATIONEM*	formalité *ad probationem*, formalité probatoire+, forme probante, forme probatoire
FORMALITY *AD SOLEMNITATEM*	formalité *ad solemnitatem*, formalité substantielle+, forme solennelle, solennité
FORMALITY AS TO PUBLICITY	formalité de publicité
FORTUITOUS EVENT[1]	cas fortuit[1]+, force majeure[1]
FORTUITOUS EVENT[2]	cas fortuit[2], force majeure[2]+

FORUM	cour[1], cour de justice[2](<)(x), for, juridiction[1], tribunal[1]+, tribunal judiciaire(<)+
FORUM SHOPPING	*forum shopping*
FOURNIR ET FAIRE VALOIR	fournir et faire valoir
V. clause of *fournir et faire valoir*	
FRAMEWORK CONTRACT	contrat-cadre
FRAUD[1]	fraude[1]
FRAUD[2]	dol[1]+, dol principal, *dolus malus*, fraude[2]
FRAUD[3]	dol[2]+, fraude[3]
FRAUDULENT	dolosif, frauduleux+
FRAUDULENT ARTIFICES	manoeuvre dolosive+, manoeuvre frauduleuse
FRAUDULENT CONCEALMENT	réticence dolosive+, réticence frauduleuse
FRAUDULENTLY	frauduleusement
FRAUD UPON (OF) THE LAW[1]	fraude à la loi[1]
FRAUD UPON (OF) THE LAW[2]	fraude à la loi[2]
FREEDOM	liberté+, liberté individuelle
FREIGHTER	chargeur, expéditeur+
FRUCTUS	*fructus*+, *jus fruendi*
FRUIT	fruit
FRUITS ATTACHED BY BRANCHES	fruits pendant par branches
FRUITS ATTACHED BY ROOTS	fruits tenant par racines+, récolte pendante par racines
FRUITS UNPLUCKED	fruits pendant par branches
FULFIL	accomplir, exécuter+
FULFILLED CONDITION	condition accomplie
FULFILMENT	accomplissement, exécution+
FULFILMENT OF THE CONDITION	accomplissement de la condition, arrivée de la condition, réalisation de la condition+
FULL COMPENSATION	réparation intégrale(>)+, *restitutio in integrum*[2](>)
FULL OWNER	plein propriétaire
FULL OWNERSHIP	droit de propriété+, pleine propriété, propriété[1]
FULL PAYMENT	paiement intégral
FULL REPARATION	réparation intégrale+, *restitutio in integrum*[2]
FUNDAMENTAL DECISION	arrêt de principe(<)+, décision de principe+
FUNDAMENTAL FREEDOM	liberté publique
FUNDAMENTAL RIGHTS	droit fondamental, droit primordial, droits de la personne+, droits de l'homme
FUNGIBILITY	fongibilité
FUNGIBLE	fongible
FUNGIBLE	bien fongible, chose de genre+, chose fongible
FUNGIBLE THING	bien fongible, chose de genre+, chose fongible

FURNISHED HOUSE	maison meublée
FURNITURE	meuble[2], meuble meublant+, mobilier[2]
FUTURE DAMAGE	dommage futur+, préjudice futur
FUTURE PROPERTY	bien à venir+, bien futur
FUTURE THING	chose future

G

GAMBLING DEBT	dette de jeu (ou de pari)
GAMING CONTRACT	contrat de jeu, jeu+
GARDE DE LA STRUCTURE	garde de (la) structure
GARDE DU COMPORTEMENT	garde du comportement
GARNISHEE	tiers-saisi
GARNISHMENT	saisie-arrêt
GENERAL AUTHORIZATION	procuration générale
GENERAL CONDITIONS	conditions générales
GENERAL CONTRACTOR	entrepreneur général, entrepreneur principal+
GENERAL IMMOVEABLE PRIVILEGE	privilège immobilier général
GENERAL INCAPACITY	incapacité générale+, incapacité totale
GENERAL LAW	loi générale
GENERAL MANDATE	mandat général
GENERAL MOVEABLE PRIVILEGE	privilège mobilier général
GENERAL OBLIGATION OF PRUDENCE AND DILIGENCE	obligation de diligence, obligation de moyens+, obligation générale de prudence et diligence, obligation relative
GENERAL PARTNER	commandité+, gérant[2]
GENERAL PARTNERSHIP	société en nom collectif
GENERAL POWER	procuration générale
GENERAL POWER OF ATTORNEY	procuration générale
GENERAL PRINCIPLES OF LAW	principes généraux du droit
GENERAL PROCURATION	procuration générale
GENERAL TITLE (BY)	titre universel (à)
GENERATION[1]	génération[1]
GENERATION[2]	degré[1] +, génération[2]
GENERIC THING	bien fongible, chose de genre+, chose fongible
GIFT[1]	don[1], donation+
GIFT[2]	don[2]
GIFT FROM HAND TO HAND	don manuel

GIVE[1]	donner[1]
GIVE[2]	donner[2]
GIVING IN PAYMENT	dation en paiement
GIVING IN PAYMENT CLAUSE	clause de dation en paiement
GOLD CLAUSE[1]	clause or
GOLD CLAUSE[2]	clause valeur or
GOOD FAITH[1]	bonne foi[1]
GOOD FAITH[2]	bonne foi[2]
GOOD FAITH POSSESSION	possession de bonne foi
GOOD FAITH POSSESSOR	possesseur de bonne foi
GOOD MORALS	bonnes mœurs
GOODS	marchandise
V. carriage of goods, contract for the carriage of goods, contract for the transport of goods, transport of goods	
GRACE	grâce
V. term of grace	
GRADUAL DAMAGE	dommage graduel+, dommage progressif
GRADUAL LOSS	dommage graduel+, dommage progressif
GRANTOR	constituant(>)
GRATUITOUS CONTRACT	contrat à titre gratuit
GRATUITOUS TITLE (BY)	titre gratuit (à)
V. act by gratuitous title, contract by gratuitous title, disposition by gratuitous title	
GRÉ À GRÉ (DE)	gré à gré (de)
V. sale *de gré à gré*	
GREATER REPAIRS[1]	grosses réparations[1]
GREATER REPAIRS[2]	grosses réparations[2]
GROSS FAULT	*culpa lata*, faute lourde+, négligence grossière(x)
GROSS NEGLIGENCE	*culpa lata*, faute lourde+, négligence grossière(x)
GROUND LEFT DRY	relais
GROUND-RENT	rente foncière
GUARANTEE or GUARANTY	
V. contract of guarantee	
GUARANTEE OF PAYMENT	garantie de fournir et faire valoir
GUARANTEE OF PAYMENT CLAUSE	clause de fournir et faire valoir
GUARANTOR[1]	caution[1]+, fidéjusseur
GUARANTOR[2]	garant
GUARANTOR OF THE SURETY	certificateur de caution

GUARDIAN[1]	gardien
GUARDIAN[2] (X)	tuteur
GUEST	hôte

H

HABILITATE[1]	habiliter[1]
HABILITATE[2]	habiliter[2]
HABITATION V. right of habitation	habitation
HABITUAL EMPLOYEE	préposé habituel
HABITUAL EMPLOYER	commettant habituel
HABITUAL RESIDENCE	résidence habituelle, résidence principale[+]
HANDING OVER	remise[1]
HAND OVER	remettre
HARM	dommage[+], préjudice, tort[2]
HEIR	héritier
HEIR AT LAW[1]	héritier *ab intestat*[+], héritier légal, héritier légitime[2]
HEIR AT LAW[2]	héritier légitime[1 +], héritier régulier, successeur régulier
HERITABLE RIGHT	droit héréditaire, droit successif[+]
HIDDEN DEFECT	défaut caché, vice caché[+], vice rédhibitoire
HIRE	bail[A +], contrat de bail, contrat de location, location, louage de choses
HIRE-PURCHASE	location-vente
HOLD	détenir
HOLDER[1]	détenteur[1]
HOLDER[2]	détenteur[2 +], détenteur précaire, possesseur précaire
HOLDER[3] (X)	détenteur[3](x), possesseur[+]
HOLDER[4]	titulaire
HOLDER[5]	tiers-détenteur
HONORARY LAW	droit honoraire, droit prétorien[2 +], *jus honorarium*, *jus praetorium*
HOSTELRY CONTRACT	contrat d'hôtellerie
HOTEL-KEEPER	hôtelier
HUMAN RIGHTS	droit fondamental, droit primordial, droits de la personne[+], droits de l'homme

HYPOTHEC	hypothèque
HYPOTHECARILY	hypothécairement
HYPOTHECARY[1]	hypothécaire[1]
HYPOTHECARY[2]	hypothécaire[2]
HYPOTHECARY ACTION	action hypothécaire
HYPOTHECARY CREANCE	créance hypothécaire
HYPOTHECARY CREDITOR	créancier hypothécaire
HYPOTHECARY LOAN	crédit hypothécaire, prêt hypothécaire+, prêt sur hypothèque
HYPOTHECATE	hypothéquer
HYPOTHECATED	hypothéqué

I

IDEAL	juridique[5], moral[5]+
IDEAL PERSON	personne civile, personne fictive, personne juridique[2], personne morale+
ILLEGAL[1]	illégal[1]
ILLEGAL[2]	illégal[2], illicite+
ILLEGAL CAUSE	cause illégale, cause illicite+, considération illégale
ILLEGALITY	illégalité
ILLEGITIMACY[1]	illégitimité[1]
ILLEGITIMACY[2.A]	illégitimité[3.A]
ILLEGITIMACY[2.B]	illégitimité[3.B]
ILLEGITIMATE[1]	illégitime[1]
ILLEGITIMATE[2]	illégitime[2]
ILLEGITIMATE[3.A]	illégitime[3.A], naturel+
ILLEGITIMATE[3.B]	illégitime[3.B]
ILLEGITIMATE CHILD	enfant illégitime, enfant naturel+
ILLEGITIMATELY	illégitimement
ILLICIT	illégal[2], illicite+
ILLICIT CAUSE	cause illégale, cause illicite+, considération illégale
ILLICIT CONDITION	condition illicite
ILLICIT CONSIDERATION	cause illégale, cause illicite+, considération illégale
ILLICIT DAMAGE	dommage illicite+, préjudice illicite
ILLICITNESS	illicéité

IMMEDIATE CAUSE	*causa proxima*, cause immédiate+
IMMEDIATE VICTIM	victime immédiate, victime initiale+, victime principale
IMMEMORIAL	immémorial
IMMEMORIAL POSSESSION	possession immémoriale
IMMOBILIZATION	immobilisation
IMMOBILIZE	immobiliser
IMMORAL	immoral
IMMORAL CAUSE	cause immorale
IMMORAL CONDITION	condition immorale
IMMORALITY[1]	immoralité[1]
IMMORALITY[2]	immoralité[2]
IMMOVEABLE or IMMOVABLE[1]	immeuble+, immobilier[1]
IMMOVEABLE or IMMOVABLE[2]	immobilier[2]
IMMOVEABLE or IMMOVABLE	immeuble
IMMOVEABLE ACCESSION	accession immobilière
IMMOVEABLE ACTION	action immobilière
IMMOVEABLE BY DESTINATION	immeuble par destination
IMMOVEABLE BY DETERMINATION OF LAW	immeuble fictif, immeuble par (la) détermination de la loi+
IMMOVEABLE BY NATURE	héritage[1], immeuble par nature+
IMMOVEABLE BY REASON OF THE OBJECT TO WHICH IT IS ATTACHED	immeuble par l'objet auquel il s'attache
IMMOVEABLE PERSONAL ACTION	action personnelle immobilière
IMMOVEABLE PRIVILEGE	privilège immobilier
IMMOVEABLE REAL ACTION	action réelle immobilière
IMMUNITY	immunité de juridiction
IMMUNITY FROM EXECUTION	immunité d'exécution
IMMUTABILITY	immutabilité
IMPERATIVE LAW[1]	droit impératif+, *jus cogens*
IMPERATIVE LAW[2]	loi impérative+, règle impérative
IMPERATIVE RULE	loi impérative+, règle impérative
IMPERFECT BILATERAL CONTRACT	contrat synallagmatique imparfait
IMPERFECT DELEGATION	délégation imparfaite
IMPERFECT OBLIGATION	obligation imparfaite, obligation morale+
IMPERFECT REPRESENTATION	représentation imparfaite+, représentation médiate
IMPERFECT SOLIDARITY	obligation *in solidum*+, solidarité imparfaite
IMPERFECT SYNALLAGMATIC CONTRACT	contrat synallagmatique imparfait
IMPLEAD	appeler en cause, mettre en cause+
IMPLEADED PARTY	mis en cause

IMPLEADING[1]	intervention forcée, mise en cause[1]+, mise en cause forcée(x)
IMPLEADING[2]	mise en cause[2]
IMPLEADING FOR PURPOSES OF CONDEMNATION	mise en cause aux fins de condamnation
IMPLICIT ABROGATION	abrogation implicite, abrogation tacite+
IMPLICIT CONSENT	consentement implicite, consentement tacite+, manifestation de volonté tacite
IMPLIED CONSENT	consentement implicite, consentement tacite+, manifestation de volonté tacite
IMPLIED OFFER	offre tacite
IMPOSSIBILITY OF PERFORMANCE	impossibilité d'exécution
IMPOSSIBLE CONDITION	condition impossible
IMPRESCRIPTIBILITY	imprescriptibilité
IMPRESCRIPTIBILITY OF EXCEPTIONS	imprescriptibilité des exceptions
IMPRESCRIPTIBLE	imprescriptible
IMPROVEMENTS	améliorations
IMPRUDENCE	faute d'imprudence, imprudence+
IMPUTABILITY[1]	imputabilité[1]+, imputabilité morale, imputabilité psychologique
IMPUTABILITY[2]	imputabilité[2]+, imputabilité matérielle
IMPUTABLE[1]	imputable[1]
IMPUTABLE[2]	imputable[2]
IMPUTATION OF PAYMENT	imputation des paiements
IMPUTE[1]	imputer[1]
IMPUTE[2]	imputer[2]
IMPUTE[3]	imputer[3]
IN ABSTRACTO	*in abstracto*
INALIENABILITY	inaliénabilité
INALIENABLE	inaliénable
INCAPABLE[1]	incapable[1]
INCAPABLE[2]	incapable[2]+, inhabile[1]
INCAPABLE[3]	inhabile[2]
INCAPACITY	incapacité, incapacité de droit, incapacité juridique+, incapacité légale
INCAPACITY OF PROTECTION	incapacité de protection
INCAPACITY TO ACQUIRE	incapacité d'acquisition, incapacité de jouissance+
INCAPACITY TO ENJOY	incapacité d'acquisition, incapacité de jouissance+
INCAPACITY TO EXERCISE	incapacité d'exercice
INCESTUOUS CHILD	enfant incestueux
INCESTUOUS FILIATION	filiation incestueuse

INCIDENTAL FRAUD	dol incident
IN CONCRETO	*in concreto*
IN CONTEMPLATION OF DEATH V. contemplation of death (in)	
IN CORPORE	*in corpore*
INCORPOREAL IMMOVEABLE	immeuble incorporel
INCORPOREAL MOVEABLE	meuble incorporel
INCORPOREAL PROPERTY	bien[1], bien incorporel, chose incorporelle, droit patrimonial+
INCORPOREAL THING	bien[1], bien incorporel, chose incorporelle, droit patrimonial+
INCREASED VALUE	plus-value
INCUMBRANCE	charge[3]+, charge réelle
INDEFINITE SURETYSHIP	cautionnement indéfini
INDEMNIFIABLE	indemnisable
INDEMNIFICATION[1]	compensation[1], réparation par équivalent+
INDEMNIFICATION[2]	compensation[2]
INDEMNIFICATORY	indemnitaire
INDEMNIFY[1]	compenser[1]
INDEMNIFY[2]	indemniser[2], réparer+
INDEMNITY	indemnité
INDETERMINATE THING	bien fongible, chose de genre+, chose fongible
INDEX	indexer
INDEXATION	indexation
INDEXATION CLAUSE	clause d'échelle mobile+, clause d'indexation, clause indexée
INDICATION OF PAYMENT	indication de paiement
INDIRECT ACTION	action indirecte, action oblique+, action subrogatoire[2](x)
INDIRECT DAMAGE	dommage indirect+, préjudice indirect
INDIRECT LIABILITY	responsabilité indirecte
INDIRECT RESPONSIBILITY	responsabilité indirecte
INDIRECT VIEW	vue oblique
INDISPOSABILITY[1]	indisponibilité[1]
INDISPOSABILITY[2]	indisponibilité[2]
INDISPOSABLE[1]	indisponible[1]
INDISPOSABLE[2]	indisponible[2]
INDIVIDUAL	individuel
INDIVIDUAL ACT	acte individuel+, acte unilatéral individuel
INDIVIDUAL CONTRACT	contrat individuel
INDIVIDUAL FAULT	faute individuelle

INDIVIDUALIZED THING	bien non fongible, chose certaine et déterminée+, chose individualisée, chose non fongible, corps certain (et déterminé)
INDIVIDUAL UNILATERAL ACT	acte individuel+, acte unilatéral individuel
INDIVISIBILITY	indivisibilité
INDIVISIBILITY OF PAYMENT	indivisibilité du paiement
INDIVISIBLE DEBT	dette indivisible
INDIVISIBLE OBLIGATION	obligation indivisible
INDIVISION	indivision[1]
INDUSTRIAL ACCESSION	accession artificielle+, accession industrielle
INDUSTRIAL FRUIT	fruit industriel
INEXECUTION	inexécution
INFANT	enfant[3], mineur+
INFORM V. obligation to inform	renseigner
INFORMALITY	défaut de forme, vice de forme+
IN GENERE	*in genere*
INHERENT RIGHT	droit inné+, *jus connatum*
INHERITANCE	hérédité, héritage[3], succession[2]+
IN INTEGRUM V. *restitutio in integrum*	*in integrum*
INITIAL DAMAGE	dommage initial+, préjudice initial
INITIAL OFFER	offre initiale
INITIAL VICTIM	victime immédiate, victime initiale+, victime principale
INJURY	dommage+, préjudice, tort[2]
INJURY TO FEELINGS[1]	dommage extrapatrimonial, dommage moral+, dommage non pécuniaire, préjudice extrapatrimonial, préjudice extrapécuniaire, préjudice moral, préjudice non pécuniaire
INJURY TO FEELINGS[2]	préjudice d'affection
IN LIMINE LITIS	*in limine litis*
INNATE RIGHT	droit inné+, *jus connatum*
INNKEEPER	hôtelier
INNOMINATE CONTRACT	contrat innommé+, contrat *sui generis*
INOPPOSABILITY	inopposabilité
INOPPOSABILITY OF CONTRACT	inopposabilité du contrat
INOPPOSABLE	inopposable
IN PERPETUITY	perpétuel (en), perpétuellement+
IN PERSONAM V. *jus in personam*	*in personam*
IN RE V. *jus in re*	*in re*

IN SOLIDUM V. obligation *in solidum*	*in solidum*
IN SOLIDUM LIABILITY	responsabilité *in solidum*
IN SOLIDUM OBLIGATION	obligation *in solidum*+, solidarité imparfaite
IN SPECIE	*in specie*
INSTALMENT	paiement échelonné, paiement périodique+, versement[2]
INSTALMENT SALE	vente à tempérament+, vente conditionnelle[2](x)
INSTANTANEOUS CONTRACT	contrat à exécution instantanée+, contrat instantané
INSTANTANEOUS OBLIGATION	obligation instantanée
INSTITUTE	grevé+, grevé de substitution, institué
INSTITUTE UNDER SUBSTITUTION	grevé+, grevé de substitution, institué
INSTRUMENT V. authentic instrument	
INSTRUMENTUM	acte[2.B], acte instrumentaire+, *instrumentum*, titre[2.B]
INTEGRITY OF CONSENT	intégrité du consentement
INTENT V. express manifestation of intent, tacit manifestation of intent	
INTENTION V. liberal intention, novatory intention	
INTENTIONAL FAULT	faute dolosive(<)+, faute intentionnelle+, faute volontaire
INTERDICT	interdit
INTERDICT	interdire
INTERDICTED	interdit
INTERDICTION[1]	interdiction[1]
INTERDICTION[2]	interdiction[2]
INTEREST[1]	intérêt[1]
INTEREST[2]	intérêt[2]
INTEREST[3]	intérêt[3]+, intérêt pour ester en justice, intérêt suffisant
INTEREST ACCRUED	intérêt échu
INTEREST OWING	intérêt échu
INTEREST RATE	taux d'intérêt
INTEREST TO SUE	intérêt[3](>)+, intérêt pour ester en justice(>), intérêt suffisant(>)
INTERIM ACCOUNT	compte provisoire
INTERNAL LAW[1]	loi[4]+, loi interne[1]
INTERNAL LAW[2]	loi interne[2]

INTERNAL LAW[3]	loi interne[3+], loi substantielle, norme substantielle, règle interne, règle matérielle[1], règle substantielle[1]
INTERNAL LAW[4]	droit interne[1+], droit national
INTERNAL PUBLIC ORDER	ordre public interne
INTERNAL RULE	loi interne[3+], loi substantielle, norme substantielle, règle interne, règle matérielle[1], règle substantielle[1]
INTERNAL WILL	volonté interne[+], volonté réelle
INTERNATIONAL COMPETENCE	compétence internationale
INTERNATIONAL LAW[1]	droit international[1]
INTERNATIONAL LAW[2]	droit des gens, droit international[2], droit international public[+], *jus gentium*[1]
INTERNATIONAL PUBLIC ORDER[1]	ordre public international[1]
INTERNATIONAL PUBLIC ORDER[2]	ordre public international[2]
INTER PARTES	*inter partes*
INTERPOSED PERSON	personne interposée
INTERPOSITION OF PERSONS	interposition de personnes
INTERRUPTION (OF PRESCRIPTION)	interruption (de la prescription)[+], possession non interrompue(x)
INTERVENANT	intervenant
INTERVENE	intervenir
INTERVENTION	intervention
INTERVERSION OF TITLE	interversion de titre
INTERVERTED TITLE	titre interverti
INTERVERT A TITLE	intervertir un titre
INTER VIVOS	*entre vifs*[+], *inter vivos*
INTESTATE	*ab intestat*(<)[+], intestat(<)[+]
INTESTATE	intestat
INTESTATE SUCCESSION	succession *ab intestat*[+], succession légale, succession légitime[2]
INTRANSMISSIBILITY	intransmissibilité
INTRANSMISSIBLE	intransmissible
INTUITU PERSONAE	*intuitu personae*
INTUITU PERSONAE CONTRACT	contrat *intuitu personae*
INTUITUS PERSONAE	*intuitus personae*
INVALID	invalide
INVALIDATE	invalider
INVALIDITY	invalidité
INVOLUNTARY FAULT	faute non dolosive(<)[+], faute involontaire, faute non intentionnelle[+]
IPSO FACTO	*ipso facto*
IRREGULAR DEPOSIT	dépôt[3+], dépôt irrégulier

IRREGULAR HEIR	héritier irrégulier, successeur irrégulier+
IRREGULAR SUCCESSION	succession irrégulière
IRREGULAR SUCCESSOR	héritier irrégulier, successeur irrégulier+
IRRESISTIBILITY	irrésistibilité
IRREVOCABILITY	irrévocabilité
IRREVOCABLE	*irrévocable*

J

JOINDER OF POSSESSIONS	jonction des possessions
JOINT ACQUIRER	coacquéreur
JOINT AND SEVERAL[1] (X)	solidaire[1]
JOINT AND SEVERAL[2] (X)	solidaire[2]
JOINT AND SEVERAL CREANCE (X)	créance solidaire[1]
JOINT AND SEVERAL DEBT (X)	dette solidaire
JOINT AND SEVERAL OBLIGATION (X)	obligation solidaire
JOINT CREANCE	créance conjointe
JOINT CUSTODY[1]	garde conjointe[1]+, garde partagée[2]
JOINT CUSTODY[2]	garde conjointe[2]
JOINT CUSTODY[3] (X)	garde alternative[1]+, garde alternée, garde conjointe[3](x), garde partagée[1]
JOINT CUSTODY[4]	garde collective, garde conjointe[4], garde cumulative+
JOINT DEBT	dette conjointe
JOINT LIABILITY	responsabilité conjointe
JOINTLY AND SEVERALLY (X)	conjointement et solidairement(x), solidairement+
JOINT OBLIGATION	obligation conjointe
JOINT OWNERSHIP	droit de mitoyenneté, mitoyenneté+
JOINT PERSONAL RIGHT	créance conjointe
JOINT RESPONSIBILITY	responsabilité conjointe
JOINT-STOCK COMPANY	société par actions[1]
JUDGE[1]	juge[1]
JUDGE[2]	juge[2], juge en chambre+
JUDGE IN CHAMBERS	juge[2], juge en chambre+
JUDGMENT[A]	arrêt[A](<)+, jugement[A]+
JUDGMENT[B]	arrêt[B](<)+, jugement[B]+
JUDGMENT *A QUO*	jugement *a quo*, jugement attaqué, jugement dont appel+, jugement entrepris, jugement frappé d'appel

English	Français
JUDGMENT DEBTOR	saisi
JUDGMENT IN APPEAL	jugement *a quo*, jugement attaqué, jugement dont appel[+], jugement entrepris, jugement frappé d'appel
JUDGMENT IN EQUITY	jugement d'équité
JUDGMENT UNDER APPEAL	jugement *a quo*, jugement attaqué, jugement dont appel[+], jugement entrepris, jugement frappé d'appel
JUDICIAL[1]	judiciaire[1+], légal[6](x)
JUDICIAL[2]	judiciaire[2]
JUDICIAL[3.A]	judiciaire[3.A]
JUDICIAL[3.B]	judiciaire[3.B]
JUDICIAL ACTION	action[2], action directe[4](x), action en justice[2], demande[+], demande en justice
JUDICIAL ADVISER	conseil judiciaire
JUDICIAL CANCELLATION	radiation forcée, radiation judiciaire[+]
JUDICIAL COMPENSATION	compensation judiciaire
JUDICIAL COMPETENCE	compétence judiciaire, compétence juridictionnelle[+]
JUDICIAL DAMAGES	dommages-intérêts judiciaires[+], dommages judiciaires
JUDICIAL DECISION	décision de justice[+], décision judiciaire
JUDICIAL DEMAND	action[2], action directe[4](x), action en justice[2], demande[+], demande en justice
JUDICIAL DEPOSIT[1]	dépôt judiciaire[1]
JUDICIAL DEPOSIT[2]	dépôt judiciaire[2], séquestre judiciaire[1+]
JUDICIAL EMANCIPATION	émancipation judiciaire
JUDICIAL HYPOTHEC	hypothèque judiciaire
JUDICIAL LAW	droit judiciaire, droit judiciaire privé(<)[+]
JUDICIAL MANDATE	mandat judiciaire
JUDICIAL PARTITION	partage en justice, partage judiciaire[+]
JUDICIAL PUBLIC ORDER	ordre public judiciaire, ordre public virtuel[+]
JUDICIAL RADIATION	radiation forcée, radiation judiciaire[+]
JUDICIAL REPRESENTATION	représentation judiciaire
JUDICIAL RESOLUTION	résolution judiciaire
JUDICIAL SEQUESTRATION	dépôt judiciaire[2], séquestre judiciaire[1+]
JUDICIAL SEQUESTRATOR	séquestre judiciaire[2]
JUDICIAL SURETY	caution judiciaire
JUDICIAL SURETYSHIP	cautionnement judiciaire
JUDICIAL TERM	délai de grâce, terme de grâce, terme judiciaire[+]
JUDICIAL USUFRUCT	usufruit judiciaire
JURAL	juridique[1+], légal[6](x)

JURAL PERSONALITY	personnalité civile, personnalité fictive, personnalité juridique[2], personnalité morale[+]
JURATORY SECURITY	caution juratoire
JURIDICAL[1]	juridique[1], légal[6](x)
JURIDICAL[2]	civil[11], juridique[2+]
JURIDICAL[3]	juridique[3], légal[4+]
JURIDICAL[4]	juridique[4]
JURIDICAL[5]	juridique[5], moral[5+]
JURIDICAL ACT	acte[2.A], acte juridique[+], fait juridique[3], *negotium*, titre[2.A]
JURIDICAL CAPACITY	capacité, capacité juridique[+], capacité légale
JURIDICAL CUSTODY[1] (X)	droit de garde[2], garde[2+], garde juridique[1](x), garde légale[2](x)
JURIDICAL CUSTODY[2] (X)	garde[3+], garde juridique[2]
JURIDICAL CUSTODY[3] (X)	garde juridique[3]
JURIDICAL FACT[1]	fait juridique[1]
JURIDICAL FACT[2]	fait juridique[2]
JURIDICAL FACT[3]	acte[2.A], acte juridique[+], fait juridique[3], *negotium*, titre[2.A]
JURIDICAL INCAPACITY	incapacité, incapacité de droit, incapacité juridique[+], incapacité légale
JURIDICAL MAXIM	adage, brocard, maxime juridique[+]
JURIDICAL OBLIGATION[1]	obligation juridique[1+], obligation parfaite
JURIDICAL OBLIGATION[2]	engagement[1], obligation[2+], obligation juridique[2]
JURIDICAL PERSON[1]	personne[+], personne juridique[1], sujet de droit
JURIDICAL PERSON[2]	personne civile, personne fictive, personne juridique[2], personne morale[+]
JURIDICAL PERSONALITY[1]	personnalité, personnalité juridique[1+]
JURIDICAL PERSONALITY[2]	personnalité civile, personnalité fictive, personnalité juridique[2], personnalité morale[+]
JURIDICAL POSSESSION	possession[1+], possession *animo domini,* possession à titre de propriétaire, possession civile, possession juridique
JURIDICAL PRECEPT	loi[3], précepte juridique, règle de droit[+], règle juridique
JURIDICAL PRINCIPLE	principe[+], principe juridique
JURIDICAL RESPONSIBILITY	responsabilité juridique
JURIDICAL RULE	loi[3], précepte juridique, règle de droit[+], règle juridique
JURIDICAL SYSTEM	ordre juridique[1+], système de droit, système juridique
JURIDICAL UNIVERSALITY	universalité de droit[+], universalité juridique
JURIDICIZABLE	juridicisable

JURIDICIZATION	juridicisation
JURIDICIZE	juridiciser
JURISCONSULT[1]	jurisconsulte[1]
JURISCONSULT[2]	jurisconsulte[2]
JURISDICTION[1]	compétence[1]+, juridiction[4](<)+, juridiction[5](x)
JURISDICTION[2]	juridiction[2]
JURISDICTION[3]	juridiction[6](x)
JURISDICTION[4]	compétence[2]
JURISDICTIONAL CLAUSE	clause attributive de compétence+, clause attributive de juridiction
JURISDICTIONAL COMPETENCE	compétence judiciaire, compétence juridictionnelle+
JURISDICTION *RATIONE LOCI*	compétence *ratione loci*
JURISDICTION *RATIONE MATERIAE*	compétence absolue, compétence d'attribution+, compétence *ratione materiae*
JURISDICTION *RATIONE PERSONAE*[1]	compétence *ratione personae*[1], compétence *ratione personae vel loci*, compétence relative, compétence territoriale+
JURISDICTION *RATIONE PERSONAE*[2]	compétence *ratione personae*[2]
JURISDICTION *RATIONE PERSONAE VEL LOCI*	compétence *ratione personae*[1], compétence *ratione personae vel loci*, compétence relative, compétence territoriale+
JURISPRUDENCE[1]	jurisprudence[1]
JURISPRUDENCE[2]	jurisprudence[2]
JURISPRUDENCE[3]	jurisprudence[3]
JURISPRUDENCE[4](*)	
JURISPRUDENTIAL	jurisprudentiel
JURIST	juriste
JURISTIC	juridique[1]+, légal[6](x)
JUS[1]	*jus*[1]
JUS[2]	droit[1]+, droit objectif, *jus*[2]
JUS[3]	droit[2]+, droit individuel, droit subjectif, *jus*[3]
JUS ABUTENDI	*abusus*+, *jus abutendi*
JUS AD REM	*jus ad rem*
JUS CIVILE	droit civil[7.A]+, *jus civile*
JUS COGENS	droit impératif+, *jus cogens*
JUS CONNATUM	droit inné+, *jus connatum*
JUS DISPOSITIVUM	droit supplétif[1]+, *jus dispositivum*
JUS FRUENDI	*fructus*+, *jus fruendi*
JUS GENTIUM[1]	droit des gens, droit international[2], droit international public+, *jus gentium*[1]
JUS GENTIUM[2]	*jus gentium*[2]

JUS HONORARIUM	droit honoraire, droit prétorien[2]+, *jus honorarium*, *jus praetorium*
JUS IN PERSONAM	créance, dette active, droit de créance, droit personnel+, *jus in personam*
JUS IN RE	droit réel+, *jus in re*
JUS PRAETORIUM	droit honoraire, droit prétorien[2]+, *jus honorarium*, *jus praetorium*
JUS PUBLICUM	ordre public
JUS QUAESITUM	droit acquis[1]+, *jus quaesitum*
JUS SANGUINIS	*jus sanguinis*
JUS SOLI	*jus soli*
JUSTICE[1]	justice[1]
JUSTICE[2]	justice[2]
JUSTICE[3]	justice[4]
JUSTICIABILITY	justiciabilité
JUSTICIABLE	justiciable
JUSTICIABLE	justiciable
JUS UTENDI	droit d'usage[2], *jus utendi*, usage[4], *usus*+

K

KEEPER	gardien(>)
KIND	nature[1]
V. action for execution in kind, action for performance in kind, payment in kind	
KING'S COUNSEL[1]	conseil de la reine/du roi[1]
KING'S COUNSEL[2]	conseil de la reine/du roi[2]+, conseiller de la reine /du roi

L

LAND	bien-fonds, fonds+, fonds de terre
LANDLORD	bailleur(>), locateur[1](>)+
LAPSE	caducité
LAPSE (*)	
LATENT DEFECT	défaut caché, vice caché+, vice rédhibitoire

LATO SENSU	*lato sensu*
LAW[1]	droit[1]+, droit objectif, *jus*[2]
LAW[2]	loi[1]
LAW[3]	loi[3], précepte juridique, règle de droit+, règle juridique
LAW[4]	loi[4]+, loi interne[1]
LAWFUL[1]	licite
LAWFUL[2]	légitime[1]
LAWFUL CAUSE	cause licite
LAWFUL CONSIDERATION	cause licite
LAWFUL HEIR[1]	héritier légitime[1]+, héritier régulier, successeur régulier
LAWFUL HEIR[2]	héritier *ab intestat*+, héritier légal, héritier légitime[2]
LAWFULLY	légalement
LAWFULNESS	licéité
LAWFUL PORTION	part virile+, portion virile
LAWFUL SHARE	part virile+, portion virile
LAWFUL SUCCESSION	succession légitime[1]
LAWFUL TITLE	acte translatif de propriété+, juste titre, titre translatif de propriété
LAW OF A PRIVATE NATURE	loi d'intérêt privé, loi particulière[1]+
LAW OF IMMEDIATE APPLICATION	loi d'application immédiate+, loi de police, loi d'ordre public, norme d'application nécessaire, règle d'application immédiate, règle d'application nécessaire
LAW OF NATIONS	droit des gens, droit international[2], droit international public+, *jus gentium*[1]
LAW OF POLICE	loi d'application immédiate+, loi de police, loi d'ordre public, norme d'application nécessaire, règle d'application immédiate, règle d'application nécessaire
LAW OF POLICE AND SAFETY	loi de police et de sûreté
LAW OF PUBLIC ORDER	loi d'application immédiate+, loi de police, loi d'ordre public, norme d'application nécessaire, règle d'application immédiate, règle d'application nécessaire
LAW OF PUBLIC POLICY	loi d'application immédiate+, loi de police, loi d'ordre public, norme d'application nécessaire, règle d'application immédiate, règle d'application nécessaire
LAW OF THE FORUM	*lex fori*, loi du for+
LAW SUIT[1]	action[2], action directe[4](x), action en justice[2], demande+, demande en justice
LAW SUIT[2]	action[3], instance+, procès[2]

LAWYER	homme de loi
LEADING CASE	arrêt de principe(<)+, décision de principe+
LEASE[A]	bail[A]+, contrat de bail, contrat de location, location, louage de choses
LEASE[B]	bail[B]
LEASE[1]	louer[1]
LEASE[2]	louer[2]
LEASE AND HIRE	louage
LEASE AND HIRE OF PERSONAL SERVICE(S) (X)	contrat de louage de services, contrat de travail+, louage de service(s) personnel(s)(x), louage de services[1]
LEASE AND HIRE OF SERVICES[1]	contrat de louage de services, contrat de travail+, louage de service(s) personnel(s)(x), louage de services[1]
LEASE AND HIRE OF SERVICES[2]	contrat de services+, louage de services[2]
LEASE AND HIRE OF WORK	contrat de louage d'ouvrage, louage d'ouvrage+
LEASE-BACK (X)	crédit-bail+, leasing(x)
LEASE BY SUFFERANCE	bail par tolérance+, bail présumé
LEASE BY TACIT RENEWAL	bail par tacite reconduction
LEASE OF A MOVEABLE	bail mobilier
LEASE OF AN IMMOVEABLE	bail immobilier
LEASE OF THINGS	bail[A]+, contrat de bail, contrat de location, location, louage de choses
LEASING	crédit-bail+, leasing(x)
LEGACY[1]	disposition par testament, disposition testamentaire[1], legs[1]+
LEGACY[2]	legs[2]
LEGACY BY GENERAL TITLE	legs à titre universel
LEGACY BY PARTICULAR TITLE	legs à titre particulier+, legs particulier
LEGACY BY UNIVERSAL TITLE	legs universel
LEGAL[1]	légal[1](<)
LEGAL[2]	juridique[1]+, légal[6](x)
LEGAL[3]	légal[2]
LEGAL[4]	légal[3]
LEGAL[5]	juridique[4]
LEGAL[6]	juridique[3], légal[4]+
LEGAL[7]	extracontractuel+, légal[5]
LEGAL[8]	civil[11] , juridique [2]+
LEGAL[9]	juridique[5], moral[5]+
LEGAL[10]	civil[9]+, juridique[6]
LEGAL ADVISER	conseiller juridique

LEGAL CANCELLATION	radiation légale
LEGAL CAPACITY	capacité, capacité juridique[+], capacité légale
LEGAL COMPENSATION	compensation légale
LEGAL COUNSEL	conseiller juridique
LEGAL CUSTODY[1] (X)	droit de garde[2], garde[2+], garde juridique[1](x), garde légale[2](x)
LEGAL CUSTODY[2]	garde légale[1]
LEGAL CUSTODY[3]	garde[3+], garde juridique[2]
LEGAL CUSTODY[4]	garde juridique[3]
LEGAL DAMAGES	dommages-intérêts légaux[+], dommages légaux
LEGAL DOMICILE	domicile de droit, domicile légal[+]
LEGAL EMANCIPATION	émancipation légale
LEGAL HEIR	héritier *ab intestat*[+], héritier légal, héritier légitime[2]
LEGAL HYPOTHEC	hypothèque légale
LEGAL INCAPACITY	incapacité, incapacité de droit, incapacité juridique[+], incapacité légale
LEGAL INTEREST	intérêt légal
LEGAL INTEREST RATE	taux d'intérêt légal
LEGAL INTERRUPTION (OF PRESCRIPTION)	interruption civile (de la prescription)[+], interruption juridique (de la prescription)
LEGALITY	légalité
LEGAL LIABILITY[1]	responsabilité extracontractuelle[+], responsabilité légale[1]
LEGAL LIABILITY[2]	responsabilité légale[2]
LEGAL MANDATE	mandat légal
LEGAL MAXIM	adage, brocard, maxime juridique[+]
LEGAL OBLIGATION[1]	obligation extracontractuelle[+], obligation légale[1]
LEGAL OBLIGATION[2]	obligation légale[2]
LEGAL ORDER	ordre juridique[1+], système de droit, système juridique
LEGAL ORDERING	ordonnancement juridique[2]
LEGAL PERSON	personne civile, personne fictive, personne juridique[2], personne morale[+]
LEGAL PERSONALITY	personnalité civile, personnalité fictive, personnalité juridique[2], personnalité morale[+]
LEGAL POSSESSION	possession[1+], possession *animo domini*, possession à titre de propriétaire, possession civile, possession juridique
LEGAL PRINCIPLE	principe[+], principe juridique
LEGAL RADIATION	radiation légale
LEGAL REPRESENTATION	représentation légale

LEGAL REPRESENTATIVE[1]	représentant légal[1]
LEGAL REPRESENTATIVE[2]	ayant cause à titre universel+, ayant cause universel+, représentant légal[2](x)
LEGAL RULE	loi[3], précepte juridique, règle de droit+, règle juridique
LEGAL SERVITUDE[1]	servitude légale[1]
LEGAL SERVITUDE[2]	servitude administrative, servitude de droit public, servitude légale[2]+
LEGAL SOLIDARITY	solidarité légale
LEGAL SUBROGATION	subrogation légale
LEGAL SUCCESSION	succession *ab intestat*+, succession légale, succession légitime[2]
LEGAL SURETY	caution légale
LEGAL SURETYSHIP	cautionnement légal
LEGAL SYSTEM	ordre juridique[1]+, système de droit, système juridique
LEGAL TERM	terme légal
LEGAL TUTOR	tuteur légal
LEGAL TUTORSHIP	tutelle légale
LEGAL UNIVERSALITY	universalité de droit+, universalité juridique
LEGAL USUFRUCT	usufruit légal
LEGAL WARRANTY	garantie de droit, garantie légale+
LEGATEE	légataire
LEGATEE BY GENERAL TITLE	légataire à titre universel
LEGATEE BY PARTICULAR TITLE	légataire à titre particulier+, légataire particulier
LEGATEE BY UNIVERSAL TITLE	légataire universel
LEGE FORI	*lege fori*
LEGISLATE	légiférer
LEGISLATION[1]	législation[1]
LEGISLATION[2]	acte[3](x), droit statutaire[2](x), législation[2](x), loi[2]+, statut[3](x)
LEGISLATIVE[1]	législatif[1]
LEGISLATIVE[2]	législatif[2]
LEGISLATIVE[3]	législatif[3]
LEGISLATIVE[4]	législatif[4]
LEGISLATIVE[5]	législatif[5]
LEGISLATIVE COMPETENCE	compétence législative
LEGISLATIVE PUBLIC ORDER	ordre public législatif, ordre public textuel+
LEGISLATOR	législateur
LEGISLATURE[1]	législature[1]
LEGISLATURE[2]	législature[2]

LEGITIMACY[1]	légitimité[1]
LEGITIMACY[2]	légitimité[2]
LEGITIMACY[3.A]	légitimité[3.A]
LEGITIMACY[3.B]	légitimité[3.B]
LEGITIMATE[1]	légitime[1]
LEGITIMATE[2]	légitime[2]
LEGITIMATE[3]	légitime[3]
LEGITIMATE[4.A]	légitime[4.A]
LEGITIMATE[4.B]	légitime[4.B]
LEGITIMATE[5]	légitime[5]
LEGITIMATE[6]	légitime[6]
LEGITIMATE[7]	légitime[7]
LEGITIMATE ALLIANCE	alliance légitime
LEGITIMATE CHILD	enfant légitime
LEGITIMATED CHILD	enfant légitimé
LEGITIMATE FAMILY	famille légitime
LEGITIMATE FILIATION	filiation légitime
LEGITIMATELY	légitimement
LEGITIMATE SUCCESSION[1]	succession légitime [1]
LEGITIMATE SUCCESSION[2]	succession *ab intestat*+, succession légale, succession légitime[2]
LEGITIMATION	légitimation
LEND	prêter
LENDER	commodant(<)+, prêteur+
LEONINE CLAUSE	clause léonine
LEONINE PARTNERSHIP	société léonine
LESION	lésion
LESIONARY	lésionnaire
LESSEE[1]	locataire[1]+, preneur, preneur à bail
LESSEE[2]	locataire[2], locataire d'ouvrage+
LESSEE OF WORK	locataire[2], locataire d'ouvrage+
LESSEE'S REPAIRS	menues réparations, menues réparations d'entretien, réparations de menu entretien, réparations locatives+
LESSEE'S RISK	risque locatif
LESSOR[1]	bailleur, locateur[1]+
LESSOR[2]	locateur[2], locateur d'ouvrage+
LESSOR OF WORK	locateur[2], locateur d'ouvrage+
LET	louer
LEX CAUSAE	*lex causae*
LEX CONTRACTUS	*lex contractus*, *lex loci contractus*+

LEX DELICTI	*lex delicti, lex loci delicti*+, *lex loci delicti commissi*
LEX DOMICILII	*lex domicilii*
LEX EXECUTIONIS	*lex executionis, lex solutionis*+
LEX FERENDA	*lex ferenda*
LEX FORI	*lex fori*, loi du for+
LEX LATA	*lex lata*
LEX LOCI ACTUS	*lex loci actus*
LEX LOCI CELEBRATIONIS	*lex loci celebrationis*
LEX LOCI CONTRACTUS	*lex contractus, lex loci contractus*+
LEX LOCI DELICTI	*lex delicti, lex loci delicti*+, *lex loci delicti commissi*
LEX LOCI DELICTI COMMISSI	*lex delicti, lex loci delicti*+, *lex loci delicti commissi*
LEX REI SITAE	*lex rei sitae*+, *lex situs*
LEX SITUS	*lex rei sitae*+, *lex situs*
LEX SOLUTIONIS	*lex executionis, lex solutionis*+
LEX SPECIALIS[1]	droit d'exception+, droit spécial
LEX SPECIALIS[2]	loi d'exception[2]+, loi spéciale[2]
LEX SPECIALIS[3]	loi d'exception[1]+, loi particulière[2], loi spéciale[1], statut spécial(x)
LIABILITIES	passif
LIABILITY[1]	responsabilité[1]
LIABILITY[2]	responsabilité[2], responsabilité civile+
LIABILITY[3]	charge[1], dette, engagement[2], obligation[3]+
LIABILITY CLAUSE V. limitation of liability clause, non-liability clause	
LIABILITY FOR DAMAGE CAUSED BY ANIMALS	responsabilité du fait des animaux
LIABILITY FOR DAMAGE CAUSED BY ANOTHER	responsabilité du fait d'autrui(>)+, responsabilité pour autrui(>), responsabilité pour le fait d'autrui(>)
LIABILITY FOR DAMAGE CAUSED BY BUILDINGS	responsabilité du fait des bâtiments
LIABILITY FOR DAMAGE CAUSED BY INANIMATE THINGS	responsabilité du fait des choses inanimées
LIABILITY FOR DAMAGE CAUSED BY THINGS	responsabilité du fait des choses
LIABILITY *IN SOLIDUM*	responsabilité *in solidum*
LIABILITY OF ARTISANS	responsabilité de l'artisan
LIABILITY OF COMMITTENTS	responsabilité du commettant
LIABILITY OF CURATORS	responsabilité du curateur
LIABILITY OF EMPLOYERS	responsabilité du commettant

LIABILITY OF MASTERS	responsabilité du commettant
LIABILITY OF PARENTS	responsabilité des parents
LIABILITY OF SCHOOLTEACHERS	responsabilité de l'instituteur
LIABILITY OF TUTORS	responsabilité du tuteur
LIABLE	responsable
LIBERAL INTENTION	*animus donandi*, intention libérale+
LIBERALITY[1]	disposition à titre gratuit, libéralité[1]+
LIBERALITY[2]	libéralité[2]
LIBERATING	libératoire
LIBERATIVE PAYMENT	paiement libératoire
LIBERATIVE PRESCRIPTION	prescription extinctive+, prescription libératoire
LIBERATORY PAYMENT	paiement libératoire
LIBERTY	liberté+, liberté individuelle
LICIT	licite
LICIT CAUSE	cause licite
LICIT CONSIDERATION	cause licite
LICIT DAMAGE	dommage licite+, préjudice licite
LICITNESS	licéité
LIEN DE PRÉPOSITION	lien de préposition+, rapport de préposition
LIFE	perpétuel[3], viager+
LIFE-ANNUITY	rente constitutée en viager, rente en viager, rente viagère+
LIFE-RENT	rente constituée en viager, rente en viager, rente viagère+
LIFE-USUFRUCT	usufruit viager
LIGHT	jour+, jour de souffrance, jour de tolérance
LIGHT EXISTING BY SUFFERANCE	jour+, jour de souffrance, jour de tolérance
LIGHT EXISTING BY TOLERANCE	jour+, jour de souffrance, jour de tolérance
LIMITATION OF LIABILITY CLAUSE	clause de limitation de responsabilité, clause de responsabilité atténuée, clause de responsabilité limitée, clause limitative de responsabilité+
LIMITED LIABILITY CLAUSE	clause de limitation de responsabilité, clause de responsabilité atténuée, clause de responsabilité limitée, clause limitative de responsabilité+
LIMITED PARTNERSHIP	société en commandite
LIMITED REAL RIGHT	démembrement[2], droit démembré, droit réel démembré+, droit relatif[2]
LIQUIDATED CREANCE	créance liquide
LIQUIDATED DEBT	dette liquide
LIQUIDITY	liquidité
LITIGIOUS CREANCE	créance litigieuse

LITIGIOUS DEBT	créance litigieuse
LITIGIOUS PERSONAL RIGHT	créance litigieuse
LITIGIOUS PROPERTY[1]	bien litigieux[1]
LITIGIOUS PROPERTY[2]	bien litigieux[2]
LITIGIOUS RIGHT	droit litigieux
LOAN	contrat de prêt, emprunt+, prêt+
LOAN FOR CONSUMPTION	*mutuum*, prêt de consommation+
LOAN FOR USE	commodat, prêt à usage+
LOAN OF MONEY	prêt d'argent
LOAN ON HYPOTHEC	crédit hypothécaire, prêt hypothécaire+, prêt sur hypothèque
LOAN UPON INTEREST	prêt à intérêt
LOCALIZATION	localisation
LONGA MANU TRADITION	*traditio longa manu*, tradition de longue main, tradition symbolique+
LOSS[1]	perte[1]
LOSS[2]	perte[2]
LOSS[3]	dommage+, préjudice, tort[2]
LOSS OF A CHANCE	perte d'une chance
LOSS OF AMENITIES	préjudice d'agrément
LOSS OF A THING DUE	perte de la chose due
LOTTERY	loterie
LUCRUM CESSANS	*lucrum cessans*, manque à gagner+
LUMP SALE	vente en bloc[1]
LUMP SUM CONTRACT	contrat à forfait+, marché à forfait
LUMP SUM PAYMENT	paiement unique

M

MAINLEVÉE	mainlevée
MAINTENANCE V. minor repairs for maintenance, repairs for maintenance	
MAJOR	majeur
MAJORITY	majorité
MANAGEMENT OF THE AFFAIRS OF ANOTHER	gestion d'affaire(s)+, *negotiorum gestio*
MANAGEMENT OF THE BUSINESS OF ANOTHER	gestion d'affaire(s)+, *negotiorum gestio*
MANAGER	gérant[1]+, *negotiorum gestor*

MANDATARY	mandataire+, procureur
MANDATE[1]	contrat de mandat, mandat[1]+
MANDATE[2]	mandat[2]
MANDATE EXPRESSED IN GENERAL TERMS	mandat conçu en termes généraux+, mandat exprimé en termes généraux
MANDATE GIVEN IN GENERAL TERMS	mandat conçu en termes généraux+, mandat exprimé en termes généraux
MANDATOR	mandant
MANUAL GIFT	don manuel
MANUFACTURER'S LIABILITY	responsabilité du fabricant+, responsabilité du fait des produits, responsabilité du manufacturier
MARITAL UNION	mariage[1]+, noces, union conjugale[1]
MARKETABLE QUALITY	qualité marchande
MARKET VALUE	valeur actuelle(x), valeur marchande, valeur réelle+, valeur vénale
MARRIAGE[1]	mariage[1]+, noces, union conjugale
MARRIAGE[2]	mariage[2]
MARRIAGE[3]	mariage[3]
MARRIAGE BY PROXY	mariage par procuration
MARRIAGE *IN EXTREMIS*	mariage *in extremis*
MASTER OF THE WORK	maître de l'oeuvre, maître d'oeuvre+
MASTER-SERVANT RELATIONSHIP	lien de préposition+, rapport de préposition
MATERIAL	matériel[1]
MATERIAL CAUSATION	causalité matérielle
MATERIAL CAUSE	cause matérielle+, cause physique
MATERIAL CUSTODY	garde matérielle[1]+, garde physique[2]
MATERIAL DAMAGE	dommage économique, dommage matériel+, dommage patrimonial, dommage pécuniaire, préjudice économique, préjudice matériel, préjudice patrimonial, préjudice pécuniaire
MATERIAL FACT[1]	acte matériel(<)+, fait matériel[1]+
MATERIAL FACT[2]	fait matériel[2]
MATERIAL IMPUTABILITY	imputabilité[2]+, imputabilité matérielle
MATERIAL RULE[1]	loi interne[3]+, loi substantielle, norme substantielle, règle interne, règle matérielle[1], règle substantielle[1]
MATERIAL RULE[2]	règle matérielle[2]+, règle substantielle[2]
MATERIALS V. supplier of materials, privilege of the supplier of materials	matériaux
MATERNAL FILIATION	filiation maternelle+, maternité[2]+

MATERNITY[1]	maternité[1]
MATERNITY[2]	filiation maternelle+, maternité[2]+
MATRIMONIAL DOMICILE	domicile matrimonial
MATURITY	échéance[1]
MAXIM V. juridical maxim	
MEANS V. obligation of means	moyen
MECHANIC	artisan
MEDIATE VICTIM	victime médiate, victime par ricochet+
MERCHANDISE V. carriage of merchandise, contract for the carriage of merchandise, contract for the transport of merchandise, transport of merchandise	marchandise
MERCHANT	commerçant
MERCHANTABLE QUALITY	qualité marchande
MERE EXPECTANCY	droit virtuel, simple expectative+
MERE EXPECTATION	droit virtuel, simple expectative+
MERIT[1]	fond(>)+, mérite[1](>)(x)
MERIT[2]	bien-fondé+, mérite[2]
MINISTERIAL DECREE	arrêté ministériel
MINOR	enfant[3], mineur+
MINORITY	minorité
MINOR REPAIRS	menues réparations, menues réparations d'entretien, réparations de menu entretien, réparations locatives+
MINOR REPAIRS FOR MAINTENANCE	menues réparations, menues réparations d'entretien, réparations de menu entretien, réparations locatives+
MINUTES OF SALE	procès-verbal de vente
MINUTES OF SEIZURE	procès-verbal de saisie
MINUTES OF VERIFICATION	procès-verbal de récolement
MIS EN CAUSE	mis en cause
MITOYEN	mitoyen
MITOYENNETÉ	droit de mitoyenneté, mitoyenneté+
MIXED ACT	acte mixte
MIXED ACTION	action mixte
MIXED CONDITION	condition mixte
MIXED CONTRACT[1]	contrat mixte[1]
MIXED CONTRACT[2]	contrat complexe+, contrat mixte[2]
MIXED LAW[1]	droit mixte[1]
MIXED LAW[2]	droit mixte[2]

MIXED PARTITION	partage mixte[+], partage volontaire en justice
MIXED STATUT	statut mixte
MOBILIZATION[1]	mobilisation
MOBILIZATION[2]	ameublissement
MOBILIZATION BY ANTICIPATION	mobilisation anticipée, mobilisation par anticipation[+]
MOBILIZATION CLAUSE	clause d'ameublissement
MOBILIZE[1]	mobiliser
MOBILIZE[2]	ameublir
MODAL	modal
MODALITY	modalité
MODALITY OF PAYMENT	condition de paiement, modalité de paiement[+]
MODALITY OF THE OBLIGATION	modalité de l'obligation
MONETARY CLAUSE	clause monétaire
MONETARY OBLIGATION	obligation de somme d'argent, obligation monétaire(x), obligation pécuniaire[+]
MONEY V. loan of money	argent
MONTHLY PAYMENT	mensualité
MORAL[1]	moral[1]
MORAL[2]	moral[2]
MORAL[3]	extrapatrimonial[+], moral[3]
MORAL[4]	moral[4]
MORAL[5]	juridique[5], moral[5+]
MORAL[6]	moral[6]
MORAL CAUSATION	causalité morale
MORAL DAMAGE	dommage extrapatrimonial, dommage moral[+], dommage non pécuniaire, préjudice extrapatrimonial, préjudice extrapécuniaire, préjudice moral, préjudice non pécuniaire
MORAL IMPUTABILITY	imputabilité[1+], imputabilité morale, imputabilité psychologique
MORAL INTEREST	intérêt moral
MORALITY[1]	moralité[1]
MORALITY[2]	moralité[2]
MORAL OBLIGATION	obligation imparfaite, obligation morale[+]
MORAL PERSON	personne civile, personne fictive, personne juridique[2], personne morale[+]
MORAL RESPONSIBILITY	responsabilité morale
MORATORY	moratoire
MORATORY DAMAGES	dommages-intérêts moratoires[+], dommages moratoires
MORTIS CAUSA	cause de mort (à)[+], *mortis causa*

MOTHER	mère
MOTION	requête
MOTIVE	cause[1.B]+, considération[1], mobile
MOVEABLE or MOVABLE[1]	meuble+, mobilier[1]
MOVEABLE or MOVABLE[2]	mobilier[2]
MOVEABLE or MOVABLE[1]	bien meuble, effet mobilier, meuble[1]+, mobilier[1]
MOVEABLE or MOVABLE[2]	meuble[2], meuble meublant+, mobilier[2]
MOVEABLE ACCESSION	accession mobilière
MOVEABLE ACTION	action mobilière
MOVEABLE BY ANTICIPATION	meuble par anticipation
MOVEABLE BY DETERMINATION OF LAW	meuble par (la) détermination de la loi
MOVEABLE BY NATURE	meuble par nature
MOVEABLE EFFECT	bien meuble, effet mobilier, meuble[1]+, mobilier[1]
MOVEABLE OBJECT	bien meuble, effet mobilier, meuble[1]+, mobilier[1]
MOVEABLE PERSONAL ACTION	action personnelle mobilière
MOVEABLE PRIVILEGE	privilège mobilier
MOVEABLE REAL ACTION	action réelle mobilière
MOVEABLE THING	bien meuble, effet mobilier, meuble[1]+, mobilier[1]
MULTILATERAL ACT	acte multilatéral+, acte plurilatéral
MUNICIPAL LAW	droit interne[1]+, droit national
MUTABILITY	mutabilité
MUTUAL OBLIGATION	obligation réciproque
MUTUUM	*mutuum*, prêt de consommation+

N

NAKED OWNER	nu-propriétaire
NAKED OWNERSHIP	nue-propriété
NATION V. law of nations	
NATIONAL LAW	droit interne[1]+, droit national
NATURAL	illégitime[3.A], naturel[1]+
NATURAL ACCESSION	accession naturelle
NATURAL ALLIANCE	alliance naturelle

NATURAL CHILD	enfant illégitime, enfant naturel+
NATURAL FAMILY	famille naturelle
NATURAL FILIATION	filiation naturelle
NATURAL FRUIT	fruit naturel
NATURAL INCAPACITY	incapacité de fait, incapacité naturelle+
NATURAL INDIVISIBILITY	indivisibilité naturelle+, indivisibilité objective, indivisibilité réelle, indivisibilité véritable
NATURAL INTERRUPTION (OF PRESCRIPTION)[1]	interruption naturelle (de la prescription)[1]
NATURAL INTERRUPTION (OF PRESCRIPTION)[2]	interruption naturelle (de la prescription)[2]
NATURAL JUSTICE	droit naturel+, justice naturelle
NATURAL LAW	droit naturel+, justice naturelle
NATURAL OBLIGATION	obligation naturelle
NATURAL PERSON	personne physique
NATURAL SERVITUDE	servitude naturelle
NATURE V. immoveable by nature, law of a private nature, moveable by nature	nature[2]
NECESSARY DEPOSIT	dépôt nécessaire
NECESSARY DISBURSEMENTS	dépenses nécessaires, impenses nécessaires+
NECESSARY EXPENSES	dépenses nécessaires, impenses nécessaires+
NECESSARY IMPROVEMENTS	améliorations nécessaires
NECESSITY V. state of necessity	nécessité
NEGATIVE CONDITION	condition négative
NEGATIVE PRESCRIPTION	prescription extinctive+, prescription libératoire
NEGATIVE SERVITUDE	servitude négative
NEGATORY ACTION	action négatoire
NEGLECT	faute de négligence, négligence[1]+
NEGLIGENCE	faute de négligence, négligence[1]+
NEGOTIABLE INSTRUMENT	effet de commerce+, instrument négociable(x)
NEGOTIATED CONTRACT	contrat de gré à gré+, contrat de libre discussion, contrat négocié
NEGOTIATED SALE	vente de gré à gré
NEGOTIATION	pourparlers
NEGOTIORUM GESTIO	gestion d'affaire(s)+, *negotiorum gestio*
NEGOTIORUM GESTOR	gérant[1]+, *negotiorum gestor*
NEGOTIORUM GESTORUM ACTION	action en gestion d'affaire(s)+, action *negotiorum gestorum*
NEGOTIUM	acte[2.A], acte juridique+, fait juridique[3], *negotium*, titre[2.A]
NEIGHBOURHOOD DISTURBANCE	trouble de voisinage

NO-FAULT LIABILITY	responsabilité absolue(x), responsabilité causale, responsabilité de plein droit, responsabilité objective[+], responsabilité sans faute, responsabilité stricte(x)
NOMINAL PARTNER	associé de nom, associé nominal[+]
NOMINATE CONTRACT	contrat nommé
NOMINEE (X)	prête-nom[1]
NON AEDIFICANDI SERVITUDE	servitude *non aedificandi*
NON ALTIUS TOLLENDI SERVITUDE	servitude *non altius tollendi*
NON-ASSIGNABILITY	incessibilité
NON-ASSIGNABLE	incessible
NON-COMPETITION CLAUSE	clause de non-concurrence[+], clause restrictive de commerce(x)
NON-CONSUMABLE	non-consomptible
NON-CONSUMABLE PROPERTY	bien non consomptible[+], chose non consomptible
NON-CONSUMABLE THING	bien non consomptible[+], chose non consomptible
NON-EMPLOYMENT CLAUSE	clause de non-réembauchage
NON-EXCLUSIVE OFFER	offre non exclusive
NON-EXISTENCE	inexistence
NON-FULFILMENT	inexécution
NON-FUNGIBLE	non fongible
NON-FUNGIBLE PROPERTY	bien non fongible, chose certaine et déterminée[+], chose individualisée, chose non fongible, corps certain (et déterminé)
NON-FUNGIBLE THING	bien non fongible, chose certaine et déterminée[+], chose individualisée, chose non fongible, corps certain (et déterminé)
NON-INTENTIONAL FAULT	faute non-dolosive(<)[+], faute involontaire, faute non intentionnelle[+]
NON-LIABILITY CLAUSE[1]	clause de non-responsabilité[1+], clause d'exclusion de responsabilité, clause d'exonération de responsabilité[1], clause élusive de responsabilité, clause exonératoire de responsabilité
NON-LIABILITY CLAUSE[2]	clause de non-responsabilité[2+], clause d'exonération de responsabilité[2]
NON-MITOYENNETÉ	non-mitoyenneté
NON-PECUNIARY DAMAGE	dommage extrapatrimonial, dommage moral[+], dommage non pécuniaire, préjudice extrapatrimonial, préjudice extrapécuniaire, préjudice moral, préjudice non pécuniaire
NON-PERFORMANCE	inexécution
NON-PERFORMANCE OF THE CONTRACT	inexécution du contrat
NON-POSSESSORY PLEDGE[1]	nantissement sans dépossession[1]

NON-POSSESSORY PLEDGE[2]	nantissement sans dépossession[2]
NON-REESTABLISHMENT CLAUSE	clause de non-rétablissement
NON-WARRANTY CLAUSE	clause de non-garantie+, stipulation de non-garantie
NORM OF NECESSARY APPLICATION	loi d'application immédiate+, loi de police, loi d'ordre public, norme d'application nécessaire, règle d'application immédiate, règle d'application nécessaire
NOTARIAL[1]	notarial
NOTARIAL[2]	notarié
NOTARIAL ACT	acte notarié
NOTARIAL DEED	acte notarié
NOTARIAL INSTRUMENT	acte notarié
NOTARIATE[1]	notariat[1]
NOTARIATE[2]	chambre des notaires+, notariat[2], ordre des notaires
NOTARIZED	notarié
NOTARY	notaire
NOTARY'S RECORDS	greffe[3]
NOTE	billet+, billet à ordre, billet promissoire(x)
NOTICE	avis de congé(<), congé(<)+, notification+
NOTIFICATION	avis de congé(<), congé(<)+, notification+
NOTIFY	notifier
NOTORIETY	notoriété
V. act of notoriety, deed of notoriety	
NOVATE	nover
NOVATION	novation
NOVATION BY CHANGE OF CREDITOR	novation par changement de créancier
NOVATION BY CHANGE OF DEBT	novation par changement de dette
NOVATION BY CHANGE OF DEBTOR	novation par changement de débiteur
NOVATIVE	novatoire
NOVATORY	novatoire
NOVATORY INTENTION	*animus novandi*, intention novatoire+
NULL	nul
NULLITY	nullité
NUPTIALS	noce

O

OBJECT V. immoveable by reason of the object to which it is attached, moveable object	
OBJECTIVE FAULT	faute objective
OBJECTIVE INDIVISIBILITY	indivisibilité naturelle[+], indivisibilité objective, indivisibilité réelle, indivisibilité véritable
OBJECTIVE LIABILITY (X)	responsabilité absolue(x), responsabilité causale, responsabilité de plein droit, responsabilité objective[+], responsabilité sans faute, responsabilité stricte(x)
OBJECT NOT IN COMMERCE	chose hors (du) commerce
OBJECT OF COMMERCE	chose dans le commerce
OBJECT OF RIGHTS	objet de droit
OBJECT OF THE CONTRACT	objet du contrat
OBJECT OF THE OBLIGATION	objet de l'obligation
OBJECT OF THE PRESTATION	objet de la prestation
OBLIGATE	engager[1], obliger[+]
OBLIGATION[1]	obligation[1]
OBLIGATION[2]	engagement[1], obligation[2+], obligation juridique[2]
OBLIGATION[3]	charge[1], dette, engagement[2], obligation[3+]
OBLIGATIONAL	obligationnel
OBLIGATION FOR THE DEBT	obligation à la dette
OBLIGATION IN KIND	obligation en nature
OBLIGATION *IN SOLIDUM*	obligation *in solidum*[+], solidarité imparfaite
OBLIGATION NOT TO DO	obligation de ne pas faire
OBLIGATION OF DILIGENCE	obligation de diligence, obligation de moyens[+], obligation générale de prudence et diligence, obligation relative
OBLIGATION OF INSTANTANEOUS PERFORMANCE	obligation instantanée
OBLIGATION OF MEANS	obligation de diligence, obligation de moyens[+], obligation générale de prudence et diligence, obligation relative
OBLIGATION OF NON-COMPETITION	obligation de non-concurrence
OBLIGATION OF RESULT	obligation absolue, obligation de résultat[+], obligation déterminée
OBLIGATION OF SUCCESSIVE PERFORMANCE	obligation continue[+], obligation successive
OBLIGATION OF WARRANTY[1]	obligation de garantie[1]
OBLIGATION OF WARRANTY[2]	garantie[1+], obligation de garantie[2]

OBLIGATION *PROPTER REM*	obligation *propter rem*, obligation réelle+
OBLIGATIONS V. statut of obligations	obligations
OBLIGATION TO ADVISE	devoir de conseil, obligation de conseil+
OBLIGATION TO COUNSEL	devoir de conseil, obligation de conseil+
OBLIGATION TO DO	obligation de faire
OBLIGATION TO GIVE	obligation de donner
OBLIGATION TO INFORM	obligation de renseignements+, obligation de renseigner, obligation d'information
OBLIGATION WITH A COMPLEX MODALITY	obligation à modalité complexe, obligation plurale+
OBLIGATION WITH A MODALITY	obligation à modalité, obligation complexe+
OBLIGATION WITH A SIMPLE MODALITY	obligation à modalité simple
OBLIGATION WITH A TERM	obligation à terme
OBLIGATORY	obligatoire
OBLIGEE	créancier
OBLIGOR	débiteur+, obligé
OBLIQUE ACTION	action indirecte, action oblique+, action subrogatoire[2](x)
OBLIQUE VIEW	vue oblique
OCCASIONAL EMPLOYEE[1]	préposé occasionnel[1]
OCCASIONAL EMPLOYEE[2]	préposé occasionnel[2]
OCCASIONAL EMPLOYER[1]	commettant occasionnel[1]
OCCASIONAL EMPLOYER[2]	commettant occasionnel[2]
OCCUPANCY	appréhension, occupation+
OCCUPATION	appréhension, occupation+
OFFENCE	délit
OFFER	offre+, pollicitation
OFFEREE	destinataire[1] +, pollicité
OFFER OF REWARD	offre de récompense, promesse de récompense+
OFFEROR	offrant+, pollicitant
OFFER TO AN UNSPECIFIED PERSON	offre à personne indéterminée, offre au public+
OFFER TO A SPECIFIED PERSON	offre à personne déterminée
OFFER TO THE PUBLIC	offre à personne indéterminée, offre au public+
OFFICE V. personal office	
OFFICE OF THE COURT[1]	greffe[1]
OFFICE OF THE COURT[2]	greffe[2]
OFFICER OF JUSTICE	officier de justice

OF RIGHT V. right (of)	
OLD FRENCH LAW	ancien droit[1]
OMISSION V. fault of omission	omission
ONE-PARENT FAMILY	famille[6]+, famille monoparentale
ONEROUS CONTRACT	contrat à titre onéreux+, contrat intéressé
ONEROUS TITLE (BY) V. act by onerous title, contract by onerous title	titre onéreux (à)
OPERATION V. boundary operation, civil operation, commercial operation	
OPPOSABILITY	opposabilité
OPPOSABILITY OF CONTRACT	opposabilité du contrat
OPPOSABLE	opposable
OPPOSE	opposer
OPTION	option, promesse unilatérale (de contrat)+
OPTION OF WITHDRAWAL	dédit[1], faculté de dédit+
OPTION TO REPURCHASE	droit de réméré, faculté de rachat, faculté de réméré+, réméré, retrait conventionnel
ORAL LEASE	bail verbal+, location verbale
ORDER IN COUNCIL	arrêté en conseil, décret[1]+
ORDER OF ADVOCATES	barreau[2]+, ordre des avocats
ORDER OF NOTARIES	chambre des notaires+, notariat[2], ordre des notaires
ORDER OF PLACEMENT	ordonnance de placement
ORDINARY CO-OWNERSHIP	copropriété avec indivision ordinaire, copropriété ordinaire+, copropriété temporaire, indivision ordinaire
ORDINARY CREANCE	créance chirographaire+, créance ordinaire
ORDINARY CREDITOR	créancier chirographaire+, créancier ordinaire
ORDINARY INDIVISION	copropriété avec indivision ordinaire, copropriété ordinaire+, copropriété temporaire, indivision ordinaire
ORDINARY OBLIGATION	obligation ordinaire, obligation personnelle+
ORDINARY PARTNER	associé actif, associé ordinaire+
ORDRE DES NOTAIRES	chambre des notaires+, notariat[2], ordre des notaires
ORIGIN V. domicile of origin	origine
ORIGINAL ACT	acte primordial+, titre primordial
ORIGINAL DEED	acte primordial+, titre primordial

ORIGINAL JURISDICTION	juridiction de droit commun, tribunal de droit commun+
ORIGINAL LEASE	bail primitif, bail principal+
ORIGINAL LESSEE	locataire primitif, locataire principal+, preneur primitif
ORIGINAL LESSOR	bailleur principal, locateur primitif, locateur principal+
ORIGINAL SITE	assignation primitive
ORIGINAL TITLE	acte primordial+, titre primordial
OSTENSIBLE ACT	acte apparent+, acte ostensible, acte simulé
OUT-OF-COURT SETTLEMENT	règlement hors cour(<)+, transaction+
OWNER	maître, propriétaire+
OWNER OF THE SUB-SOIL	tréfoncier
OWNERSHIP	droit de propriété+, pleine propriété, propriété[1]
OWNERSHIP IN INDIVISION	copropriété+, droit de copropriété, indivision[2], propriété indivise
OWNERSHIP OF WHAT IS ABOVE	propriété du dessus
OWNERSHIP OF WHAT IS BELOW	propriété du dessous

P

PACT	contrat[A]+, convention, pacte
PACTE COMMISSOIRE[1]	clause de résolution de plein droit, clause expresse de résolution, clause résolutoire de plein droit+, clause résolutoire expresse, pacte commissoire[1]
PACTE COMMISSOIRE[2]	pacte commissoire[2]
PAID	acquit (pour)
PARENT	parent[2]
PARENTAL	parental
PARENTAL AUTHORITY	autorité parentale
PARTIAL CAUSATION	causalité partielle
PARTIAL INCAPACITY	incapacité partielle, incapacité spéciale+
PARTIAL PARTITION	partage partiel
PARTIAL PAYMENT	paiement divisé, paiement fractionné, paiement partiel+
PARTIAL RENVOI	renvoi partiel , renvoi simple+
PARTICULAR BEQUEST	legs à titre particulier+, legs particulier
PARTICULAR LEGACY	legs à titre particulier+, legs particulier

PARTICULAR LEGATEE	légataire à titre particulier+, légataire particulier
PARTICULAR PARTNERSHIP	société particulière
PARTICULAR SUCCESSOR	acquéreur à titre particulier, ayant cause à titre particulier+, ayant cause particulier, ayant droit à titre particulier, successeur à titre particulier
PARTICULAR TITLE (BY)	titre particulier (à)
V. acquirer by particular title, assignee by particular title, legacy by particular title, legatee by particular title, successor by particular title, transmission by particular title	
PARTITION	partage
PARTITIONER	copartageant+, partageant
PARTNER	associé+, sociétaire
PARTNERSHIP[1]	contrat de société, société[1+]
PARTNERSHIP[2]	société[2]
PARTNERSHIP AGREEMENT	contrat de société, société[1+]
PARTNERSHIP *EN COMMANDITE*	société en commandite
PARTNERSHIP PATRIMONY	fonds commun, fonds social, patrimoine social+
PARTY	partie
PARTY DISPOSING	disposant
PARTY RENOUNCING	renonçant+, renonciateur
PASSENGER	passager+, voyageur[1]
PASSIVE INDIVISIBILITY	indivisibilité passive
PASSIVE SERVITUDE	servitude passive
PASSIVE SOLIDARITY	solidarité passive
PASSIVE SUBJECT	sujet passif
PATERNAL AUTHORITY	puissance paternelle
PATERNAL FILIATION	filiation paternelle+, paternité+
PATERNITY[1]	paternité[1]
PATERNITY[2]	filiation paternelle+, paternité[2+]
PATRIMONIAL	patrimonial
PATRIMONIAL DAMAGE	dommage économique, dommage matériel+, dommage patrimonial, dommage pécuniaire, préjudice économique, préjudice matériel, préjudice patrimonial, préjudice pécuniaire
PATRIMONIAL RIGHT	bien[1], bien incorporel, chose incorporelle, droit patrimonial+
PATRIMONY	patrimoine
PAULIAN ACTION	action paulienne+, action révocatoire
PAULIAN FRAUD	fraude paulienne
PAWN[1]	contrat de gage, gage[1+]

PAWN[2]	droit de gage+, gage[2]
PAWN[3]	gage[3]
PAWN	engager[2]
PAWNING	contrat de gage, gage[1]+
PAY	acquitter, payer+, régler[1]
PAYEE	*accipiens*+, payé
PAYER	payeur, *solvens*+
PAYMENT	acquittement, paiement+, payement, règlement[3]
PAYMENT IN ADVANCE	paiement anticipé, paiement par anticipation+
PAYMENT IN CASH	paiement en espèces
PAYMENT IN KIND[1]	exécution directe, exécution en nature+, exécution spécifique(x), paiement en nature[1]
PAYMENT IN KIND[2]	paiement en nature[2]
PAYMENT IN *SPECIE*	paiement en espèces
PAYMENT OF A THING NOT DUE	paiement de l'indu+, paiement indu
PAYMENT ON ACCOUNT	acompte+, dépôt[4](x)
PAYMENT WITH A TERM	paiement à terme
PAYMENT WITH SUBROGATION	paiement avec subrogation
PEACEABLE ENJOYMENT	jouissance paisible
PEACEABLE POSSESSION	possession paisible
PECUNIARY DAMAGE	dommage économique, dommage matériel+, dommage patrimonial, dommage pécuniaire, préjudice économique, préjudice matériel, préjudice patrimonial, préjudice pécuniaire
PECUNIARY INTEREST	intérêt pécuniaire
PECUNIARY OBLIGATION	obligation de somme d'argent, obligation monétaire(x), obligation pécuniaire+
PENAL CLAUSE	clause pénale
PENAL LAW	droit pénal
PENAL LIABILITY	responsabilité pénale
PENALTY OF WITHDRAWAL	dédit[2]
PENDENTE CONDITIONE	*pendente conditione*
PENDING CONDITION	condition pendante
PENITUS EXTRANEUS	*penitus extraneus*
PENSION	rente[1]
PEREMPTED	périmé
PEREMPTION	péremption
PEREMPTION OF SUIT	péremption d'instance
PERFECT DELEGATION	délégation parfaite
PERFECTED RIGHT	droit définitif
PERFECT OBLIGATION	obligation juridique[1]+, obligation parfaite
PERFECT REPRESENTATION	représentation+, représentation immédiate, représentation parfaite

PERFECT SOLIDARITY	corréalité, solidarité+, solidarité parfaite, solidité
PERFORM	accomplir, exécuter+
PERFORMANCE	accomplissement, exécution+
PERFORMANCE BY EQUIVALENCE	exécution par équivalent
PERFORMANCE IN KIND	exécution directe, exécution en nature+, exécution spécifique(x), paiement en nature[1]
PERFORMANCE OF THE CONTRACT	exécution du contrat.
PERIODICAL PAYMENT	paiement échelonné, paiement périodique+, versement[2]
PERIODIC DAMAGE	dommage périodique
PERIODIC PAYMENT	paiement échelonné, paiement périodique+, versement[2]
PERMANENCY V. for a permanency	
PERPETUAL[1]	perpétuel[1]
PERPETUAL[2]	perpétuel[2]
PERPETUAL ANNUITY	rente constitutée en perpétuel, rente en perpétuel, rente perpétuelle+
PERPETUAL CO-OWNERSHIP	copropriété avec indivision forcée, copropriété forcée+, copropriété perpétuelle, indivision forcée
PERPETUALLY	perpétuel (en), perpétuellement+
PERPETUAL RENT	rente constituée en perpétuel, rente en perpétuel, rente perpétuelle+
PERPETUAL RIGHT	droit perpétuel
PERPETUITY	perpétuité
PERPETUITY (IN) V. in perpetuity	
PERPETUITY OF EXCEPTIONS	imprescriptibilité des exceptions
PERSON	personne+, personne juridique[1], sujet de droit
PERSONAL[1]	personnel[1]
PERSONAL[2]	personnel[2]
PERSONAL[3]	personnel[3]
PERSONAL[4]	personnel[4]
PERSONAL[5]	personnel[5]
PERSONAL[6] (F.f.)	personnel[6](x)
PERSONAL ACTION	action personnelle
PERSONAL ACT OR OMISSION	fait personnel
PERSONAL CHARGE	charge personnelle
PERSONAL DAMAGE	dommage personnel[1]+, préjudice personnel
PERSONAL FAULT	faute personnelle
PERSONAL HARM	dommage personnel[1]+, préjudice personnel

PERSONAL INJURY[1]	dommage personnel[1]+, préjudice personnel
PERSONAL INJURY[2]	dommage corporel+, dommage personnel[2](x), préjudice corporel
PERSONALISM	personnalisme
PERSONALITY	personnalité, personnalité juridique[1]+
PERSONALITY OF LAWS[1]	personnalité des lois[1]
PERSONALITY OF LAWS[2]	extraterritorialité[2]+, personnalité des lois[2]
PERSONALITY RIGHT	droit de la personnalité
PERSONAL LAW	loi personnelle, statut personnel[1]+
PERSONAL LIABILITY[1]	responsabilité personnelle[2]
PERSONAL LIABILITY[2]	responsabilité du fait des personnes, responsabilité du fait personnel+, responsabilité personnelle[1]
PERSONAL OBLIGATION	obligation ordinaire, obligation personnelle+
PERSONAL OFFICE	charge personnelle
PERSONAL PREJUDICE	dommage personnel[1]+, préjudice personnel
PERSONAL RIGHT	créance, dette active, droit de créance, droit personnel+, *jus in personam*
PERSONAL SECURITY	sûreté personnelle
PERSONAL SERVITUDE	servitude personnelle
PERSONAL STATUT[1]	loi personnelle, statut personnel[1]+
PERSONAL STATUT[2]	statut personnel[2]
PERSONAL SUBROGATION	subrogation personnelle
PERSONAL SURETY	caution personnelle
PERSONAL WRONG	faute personnelle
PERSON INTERPOSED	personne interposée
PERSON OF AGE OF MAJORITY	majeur
PERSON OF FULL AGE	majeur
PERSON OF MAJOR AGE	majeur
PERSON OF MINOR AGE	enfant[3], mineur+
PERSON REPRESENTED	représenté
PERSON REVENDICATING	revendiquant
PETITIONER	requérant
PETITORY ACTION	action pétitoire+, pétitoire
PHYSICAL CAUSE	cause matérielle+, cause physique
PHYSICAL CUSTODY (X)	droit de garde[2], garde[2]+, garde physique[1](x)
PHYSICAL PERSON	personne physique
PIGNORATIVE	pignoratif
PIGNORATIVE CONTRACT	contrat pignoratif
PLAINTIFF	demandeur
PLAN	plan
PLEDGE[1]	nantissement[1]

PLEDGE[2]	nantissement[2]
PLEDGE	nantir
PLEDGED	nanti
PLEDGEE	antichrésiste(<), créancier antichrésiste(<)+, créancier gagiste(<)+, créancier nanti+, gagiste(<)
PLEDGE OF AGRICULTURAL AND FOREST PROPERTY	nantissement agricole et forestier
PLEDGE WITHOUT DISPOSSESSION[1]	nantissement sans dépossession[1]
PLEDGE WITHOUT DISPOSSESSION[2]	nantissement sans dépossession[2]
PLEDGING	nantissement[1]
PLEDGOR (*)	
PLENO JURE	*de plano*, de plein droit+, *pleno jure*
PLURAL OBLIGATION	obligation à modalité complexe, obligation plurale+
PLURILATERAL ACT	acte multilatéral+, acte plurilatéral
POINT OF LOCALIZATION	circonstance de rattachement, critère de rattachement, élément de localisation, élément de rattachement, facteur de rattachement+, point de localisation, point de rattachement
POLITICAL AND MORAL PUBLIC ORDER	ordre public politique+, ordre publique politique et moral
POLITICAL CAPACITY	capacité politique
POLITICAL PUBLIC ORDER	ordre public politique+, ordre public politique et moral
POLITICAL RIGHT	droit politique
PORTABLE	portable
PORTABLE CREANCE	créance portable
PORTABLE DEBT	dette portable
PORTE-FORT[1]	porte-fort[1], promesse de porte-fort+
PORTE-FORT[2]	porte-fort[2]+, promettant[3]
POSITIVE CONDITION	condition positive
POSITIVE LAW	droit positif
POSITIVE PRESCRIPTION	prescription acquisitive+, usucapion
POSITIVE SERVITUDE	servitude affirmative, servitude positive+
POSSESS	posséder
POSSESSION[1]	possession[1]+, possession *animo domini*, possession à titre de propriétaire, possession civile, possession juridique
POSSESSION[2] (X)	détention[1]+, possession[2](x), possession actuelle[2](x), possession réelle
POSSESSION *ANIMO DOMINI*	possession[1]+, possession *animo domini*, possession à titre de propriétaire, possession civile, possession juridique

POSSESSION *ANIMO SOLO*	possession *animo solo*
POSSESSION AS OWNER	possession[1] +, possession *animo domini*, possession à titre de propriétaire, possession civile, possession juridique
POSSESSION IN BAD FAITH	possession de mauvaise foi
POSSESSION IN GOOD FAITH	possession de bonne foi
POSSESSION OF STATUS	possession d'état
POSSESSION OF STATUS OF A CHILD	possession d'état d'enfant
POSSESSION OF STATUS OF A SPOUSE	possession d'état d'époux
POSSESSOR	détenteur[3](x), possesseur+
POSSESSOR HOLDING AS OWNER	possesseur à titre de propriétaire
POSSESSOR HOLDING AS PROPRIETOR	possesseur à titre de propriétaire
POSSESSOR IN BAD FAITH	possesseur de mauvaise foi
POSSESSOR IN GOOD FAITH	possesseur de bonne foi
POSSESSORY ACTION	action possessoire+, possessoire
POSSESSORY *CONSTITUT*	constitut possessoire
POSSIBLE DAMAGE	dommage éventuel+, préjudice éventuel
POTENTIAL RIGHT	droit virtuel, simple expectative+
POTESTATIVE	facultatif, potestatif+
POTESTATIVE CONDITION	condition facultative, condition potestative+
POUVOIR EN BLANC	pouvoir en blanc
POWER OF ATTORNEY	mandat conventionnel, procuration+
PRACTICE[1]	pratique[1]
PRACTICE[2]	pratique[2](x), procédure[1] +
PRACTITIONER	praticien
PRAEDIAL SERVICES	services fonciers, servitude[2], servitude foncière, servitude prédiale, servitude réelle+
PRAEDIAL SERVITUDE	services fonciers, servitude[2], servitude foncière, servitude prédiale, servitude réelle+
PRAETER LEGEM	*praeter legem*
PRAETORIAN LAW[1]	droit prétorien[1]
PRAETORIAN LAW[2]	droit honoraire, droit prétorien[2]+, *jus honorarium*, *jus praetorium*
PRECARIOUS	précaire
PRECARIOUS DETENTION (X)	détention[2]+, détention précaire, possession naturelle, possession précaire, simple détention
PRECARIOUS HOLDER	détenteur[2]+, détenteur précaire, possesseur précaire
PRECARIOUSLY	précairement
PRECARIOUSNESS	précarité
PRECARIOUS POSSESSION	détention[2]+, détention précaire, possession naturelle, possession précaire, simple détention

PRECARIOUS POSSESSOR	détenteur[2]+, détenteur précaire, possesseur précaire
PRECARITY	précarité
PRECEPT V. juridical precept	
PRE-CODIFICATION LAW	ancien droit[2]
PRE-CONTRACT	avant-contrat, promesse (de contrat)+, promesse de contracter
PRECONTRACTUAL FAULT	*culpa in contrahendo*[2], faute précontractuelle+
PRECONTRACTUAL LIABILITY	responsabilité précontractuelle
PRECONTRACTUAL OBLIGATION	obligation précontractuelle
PRECONTRACTUAL OBLIGATION TO INFORM	obligation précontractuelle de renseignement(s)
PRECONTRACTUAL PERIOD	période précontractuelle
PREDECESSOR IN TITLE	auteur
PREDETERMINED COMPENSATION	réparation forfaitaire(>)
PREDETERMINED REPARATION	réparation forfaitaire
PREEMPT	préempter
PREEMPTION	préemption
PREEMPTION CLAUSE	clause de préemption
PREEMPTIVE CLAUSE	clause de préemption
PREEMPTIVE RIGHT[1]	droit de préemption[1]
PREEMPTIVE RIGHT[2]	droit de préemption[2](x), droit préférentiel de souscription+
PREEMPTOR	préempteur
PREFERENCE V. assignment of preference, right of preference	préférence
PREFERENTIAL ALLOCATION	attribution préférentielle
PREFERENTIAL ALLOTMENT	attribution préférentielle
PREFERENTIAL ATTRIBUTION	attribution préférentielle
PREHENSION	appréhension, occupation+
PREJUDICE	dommage+, préjudice, tort[2]
PRELIMINARY EXCEPTION	exception préliminaire, moyen préliminaire+
PRÉPOSITION V. *lien de préposition*	préposition
PRE-REVOLUTIONARY LAW	ancien droit[1]
PRESCRIBE	prescrire
PRESCRIPTIBILITY	prescriptibilité
PRESCRIPTIBLE	prescriptible
PRESCRIPTION	prescription
PRESCRIPTION ACQUIRED	prescription accomplie, prescription acquise+
PRESCRIPTION OF COMMON LAW	prescription de droit commun

PRESCRIPTION OF *DROIT COMMUN*	prescription de droit commun
PRESCRIPTION OF THE GENERAL LAW	prescription de droit commun
PRESENT DAMAGE	dommage actuel+, dommage présent, préjudice actuel
PRESENT POSSESSION	possession actuelle[1]
PRESENT POSSESSOR	possesseur actuel
PRESENT PROPERTY	bien présent
PRESENT RIGHT	droit acquis[2], droit actuel+
PRESIDING JUDGE[1]	cour[2], président du tribunal, tribunal[2]+
PRESIDING JUDGE[2]	président de la cour
PRESTATION	chose[2], prestation+
PRESUMED LEASE	bail par tolérance+, bail présumé
PRESUMPTION OF PATERNITY	présomption de paternité
PRÊTE-NOM[1]	prête-nom[1]
PRÊTE-NOM[2]	contrat de prête-nom+, mandat clandestin, mandat dissimulé, prête-nom[2]
PRETIUM DOLORIS	*pretium doloris*
PRICE	prix
PRIMA FACIE	*prima facie*
PRIMORDIAL ACT	acte primordial+, titre primordial
PRIMORDIAL DEED	acte primordial+, titre primordial
PRIMORDIAL TITLE	acte primordial+, titre primordial
PRINCIPAL	principal
PRINCIPAL[1]	principal[1]
PRINCIPAL[2]	capital[2]+, principal[2]
PRINCIPAL[3]	géré+, maître de l'affaire
PRINCIPAL CONSIDERATION	considération principale
PRINCIPAL CONTRACT	contrat principal
PRINCIPAL FRAUD	dol[1]+, dol principal, *dolus malus*, fraude[2]
PRINCIPAL INTERVENTION	intervention agressive+, intervention principale
PRINCIPAL LEASE	bail primitif, bail principal+
PRINCIPAL LESSEE	locataire primitif, locataire principal+, preneur primitif
PRINCIPAL LESSOR	bailleur principal, locateur primitif, locateur principal+
PRINCIPAL MANDATARY	mandataire principal, sous-mandant+
PRINCIPAL REAL RIGHT	droit réel principal
PRINCIPAL RESIDENCE	résidence habituelle, résidence principale+
PRINCIPAL VICTIM	victime immédiate, victime initiale+, victime principale
PRINCIPLE	principe+, principe juridique

PRINCIPLE OF THE RELATIVITY OF CONTRACT	principe de la relativité des contrats, principe de la relativité des conventions, principe de la relativité du lien obligatoire, principe de l'effet relatif des contrats+, principe de l'effet relatif des conventions, principe de l'effet relatif du lien obligatoire
PRINCIPLES	principes
PRIORITY V. assignment of priority	priorité
PRIVATE[1]	civil[1], privé+
PRIVATE[2]	privatif
PRIVATE INTERNATIONAL LAW	droit international privé
PRIVATE JUDICIAL LAW	procédure civile
PRIVATE LAW	droit civil[1], droit privé[1]+
PRIVATE PORTION	partie divise, partie exclusive+, partie privative
PRIVATE RIGHT	droit privé[2]
PRIVATE WRITING	acte sous seing privé
PRIVILEGE	privilège
PRIVILEGED CREANCE	créance privilégiée
PRIVILEGED CREDITOR	créancier privilégié
PRIVILEGE OF THE SUPPLIER OF MATERIALS	privilège du fournisseur de matériaux
PRIVITY OF CONTRACT (X)	principe de la relativité des contrats, principe de la relativité des conventions, principe de la relativité du lien obligatoire, principe de l'effet relatif des contrats+, principe de l'effet relatif des conventions, principe de l'effet relatif du lien obligatoire
PROBABLE DAMAGE	dommage virtuel+, préjudice virtuel
PROBATIVE FORM	formalité *ad probationem*, formalité probatoire+, forme probante, forme probatoire
PROBATORY FORM	formalité *ad probationem*, formalité probatoire+, forme probante, forme probatoire
PROBATORY FORMALITY	formalité *ad probationem*, formalité probatoire+, forme probante, forme probatoire
PROCEDURAL EXCEPTION	exception préliminaire, moyen préliminaire+
PROCEDURE[1]	pratique[2](x), procédure[1]+
PROCEDURE[2]	acte de procédure+, procédure[2](x)
PROCEEDING	acte de procédure+, procédure[2](x)
PROCURATION[A]	mandat conventionnel, procuration[A]+
PROCURATION[B]	procuration[B]
PRODUCT	produit
PRODUCT LIABILITY	responsabilité du fabricant+, responsabilité du fait des produits, responsabilité du manufacturier

PROFESSIO JURIS	loi d'autonomie
PROFESSIONAL CORPORATION	corporation professionnelle, ordre, ordre professionnel[+]
PROFESSIONAL FAULT[1]	faute professionnelle[1]
PROFESSIONAL FAULT[2]	faute professionnelle[2]
PROFESSIONAL LIABILITY	responsabilité professionnelle
PROFIT	gain
PROFIT DEPRIVED	*lucrum cessans*, manque à gagner[+]
PROHIBITIVE LAW	loi prohibitive
PROLONGATION[1]	prolongation[1], prorogation[1+]
PROLONGATION[2]	prolongation[2], prorogation[2+]
PROMISEE	bénéficiaire d'une promesse
PROMISE FOR ANOTHER[1]	promesse pour autrui
PROMISE FOR ANOTHER[2] (X)	porte-fort[1], promesse de porte-fort[+]
PROMISE OF FIRST OPTION	clause de premier refus(x), pacte de préférence[+]
PROMISE OF *PORTE-FORT*	porte-fort[1], promesse de porte-fort[+]
PROMISE OF REWARD	offre de récompense, promesse de récompense[+]
PROMISE OF SALE[1]	promesse de vente[1]
PROMISE OF SALE[2]	promesse de vendre, promesse de vente[2+]
PROMISE TO CONTRACT	avant-contrat, promesse (de contrat)[+], promesse de contracter
PROMISE TO PURCHASE	promesse d'achat[+], promesse d'acheter
PROMISE TO SELL	promesse de vendre, promesse de vente[2+]
PROMISING BUYER	promettant-acheteur
PROMISING VENDOR	promettant-vendeur
PROMISOR[1]	promettant[1]
PROMISOR[2]	promettant[2]
PROMISOR[3]	porte-fort[2+], promettant[3]
PROMISSORY NOTE	billet[+], billet à ordre, billet promissoire(x)
PROPERTY[1]	bien[1], bien incorporel, chose incorporelle, droit patrimonial[+]
PROPERTY[2]	bien[2+], bien corporel, chose corporelle
PROPERTY[3]	droit de propriété[+], pleine propriété, propriété[1]
PROPERTY[4]	propriété[2]
PROPRIETOR	maître, propriétaire[+]
PROPRIO MOTU	*proprio motu*[+], *suo motu*
PROPTER REM	*propter rem*
PRO RATA	marc la livre (au)[+], par concurrence, par contribution[+]

English	Français
PROROGATION[1]	prolongation[1], prorogation[1+]
PROROGATION[2]	prolongation[2], prorogation[2+]
PROROGUE	prolonger, proroger[+]
PROTECTION V. incapacity of protection, public order of protection	protection
PROTECTIVE SUPERVISION OF PERSONS OF FULL AGE	régimes de protection des majeurs
PROTHONOTARY	protonotaire
PROVIDE	disposer[2]
PROVISION	disposition[2]
PROVISIONAL ACCOUNT	compte provisoire
PROVISIONAL EXECUTION	exécution par provision, exécution provisoire[+]
PROVISIONAL PARTITION	partage provisionnel
PROXIMATE CAUSE	*causa proxima*, cause immédiate[+]
PRUDENCE V. general obligation of prudence and diligence	prudence
PRUDENT ADMINISTRATOR	bon père de famille(>), *bonus pater familias*(>), personne raisonnable(>)[+]
PSYCHOLOGICAL DAMAGE	dommage psychologique[+], préjudice psychologique
PSYCHOLOGICAL HARM	dommage psychologique[+], préjudice psychologique
PSYCHOLOGICAL IMPUTABILITY	imputabilité[1+], imputabilité morale, imputabilité psychologique
PUBLIC V. offer to the public	public
PUBLIC INTERNATIONAL LAW	droit des gens, droit international[2], droit international public[+], *jus gentium*[1]
PUBLICITY[1]	publicité[1]
PUBLICITY[2]	publicité[2]
PUBLIC LAW	droit public[1]
PUBLIC LAW SERVITUDE	servitude administrative, servitude de droit public, servitude légale[2+]
PUBLIC OFFER	offre à personne indéterminée, offre au public[+]
PUBLIC OFFICER	officier public
PUBLIC ORDER	ordre public
PUBLIC ORDER AND GOOD MORALS	ordre public
PUBLIC ORDER OF DIRECTION	ordre public absolu, ordre public de direction[+]
PUBLIC ORDER OF PROTECTION	ordre public de protection[+], ordre public relatif
PUBLIC POLICY (X)	ordre public
PUBLIC POSSESSION	possession publique

PUBLIC RIGHT	droit public[2]
PUBLISHER	éditeur
PUBLISHING CONTRACT	contrat d'édition
PUNITIVE DAMAGES	dommages exemplaires, dommages-intérêts exemplaires+, dommages-intérêts punitifs, dommages punitifs
PURCHASE	achat
PURCHASE	acheter
PURCHASER	acheteur
PURCHASER SUBJECT TO RIGHT OF REDEMPTION	acheteur à réméré
PURE AND SIMPLE[1]	pur et simple[1]
PURE AND SIMPLE[2]	pur et simple[2]
PURE AND SIMPLE OBLIGATION	obligation pure et simple+, obligation simple
PURE AND SIMPLE RIGHT	droit pur et simple
PURELY FACULTATIVE CONDITION	condition purement facultative, condition purement potestative+
PURELY POTESTATIVE CONDITION	condition purement facultative, condition purement potestative+
PUTATIVE	putatif
PUTATIVE MARRIAGE	mariage putatif
PUTATIVE TITLE	titre putatif
PUT IN ESCROW	entiercer
PUTTING IN DEFAULT	mise en demeure

Q

QUALIFIED RIGHT	droit conditionnel(<)
QUANTI MINORIS ACTION	action estimatoire+, action *quanti minoris*
QUASI-CONTRACT	quasi-contrat
QUASI-CONTRACTUAL	quasi contractuel
QUASI-CONTRACTUAL LIABILITY	responsabilité quasi contractuelle
QUASI-CONTRACTUAL OBLIGATION	obligation quasi contractuelle
QUASI-CONTRACTUAL RESPONSIBILITY	responsabilité quasi contractuelle
QUASI-DELICT	quasi-délit
QUASI-DELICTUAL	quasi délictuel
QUASI-DELICTUAL FAULT	faute quasi délictuelle
QUASI-DELICTUAL LIABILITY	responsabilité quasi délictuelle
QUASI-DELICTUAL RESPONSIBILITY	responsabilité quasi délictuelle
QUASI EX CONTRACTU	*quasi ex contractu*

QUASI EX DELICTO	*quasi ex delicto*
QUASI-OFFENCE	quasi-délit
QUASI-POSSESSION	quasi-possession
QUASI-POSSESSOR	quasi-possesseur
QUASI-USUFRUCT	quasi-usufruit
QUASI-USUFRUCTUARY	quasi-usufruitier
QUEEN'S COUNSEL[1]	conseil de la reine/du roi[1]
QUEEN'S COUNSEL[2]	conseil de la reine/du roi[2][+], conseiller de la reine/du roi
QUIT	décharge[+], quitus
QUITUS	décharge[+], quitus
QUOTA LITIS AGREEMENT	pacte *de quota litis*

R

RADIATE	radier
RADIATION	radiation
RANK	rang
RATEABLY	marc la livre (au)[+], par concurrence, par contribution[+]
RATE OF CONVENTIONAL INTEREST	taux d'intérêt conventionnel
RATE OF INTEREST	taux d'intérêt
RATE OF LEGAL INTEREST	taux d'intérêt légal
RATIFICATION[1]	ratification[1]
RATIFICATION[2]	confirmation[+], ratification[2]
RATIFY[1]	ratifier[1]
RATIFY[2]	confirmer[+], ratifier[2]
RATIONE LOCI	*ratione loci*
RATIONE MATERIAE	*ratione materiae*
RATIONE PERSONAE	*ratione personae*
RATIONE PERSONAE VEL LOCI	*ratione personae vel loci*
REAL[1]	réel[1]
REAL[2]	réel[2]
REAL[3]	réel[3]
REAL[4]	réel[4]
REAL[5]	réel[5]
REAL ACT	acte réel, acte secret, acte véritable, contre-lettre[+]
REAL ACTION	action réelle

REAL CHARGE	charge[3+], charge réelle
REAL CONTRACT	contrat réel
REAL DOMICILE	domicile réel
REAL ESTATE (X)	héritage[1], immeuble par nature[+]
REAL INDIVISIBILITY	indivisibilité naturelle[+], indivisibilité objective, indivisibilité réelle, indivisibilité véritable
REALIZATION	immobilisation
REALIZATION OF THE CONDITION	accomplissement de la condition, arrivée de la condition, réalisation de la condition[+]
REALIZE	immobiliser
REAL LAW	loi réelle, statut réel[1+]
REAL OBLIGATION	obligation *propter rem*, obligation réelle[+]
REAL PROPERTY (X)	héritage[1], immeuble par nature[+]
REAL RIGHT	droit réel[+], *jus in re*
REAL SECURITY	sûreté réelle
REAL SERVITUDE	services fonciers, servitude[2], servitude foncière, servitude prédiale, servitude réelle[+]
REAL STATUT[1]	loi réelle, statut réel[1+]
REAL STATUT[2]	statut réel[2]
REAL SURETY	caution réelle
REAL TRADITION	tradition actuelle(x), tradition réelle[+]
REALTY (X)	bien-fonds, fonds[+], fonds de terre
REAL VALUE	valeur actuelle(x), valeur marchande, valeur réelle[+], valeur vénale
REASONABLE PERSON	bon père de famille, *bonus pater familias*, personne raisonnable[+]
REASONING *A CONTRARIO*	raisonnement *a contrario*
REASONING *A FORTIORI*	raisonnement *a fortiori*
REASONING *A PARI*	raisonnement *a pari*
REASONING BY ANALOGY	raisonnement *a pari*
REBOUNDING DAMAGE	dommage par ricochet[+], dommage réfléchi, préjudice par ricochet, préjudice réfléchi
RECEIPT[1]	acquit, reçu[1+]
RECEIPT[2]	récépissé(<)[+], reçu[2+]
RECEIVE	accepter[2], recevoir[+]
RECEIVER	consignataire, destinataire[2+]
RECEPTION	acceptation[3], réception[+]
RECIPROCAL OBLIGATION	obligation réciproque
RECOGNITION V. act of recognition	
RECORDS OF A NOTARY	greffe[3]
RECOVER	répéter

RECOVERY	répétition
RECOVERY OF A THING NOT DUE	répétition de l'indu
RECURRENT DAMAGE	dommage récurrent
REDEEM	retraire+, retrayer(x)
REDEEMER	retrayant
REDEMPTION[1]	retrait[2]
REDEMPTION[2]	droit de réméré, faculté de rachat, faculté de réméré+, réméré, retrait conventionnel
REDEMPTION OF LITIGIOUS RIGHTS	retrait litigieux
REDEMPTION OF RENT	rachat de rente
REDHIBITION	rédhibition
REDHIBITORY ACTION	action rédhibitoire
REDHIBITORY DEFECT	défaut caché, vice caché+, vice rédhibitoire
REGISTER	enregistrer
REGISTRATION	enregistrement
REGISTRATION OF RIGHTS AFFECTING IMMOVEABLES	publicité foncière
REGULAR HEIR	héritier légitime[1]+, héritier régulier, successeur régulier
REGULAR SUCCESSOR	héritier légitime[1]+, héritier régulier, successeur régulier
REGULATION	règlement[1]
RELATION	parent[1]
RELATIONSHIP[1]	parenté
RELATIONSHIP[2] V. employer-employee relationship, master-servant relationship	
RELATIVE[1]	relatif[1]
RELATIVE[2]	relatif[2]
RELATIVE[3]	contrôlé, relatif[3]+
RELATIVE	parent[1]
RELATIVE JURISDICTION	compétence *ratione personae*[1], compétence *ratione personae vel loci*, compétence relative, compétence territoriale+
RELATIVE NULLITY	nullité relative+, rescision[2]
RELATIVE OBLIGATION	obligation de diligence, obligation de moyens+, obligation générale de prudence et diligence, obligation relative
RELATIVE PUBLIC ORDER	ordre public de protection+, ordre public relatif
RELATIVE RIGHT[1]	droit relatif[1]
RELATIVE RIGHT[2]	démembrement[2], droit démembré, droit réel démembré+, droit relatif[2]
RELATIVE RIGHT[3]	droit contrôlé, droit relatif[3]+

RELATIVITY OF CONTRACT	principe de la relativité des contrats, principe de la relativité des conventions, principe de la relativité du lien obligatoire, principe de l'effet relatif des contrats+, principe de l'effet relatif des conventions, principe de l'effet relatif du lien obligatoire
RELEASE[1]	remise[2]
RELEASE[2]	mainlevée(>)
RELEASE FROM SOLIDARITY	remise de solidarité
RELEASE OF DEBT	remise de dette+, remise d'une obligation
RELEASE OF OBLIGATION	remise de dette+, remise d'une obligation
RELIEVABLE	restituable[2]
RELIEVE[1]	libérer
RELIEVE[2]	restituer[2]
RELIGIOUS MARRIAGE	mariage religieux
REMIT	remettre
REMITTANCE	remise[1]
REMOTE-PARTIES CONTRACT	contrat à distance, contrat entre absents, contrat entre non-présents+
REMOVAL	enlèvement+, retirement[1]
REMOVE	enlever+, retirer[1]
RENEWAL	reconduction
RENEWAL-DEED	titre nouvel
RENEWAL-TITLE	titre nouvel
RENOUNCE	abdiquer
RENT[1]	loyer+, prix de location
RENT[2]	rente[1]
RENT[3]	rente[2]
RENT	louer
RENTAL	locatif[1]
RENTAL VALUE	valeur locative
RENT CONSTITUTED FOR A TERM	rente à terme+, rente constituée à terme, rente non viagère
RENT CONSTITUTED FOR LIFE	rente constituée en viager, rente en viager, rente viagère+
RENT CONSTITUTED IN PERPETUITY	rente constituée en perpétuel, rente en perpétuel, rente perpétuelle+
RENT FOR A TERM	rente à terme+, rente constituée à terme, rente non viagère
RENT IN PERPETUITY	rente constituée en perpétuel, rente en perpétuel, rente perpétuelle+
RENT OTHER THAN FOR LIFE	rente à terme+, rente constituée à terme, rente non viagère

RENT WITH A TERM	rente à terme+, rente constituée à terme, rente non viagère
RENUNCIANT	renonçant+, renonciateur
RENUNCIATION[1]	abdication, acte abdicatif+
RENUNCIATION[2]	désistement(>)
RENUNCIATION (OF PRESCRIPTION)	renonciation (à la prescription)
RENUNCIATIVE EFFECT	effet abdicatif
RENUNCIATORY EFFECT	effet abdicatif
RENVOI	renvoi
RENVOI IN THE FIRST DEGREE	renvoi au premier degré
RENVOI IN THE SECOND DEGREE	renvoi au deuxième degré, renvoi au second degré+
REPAIR	indemniser[2], réparer+
REPAIRS V. greater repairs, lessee's repairs	
REPAIRS FOR MAINTENANCE	réparations d'entretien
REPARATION[1]	indemnisation[2], réparation+
REPARATION[2]	compensation[2]
REPARATION BY EQUIVALENCE	compensation[1], réparation par équivalent+
REPARATION IN KIND	réparation en nature
REPEAL	abrogation
REPOSSESS	reprendre+, reprendre possession
REPOSSESSION	reprise+, reprise de possession
REPRESENT	représenter
REPRESENTATION	représentation+, représentation immédiate, représentation parfaite
REPRESENTATIVE	représentant
REPUDIATE	répudier
REPUDIATION	répudiation
RESCIND	rescinder
RESCISSION[1]	rescision[1]+, restitution[2]
RESCISSION[2]	nullité relative+, rescision[2]
RES COMMUNIS	chose commune+, *res communis*
RES DERELICTA	chose abandonnée+, *res derelicta*
RESIDENCE	résidence
RESILIABLE	résiliable
RESILIATE[1]	résilier[1]
RESILIATE[2]	résilier[2]
RESILIATION[1]	cancellation[2](x), résiliation[1]+
RESILIATION[2]	cancellation[2](x), résiliation[2]+
RES NULLIUS	bien sans maître+, bien vacant, chose sans maître, chose vacante, *res nullius*

RESOLUTION[1]	cancellation[2](x), résolution[1]+
RESOLUTION[2]	cancellation[2](x), résolution[2]+
RESOLUTION AS OF RIGHT	résolution de plein droit
RESOLUTION *DE JURE*	résolution de plein droit
RESOLUTION OF RIGHT	résolution de plein droit
RESOLUTIVE ACTION	action en résolution+, action résolutoire
RESOLUTIVE CLAUSE	clause de résolution, clause résolutoire[1]+
RESOLUTIVE CONDITION	condition résolutoire
RESOLUTORY ACTION	action en résolution+, action résolutoire
RESOLUTORY CLAUSE[1]	clause de résolution, clause résolutoire[1]+
RESOLUTORY CLAUSE[2]	clause résolutoire[2]
RESOLUTORY CLAUSE OF RIGHT	clause de résolution de plein droit, clause expresse de résolution, clause résolutoire de plein droit+, clause résolutoire expresse, pacte commissoire[1]
RESOLUTORY CONDITION	condition résolutoire
RESOLVE	résoudre
RES PERIT CREDITORI	*res perit creditori*
RES PERIT DEBITORI	*res perit debitori*
RES PERIT DOMINO	*res perit domino*
RESPONDENT[1]	intimé[1]
RESPONDENT[2]	intimé[2]
RESPONSIBILITY	responsabilité[1]
RESPONSIBLE	responsable
RESTITUTIO IN INTEGRUM[1]	remise en état+, *restitutio in integrum*[1]
RESTITUTIO IN INTEGRUM[2]	réparation intégrale+, *restitutio in integrum*[2]
RESTITUTION[1]	restitution[1]
RESTITUTION[2]	rescision[1]+, restitution[2]
RESTITUTION[3]	remise en état+, *restitutio in integrum*[1]
RESTITUTION OF A THING NOT DUE	restitution de l'indu
RESTITUTIVE	restituable[1]
RESTORATION	remise en état, *restitutio in integrum*[1]
RESTORE	restituer[1]
RESTRICTIVE COVENANT (X)	clause de non-concurrence+, clause restrictive de commerce(x)
RESULT V. obligation of result	résultat
RETAIN	retenir
RETAKE POSSESSION	reprendre+, reprendre possession
RETAKING OF POSSESSION	reprise+, reprise de possession
RETENTION	rétention
RETICENCE	réticence

RETRACT	retirer[2], rétracter+
RETRACTION	rétractation+, retrait[1]
RETROACT	rétroagir
RETROACTIVE	rétroactif
RETROACTIVE EFFECT	effet rétroactif
RETROACTIVELY	rétroactivement
RETROACTIVITY	rétroactivité
RETROACTIVITY OF A CONDITION	rétroactivité de la condition
RETROSPECTIVE	rétroactif
RETROSPECTIVELY	rétroactivement
RETURN OF LOCKED DOORS	procès-verbal de porte close
RETURN OF *NULLA BONA*	procès-verbal de carence+, procès-verbal de *nulla bona*
REVENDICATE	revendiquer
REVENDICATION[1]	action en revendication, revendication[1]+
REVENDICATION[2]	revendication[2]
REVERENTIAL FEAR	crainte révérencielle
REVISE	réviser
REVISION	révision
REVISION CLAUSE	clause de révision
REVISION OF CONTRACT	révision du contrat
REVOCABILITY	révocabilité
REVOCABLE	révocable
REVOCATION[1]	cancellation[2](x), révocation[1]+
REVOCATION[2]	résiliation amiable, résiliation bilatérale+, résiliation conventionnelle, révocation[2]
REVOCATORY	révocatoire
REVOCATORY ACTION	action paulienne+, action révocatoire
REVOKE	révoquer
REWARD V. promise of reward	récompense
RICOCHET DAMAGE	dommage par ricochet+, dommage réfléchi, préjudice par ricochet, préjudice réfléchi
RIGHT	droit[2]+, droit individuel, droit subjectif, *jus*[3]
RIGHT FOR LIFE	droit viager
RIGHT (OF)	*de plano*, de plein droit+, *pleno jure*
RIGHT OF ACCESSION	droit d'accession
RIGHT OF CO-OWNERSHIP	copropriété+, droit de copropriété, indivision[2], propriété indivise
RIGHT OF CUSTODY[1]	droit de garde[1], garde[1]+, garde matérielle[2], garde physique[1]
RIGHT OF CUSTODY[2]	droit de garde[2], garde[2]+
RIGHT OF DISCUSSION	bénéfice de discussion+, droit de discussion

RIGHT OF ENJOYMENT	droit de jouissance, jouissance[1]+
RIGHT OF FIRST REFUSAL	droit de préférence[1]+, droit de premier refus(x)
RIGHT OF HABITATION	droit d'habitation
RIGHT OF INHERITANCE	droit héréditaire, droit successif+
RIGHT OF *MITOYENNETÉ*	droit de mitoyenneté, mitoyenneté+
RIGHT OF OWNERSHIP	droit de propriété+, pleine propriété, propriété[1]
RIGHT OF PASSAGE	droit de passage, servitude de passage+
RIGHT OF PAWNING	droit de gage+, gage[2]
RIGHT OF PREEMPTION	droit de préemption[1]
RIGHT OF PREFERENCE[1]	droit de préférence[1]+, droit de premier refus(x)
RIGHT OF PREFERENCE[2]	droit de préférence[2]
RIGHT OF REDEMPTION	droit de réméré, faculté de rachat, faculté de réméré+, réméré, retrait conventionnel
RIGHT OF REPOSSESSION	droit de reprise
RIGHT OF RETENTION	droit de rétention
RIGHT OF SUCCESSION	droit héréditaire, droit successif+
RIGHT OF SUPERFICIES	droit de superficie+, superficie[1]
RIGHT OF USE	droit d'usage[1]+, usage[3]
RIGHT OF USUFRUCT	droit d'usufruit, usufruit+
RIGHT OF VIEW	servitude de vue[1]
RIGHT OF WAY	droit de passage, servitude de passage+
RIGHTS OF MAN	droit fondamental, droit primordial, droits de la personne+, droits de l'homme
RIGHT TO FOLLOW	droit de suite
RISK V. assumption of risk(s), doctrine of risks, lessee's risk	risque
RISK OF THE CONTRACT	risque du contrat
RISK OF THE THING	risque de la chose
ROMAN LAW	droit écrit[2], droit romain+
RUIN	ruine
RULE V. imperative rule, juridical rule	
RULE OF CONFLICT OF JURISDICTIONS	règle de compétence judiciaire, règle de compétence juridictionnelle, règle de conflit de juridictions+
RULE OF CONFLICT OF LAWS	règle de conflit de lois+, règle de rattachement
RULE OF IMMEDIATE APPLICATION	loi d'application immédiate+, loi de police, loi d'ordre public, norme d'application nécessaire, règle d'application immédiate, règle d'application nécessaire
RULE OF JUDICIAL COMPETENCE	règle de compétence judiciaire, règle de compétence juridictionnelle, règle de conflit de juridictions+

RULE OF JURISDICTIONAL COMPETENCE	règle de compétence judiciaire, règle de compétence juridictionnelle, règle de conflit de juridictions+
RULE OF NECESSARY APPLICATION	loi d'application immédiate+, loi de police, loi d'ordre public, norme d'application nécessaire, règle d'application immédiate, règle d'application nécessaire
RURAL SERVITUDE	servitude rurale

S

SAFETY V. law of police and safety	sûreté[2]
SALARY	salaire
SALE	contrat de vente, vente+
SALE AT BUYER'S DISCRETION	vente à l'agréage, vente à l'agrément, vente au gré de l'acheteur+
SALE BY MEASURE	vente à la mesure+, vente à mesurer
SALE BY MEASUREMENT	vente à la mesure+, vente à mesurer
SALE BY NEGOTIATION	vente de gré à gré
SALE BY NUMBER	vente au compte
SALE BY SAMPLE	vente sur échantillon
SALE BY WEIGHT, NUMBER OR MEASURE	vente au poids, au compte ou à la mesure
SALE *DE GRÉ À GRÉ*	vente de gré à gré
SALE IN THE LUMP	vente en bloc[1]
SALE OF CREANCE	vente de créance
SALE OF DEBT	vente de créance
SALE OF INHERITANCE	vente de droits successoraux, vente de(s) droits successifs+, vente d'hérédité
SALE OF LITIGIOUS RIGHTS	vente de droits litigieux
SALE OF RIGHTS OF SUCCESSION	vente de droits successoraux, vente de(s) droits successifs+, vente d'hérédité
SALE OF SUCCESSORAL RIGHTS	vente de droits successoraux, vente de(s) droits successifs+, vente d'hérédité
SALE ON CREDIT	vente à crédit
SALE SUBJECT TO IMMEDIATE DELIVERY	vente en disponible
SALE UPON TRIAL	vente à l'essai
SALE WITH FUTURE DELIVERY	vente à livrer

SALE WITH OPTION TO REPURCHASE	vente à réméré+, vente avec faculté de rachat
SALE WITH RIGHT OF REDEMPTION	vente à réméré+, vente avec faculté de rachat
SECRET ACT	acte réel, acte secret, acte véritable, contre-lettre+
SECRET MANDATE	contrat de prête-nom+, mandat clandestin, mandat dissimulé, prête-nom[2]
SECULAR	civil[6]+, séculier
SECULAR LAW	droit civil[6], droit séculier+
SECUNDUM LEGEM	*secundum legem*
SECURITY[1]	garantie[2], sûreté[1]+
SECURITY[2]	caution[2], cautionnement[2]+
SECURITY OF ONE'S OATH	caution juratoire
SEEKABLE	quérable
SEEKABLE CREANCE	créance quérable
SEEKABLE DEBT	dette quérable
SEIZABILITY	saisissabilité
SEIZABLE	saisissable
SEIZE	saisir
SEIZE IN EXECUTION	saisir-exécuter
SEIZE IN REVENDICATION	saisir-revendiquer
SEIZING CREDITOR	saisissant
SEIZURE	saisie
SEIZURE AFTER JUDGMENT	saisie après jugement, saisie-exécution[1]+
SEIZURE BEFORE JUDGMENT	saisie avant jugement
SEIZURE BY GARNISHMENT	saisie-arrêt
SEIZURE IN EXECUTION[1]	saisie après jugement, saisie-exécution[1]+
SEIZURE IN EXECUTION[2]	saisie-exécution[2]
SEIZURE IN EXECUTION OF IMMOVEABLES	saisie-exécution immobilière+, saisie immobilière
SEIZURE IN EXECUTION OF MOVEABLES	saisie-exécution mobilière
SEIZURE IN REVENDICATION	saisie-revendication
SEIZURE OF IMMOVEABLES	saisie-exécution immobilière+, saisie immobilière
SEIZURE OF MOVEABLE PROPERTY	saisie-exécution mobilière
SELL	vendre
SELLER	vendeur
SENDER	chargeur, expéditeur+
SEQUESTRATE	séquestrer
SEQUESTRATION	séquestre[1]
SEQUESTRATOR	séquestre[2]
SERVICE[1]	service[1]

SERVICE[2]	service[2]
SERVICE[3]	signification
SERVICES V. praedial services	
SERVIENT LAND	fonds asservi, fonds assujetti, fonds débiteur, fonds servant+
SERVITUDE[1]	servitude[1]
SERVITUDE[2]	services fonciers, servitude[2], servitude foncière, servitude prédiale, servitude réelle+
SERVITUDE BY ACT OF MAN	servitude du fait de l'homme+, servitude établie par le fait de l'homme
SERVITUDE BY DESTINATION OF PROPRIETOR	servitude par destination du père de famille
SERVITUDE ESTABLISHED BY ACT OF MAN	servitude du fait de l'homme+, servitude établie par le fait de l'homme
SERVITUDE OF PASSAGE	droit de passage, servitude de passage+
SERVITUDE OF PROSPECT	servitude de prospect
SERVITUDE OF RIGHT OF VIEW[1]	servitude de vue[1]
SERVITUDE OF RIGHT OF VIEW[2]	servitude de vue[2]
SERVITUDE OF RIGHT OF WAY	droit de passage, servitude de passage+
SET ASIDE	rescinder(<)+, résilier[2](<)+, résoudre(<)+
SET BOUNDARIES	aborner
SET-OFF (X)	compensation[3]
SET OFF (X)	compenser[2]
SETTLE[1]	acquitter, payer+, régler[1]
SETTLE[2]	régler[2]
SETTLE[3]	transiger
SETTLE[4]	disposer[1.A]
SETTLEMENT[1]	règlement[4]
SETTLEMENT[2]	règlement hors cour(<)+, transaction+
SETTLEMENT[3] (*)	
SETTLEMENT OF ACCOUNT (*)	
SETTLOR	constituant(>)
SHARE[1]	action[5.A]
SHARE[2]	action[5.B]
SHARE CAPITAL	capital-actions+, capital social
SHARE CERTIFICATE	action[5.B]
SHARED CUSTODY	garde partagée[1]
SHARED LIABILITY	responsabilité partagée
SHAREHOLDER	actionnaire
SHERIFF	shérif

SHERIFF'S SALE	décret[3](<)+, décret[4]+, vente par décret
SHIPPER	chargeur, expéditeur+
SHORT PRESCRIPTION	courte prescription+, prescription courte
SIGNATURE IN BLANK	blanc-seing
SILENT PARTNER	associé en participation+, associé inconnu
SIMPLE ATTACHMENT	arrêt simple
SIMPLE CONTRACT	contrat simple
SIMPLE DEPOSIT	dépôt[2], dépôt simple+
SIMPLE DETENTION	détention[2]+, détention précaire, possession naturelle, possession précaire, simple détention
SIMPLE INTEREST	intérêt simple
SIMPLE NATURAL CHILD	enfant naturel simple
SIMPLE NATURAL FILIATION	filiation naturelle simple
SIMPLE OBLIGATION	obligation pure et simple+, obligation simple
SIMPLE RENVOI	renvoi partiel, renvoi simple+
SIMPLE SURETY	caution simple
SIMPLY FACULTATIVE CONDITION	condition simplement facultative, condition simplement potestative+
SIMPLY POTESTATIVE CONDITION	condition simplement facultative, condition simplement potestative+
SIMULATED ACT	acte apparent+, acte ostensible, acte simulé
SIMULATED CONTRACT	contrat simulé
SIMULATED MARRIAGE	mariage fictif, mariage simulé+
SIMULATION	simulation
SIMULTANEOUS FAULTS	fautes simultanées
SINE QUA NON	*sine qua non*
SINGLE-PARENT FAMILY	famille[6]+, famille monoparentale
SITE[1]	assiette(>)
SITE[2] (*)	
SITUS	assiette(>)
SLEEPING PARTNER	associé en participation+, associé inconnu
SLIDING SCALE CLAUSE	clause d'échelle mobile+, clause d'indexation, clause indexée
SOLATIUM	préjudice d'affection
SOLATIUM DOLORIS[1]	*solatium doloris*[1]
SOLATIUM DOLORIS[2]	*solatium doloris*[2]
SOLEMN	solennel
SOLEMN ACT	acte solennel
SOLEMN CONTRACT	contrat solennel
SOLEMN FORM	formalité *ad solemnitatem*, formalité substantielle+, forme solennelle, solennité

SOLEMNITY	formalité *ad solemnitatem*, formalité substantielle+, forme solennelle, solennité
SOLICITOR	conseiller en loi
SOLIDARILY	conjointement et solidairement(x), solidairement+
SOLIDARITY	corréalité, solidarité+, solidarité parfaite, solidité
SOLIDARY[1]	solidaire[1]
SOLIDARY[2]	solidaire[2]
SOLIDARY CREANCE	créance solidaire[1]
SOLIDARY DEBT	dette solidaire
SOLIDARY LIABILITY	responsabilité solidaire
SOLIDARY OBLIGATION	obligation solidaire
SOLIDARY PERSONAL RIGHT	créance solidaire[1]
SOLIDARY SURETY	caution solidaire
SOLIDARY SURETYSHIP	cautionnement solidaire
SOLO CONSENSU	*solo consensu*
SOLVENS	payeur, *solvens*+
SOULTE	soulte
SPECIAL ACT[1]	loi d'intérêt privé, loi particulière[1]+
SPECIAL ACT[2]	loi d'exception[1]+, loi particulière[2], loi spéciale[1], statut spécial(x)
SPECIAL AUTHORIZATION	procuration spéciale
SPECIAL CONDITIONS	conditions particulières
SPECIAL IMMOVEABLE PRIVILEGE	privilège immobilier spécial
SPECIAL INCAPACITY	incapacité partielle, incapacité spéciale+
SPECIAL LAW[1]	droit d'exception+, droit spécial
SPECIAL LAW[2]	loi d'exception[2]+, loi spéciale[2]
SPECIAL LAW[3]	loi d'exception[1]+, loi particulière[2], loi spéciale[1], statut spécial(x)
SPECIAL MANDATE	mandat spécial
SPECIAL MOVEABLE PRIVILEGE	privilège mobilier spécial
SPECIAL PARTNER	commanditaire
SPECIAL POWER	procuration spéciale
SPECIAL POWER OF ATTORNEY	procuration spéciale
SPECIAL PROCURATION	procuration spéciale
SPECIAL PROTHONOTARY	protonotaire spécial
SPECIAL STATUTE	loi d'exception[1]+, loi particulière[2], loi spéciale[1], statut spécial(x)
SPECIAL TUTOR	tuteur *ad hoc*+, tuteur spécial
SPECIE	espèces
SPECIFICATION	spécification
SPECIFICATIONS	devis

SPECIFIC PERFORMANCE	exécution directe, exécution en nature+, exécution spécifique(x), paiement en nature[1]
SPECIFIC PORTION	partie divise, partie exclusive+, partie privative
STANDARD CONTRACT	contrat type
STANDARD-FORM CONTRACT	contrat type
STATE	étatique
STATE[1]	État[1]
STATE[2]	État[2]
STATE OF NECESSITY[1]	état de nécessité[1]
STATE OF NECESSITY[2]	état de nécessité[2]
STATU QUO (ANTE)	*statu quo (ante)*
STATUS[1]	condition[4]
STATUS[2] (X)	*statut*[1]
STATUS[3] (X)	*statut*[2]
STATUT[1]	statut[1]
STATUT[2]	statut[2]
STATUTE	acte[3](x), droit statutaire[2](x), législation[2](x), loi[2]+, statut[3](x)
STATUTE LAW	droit statutaire[2](x)
STATUT OF OBLIGATIONS[1]	statut des obligations[1]
STATUT OF OBLIGATIONS[2]	statut des obligations[2]
STATUT OF PROCEDURE[1]	statut de la procédure[1]
STATUT OF PROCEDURE[2]	statut de la procédure[2]
STATUTORY LAW	droit statutaire[2](x)
STIPULATE[1]	stipuler[1]
STIPULATE[2]	stipuler[2]
STIPULATION[1]	clause+, stipulation[1]
STIPULATION[2]	stipulation[2]
STIPULATION AS TO EARNEST	convention d'arrhes, stipulation d'arrhes+
STIPULATION AS TO WITHDRAWAL	clause de dédit+, stipulation de dédit
STIPULATION EXCLUDING WARRANTY	clause de non-garantie+, stipulation de non-garantie
STIPULATION IN FAVOUR OF ANOTHER	stipulation pour autrui
STIPULATION OF RESOLUTION UPON NON-PERFORMANCE[1]	clause de résolution de plein droit, clause expresse de résolution, clause résolutoire de plein droit+, clause résolutoire expresse, pacte commissoire[1]
STIPULATION OF RESOLUTION UPON NON-PERFORMANCE[2]	pacte commissoire[2]

STIPULATOR	stipulant
STOCK-IN-TRADE	fonds de commerce
STOCKHOLDER	actionnaire
STRICT LIABILITY	responsabilité absolue(x), responsabilité causale, responsabilité de plein droit, responsabilité objective[+], responsabilité sans faute, responsabilité stricte(x)
STRICTO SENSU	*stricto sensu*
STRUCTURE	construction[2]
SUB-ACQUIRER	acquéreur subséquent(x), sous-acquéreur[+]
SUB-ACQUISITION	sous-acquisition
SUBCONTRACT[1]	sous-contrat
SUBCONTRACT[2]	contrat de sous-entreprise[+], contrat de sous-traitance, sous-entreprise, sous-traitance, sous-traité
SUBCONTRACT	sous-traiter
SUBCONTRACTING PARTY	sous-contractant
SUBCONTRACTOR	entrepreneur en sous-ordre, sous-contracteur(x), sous-entrepreneur[+], sous-traitant
SUBDIVIDE	lotir
SUBDIVISION[1]	lotissement[1]
SUBDIVISION[2]	lotissement[2]
SUBJECTIVE FAULT	faute subjective
SUBJECTIVE INDIVISIBILITY	indivisibilité accidentelle, indivisibilité artificielle, indivisibilité conventionnelle[+], indivisibilité de paiement, indivisibilité subjective
SUBJECTIVE LIABILITY	responsabilité subjective
SUBJECT OF LAW	personne[+], personne juridique[1], sujet de droit
SUBJECT OF RIGHTS	personne[+], personne juridique[1], sujet de droit
SUB-LEASE or SUBLEASE[A]	sous-bail[A], sous-location[+]
SUB-LEASE or SUBLEASE[B]	sous-bail[B]
SUB-LEASE or SUBLEASE[1]	sous-louer[1]
SUB-LEASE or SUBLEASE[2]	sous-louer[2]
SUB-LESSEE or SUBLESSEE	sous-locataire
SUB-LESSOR or SUBLESSOR	sous-locateur
SUBLET[1]	sous-louer[1]
SUBLET[2]	sous-louer[2]
SUB-MANDATARY	sous-mandataire
SUB-MANDATE	sous-mandat
SUB-MANDATOR	mandataire principal, sous-mandant[+]
SUBMISSION	compromis
SUBPOENA	bref de *subpoena*[+], *subpoena*
SUBPOENA DUCES TECUM	bref de *subpoena duces tecum*[+], *duces tecum*, *subpoena duces tecum*

SUBROGATE	subrogatif, subrogatoire+
SUBROGATE	subrogé
SUBROGATE	subroger
SUBROGATED PARTY	subrogé
SUBROGATE-TUTOR, SUBROGATE-TUTRIX	subrogé-tuteur
SUBROGATION	subrogation
SUBROGATOR	subrogeant
SUBROGATORY	subrogatif, subrogatoire+
SUBROGATORY ACQUITTANCE	quittance subrogative, quittance subrogatoire+
SUBROGATORY ACTION[1]	action subrogatoire[1]
SUBROGATORY ACTION[2] (X)	action indirecte, action oblique+, action subrogatoire[2](x)
SUBSCRIBE	abonner
SUBSCRIBER	abonné
SUBSCRIPTION	abonnement
SUBSCRIPTION RIGHT	droit de préemption[2](x), droit préférentiel de souscription+
SUBSEQUENT ACQUIRER	acquéreur subséquent(x), sous-acquéreur+
SUBSEQUENT ACQUISITION	sous-acquisition
SUBSEQUENT PURCHASER	acquéreur subséquent(>)(x), sous-acquéreur(>)+
SUB-SOIL	tréfonds
SUBSTANCE	fond+, mérite[1](x)
SUBSTANTIVE CONDITION	condition de fond
SUBSTANTIVE DEFECT	vice de fond
SUBSTANTIVE LAW[1]	droit matériel[1], droit substantiel[1]+, droit substantif(x)
SUBSTANTIVE LAW[2]	droit interne[2]+, droit matériel[2], droit substantiel[2]
SUBSTANTIVE LAW[3]	loi interne[3]+, loi substantielle, norme substantielle, règle interne, règle matérielle[1], règle substantielle[1]
SUBSTANTIVE NORM	loi interne[3]+, loi substantielle, norme substantielle, règle interne, règle matérielle[1], règle substantielle[1]
SUBSTANTIVE RULE[1]	loi interne[3]+, loi substantielle, norme substantielle, règle interne, règle matérielle[1], règle substantielle[1]
SUBSTANTIVE RULE[2]	règle matérielle[2]+, règle substantielle[2]
SUBSTITUTE	appelé+, substitué
SUBSTITUTION	substitution
SUCCESSION[1]	héritage[2], succession[1]+

SUCCESSION[2]	hérédité, héritage[3], succession[2]+
SUCCESSION[3]	succession[3]
SUCCESSIVE V. contract of successive performance, suretyship of successive performance	successif
SUCCESSIVE CONTRACT	contrat à exécution successive+, contrat successif
SUCCESSIVE FAULTS	fautes successives
SUCCESSIVE OBLIGATION	obligation continue+, obligation successive
SUCCESSIVE SURETYSHIP	cautionnement à exécution successive+, cautionnement continu, cautionnement successif
SUCCESSOR	ayant cause+, ayant droit, successeur
SUCCESSOR BY GENERAL TITLE	ayant cause à titre universel+, ayant droit à titre universel, représentant légal[2](x) , successeur à titre universel
SUCCESSOR BY PARTICULAR TITLE	acquéreur à titre particulier, ayant cause à titre particulier+, ayant cause particulier, ayant droit à titre particulier, successeur à titre particulier
SUCCESSOR BY UNIVERSAL TITLE	ayant cause universel+, ayant droit universel, représentant légal[2](x) , successeur universel
SUE	actionner
SUFFERANCE V. act of a mere sufferance, lease by sufferance, light existing by sufferance	tolérance
SUFFICIENT INTEREST	intérêt[3]+, intérêt pour ester en justice, intérêt suffisant
SUI GENERIS	*sui generis*
SUI GENERIS CONTRACT	contrat innommé+, contrat *sui generis*
SUIT[1]	action[2], action directe[4](x), action en justice[2], demande+, demande en justice
SUIT[2]	action[3], instance+, procès[2]
SUM V. capital sum, lump sum payment	
SUMMA DIVISIO	*summa divisio*
SUMMONS	assignation[1]
SUMMONS IN DECLARATION OF COMMON JUDGMENT	assignation en déclaration de jugement commun
SUMPTUARY[1]	somptuaire[1]
SUMPTUARY[2]	somptuaire[2](x), voluptuaire+
SUMPTUARY EXPENSES	dépenses somptuaires(x), dépenses voluptuaires, impenses d'agrément, impenses de pur agrément, impenses voluptuaires+

SUMPTUARY IMPROVEMENTS	améliorations d'agrément, améliorations somptuaires(x), améliorations voluptuaires+
SUO MOTU	*proprio motu*+, *suo motu*
SUPEREMINENT PRINCIPLES	principes généraux du droit
SUPERFICIARY	propriétaire superficiaire, superficiaire+
SUPERFICIARY OWNER	propriétaire superficiaire, superficiaire+
SUPERFICIARY OWNERSHIP	propriété superficiaire
SUPERFICIES[1]	droit de superficie+, superficie[1]
SUPERFICIES[2]	superfices+, superficie[2]
SUPERIOR FORCE[1]	cas fortuit[1] +, force majeure[1]
SUPERIOR FORCE[2]	cas fortuit[2], force majeure[2] +
SUPERVISION V. fault of supervision	surveillance
SUPPLETIVE LAW[1]	droit supplétif[1] +, *jus dispositivum*
SUPPLETIVE LAW[2]	loi dispositive, loi facultative, loi interprétative[2], loi supplétive+, règle supplétive
SUPPLIER OF MATERIALS	fournisseur de matériaux
SUPPLY V. exclusivity of supply clause	approvisionnement
SURETY	caution[1] +, fidéjusseur
SURETYSHIP	cautionnement[1]
SURETYSHIP OF IMMEDIATE PERFORMANCE	cautionnement à exécution instantanée
SURETYSHIP OF INSTANTANEOUS PERFORMANCE	cautionnement à exécution instantanée
SURETYSHIP OF SUCCESSIVE PERFORMANCE	cautionnement à exécution successive+, cautionnement continu, cautionnement successif
SURRENDER	délaissement
SURRENDER	délaisser
SUSPENSION (OF PRESCRIPTION)	suspension (de la prescription)
SUSPENSIVE CONDITION	condition suspensive
SUSPENSIVE EFFECT[1]	effet suspensif[1]
SUSPENSIVE EFFECT[2]	effet suspensif[2]
SUSPENSIVE TERM	terme suspensif
SYMBOLIC TRADITION	*traditio longa manu*, tradition de longue main, tradition symbolique+
SYNALLAGMATIC	synallagmatique
SYNALLAGMATIC CONTRACT	contrat bilatéral, contrat synallagmatique+
SYNALLAGMATIC PROMISE OF SALE	promesse bilatérale de vente, promesse synallagmatique de vente+

SYNALLAGMATIC PROMISE TO CONTRACT	promesse bilatérale (de contrat), promesse synallagmatique (de contrat)+
SYSTEM OF LAW	ordre juridique[1]+, système de droit, système juridique

T

TACIT ABROGATION	abrogation implicite, abrogation tacite+
TACIT ACCEPTANCE	acceptation tacite
TACIT CONSENT	consentement implicite, consentement tacite+, manifestation de volonté tacite
TACIT MANDATE	mandat tacite
TACIT MANIFESTATION OF INTENT	consentement implicite, consentement tacite+, manifestation de volonté tacite
TACIT NULLITY	nullité tacite, nullité virtuelle+
TACIT OFFER	offre tacite
TACIT RENEWAL	tacite reconduction
TEMPORARILY	temporairement
TEMPORARY	temporaire
TEMPORARY ANNUITY	rente temporaire
TEMPORARY CO-OWNERSHIP	copropriété avec indivision ordinaire, copropriété ordinaire+, copropriété temporaire, indivision ordinaire
TEMPORARY EMPLOYEE[1]	préposé occasionnel[1]
TEMPORARY EMPLOYEE[2]	préposé occasionnel[2]
TEMPORARY EMPLOYER[1]	commettant occasionnel[1]
TEMPORARY EMPLOYER[2]	commettant occasionnel[2]
TEMPORARY RENT	rente temporaire
TEMPORARY RIGHT	droit temporaire
TENANT	locataire[1](>)+, preneur(>), preneur à bail(>)
TENDER AND DEPOSIT V. actual tender, deposit[7]	offres et consignation
TERM[1]	terme[1]
TERM[2]	terme[2]
TERM[3]	condition[2]+, terme[3](x)
TERM ANNUITY	rente à terme+, rente constitutée à terme, rente non viagère
TERMINAL DAY	*dies ad quem*
TERM OF FORFEITURE	déchéance[2], délai de forclusion, délai préfix+

TERM OF GRACE	délai de grâce, terme de grâce, terme judiciaire+
TERM OF RIGHT	terme de droit
TERM SALE	vente à terme
TERM (WITH A)	terme (à)
TERRITORIAL JURISDICTION	compétence *ratione personae*[1], compétence *ratione personae vel loci*, compétence relative, compétence territoriale+
TERRITORIALISM[1]	territorialisme[1]
TERRITORIALISM[2]	territorialisme[2]
TERRITORIALITY OF LAWS[1]	territorialité des lois[1]
TERRITORIALITY OF LAWS[2]	territorialité des lois[2]
TERRITORIAL LAW[1]	loi territoriale[1]
TERRITORIAL LAW[2]	loi territoriale[2]
TESTAMENT[A]	testament[A]
TESTAMENT[B]	testament[B]
TESTAMENTARY	testamentaire
TESTAMENTARY DISPOSITION	disposition par testament, disposition testamentaire[1], legs[1]+
TESTAMENTARY HEIR	héritier testamentaire
TESTAMENTARY HYPOTHEC	hypothèque testamentaire
TESTAMENTARY PROVISION	disposition testamentaire[2]
TESTAMENTARY SUCCESSION	succession testamentaire
TESTAMENTARY TUTOR	tuteur testamentaire
TESTAMENTARY TUTORSHIP	tutelle testamentaire
TESTAMENTARY USUFRUCT	usufruit testamentaire
TESTATOR, TESTATRIX	testateur
TEXTUAL NULLITY	nullité expresse, nullité textuelle+
TEXTUAL PUBLIC ORDER	ordre public législatif, ordre public textuel+
THEORY OF DECLARATION	système de la déclaration, théorie de la déclaration+
THEORY OF EXPEDITION	système de l'émission, système de l'expédition, théorie de l'émission, théorie de l'expédition+
THEORY OF INFORMATION	système de l'information, théorie de l'information+
THEORY OF RECEPTION	système de la réception, théorie de la réception+
THEORY OF STATUT	théorie des statuts
THING[1]	chose[1]
THING[2]	chose[2], prestation+
THING CERTAIN AND DETERMINATE	bien non fongible, chose certaine et déterminée+, chose individualisée, chose non fongible, corps certain (et déterminé)

THING IN COMMON	chose commune[+], *res communis*
THING LOST	épave
THING NOT DUE	indu
THING WITHOUT AN OWNER	bien sans maître[+], bien vacant, chose sans maître, chose vacante, *res nullius*
THIRD PARTY	tiers
THIRD PARTY ACQUIRER	tiers-acquéreur
THIRD PARTY BENEFICIARY	tiers bénéficiaire
THIRD PARTY HOLDER	tiers-détenteur
THIRD PERSON	tiers
TITLE[1]	titre[1]
TITLE[2.A]	acte[2.A], acte juridique[+], fait juridique[3], *negotium*, titre[2.A]
TITLE[2.B]	acte[2.B], acte instrumentaire[+], *instrumentum,* titre[2.B]
TITLE OF CREANCE	titre de créance
TITLE OF OWNERSHIP	titre de propriété
TITLE OF PAYMENT	titre de paiement
TITULARY	titulaire
TORT[1] (X)	délit
TORT[2] (X)	responsabilité extracontractuelle[+], responsabilité légale[1]
TOTAL INCAPACITY	incapacité générale[+], incapacité totale
TOTAL PARTITION	partage global, partage intégral[+]
TOTAL RENVOI	double renvoi[+], renvoi total
TRADE V. clause in restraint of trade	
TRADER	commerçant
TRADITION	tradition
TRADITION BY INTERVERSION OF TITLE	*traditio brevi manu*, tradition de brève main, tradition par interversion de titre[+]
TRANSACT	transiger
TRANSACTION	règlement hors cour(<)[+], transaction[+]
TRANSFER[1]	mutation(>)[+], transfert[1+], translation
TRANSFER[2.A]	cession[+], transfert[2.A](x), transport[3]
TRANSFER[2.B]	transfert[2.B]
TRANSFER	transférer
TRANSFER OF CREANCE	cession de créance[+], cession-transport, transport-cession, transport de créance
TRANSFER OF DEBT	cession de créance[+], cession-transport, transport-cession, transport de créance
TRANSITIONAL PROVISION	disposition transitoire

TRANSITORY CONFLICT	conflit mobile
TRANSLATORY	translatif
TRANSLATORY ACT	acte translatif+, titre translatif
TRANSLATORY ACT OF OWNERSHIP	acte translatif de propriété+, juste titre, titre translatif de propriété
TRANSLATORY CONTRACT	contrat translatif
TRANSLATORY EFFECT	effet translatif
TRANSLATORY TITLE	acte translatif+, titre translatif
TRANSLATORY TITLE OF OWNERSHIP	acte translatif de propriété+, juste titre, titre translatif de propriété
TRANSMISSIBILITY	transmissibilité
TRANSMISSIBLE	transmissible
TRANSMISSION	transmission
TRANSMISSION BY GENERAL TITLE	transmission à titre universel
TRANSMISSION BY PARTICULAR TITLE	transmission à titre particulier
TRANSMIT	transmettre
TRANSPORT[1]	transport[1]
TRANSPORT[2]	contrat de transport+, contrat de voiture, transport[2]
TRANSPORT	transporter[1]
TRANSPORTATION	transport[1]
TRANSPORT OF GOODS	contrat de transport de choses, contrat de transport de marchandises+, transport de choses, transport de marchandises
TRANSPORT OF MERCHANDISE	contrat de transport de choses, contrat de transport de marchandises+, transport de choses, transport de marchandises
TRANSPORT OF PERSONS	contrat de transport de passagers, contrat de transport de personnes+, contrat de transport de voyageurs, transport de personnes
TRAVELLER	voyageur[2]
TRIAL[1]	procès[1]
TRIAL[2]	action[3], instance+, procès[2]
TRIBUNAL (*)	
TRUE ACT	acte réel, acte secret, acte véritable, contre-lettre+
TRUE INDIVISIBILITY	indivisibilité naturelle+, indivisibilité objective, indivisibilité réelle, indivisibilité véritable
TRUE WILL	volonté interne+, volonté réelle
TUTOR, TUTRIX	tuteur
TUTORSHIP	tutelle
TUTORSHIP TO PROPERTY	tutelle aux biens
TUTORSHIP TO THE PERSON	tutelle à la personne
TUTOR TO PROPERTY	tuteur aux biens+, tuteur onéraire
TUTOR TO THE PERSON	tuteur à la personne+, tuteur honoraire

U

UBERRIMA FIDES	*uberrima fides*
UNAPPARENT SERVITUDE	servitude non apparente+, servitude occulte
UNASSIGNABILITY	incessibilité
UNASSIGNABLE	incessible
UNCERTAIN CREANCE	créance incertaine
UNCERTAIN DEBT	dette incertaine
UNCERTAIN TERM	terme incertain+, terme inconnu, terme indéterminé
UNCONDITIONAL[1]	pur et simple[1]
UNCONDITIONAL[2]	pur et simple[1](>)
UNCONDITIONAL[3]	pur et simple[2]
UNCONDITIONAL RIGHT[1]	droit pur et simple
UNCONDITIONAL RIGHT[2]	droit pur et simple(>)
UNDERTAKING BY UNILATERAL WILL	engagement par volonté unilatérale, engagement unilatéral (de volonté)+
UNDERTAKING TO ARBITRATE	clause compromissoire+, clause d'arbitrage, pacte compromissoire
UNDETERMINED TERM	terme incertain+, terme inconnu, terme indéterminé
UNDISCLOSED MANDATARY	prête-nom[1]
UNDISPONIBLE RIGHT	droit indisponible
UNDISPOSABILITY[1]	indisponibilité[1]
UNDISPOSABILITY[2]	indisponibilité[2]
UNDISPOSABLE[1]	indisponible[1]
UNDISPOSABLE[2]	indisponible[2]
UNDIVIDED	indivis
UNDIVIDED CO-OWNER	coïndivisaire
UNDIVIDED OWNER[1]	indivisaire[1]
UNDIVIDED OWNER[2]	communiste, copropriétaire+, indivisaire[2], propriétaire indivis
UNDIVIDED OWNERSHIP	copropriété+, droit de copropriété, indivision[2], propriété indivise
UNDIVIDED PART	partie commune+, partie indivise
UNDIVIDED SHARE	partie commune+, partie indivise
UNEMANCIPATED MINOR	mineur non émancipé
UNEQUIVOCAL POSSESSION	possession non équivoque
UNFORESEEABILITY	imprévisibilité
UNFORESEEABLE	imprévisible

UNFORESEEABLE DAMAGE	dommage imprévisible
UNFORESEEN DAMAGE	dommage imprévu
UNILATERAL V. collective unilateral act, individual unilateral act	unilatéral
UNILATERAL ACT	acte unilatéral
UNILATERAL CONTRACT	contrat unilatéral
UNILATERAL PROMISE OF SALE	promesse unilatérale de vente
UNILATERAL PROMISE TO CONTRACT	option, promesse unilatérale (de contrat)+
UNILATERAL RESILIATION	résiliation unilatérale
UNILATERAL UNDERTAKING (OF WILL)	engagement par volonté unilatérale, engagement unilatéral (de volonté)+
UNINTERRUPTED POSSESSION	interruption de la prescription+, possession non interrompue(x)
UNITARY STATE	État unitaire
UNIVERSALITY	universalité
UNIVERSAL LEGACY	legs universel
UNIVERSAL LEGATEE	légataire universel
UNIVERSAL PARTNERSHIP	société universelle
UNIVERSAL PARTNERSHIP OF GAINS	société universelle des gains
UNIVERSAL PARTNERSHIP OF PROPERTY	société universelle de tous biens
UNIVERSAL SUCCESSOR	ayant cause universel+, ayant droit universel, représentant légal[2](x), successeur universel
UNIVERSAL TITLE (BY) V. assignee by universal title, legacy by universal title, legatee by universal title, successor by universal title	universel
UNIVERSAL TRANSMISSION	transmission universelle
UNIVERSAL USUFRUCT	usufruit universel
UNIVERSAL USUFRUCTUARY	usufruitier universel
UNJUST ENRICHMENT	enrichissement injustifié, enrichissement sans cause+
UNJUSTIFIED ENRICHMENT	enrichissement injustifié, enrichissement sans cause+
UNKNOWN PARTNER	associé en participation+, associé inconnu
UNLAWFUL[1]	illégal[2], illicite+
UNLAWFUL[2]	illégitime[1]
UNLAWFUL CAUSE	cause illégale, cause illicite+, considération illégale
UNLAWFUL CONDITION	condition illicite
UNLAWFUL CONSIDERATION	cause illégale, cause illicite+, considération illégale
UNLAWFULLY	illégalement

UNQUALIFIED RIGHT	droit pur et simple
UNSEIZABILITY	insaisissabilité
UNSEIZABLE	insaisissable
UNSPECIFIED TERM	terme incertain+, terme inconnu, terme indéterminé
UNWRITTEN LAW	droit non écrit
URBAN SERVITUDE	servitude urbaine
USAGE	usage[1]
USE[1]	usage[2]
USE[2]	droit d'usage[1]+, usage[3]
USEFUL DISBURSEMENTS	dépenses utiles, impenses utiles+
USEFUL EXPENSES	dépenses utiles, impenses utiles+
USEFUL IMPROVEMENTS	améliorations utiles
USER	usager
USUAL RESIDENCE	résidence habituelle, résidence principale+
USUCAPION	prescription acquisitive+, usucapion
USUCAPT	usucaper
USUFRUCT	droit d'usufruit, usufruit+
USUFRUCT BY GENERAL TITLE	usufruit à titre universel
USUFRUCT BY PARTICULAR TITLE	usufruit à titre particulier
USUFRUCT BY TESTAMENTARY DISPOSITION	usufruit testamentaire
USUFRUCT BY UNIVERSAL TITLE	usufruit universel
USUFRUCTUARY	usufructuaire+, usufruitier
USUFRUCTUARY	usufruitier
USUFRUCTUARY BY GENERAL TITLE	usufruitier à titre universel
USUFRUCTUARY BY PARTICULAR TITLE	usufruitier à titre particulier
USURIOUS INTEREST	intérêt usuraire
USURIOUS INTEREST RATE	taux d'intérêt usuraire
USURIOUS LOAN	prêt usuraire
USURY	usure
USUS	droit d'usage[2], *jus utendi*, usage[4], *usus*+

V

VALID	valable[1], valide+
VALIDATE	valider
VALIDATION	validation
VALIDITY	validité

VALIDLY	valablement+, validement
VALUABLE CONSIDERATION (X)	considération[2](x), considération valable(x), contrepartie+, contre-prestation
VALUE V. rental value	
VALUE DEBT	dette de valeur
VARIATION CLAUSE	clause de révision
VENDOR	vendeur
VENDOR WITH RIGHT OF REDEMPTION	vendeur à réméré
VERBAL LEASE	bail verbal+, location verbale
VESTED RIGHT[1]	droit acquis[1]+, *jus quaesitum*
VESTED RIGHT[2]	droit acquis[2], droit actuel+
VICARIOUS LIABILITY	responsabilité du fait d'autrui(>)+, responsabilité pour autrui(>), responsabilité pour le fait d'autrui(>)
VICARIOUS RESPONSIBILITY	responsabilité du fait d'autrui(>)+, responsabilité pour autrui(>), responsabilité pour le fait d'autrui(>)
VICTIM	victime
VICTIM BY RICOCHET	victime médiate, victime par ricochet+
VIEW	vue
VIOLENCE	violence
VIOLENT POSSESSION	possession violente
VIRTUAL PUBLIC ORDER	ordre public judiciaire, ordre public virtuel+
VITIATED CONSENT	consentement vicié
VITIATED POSSESSION	possession viciée
VOID (X)	nul
VOID (X)	annuler
VOIDABLE (X)	annulable
VOLUNTARY ACKNOWLEDGEMENT	reconnaissance de maternité ou de paternité+, reconnaissance volontaire
VOLUNTARY CANCELLATION	radiation volontaire
VOLUNTARY DEPOSIT	dépôt volontaire
VOLUNTARY DOMICILE	domicile d'acquisition, domicile de choix, domicile volontaire+
VOLUNTARY FAULT	faute dolosive(<)+, faute intentionnelle+, faute volontaire
VOLUNTARY INTERVENTION	intervention volontaire
VOLUNTARY PERFORMANCE	exécution volontaire
VOLUNTARY RADIATION	radiation volontaire
VOLUNTARY REPRESENTATION	représentation volontaire
VOLUNTARY RESILIATION	résiliation volontaire
VOLUNTARY SURETY	caution conventionnelle+, caution volontaire

VOLUNTARY SURETYSHIP	cautionnement conventionnel[+], cautionnement volontaire
VOLUPTUARY	somptuaire[2](x), voluptuaire[+]
VOLUPTUARY DISBURSEMENTS	dépenses somptuaires(x), dépenses voluptuaires, impenses d'agrément, impenses de pur agrément, impenses voluptuaires[+]
VOLUPTUARY EXPENSES	dépenses somptuaires(x), dépenses voluptuaires, impenses d'agrément, impenses de pur agrément, impenses voluptuaires[+]
VOLUPTUARY IMPROVEMENTS	améliorations d'agrément, améliorations somptuaires(x), améliorations voluptuaires[+]

WAGER	contrat de pari, pari[+]
WAGERING	contrat de pari, pari[+]
WAGES	salaire
WARRANT	garantir[1]
WARRANTEE	garanti
WARRANTOR	garant
WARRANTY	garantie[1+], obligation de garantie[2]
WARRANTY AGAINST ACTS OF THIRD PERSONS	garantie du fait des tiers
WARRANTY AGAINST EVICTION	garantie contre l'éviction[+], garantie d'éviction
WARRANTY AGAINST HIDDEN DEFECTS	garantie des défauts cachés, garantie des vices cachés[+]
WARRANTY AGAINST LATENT DEFECTS	garanties des défauts cachés, garantie des vices cachés[+]
WARRANTY AGAINST PERSONAL ACTS	garantie du fait personnel
WARRANTY CLAUSE	clause de garantie
WARRANTY OF PAYMENT	garantie de fournir et faire valoir
WARRANTY OF PAYMENT CLAUSE	clause de fournir et faire valoir
WAY	passage
V. servitude of right of way	
WEDDING	noce
WHEREOF ACT	dont acte
WILL[A]	testament[A]
WILL[B]	testament[B]
WILL	léguer[+], tester(>)[+]

WITH A TERM V. term (with a)	
WITHDRAW[1]	retirer[2], rétracter[+]
WITHDRAW[2]	dédire (se)(>)
WITHDRAWAL	rétractation[+], retrait[1]
WITHDRAWAL CLAUSE	clause de dédit[+], stipulation de dédit
WITHDRAWAL OPTION	dédit[1], faculté de dédit[+]
WORK[1]	ouvrage[1]
WORK[2]	ouvrage[2]
WORK BY ESTIMATE AND CONTRACT	marché sur devis[+], ouvrage par devis et marché(x)
WORKMAN[1]	ouvrier[1]
WORKMAN[2]	ouvrier[2]
WORKMAN'S PRIVILEGE	privilège de l'ouvrier
WRIT	bref
WRIT *DE BONIS*	bref *de bonis*, bref de saisie-exécution mobilière[+], bref *fieri facias de bonis*
WRIT *DE TERRIS*	bref de saisie-exécution immobilière[+], bref de saisie immobilière, bref *de terris*, bref *fieri facias de terris*
WRITING V. authentic writing	
WRIT OF EXECUTION	bref d'exécution
WRIT OF EXPULSION	bref d'expulsion
WRIT OF *FIERI FACIAS DE BONIS*	bref *de bonis*, bref de saisie-exécution mobilière[+], bref *fieri facias de bonis*
WRIT OF *FIERI FACIAS DE TERRIS*	bref de saisie-exécution immobilière[+], bref de saisie immobilière, bref *de terris*, bref *fieri facias de terris*
WRIT OF POSSESSION	bref de possession
WRIT OF SEIZURE BY GARNISHMENT	bref de saisie-arrêt
WRIT OF SEIZURE OF IMMOVEABLE PROPERTY	bref de saisie-exécution immobilière[+], bref de saisie immobilière, bref *de terris*, bref *fieri facias de terris*
WRIT OF SEIZURE OF IMMOVEABLES	bref de saisie-exécution immobilière[+], bref de saisie immobilière, bref *de terris*, bref *fieri facias de terris*
WRIT OF SEIZURE OF MOVEABLE PROPERTY	bref *de bonis*, bref de saisie-exécution mobilière[+], bref *fieri facias de bonis*
WRIT OF *SUBPOENA*	bref de *subpoena*[+], *subpoena*
WRIT OF *SUBPOENA DUCES TECUM*	bref de *subpoena duces tecum*[+], *duces tecum*, *subpoena duces tecum*
WRIT OF SUMMONS	bref d'assignation[+], bref introductif d'instance

WRIT OF *VENDITIONI EXPONAS*	bref de *venditioni exponas*
WRITTEN APPEARANCE	acte de comparution+, comparution[2]
WRITTEN LAW[1]	droit écrit[1] +, droit légiféré
WRITTEN LAW[2]	droit écrit[2], droit romain+
WRITTEN LEASE	bail écrit+, location écrite
WRONG[1]	faute[1] +, tort[1]
WRONG[2]	dommage+, préjudice, tort[2]
WRONGFUL	fautif[2]

LISTE DES AUTEURS ET OUVRAGES CITÉS

Anctil, *Commentaires*
Anctil, J., *Commentaires sur le Code de procédure civile avec tableaux synoptiques et formules*, 2 t., Sherbrooke, R.D.U.S., 1983.

Antaki, (1978) 19 *C. de D.* 157
Antaki, N.-N., « La commercialité des immeubles : une théorie en construction » (1978) 19 *C. de D.* 157.

Aquin, (1987-1988) 90 *R. du N.* 228
Aquin, F., « L'acte notarié » (1987-1988) 90 *R.du N.* 228.

Arbour, *Droit canonique*
Arbour, G., *Le droit canonique particulier au Canada*, Ottawa, Éditions de l'Université d'Ottawa, 1957.

Atias, *Biens*
Atias, C., *Droit civil. Les biens*, 2 t., Paris, Librairies techniques, t. 1, 1980.

Atias, *Droit civil*
Atias, C., *Le droit civil*, coll. Que sais-je?, Paris, Presses universitaires de France, 1984, n° 2161.

Atias, Personnes
Atias, C., *Droit civil. Les personnes. Les incapacités*, Presses universitaires de France, Paris, 1985.

Aubert, *Introduction*
Aubert, J.-L., *Introduction au droit et thèmes fondamentaux du droit civil*, Paris, Librairie Armand Colin, 1988.

Aubry et Rau, *Droit civil*
Aubry, C. et C. Rau, *Droit civil français*, 12 t., Paris, Librairies techniques, t. 1, 7e éd. par P. Esmein et A. Ponsard, 1964; t. 2, 7e éd. par P. Esmein, 1961; t. 5-2, 7e éd. par M. Pedamon, 1979; t. 6, 7e éd. par P. Esmein et A. Ponsard, 1975; t. 9, 6e éd. par P. Esmein, 1953.

Aubry, Clunet 1901.253
Aubry, J., « De la notion de territorialité en droit international privé », Clunet 1900.689, Clunet 1901.253, 643.

Audet, (1980) 40 *R. du B.* 179
Audet, P.E., « La juridiction du protonotaire spécial en vertu du Code de procédure civile » (1980) 40 *R.du B.* 179.

Audit, *Fraude à la loi*
Audit, B., *La fraude à la loi*, Paris, Dalloz, 1974.

Auger, (1981) *C.P. du N.* 33
Auger, J., « La loi 89 et la réforme des régimes matrimoniaux » (1981) *C.P. du N.* 33.

Azard et Bisson, *Droit civil*
Azard, P. et A.F. Bisson, *Droit civil québécois*, t. 1, Ottawa, Éditions de l'Université d'Ottawa, 1971.

Barakett, Beausoleil, Ferland et Reid, *Droit judiciaire I*
Barakett, F.D., Beausoleil, K.D., Ferland, D. et H. Reid, *Droit judiciaire privé I*, 2 t., Québec, Presses de l'Université Laval, 1973.

Batiffol, *Contrats*
Batiffol, H., *Les contrats en droit international privé comparé,* Montréal, Institut de droit comparé de McGill, 1981.

Batiffol, *Problèmes*
Batiffol, H., *Problèmes de base de philosophie du droit,* Paris, L.G.D.J., 1979.

Batiffol, (1967) 120 *R.C.A.D.I.* (I) 169
Batiffol, H., « Réflexions sur la coordination des systèmes nationaux » (1967) 120 *R.C.A.D.I.* (I) 169.

Batiffol et Francescakis, dans *Encyclopédie*
Batiffol, H. et P. Francescakis, dans *Encyclopédie juridique Dalloz, Répertoire de droit international,* 2 vol. publiés sous la direction de P. Francescakis, Paris, Dalloz, 1968-1969, suppléments.

Batiffol et Lagarde, *Droit int. privé*
Batiffol, H. et P. Lagarde, *Droit international privé,* 7e éd., 2 t., Paris, L.G.D.J., t. 1, 1981; t. 2, 1983.

Baudouin, dans *Mélanges Baudouin*
Baudouin, J.-L., « La responsabilité découlant de la ruine des bâtiments », dans *Problèmes de droit contemporain — Mélanges Louis Baudouin,* sous la direction de A. Popovici, Montréal, Presses de l'Université de Montréal, 1974, 3.

Baudouin, *Obligations*
Baudouin, J.-L., *Les obligations,* 3e éd., Cowansville (Québec), Éditions Yvon Blais, 1989.

Baudouin, *Responsabilité*
Baudouin, J.-L., *La responsabilité civile délictuelle,* 3e éd., Cowansville (Québec), Éditions Yvon Blais, 1990.

Baudouin, *Droit civil*
Baudouin, L., *Le droit civil de la province de Québec, modèle vivant de droit comparé,* Montréal, Wilson & Lafleur, 1953.

Baudouin, (1964-1965) 67 *R. du N.* 167
Baudouin, L., « Le notariat » (1964-1965) 67 *R. du N.* 167.

Baudry-Lacantinerie et Wahl, *Traité*
Baudry-Lacantinerie, G. et A. Wahl, dans *Traité théorique et pratique de droit civil,* 3e éd., 29 t., Paris, Librairie de la Société du Recueil J.-B. Sirey et du Journal du Palais, 1905-1909, t. 23, *De la société, du prêt, du dépôt,* 1907; t. 25, *De la prescription,* 1905.

Beaudoin, *Constitution*
Beaudoin, G.A., *Essais sur la constitution,* Ottawa, Éditions de l'Université d'Ottawa, 1979.

Beaudoin, *Partage des pouvoirs*
Beaudoin, G.A., *Le partage des pouvoirs,* 3e éd., Ottawa, Éditions de l'Université d'Ottawa, 1983.

Beaudoin et Morin, (1970) 30 *R. du B.* 4
Beaudoin, P. et B. Morin, « La copropriété des immeubles au Québec » (1970) 30 *R. du B.* 4.

Bélanger, (1980-1981) 83 *R. du N.* 517
Bélanger, A., « La description légale d'un emplacement » (1980-1981) 83 *R. du N.* 517.

Bénabent, *Famille*
Bénabent, A., *Droit civil. La famille,* 3e éd., Paris, Litec, 1988.

Bergel, *Servitudes de lotissement*
Bergel, J.L., *Les servitudes de lotissement à usage d'habitation,* Paris, L.G.D.J., 1973.

Bergel, *Théorie du droit*
Bergel, J.L., *Théorie générale du droit*, Paris, Dalloz, 1985.

Bhérer, (1939-1940) 42 *R. du N.* 219
Bhérer, W., « De l'indemnité en matière d'expropriation » (1939-1940) 42 *R. du N.* 219.

Binette, (1983) *C.P. du N.* 135
Binette, S., « La réalisation des garanties » (1983) *C . P. du N.* 135.

Black's
Black, H.C., *Black's Law Dictionary*, 6e éd., St.Paul (Minnesota), West Publishing Co., 1990.

Blouin, (1974) 20 *McGill L.J.* 429
Blouin, R., « Le rapport de dépendance économique comme norme de qualification du salarié au sens du Code du travail » (1974) 20 *McGill L.J.* 429.

Bohémier, (1964-1965) 67 *R. du N.* 229, 285
Bohémier, A., « Les donations consenties par contrat de mariage et la maxime "Donner et retenir ne vaut" » (1964-1965) 67 *R. du N.* 229, 285.

Bohémier et Côté, *Droit commercial*
Bohémier, A. et P.P. Côté, *Droit commercial général*, 2e éd., Montréal, Thémis, 1979.

Boisclair, *Garde*
Boisclair, C., *Les droits et les besoins de l'enfant en matière de garde : réalité ou apparence?*, Sherbrooke, R.D.U.S., 1978.

Bouchard, (1980) 21 *C. de D.* 855
Bouchard, M., « L'autorisation d'exercer le recours collectif » (1980) 21 *C. de D.* 855.

Boulanger, dans *Études Ripert*, t. 1, 51
Boulanger , J., « Principes généraux du droit et droit positif », dans *Le droit privé français au milieu du XXe siècle — Études offertes à Georges Ripert*, 2 t., Paris, L.G.D.J., t. 1, 1951, 51.

Bout, *Contrat d'assurance*
Bout, R., *Le contrat d'assurance en droit comparé français et québécois*, Montréal, Université McGill, 1988.

Bredin, dans *Travaux Henri Capitant*, t. 13, 355
Bredin, J.D., « Les renonciations au bénéfice de la loi en droit privé français », dans *Travaux de l'Association Henri Capitant pour la culture juridique française*, 33 t., Paris, Librairie Dalloz, t. 13, 1963, 355.

Breton, *Rev. trim. dr. civ.* 1928, 261
Breton, A., « Théorie générale de la renonciation aux droits réels », *Rev. trim. dr. civ.* 1928, 261.

Brière, *Donations, substitutions et fiducies*
Brière, G., *Donations, substitutions et fiducies*, Montréal, Wilson & Lafleur, 1988.

Brière, *Libéralités*
Brière, G., *Les libéralités*, 9e éd., Ottawa, Éditions de l'Université d'Ottawa, 1985.

Brière, *Successions*
Brière, G., *Les successions ab intestat*, 9e éd., Ottawa, Éditions de l'Université d'Ottawa, 1985.

Brière, *Successions*
Brière, G., *Les successions*, dans *Traité de droit civil*, Montréal, C.R.D.P.C.Q. / Éditions Yvon Blais, 1990.

Brun et Tremblay, *Droit constitutionnel*
Brun, H. et G. Tremblay, *Droit constitutionnel*, Cowansville (Québec), Éditions Yvon Blais, 1982.

Burdeau, *Droit constitutionnel*
Burdeau, G., *Droit constitutionnel*, 21e éd. par F. Hamon et M. Troper, Paris, L.G.D.J., 1988.

Burdeau, *Libertés publiques*
Burdeau, G., *Les libertés publiques*, 4e éd., Paris, L.G.D.J., 1972.

Cance, *Droit canonique*
Cance, A., *Le Code de droit canonique; commentaire succinct et pratique,* 3 t., Paris, Librairie Lecoffre / J. Gabalda et Cie, t. 1, 5e éd., 1938.

Cantin Cumyn, *Droit des bénéficiaires*
Cantin Cumyn, M., *Les droits des bénéficiaires d'un usufruit, d'une substitution et d'une fiducie*, Montréal, Wilson & Lafleur, 1980.

Cantin Cumyn, *R.D.* Biens—Doctrine — Doc. 3
Cantin Cumyn, M., « De l'usufruit, de l'usage et de l'habitation », dans *Répertoire de droit.* Biens — Doctrine — Document 3.

Carbonnier, *Droit civil,* t. 1
Carbonnier, J., *Droit civil,* 4 t., Paris, Presses universitaires de France, 16e éd., t. 1, *Introduction, les Personnes,* 1987.

Carbonnier, *Droit civil,* t. 2
Carbonnier, J., *Droit civil,* 4 t., Paris, Presses universitaires de France, 12e éd., t. 2, *La Famille, les Incapacités,* 1983.

Carbonnier, *Droit civil,* t. 3
Carbonnier, J., *Droit civil,* 4 t., Paris, Presses universitaires de France, 12e éd., t. 3, *Les Biens,* 1988.

Carbonnier, *Droit civil,* t. 4
Carbonnier, J., *Droit civil,* 4 t., Paris, Presses universitaires de France, 13e éd., t. 4, *Les Obligations,* 1988.

Carbonnier, *Introduction*
Carbonnier, J., *Droit civil. Introduction,* 18e éd., Paris, Presses universitaires de France, 1988.

Carbonnier, *Sociologie juridique*
Carbonnier, J., *Sociologie juridique,* Paris, Presses universitaires de France, 1978.

Carbonnier, *Rev. trim. dr. civ.* 1954, 286
Carbonnier, J., « Jurisprudence française en matière de droit civil », *Rev. trim. dr. civ.* 1954, 286, 320.

Cardinal, *Droit de propriété*
Cardinal, J.G., « Le droit de propriété selon le Code civil de la province de Québec », dans *The University of Toronto, Faculty of Law Comparative Law Series,* vol. 4, *Canadian Jurisprudence, the civil law and common law in Canada,* Toronto, Carswell, 1958.

Cardinal, *Superficie*
Cardinal, J.G., *Le droit de superficie,* Montréal, Wilson & Lafleur, 1957.

Cardinal, (1956-1957) 59 *R. du N.* 489
Cardinal, J.G., « L'incapacité » (1956-1957) 59 *R. du N.* 489.

Cardinal, (1964-1965) 67 *R. du N.* 271
Cardinal, J.G., « La propriété immobilière, ses démembrements, ses modalités » (1964-1965) 67 *R. du N.* 271, 323 et 443.

Caron, (1962) 42 *Thémis* 123
Caron, Y., « Les "servitudes légales" sont-elles des servitudes réelles? » (1962) 42 *Thémis* 123.

Caron et Binette, *R.D.* Sûretés — Doctrine — Doc. 1
Caron, Y. et S. Binette, « Des hypothèques », dans *Répertoire de droit*. Sûretés — Doctrine — Document 1.

Castel, *Droit int. privé*
Castel, J.-G., *Droit international privé québécois*, Toronto, Butterworths, 1980.

Castelli, *Famille*
Castelli, M.D., *Précis du droit de la famille*, 2e éd., Québec, Presses de l'Université Laval, 1990.

Castelli, (1984) 25 *C. de D.* 719
Castelli, M.D., « Remarques sur le nouveau droit de la famille et le droit des successions » (1984) 25 *C. de D.* 719.

Catala-Franjou, *Rev. trim. dr. civ.* 1967, 9
Catala-Franjou, N., « De la nature juridique du droit de rétention », *Rev. trim. dr. civ.* 1967, 9.

Cavaré, *Droit int. public positif*
Cavaré, L., *Le droit international public positif*, 2 t., Paris, Pedone, t. 1, 3e éd., 1966.

C.F.P.B.Q., *Sûretés*
Cours de formation professionnelle du Barreau du Québec, Cowansville (Québec), Éditions Yvon Blais, vol. 6, *Sûretés*, 1985-1986.

Charron, (1975) 35 *R. du B.* 364
Charron, C., « L'accroissement et le legs universel ou à titre universel » (1975) 35 *R. du B.* 364.

Charron, (1982) 42 *R. du B.* 446
Charron, C., « Ce droit réel méconnu : la servitude personnelle » (1982) 42 *R. du B.* 446.

Charron, (1988) 2 *C.P. du N.* 1
Charron, C., « Des successions : Ouverture, qualités requises pour succéder, saisine, pétition d'hérédité et option » (1988) 2 *C.P. du N.* 1.

Chartier, *Réparation du préjudice*
Chartier, Y., *La réparation du préjudice dans la responsabilité civile*, Paris, Dalloz, 1983.

Chartier, *Rev. trim. dr. civ.* 1971, 510
Chartier, Y., « Domicile conjugal et vie familiale », *Rev. trim. dr. civ.* 1971, 510.

Chevrette et Marx, *Droit constitutionnel*
Chevrette, F. et H. Marx, *Droit constitutionnel*, Montréal, Presses de l'Université de Montréal, 1982.

Ciotola, *Sûretés*
Ciotola, P., *Droit des sûretés*, Montréal, Thémis, 1984.

Ciotola, (1969-1970) 72 *R. du N.* 315
Ciotola, P., « Aperçu des conditions illicites et immorales » (1969-1970) 72 *R. du N.* 315.

Ciotola, (1986) 20 *R.J.T.* 169
Ciotola, P., « L'intervention de l'État dans le droit des contrats : vers une publicisation du droit des contrats? » (1986) 20 *R.J.T.* 169.

***Code civil du Bas Canada*, Troisième rapport des Commissaires**
Code civil du Bas Canada, Rapports des Commissaires pour la Codification des lois du Bas Canada, Québec, Desbarats, 1865, troisième rapport.

***Code de procédure civile*, Rapport des Commissaires**
Code de procédure civile, Rapport des Commissaires chargés de la réforme du Code de procédure civile, Québec, Imprimeur de la Reine, 1965.

Colin et Capitant, *Traité*
Colin, A. et H. Capitant, *Traité de droit civil*, 2 t. refondus par L. Julliot de la Morandière, Paris, Dalloz, t. 1, 1957; t. 2, 1959.

Colombet, *Famille*
Colombet, C., *La famille*, Paris, Presses universitaires de France, 1985.

Comité, *R.D.* Titres immobiliers — Doctrine — Doc. 1
Comité des Titres immobiliers, « Le notaire et l'examen des titres », dans *Répertoire de droit*. Titres immobiliers — Doctrine — Document 1.

Comtois, *Communauté de biens*
Comtois, R., *Traité théorique et pratique de la communauté de biens*, Montréal, Recueil de droit et de jurisprudence, 1984.

Comtois, dans *Mélanges Bissonnette*, 231
Comtois, R., « Servitudes et prescriptions », dans *Mélanges Bernard Bissonnette*, Montréal, Presses de l'Université de Montréal, 1963, 231.

Comtois, *Notaire*
Comtois, R., *Le notaire dans la province de Québec*, Montréal, Université de Montréal, 1962.

Comtois, *R.D.* Libéralités — Doctrine — Doc. 1
Comtois, R., « Les libéralités », dans *Répertoire de droit*. Libéralités — Doctrine — Document 1.

Comtois, 1962 *R.A.Q.E.C.D.* 99
Comtois, R., « L'influence du droit public sur la propriété privée immobilière — Province de Québec (Canada) » 1962 *R.A.Q.E.C.D.* 99.

Comtois, (1974-75) 77 *R. du N.* 151
Comtois, R., « Le rôle du practicien dans l'élaboration des règles de droit » (1974-75) 77 *R. du N.* 151.

Cornu, *Introduction*
Cornu, G., *Droit civil. Introduction. Les personnes. Les biens*, 4e éd., Paris, Montchrestien, 1990.

Cornu et Foyer, *Procédure civile*
Cornu, G. et J. Foyer, *Procédure civile*, Paris, Presses universitaires de France, 1958.

Cossette, (1954) 1 *C. de D.* 95
Cossette, A., « Vues directes et vues obliques » (1954) 1 *C. de D.* 95.

Cossette, (1958-1959) 61 *R. du N.* 488
Cossette, A., « Problèmes de mitoyenneté » (1958-1959) 61 *R. du N.* 488.

Cossette, (1965-1966) 68 *R. du N.* 279
Cossette, A., « Conflits mobiles et conflits transitoires en matière de régimes matrimoniaux » (1965-1966) 68 *R. du N.* 279.

Cossette, (1969-1970) 72 *R. du N.* 135
Cossette, A., « Le droit international privé en matière de successions pour cause de décès » (1969-1970) 72 *R. du N.* 135.

Cossette, (1979-1980) 82 *R. du N.* 455
Cossette, A., « Les clauses d'indexation » (1979-1980) 82 *R. du N.* 455.

Cossette, (1980) 83 *R. du N.* 178
Cossette, A., « L'acte authentique et l'avenir du Notariat » (1980) 83 *R. du N.* 178.

Cossette, (1985-1986) 88 *R. du N.* 42
Cossette, A., « Le concubinage au Québec » (1985-1986) 88 *R. du N.* 42.

Côté, (1975) 35 *R. du B.* 3
Côté, L., « La responsabilité du fabricant vendeur non immédiat en droit québécois » (1975) 35 *R. du B.* 3.

Côté, *Interprétation*
Côté, P.-A., *Interprétation des lois*, Cowansville (Québec), Éditions Yvon Blais, 1982.

Couchez, *Procédure civile*
Couchez, G., *Procédure civile*, 5e éd., Paris, Sirey, 1988.

Coulombel, *Introduction*
Coulombel, P., *Introduction à l'étude du droit et du droit civil*, Paris, L.G.D.J., 1969.

Crépeau, *Intensité*
Crépeau, P.-A., *L'intensité de l'obligation juridique*, Montréal, Éditions Yvon Blais, 1989.

Crépeau, dans *Projet*
Crépeau, P.-A., « Préface », dans *Rapport sur le Code civil du Québec*, 2 vol., Québec, Éditeur officiel du Québec, 1978, vol. 1 : *Projet de Code civil*.

Crépeau, (1960-1961) 7 *McGill L.J.* 225
Crépeau, P.-A., « Réflexions sur le fondement juridique de la responsabilité du transporteur de personnes » (1960-1961) 7 *McGill L.J.* 225.

Crépeau, (1961) 39 *R. du B. Can.* 3
Crépeau, P.-A., « De la responsabilité civile extracontractuelle en droit international privé québécois » (1961) 39 *R. du B. Can.* 3.

Crépeau, (1965) 43 *R. du B. Can.* 1
Crépeau, P.-A., « Le contenu obligationnel d'un contrat » (1965) 43 *R. du B. Can.* 1.

Dabin, *Droit subjectif*
Dabin, J., *Le droit subjectif*, Paris, Dalloz, 1952.

Dagot, *Sûretés*
Dagot, M., *Les sûretés*, Paris, Presses universitaires de France, 1981.

David, *Droit anglais*
David, R., *Le droit anglais*, 3e éd., coll. Que sais-je?, Paris, Presses universitaires de France, 1975, n° 1162.

David, *Grands systèmes*
David, R., *Les grands systèmes de droit contemporains*, 9e éd. par C. Jauffret-Spinosi, Paris, Dalloz, 1988.

David, *Grands systèmes*, 5e éd..
David, R., *Les grands systèmes de droit contemporains*, 5e éd., Paris, Dalloz, 1973.

Decottignies, *Rép. droit civ.*
Decottignies, R., dans *Répertoire de droit civil* : voir référence sous ce titre.

De la Durantaye, (1941) 1 *R. du B.* 267
De la Durantaye, L.-J., « Un auxiliaire indispensable : l'huissier » (1941) 1 *R. du B.* 267.

Demers, *R.D.* Vente — Doctrine — Doc. 1
Demers, Y., « Les avants-contrats », dans *Répertoire de droit.* Vente — Doctrine — Document 1.

Demers, dans *Traité*
Demers, C., dans *Traité de droit civil du Québec,* 15 t., Montréal, Wilson & Lafleur, t. 14, *Le gage et le nantissement. Les privilèges et hypothèques. L'enregistrement des droits réels,* 1950.

Demers, (1983) 14 *R.D.U.S.* 193
Demers, R., « Les aspects juridiques du crédit-bail mobilier » (1983) 14 *R.D.U.S.* 193.

de Mestral et Williams, *Droit int. public*
de Mestral, A.L.C. et S.A. Williams, *Introduction au droit international public, tel qu'il est interprété et appliqué au Canada,* traduit de l'anglais par E. Groffier-Atala, Toronto, Butterworths, 1982.

Demogue, *Obligations*
Demogue, R., *Des obligations en général,* 2 vol., 7 t., Paris, Librairie Arthur Rousseau, 1923-1933, vol. 1, t. 1, 1923.

Demogue, *Rev. trim. dr. civ.* 1905, 723
Demogue, R., « Des droits éventuels et des hypothèses où ils prennent naissance », *Rev. trim. dr. civ.* 1905, 723.

Demolombe, *Cours,* vol. 9
Demolombe, *Cours de Code Napoléon,* 31 vol., Paris, Auguste Durand, 1860-1870, vol. 9, *Traité de la distinction des biens,* 1870.

Deschênes, *Théorie du renvoi,* 265
Deschênes, J., « La théorie du renvoi en droit québécois », dans *Mélanges Bernard Bissonnette,* Montréal, Presses de l'Université de Montréal, 1963, 265.

Deschênes, (1968) 28 *R. du B.* 417
Deschênes, J., « Examen critique de l'organisation du Barreau » (1968) 28 *R. du B.* 417.

Deschênes, (1968) 28 *R. du B.* 633
Deschênes, J., « Les articles 1 et 2 de la Loi du Barreau » (1968) 28 *R. du B.* 633.

Desjardins, (1982-1983) 17 *R.J.T.* 325
Desjardins, Y., « L'hypothèque à taux variable » (1982-1983) 17 *R.J.T.* 325.

Dict. de droit
Dictionnaire de droit, 2e éd. par S. Corniot, 2 t., Paris, Dalloz, 1966.

Domat, *Loix civiles*
Domat, M., *Les loix civiles dans leur ordre naturel; le droit public et legum et delectus,* Paris, David, 1756.

Donnier, *Rép. proc. civ.*
Donnier, M., dans *Répertoire de procédure civile* : voir référence sous ce titre.

Drouin-Barakett et Jobin, (1976) 17 *C. de D.* 965
Drouin-Barakett, F. et P.-G. Jobin, « La réparation du préjudice esthétique : le mystère de la beauté » (1976) 17 *C. de D.* 965.

Ducharme, *Preuve*
Ducharme, L., *Précis de la preuve (en matières civiles et commerciales),* 2e éd., Ottawa, Éditions de l'Université d'Ottawa, 1985.

Ducharme, (1972) 32 *R. du B.* 47
Ducharme, L., « L'affidavit est-il un document authentique? » (1972) 32 *R. du B.* 47.

Dupichot, *Obligations*
Dupichot, J., *Le droit des obligations*, 2e éd. revue et corrigée, coll. Que sais-je?, Paris, Presses universitaires de France, 1978, n° 1718.

Duplessis, Hétu et Piette, *Environnement*
Duplessis, Y., J. Hétu et J. Piette, *La protection juridique de l'environnement au Québec*, Montréal, Thémis, 1982.

Durry, *Distinction*
Durry, G., *La distinction de la responsabilité contractuelle et de la responsabilité délictuelle*, Montréal, C.R.D.P.C.Q., 1986.

Dussault et Borgeat, *Droit administratif*
Dussault, R. et L. Borgeat, *Traité de droit administratif*, 2e éd., 3 t., Québec, Presses de l'Université Laval, t. 1, 1984.

Duverger, *Institutions politiques*
Duverger, M., *Institutions politiques et droit constitutionnel*, 2 t., Paris, Presses universitaires de France, t. 1, 15e éd., 1978.

Édits et Ordonnances
Édits, Ordonnances Royaux, Déclarations et Arrêts du Conseil d'État du Roi concernant le Canada, 3 t., Québec, Presse à vapeur E.R. Fréchette, 1854.

Encyclopédie
Encyclopédie juridique Dalloz, Répertoire de droit international, 2 vol. publiés sous la direction de P. Francescakis, Paris, Dalloz, 1968-1969, suppléments.

Esmein, D.1964, Chr.205
Esmein, P., « Le nez de Cléopatre ou les affres de la causalité », D. 1964, Chr.205.

Fabien, (1978) 19 *C. de D.* 55
Fabien, C., « L'abus de pouvoirs du mandataire en droit civil québécois » (1978) 19 *C. de D.* 55.

Fabien et Morel, (1980-1981) 15 *R.J.T.* 319
Fabien, C. et A.M. Morel, « Le mandat apparent » (1980-1981) 15 *R.J.T.* 319.

Fadlallah, *Famille légitime*
Fadlallah, I., *La famille légitime en droit international privé*, Paris, Dalloz, 1977.

Fallon, *Accidents de la consommation*
Fallon, M., *Les accidents de la consommation et le droit*, Bruxelles, Bruylant, 1982.

Faribault, *Fiducie*
Faribault, M., *Traité théorique et pratique de la fiducie ou Trust du droit civil dans la province de Québec*, Montréal, Wilson & Lafleur, 1936.

Faribault, dans *Traité*
Faribault , L., dans *Traité de droit civil du Québec*, 15 t., Montréal, Wilson & Lafleur, t. 7-bis, *Des quasi-contrats, de l'objet et de l'effet des obligations*, 1957; t. 8-bis, *Des diverses espèces d'obligations et de l'extinction des obligations*, 1959; t. 11, *De la vente*, 1961; t. 12, *Du louage*, 1951.

Fauchères, *Rép. proc. civ.*
Fauchères, J., dans *Répertoire de procédure civile* : voir référence sous ce titre.

Fayard, *Impenses*
Fayard, M.-C., *Les Impenses*, Paris, L.G.D.J., 1969.

Fenaux, *Rép. proc. civ.*
Fenaux, H., dans *Répertoire de procédure civile* : voir référence sous ce titre.

Flour et Aubert, *Obligations*
Flour, J. et J.L. Aubert, *Les obligations*, 3e éd., 2 vol., Paris, Librairie Armand Colin, vol. 1, 1988; vol. 2, 1981.

Fortin et Viau, *Droit pénal général*
Fortin, J. et L. Viau, *Traité de droit pénal général*, Montréal, Thémis, 1982.

Fournier, *Rép. droit civ.*
Fournier, M., dans *Répertoire de droit civil* : voir référence sous ce titre.

Francescakis, dans *Encyclopédie*
Francescakis, P., dans *Encyclopédie juridique Dalloz, Répertoire de droit international*, 2 vol. publiés sous la direction de P. Francescakis, Paris, Dalloz, 1968-1969, suppléments.

Francescakis, *Théorie du renvoi*
Francescakis, P., *La théorie du renvoi et les conflits de systèmes en droit international privé*, Paris, Sirey, 1958.

Francescakis, R.C. 1954.552
Francescakis, P., note sous Paris, 1e Ch., 7 juillet 1954, *R.C.* 1954. 552.

Francescakis et Kiss, dans *Encyclopédie*
Francescakis, P. et A.C. Kiss, dans *Encyclopédie juridique Dalloz* : *Répertoire de droit international*, 2 vol. publiés sous la direction de P. Francescakis, Paris, Dalloz, 1968-1969, suppléments.

Franck, *Droit canonique*
Franck, B., *Vers un nouveau droit canonique?*, Paris, Éditions du Cerf, 1983.

Françon, dans *Travaux Henri Capitant*, t. 24, 117
Françon, A., « La protection du consommateur dans la conclusion des contrats civils et commerciaux en droit français », dans *Travaux de l'Association Henri Capitant pour la culture juridique française*, 33 t., Paris, Librairie Dalloz, t. 24, 1975, 117.

Fréchette, (1972) 3 *R.D.U.S.* 121
Fréchette, J.-G., « La prescription en droit international privé » (1972) 3 *R.D.U.S.*121.

Garon et Royer, (1972) 50 *R. du B. Can.* 389
Garon, J.-R. et J.-C. Royer, « Les effets de la dépréciation monétaire sur les rapports juridiques contractuels en droit commercial canadien et québécois » (1972) 50 *R. du B. Can.* 389.

Garsonnet et Cézar-Bru, *Traité*
Garsonnet, E. et C. Cézar-Bru, *Traité théorique et pratique de procédure civile et commerciale en justice de paix et devant les conseils de Prud'Hommes*, 3e éd. revue, corrigée et mise au courant de la Législation et de la Jurisprudence, 9 t., Paris, Sirey, 1912-1925, t. 1, 1912.

Gassin, D.1961, Chr.91
Gassin, R., « Lois spéciales et droit commun », D. 1961, Chr.91.

Gaudemet, *Institutions*
Gaudemet, J., *Institutions de l'Antiquité*, 2e éd., Paris, Sirey, 1982.

Gaudemet, *Théorie*
Gaudemet, E., *Théorie générale des obligations*, Paris, Sirey, 1965.

Geny, *Méthode*
Geny, F., *Méthode d'interprétation et sources en droit privé positif*, 2e éd. revue et mise au courant, 2 t., Paris, L.G.D.J., 1919.

Gérin-Lajoie, *Du domicile*
Gérin-Lajoie, A., *Du domicile et de la juridiction des tribunaux,* Montréal, Imprimerie Modèle, 1922.

Ghestin, *Contrat*
Ghestin, J., *Les obligations. Le contrat: formation,* dans *Traité de droit civil,* 8 t., sous la direction de J. Ghestin, Paris, L.G.D.J., t. 2, vol. 1, 2e éd., 1988.

Ghestin, *Contrat,* 1980.
Ghestin, J., *Les obligations. Le contrat: formation,* dans *Traité de droit civil,* t. 2, vol. 1, Paris, L.G.D.J., 1980.

Ghestin et Goubeaux, *Introduction*
Ghestin, J. et G. Goubeaux, *Introduction générale,* dans *Traité de droit civil,* 8 t., sous la direction de J. Ghestin, Paris, L.G.D.J., t. 1, 3e éd., 1990.

Giffard, *Précis*
Giffard, A.-E., *Précis de droit romain,* 2 t., Paris, Dalloz, t. 1, 4e éd., 1953.

Giroux, *Privilège ouvrier*
Giroux, G.-M., *Le privilège ouvrier,* Montréal, Éditions A. Lévesque, 1933.

Giverdon, *Rép. proc. civ.*
Giverdon, C., dans *Répertoire de procédure civile* : voir référence sous ce titre.

Goré, *Rev. trim. dr. civ.* 1947, 151
Goré, F., « Le moment du transfert de propriété dans les ventes à livrer », *Rev. trim. dr. civ.* 1947, 151.

Goulet, Robinson et Shelton, *Domaine privé*
Goulet, J., A. Robinson et D. Shelton, *Théorie générale du domaine privé,* 2e éd., Montréal, Wilson & Lafleur / Sorej, 1984.

Graulich , dans *Mélanges Dabin,* 629
Graulich, P., « Règles de conflit et règles d'application immédiate », dans *Mélanges Dabin,* 2 vol., Paris, Sirey, vol. 2, 1963, 629.

Groffier, *Précis*
Groffier, E., *Précis de droit international privé québécois,* 4e éd., Cowansville (Québec), Éditions Yvon Blais, 1990.

Gross, *Rép. droit civ.*
Gross, B., dans *Répertoire de droit civil* : voir référence sous ce titre.

Guigue, *Rép. proc. civ.*
Guigue, J., dans *Répertoire de procédure civile* : voir référence sous ce titre.

Guy, (1971) 2 *R.D.U.S.* 141
Guy, M., « La Confusion » (1971) 2 *R.D.U.S.* 141.

Guy, (1981) *C.P. du N.* 1
Guy, M., « Aperçu général des incidences de la loi 89 sur la pratique notariale » (1981) *C. P. du N.* 1.

Haanappel, (1979-1980) 25 *R.D. McGill* 300
Haanappel, P.P.C., « La responsabilité civile du manufacturier en droit québécois » (1979-1980) 25 *R.D. McGill* 300.

Houin, *Rev. trim. dr. civ.* 1947, 45, 383
Houin, M.R., « Les incapacités », *Rev. trim. dr. civ.* 1947, 45, 383.

Houin et Rodière, *Droit commercial*
Houin, R. et R. Rodière, *Cours élémentaire — droit — économie : Droit commercial*, 7e éd., Paris, Sirey, 1981.

Huet-Weiller, *Rép. droit civ.*
Huet-Weiller, D., dans *Répertoire de droit civil* : voir référence sous ce titre.

Jacoby, (1972) 32 *R. du B.* 121
Jacoby, D., « Réflexions sur le concept de cas fortuit » (1972) 32 *R. du B.* 121.

Jestaz, *Rép. droit civ.*
Jestaz, P., dans *Répertoire de droit civil* : voir référence sous ce titre.

Jetté, (1923) 1 *R. du D.* 193
Jetté, L.-A., « Statuts réels et personnels » (1923) 1 *R. du D.* 193.

Jetté, (1923-1924) 2 *R. du D.* 210
Jetté, L.-A., « Du domicile » (1923-1924) 2 *R. du D.* 210.

Jobin, (1973) 14 *C. de* D. 343
Jobin, P.-G., « La sanction du dol sur un vice caché » (1973) 14 *C. de D.* 343.

Jobin, *Rev. int. dr. comp.* 1977, 331
Jobin, P.-G., « La rapide évolution de la lésion en droit québécois », *Rev. int. dr. comp.* 1977, 331.

Jobin, (1979-1980) 25 *R.D. McGill* 296
Jobin, P.-G., « L'arrêt Kravitz : une réponse qui soulève plus d'une question » (1979-1980) 25 *R.D. McGill* 296.

Jobin, (1981-1982) 27 *R.D. McGill* 813
Jobin, P.-G., «*Wabasso* : un arrêt tristement célèbre » (1981-1982) 27 *R.D. McGill* 813.

Jobin, *Louage de choses*
Jobin, P.-G., *Le louage de choses*, dans *Traité de droit civil*, Montréal, C.R.D.P.C.Q. / Éditions Yvon Blais, 1989.

***Journal Barreau* (15 février 1987)**
« Le droit — et les avocats et notaires — occupent une place de plus en plus importante au sein de l'Administration publique » *Le Journal Barreau* (15 février 1987) 8.

Juris-Cl. Proc. Civ.
Juris-classeur de procédure civile, publié sous la direction de R. Perrot et C. Giverdon, 8 t., Paris, Éditions Techniques.

Kouri, (1987) 17 *R.D.U.S.* 493
Kouri, R.P., « La causalité et l'obligation de renseigner en droit médical québécois » (1987) 17 *R.D.U.S.* 493.

Labrusse-Riou, *Rép. droit civ.*
Labrusse-Riou, C., dans *Répertoire de droit civil* : voir référence sous ce titre.

Lagarde, *Ordre public*
Lagarde, P., *Recherches sur l'ordre public en droit international privé*, Paris, L.G.D.J., 1959.

Lainé, *Introduction*
Lainé, A., *Introduction au droit international privé*, 2 t., Paris, Pichon, t. 1, 1888; t. 2, 1892.

Lalonde, dans *Traité*
Lalonde, C.H., dans *Traité de droit civil du Québec*, 15 t., Montréal, Wilson & Lafleur, t. 6, *Les substitutions, la prohibition d'aliéner, la fiducie, le placement des biens appartenant à autrui*, 1958.

Lamontagne, *R.D.* Titres immobiliers — Doctrine — Doc. 13
Lamontagne, D.-C., « Les radiations », dans *Répertoire de droit.* Titres immobiliers — Doctrine — Document 13.

Langelier, *Droit civil*
Langelier, F.C.S., *Cours de droit civil de la province de Québec*, 6 t., Montréal, Wilson & Lafleur, t. 6, 1911.

Larouche, *Obligations*
Larouche, A., *Les obligations. Théorie générale des contrats, quasi-contrats*, Ottawa, Éditions de l'Université d'Ottawa, t. 1, 1982.

Larroumet, *Droit civil*
Larroumet, C., *Droit civil*, 3 t., Paris, Economica, t. 1, *Introduction à l'étude du droit privé*, 1984; t. 2, 2e éd., *Les biens, droits réels principaux*, 1988; t. 3, 3e éd., *Les obligations*, 1e part., 1986.

Lauzon, *Exécution des jugements*
Lauzon, Y., *Droit judiciaire privé 1. Exécution des jugements*, 2e éd., Montréal, Thémis, 1985.

Lavallée, (1929-1930) 32 *R. du N.* 100
Lavallée, A., « Des diverses espèces de radiation » (1929-1930) 32 *R. du N.* 100.

Lecomte, *Rev. trim. dr. civ.* 1935, 305
Lecomte, A., « La clause de style », *Rev. trim. dr. civ.* 1935, 305.

Légier, *Rép. proc. civ.*
Légier, G., dans *Répertoire de procédure civile* : voir référence sous ce titre.

Lerebours-Pigeonnière et Loussouarn, *Droit int. privé*
Lerebours-Pigeonnière, P. et Y. Loussouarn, *Droit international privé*, 9e éd., Paris, Dalloz, 1970.

Le Tourneau, *Responsabilité*
Le Tourneau, P., *La responsabilité civile*, 3e éd., Paris, Dalloz, 1982.

Le Tourneau, dans *Ventes internationales*, 232
Le Tourneau, P., « Conformités et garanties en droit français de la vente », dans *Les ventes internationales de marchandises*, Paris, Economica, 1981, 232.

L'Heureux, *Consommation*
L'Heureux, N., *Droit de la consommation*, 2e éd., Montréal, Wilson & Lafleur / Sorej, 1983.

L'Heureux, *Droit commercial*
L'Heureux, N., *Précis de droit commercial du Québec*, 2e éd. entièrement revue et augmentée, Québec, Presses de l'Université Laval, 1975.

L'Heureux-Dubé, (1979) 39 *R. du B.* 835
L'Heureux-Dubé, C., « La garde conjointe, concept acceptable ou non? » (1979) 39 *R. du B.* 835.

Lilkoff, (1966) 26 *R. du B.* 534
Lilkoff, L., « Le code civil et le critère jurisprudentiel de la commercialité » (1966) 26 *R. du B.* 534.

Lluelles, (1982-1983) 85 *R. du N.* 251
Lluelles, D., « La servitude administrative et les professionnels? » (1982-1983) 85 *R. du N.* 251.

Lluelles et Trudel, (1984) 18 *R.J.T.* 219
Lluelles, D. et P. Trudel, « L'application de la Charte canadienne des droits et libertés aux rapports de droit privé » (1984) 18 *R.J.T.* 219.

Lord, *Termes et bornes*
Lord, F., *Termes et bornes*, Montréal, Wilson & Lafleur, 1939.

Loussouarn et Bourel, *Droit int. privé*
Loussouarn, Y. et P. Bourel, *Droit international privé*, 3e éd., Paris, Dalloz, 1988.

Mackay, dans *Rapports canadiens*, 1
Mackay, J., « La garantie apportée par l'intervention du notaire dans les phases préliminaires à la conclusion de la vente », XIXe Congrès de l'Union internationale du notariat latin, Amsterdam, du 21 au 27 mai 1989, dans *Rapports canadiens Québec*, Montréal, Chambre des notaires du Québec, 1989, 1-61.

Mailhot, dans *Moyens préliminaires*, Préface
Mailhot, L, « Préface », dans *Les moyens préliminaires de défenses*, par H. Kelada et S. Naguib, Montréal, SOQUIJ, 1987.

Malaurie, *Rép. droit com.*
Malaurie, P., dans *Répertoire de droit commercial* : voir référence sous ce titre.

Malinvaud, *Gaz. Pal.* 1973, 2 Doctr. 463
Malinvaud, M.P., « La responsabilité civile du fabricant en droit français », Gaz. Pal. 2e sem. 1973, Chron. 463.

Malinvaud, D.1974.1.138
Malinvaud, M.P., note sous Cass. com., 27 février 1973, D. 1974.1.138.

Marquis, (1987) 90 *R. du N.* 163
Marquis, P. Y., « Le droit et le notariat » (1987) 90 *R. du N.* 163.

Martin, *Juris-Cl. Proc. civ.*
Martin, R., dans *Juris-Classeur de procédure civile* : voir référence sous ce titre.

Martineau, (1977-1978) 80 *R. du N.* 357
Martineau, J., « L'acte notarié : sa formation, sa validité, son efficacité et sa libre circulation » (1977-1978) 80 *R. du N.* 357.

Martineau, *Biens*
Martineau, P., *Les biens*, 5e éd., Montréal, Thémis, 1979.

Martineau, *Prescription*
Martineau, P., *La prescription*, Montréal, Presses de l'Université de Montréal, 1977.

Martineau, (1980-1981) 15 *R.J.T.* 101
Martineau, P., « Considérations sur les servitudes de vue » (1980-1981) 15 *R.J.T.*101.

Marty, *Distinction du fait et du droit*
Marty, G., *La distinction du fait et du droit*, Paris, Sirey, 1929.

Marty et Raynaud, *Biens*
Marty, G. et P. Raynaud, *Droit civil. Les biens*, 2e éd., Paris, Sirey, 1980.

Marty et Raynaud, *Introduction*
Marty, G. et P. Raynaud, *Droit civil. Introduction générale à l'étude du droit*, 2e éd., Paris, Sirey, 1972.

Marty et Raynaud, *Obligations*, t. 1
Marty, G. et P. Raynaud, *Droit civil. Les Obligations*, t. 1, 2e éd., Paris, Sirey, 1988.

Marty et Raynaud, *Obligations*, 1962
Marty, G. et P. Raynaud, *Droit civil. Les obligations*, Paris, Sirey, 1962.

Marty et Raynaud, *Personnes*
Marty, G. et P. Raynaud, *Droit civil. Les personnes*, 3e éd., Paris, Sirey, 1976.

Marty et Raynaud, *Successions*
Marty, G. et P. Raynaud, *Droit civil. Les successions et les libéralités*, Paris, Sirey, 1983.

Marty, Raynaud et Jestaz, *Obligations*, t. 2
Marty, G., P. Raynaud et P. Jestaz, *Droit civil. Les obligations*, t. 2 , 2e éd., Paris, Sirey, 1989.

Marty, Raynaud et Jestaz, *Sûretés*
Marty, G., P. Raynaud et P. Jestaz, *Droit civil. Les sûretés. La publicité foncière*, 2e éd., Paris, Sirey, 1987.

Maurice, *Rép. proc. civ.*
Maurice, R., dans *Répertoire de procédure civile* : voir référence sous ce titre.

Maury, *Éviction*
Maury, J., *L'éviction de la loi normalement compétente : l'ordre public international et la fraude à la loi*, Universidad Valladolid, 1952.

Mayer, *Droit int. privé*
Mayer, P., *Droit international privé*, 3e éd., Paris, Montchrestien, 1987.

Mayrand, *Inviolabilité*
Mayrand, A., *L'inviolabilité de la personne humaine*, Montréal, Wilson & Lafleur, 1975.

Mayrand, *Successions*
Mayrand, A., *Les successions ab intestat*, Montréal, Presses de l'Université de Montréal, 1971.

Mayrand, (1958) 18 *R. du B.* 1
Mayrand, A., « L'énigme des fautes simultanées » (1958) 18 *R. du B.* 1.

Mayrand, (1962) 22 *R. du B.* 1
Mayrand, A., « Que vaut la vie? » (1962) 22 *R. du B.* 1.

Mayrand, (1988) 67 *R. du B. Can.* 193
Mayrand, A., « La garde conjointe, rééquilibre de l'autorité parentale » (1988) 67 *R. du B. Can.* 193.

Mazeaud, *Traité*
Mazeaud, H., L. et J., *Traité théorique et pratique de la responsabilité civile délictuelle et contractuelle*, 6e éd. refondue, 3 t., Paris, Montchrestien, t. 2, 1970.

Mazeaud et Chabas, *Leçons*
Mazeaud, H., L. et J. et F. Chabas, *Leçons de droit civil*, 4 t., Paris, Montchrestien, t. 1, vol. 1, 9e éd., 1990; t. 1, vol. 2, 7e éd., 1986; t. 2, vol. 1, 8e éd. par F. Chabas, 1990; t. 2, vol. 2, 7e éd. par F. Gianviti, 1989; t. 3, vol. 1, 6e éd. par V. Ranouil et F. Chabas, 1988; t. 3, vol. 2, 1e part., 7e éd. par M. de Juglart, 1987; t. 3, vol. 2, 2e part., 5e éd. par M. de Juglart, 1980; t. 4, vol. 2, 4e éd. par A. Breton, 1982.

Mazeaud et Chabas, *Traité*
Mazeaud, H., L. et J. et F. Chabas, *Traité théorique et pratique de la responsabilité civile délictuelle et contractuelle*, 6e éd. refondue, 3 t., Paris, Montchrestien, t. 1, vol. 3, 1976; t. 3, vol. 1, 1978; t. 3, vol. 2, 1983.

Mazeaud et Tunc, *Traité*
Mazeaud, H. et L. et A. Tunc, *Traité théorique et pratique de la responsabilité civile délictuelle et contractuelle*, 3 t., Paris, Montchrestien, t. 1, 6e éd., 1965.

Mendegris, *Rép. droit civ.*
Mendegris, R., dans *Répertoire de droit civil* : voir référence sous ce titre.

Mignault, *Droit civil*
Mignault, P.B., *Le droit civil canadien*, 9 t., Montréal, Whiteford / Théoret / Wilson & Lafleur, 1895-1916.

Mignault, dans *Journées*, 333
Mignault, P.B., « La responsabilité délictuelle en la province de Québec », dans *Journées du droit civil français* (1934), Montréal, Le Barreau de Montréal, 1936, 333.

Montpetit et Taillefer, dans *Traité*
Montpetit, A. et G. Taillefer, dans *Traité de droit civil du Québec*, 15 t., Montréal, Wilson & Lafleur, t. 3, *Les biens, la propriété, l'usufruit, l'usage, l'habitation, les servitudes réelles, l'emphytéose*, 1945.

Morel, *Louage*
Morel, A., *Le louage d'une habitation en droit québécois*, Montréal, Groupe de recherche en consommation, 1978.

Morel, (1984) 18 *R.J.T.* 253
Morel, A., « Le droit d'obtenir réparation en cas de violation de droits constitutionnels » (1984) 18 *R.J.T.* 253.

Morissette, (1984) 44 *R. du B.* 397
Morissette, Y.-M., « L'initiative judiciaire vouée à l'échec et la responsabilité de l'avocat ou de son mandant » (1984) 44 *R. du B.* 397.

Nadeau, dans *Mélanges Bissonnette*, 433
Nadeau, A., « Quelques notes sur le lien de causalité et sa preuve dans les actions en responsabilité civile », dans *Mélanges Bernard Bissonnette*, Montréal, Presses de l'Université de Montréal, 1963, 433.

Nadeau, (1939-1940) 42 *R. du N.* 435
Nadeau, A., « Des courtes prescriptions » (1939-1940) 42 *R. du N.* 435.

Nadeau et Ducharme, dans *Traité*
Nadeau, A. et L. Ducharme, dans *Traité de droit civil du Québec*, 15 t., Montréal, Wilson & Lafleur, t. 9, *La preuve en matières civiles et commerciales*, 1965.

Nadeau et Nadeau, *Responsabilité*
Nadeau, A. et R. Nadeau, *Traité pratique de la responsabilité civile délictuelle*, Montréal, Wilson & Lafleur, 1971.

Nantel, (1923-1924) 2 *R. du D.* 337, 385
Nantel, J.M., « Esquisse historique du Barreau de la Province de Québec, (1663-1924) » (1923-1924) 2 *R. du D.* 337, 385.

Nantel, (1944) 4 *R. du B.* 17
Nantel, J.M., « Les conseils du roi » (1944) 4 *R. du B.* 17.

Nantel, (1946) 6 *R. du B.* 97
Nantel, J.M., « Pionniers du Barreau » (1946) 6 *R. du B.* 97.

Niboyet, *Cours*
Niboyet, J.-P., *Cours de droit international privé français*, 2e éd., Paris, Sirey, 1949.

Niboyet, *Rép. droit int.*
Niboyet, J.-P., dans *Répertoire de droit international* : voir référence sous ce titre.

Niboyet, *Traité*
Niboyet, J.-P., *Traité de droit international privé français*, 6 t., Paris, Sirey, t. 3, 1944.

Olivier Martin, *Histoire*
Olivier Martin, F., *Histoire de la coutume de la prévôté et vicomté de Paris*, 2 t., Paris, Cujas, 1972.

Oppetit, J.C.P.1965.II.14035
Oppetit, B., note sous Cass. civ. 1e, 20 janvier 1964, J.C.P. 1965.II.14035.

O.R.C.C., *Commentaires*
Office de révision du code civil, *Rapport sur le Code civil du Québec*, 2 vol., Québec, Éditeur officiel du Québec, 1978, vol. 2 : *Commentaires*, 2 t.

O.R.C.C., *Projet*
Office de révision du Code civil, *Rapport sur le Code civil du Québec*, 2 vol., Québec, Éditeur officiel du Québec, 1978, vol. 1 : *Projet de Code civil.*

Ouellette, *Famille*
Ouellette, M., *Droit de la famille*, Montréal, Thémis, 1984.

Ouellette, (1982) 13 *R.G.D.* 109
Ouellette, M., « Le nouveau droit de la famille et l'adoption » (1982) 13 *R.G.D.* 109.

Ouellette, (1984) 14 *R.D.U.S.* 455
Ouellette, M., « Le rôle de la pratique dans la formation du droit civil » (1984) 14 *R.D.U.S.* 455.

Ouellette, (1988) 1 *C. P. du N.* 133
Ouellette, M., « De la capacité des personnes » (1988) 1 *C.P. du N.* 133.

Ourliac et de Malafosse, *Histoire*
Ourliac, P. et J. de Malafosse, *Histoire du droit privé*, 2e éd. mise à jour, 3 t., Paris, Presses universitaires de France, t. 1, 1969; t. 2, 1971.

Pardessus, *Droit commercial*
Pardessus, J.-M., *Cours de droit commercial*, nouvelle édition, 3 t., Bruxelles, Société Belge de librairie Hauman et Cie, 1842-1843, t. 3, 1843.

Payette, dans *Meredith Memorial Lectures* (1976-1977) 43
Payette, L., « La charge flottante », dans *Meredith Memorial Lectures* (1976-1977) Faculty of Law, McGill University, 43.

Payette, (1976) *C.P. du N.* 141
Payette, L., « Cession de priorité et renonciation en matière d'hypothèque » (1976) *C.P. du N.* 141.

Pelland, (1932-1933) 11 *R. du D.* 552
Pelland, L., « Le privilège ouvrier » (1932-1933) 11 *R. du D.* 552.

Pellegrin-Hardorff, *Rép. droit civ.*
Pellegrin-Hardorff, A., dans *Répertoire de droit civil* : voir référence sous ce titre.

Pépin et Ouellette, *Principes*
Pépin, G. et Y. Ouellette, *Principes de contentieux administratif*, Cowansville (Québec), Éditions Yvon Blais, 1982.

Perrault, *Droit commercial*
Perrault, A., *Traité de droit commercial*, 3 t., Montréal, Éditions A. Lévesque, 1936-1940.

Perrot et Réglade, *Rép. droit civ.*
Perrot, R. et S. Réglade, dans *Répertoire de droit civil* : voir référence sous ce titre.

Pigeon, *Rédaction*
Pigeon, L.-P., *Rédaction et interprétation des lois*, coll. Études juridiques, Québec, Éditeur officiel du Québec, 1986.

Pillet, *Traité*
Pillet, A., *Traité pratique de droit international privé*, 2 t., Paris, Sirey, t. 1, 1923.

Pilon, *Législation*
Pilon, S., *La nouvelle législation en matière familiale au Québec*, Montréal, Éditions Yvon Blais, 1984.

Pineau, *Famille*
Pineau, J., *La famille. Droit applicable au lendemain de la "Loi 89"*, Montréal, Presses de l'Université de Montréal, 1982.

Pineau, *Famille*, 1972
Pineau, J., *La famille*, Montréal, Presses de l'Université de Montréal, 1972.

Pineau, *Transport*
Pineau, J., *Le contrat de transport terrestre, maritime, aérien*, Montréal, Thémis, 1986.

Pineau, (1964-1965) 67 *R. du N.* 387
Pineau, J., « À la recherche d'une solution au problème de la promesse de vente » (1964-1965) 67 *R. du N.* 387.

Pineau et Burman, *Obligations*
Pineau, J. et D. Burman, *Théorie des obligations*, 2e éd., Montréal, Thémis, 1988.

Pineau et Ouellette, *Responsabilité*
Pineau, J. et M. Ouellette, *Théorie de la responsabilité civile*, 2e éd., Montréal, Thémis, 1980.

Planiol, *Traité*
Planiol, M., *Traité élémentaire de droit civil*, 3 t., Paris, L.G.D.J., 1915-1918, t. 2, 7e éd., 1917.

Planiol et Ripert, *Traité*
Planiol, M. et G. Ripert, *Traité pratique de droit civil français*, 2e éd., 13 t., Paris, L.G.D.J., t. 1 par R. Savatier, 1952; t. 3 par M. Picard, 1952; t. 6 par P. Esmein, 1952; t. 7 par P. Esmein, J. Radouant et G. Gabolde, 1954; t. 10 par J. Hamel, 1956; t. 11 par A. Rouast, J. Lepargneur, R. Savatier et A. Besson, 1954; t. 12 par E. Becqué, 1953.

Portalis, dans *Discours, Rapports et Travaux*, Discours de présentation
Portalis, J.E.M., « Discours de présentation du Code civil », dans *Discours, Rapports et Travaux inédits sur le Code civil*, Paris, Joubert, 1844.

Portalis, dans *Discours, Rapports et Travaux*, Exposé des motifs du projet de loi intitulé : Titre préliminaire
Portalis, J.E.M., « Exposé des motifs du projet de loi intitulé : Titre préliminaire : De la publication, des effets et de l'application des lois en général, présenté le 4 ventôse an XI », dans *Discours, Rapports et Travaux inédits sur le Code civil*, Paris, Joubert, 1844.

Portalis, dans *Projet*, Discours préliminaire
Portalis, J.E.M., « Discours préliminaire », dans *Projet de Code civil*, 2 t., Paris, Le petit jeune, Palais du Tribunat, An IX, t. 1.

Pothier, *Oeuvres*
Pothier, R.J., *Oeuvres de Pothier*, annotées et mises en corrélation avec le Code civil et la législation actuelle par M. Bugnet, 2e éd., 11 t., Paris, Cosse et Marchal, 1861.

Pourcelet, *Vente*
Pourcelet, M., *La vente*, 5e éd., Montréal, Thémis, 1987.

Pourcelet, (1963-1964) 66 *R. du N.* 285
Pourcelet, M., « De la clause résolutoire à la clause de dation en paiement dans les ventes immobilières » (1963-1964) 66 *R. du N.* 285.

Pourcelet, (1965-1966) 68 *R. du N.* 250
Pourcelet, M., « Le fonds enclavé » (1965-1966) 68 *R. du N.* 250.

Prévost, (1966) 26 *R. du B.* 645
Prévost, Y., « Le droit de propriété face à l'expropriation, à l'homologation et à la nationalisation » (1966) 26 *R. du B.* 645.

Rapport de la C.E.A.A.N.
Action 80. Rapport de la commission d'étude et d'action sur l'avenir du notariat, Montréal, Chambre des Notaires du Québec, 1980.

Rapports des Commissaires
Rapports des Commissaires chargés de codifier les lois du Bas Canada, en matières civiles, Québec, George E. Desbarats, 1865, 7 rapports et un supplément.

Raynaud, *Rev. trim. dr. civ.* 1936, 763
Raynaud, P., « La renonciation à un droit », *Rev. trim. dr. civ.* 1936, 763.

Rémillard, *Fédéralisme canadien*
Rémillard, G., *Le fédéralisme canadien*, Montréal, Éditions Québec/Amérique, 1980.

Rémillard, (1979) 20 *C. de D.* 237
Rémillard, G., « Souveraineté et fédéralisme » (1979) 20 *C. de D.* 237.

Rép. droit civ.
Répertoire de droit civil, publié sous la direction de P. Raynaud, 2e éd., 7 t., Paris, Dalloz, 1982, mise à jour 1989.

Rép. droit com.
Répertoire de droit commercial, publié sous la direction de J. Hémard, 2e éd., 5 t., Paris, Dalloz, 1973, mise à jour 1989.

Rép. droit int.
Répertoire de droit international, publié sous la direction de A. De Lapradelle et J.-P. Niboyet, 10 t., Paris, Sirey, 1929-1931; Supplément publié sous la direction de J.-P. Niboyet, 1934.

Rép. proc. civ.
Répertoire de procédure civile, publié sous la direction de P. Raynaud, 2e éd., 3 t., Paris, Dalloz, 1978, mise à jour 1989.

Reuter, *Droit int. public*
Reuter, P., *Droit international public*, Paris, Presses universitaires de France, 1976.

Rieg, *Rép. droit civ.*
Rieg, A., dans *Répertoire de droit civil* : voir référence sous ce titre.

Rioufol et Rico, *Notariat français*
Rioufol, J. et F. Rico, *Le notariat français*, coll. Que sais-je?, Paris, Presses universitaires de France, 1979.

Ripert, *Forces créatrices*
Ripert, G., *Les Forces créatrices du droit*, Paris, L.G.D.J., 1955.

Ripert et Boulanger, *Traité*
Ripert, G. et J. Boulanger, *Traité de droit civil*, 4 t., Paris, L.G.D.J., t. 1, 1956; t. 2, 1957; t.3, 1958; t. 4, 1959.

Ripert et Roblot, *Droit commercial*
Ripert, G. et R. Roblot, *Traité de droit commercial,* 3 t., Paris, L.G.D.J., t. 1, 13e éd., 1989; t. 2, 12e éd., 1990.

Robert, *Rép. proc. civ.*
Robert, J.-H., dans *Répertoire de procédure civile* : voir référence sous ce titre.

Robinot, *Rép. droit civ.*
Robinot, P., dans *Répertoire de droit civil* : voir référence sous ce titre.

Roch et Paré, dans *Traité*
Roch, H. et R. Paré, dans *Traité de droit civil du Québec,* 15 t., Montréal, Wilson & Lafleur, t. 13, *Du mandat, du prêt, du dépôt, de la société, des rentes viagères, des transactions, du jeu et pari, du cautionnement*, 1952.

Rodière, *Rép. droit civ.*
Rodière, R., dans *Répertoire de droit civil* : voir référence sous ce titre.

Rodière, *Responsabilité*
Rodière, R., *La responsabilité civile,* Paris, Rousseau et Cie, 1952.

Rodière, D.1965. Jur.79
Rodière, R., note sous Cass. com., 23 juin 1964, D. 1965. Jur.79.

Rodys, dans *Traité*
Rodys, W., dans *Traité de droit civil du Québec*, 15t., Montréal, Wilson & Lafleur, t. 15, *De la prescription*, 1958.

Roland et Boyer, *Locutions*
Roland, H. et L. Boyer, *Locutions latines et adages du droit français contemporain*, 2 t., Lyon, L'Hermès, 1977-1979.

Roubier, dans *Archives*, 83
Roubier, P., « Délimitation et intérêts pratiques de la catégorie des droits subjectifs », dans *Archives de philosophie du droit*, N° 9, Paris, Sirey, 1964, 83.

Roubier, *Droit transitoire*
Roubier, P., *Le droit transitoire*, 2e éd., Paris, Dalloz et Sirey, 1960.

Rousseau-Houle, *Contrats de construction*
Rousseau-Houle, T., *Les contrats de construction en droit public et privé,* Montréal, Wilson & Lafleur / Sorej, 1982.

Rousseau-Houle, *Précis*
Rousseau-Houle, T., *Précis du droit de la vente et du louage*, 2e éd., Québec, Presses de l'Université Laval, 1986.

Royer, *Preuve civile*
Royer, J.C., *La preuve civile*, Cowansville (Québec), Éditions Yvon Blais, 1987.

Saint Thomas d'Aquin, *Justice*
Saint Thomas d'Aquin, *Somme théologique*, Paris, Desclée & Cie, t. 1, 2e éd. traduite par M.S. Gillet, *La justice*, 1948.

Samson, (1980) 21 *C. de D.* 787
Samson, C., « Le contrat de concession commerciale et le libre marché » (1980) 21 *C. de D.* 787.

Savatier, *Traité*
Savatier, R., *Traité de la responsabilité civile en droit français,* 2 t., Paris, L.G.D.J., t. 2, 2e éd., 1951.

Savatier, *Rép. droit civ.*
Savatier, R., dans *Répertoire de droit civil* : voir référence sous ce titre.

Savatier, *Rev. trim. dr. civ.* 1958, 1
Savatier, R., « Vers de nouveaux aspects de la conception et de la classification juridique des biens corporels », *Rev. trim. dr. civ.* 1958, 1.

Savoie et Taschereau, *Procédure civile*
Savoie, R. et L.-P. Taschereau, *Procédure civile*, t. 1, Montréal, Guérin, 1973.

Scelle, *Droit ouvrier*
Scelle, G., *Le droit ouvrier*, Paris, Librairie Armand Colin, 1922.

Schmidt, (1974) 20 *McGill L.J.* 587
Schmidt, C.R., « Le concept de valeur réelle en évaluation foncière » (1974) 20 *McGill L.J.* 587.

Schmidt, *Rev. trim. dr. civ.* 1974, 46
Schmidt, J., « La sanction de la faute précontractuelle », *Rev. trim. dr. civ.* 1974, 46.

Sénécal, (1984) 44 *R. du B.* 545
Sénécal, Y., « Les professions juridiques chez les parlementaires québécois, 1867-1982 » (1984) 44 *R. du B.* 545.

Serra, *Obligation de non concurrence*
Serra, Y., *L'obligation de non concurrence dans le droit des contrats*, Paris, Sirey, 1970.

Simler, *Rev. trim. dr. civ.* 1972, 685
Simler, P., « La notion de garde de l'enfant (sa signification et son rôle au regard de l'autorité parentale) », *Rev. trim. dr. civ.* 1972, 685.

Simon, *Nom commercial*
Simon, H., *Le nom commercial*, Montréal, Wilson & Lafleur / Sorej, 1984.

Sirois, (1922-1923) 25 *R. du N.* 284
Sirois, J., (1922-1923) 25 *R. du N.* 284.

Smith, *Droit commercial*
Smith, J., *Cours de droit commercial général*, 2 t., Montréal, Centre d'édition juridique, 1979.

Solus et Perrot, *Droit judiciaire*
Solus, H. et R. Perrot, *Droit judiciaire privé*, 2 t., Paris, Sirey, t. 1, 1961.

Starck, *Introduction*
Starck, B., *Droit civil. Introduction*, Paris, Librairies techniques, 1976.

Starck, *Obligations*
Starck, B., *Droit civil. Obligations*, Paris, Librairies techniques, 1972.

Starck, Roland et Boyer, *Obligations*
Starck, B., H. Roland et L. Boyer, *Droit civil. Obligations*, 3e éd., 3 t., Paris, Librairies techniques, t. 2, 1989; t. 3 par H. Roland et L. Boyer, 1989.

Stoufflet, *Rép. droit civ.*
Stoufflet, J., dans *Répertoire de droit civil* : voir référence sous ce titre.

Talpis, (1975) *C.P. du N.* 225
Talpis, J.-A., « Les successions en droit international privé québécois » (1975) *C.P. du N.* 255.

Talpis, (1977) *C.P. du N.* 115
Talpis, J.-A., « Notions élémentaires de droit international privé québécois » (1977) *C.P. du. N.* 115.

Tancelin, *Jurisprudence*
Tancelin, M., *Jurisprudence sur les obligations*, 3e éd., Montréal, Wilson & Lafleur, 1988.

Tancelin, *Obligations*
Tancelin, M., *Des obligations : contrat et responsabilité*, 4e éd., Montréal, Wilson & Lafleur / Sorej, 1988.

Tancelin, *Obligations*, 1975
Tancelin, M., *Théorie du droit des obligations*, Québec, Presses de l'Université Laval, 1975.

Terré et Lequette, *Successions*
Terré, F. et Y. Lequette, *Droit civil. Les successions. Les libéralités*, 2e éd., Paris, Dalloz, 1988.

Trudel, dans *Traité*
Trudel, G., dans *Traité de droit civil du Québec*, 15 t., Montréal, Wilson & Lafleur, t. 1, *Le droit international privé, l'état civil, l'absence, le domicile, le mariage, la séparation de corps*, 1942; t. 7, *Des contrats*, 1946.

Tunc, *Responsabilité*
Tunc, A., *La responsabilité civile*, 2e éd., Paris, Economica, 1989.

Turgeon, (1937-1938) 40 *R. du N.* 433
Turgeon, H., « Du bornage et de l'action en bornage » (1937-1938) 40 *R. du N.* 433.

Vallée-Ouellet, (1978) 24 *R.D. McGill* 196
Vallée-Ouellet, F., « Les droits et obligations des copropriétaires » (1978) 24 *R.D. McGill* 196.

Vander Elst, *Lois de police et de sûreté*
Vander Elst, R., *Les lois de police et de sûreté en droit international privé français et belge*, 2 t., Paris, 1956.

Vanel, *Rép. droit civ.*
Vanel, M., dans *Répertoire de droit civil* : voir référence sous ce titre.

Verdier, *Droits éventuels*
Verdier, J.-M., *Les droits éventuels, contribution à l'étude de la formation successive des droits*, Paris, Rousseau, 1955.

Verdot et Hébraud, *Rép. droit civ.*
Verdot, R. et P. Hébraud, dans *Répertoire de droit civil* : voir référence sous ce titre.

Villers, *Rome*
Villers, R., *Rome et le droit privé*, Paris, Albin Michel, 1977.

Villey, *Philosophie du droit*
Villey, M., *Philosophie du droit*, 2 t., Paris, Dalloz, t. 1, 4e éd., 1986; t. 2, 2e éd., 1984.

Vincent, *Voies d'exécution*
Vincent, J., *Voies d'exécution et procédures de distribution*, 16e éd., Paris, Dalloz, 1987.

Vincent et Guinchard, *Procédure civile*
Vincent, J. et S. Guinchard, *Procédure civile*, 21e éd., Paris, Dalloz, 1987.

Viney, *Responsabilité*
Viney, G., dans *Traité de droit civil*, 5 t., sous la direction de J. Ghestin, Paris, L.G.D.J., t. 4, vol. 3, 1982.

Vitta, (1979) 162 *R.C.A.D.I.* (II) 13
Vitta, E., « Cours général de droit international privé » (1979) 162 *R.C.A.D.I.* (II) 13.

Weill, *Sûretés*
Weill, A., *Droit civil. Les sûretés. La publicité foncière,* Paris, Dalloz, 1979.

Weill et Terré, *Introduction*
Weill, A. et F. Terré, *Droit civil. Introduction générale*, 4e éd., Paris, Dalloz, 1979.

Weill et Terré, *Obligations*
Weill, A. et F. Terré, *Droit civil, Les obligations,* 4e éd., Paris, Dalloz, 1986.

Weill et Terré, *Personnes*
Weill, A. et F. Terré, *Droit civil, Les personnes, La famille, Les incapacités*, 5e éd., Paris, Dalloz, 1983.

Weill, Terré et Simler, *Biens*
Weill, A., F. Terré et P. Simler, *Droit civil. Les biens*, 3e éd., Paris, Dalloz, 1985.

Wiederkehr, *Rép. proc. civ.*
Wiederkehr, G., dans *Répertoire de procédure civile* : voir référence sous ce titre.